D1158882

DU MÊME AUTEUR

LE PARADOXE DU FONCTIONNAIRE (avec Évelyne Pisier), Calmann-
Lévy, 1988.
LA FORCE DU DROIT. Panorama des débats contemporains (s.d.), Éditions
Esprit, 1991.

nrf essais

Pierre Bouretz

Les promesses du monde

Philosophie de Max Weber

Préface de Paul Ricœur

Gallimard

© *Éditions Gallimard, 1996.*

PRÉFACE

Pierre Bouretz m'offre le grand plaisir de dire à ses lecteurs ce qui m'a paru faire la force et l'originalité de son livre. Beaucoup de travaux excellents ont porté sur la contribution de Max Weber à l'épistémologie des sciences sociales, qu'il s'agisse de la relation entre l'explication et la compréhension dans la notion mixte de l'« explication compréhensive », ou de l'individualisme méthodologique, autorisant une réduction des entités collectives à des constructions dérivées des interactions humaines. D'autres ont mis l'accent sur l'éthique adjacente à cette épistémologie, sous le titre de la « neutralité axiologique ». P. Bouretz a pris le parti de subordonner ces deux importantes innovations à la question qui lui paraît sous-jacente à toutes les autres, celle du désenchantement du monde. Max Weber est ainsi placé dans la compagnie des grands penseurs du politique : Hobbes, Machiavel, Kant, Hegel, Marx... Cet axe une fois choisi, P. Bouretz s'est employé à « vérifier » son hypothèse maîtresse en la transportant successivement dans les trois champs de l'économique, du politique et du juridique. Il attend des convergences et des corrélations entre les résultats collectés dans ces trois champs qu'elles fournissent l'équivalent philosophique, seul disponible, de ce que serait la vérification et la réfutation dans la science politique descriptive. Pour renforcer l'appareil de la preuve, P. Bouretz se prête à une confrontation avec les interprétations majeures, en langue française et en langues étrangères, de la sociologie wébérienne ou de la philosophie sous-jacente au grand œuvre. La place occupée par l'auteur dans ce concert critique se trouve ainsi clairement délimitée : tout en adoptant dans ses grandes lignes le diagnostic « sceptique » porté par Max Weber sur le destin de la rationalité moderne, il résiste vigoureusement à la fascination « nihiliste » qu'induit le néonietzschéisme wébérien. On peut, en effet, parler de résistance *dans la mesure où l'enjeu philosophique de tout l'ouvrage consiste à localiser les moments où l'analyse wébérienne de la modernité sacrifie à une sorte de découragement spéculatif la capacité de la rationalité à constituer de nos jours encore un instrument de libération. De là le ton pathétique contenu d'un livre scrupuleux et analytique, découvrant un penseur atteint personnellement au vif par le thème du désenchantement du monde et cherchant des raisons fortes de ne pas désespérer de la raison. Ce n'est pas un hasard si, dans l'épilogue, une sorte de dernier mot est laissé à un visiteur inattendu, Walter Benjamin, dont le maître mot en philosophie de l'histoire était celui de* Rettung, salut, sauvetage. *P. Bouretz semble alors nous dire : si Max Weber a descriptivement raison, comment lui donner axiologiquement tort ? « Question mortelle », aurait dit le philosophe Thomas Nagel...*

Si la thèse du désenchantement du monde est la véritable clé de l'œuvre de Max Weber, elle impose de commencer non par les Essais *sur la théorie de la science,* tels que les avait rassemblés pour nous Julien Freund en 1965, mais par les écrits consacrés à la sociologie des religions. C'est en effet dans la sphère de la motivation religieuse de l'action que doivent être trouvées les racines du désenchantement. L'idée même de désenchantement se détache sur le fond d'un monde enchanté, celui de la magie et des rites, dans lequel l'homme habite harmonieusement. Il revient alors au prophétisme juif, en rompant avec ce monde enchanté, d'introduire à la fois les promesses de la rationalité et les sources lointaines du désenchantement. Désenchantement double, dans la mesure où à la perte du jardin enchanté s'ajoute la perte des nouvelles raisons de vivre attachées à la rationalisation de la vie éthique par le commandement moral. Ce sera un thème constant de Max Weber : le retournement de la rationalité contre elle-même est contemporain de son triomphe. P. Bouretz situe avec précision le moment du retournement : il est contemporain de la naissance des grandes théodicées du Proche-Orient ; comment, interrogent ces dernières, l'imperfection du monde peut-elle être supportée, si ce monde est l'œuvre d'un dieu unique, puissant et bon ? Cette déception ouvre une alternative : ou la fuite hors du monde, ou l'ascétisme intramondain. C'est cette seconde branche de l'alternative qui triomphe avec le puritanisme anglo-saxon. L'importance de ce moment ne saurait être sous-estimée : c'est, comme on le sait par la lecture de* L'éthique *protestante et l'esprit du capitalisme, le temps axial, si l'on peut emprunter cette expression à Karl Jaspers, celui où le motif dominant de l'économie moderne s'articule sur une motivation religieuse forte, porteuse de toute* *l'ambivalence ultérieure, qui se trouve rattachée au thème de la rationalisation du monde. La confrontation avec l'explication matérialiste de Marx cesse alors de constituer le motif principal de la controverse : c'est la position simultanée de l'éthique protestante et de la motivation économique, sur la trajectoire de la rationalisation et du désenchantement, qui donne son sens fort à la conjonction du religieux et de l'économique. Mais on peut, dès ce stade, se demander s'il est vrai que le parcours de Max Weber à travers les figures du religieux jusqu'au point de confluence avec la problématique économique n'admet aucune lecture alternative. Dans la perspective même qui sera finalement celle de Pierre Bouretz, à savoir celle de la résistance au nihilisme induit par la thèse du retournement contre elle-même de la rationalisation du monde, on peut se demander si Max Weber n'a pas systématiquement éludé la question de l'univocité de son interprétation globale du phénomène religieux, et s'il n'a pas usurpé les titres de la neutralité axiologique du savant au bénéfice d'une interprétation globale hautement problématique, qui place la thèse du désenchantement du monde au même niveau que celle de la ruse de la raison selon Hegel. La théodicée a-t-elle été véritablement la question la plus importante liée au prophétisme juif ? Le souci de trouver une garantie et une réassurance contre le risque de damnation a-t-il été la motivation religieuse exclusive du christianisme, et plus spécifiquement du puritanisme ? Qu'en est-il du salut par la grâce, et de la foi sans garantie, par rapport au thème, peut-être surévalué, de la prédestination ? Il serait intéressant de savoir si Max Weber a rencontré dans son œuvre, que Pierre Bouretz déclare à plusieurs reprises ambivalente, le problème de l'équivocité dans l'interprétation des phénomènes culturels à grande échelle.*

On pourrait, du côté économique, se poser des questions symétriques. Elles concerneraient l'autre terme du couple que Weber recompose, quand il accole au motif religieux de l'investissement de la foi dans la vocation terrestre le motif rationnel générateur de l'entreprise capitaliste, à savoir l'accumulation du capital sous l'égide de l'esprit d'entreprise. Ce motif est-il le seul foyer générateur de la rationalité économique ? Qu'en est-il des vertus attachées à l'échange et au commerce et à la liaison aperçue par Montesquieu entre ces vertus et ce que ce dernier appelle la « liberté anglaise » ? La question récurrente de la plurivocité pourrait ainsi se poser à propos des deux termes de l'équation : éthique protestante et esprit du capitalisme.

Rebroussant du porche royal de la sociologie des religions vers la porte de service de l'épistémologie des sciences sociales, on peut se demander si les choses sont aussi claires au plan épisté-

mologique qu'il apparut à l'époque de Raymond Aron et d'Henri Irénée Marrou. Comment faire tenir ensemble la posture Wertfrei, *revendiquée par Weber, avec le recours aux significations vécues par les acteurs sociaux dans l'identification de l'objet des sciences sociales ? Certes, on peut rendre compte avec impartialité de ce qui paraît chargé de sens pour ces acteurs. Mais la même impartialité est-elle tenable, dès lors que ces significations se révèlent être ce que Charles Taylor appelle, dans* Sources of the Self, *des « évaluations fortes » ? Or il s'agit bien d'évaluations fortes, lorsque les significations en question portent sur le cours entier du processus historique de la rationalisation du monde. C'est aussi d'évaluations fortes qu'il est question dans le monde économique du travail, de la richesse et de la jouissance. C'est, plus encore, d'évaluations fortes qu'il est question dans le registre du politique, sous la figure des grands motifs d'obéissance, qui contribuent à la légitimation de la domination. Lorsque Pierre Bouretz reprochera* in fine *à Max Weber d'avoir méconnu les ressources de sens restées inentamées par le processus de désenchantement et préservées dans le vivre ensemble quotidien, n'est-il pas conduit rétroactivement à rechercher, dès les premières propositions de* Wirtschaft und Gesellschaft, *une sorte de complicité avec ce qui deviendra, sous la pression du processus de désenchantement, pétrification, déshumanisation, mortification ? Autrement dit, la sociologie compréhensive est-elle à l'abri, dans sa posture épistémologique, du présumé désenchantement, lequel ne serait pas seulement résultat, mais présupposition ? On peut soutenir que le désenchantement touche seulement − si l'on ose dire − le sens du sens, le sens réflexif, non le sens direct des conduites. Néanmoins, la question demeure de savoir jusqu'à quel point l'épistémologie wébérienne a réussi à s'immuniser par le biais de la neutralité axiologique contre la morsure du nihilisme. Ainsi, après avoir trop isolé les* Essais sur la théorie de la science *du reste de l'œuvre, peut-être faudrait-il aujourd'hui les protéger, par une lecture critique systématique, contre la contamination nihiliste engendrée par le reste de l'œuvre* [1].

Une nouvelle série de questions est posée par le degré de convergence entre ce qu'on appelle ici les « voies du désenchantement » : à savoir la sphère économique, la sphère politique et la sphère juridique. À vrai dire, les voies de la rationalisation restent assez disparates. On a vu ce qu'il en est des problèmes

---

1. Il est frappant que dans la typologie des motifs d'obéissance l'adjectif *rational* soit privilégié (*wert-rational*, etc.) ; or, c'est le procès de rationalisation qui est le siège du désenchantement.

posés par « *l'esprit du capitalisme* ». *Le politique pose des problèmes tout à fait spécifiques, une fois admise la prévalence de la
problématique de la domination. Il apparaît clairement que chez
Weber le moment de la violence est initial, médian et terminal :
on la croise à une extrémité comme matrice de pouvoirs ; à mi-
course comme force confisquée par l'État ; et elle resurgit comme
décisionnisme à l'autre bout de l'histoire politique ; quant à la
légitimation, elle ne consiste que dans les motifs d'obéissance.
Mais celle-ci ne s'élève jamais au rang de la reconnaissance hégélienne, assurée en dernier ressort, dans les* Principes de la philosophie du droit, *par la constitution ; or cette problématique
n'apparaît jamais, semble-t-il, chez Max Weber. On a raison de
regretter, avec Habermas, que de bout en bout de l'analyse de la
« rationalité en finalité », c'est-à-dire, en dernière analyse, la raison instrumentale occulte la « rationalité en valeur », qui seule
aurait pu alimenter une problématique distincte de légitimation.
Il en résulte que c'est dans le phénomène bureaucratique seulement que se concentrent à la fois la rationalisation du pouvoir et
le retournement de ce dernier en son contraire (cf. « Les raisons
de l'État bureaucratique » dans le chapitre VII). Le phénomène
bureaucratique est ainsi directement greffé sur la « logique
d'objectivation de la contrainte », donc sur la domination, et non
sur les aspects rationalisants de la légitimité, que l'on s'attendrait
à voir identifiés aux ressources de libération offertes par l'État de
droit. Ce n'est donc pas à tort que Pierre Bouretz place son analyse du phénomène bureaucratique sous le titre du « rationalisme
désenchanté dans l'univers moderne de l'économie, de la politique
et du droit ».*

*Dès lors, la convergence entre les trois ordres de phénomènes
considérés consiste moins dans un phénomène intelligible que
dans une énigme insondable, à savoir que c'est dans la même
instance et, pourrait-on dire, dans le même instant, que la rationalisation atteint son point culminant et que le retournement en
son contraire prend essor. On avait déjà remarqué cette étrange
superposition à l'occasion de l'analyse du puritanisme, lequel
marquait l'extrême rationalisation de l'ascétisme intramondain et
le début de son retournement. Or, il n'est proposé aucune interprétation de ce phénomène qui est appelé tantôt « paradoxe »,
tantôt « énigme », tantôt « retournement », et dont on a dit en
commençant qu'il constituait le strict symétrique de la ruse hégélienne de la raison. Que peut bien signifier cette exacte superposition de la rationalisation et de la perte de sens ? S'agit-il d'un
phénomène d'inertie en vertu duquel un processus, une fois lancé
dans l'histoire, survit à sa motivation initiale et produit des effets*

pervers hors du contrôle de sa justification primordiale ? On comprend que l'auteur revienne à maintes reprises sur les « ténèbres », le « secret » ou le « silence » de Max Weber concernant le sens global de son entreprise.

Ces perplexités concernant l'interprétation de l'œuvre de Max Weber placée sous le signe du désenchantement du monde ont leur répercussion sur le travail de reconstruction par lequel l'auteur s'emploie à relever le défi « nihiliste » contenu dans le diagnostic sceptique que porte Max Weber sur le cours de la modernité. La question est celle-ci : à quel moment de la longue séquence des propositions analytiques de Max Weber Pierre Bouretz va-t-il établir la ligne de résistance ? Il m'a semblé que ce que j'appelle ici ses arguments de résistant se laisse répartir en trois plans :

Sur un premier plan, l'auteur résiste à l'univocité de la lecture même du procès de rationalisation supposé se retourner contre lui-même. À cet égard il reste proche de Leo Strauss, lorsque celui-ci accuse de complaisance, voire de complicité, une analyse qui renforce le phénomène décrit. Si c'est le cas, les réserves devraient remonter jusqu'à la posture Wertfrei adoptée au plan de l'épistémologie des sciences sociales. On s'est déjà demandé plus haut jusqu'à quel point la neutralité axiologique était à l'abri de la contamination par le tour nihiliste de l'œuvre entière. On a pu évoquer cette question de la plurivocité de l'interprétation, aussi bien à l'occasion de l'analyse du phénomène puritain qu'à propos du phénomène politique de la domination ou à celui de l'État de droit. La question reste ouverte : jusqu'où faudrait-il remonter pour rouvrir la plurivocité ? Cette question me paraît essentielle, si l'on veut résister à l'effet d'éblouissement créé par les grandes métaphores wébériennes : « cage de fer », « lutte des dieux », « dernier homme », « enchantement » et « désenchantement ».

Sur un deuxième plan, la question posée est celle du sauvetage de la raison non instrumentale, de la « rationalité en valeur ». C'est le côté Habermas de l'ouvrage. Mais, jusqu'à quel point Pierre Bouretz assume-t-il pour lui-même le cognitivisme moral d'Habermas, et son entreprise fondationnelle portée au niveau du consensus sur les principes de l'éthique de la discussion ? C'est à ce même plan que se justifie le recours à Rawls, du moins celui de Théorie de la justice. Qu'il s'agisse de Habermas ou de Rawls, ou encore de Popper et de Hayek, la question est de savoir si ce plaidoyer pour la raison non instrumentale est compatible avec le diagnostic sceptique que Pierre Bouretz paraît assumer. La coupure passe-t-elle entre le scepticisme et le nihilisme, ou à travers les arguments générateurs de scepticisme ? Il semble que Haber-

mas et Rawls se distancient de Max Weber plus en amont que l'auteur ne paraît le concéder.

Sur un troisième plan enfin, l'enjeu n'est pas moins que la possibilité de reconstruire les catégories de la pensée et de l'action, au niveau même où se situent les toutes premières propositions de Wirtschaft und Gesellschaft. *C'est à ce plan que sont regroupés des arguments empruntés pour une part à la* Sittlichkeit *de Hegel (avec pour enjeu une problématique de l'objectivation sans réification des relations d'interaction), ou encore la corrélation entre les derniers paragraphes de la cinquième des* Méditations cartésiennes *de Husserl et les catégories sociales de Max Weber, ou encore divers emprunts à Hannah Arendt (sens commun, espace public, vouloir vivre ensemble). C'est à ce troisième plan que ressortiraient également des emprunts au dernier Rawls, celui du « consensus par recoupement » et des « désaccords raisonnables », ou encore au R. Dworkin de* L'empire du droit, *avec sa version narrative de la production des règles de justice sur un horizon moyen éthico-politique. Enfin – et surtout – c'est à ce plan que Pierre Bouretz fait véritablement front au pathétique, dans un « épilogue » qui ne vaut pas conclusion. Le ton de la riposte est donné par celui qui a été appelé plus haut l'invité surprise : à savoir Walter Benjamin. C'est vraiment « l'ange de l'histoire » de Paul Klee qui appelle, par la voix de Pierre Bouretz, au « réveil hors du XXᵉ siècle ».*

Paul Ricœur
29 décembre 1995

INTRODUCTION

La question de l'œuvre

Max Weber appartient à un temps révolu. Celui des grandes controverses fondatrices des sciences sociales, des querelles d'une théorie de la connaissance oscillant entre la Nature et l'Histoire, les lois de la causalité et la culture. Celui du conflit entre la philosophie et la science, entre un discours du système tenu dans le demi-jour qui sépare l'aube hégélienne du crépuscule nietzschéen et le projet d'une description du monde arrachée aux illusions de la métaphysique, simplement vouée à le comprendre sinon à le transformer. Celui enfin d'une politique en crise, vivant la rencontre brutale des idéaux libéraux et de la réalité de la guerre, des nationalités et des empires, subissant le choc des Lumières et de la déraison politique du XXe siècle. Mais cette crise est-elle surmontée au point qu'il faille admettre qu'une ultime ruse de la raison nous ait conduits au terme de l'Histoire ? Le conflit des points de vue a-t-il trouvé sa solution qui conduirait à un partage apaisé des savoirs ? Les controverses sont-elles éteintes pour régler enfin la focale qui conviendrait au regard de l'homme sur lui-même, les constructions de son esprit et de son activité ? Max Weber appartient à un temps qui est le nôtre.

Entre lui et nous se sont produites les catastrophes d'un siècle qui a bousculé notre intelligence de l'Histoire jusqu'à nous faire douter de la Raison. Mais Weber, à défaut de les avoir prédites, les avait du moins envisagées. Désolation d'un monde totalement administré, irruption d'une violence alliant irrationalité et sophistication technique, guerre de valeurs irréconciliables : l'époque a cumulé les éléments donnant prise au diagnostic wébérien d'un monde désenchanté. Au contact des premières convulsions du XXe siècle, annonciateur de certaines de celles qui devaient suivre, Max Weber en a sans doute saisi le moteur et la charge tragique. Mais il n'était pas prophète et les sources de cette lucidité sont à découvrir ailleurs. Dans une méthode bien sûr, qui, tirant argument de la mort des prophéties philosophiques et politiques, cherchait avant tout à accumuler les faits pour comprendre et les causes pour expliquer. Enjoignant au savant d'abandonner la posture du juge, il l'invitait à s'installer plutôt dans celle du médecin, auscultant le présent, disséquant le passé à la recherche de leurs liaisons et de leurs ruptures. Mais si les types idéaux wébériens ressemblent à s'y méprendre aux tableaux sémiologiques du clinicien, ils ont comme eux une signification qui dépasse la simple description, qui touche au diagnostic et au pronostic, à la réflexion sur les promesses du monde, les espoirs qu'elles accumulent et les déceptions qu'elles suscitent.

Parfois traités en scories d'une épistémologie exempte de toute interrogation évaluative, nombre des textes qui scandent la démarche de Max Weber résonnent de préoccupations pourtant liées à cette dimension du sens. Question de l'originalité et du devenir du monde occidental, statut de la rationalité du politique, de l'économique et du social dans l'univers moderne, problème enfin du lien entre connaissance et action, éthique et pratique : telles sont les origines de la pensée de Weber, qui fixent son ambition et sa portée. Mais celles-ci ne se réfléchissent alors pas seulement dans l'immense érudition mobilisée, dans la fresque d'une histoire de la rationalisation du monde ou dans les catégories de la sociologie empirique. Elles font signe vers d'autres questionnements, associés aux thématiques les plus énigmatiques de l'œuvre. Celle de la « cage d'acier » où s'enfermeraient les relations sociales d'un monde rationalisé. Celle de la résurgence d'une « guerre des dieux » sur fond de déclin des transcendances. Celle enfin d'une éventuelle perte de sens au sein de l'univers issu du processus de « désenchantement du monde ». Telles sont les perspectives qu'ouvre l'œuvre de Max Weber et qui font son actualité.

Témoin selon ses propres dires d'une « époque de culture qui a goûté à l'arbre de la connaissance [1] », Max Weber est au cœur de ses contradictions, conscient d'être situé au point exact d'un basculement. Dans l'ordre du savoir, au moment où l'homme peut prétendre maîtriser la nature par la science. Mais au moment aussi où ce triomphe prend le goût amer d'un désenchantement entretenu par l'épistémologie : « Aucune branche de l'activité scientifique, aucune connaissance scientifique (...), ne peut produire une vision du monde (*Weltanschauung*) [2]. » Dans l'ordre politique à l'époque où s'imposent les logiques de l'État et du droit qui enferment la légitimité dans les limites étroites d'un formalisme rationnel. Mais avec pour corollaire une autre forme de désenchantement : « Pour ce qui est du rêve de paix et de bonheur humain, il est écrit sur la porte de l'avenir incertain de l'histoire des hommes : *lasciate ogni speranza* [3]. »

Pouvons-nous assumer la dissolution des socles où s'attestait la pertinence des visions du monde ? La politique peut-elle être pensée et vécue hors de toute référence à la dimension d'une utopie ? Au-delà du sens particulier de chacune de nos actions, parfaitement interprétable dans les catégories de la méthode wébérienne, devons-nous demeurer orphelins de toute saisie d'un « sens du sens », d'un mode de garantie de la cohérence ultime de nos choix et de nos projets ? La force d'un Max Weber contemporain des débuts du siècle est de poser les questions qu'actualise l'époque de sa fin. Celles qui surgissent au lendemain de l'effondrement des idéologies messianiques en Occident. Celles qui accompagnent le sentiment de l'épuisement d'une histoire et semblent nous confronter à une redoutable alternative : l'ennui ou la résurgence de conflits que l'on croyait éteints.

Un postulat structure ce livre : plus que toute autre parmi ses contemporaines, la pensée de Max Weber offre des clefs irremplaçables de déchiffrement du monde moderne. Mais une inquiétude aussitôt l'accompagne : cette manière d'interroger l'époque n'aurait-elle pas plus qu'elle ne le souhaitait partie liée avec les allures désenchantées du siècle ? Chacun sait depuis Nietzsche par quels biais et comment le spectre du nihilisme hante la conscience européenne. Mais on voit moins sans doute les parts respectives d'un diagnostic lié à cette « mort de Dieu » que Heidegger interprétait comme la perte d'efficience du monde suprasensible et d'une forme de la connaissance qui se protège des risques de l'engagement dans les conflits du monde en repliant son ambition sur la description de ses états. Le fait que l'un des plus considérables monuments de savoir qu'ait produit l'idéal moderne de la science soulève ce type de problème est un éclatant symptôme. Mais pour massif qu'il soit, il tient aussi à l'expérience d'une lecture dont il faut brièvement restituer les attendus et les découvertes.

L'aventure d'une conversation

« Ainsi advient-il dans la lecture ce qui fait quelquefois l'aventure d'une conversation », écrit Claude Lefort sur l'une des premières portes de son *Machiavel* [4]. Comment mieux résumer la forme que prend souvent une longue familiarité avec une grande œuvre ? On commence avec déférence, porté peut-être par le besoin de reconnaître une autorité. On se glisse avec difficulté dans l'austérité d'un propos renforcée par l'étrangeté de la langue. Mais le secours des commentaires apporte des refuges contre les tourments qui naissent à la vision d'un massif imposant. Les voies qui se détachent ont la rudesse de celles que les montagnards se racontent à la veillée. Elles offrent pourtant des balises et l'on peut tenter sa variante. Puis vient le temps du doute, sollicité parfois par quelque lecteur curieux ou plus simplement sous l'effet d'une proximité nouvelle. On croyait avoir décelé une logique, estimé le poids d'une formule, mesuré le sens d'un passage incertain. Mais le charme se rompt et la confrontation fait naître une sorte de soupçon. L'outrance d'un terme, la virulence d'une attaque dissimulée sous l'ambiguïté d'un hommage, la cruauté de l'image enfouie sous la métaphore réveillent l'attention et finissent par interdire l'apaisement qui viendrait avec la certitude d'en avoir fini. L'expérience vaut pour le passage inlassablement cité et souvent commenté, mais qui demeure le détour obligé de toute lecture qui se respecte. Elle s'impose aussi pour celui que l'on découvre, que l'on voit en quelque sorte pour la première fois et qui accède ainsi à une forme de vie nouvelle. Il ne lui reste alors qu'à s'amplifier un peu plus, pour concerner l'œuvre entière, la pensée qu'elle expose dans la forme où elle est installée.

Comment briser ce cycle de l'enchantement et du soupçon qui semble destiner la lecture à une sorte d'enroulement perpétuel sur elle-même ? L'une des réponses serait si l'on veut de type décisionniste et consisterait à dire que cette spirale ne peut être interrompue que par une effraction du lecteur, l'irruption violente d'une subjectivité qui s'affirme pour cette raison précise qu'il faut faire taire en soi la pensée d'autrui avant de pouvoir avancer la sienne. L'autre, à l'inverse, viendrait s'appuyer sur la découverte d'un point aveugle du commentaire, pour avouer que l'on doit concéder à une radicale indétermination des textes dans une perspective d'allure déconstructionniste. Mais elles ont en commun cette présupposition qui veut que la disponibilité de l'œuvre tienne à sa nature d'objet mort, définitivement détaché du monde de la vie. Or telle n'est peut-être pas l'expérience la plus authentique de la lecture lorsqu'elle veut s'inscrire dans la perspective de la vie avec la pensée. Loin de viser l'improbable synthèse des deux points de vue extrêmes, cette dernière se nourrit au contraire du sentiment que l'œuvre de pensée, à la manière de l'œuvre d'art, ne vit qu'avec celui qui la regarde, l'écoute, la lit ou la commente pour l'inclure dans son propre monde [5]. Alors, mais alors seulement, l'œuvre qui se déploie devant son lecteur n'a pas l'existence têtue d'un monument inerte et ce qui s'en détache n'apparaît plus comme le fragment défunt d'une beauté passée. En ce sens, mais en ce sens uniquement, la lecture suppose un art de la réception : accueillir une pensée et pour ce faire en inviter d'autres afin qu'elles dialoguent, la civilité imposant de parler en dernier.

Afin de donner une forme plus sûre à cette rapide phénoménologie de l'expérience d'une conversation, on peut indiquer tout d'abord qu'elle demande ce qu'il faudrait appeler une éthique de la lecture. S'il est vrai qu'en lisant une œuvre on dialogue avec elle, il faut concevoir le fait que lire c'est avant tout penser une pensée, admettre qu'elle prescrit un certain ordre, dissimulé dans une organisation invisible au premier regard ou présenté dans une forme plus ou moins imposante. Max Weber ne fut jamais un prince de la forme, il fallait commencer par une reconnaissance de celle de son œuvre. Mais à son tour cette reconnaissance de type topographique mobilise les catégories d'une reconnaissance éthique : respect, scrupule et même humilité. Respect tout d'abord pour l'amplitude d'un savoir qui comme l'on dit nous en impose et sollicite la gratitude que nous devons à ceux qui ont consacré leur énergie au projet de la connaissance. Scrupule ensuite, aux deux sens de ce terme, vis-à-vis de ce qui s'apparente à une incursion dans les secrets d'un texte. Celui qui touche l'exigence d'une attention scrupuleuse, méticuleuse, aux méandres d'une pensée, à ses rythmes et à ses temporalités. Puis celui qui évoque la retenue nécessaire de l'appréciation, du jugement, de la critique. Avoir scrupule à entrer en dialogue avec une pensée qui nous précède après avoir mis un soin scrupuleux à en restituer la forme : cet art de la conversation suppose une part d'humilité face à l'auteur et son objet, même s'il se nourrit aussi de l'espoir de « le comprendre mieux qu'il ne s'est compris lui-même » comme le disait Kant à propos de Platon.

Reste pourtant qu'il vient un moment où cette humilité et la gratitude qu'elle exprime doivent céder à l'audace. J'écoutais, parlant peu, j'interrogeais seulement le sens d'un mot, questionnais l'allure d'un raisonnement, estimais la tonalité d'un propos : il me faut désormais prendre la parole et pour ce faire mes distances. Pas n'importe lesquelles bien sûr, la juste distance, le bon éloignement pour rétablir ma faculté de juger, inclure la pensée d'un autre à ma propre réflexion. Dans cette justesse visée il est encore question d'éthique, mais ce retrait est aussi la solution au dilemme qui s'exposait tout à l'heure entre l'infini herméneutique et le besoin d'arrêter le commentaire. Pour juger j'ai besoin de recul, mais dans ce mouvement je ne suis pas seul. D'autres ont pratiqué cette activité avant moi et les résultats de la mienne viennent s'exposer à la critique : je peux m'exercer au style des grands lecteurs ; mais je me souviens que le jugement appelle la pensée en commun, selon ce mouvement d'élargissement de la réflexion que décrit la *Critique de la faculté de juger*.

Se précisent alors mieux les principes qui organisent ce colloque singulier. Leo Strauss nous enseigne que l'action de penser consiste avant tout à écouter la conversation des grands penseurs entre eux en étudiant les grands livres. Mais la particularité de cet échange découle du fait que ces grands esprits parlent chacun pour soi et à l'écart des autres. Ainsi nous faut-il réaliser quelque chose qu'ils furent le plus souvent incapables de faire eux-mêmes : « transformer leur monologue en un dialogue, leur isolement en une communauté [6] ». Porté par le souci d'une fondation, conscient d'être le contemporain d'une époque charnière de l'histoire de la connaissance, Max Weber dissimulait volontiers ce que ses projets devaient à des traditions plus ou moins anciennes et ses dialogues ont souvent la forme d'entretiens secrets avec des ombres. Restituer leurs orientations et leur place : tel était le travail qui devait précéder toute interprétation avant même d'en accompagner le déroulement. Il reste toutefois que c'est elle qui fixe l'horizon et vient le temps où il faut se risquer à entrer dans la conversation. À quoi s'ajoute enfin que pour n'être pas vaine, cette expérience des belles choses doit demeurer nouée à celle du monde vécu, conservant un lien avec l'ordre des questions soulevées dans l'univers de l'action.

Mais on ne peut ignorer que s'impose ici pour le meilleur et pour le pire une forme de loi : celle qui veut qu'au regard de l'épreuve du temps ne parviennent jusqu'à nous que les œuvres qui ont su se détacher du contexte où elles sont nées, en traitant de problèmes qui continuent de nous toucher quel que soit le sens que prenne cette expression. Max Weber, on le sait, entrevoyait cette loi à partir de son analyse de la mauvaise part des attaches entre l'ordre des analyses scientifiques et le monde pratique : la part des intérêts et des passions, de l'opinion et des valeurs. On peut le dire d'autres manières, avec l'ironie d'un Pascal, par exemple : « On ne s'imagine Platon et Aristote qu'avec de grandes robes de pédants. C'étaient des gens honnêtes et, comme les autres, riant avec leurs amis ; et, quand ils se sont divertis à faire leurs *Lois* et leurs *Politiques*, ils l'ont fait en se jouant ; c'était la partie la moins sérieuse de leur vie : la plus philosophe était de vivre simplement et tranquillement [7]. » Sans doute faut-il ajouter que ni la tranquillité ni le divertissement ne caractérisent la personnalité de Max Weber. Il sera temps bientôt de montrer qu'il lui arrivait ainsi qu'à Marx, par exemple, de refouler en lui cette part joyeuse ou malheureuse de la pensée qui continue de nous le rendre proche. Triomphant des affres du temps qui menace tout édifice intellectuel, l'œuvre de Max Weber impose sa présence à qui veut y entrer. Se refusant parfois à elle-même, sa pensée quant à elle procure encore le sentiment d'une étrangeté qui doit aussi être conviée pour le travail de l'interprétation.

L'expérience d'un détachement

Si toute lecture induit un certain degré d'éloignement vis-à-vis du texte auquel elle s'attache, celle que ce livre voudrait présenter de l'œuvre de Max Weber conduit sans doute au-delà de ce qu'évoque communément l'idée d'une critique interne. Si l'on en croit Georges Steiner, cette dernière connaît en quelque sorte une dialectique naturelle, passant par un mouvement de bannissement du texte qui n'a pour finalité que d'y revenir afin d'en garantir l'autorité. Détachant le texte originel (*Ur-text*) du contexte de sa naissance, elle efface les traces du sol auquel il appartient pour se concentrer sur l'ordre interne qu'il dessine et en estimer la forme puis la cohérence. Mais en libérant le sens des énoncés de la contingence, cette lecture dont l'exégèse des grands écrits théo-logiques est le modèle assure leur survivance par-delà le monde de leur apparition [8]. S'agissant ici d'une œuvre qui veillait dans sa propre démarche à thématiser le rapport à ses environnements, il fallait engager une lecture plus longue, remontant plus haut dans la généalogie des questions prises en charge par Max Weber et conduisant le jugement du sens des réponses qu'il leur apportait au-delà de son époque. Tel est sans doute à nouveau le destin d'une grande œuvre : la raison de sa survie tient au fait que sa lumière peut venir jusqu'à nous en dépit des années qui nous en séparent ; la rançon de sa puissance veut pourtant qu'elle s'expose à des regards extérieurs à elle.

Cette forme d'exposition est ici d'autant plus sensible que l'on doit constater la manière dont le projet wébérien demeure rétif aux classifications et aux genres. Décrivant des processus avec le sou-hait de résister à la tentation de les juger, il puise pourtant ses motifs dans l'ordre des problèmes où la science et la pensée peinent à se séparer, aux alentours de questions classiques de la philosophie : que doit être l'homme pour que l'ordre politique soit vivable ? Que doit être l'ordre politique pour que l'homme puisse y vivre humainement [9] ? Ainsi fallait-il rassembler l'immense matière des phénomènes analysés par Weber, pour contribuer à fixer leur apport aux différents domaines d'un savoir souvent éclaté après lui, tout en cherchant à dégager les intérêts spéculatifs qui les organisaient dans sa culture. Apparaissant le plus souvent lors de la reprise de seconde main du matériau empirique, ces motifs paraissaient en effet avoir une existence autonome. Plus encore, ils pouvaient même s'apparenter au domaine du philosophe tel que le dessine Paul Ricœur en référence au travail de l'historien : celui qu'occupent les questions nées à partir des descriptions de ce dernier et qui concernent « l'émergence des valeurs de connaissance, d'action, de vie et d'existence à travers le temps des sociétés humaines [10] ».

De ce point de vue, évoquant un texte énigmatique et célèbre de la philosophie moderne, on pourrait dire que le projet de Max Weber se laisse lire comme *le dernier programme de l'idéalisme allemand*. Dans le sillage de ce moment de la conscience européenne et comme un retournement critique de la forme que lui avait donnée Hegel, l'entreprise wébérienne se déploierait à partir d'une sorte de riposte au défi de la *Phénoménologie de l'esprit*. Restituer en les décrivant les différentes composantes du monde de la vie en remontant des sphères de l'intersubjectivité vers celles de la culture et des institutions, pour les reprendre enfin dans la perspective d'une histoire : telle serait la part maintenue d'une ambition consistant à reconstruire l'univers de l'action en installant la série des liaisons entre l'individu et l'institution, afin d'assurer par cette voie une connaissance objective des formes de la liberté. Mais une économie décisive devrait être aussitôt garantie. Celle du saut vers des entités supérieures au réel et à la conscience des acteurs, avec leurs corollaires redoutables : l'hypostase de l'Esprit objectif, l'hypertrophie de l'État, l'affirmation tyrannique d'une rationalité de l'Histoire. Du point de vue des formes de la connaissance, Weber tisserait ainsi avant Husserl ce que Paul Ricœur nomme « le réseau *a priori* d'une sociologie compréhensive [11] ». Puis par l'amplitude de son regard, il dessinerait la trajectoire d'une histoire universelle vécue comme celle de la rationalisation et du désenchantement.

C'est pourtant l'articulation de ces deux derniers concepts et plus encore le fait que la dimension spéculative du projet culmine dans celui de désenchantement qui permet de préciser un peu mieux l'ancrage des préoccupations de Max Weber dans le contexte tardif des Lumières allemandes. On découvrira bientôt les raisons d'aborder cette pensée par le versant de son interprétation du phénomène religieux où s'enracine le procès du désenchantement du monde. Avant d'entrer dans les ordres intimes de l'architectonique, il est cependant utile d'indiquer la manière dont le système fait écho aux préoccupations qui portaient ceux de la philosophie moderne où s'étaient construites les grandes interprétations de l'histoire. Ainsi retrouverait-on aisément chez Weber la

trace de cette intuition qui mobilisait le jeune Hegel et qui associait
le souhait de comprendre l'univers de la rationalité au fait de
savoir comment « réclamer la restitution, au moins dans la théorie,
en tant qu'elles sont la propriété des hommes (...) des richesses
qui ont été projetées vers le ciel [12] ». Constitutive de l'imaginaire
de la modernité, cette interrogation devait nourrir les différents
projets d'une histoire universelle. Déclinée sur le plan d'une histoire de la théodicée, elle eut longtemps une forme canonique dont
Le judaïsme antique et la sociologie wébérienne des religions
conservent la marque : pourquoi la religion chrétienne a-t-elle sup-
planté les religions païennes, pourtant tissées dans l'intimité de
l'existence quotidienne ? Comment finit le monde antique ? Socle
de la pensée des Lumières depuis Voltaire et Gibbon, elle explorait
aussi la question la plus redoutable qu'elles eurent à affronter :
comment réfléchir l'expérience du mal et l'imperfection du monde,
une fois rompu le cours d'une expérience immédiate de la religion ?

Qu'elle soit alors directement l'objet des théories de la Raison
pratique, ou qu'elle revienne par le biais de la fascination inquiète
de Max Weber pour l'aventure puritaine, une perspective de cet
ordre cernait les liens incertains de la liberté et du devoir, ques-
tionnait le domaine de l'action et son horizon, estimait enfin les
conditions du bonheur dans la moralité. Mais il reste qu'elle prit
aussi aux lendemains de la Révolution française une forme plus
particulièrement allemande, qui se déploie de Herder, Fichte ou
Schelling à Max Weber, en passant par Hegel et Marx. Il est ainsi
symptomatique qu'à trois époques charnières de ce xixe siècle,
chacun de ces trois derniers penseurs contribue à l'expression d'un
même sentiment. Hegel tout d'abord, en 1796 : « Ainsi sommes-
nous dépourvus d'une imagination religieuse qui aurait grandi sur
notre sol et serait liée à notre histoire ; et nous sommes absolument
privés de toute imagination politique [13]. » Puis le Marx de 1844 :
« Nous, nos bergers en tête, nous ne nous sommes trouvés qu'une
seule fois en compagnie de la liberté, *le jour de son enterrement* [14]. » Max Weber enfin en 1895, qui déclarait après la parenthèse des grandeurs de l'époque bismarckienne : « Nous sommes
les enfants posthumes d'une grande époque politique [15]. »

On aura relevé que chacun de ces textes appartient à l'époque
de la jeunesse de son auteur et un travail classique de l'histoire
intellectuelle consisterait à exposer la coupure ou les continuités
qui les relient ou les opposent aux œuvres de la maturité : au projet
du système, à son retournement puis à son dépassement. Mais on
perçoit immédiatement aussi qu'ils dénotent tour à tour une même
forme de déception vis-à-vis des idéaux émancipatoires de l'*Auf-*

klärung. Au sein d'une discussion d'une telle ampleur, Max Weber
appartient à coup sûr comme penseur politique au tout petit
nombre des grands interprètes de la modernité. Mais à partir de
cette certitude qui devrait s'affermir au long de la lecture, deux
convictions peuvent aussi organiser le questionnement de l'œuvre.
L'une cerne si l'on veut la part douloureuse de la conscience de
Max Weber et désigne le sentiment qui le taraude d'assister à la
fin d'un monde, à l'épuisement d'une aventure austère par son
inauguration du côté de chez Hobbes mais qui avait aussi pris les
allures de ce qu'il nomme la « riante philosophie des Lumières ».
L'autre pourtant reviendrait à ajouter aussitôt que ce contemporain
d'un crépuscule a concédé trop vite au royaume des ombres, quitte
à conforter par avance celles qui descendraient sur le siècle par
une sagesse trop sceptique pour ne pas évoquer un défaitisme de
la raison. Quitte à résumer ici avec brutalité ce qui sera l'un des
fils conducteurs de ce livre on pourrait indiquer l'ambiance crépusculaire qu'installe Weber en rapprochant l'un de ses propos les
plus fréquentés de celui où Hobbes parle de Satan comme du
« prince de ce monde ». À l'aube des temps modernes, l'un fustige
cette « confédération de trompeurs qui pour obtenir l'empire sur
les hommes dans le monde présent s'efforcent (...) d'éteindre en
ceux-ci la lumière naturelle [16] ». Quelle est alors la nature du
monde décrit par Weber sous la catégorie du désenchantement et
où « chaque individu aura à décider, *de son propre point de vue*,
qui est Dieu et qui est Diable [17] » ?

En élargissant ainsi l'espace où peut s'inscrire toute l'amplitude
du projet de Max Weber il ne s'agit pour l'instant que de signaler
l'orientation de l'hypothèse selon laquelle sa pensée pratiquerait
deux manières d'achever l'idéal des Lumières. Celle qui consisterait bien sûr à vouloir l'accomplir par des modalités de la
connaissance qu'elles avaient ignorées. Mais celle aussi qui
conduit au risque d'en détruire le sens faute d'en préserver l'horizon par une confiance raisonnable. À titre d'illustration, nul
n'était mieux conscient que Weber sans doute des paradoxes du
politique, de cette expérience de l'État et du droit qui veut effacer
la violence de l'ordre des relations humaines sans parvenir toutefois à rendre compte de la présence du mal dans l'histoire. Mais
offrant une critique souveraine de l'excès de certitude où se tenait
Hegel en surplomb de l'histoire, Max Weber ne cède-t-il pas trop
rapidement à la fascination nietzschéenne des éclats et du vide ?
Sous une telle question, c'est avec Max Weber qu'il faut aujour-
d'hui encore affronter les dilemmes du désenchantement, mesurer
les espoirs déçus de la modernité et des conceptions idéalisées de
la connaissance qui l'accompagnent. Mais c'est contre lui sans

doute que l'on devrait engager la résistance à la dialectique de la raison qu'il annonce, si tant est que l'on veuille échapper au perspectivisme en cherchant toujours le bon ancrage de l'action dans l'histoire, la juste distance entre le renoncement et la fusion. « N'oublie pas que le diable est vieux, deviens donc vieux toi aussi pour pouvoir le comprendre » : Max Weber aimait trop cette formule de Goethe pour ne pas offrir à travers elle l'un de ses visages que le temps confirme le mieux. De là viennent sans doute et la trajectoire et la tonalité de son œuvre qui pourraient présenter la forme typique d'une conscience tragique contemplant l'effacement de ces promesses du monde qu'elle s'attardait à rendre vivantes. Une conscience douée d'une extraordinaire capacité d'anticipation. Mais une conscience qui se déchire et s'abandonne à son propre déchirement. Quelque chose comme la conscience malheureuse de l'Europe au XXe siècle.

Première partie

L'HISTOIRE EN PERSPECTIVE

Au regard de la constitution d'un savoir nouveau sur le monde, de son autonomie croissante vis-à-vis d'autres disciplines et de la formation de ses catégories, l'œuvre de Max Weber est une étape. Certes, au sein des *Étapes de la pensée sociologique* [1], celle qu'incarne Weber a valeur de fondation, mais elle demeure un point de passage, avec ce que cela suppose de continuités et d'infléchissements au regard d'un idéal paradigmatique d'unification de la connaissance. Pour significative qu'elle soit, une telle image manque cependant une part du caractère exceptionnel de la pensée de Max Weber. Raymond Aron le savait d'ailleurs qui lui assignait également une place au cœur de la *Philosophie critique de l'histoire* [2]. Aux côtés de Dilthey et Rickert, confronté à Hegel et Marx. Aron qui entendait aussi dans les textes de Weber « les rumeurs, les craquements de notre civilisation, la voix des prophètes juifs et, en écho dérisoire, les hurlements du Führer [3] ». Plus qu'une étape, la pensée de Max Weber représenterait donc un moment de la conscience occidentale.

En un sens biographique tout d'abord, dans la mesure où par l'ampleur de ses préoccupations Weber peut apparaître comme le réceptacle des interrogations de deux ou trois générations intellectuelles. Les témoignages abondent en ce sens. Mais, après Raymond Aron, celui de Karl Jaspers pourrait suffire tel qu'il est formulé à la mort de Max Weber : « Pour beaucoup d'entre nous, Weber apparaissait être un philosophe (...). Mais s'il était un philosophe, il l'était comme peut-être le seul de notre temps et d'une manière différente de ce qui fait un philosophe aujourd'hui (...). À travers sa personnalité, toute l'époque, son mouvement et ses problèmes sont présents ; en lui les forces de l'époque ont une vie exceptionnellement vigoureuse et une clarté extraordinaire. Il représente ce qu'est cette époque (...) et dans une large mesure il est cette époque. En Max Weber nous avons vu le philosophe existentiel incarné. Alors que d'autres hommes ne connaissent par essence que leur destin personnel, le destin de l'époque agissait au travers de son immense esprit [4]. » Confirmation serait encore donnée de cet impact par le récit d'apprentissage de Hans-Georg Gadamer, qui montre que la présence de Max Weber avait franchi au travers de Jaspers une génération au moins [5]. À sa manière enfin, tourmentée et parfois incertaine, la biographie de Marianne Weber restitue quant à elle la place du penseur, à l'entrecroisement de plusieurs générations et de multiples milieux intellectuels [6].

En un sens politique ensuite puisque, contemporain du triomphe du libéralisme, Max Weber l'est aussi d'un éclatement de l'Europe dans la guerre des empires et des nations. Est-ce au point de désespérer radicalement des efforts entrepris depuis les Lumières pour arracher la politique à la violence, comme semblent l'indiquer ces propos de la *Leçon inaugurale* de mai 1895 : « Nous ne léguerons pas à notre postérité la paix et le bonheur de l'homme, mais la lutte perpétuelle pour le maintien et l'amélioration de notre spécificité nationale [7] » ? Au point en tout cas d'opérer un déplacement significatif des catégories d'analyse de l'action politique qui tourmente encore nombre d'interprètes. Aimant citer l'apologue de Machiavel sur ces hommes qui « ont préféré la grandeur de leur cité au salut de leur âme [8] », Weber engageait à tout le moins un profond retour critique sur les idéaux hérités des philosophies du XVIIIe siècle. Acteur d'une politique allemande confrontée au legs ambigu de Bismarck, spectateur engagé d'une époque qui le vit un temps séduit par la cause pacifiste pour rallier ensuite le camp des partisans de la guerre, il offre toutes les aspérités d'une conscience déchirée. Mais tout porte à croire qu'il est en cela aussi exemplaire. Exemplaire d'une période historique qui pourrait actualiser l'hypothèse d'un « machiavélisme de l'âge d'acier [9] » à laquelle il semble souvent donner corps. Exemplaire des interrogations et des doutes d'une génération empreinte d'un « pessimisme héroïque [10] » parce qu'elle subit de front les antinomies d'un engagement oscillant entre le réalisme et l'idéalisme, le volontarisme et la résignation. Exemplaire donc d'un libéralisme désenchanté qui inaugure en quelque sorte le moment de la déception vis-à-vis des espoirs déposés en la démocratie comme technique d'apaisement des conflits au sein des sociétés et comme moyen d'atteindre la paix entre les nations.

Max Weber représenterait enfin un moment de la conscience occidentale en un sens intellectuel. De ce point de vue, on peut considérer qu'il intervient dans une ambiance justement caractérisée par Eugène Fleischmann comme « le temps des épigones [11] ».

Celui où les héritiers de l'idéalisme allemand s'épuisent en querelles scolastiques lors même que c'est dans le sillage des critiques marxistes et nietzschéennes que se logent les débats qui donnent chair à une vie de la pensée largement sortie des universités. Celui aussi des querelles qui accompagnent un éclatement du savoir en une série de disciplines en quête de leurs fondements, de leurs frontières et de leurs légitimités. Max Weber s'attache à ce temps par les cercles de discussion qu'il fréquente ou anime, sa double appartenance au monde universitaire et aux univers qui s'en séparent, la multiplicité de ses participations à des groupes aux contours disjoints. L'un des problèmes de son œuvre tient alors à la logique qui relie l'investissement purement savant aux diverses activités au sein d'une cité travaillée par les questions religieuses, sociales ou politiques. Mais Max Weber s'arrache tout aussitôt à ce « temps des épigones » dans la mesure où sa démarche rayonne bien au-delà de l'influence qu'il exerce sur ses contemporains immédiats. Parce qu'elle s'assigne le projet d'une reconstruction dans l'ordre de la connaissance des faits humains, de la culture et de l'histoire. Parce qu'elle entretient un dialogue constant avec les penseurs qui ont tour à tour incarné l'imaginaire et la critique de la modernité. Parce que s'attachant enfin aux antinomies de la pensée, aux dilemmes de l'action et aux effets non souhaités du vouloir elle continue de nourrir les interrogations qui sont les nôtres.

Cette diversité des visages offerts par l'œuvre de Max Weber devient toutefois le symptôme d'une difficulté de lecture largement reflétée par l'éclatement des interprétations qu'elle a connu. C'est en effet par le biais d'une infinie pluralité d'intérêts et d'investissements que la pensée de Weber entretient une connivence profonde avec les deux siècles qu'elle chevauche. Mais au travers de cette diversité, elle donne prise à une multitude d'approches qui contribuent parfois à masquer sa cohérence et la place qu'elle occupe. Les conditions différentielles de la réception de Max Weber dans les différentes traditions intellectuelles et une typologie de ses usages modulée selon les époques et les disciplines mériteraient à elles seules une étude, pour autant que s'expose dans l'éparpillement des lectures quelque chose des tensions qui traversent l'œuvre, des promesses qu'elle suscite et des inachèvements dont elle donne le sentiment [12]. Mais telle est la rançon d'une pensée touchant à la presque totalité des activités humaines et qui interroge sans cesse les conditions de leur possibilité ou de leur compréhension. Une œuvre de culture inséparable de son propre questionnement de l'idée même de culture, de ses formes et de son destin.

À des lectures centrées sur des aspects particuliers de l'œuvre [13] ou guidées par les orientations sectorielles des sciences humaines on pourrait opposer celles qui visent à restituer la cohérence d'une démarche apparemment éclatée. Si les premières pouvaient tour à tour adopter le point de vue d'un examen exégétique ou d'une discussion liée à l'emprunt méthodologique, les secondes quant à elles sont plus explicitement vouées à l'exposition de la pensée de Weber et à l'élucidation de ses problèmes. Alors que la présence wébérienne se mesurait dans la première dimension au fait que la référence puisse s'étendre de Raymond Boudon, François Bourricaud et Michel Crozier à Pierre Bourdieu et Alain Touraine, ou encore de Robert Merton et Talcott Parsons à Jürgen Habermas, elle s'atteste directement dans la seconde par le nombre des études consacrées à Weber. Mais ces dernières à leur tour se divisent en différentes approches. Celle qui prend l'œuvre pour elle-même et cherche à la reconstruire à partir d'un choix quant au principe de son unité chez Julien Freund [14], Reinhard Bendix [15] ou Arthur Mitzman [16], par exemple. Celle qui, à la manière de Raymond Aron notamment, l'inscrit sur la trajectoire d'une histoire intellectuelle [17]. Celle enfin qui l'envisage avec Philippe Raynaud dans le cadre problématique de la pensée moderne en reliant son originalité et ses difficultés aux tensions constitutives de cette dernière [18]. Avec pour conséquence le fait que ce type de lecture dispose encore du choix entre une critique interne et une critique externe de l'œuvre de Weber sur fond d'un débat un temps enfermé dans l'opposition entre interprètes « hétérodoxes » et « orthodoxes [19] ».

Cette esquisse de classification suggère aussitôt une autre différence, qui sépare cette fois deux orientations temporelles de la lecture de Max Weber. La première pourrait être dite « rétrospective » dans la mesure où elle tend à situer l'œuvre par son passé, en empruntant une grille d'interprétation fournie par des questions situées en amont. Questions liées à la méthode des sciences humaines dans le sillage néokantien et par référence aux champs de discussions ouverts en histoire, en économie, en psychologie et dans la sociologie naissante, comme chez Raymond Aron. Questions plus englobantes avec Philippe Raynaud, qui explore la démarche wébérienne au travers de ses liens avec une pensée occidentale moderne confrontée à la fois à son optimisme dans le progrès et aux dilemmes de la raison, porteuse d'un idéal de paix et de liberté, mais subissant l'épreuve des antinomies de l'action. À quoi s'opposerait une orientation plus prospective de la lecture, tournée vers des questions situées en aval et qui trouvent sens parmi les débats contemporains. Avec pour avantage le fait d'accentuer l'actualité d'une œuvre de pensée qui éclaire l'essentiel des problèmes politiques, économiques et sociaux du xxᵉ siècle. Mais avec aussi le risque bien perçu par Leo Strauss d'une identification trop poussée de l'époque et de l'œuvre. La tentation d'une recherche de complicité entre une réflexion inquiète ou prophétique et un temps où selon l'expression de Strauss, « l'ombre d'Hitler commence à obscurcir la scène [20] ».

Ombres et lumières d'une époque et d'une pensée qui se répondent, c'est en des contrastes qu'il faut chercher la solution à la question de l'œuvre. Contraste entre l'apparente sécheresse d'une démarche qui s'interdit le jugement et les perspectives parfois vertigineuses qu'elle ouvre sur le moderne ou le contemporain. Contraste entre une attitude résolument descriptive, qui n'hésite pas à annoncer « le crépuscule des dieux de tout point de vue axiologique [21] », et un engagement dans le monde qui sonne comme une révolte ou une contribution paradoxale à la défense de la vie dans la pensée. Contraste enfin entre une époque qui semble avoir actualisé la plupart des angoisses de Max Weber et le fait que cette forme étrange de succès invite à un retour critique sur les thérapies qu'il envisageait mais aussi les éléments du diagnostic noué à l'idée d'un monde désenchanté. Tout porte à croire en effet que l'irruption de l'histoire dans l'œuvre de Max Weber n'est pas intempestive, mais demeure intimement liée au fond des questions qui la motivent et des intérêts qui la portent. Ce qui veut dire en retour que c'est aussi l'épreuve de l'histoire qu'elle subit et que c'est sous son regard qu'il faut l'interroger, au moyen d'une dialectique serrée des faits et des idées, des transformations du monde et des évolutions de la pensée.

De cette dialectique une forme est donnée par l'extraordinaire rayonnement de quelques-unes des grandes perspectives ouvertes par Weber. Qu'il s'agisse de liaisons directes, par emprunts et références critiques, ou d'incidences plus indirectes relevant de l'évocation, comment en effet ne pas entendre leur écho dans nombre des thématiques centrales de l'interrogation politique du second xxᵉ siècle ? Écho de la perspective d'un ensemble de relations sociales réifiées en une « cage d'acier » dans l'image de la « désolation » du monde technicien chez Hannah Arendt, dans l'idée du monde administré comme catastrophe chez Adorno, voire au sein des thèmes canoniques de la critique de l'univers moderne développée par Heidegger. Amplification du thème de la « guerre des dieux » au travers de la mise au jour d'une « dialectique de la raison » par Horkheimer, ou la critique straussienne du devenir nihiliste des sciences sociales. Reprise par Habermas de la question du « conflit irréductible des valeurs », afin de poser le problème du statut de la raison pratique dans l'univers moderne. Radicalisation des remarques sur la crise du parlementarisme par la critique du libéralisme chez Carl Schmitt. Réinvestissement du problème de la domination dans la réflexion de Paul Ricœur sur la violence, l'histoire comme épreuve et l'idéal de justice. Dans la manière enfin qu'a Claude Lefort d'interroger l'indétermination démocratique, la représentation du lien social et politique au sein d'un univers privé de transcendance.

Qu'une époque et une pensée puissent s'offrir en miroir par-delà leurs frontières respectives, voilà qui n'étonnera guère le lecteur habitué à fréquenter de grandes œuvres. Quant au fait que l'inscription d'un système dans son contexte et la restitution des traits formels de son indépendance à l'égard des événements puissent s'appeler et se combattre, il constitue un paradoxe familier pour l'historien des idées. Tout se passe pourtant comme si ces tensions tourmentaient depuis l'origine les débats voués à l'interprétation de Max Weber. Lui-même avait bien sûr donné prise à ce tourment en fixant pour plus haut idéal de la connaissance la capacité à s'affranchir du jugement en faisant taire dans les descriptions de la science les voix de l'intérêt, du doute ou du choix. Mais lors même qu'il pensait en avoir méthodiquement terminé avec lui par l'austère prescription de la neutralité savante, il revient inlassablement chez ses interprètes, focalisé sur les textes directement politiques, ceux qui expriment un intérêt constant de Weber pour l'agir quotidien et l'investissement permanent dans les conflits de son temps. Faut-il, comme cela fut souvent proposé, traiter ces énoncés en scories métaphysiques d'un parcours intellectuel dominé par la volonté savante de parvenir à des propositions exemptes de tout jugement de valeur ? Leur abondance, la puissance des préoccupations qu'ils expriment et surtout leur imbrication étroite dans le corps même des analyses empiriques font largement obstacle à un tel traitement, comme si l'œuvre s'acharnait à déborder les limites qu'elle s'attachait à construire tout en dissimulant une part de son propre projet.

En réaction sans doute contre cet effort d'objectivation d'une œuvre taraudée par le désir d'objectivité, Raymond Aron renversait le propos, déclarant que « Weber fut par excellence un philosophe (bien qu'il se défendît de l'être), puisqu'il a réfléchi sur les conditions de la politique, les nécessités du choix, c'est-à-dire sur le sort de tous et de chacun [22] ». Sous cette proposition quelque peu provocatrice se présenterait sans doute le risque d'atténuer le rapport qui se noue au sein même de la démarche de Weber entre la logique de la connaissance et l'intérêt pour la connaissance. Mais du moins ouvrirait-elle une piste féconde, consistant à montrer la manière dont la méthodologie wébérienne met au jour une série d'antinomies susceptibles d'être réfléchies dans une perspective philosophique [23]. Reste qu'il faut peut-être franchir un pas supplémentaire, embrasser plus largement que ne le fait Aron les tensions qui habitent la pensée wébérienne en remontant plus haut que lui dans la généalogie des problèmes qui structurent son projet et l'ambition qui organise son parcours. En ce sens, plus encore que d'offrir des formes disponibles pour une reprise philosophique, le système de Weber se concevrait tout à la fois comme une alternative et un dépassement de celui de la philosophie dans sa dernière version : une riposte au défi de la *Phénoménologie de l'esprit*. Puis en retour et sous l'ampleur d'une telle perspective, l'œuvre elle-même ferait plus qu'agencer les fragments plus ou moins épars d'une vision du monde, apportant les moments d'une histoire de la modernité comme désenchantement.

CHAPITRE PREMIER

Une riposte au défi
de la Phénoménologie de l'esprit

Les principes qui confèrent une unité méthodologique aux écrits de Max Weber sont bien connus et font l'objet d'un accord relativement large entre les interprètes. Ils s'organisent autour de deux axes : celui d'un *antihistoricisme* directement orienté vers les grandes philosophies de l'histoire du XIXe siècle et qui fait fond sur les questions internes à la tradition néokantienne ; celui d'une *théorie de l'action sociale* structurée par la logique de compréhension du comportement d'acteurs individuels et qui fait signe vers les problèmes de la sociologie au XXe siècle. L'un et l'autre peuvent être présentés et mis en perspective au travers de ce que l'on proposera de nommer avec Paul Ricœur une stratégie de « riposte au défi hégélien [1] ».

Une critique de l'historicisme

La critique wébérienne de l'historicisme s'articule à l'évidence aux débats contemporains propres à la discussion allemande sur le statut des sciences de la culture. En ce sens, elle prend directement pour cible Roscher et Knies s'agissant de l'économie, E. Meyer pour ce qui concerne la théorie de l'histoire, l'École historique enfin dans le registre des analyses du droit. Mais tout porte à penser qu'elle vise, au-delà de ces théoriciens, les constructions plus larges associées aux noms de Hegel, Marx et Dilthey. Plus précisément encore, avouant en 1904 que « deux voies sont ouvertes : Hegel ou notre manière de voir les choses [2] », Max Weber met le doigt sur le véritable enjeu du conflit. Par la recherche d'une conception non historiciste de l'histoire, comme au travers de la méthodologie compréhensive, il s'agit de creuser la possibilité d'une alternative à la théorie hégélienne et à son hypostase de l'Esprit objectif.

S'agissant du statut de l'antihistoricisme wébérien, les choses doivent être perçues de manière systématique et elles se présentent pour telles dans l'essai consacré à Roscher et Knies[3]. Plus clairement que nulle part ailleurs, Max Weber s'attache ici à dévoiler l'illusion propre à l'historicisme : celle qui consiste à prétendre pouvoir épouser le point de vue de la « science achevée », en dépassant définitivement le « *hiatus irrationnalis* » entre le concept et la réalité. Visant directement la « doctrine hégélienne du concept », il décrit la « conception " émanatiste " de l'essence et de la validité des concepts les plus " élevés " ». Avec elle, écrit-il, « il est d'une part logiquement admissible de penser le rapport à la réalité de façon rigoureusement rationnelle, c'est-à-dire de telle façon que la réalité soit régressivement déductible des concepts généraux, et d'autre part de la concevoir en même temps tout à fait intuitivement, c'est-à-dire de telle façon que la réalité dans sa progression vers les concepts ne perde rien de sa constitution concrète[4] ».

Max Weber précise sa critique lorsqu'il revient sur la discussion dans un texte central, puisque consacré à l'exposition de la méthode des types idéaux. Posant le problème de « l'objectivité de la connaissance dans les sciences et la politique sociales », il inscrit son projet, qui concerne la recherche d'une relation entre concept et réalité, dans le contexte d'une opposition frontale à « l'influence du panlogisme de Hegel[5] ». Reconnaissant le « puissant barrage que la philosophie idéaliste allemande depuis Fichte[6] » et l'école historique du droit ont opposé au dogme naturaliste, il n'en accentue pas moins le fait que son intention méthodologique demeure de résister aux théories de type hégélien. Celles selon lesquelles « le but, si éloigné soit-il, des sciences de la culture pourrait consister à élaborer un système clos de concepts qui condenserait d'une façon ou d'une autre la réalité dans une articulation (*Gliederung*) *définitive*, à partir de laquelle on pourrait à nouveau la déduire après coup[7] ».

Précisons le sens de cette critique. Formulée directement contre Hegel et Marx ou prenant indirectement pour cible leurs disciples, elle cerne de manière globale les philosophies rationalistes de l'histoire. De ce point de vue, elle dénonce l'attitude qui consiste à étendre l'usage du « principe de raison » à la totalité du réel historique, considérant que peu ou prou tout événement se produisant dans le monde a une raison qui le faisait être prévisible et le rend nécessaire. Contre la formulation la plus radicale de cette thèse, l'affirmation hégélienne de l'identité du réel et du rationnel,

Max Weber fait tout d'abord valoir une difficulté interne au système des philosophies de l'histoire. Visant pour être achevées à éliminer toutes formes de dualisme, ces philosophies pour être opératoires sont forcées de les réintroduire presque par effraction. Soit le dualisme du contingent et du nécessaire : elles déduisent les objets historiques réels ou les événements contingents comme réels et contingents ; mais c'est pour aussitôt les traiter en tant que manifestations d'une nécessité de la raison. Cette difficulté est particulièrement saillante dans la méthodologie des sciences sociales où s'exprime plus qu'ailleurs une tendance à l'hypostase des concepts, utilisés comme des « réalités métaphysiques derrière le réel [8] ». La critique wébérienne est alors celle d'une réification des concepts méthodologiques et elle emprunte le schéma suivant : ces concepts « ne sont pas pris comme des instruments d'interprétation rationnellement construits afin de leur comparer la réalité, mais comme la *reproduction* d'une Raison cachée dans les choses et dotée d'une réalité supérieure à celle des phénomènes [9] ».

Dans cette perspective, Max Weber dégage donc l'un des soubassements de la critique contemporaine des philosophies rationalistes de l'histoire, celui qui vise l'illusion d'une détermination totale du réel. Sur ce point, sa critique d'une telle illusion qui barre la voie d'une véritable compréhension de l'activité humaine et de son inscription dans l'histoire peut rester compatible avec la thèse développée chez Hannah Arendt ou Claude Lefort selon laquelle est empêchée toute disponibilité à l'irruption de l'événement. On notera toutefois que semble ignoré le second socle de la critique de l'historicisme, qui dénonce la tendance rationaliste à réfuter l'autonomie du politique et du juridique réduits à l'état de sous-produits idéologiques de la réalité historique. Dirigé contre la seconde thèse hégélienne qui pose que « l'histoire du monde est le tribunal du monde », cette part de la critique dénonce la confusion du réel et de l'idéal au motif qu'elle occulte toute possibilité de juger l'histoire par référence à une instance différente de son cours et en considérant qu'est alors brisée la logique de l'autonomie ainsi que la possibilité pour l'homme d'agir en référence à la raison pratique [10]. Ajoutons que l'ellipse de cette seconde dimension de la critique de l'historicisme sera au cœur de la discussion de l'œuvre de Max Weber lorsqu'il sera question de sa perspective sur le monde contemporain. Avec Jürgen Habermas il s'agira de se demander comment affronter le diagnostic du désenchantement en étant privé d'une conception antihistoriciste de la rationalité pratique. Dans le sillage de Paul Ricœur, il faudra également pallier l'absence d'une théorie du jugement au moment de la rencontre avec un monde qui actualise l'hypothèse du « mal radical ».

Reste que, même focalisée sur la question de « l'émanatisme » et du statut des concepts scientifiques, la critique wébérienne de l'historicisme marque sa spécificité par le fait de refuser une évacuation complète du principe de raison. À la différence de celle qui sera à l'œuvre dans certaines phénoménologies contemporaines, elle plaide un compromis et prône un usage maîtrisé du principe de raison préservé comme nécessaire à la production d'une intelligibilité des phénomènes analysés par les sciences sociales. À titre de comparaison, l'écart est significatif avec la position qu'adoptera Hannah Arendt sur la même question lorsqu'elle opposera point par point méthode compréhensive et usage du principe de causalité. Prenant ainsi l'exemple de l'historien comme « prophète tourné vers le passé » (F. von Schlegel) pour exposer le statut de la compréhension des phénomènes politiques, Arendt insiste sur la difficulté où il se tient pour autant qu'il vise un juste milieu entre la distance nécessaire au savant et le refus de perdre « le fil d'Ariane du sens commun » tel que l'expose la *Critique de la faculté de juger*. Mais c'est pour ajouter aussitôt que « dans le domaine des sciences historiques, la causalité n'est qu'une catégorie totalement déplacée et source de distorsions ». Avec pour conséquence cette proposition que récuserait à coup sûr Max Weber : « Non seulement la signification véritable de tout événement dépasse toujours toutes les " causes " passées que l'on peut lui assigner (...), mais le passé lui-même n'advient qu'avec l'événement en question [11]. »

Loin de cette position radicale qui conduit à considérer que « quiconque, dans le domaine des sciences historiques, croit, en toute bonne foi, à la causalité disqualifie en réalité l'objet même de cette discipline », Max Weber se situe dans la filiation néo-kantienne de Dilthey lorsqu'il promeut un usage restreint du principe de causalité au travers de la distinction entre expliquer et comprendre. On peut alors signaler avec Luc Ferry que l'originalité de sa position tient au fait de maintenir le lien de l'histoire à une ontologie. Sur une telle voie, elle diverge à nouveau de l'attitude qui déconstruit cette relation en rapportant l'événement au pur « miracle de l'être » comme chez Heidegger ou sans doute Hannah Arendt elle-même. Mais elle le fait en voulant toutefois éviter en même temps et l'hypostase de l'ontologie théorique appliquée à l'histoire (le réel intégralement rationnel chez Hegel), et l'hypertrophie de l'ontologie pratique historicisée (la transformation du réel en vertu d'une fin universelle selon le projet de Fichte). À quoi s'ajoute enfin qu'elle récuse la synthèse marxiste

de ces deux options : la thèse selon laquelle le réel historique est
totalement intelligible et parfaitement maîtrisable [12].

Avec Dilthey : le problème
des sciences de l'esprit

Soubassement de la critique de l'historicisme, la distinction
entre compréhension et explication trouve son origine dans une
difficulté mise au jour et thématisée par Dilthey avec l'*Introduction aux sciences de l'esprit* [13]. L'analyse qu'en donne Raymond
Aron présente l'avantage de rapporter Dilthey et Weber à une
ambiance intellectuelle commune, liée tout à la fois à un constat,
une intention et une série de problèmes. Rapidement dit, le constat
est celui d'un épuisement de la métaphysique qui peut se présenter
ainsi : « Jamais l'homme ne parviendra à insérer dans un réseau
de concepts la totalité de l'univers, jamais il ne parviendra à résumer et à prévoir, dans une formule unique, le devenir inépuisable
de la vie [14]. » Ainsi formulée, la préoccupation de Dilthey trouve
un écho direct chez Max Weber si l'on songe que l'attaque la plus
explicitement dirigée contre Hegel de l'essai sur « l'objectivité de
la connaissance » débouche sur la proposition suivante : « Le flux
du devenir incommensurable court sans arrêt vers l'éternité. Sans
cesse se forment des problèmes culturels toujours *nouveaux* et
autrement colorés qui ne cessent d'agiter les humains, de sorte que
reste flottante la sphère de tout ce qui, dans le flux inébranlable-
ment infini du singulier, acquiert pour nous signification et importance et devient une " individualité historique [15] ". » Avec pour
conséquence qu'il faut pour Dilthey comme Weber remettre en
chantier la question du lien entre réel et rationnel, conscience et
expérience, et finalement théorie et histoire.

D'où l'intention en réalité double de Dilthey qui vise à éclairer
le problème du fondement des sciences de l'esprit. En premier lieu,
il s'agit de récuser comme point de départ la réflexion *a priori* sur
les concepts de sujet et d'objet, pour affirmer la primauté de la
conscience historique. Affirmation antimétaphysique dans la
mesure où elle s'installe sur la prise en compte de l'opposition
irréductible entre les Systèmes de la philosophie. Affirmation en
faveur de la science, seule capable de réarticuler une théorie de la
connaissance objective. À condition toutefois de poser clairement
la seconde part de l'intention : celle qui consiste cette fois à fixer
une ligne de démarcation entre les sciences naturelles et les
sciences de l'esprit. Véritable *leitmotiv* de la pensée de Dilthey, la
thématique de l'autonomie des sciences de l'esprit par rapport aux

sciences de la nature fait aussi figure de motif récurrent des écrits méthodologiques de Weber. Développé contre Édouard Meyer à propos de la démarche de l'historien, elle structure, par exemple, en profondeur l'intégralité de l'essai consacré à « l'objectivité de la connaissance ». Rappelons enfin que Dilthey, quant à lui, accorde à la question un traitement systématique qui commence avec l'idée selon laquelle la conscience de l'homme s'éprouve comme volonté par opposition au reste de la nature soumise au déterminisme, qui montre ensuite que, pour cette même conscience, « se dessine une démarcation entre le règne de la nature et un règne de l'histoire », et qui souligne enfin qu'« à l'intérieur de ce dernier règne, au milieu d'un ensemble coordonné par la nécessité objective et qui est la nature, on voit en plus d'un point, comme ferait un éclair, luire la liberté [16] ».

Armé de ce constat et de ces intentions, Dilthey soulève alors une série de problèmes qui domineront longtemps le débat allemand sur l'histoire. Problèmes liés bien sûr au projet initial d'une fondation des sciences de l'esprit, mais qui s'articulent bientôt à ce qui en est l'horizon, à savoir la saisie de cette dimension qu'indique le titre du dernier grand ouvrage de Dilthey : *L'Édification du monde historique* [17]. Si l'on abandonne la volonté de saisir la totalité du réel tout en cherchant à préserver le principe de son intelligibilité, comment garantir l'adéquation des concepts scientifiques à la réalité, s'agissant notamment du cas de l'analyse du passé par l'histoire ? Si le geste antimétaphysique conduit à réduire les œuvres de l'esprit à des créations en perpétuel devenir, « comment surmonter le relativisme, ou du moins l'intégrer dans une vérité universelle [18] » ? Enfin, question ultime suscitée par le principe initial : si la science de l'histoire et les œuvres de l'esprit appartiennent elles-mêmes à l'histoire, « la signification de ce qui n'est plus ne varie-t-elle pas avec la signification que donnent à l'existence ceux qui font la science [19] ? ». Telles sont les questions que reprend en charge Max Weber et qui structurent en profondeur son analyse des catégories fondamentales de la sociologie.

Le premier problème légué par le néokantisme tient à la manière dont s'opère la différenciation entre les sciences de la nature et les sciences humaines, puis au fait qu'avec ces dernières, « dans l'étude du monde humain, ce sont ses propres œuvres que rencontre l'esprit [20] ». Dès lors, leur épistémologie se doit de pratiquer une mise à distance qui s'énonce dans la définition princeps de la sociologie comme « science qui se propose de comprendre par interprétation (*deutend verstehen*) l'activité sociale et par là d'expliquer causalement (*ursächlich erklären*) son déroulement et ses effets [21] ». Compréhension, explication, causalité et objectivité : tel est le système de catégories que reconstruit Weber afin de conduire le double projet d'une éviction de l'illusion spéculative et d'une « défétichisation » des concepts scientifiques.

Compréhension, explication :
les catégories de la méthode

La notion de compréhension est celle qui pousse le plus loin la mise à distance du principe de raison. Postulant que « l'individu isolé et son activité [22] » est la seule entité porteuse de sens, elle creuse déjà un fossé qui doit empêcher l'intrusion des concepts hypostasiés par les philosophies rationalistes de l'histoire. À ce titre, par exemple, « il n'y a derrière la notion d'État que le déroulement d'une activité humaine d'une espèce particulière [23] ». Si l'on ajoute que ladite « activité » (*Handeln*) se définit comme « un comportement humain (peu importe qu'il s'agisse d'un acte extérieur ou intime, d'une omission ou d'une tolérance) quand et pour autant que l'agent ou les agents lui communiquent un sens subjectif [24] », on cerne l'objet précis de la compréhension. Avec elle il s'agit de saisir et de restituer le sens visé dans des comportements individuels, selon une logique qui relève presque de l'évidence lorsqu'ils sont associés à une activité rationnelle, mais qui doit pouvoir s'étendre au registre d'actes déterminés par des valeurs ou même purement affectifs [25]. On notera qu'aussitôt une autre distance s'installe, s'agissant précisément du sens de ce sens. Celui que vise la compréhension n'est à l'évidence pas le sens « vrai » ou « juste » de la métaphysique, mais seulement le sens constitué par des acteurs au cours du processus de motivation de leurs actes. D'où l'étanche frontière tracée entre la démarche compréhensive et la « dogmatique » qui vise des énoncés de justice et de vérité dans les domaines de l'éthique, du droit ou de l'esthétique : « La notion de " sens " veut dire ici ou bien (a) le sens *visé* subjectivement en réalité (soit) par un agent dans un cas historiquement donné (soit) en moyenne ou approximativement par des agents dans une masse donnée de cas, ou bien (b) ce même sens visé subjectivement dans un *pur* type construit conceptuellement par l'agent ou les agents *conçus* comme des types. Ce n'est donc pas un sens quelconque objectivement " juste " ni un sens " vrai " élaboré métaphysiquement. C'est en cela que consiste la différence entre les sciences empiriques de l'activité, comme la sociologie et l'histoire, et toutes les sciences dogmatiques, telles que la juristique, la logique, l'éthique et l'esthétique qui cherchent à explorer le sens " juste " et " valable " de leur objet [26]. »

Il faut toutefois remarquer que cette extension de la démarche compréhensive, associée à la nature restreinte des significations qu'elle dégage, soulève immédiatement le problème des limites de la compréhension. Celui-ci s'amorce dès l'instant où est prise en compte la différence de difficulté entre la compréhension d'une activité relevant du calcul rationnel et celle qui s'attache à des phénomènes complexes comme « l'extase mystique », par exemple. Même si l'on postule le caractère compréhensible de ces derniers types d'activité, force est d'admettre la résistance qu'ils opposent à leur prise en charge : par un recours à une certaine forme d'empathie, mais qui ne saurait suffire ; au travers d'une série de médiations devant briser leur apparente étrangeté qui interdit un accès immédiat à leur signification. Cette relative opacité de la compréhension semble pourtant éclairer une limite intrinsèque de la démarche compréhensive. D'où la première articulation interne à la méthodologie wébérienne : celle qui noue compréhension et explication, mise à plat des motivations mobilisées dans l'activité et analyse de leurs enchaînements.

Si Max Weber insiste régulièrement sur la priorité qui doit être accordée à la compréhension comme point de départ obligé de l'analyse, c'est pour aussitôt fixer la nécessité de son dépassement. En d'autres termes, si la notion de compréhension est celle qui éloigne le plus du principe de raison afin d'échapper à son érection en système, celle de causalité est tout autant nécessaire, qui a bien pour fonction d'y revenir en vue de préserver un principe d'intelligibilité du réel. En tant que telle en effet, la compréhension ne produit aucune connaissance objective, exigence du travail scientifique qui ne peut être atteinte qu'en un second temps, celui de l'explication causale. Cette dernière a pour finalité d'« appréhender l'ensemble significatif auquel appartient, selon son sens visé subjectivement, une activité actuellement compréhensible [27] ». Restitution du cadre au sein duquel l'activité trouve sa signification, l'explication emprunte des modalités différentes selon les disciplines, mais en vertu de logiques qui demeurent convergentes. En sociologie, il s'agira de saisir « des enchaînements et des régularités [28] » de comportement qui viendront éclairer l'acte singulier compris à partir de la finalité visée dans son déroulement. Dans les cas élémentaires où l'activité se laisse interpréter en termes d'adaptation fin / moyens [29]. Mais aussi dans l'occurrence d'actions plus complexes qui semblent à première vue relever d'attitudes irrationnelles [30]. Ajoutons enfin que cette méthode doit pouvoir s'étendre aux régularités du fonctionnement social et permettre d'accéder à l'explication des comportements objectivés dans les communautés ou les institutions. En histoire, d'une autre manière, la démarche explicative recherchera des possibilités d'imputation causale entre un événement singulier et d'autres événements précédant ou résultant, mais aussi des motifs d'interprétation à partir de formes connues de déroulement de l'activité humaine [31].

La méthode historique
et le statut de la causalité

La méthodologie de l'histoire est alors particulièrement symptomatique du traitement que subit la notion de causalité. Celle-ci a pour ligne de force le fait que si l'explication est un moment nécessaire de l'interprétation, les relations de causalité qu'elle met au jour demeurent étrangères à l'idée de nécessité et sont au mieux de l'ordre du probable. Soit l'exemple archétypal de la bataille de Marathon [32]. En premier lieu, la simple restitution de l'événement ne saurait satisfaire la curiosité de l'historien. Ce dernier a trop le sentiment que sur cette « petite scène de l'histoire du monde » s'est jouée une part du destin de l'Occident (au travers de la lutte athénienne pour la liberté et de la sauvegarde de la culture grecque) pour s'interdire de creuser plus avant les causes de son déroulement et de son résultat. Est-ce à dire pour autant qu'il s'attachera aussitôt à prouver le caractère inéluctable de ces derniers ? Non, dans la mesure où ce serait déjà se méprendre sur le sens de ce devenir « objectivé » qui est l'objet par excellence de l'histoire. Dans celle-ci en effet, chaque fait objectif résulte d'une telle multitude d'éléments que leur restitution intégrale s'avère impossible, selon une difficulté qui doit d'ailleurs aller croissant à mesure qu'elle traite des événements éloignés. Reste alors à admettre que l'objectivité (en tous les sens du terme) se gagne non dans la complétude du donné et la certitude de l'explication, mais au travers des catégories de la possibilité et de la probabilité.

Ainsi en sera-t-il dans le cas de la bataille de Marathon. Ce qui fait l'intérêt de sa connaissance tient à l'intuition que nous pouvons avoir selon laquelle elle « fit la décision entre deux *possibilités* : d'un côté celle d'une culture théocratico-religieuse, dont nous trouvons les germes dans les mystères et les oracles, et qui se serait déroulée sous l'égide du protectorat perse dont on sait qu'il utilisait partout, autant que possible, par exemple, à l'égard des Juifs, la religion nationale comme instrument de domination, et de l'autre côté la victoire de l'esprit hellénique libre, tourné vers les biens de ce monde, qui nous a fait don de valeurs culturelles dont nous continuons à nous nourrir aujourd'hui [33] ». D'où la

forme plus technique de l'explication en termes de causalité, qui
éclaire la notion de possibilité et fait signe vers la méthode des
types-idéaux : « L'imputation causale se fait sous la forme d'un
processus de pensées (*Gedankenprozess*) qui contient une série
d'abstractions (*Abstraktionen*). La première et la plus décisive
d'entre elles consiste justement à modifier *en pensée*, dans un sens
déterminé, un ou plusieurs composants causatifs incontestés du
cours des événements, pour nous demander ensuite si, après cette
sorte de modification des conditions du devenir, nous " aurions pu
nous attendre " au même résultat [34]. »

Weber peut alors insister sur le fait que le jugement historique
requiert de part en part un processus d'abstraction par « isolement
en pensée » empruntant le cheminement suivant. En un premier
temps, il s'agit de partir « des éléments du donné immédiat – que
l'on regarde simplement comme un complexe de relations causales
possibles ». Pour aboutir toutefois à une « synthèse de l'ensemble
causal " réel " [35] ». Puis, dans un second temps, il faut réintroduire
un nouvel élément d'objectivité, en cherchant à associer les données décomposées dans l'événement à des « règles de l'expérience ». Règles qui proviennent d'une connaissance d'une autre
nature, de type « nomologique », et qui s'attachent au fait que nous
savons un certain nombre de choses « concernant la manière dont
les hommes ont l'habitude d'agir [36] ». C'est alors, mais alors seulement, que la démarche est complète, aboutissant à un jugement
qui ne peut en tout état de cause avoir que la forme d'un « jugement de possibilité ».

Raymond Aron relevait à ce propos la mutation que fait subir
Weber à la catégorie de causalité en généralisant cette proposition :
« Pour démêler des relations causales réelles (*wirkliche*), nous en
construisons d'irréelles (*unwirkliche*) [37]. » Cette mutation rend
compte de l'écart qui sépare l'usage qui peut en être fait dans les
sciences de l'esprit de celui qu'autorisent les sciences empiriques.
Régressive en ce sens qu'elle travaille sur des événements passés,
l'analyse causale en histoire remonte des effets aux causes, et
semble devoir se contenter de reconstruire des liaisons et des suc-
cessions, au point que « la notion de règle tend à s'effacer au profit
de celle de lien dynamique [38] ». On peut toutefois penser avec
Philippe Raynaud qu'Aron va sur ce point trop loin, laissant en
partie dans l'ombre l'originalité du traitement wébérien de la causalité et, partant, du statut de l'objectivité dans les sciences
humaines. D'un point de vue épistémologique tout d'abord,
puisque si Weber, à la suite de Vico et Dilthey, assume la différence entre sciences de l'esprit et sciences de la nature, il n'en
réintroduit pas moins une analogie fonctionnelle s'agissant de

l'utilisation des hypothèses dans la recherche de causalité. En ce sens, le processus d'abstraction qui conduit au type-idéal diffère assez peu de la manière dont un physicien ou un biologiste isole des variables de la réalité pour mettre au jour des facteurs déterminants [39]. Mais d'un point de vue plus philosophique aussi, dans la mesure où l'idée wébérienne de liberté vient très précisément se loger dans la différence entre causalité et nécessité, dans la distance entre l'affirmation dogmatique du libre arbitre et l'abandon à la contingence [40].

Précisons encore un peu ce point, essentiel afin de saisir la position exacte de Weber au sein des philosophies de l'histoire. En première intention, il réaffirme avec force et ironie sa prise de distance avec les métaphysiques de l'histoire : « Le fait de rendre les acteurs historiques " responsables " devant leur propre conscience ou devant le tribunal d'un dieu ou d'un homme, de même que toute autre intrusion du problème philosophique de la " liberté " dans la *méthodologie* de l'histoire, supprimerait tout autant son caractère de science empirique que l'interpolation de miracles dans son enchaînement causal [41]. » Mais c'est pour aussitôt critiquer avec autant de force l'antithèse hégélienne d'une telle attitude, antithèse défendue par Roscher et Knies et par laquelle Meyer semble se laisser séduire. C'est alors entre ces deux conceptions extrêmes que se situe la réalité de l'histoire, dans une indétermination que l'on pourrait dire relative puisqu'elle est ouverte par le haut en raison du fait qu'à l'origine des actes historiques il y a une « liberté du vouloir », mais fermée par le bas au sens où nous l'observons terminée. Dès lors, son interprétation doit mobiliser une réflexion problématique sur la rationalité et l'irrationalité de l'activité, réflexion qui ne peut jamais se résorber en une proposition synthétique sur le concept d'histoire (l'Histoire rationnelle au sens de Hegel ou son inverse), mais fait signe vers les conditions générales de compréhension de l'activité humaine. Weber peut alors conclure sur ce point en ramassant la question du lien entre sciences de la nature et sciences de l'esprit avec celle de la liberté et du déterminisme : « Toutes les fois que l'historien parle de l'irrationalité de l'activité humaine comme d'un facteur qui trouble l'interprétation des connexions causales et historiques, il ne compare pas du tout l'activité historique empirique avec le devenir de la nature, mais avec *l'idéal d'une activité purement rationnelle* déterminée tout simplement par sa fin et orientée absolument d'après les moyens adéquats [42]. »

La technique des types-idéaux

C'est donc sur ce trajet qui fait retour vers la sociologie que nous rencontrons la catégorie centrale de l'épistémologie wébérienne : celle du type-idéal. L'intention qui préside à son élaboration est identique à celle qui structure la réflexion sur l'histoire : montrer par l'usage réglé de la causalité la possibilité d'une objectivité dans les sciences de l'esprit ; mais résister à la tentation d'une réduction illusoire par la logique déductive qui irait du concept à la réalité. La réalisation de ce projet débouche directement sur la définition technique du type-idéal que l'on obtient « en *accentuant* unilatéralement un ou plusieurs points de vue et en enchaînant une multitude de phénomènes donnés *isolément*, diffus et discrets, que l'on trouve tantôt en grand nombre, tantôt en petit nombre et par endroits pas du tout, que l'on ordonne selon les précédents points de vue choisis unilatéralement, pour former un *tableau de pensée* homogène [43] ». Avec une série de conséquences qui régissent la pratique bien tempérée de la causalité, comme le fait que cette construction est une « utopie » qui ne se rencontre jamais dans la réalité empirique, mais intervient comme instrument logique situé dans le registre des « moyens de la connaissance ». Ce qui veut aussitôt dire que l'idéalité visée dans la fabrication de cet outil n'a rien à voir avec un quelconque « devoir-être », n'engage aucun jugement de valeur sur le monde, et n'a qu'une signification instrumentale, liée à la recherche de relations « objectivement possibles » entre les éléments du réel [44].

C'est alors par la maîtrise de cette technique que se négocie l'objectivité des sciences de l'esprit lorsqu'elles refusent d'abandonner la perspective d'une utilisation non dogmatique du principe de raison. Contre l'idée d'une irrationalité du cours des affaires humaines (et son corollaire de pure subjectivité du jugement), mais tout aussitôt contre leur réduction à la rationalité du réel, la méthode idéal-typique situe l'objectivité dans la distance qu'elle creuse entre l'idéal comme jugement de valeur et l'idéal-type comme catégorie analytique. En ce sens, l'objectivité se gage dans le « devoir élémentaire du contrôle scientifique de soi-même [45] », qui sépare l'appréciation des faits à partir des valeurs propres à l'observateur de leur saisie au travers d'une démarche qui compare le réel à des constructions abstraites et purement logiques. En histoire, elle passe par la comparaison du cours réel des choses et des reconstructions hypothétiques que l'on peut en faire. Dans l'analyse des actions humaines, elle se nourrit aussi d'une mise en relation constamment comparative des modalités concrètes de l'action à des types d'activité schématiquement élaborés dans les « tableaux de pensée » cohérents.

Au terme de cette restitution du système des catégories de la méthode de Max Weber, on perçoit sans doute mieux les enjeux et la portée de sa querelle avec les philosophies rationalistes de l'histoire. Guidée par l'idée d'un réinvestissement maîtrisé du concept de causalité, la méthode wébérienne met en place une alternative antidialectique aux pensées de type hégélien. Là où pour Hegel la connaissance n'est possible qu'en allant chercher une rationalité déjà présente et active dans le réel, afin de ramener les contradictions de ce dernier au déploiement d'une totalité, elle s'origine pour Weber dans le regard et l'activité du savant. D'où l'insistance dans les textes épistémologiques comme au début de chaque étude empirique sur les conditions du choix des problèmes et de la signification qui peut leur être accordée. C'est dans cette thématisation du « rapport aux valeurs » en effet que se garantit la mise à distance de la séduction qu'exerce le projet d'une réduction des contradictions du réel [46]. Mais une fois acquise et maintenue, cette distance permet une réappropriation critique des concepts ou même des problématiques issues des pensées dialectiques. Ainsi, par exemple, du concept central d'État, à condition de le maintenir dans les limites d'un type-idéal, sous la forme d'une « synthèse que nous élaborons en vue de fins déterminées de la connaissance [47] ». Ainsi également de certaines analyses de Marx, qui peuvent tout aussi facilement être réinvesties comme instruments qu'elles ont été exclues à partir de leur présupposé : « Quiconque a appliqué une fois les concepts marxistes connaît l'importance *heuristique* éminente, et même unique, de ces idéal-types quand on les utilise seulement pour leur *comparer* la réalité, mais aussi leur danger dès lors qu'on les présente comme des " formes agissantes " réelles (ce qui veut dire en vérité métaphysiques), ou encore comme des tendances, etc. [48] »

Enfin, parce qu'elle est antidialectique, cette méthode débouche sur une articulation nouvelle entre la sociologie et l'histoire. En mettant en œuvre une logique spécifique, celle de « l'imputation causale singulière », elle situe l'une et l'autre dans un registre que l'on pourrait dire intermédiaire entre la structure narrative, qui connaît la succession des événements en ignorant la régularité de l'expérience, et l'explication « nomologique », qui excelle quant à elle à découvrir des lois, mais écrase la diversité de la pratique [49]. Dans cette direction, elle ouvre sur un horizon particulièrement riche : celui que Paul Ricœur désignera par les « paradigmes de mise en intrigue [50] ». Avec eux, il s'agit, par exemple, de remobiliser l'interrogation de Max Weber à propos de la décision de Bismarck en 1866 : « Il n'y a rien d'" oiseux " à poser la question : " qu'aurait-il pu arriver si Bismarck n'avait pas pris la décision de faire la guerre [51] ? " » Ce afin d'explorer une voie que Weber n'avait sans doute pas entrevue, mais que rend possible la narratologie contemporaine : celle qui consiste à reconstruire le récit hypothétique de ce qui serait probablement arrivé sous un paradigme alternatif au cours de la réalité historique. Avec pour conséquence une redéfinition des territoires de l'historien et du sociologue, dans le sillage de l'*Introduction à la philosophie de l'histoire* de Raymond Aron. Mais aussi un procédé d'analyse qui cherche à éviter une nouvelle fois la réification des démarches de la sociologie et de l'histoire, puis qui fait signe vers une interprétation des formes respectives de la responsabilité du moraliste, de l'historien et du juriste [52].

Reste que l'on peut toutefois se demander si Max Weber n'outrepasse pas les limites d'une telle mise en perspective de l'intentionnalité historique qui maintient l'horizon d'un sens. En d'autres termes, après avoir traversé l'immense domaine des études empiriques conduites par Weber, il faudra se souvenir du doute que suscite la conclusion de certains essais consacrés à l'épistémologie qui les guide. Comment entendre, par exemple, ces propos ultimes du texte sur l'objectivité de la connaissance : « La réalité irrationnelle de la vie et sa capacité en significations *possibles* restent inépuisables ; aussi la structure *concrète* de la relation aux valeurs reste-t-elle mouvante, soumise qu'elle est aux variations possibles dans l'avenir obscur de la culture humaine [53] » ? Doit-on y voir le prix d'indéterminisme qu'il faut payer pour solde de la rupture avec les visions téléologiques de l'histoire ? Ou bien faut-il percevoir un glissement qui ferait signe vers le perspectivisme d'un Nietzsche lorsque Weber ajoute : « En une époque où triomphe la spécialisation, tout travail dans les sciences de la culture, une fois qu'il s'est orienté vers une matière déterminée grâce à des façons déterminées de poser les problèmes [...] verra dans l'élaboration de cette matière une fin pour elle-même, sans contrôler toujours consciemment la valeur cognitive des faits isolés en les rapportant aux idées de valeur suprêmes et même sans jamais avoir en général conscience de l'enchaînement à ces idées de valeur. Il est bon qu'il en soit ainsi. Mais il arrive qu'un jour l'atmosphère change. La signification des points de vue utilisés sans réflexion devient alors incertaine, le chemin se perd dans le crépuscule. La lumière des grands problèmes de la culture s'est déplacée plus loin. Alors la science se prépare elle aussi à modifier son paysage habituel et son appareil de concepts pour regarder du haut de la pensée le cours du devenir [54] ? » Questions redoutables en ce qu'elles touchent à l'unité d'une œuvre à la fois théorique et empirique et parce qu'elles s'orientent vers le sens ultime de ses intentions et de ses apports. Questions qui seront soulevées dans le sillage des critiques méticuleuses de Leo Strauss et Raymond Aron, inquiets d'une oscillation entre un usage non dogmatique des catégories de la raison et la vision d'un perspectivisme généralisé. Questions qui font en tout cas signe vers une autre manière d'entrer dans l'unité de la pensée wébérienne, manière plus directement orientée vers les rapports qu'elle entretient avec les formes les plus grandioses du rationalisme moderne.

Les conditions de la riposte au défi hégélien

Saisie par le haut sous une stratégie de résistance à l'hypertrophie du principe de raison et aux idées d'une intégrale rationalité du réel mobilisées par les philosophies de l'histoire, l'épistémologie wébérienne se laisse encore appréhender par le bas lorsqu'elle esquisse une théorie anti-essentialiste de l'action. Reliée dans la première perspective aux débats concernant la question de l'histoire et le statut des sciences de l'esprit, elle ferait signe dans la seconde vers la phénoménologie. Empruntons à Paul Ricœur les éléments qui assurent la mise au jour de cette seconde orientation et permettront d'éclairer les enjeux de l'individualisme méthodologique wébérien tant dans le cadre de la querelle épistémologique que sur une question qui est au cœur de la théorie politique.

Paul Ricœur signale à plusieurs reprises en effet que la démarche de Max Weber offre les moyens d'une alternative à la théorie hégélienne en son noyau central : l'articulation des questions de l'action, de l'État et de l'histoire [55]. En l'occurrence, il s'agit moins de dépasser Hegel que de répondre au défi que lance sa pensée en assurant la clôture dans le Système des perspectives liées à la théorie et à la pratique. Avant d'examiner l'argument, présentons le problème qui peut être abordé de différentes façons. Celui-ci a été effleuré une première fois par le biais de la manière dont Weber développe le thème de l'objectivité de la connaissance : en s'efforçant de ne pas recourir à l'idée d'un savoir absolu, en demeurant dans les strictes limites d'une relation réfléchie entre le réel et la position du savant. Mais il apparaîtra plus clairement encore en étant formulé dans l'ordre politique, à partir de la difficulté propre au traitement de la question de l'État.

Partant d'une critique de la conception kantienne de la moralité abstraite (*Moralität*), Hegel, on le sait, développait l'idée selon laquelle il n'existe de liberté qu'effective, saisie au travers de l'éthique concrète (*Sittlichkeit*) spécifique aux communautés historiques réelles. Dénonçant l'illusion kantienne d'une déduction de la loi morale, du droit et des formes de la politique à partir de la seule autonomie du sujet réfléchissant, il opposait à « l'idée vide de loi » la structure des médiations concrètes de la liberté [56]. Décrivant à rebours la *Sittlichkeit*, et à travers elle la manière dont l'exercice de la volonté n'a de sens qu'au sein de communautés historiques situées, il réinstallait la liberté dans un agencement d'institutions médiatisant la loi abstraite : les structures successives de la famille (relations interpersonnelles), de la corporation (ordre des relations socio-économiques) et enfin de l'État (s'agissant du lien politique) [57]. Si l'on suit Paul Ricœur, le problème que pose un tel raisonnement n'est ni dans l'intention critique de la « vision éthique du monde », ni dans l'effort pour remplir une idée de norme réduite par Kant au « squelette de la règle d'universalité ». Il tient en revanche au fait de conduire à une hypostase de l'État, conçu non seulement comme le lieu où se loge le savoir de la société, mais encore comme l'instance concrète où se réalise la liberté. En ce sens, ce ne serait pas « l'idée d'une synthèse de la liberté et de l'institution » qui serait inquiétante, mais son débouché : le fait qu'elle se paye d'une réduction de la liberté à la participation des individus aux institutions objectivées [58].

Comment désarticuler le raisonnement, passer des individus aux communautés qui les rassemblent puis à l'État, sans devoir « distinguer ontologiquement entre esprit objectif et esprit subjectif, ou plutôt entre conscience et esprit [59] » ? Autrement dit, peut-on préserver ce que vise et réalise de façon magistrale Hegel, la liaison de l'individu à l'institution et la connaissance objective, sans épouser les conséquences redoutables de sa position : « L'État est désigné comme un dieu parmi nous [60] » ? Peut-on opérer ce lien sans accepter ce que la saisie de l'esprit objectif impose, à savoir une forme de saut à partir du réel vers des entités supérieures à la conscience des acteurs : esprit commun, être collectif, rationalité de l'histoire ? Le problème a donc une double signification, ontologique et épistémologique. Épistémologique, dans la mesure où il s'agit de savoir s'il est possible de faire l'économie du concept d'esprit objectif, sans abandonner ce qu'il désigne. Ou encore s'il nous est permis d'atteindre une objectivité de la connaissance sans quitter le point de vue d'une phénoménologie de l'action individuelle. Mais la question est aussi ontologique et politique, pour autant que si l'esprit et l'État se confondent, s'érige la tentation d'un glissement de la raison pratique vers l'idée d'un savoir de l'action. Idée ruineuse pratiquement puisqu'elle implique l'effacement de la liberté devant le savoir objectif de l'État. Idée ruineuse théoriquement lorsque s'ajoute à la tyrannie d'un savoir de l'esprit objectif le fait de rendre vaine toute critique de l'aliénation, toute capacité pour l'individu de contester la manière dont s'opèrent dans l'État l'objectivation de ses désirs et la satisfaction de ses besoins.

La stratégie de Husserl

À ce défi hégélien et aux questions qu'il soulève, Paul Ricœur oppose une stratégie de riposte qui s'organise autour de Husserl et du projet d'une phénoménologie de la conscience, pour conduire à Max Weber [61]. De Hegel à Husserl, le trajet se présente de la manière suivante : pour relever le défi, la phénoménologie de la conscience doit parvenir à s'élever *au niveau* d'une problématique de l'esprit objectif et donc produire *l'équivalent* d'une philosophie de l'esprit. Mais elle doit le faire en demeurant dans les strictes limites d'une analyse de l'intersubjectivité, en s'interdisant tout saut au-delà de la description phénoménologique du réel, vers des entités d'essence supérieure et étrangères à la conscience. Le passage en retour de Husserl à Weber sera dès lors celui qui va de l'annonce du programme à sa réalisation au travers d'une méthodologie fondée sur l'interaction et d'une interprétation empirique de la vie culturelle.

Contenu dans les derniers paragraphes de la cinquième des *Méditations cartésiennes*, le programme demeure à l'état d'ébauche [62]. On sait par ce qui précède que le problème de Husserl est de prendre en charge la question de la possibilité d'une connaissance et d'une interprétation de l'action sans quitter le terrain de la subjectivité : en posant l'analogie entre moi et autrui, en refusant tout autre principe instituant que l'idée selon laquelle « l'*alter ego* est un autre *ego comme* moi [63] ». On comprend grâce au commentaire de Paul Ricœur qu'il s'agit d'estimer la différence et de creuser la distance entre la phénoménologie au sens de Hegel et celle que veut élaborer Husserl. On peut enfin imaginer qu'à l'aube du tournant postsystématique de la philosophie, la référence problématique aux questions cartésiennes fait signe vers l'une des difficultés majeures de la pensée contemporaine : refouler la tentation totalisante du savoir absolu tout en préservant la possibilité de la connaissance et l'autonomie de l'action.

Dans cette perspective, l'orientation hégélienne s'apparentait à tout prendre moins à une « phénoménologie *de* la conscience » qu'à une « phénoménologie *dans* l'élément de la conscience [64] ».

Désignant la conscience comme le « milieu de l'expérience » puis glissant de l'expérience individuelle au « parcours d'une expérience historique », elle finit par prétendre récapituler la trajectoire de l'expérience humaine en général : « L'homme y est successivement chose parmi les choses, vivant parmi les vivants, être rationnel comprenant le monde et agissant sur lui, vie sociale et spirituelle et existence religieuse [65]. » Réceptacle de cette phénoménologie hégélienne, l'esprit n'est alors plus la conscience, ni même la raison, mais quelque chose de plus et de nature différente : l'esprit est « l'effectivité éthique concrète ». Contre Kant et le formalisme de la raison pratique s'opère donc une réduction de la moralité universelle à son actualisation au sein des activités particulières, des œuvres de culture et des institutions concrètes : « La raison est esprit quand sa certitude d'être toute la réalité est élevée à la vérité et qu'elle se sait consciente d'elle-même comme de son monde et du monde comme de soi-même [66]. »

L'intention de Husserl est donc de développer une phénoménologie qui échappe à cette réduction de la conscience aux manifestations du monde de la culture, des mœurs et des institutions, afin de tenir à distance l'idée selon laquelle la conscience ne deviendrait universelle qu'en entrant dans l'histoire. En d'autres termes, il s'agit de savoir si une « intelligibilité transcendantale » est possible, sans franchir le pas d'une théorie rationaliste de l'histoire. Ou encore de comprendre « la totalité du monde concret qui nous reste lorsque nous faisons abstraction de tous les prédicats de " l'esprit objectif [67] " ». Ouvrant une perspective qui va se déployer de Merleau-Ponty à Alfred Schutz et se prolongera chez Emmanuel Lévinas et Paul Ricœur, la démarche de Husserl repose donc sur la volonté de passer sans rupture de la conscience à l'intersubjectivité : pour penser successivement l'autonomie du sujet, les registres de l'activité interpersonnelle propres à l'éthique et la politique, leur inscription enfin dans la dimension d'une histoire qui épouserait les formes non d'un procès, mais d'une narrativité. Circonscrite aux problèmes spécifiques du politique, cette intention théorique affronte alors le problème suivant : comment concevoir les constructions culturelles, juridiques et politiques que Hegel décrit sous le concept d'esprit sans avoir à supposer quoi que ce soit qui échappe à « l'analogie des *ego* », en évitant de recourir à une quelconque forme d'au-delà de l'intersubjectivité ?

Dans les termes de Paul Ricœur, le problème est donc celui de la saisie des « communautés de rang supérieur », au premier rang desquelles l'État [68]. Comment les atteindre sans opérer une substantialisation des entités collectives ? Comment les aborder sans quitter la sphère de l'intersubjectivité ? Le schéma est donné par la manière dont Husserl résout la question de la constitution des communautés comme formes objectivées de l'action sociale à partir de l'expérience originaire de l'aperception de soi. *A priori*, avoue Husserl, le problème est « obscur » : même sous la forme élémentaire d'un « monde commun », la réalisation d'une communauté semble entravée par le simple fait qu'autrui m'apparaît comme un corps étranger [69]. Les structures qui sont à ma disposition au sein de la « sphère primordiale [70] » de mon expérience personnelle (mon unité psychophysique comme « moi personnel », le caractère immédiatement actif de mon corps et ma capacité d'action dans le monde) ne semblent pas suffisantes pour combler « l'abîme infranchissable » qui me sépare d'autrui. Mais « l'énigme » de la présence d'autrui commence de s'éclairer si on l'aborde sous un autre angle et au travers d'une autre interrogation : comment se fait-il que moi-même et l'autre puissions finir, une fois constitués pour tels, par nous représenter « comme identiquement le même [71] » ?

La solution husserlienne tient dans la manière dont s'effectue « l'identification synthétique » entre la « nature constituée par moi » et la « nature constituée par autrui [72] ». Dans ma « sphère primordiale », celle où s'opère l'aperception de mon corps, se constitue une « nature » au travers de la manière dont j'appréhende mon corps comme « un corps naturel se trouvant et se mouvant dans l'espace [73] ». L'expérience de la mobilité dans l'espace est donc celle d'une nature où s'accomplit l'accouplement entre mon organisme corporel et le moi « qui en est maître [74] ». Lorsque l'autre paraît, il se présente avant tout comme un autre moi dans un autre corps, agissant au moyen de ce corps dans la nature où moi aussi je me meus. Mais il s'agit bien de la même nature, toutefois donnée « dans le mode du " comme si j'étais, moi, à la place de cet autre organisme corporel " ». Par extension, le phénomène de l'expérience conduit donc à une « nature objective » constituée en « couches successives » à partir de la sphère primordiale. Première couche, celle qui se sédimente autour de la saisie de « l'organisme corporel d'autrui » : au travers de l'aperception qui parvient à atteindre l'autre, je fais « l'expérience immédiate de l'*identité* entre le monde des autres, monde appartenant à *leurs* systèmes de phénomènes, et le monde de *mon* système de phénomènes [75] ». Ainsi se reconnaît déjà un « monde commun », fondé sur la coexistence de mon moi et du moi d'autrui, « de ma vie intentionnelle et de la sienne, de mes réalités et des siennes [76] ».

Le passage à des couches de rang supérieur se réalise alors à la manière dont se résout le problème transcendantal de la constitution des « objets idéaux », tels les objets mathématiques, par exemple : par des liaisons formalisées et répétées, finalement passibles d'être contenues dans une synthèse de l'expérience. Ainsi du passage de l'expérience d'un autrui singulier à celle de la communauté : reconnaissant que l'autre a pour moi le sens et la valeur d'une existence déterminée, j'admets que « c'est en moi que les autres se constituent en tant qu'autres [77] ». Mais admettant qu'ils existent comme moi, je découvre aussitôt qu'ils n'existent qu'en liaison avec moi, au sein d'une communauté. Dès lors, loin d'être vide, ce lien est réel, constituant précisément « la condition transcendantale de l'existence d'un monde, d'un monde des hommes et des choses [78] ». Enfin, de la condition transcendantale à « la théorie de la constitution transcendantale du monde objectif [79] », l'enchaînement peut n'être que purement logique. Contournant l'hypostase hégélienne de l'esprit objectif il retrouve pourtant la dimension d'une objectivité du monde de l'action et ouvre directement sur le système de catégories propre à la pensée de Max Weber.

*La reconstruction du monde vécu
dans l'intersubjectivité*

Le premier mouvement de cette reconstruction serait alors celui qui conduit à l'appréhension des « communautés de rang supérieur ». À la base, la communauté elle-même se présente au travers d'expériences qui ont la forme « d'actes allant de " moi à toi ", d'*actes sociaux* au moyen desquels seulement peut s'établir toute communication entre personnes humaines [80] ». Constitutifs comme on l'a vu de l'être au monde, conditions nécessaires de la communication, ces actes sont le milieu primordial de toute « sociabilité ». Mais Husserl indique aussitôt que la communauté ne devient effective qu'en s'apparentant à une « communauté sociale », à savoir une « objectivité spirituelle » au sein du monde objectif. C'est alors sur ce terrain que se structurent par gradations des « personnalités d'ordre supérieur [81] ». Au-delà de ces dernières enfin, s'éclaire « le problème de la constitution pour tout homme et pour toute communauté humaine d'*un milieu spécifiquement humain*, et, plus précisément, d'*un monde de la culture* et de son objectivité [82] ».

L'essentiel de ce raisonnement concernant la manière dont se découvrent « les lois de la constitution orientée [83] » réside donc dans le fait que c'est à partir de l'unique point de vue de l'individu que se mettent en place les différents mondes auxquels appartient et dans lesquels agit le sujet. Celui-ci ne les a reconnus qu'au travers d'un processus de compréhension qui a débouché sur la conscience d'appartenir à un monde commun, le *Lebenswelt* que décrira la *Krisis* : « La progression systématique de l'explicitation phénoménologique [...] aboutit à découvrir le sens transcendantal du *monde* dans toute la plénitude *concrète* dans laquelle il est le monde de notre vie à tous [84]. » Dans la construction achevée qu'offrira la *Krisis*, le monde de la vie sera en effet thématisé comme « monde donné d'avance », ce qu'il est « naturellement pour nous tous, en tant que personnes dans l'horizon de notre humanité commune, donc dans toute connexion actuelle avec les autres, comme " le " monde, le monde commun à tous [85] ». Avec pour conséquence qu'il pourra représenter un « sol de validité constant, une source toujours prête d'évidences, que nous revendiquons tout simplement aussi bien en tant qu'hommes pratiques qu'en tant que savants [86] ». En d'autres termes encore, il offrira en quelque sorte la reconstitution de ce « sol ininterrogé de présuppositions » sur quoi reposait la critique kantienne de la raison et qui engage une thématisation nouvelle de la question du rapport entre la connaissance scientifique et celle qui est disponible « dans le courant de la vie pratique de tous les jours [87] ».

Au regard de l'hypothèse de la cinquième des *Méditations cartésiennes*, importe surtout le fait que cette structure aperceptive du monde à partir de la « constitution d'autrui » par le sujet puisse inclure au sein du « monde de la culture » les communautés de rang supérieur. Mais plus décisif encore est le fait que ces institutions en quoi Hegel voyait le lieu réel de la vie effective se découvrent au sein de l'expérience et non plus à partir d'une position située au-delà des capacités du sujet. Telle est donc bien la « réponse de Husserl à Hegel » au sens de Paul Ricœur : ce que la phénoménologie hégélienne n'atteignait qu'au travers d'un saut vers l'esprit objectif est appréhendé dans celle de Husserl sans que ne soit jamais invoquée une « entité distincte de l'interrelation des *ego* [88] ». On peut ainsi aisément reconnaître la manière dont la phénoménologie husserlienne tisse « le réseau *a priori* d'une sociologie compréhensive [89] », dans une perspective qui se laisse à son tour parfaitement remplir par les analyses foisonnantes de Max Weber.

À quoi on pourrait encore ajouter que cette phénoménologie esquisse un second mouvement, en poursuivant ses ramifications dans d'autres directions : celle de la temporalité et celle de la diversité des cultures. S'agissant de cette dernière, Husserl indique qu'en identifiant la communauté de culture à laquelle il appartient, l'homme devient accessible à la perception d'autres hommes, vivant dans d'autres formes de société. Mais le noyau de cette possibilité d'ouverture à d'autres cultures réside dans une circonstance encore plus précise : pour s'orienter dans son « monde ambiant concret », l'homme est poussé à explorer « les horizons encore cachés de *sa* culture *à lui*[90] ». Exploration qui prend la forme d'une compréhension de la culture à partir de la société qui l'a historiquement formée. Exploration qui a pour sens le fait que l'orientation dans le monde concret de la culture sollicite « la compréhension de couches toujours plus vastes du présent » et la découverte de « l'horizon du passé » qui le détermine. L'ouverture à la dimension de l'historicité s'opère donc par le même procédé que celui qui préside à la découverte des mondes d'appartenance : par la prise en charge de « couches » successives constituées sur des horizons de plus en plus larges à partir de l'aperception de soi. En ce sens, une telle entrée dans le registre de l'historicité par le biais d'une compréhension de l'expérience vécue fait à nouveau fond contre la dévalorisation hégélienne de la subjectivité dans l'histoire. En explorant de cette manière le monde historique, Husserl résiste encore à cette conséquence du système de Hegel qui fait qu'en dernier ressort la tradition est plus forte que les individus, en ce qu'elle seule est véritablement objective[91].

Il faut retenir cette liaison chez Husserl entre la découverte de la temporalité et l'ouverture à la diversité des cultures, dans la mesure où elle éclaire la manière dont se négocient dans la méthodologie wébérienne le rapport entre la compréhension sociologique du monde des relations sociales et l'explication historique de son devenir, mais aussi le problème de l'accès par la science à l'analyse des cultures étrangères. En précisant que la compréhension du « monde de la culture » est toujours « orientée par rapport à un " point zéro " ou à une " personnalité " », en insistant sur le fait que « c'est moi et ma culture qui formons ici la sphère primordiale par rapport à toute culture " étrangère "[92] », Husserl cerne deux lieux problématiques essentiels chez Max Weber. Celui tout d'abord du « point zéro » où s'opère l'analyse historique lorsqu'elle cherche tout à la fois à produire une explication du présent par le passé et à tenir à distance l'idée d'une nécessité rationnelle de l'histoire[93]. Dans les catégories wébériennes, il s'agit du lieu exact où se loge la technique de l'idéal-type lorsqu'elle vise à expliquer l'enchaînement causal qui a conduit à un événement réel du passé à partir de la construction abstraite de règles de l'expérience[94]. Mais ce détour localise aussi la possibilité pour le savant d'accéder à la compréhension de cultures différentes de la sienne, en cherchant à saisir la pluralité des devenirs culturels et historiques, sans tout à fait abandonner la perspective d'une universalité de la civilisation. Notons qu'en thématisant ces difficultés à partir d'un unique concept – celui de « rapport aux valeurs » dans la constitution des objets d'analyse – Weber dégage une voie similaire à celle que suggère Husserl. Celle d'une exploration par le savant de son propre univers culturel, afin de déterminer ses propres « intérêts de connaissance » et d'opérer une mise à distance permettant de maîtriser l'accès à la reconnaissance de l'altérité [95].

Reste que si avec le Husserl de la cinquième des *Méditations cartésiennes* se met en place le cadre stratégique d'une « riposte au défi hégélien », on peut penser avec Paul Ricœur que celle-ci ne devient véritablement opératoire qu'en étant accouplée au système des catégories d'une sociologie compréhensive du type de celle de Max Weber. Husserl en effet ne développe à proprement parler ni une épistémologie des sciences sociales, ni même une « description de la vie culturelle » qui se laisserait comparer par son ambition et par son ampleur à celle de Hegel. De ce double point de vue donc, Weber réaliserait un programme dont la thématisation par Husserl lui était inconnue, mais qui cerne avec précision l'unité méthodologique de sa démarche tout en éclairant le foyer original qui donne sens à son œuvre. Précisons une dernière fois les circonstances et l'enjeu de cette rencontre.

Le sens de l'individualisme méthodologique

En installant au fondement de sa sociologie compréhensive les principes de « l'individualisme méthodologique », Max Weber met en jeu ce que Paul Ricœur appelle une « décision antihégélienne ». Peu importe qu'en l'occurrence l'intention de celle-ci soit sans doute dans l'esprit de Weber plus directement antimarxiste. L'essentiel tient au fait de décider une rupture avec l'idée selon laquelle le monde concret et l'histoire s'analysent à partir d'entités collectives objectivées. Ainsi en est-il de la manière la plus claire dans la lettre à Robert Liefmmann du 9 mars 1920, qui restitue *a posteriori* toute la cohérence de la démarche wébérienne exposée ailleurs avec moins d'humour autobiographique : « Si je suis finalement devenu sociologue (comme l'indique mon arrêté de nomination), c'est essentiellement afin de mettre un point final à ces exercices à base de concepts collectifs dont le spectre rôde toujours. En d'autres termes : la sociologie, elle aussi, ne peut procéder que d'un, de quelques, ou de nombreux individus séparés. C'est pourquoi elle se doit d'adopter des méthodes strictement *individualistes* [96]. »

En affirmant que seul l'individu est porteur de sens, Weber fixe donc un premier seuil de résistance qui peut se disposer comme suit : « Si une institution n'est pas perçue par les membres de la communauté comme issue des motivations qui donnent sens à l'action, elle cesse d'être justiciable d'une sociologie compréhensive [97]. » Essentielle au plan de la théorie de la connaissance, une telle proposition l'est aussitôt également pour ce qui concerne le problème politique. C'est elle en effet qui éclaire à nouveau l'ambiguïté propre à l'idée hégélienne selon laquelle la liberté s'associe à la satisfaction des individus par les institutions. Pour s'en convaincre, il suffit de l'opposer à l'espace qui se déploie entre ces deux thèses des *Principes de la philosophie du droit*. Celle qui affirme que « l'État est l'unique condition qui permet à la particularité d'accéder au bonheur et de réaliser ses fins ». Puis celle qui paraît nuancer le propos : « On a dit souvent que le but de l'État était le bonheur des citoyens ; cela est certainement vrai : si les citoyens ne se sentent pas heureux au sein de l'État, si leurs aspirations subjectives ne sont pas satisfaites, s'ils ne voient pas que le moyen de cette satisfaction est l'État en tant que tel, alors celui-ci ne repose plus sur une base solide [98]. »

A contrario, tombe sous la coupe de la sociologie compréhensive toute action sociale, c'est-à-dire toute action présentant la double caractéristique d'être dotée de sens pour l'acteur et d'être orientée intentionnellement vers autrui, selon la définition wébérienne de l'activité sociale comme « activité qui, d'après son sens visé (*gemeinten Sinn*) par l'agent ou les agents, se rapporte au comportement d'*autrui* par rapport auquel s'oriente son déroulement [99] ». D'où un second seuil de résistance, fortement mis en lumière par Paul Ricœur : en présentant l'action sociale au travers de l'orientation vers autrui, Weber maintient de nouveau à distance la référence à des entités collectives. Dans cette définition en effet, la qualification de « social » n'est introduite qu'en « épithète à la notion d'action et non à titre de substantif [100] ». Ce qui veut aussitôt dire qu'à l'encontre de l'illusion consistant à traiter les institutions comme des personnes morales dotées d'attributs juridiques (droits, devoirs, obligations), Weber envisage de les concevoir uniquement sous l'angle d'un complexe d'actions. À ce titre, par exemple, l'État ne devrait être perçu et traité qu'en tant qu'une forme supérieure d'« agir avec », dont l'apparente objectivité se réduit au fait d'incorporer des actions produites par des individus les uns avec les autres.

Cette forme de réduction de l'objectivité sociale à des comportements orientés débouche alors sur un troisième seuil décisif, celui où Ricœur situe « la riposte topique à Hegel [101] ». Celle-ci s'organise une dernière fois autour d'une résorption de l'objectivité apparente des institutions et prend la forme suivante. La réification des institutions en entités objectives s'opère chaque fois que nous supposons qu'elles imposent avec certitude certains types d'actions. Or les formes d'action induites par l'existence de ces institutions sont tout au plus prévisibles et demeurent en tout état de cause de l'ordre du probable. Même dans les cas les plus complexes, cette dimension de probabilité persiste, de la façon qu'indique Weber lui-même : « Un " État " cesse d'exister dès qu'a disparu la *chance* qu'il s'y déroule des espèces déterminées d'activités sociales, orientées significativement. Cette chance peut être très considérable comme elle peut être minime, presque négligeable. Ce n'est que dans le sens et la *mesure* où elle a existé ou existe effectivement [...] qu'a existé ou qu'existe également la relation sociale en question. Il n'est vraiment pas possible de donner un autre sens *précis* à la proposition : tel " État " déterminé par exemple existe encore ou n'existe plus [102]. »

Ce combat contre la réification des concepts institutionnels, qui passe par leur réduction à des probabilités d'actions, peut alors s'étendre à l'ensemble des notions requises dans l'analyse des phénomènes sociaux et politiques. Notions d'ordre, de communauté et d'association, s'agissant des structures constituées à partir de l'agir en commun doté de sens. Notions d'autorité, de pouvoir ou de domination, lorsque est prise en compte la dimension d'une assignation de comportement ou la recherche d'une obéissance [103]. Jusqu'à la notion de légitimité qui organise toute la pensée politique de Max Weber et demeure contenue dans les limites d'une relation intersubjective perçue en termes de croyances et produisant une probabilité d'action. Est à cet égard particulièrement significatif le chapitre d'*Économie et société* consacré aux « fondements de la légitimité ». Le concept en effet n'intervient qu'en tant qu'il éclaire les conditions de la domination elle-même entendue comme « la chance, pour des ordres spécifiques [...] de trouver obéissance de la part d'un groupe déterminé d'individus ». Weber note alors que « la domination peut reposer [...] sur les motifs les plus divers de docilité : de la morne habitude aux pures considérations rationnelles en finalité. Tout véritable rapport de domination comporte un minimum de volonté d'obéir, par conséquent un intérêt, extérieur ou intérieur, à obéir ». Ayant parcouru l'ensemble de ces intérêts et des motifs qui leur sont associés, il conclut : « Un facteur décisif plus large s'y ajoute normalement, la croyance en la légitimité [104]. »

Phénoménologie de la conscience
et critique de l'aliénation

Au terme de cette présentation apparaît donc l'unité méthodologique de la démarche de Max Weber, qui tient en un traitement
des registres de plus en plus complexes de l'action humaine à
partir de la seule logique de l'intersubjectivité. Si le programme
devait être tenu jusqu'au bout, si l'analyse empirique venait confirmer l'intention épistémologique, si les différentes formes de
l'activité sociale, les types de légitimité du pouvoir ainsi que les
communautés de rang supérieur comme l'État pouvaient être effectivement saisis sans référence à d'autres entités que les individus
agissant et réglant le sens de leur action sur la compréhension de
celle des autres, Max Weber relèverait l'intégralité du défi hégélien. Sur le terrain qui est celui de Hegel et en préservant son
ambition. Mais en évitant l'hypostase de l'esprit objectif qui
demeure l'impasse propre à l'hégélianisme. Essentielle au regard
de la théorie de la connaissance, une telle percée aurait en outre
deux conséquences philosophiques d'une nature et d'un intérêt primordial.

En premier lieu, elle offrirait la possibilité d'une synthèse inédite entre la liberté et l'institution. Sans jamais postuler comme il
est fait chez Kant l'autonomie *a priori* du sujet, elle la réintro-
duirait en effet au niveau concret d'une phénoménologie de l'action décrite en termes intersubjectifs. Réinvestissant par ce biais
une dialectique de la liberté et du pouvoir, elle la maintiendrait au
surplus dans les limites de l'action humaine, évitant à ce titre la
réduction de la politique à l'existence objective de l'État. En ce
sens il faut signaler qu'elle accomplirait le programme toujours
inachevé de ce qu'il convient d'appeler l'idéalisme allemand. De
ce programme on peut brièvement rappeler qu'il fut légué presque
par inadvertance au moment où Kant était forcé de supposer que
l'autonomie de la liberté est un « fait de la raison », selon la
célèbre et controversée proposition de l'*Analytique de la raison
pratique* qui traite le problème de la conscience de la « loi fondamentale » et pose la pensée *a priori* d'une législation universelle
comme forme non déterminée de la volonté. Parce qu'elle ne se
peut déduire d'« aucune donnée antérieure de la raison ». Parce
qu'elle « s'impose à nous par elle-même ». Parce qu'il faut donc
considérer que n'étant pas un fait empirique mais étant « donnée »,
elle est bien « uniquement le fait de la raison pure qui se proclame
par là comme originairement législatrice [105] ». De ce même pro-

gramme on peut ajouter qu'il est repris chez Fichte au travers de la « phénoménologie de la liberté » qu'esquissent les *Fondements du droit naturel* [106]. À quoi s'ajoute enfin qu'il structure aujourd'hui encore les travaux d'Habermas, Apel et leurs successeurs s'agissant de la « fondation ultime » de l'action, des normes, de la liberté et de leur sens, contre la réduction hégélienne que l'on sait [107].

En second lieu et à rebours, ce type de dialectique structurée sur l'activité ouvrirait l'espace d'une critique de l'aliénation, anticipant cette fois sur le modèle de celle qui sera construite par l'École de Francfort à partir d'une lecture de Marx. D'une autre manière, elle évoquerait aussi l'entreprise de réinterprétation du sens même de l'aventure moderne telle que la conduit Hans Jonas dans la proximité cette fois d'Hannah Arendt et Heidegger [108]. Dans la mesure en effet où elle décrirait les divers registres institutionnels comme des formes d'objectivation du lien communautaire, elle préserverait une distance entre les formes légitimes et celles qui cesseraient de l'être en devenant aliénantes au titre notamment des effets non voulus de la rationalité technique. Installant la saisie de ces processus d'objectivation dans le seul registre d'une compréhension de l'interaction humaine, elle réserverait ainsi la possibilité pour les individus de récupérer une capacité critique de l'aliénation vécue comme distorsion entre les attentes projetées dans les différents types d'activités communautaires et la satisfaction procurée en retour par l'existence des institutions.

Critique de l'aliénation du monde vécu, dialectique de la liberté et de l'institution sur l'horizon d'une compréhension de l'activité sociale à partir de l'intersubjectivité, c'est à l'aune de ces possibilités qu'il faudra interpréter l'œuvre de Max Weber. En sachant toutefois que l'intensité de la discussion sera *a priori* déterminée par l'ampleur de la tâche et l'importance de la promesse. Si cette dernière a été bien perçue, le projet de Max Weber devrait s'étendre d'une réflexion sur le statut d'une connaissance scientifique de l'ordre des relations humaines vers la prise en charge des questions classiquement associées au registre de la pratique. La pensée de Max Weber préserve-t-elle l'idée d'une raison pratique ? Laisse-t-elle ouverte la perspective d'un fondement universel des principes de l'éthique, du droit et de la politique ? Ou bien réserve-t-elle cette possibilité au seul registre de la connaissance scientifique, délaissant l'idéal de la raison pratique qui irait se briser sur le constat de la « guerre des dieux » ? Question soulevée par Jürgen Habermas et qui se focalisera sur une éventuelle réduction wébérienne de la rationalité au domaine de l'efficacité technique instrumentale.

Sous un autre aspect, si l'épistémologie wébérienne offre un dispositif d'une redoutable efficacité contre les théories rationalistes de l'histoire, sa conception de l'explication causale suffit-elle pour résoudre de façon satisfaisante toutes les difficultés associées à la finalité puis à l'objectivité de la connaissance ? Peut-on aborder le registre des discussions attachées aux notions du beau, du juste et du bon avec les seules catégories de la causalité ? Questions posées cette fois par Raymond Aron et qui soulèveraient une nouvelle forme d'objection. Si la démarche de Weber conduisait en effet à devoir admettre, comme le dit Aron, que « les idées de la *Critique de la raison pure* sont pour nous sur le même plan que les divagations d'un fou [109] », ne faudrait-il pas constater qu'elle réduit toutes les données de l'histoire à des événements psychiques, occultant ainsi en dernier ressort toute capacité de jugement ? Position qui entraînerait à coup sûr une atrophie de la pensée wébérienne du côté de l'éthique et de l'esthétique, mais qui aurait également de redoutables conséquences dans le registre politique. Position qui ne peut en tout cas être examinée à partir du seul foyer de l'épistémologie, puisqu'elle met tout autant en cause le choix des objets d'analyse que traite Max Weber. D'où la nécessité d'un nouveau détour, vers les problèmes qui donnent une autre forme d'unité à l'œuvre. À la recherche de ce qui lui assure la cohérence d'une interprétation de la modernité.

CHAPITRE II

La modernité
comme désenchantement

Système de catégories, réflexion sur l'objectivité des énoncés, thématisation du choix des objets et du contrôle de leur traitement, l'épistémologie wébérienne offre tous les éléments d'une théorie de la connaissance. Orientée vers les problèmes propres aux sciences de l'homme, de la société et de la culture, elle trace une ligne de partage entre les débats dont elle hérite de la tradition des sciences de l'esprit et ceux qui structurent la sociologie et l'histoire contemporaines. De ce point de vue, elle construit le soubassement d'un positivisme qui se fonde sur l'intention de décrire les faits sans les juger et atteste la validité de ses propositions dans une stricte neutralité par rapport aux valeurs. Pourtant, si cette démarche cerne un noyau central de l'œuvre de Max Weber, elle est loin d'en épuiser la signification et la portée. Plus encore, tout semble se passer comme si ce rigorisme méthodologique appelait son propre dépassement. Par sa manière si particulière de faire des objets de connaissance des problèmes pour la connaissance. Par son souci également de ne pas couper l'interrogation sur les règles du savoir d'un investissement empirique dans le matériau foisonnant des questions concrètes qui nourrissent ce savoir. En ce sens, l'épistémologie n'est qu'un socle incomplet et la pensée de Weber souligne d'autres questions que celles désormais attachées au strict contrôle de la production d'énoncés scientifiques sur la réalité sociale et humaine. Question de l'unité problématique de l'œuvre, puisqu'il va s'agir de restituer le lien entre ses différents corpus et d'affronter par ce biais le problème de la nature du regard wébérien sur le monde contemporain. Question associée à la recherche de ce qui donne aussi l'assise d'une interprétation exemplaire de la modernité au travers du paradigme du désenchantement.

S'il est relativement aisé de reconstruire le noyau de propositions et de catégories théoriques qui donnent une unité épistémologique à l'œuvre de Max Weber, l'entreprise est plus difficile s'agissant de ses objets empiriques. C'est par ce biais en effet que s'installent le plus souvent les polémiques entre interprètes, confrontés aux questions de frontières et de ruptures entre des pans entiers d'un champ de préoccupations qui touche à la fois l'histoire et la sociologie des grandes religions, la formation et l'analyse des formes de domination politique ou des systèmes administratifs et juridiques, le développement enfin des structures économiques. C'est dans ce registre également que l'œuvre est confrontée à son propre inachèvement. Celui qui tient à l'incomplétude du traité central qu'est *Économie et société*, abandonné en bien des points à l'état d'esquisse. Mais aussi celui qui touche à nombre d'autres projets, entrevus et annoncés le plus souvent au terme des grandes études empiriques ou des textes programmatiques. Reste que ce caractère inachevé de l'œuvre en dit déjà long sur elle, à commencer par ses intentions qui ne se laissent pas réduire à de simples questions méthodologiques et ne se perçoivent véritablement qu'au travers des problèmes que Weber se propose de résoudre. Avant d'envisager plus directement la formulation de ces problèmes, indiquons quelques considérations qui y conduisent en cernant les liens entre questions de méthode et analyses empiriques.

La méthode et les limites de la science

Par une sorte de paradoxe fructueux, c'est la thématisation des limites intrinsèques de l'épistémologie elle-même qui offre une clef d'accès vers les formes d'unité cachée de l'œuvre de Max Weber. Une telle clef est parfaitement mise au jour par Leo Strauss qui, à cette occasion, dégage les motifs d'un hommage au sein de sa critique. Elle se fonde sur cette idée en apparence anodine selon laquelle une théorie de la connaissance ne servirait à rien qui tournerait à vide, impuissante ou réticente à affronter des questions concrètes. Tel n'est pas le cas pour Leo Strauss de celle de Max Weber, même si cela ne devait avoir qu'une raison négative : « Ses thèses méthodologiques restent inintelligibles ou du moins hors de propos, si on ne les transpose pas en thèses sur la nature du réel [1]. » D'où cette proposition plus générale, qui illustre un aspect décisif et souvent occulté d'une œuvre parfois réduite à ses fondements théoriques : « La méthodologie, en tant que réflexion sur la démarche concrète de la science, est forcément réflexion sur les limites de la science. Si la science est en vérité la forme la plus haute de connaissance humaine, la méthodologie est réflexion sur les limites de la connaissance humaine. Et si c'est la connaissance qui caractérise l'homme entre toutes les créatures terrestres, la méthodologie est réflexion sur les limites de l'humanité, sur la situation de l'homme en tant qu'homme [2]. »

Cette première considération se décompose alors immédiatement en deux propositions. L'une concerne le fait qu'au sein même de l'épistémologie wébérienne se loge une thématisation des limites de l'objectivité scientifique qui sollicitera bientôt une réinterrogation de la notion de neutralité, censée garantir la validité des énoncés produits par les sciences de l'esprit. L'autre revient à préciser avec Leo Strauss le statut des modèles méthodologiques en rappelant qu'une théorie de la connaissance n'est jamais à elle seule une connaissance, mais ne le devient qu'en débouchant sur des thèses ou des interprétations qui touchent à la réalité. Cette remarque serait d'ailleurs confirmée par Max Weber lui-même, lorsqu'il précise que « la méthodologie ne peut jamais être autre chose qu'une réflexion sur les moyens qui se sont *vérifiés* dans la pratique, et le fait d'en prendre expressément conscience ne saurait pas plus être la présupposition d'un travail fécond que la connaissance de l'anatomie n'est la présupposition d'une démarche " correcte " [3] ». Raison qui serait à elle seule suffisante pour admettre que l'unité d'une œuvre comme celle de Max Weber ne se réduit pas au seul foyer de sa méthode, mais joue sa propre cohérence au travers de sa pratique du travail empirique. Mais raison qui se renforce aussitôt puisque Weber ajoute, allant plus loin encore : « Une science ne se laisse fonder et ses méthodes ne progressent qu'en soulevant et en résolvant des problèmes qui se rapportent à des faits (*sachlich*), mais jamais encore les spéculations purement épistémologiques et méthodologiques n'y ont joué un rôle décisif [4]. »

Telle serait donc la première motivation qui pousse à chercher une unité de l'œuvre de Weber du côté des problèmes qu'elle affronte. Elle fait alors signe vers un réaménagement de la place des réflexions épistémologiques qui ont, selon Leo Strauss, essentiellement pour tâche de préserver l'intégrité des sciences de l'esprit en leur évitant deux écueils : « la tentation de les modeler sur les sciences de la nature, et celle de transposer le dualisme entre *Naturwissenschaften* (sciences de la nature) et *Kulturwissenschaften* (sciences de la culture) en termes métaphysiques (" corps / esprit " ou " nécessité / liberté ") [5] ». Jürgen Habermas ne dit pas autre chose, lorsqu'il décrit la nature finalement ambivalente du positivisme de Weber. Sur une face en effet, celle qui recherche des régularités empiriques et radicalise le rejet des valeurs en excluant toute préoccupation herméneutique de compréhension de leur sens, ce positivisme wébérien semble indifférent à la signification culturelle des problèmes qu'il traite, pour se focaliser sur une connaissance presque technique des processus sociaux. Mais sur l'autre, Max Weber paraît poursuivre d'autres objectifs, si l'on admet que, « à la différence de ses successeurs positivistes, il n'a pas voulu dispenser les sciences sociales de leur tâche si souvent formulée : tirer au clair la signification culturelle des ensembles sociaux cohérents et rendre ainsi intelligible la situation sociale du temps présent [6] ». À titre d'illustration de l'élargissement souligné par Habermas on trouverait alors ces propos programmatiques de Max Weber lui-même : « La science sociale que nous nous proposons de pratiquer est une *science de la réalité* (*Wirklichkeitswissenschaft*). Nous cherchons à comprendre l'originalité de la réalité de la vie qui nous environne et au sein de laquelle nous sommes placés, afin de dégager d'une part la structure actuelle des rapports et de la signification culturelle de ses diverses manifestations et d'autre part les raisons qui ont fait qu'historiquement elle s'est développée sous cette forme et non sous une autre [7]. »

La neutralité et le problème des valeurs

La remarque d'Habermas peut encore être creusée. Dans la mesure où elle accentue le fait que les intérêts de connaissance de Max Weber sont volontiers tournés vers le contemporain et la signification de problèmes situés dans le registre du monde vécu. Mais dans la mesure aussi où elle permet de reconsidérer un instant une question centrale, celle de la neutralité axiologique. On sait à ce sujet la position de Weber : l'objectivité qui spécifie une science se gagne dans la distinction entre « sphère des évaluations » et sphère du travail empirique, dans la séparation entre ce qui est de l'ordre du réel s'agissant des œuvres humaines (« l'étant psychologique » passible de compréhension) et ce qui doit être tenu à l'écart, à savoir le « devant-valoir éthique [8] ». Elle conduit à ce qui apparaît au plus haut point comme l'intransigeance méthodologique wébérienne : l'interdiction de tout jugement au sein d'un travail scientifique strictement limité à la description des faits et de leurs enchaînements par des liens de régularité ou de causalité, avec une série de conséquences que Weber signale méticuleusement. Une méfiance extrême vis-à-vis du concept de « progrès », rigoureusement cantonné dans le registre où l'on décrit l'accroissement d'une maîtrise technique des objets ou même des hommes [9]. La réduction des propositions normatives (éthiques, esthétiques, politiques...) à des objets de comparaisons empiriques privées de toute signification en terme de devoir-être [10]. L'impossibilité pour une histoire empirique des objets de culture (la musique, par exemple) de formuler des jugements esthétiques et le devoir pour elle de se contenter d'exposer les « facteurs du développement [11] ». Le fait enfin que les œuvres de culture perdent au regard de la science leur valeur singulière du point de vue du sens afin de devenir de strictes « individualités historiques » incluses dans des constructions qui les dépassent [12].

Reste toutefois qu'il faut se souvenir que cette intransigeance est aussitôt tempérée par une autre considération : s'il peut s'interdire des jugements de valeur portant sur le résultat de sa recherche, le savant ne peut se détacher complètement de choix subjectifs lors de la sélection de ses objets. Thématisée sous la notion de « rapport aux valeurs », cette position atténue quelque peu la rigueur des principes développés au travers de l'idée de neutralité axiologique. Avec elle en effet, Weber admet à la suite de Rickert que l'intérêt pour un événement historique ou une question sociologique est toujours conditionné et donc relatif. Ce conditionnement implique alors que leur définition en tant qu'objets de connaissance passe par une prise de position qui sollicite les « points de vue axiologiques » de celui qui l'opère. Prise de position toutefois différente du jugement de valeur, dans la mesure où elle peut elle-même être mise en perspective en recourant aux catégories admises de l'épistémologie : par le biais de la reconnaissance en termes de « possibilité » d'autres attitudes légitimes face à une situation identique [13]. À ce niveau, l'exigence méthodologique se réduit donc à un devoir d'exposition et de rationalisation des motifs qui justifient un choix inéluctablement partial. Max Weber en résume le principe de la manière suivante : « La notion de " rapport aux valeurs " désigne simplement l'interprétation philosophique de l'*intérêt* spécifiquement scientifique qui commande la sélection et la formation de l'objet d'une recherche empirique [14]. »

La présence de ces deux composantes au sein de la théorie wébérienne de l'objectivité scientifique pose un épineux problème aux commentateurs. Celui-ci se résume au soupçon suivant lequel il se pourrait qu'elles soient contradictoires, sollicitant des logiques apparemment proches mais finalement divergentes. Ainsi Runciman fait-il remarquer que l'attitude conciliante de Weber quant au « rapport aux valeurs » l'éloigne d'un positivisme extrême, qui réglerait sa conception de la neutralité scientifique sur l'horizon de l'objectivité des sciences de la nature. Admettant une « liberté d'interprétation » dans les sciences sociales, l'épistémologie wébérienne accepterait donc pour acquise une différence de nature entre les sciences, sans voir que « le fait de l'admettre n'immunise pas autant qu'il le croit à l'égard des problèmes qui subsistent [15] ». À quoi il faut cependant ajouter que le constat d'un tel problème n'est à nouveau pas la solution de la question de la neutralité puisqu'il débouche sur deux attitudes possibles. Face au caractère contradictoire des composantes de la théorie de l'objectivité chez Weber une première riposte pourrait en effet consister à renforcer l'intransigeance épistémologique vers le haut, en cherchant à éliminer la subjectivité du choix des objets de recherche et de la définition de ses intérêts. Mais outre les difficultés propres qu'elle rencontre, une telle stratégie se heurte au fait que la solution inverse est tout autant envisageable. Elle consisterait cette fois à relâcher la pression anti-évaluative s'agissant des analyses terminales, en admettant qu'il en va plutôt de leur intérêt pour la connaissance qu'elles autorisent des jugements sur le réel.

On est cependant en droit de penser qu'il se puisse que la querelle soit vaine et le problème mal posé, à condition de retrouver un lien entre les deux composantes de la théorie wébérienne. C'est ce que suggère Habermas en remarquant que « l'opinion qui domine aujourd'hui » admet que la neutralité est suffisamment assurée par la séparation logique entre énoncés descriptifs et normatifs, ce qui veut aussitôt dire qu'elle n'est pas menacée par la persistance d'évaluation dans le choix de problèmes empiriques [16]. Allons plus loin en revenant à Weber, afin d'envisager une autre hypothèse : celle selon laquelle les préoccupations qui conduisent au principe de la neutralité et au thème du rapport aux valeurs sont les mêmes. Ne peut-on considérer en effet que loin d'être contradictoires, les deux composantes décrites comme deux moments de l'analyse ont un fond commun : l'infinie diversité d'un réel humain par ailleurs en perpétuel devenir ? Les références de Max Weber à cette idée sont nombreuses, qui sous-tendent toute sa discussion des questions posées par le relativisme des valeurs et par voie de conséquence, de la connaissance. Elles peuvent être en tout cas rattachées à chacun des moments de l'analyse empirique de la réalité.

Soit le moment initial de la sélection d'une question et de la thématisation de son intérêt pour la recherche. Une fois posé qu'en bonne méthode la science « fait de ce qui est évident par convention un problème [17] », c'est bien la diversité du réel et de ses appréciations subjectives qui rend raison de ce caractère problématique. Ainsi lorsque Weber, quelque peu provocateur, invoque la manière dont la prostitution peut devenir un phénomène culturel « honorable » pour la science, au même titre que la religion ou l'argent, il précise que dans chacun de ces cas l'on reconnaît à un « segment

de la réalité » une signification qui elle-même dépend du fait que
« leur existence et la forme qu'ils prennent *historiquement*
touchent directement ou indirectement à nos *intérêts* culturels [18] ».
En vertu d'une donnée très générale : « Nous sommes des *êtres
civilisés*, doués de la faculté et de la volonté de prendre consciemment *position* face au monde et de lui attribuer un *sens*. » En
assumant aussi le fait que « toute connaissance de la réalité culturelle est toujours une connaissance à partir de *points de vue* spécifiquement *particuliers* [19] ». Mais il faut alors admettre que c'est
exactement la même intention qui préside au rejet des jugements
de valeurs au moment ultime où se dégagent les résultats d'une
recherche : la volonté de les présenter comme des « points de
vue », certes justifiables au regard de l'objectivité scientifique,
mais susceptibles d'être discutés à partir d'autres points de vue ou
dépassés par d'autres analyses.

Une telle hypothèse concernant le caractère non contradictoire
des deux moments extrêmes de l'épistémologie wébérienne pousserait à réenvisager le sens du principe de neutralité. À sa lumière
en effet, ce dernier ferait désormais moins signe vers cette forme
de radicalisme anti-évaluatif dont une partie de la sociologie
contemporaine a fait une arme de guerre contre la philosophie que
vers une incertitude quant à la garantie ultime de la validité propre
aux énoncés scientifiques. À quoi il faudrait encore ajouter que les
corollaires d'une telle interprétation demeurent eux-mêmes incertains, puisqu'ils peuvent indiquer deux directions contradictoires.
Celle d'une thématisation de l'indétermination des résultats de la
science qui aurait pour horizon une épistémologie de type poppérien par laquelle serait laissée indéfiniment ouverte la procédure
de vérification du sens des propositions. Mais celle aussi d'une
sorte de nostalgie wébérienne quant à la possibilité même lointaine
de voir s'accorder les points de vue scientifiques sur le monde
humain. On ne saurait trancher *a priori* une telle discussion qui
ne pourra s'apprécier qu'au terme d'une traversée des grandes
études empiriques de Weber. Mais du moins peut-on la garder à
titre de conjecture sur l'œuvre, en retenant simplement qu'elle renforce en tout état de cause l'idée selon laquelle cette dernière
s'expose au travers des problèmes qu'elle se donne, par le biais
de son propre rapport aux valeurs. Avec toutefois une indication
précieuse sur le style de Max Weber et l'ampleur de ses intentions
lorsqu'il dégage la tâche des sciences de la culture : « explorer
scientifiquement la *signification culturelle générale de la structure
économico-sociale de la vie collective humaine* et de ses formes
historiques d'organisation [20] ».

Cette première perspective ouvre la voie à une seconde considération s'agissant de l'unité problématique de l'œuvre de Max Weber. Celle-ci ferait désormais moins fond sur les limites propres à l'épistémologie que sur le niveau où se situe et se déploie le projet. Si l'on admet en effet que ce dernier articule une théorie des processus de l'action sociale à des intentions qui relèvent de la « grande théorie », c'est aussi dans ce registre qu'il détermine ses enjeux. En ce sens on peut relever avec Philippe Raynaud le fait que la pensée de Weber hérite des problèmes propres aux philosophies classiques de l'histoire et assume les exigences qui leur sont associées au sein de la tradition des Lumières. Ces exigences apparaissent en effet comme l'horizon terminal d'une démarche orientée vers la compréhension de l'activité humaine et l'explication de ses transformations. Elles se résument au travers de deux propositions : « Penser l'histoire humaine comme *une* [...] et trouver un *fil conducteur* pour l'interprétation de l'histoire universelle [21]. » De ce point de vue, la position de Weber doit à nouveau être présentée à partir de ce qui lui donne sens : le conflit interne aux philosophies de l'histoire héritières des Lumières.

La question de l'histoire universelle

On sait que l'un des pôles de ce conflit est occupé par Kant et plus précisément l'*Idée d'une histoire universelle au point de vue cosmopolitique*. Il est circonscrit par deux thèses qui cernent une forme d'articulation entre raison et histoire. La première consiste à récuser la supposition d'une identité *a priori* du réel et du rationnel et implique donc une indifférence relative à la question de l'objectivité d'une science historique. Mais la seconde équilibre aussitôt ce propos en réintroduisant l'idée d'une histoire universelle sous la forme épurée d'un point de vue ultime à partir duquel puisse s'apprécier une unité que ne laisse pas transparaître l'action des individus. Ce point de vue se dégage de la manière suivante au regard du philosophe : « Étant donné qu'il ne peut supposer dans l'ensemble chez les hommes et dans leur jeu aucun *dessein personnel* raisonnable, il lui faut chercher s'il ne peut découvrir dans la marche absurde des choses humaines un *dessein de la nature* à partir duquel serait du moins possible, à propos de créatures qui procèdent sans plan personnel, une histoire selon un plan déterminé de la nature [22]. » Retenons alors deux composantes de cette attitude. Le fait tout d'abord qu'elle ne se présente qu'en tant qu'une sorte de protestation contre « l'indétermination désolante [23] » qui s'imposerait si l'on venait à en abandonner le principe. L'idée ensuite selon laquelle elle ne pose qu'un point de vue et n'autorise qu'une seule chose : la recherche d'un possible « fil conducteur de la raison [24] ».

L'autre pôle du même conflit est occupé par la philosophie hégélienne de l'Histoire. Celle-ci s'élève à l'évidence sur une critique ironique de la désolation de Kant contemplant le spectacle tragique du monde humain, Kant qui se reconnaît paré des traits de la « belle âme » dans l'allusion à la « litanie des plaintes » que suscite la considération du « sort qui attend dans l'histoire la vertu, la moralité (*Sittlichkeit*), la religiosité même [25] ». Puis cette considération peut se relier au thème de la « belle âme malheureuse (*unglückliche schöne Seele*) », qui s'engloutit à l'intérieur d'elle-même, fuit le contact de l'effectivité pour sauver sa pureté intérieure et finit par s'abîmer dans la « conscience du vide ». Avec pour effet que « sa lumière s'éteint peu à peu en elle-même, et elle s'évanouit comme une vapeur sans forme qui se dissout dans l'air [26] ». Ici le fil conducteur de la raison n'est plus une possibilité objet d'inquiétude, mais une certitude intervenant dans un tableau immédiatement composé de deux éléments : « L'un est l'idée, l'autre les passions humaines ; l'un est la chaîne, l'autre la trame du grand tapis qui constitue l'histoire universelle étendue devant nous [27]. » Avec pour conséquence que si l'histoire a bien un sens, celui-ci est tout à la fois réel et caché, nécessaire et dissimulé derrière les formes contradictoires de ses manifestations. Et qu'il se met en scène au travers de la figure éminemment dialectique de la « ruse de la raison » agissant au sein des activités humaines. Lorsque « ces activités vivantes des individus et des peuples en cherchant et satisfaisant leur être (sont) aussi moyens et instruments d'une chose plus élevée et plus vaste qu'ils ignorent et accomplissent inconsciemment [28] ». Lorsque plus généralement encore est admis le fait que « ce qui est rationnel est effectif et ce qui est effectif est rationnel [29] ».

La position de Max Weber n'est semblable à aucune de ces deux conceptions classiques et antagonistes. Radicalement hostile comme on l'a vu au déterminisme des philosophies de l'histoire dans le style de Hegel, elle se fonde sur la récusation du schéma historiciste de la raison dans l'histoire. Et ce pour un motif extrêmement précis, qui tient au refus de postuler ce qui est depuis au moins Schelling la condition d'une « possibilité transcendantale de l'histoire » : les formes de la réconciliation entre la nécessité et la liberté, l'objectif et le subjectif, l'inconscient et le conscient [30]. Mais elle n'épouse pas davantage la démarche kantienne, pour autant que celle-ci présuppose la mise au jour d'un point de vue ultime à partir duquel se découvrirait l'unité de sens d'une historicité manifestant une finalité rationnelle. N'abandonnant toutefois pas cette dernière dimension et refusant de se contenter de renvoyer dos à dos les adversaires, elle s'apparente en fait à un infléchissement du criticisme visant essentiellement à dépasser le perspectivisme induit par ses propres conceptions épistémologiques. Maintenant avec Kant l'idée selon laquelle la rationalité ne peut que se découvrir et non se postuler, situant la logique de cette découverte dans le registre de l'action par le biais des régularités causales qui s'y rencontrent, c'est à partir et au travers du perspectivisme qu'elle thématise la question d'une unité de l'histoire humaine.

Bien plus que ne le faisait Kant, Weber maintient le caractère problématique de ce thème. À l'encontre de toute hypothèse construite sur le modèle d'un « dessein de la nature », il renforce l'effet de perspective que fait naître la pratique d'une connaissance du monde humain. Perspective liée à la diversité d'un réel fluctuant, qui entrecroise plusieurs types d'activité et diverses séries d'historicité, entremêle aussi techniques et valeurs, intérêts matériels et idées. Mais perspective qui surgit également par la conscience de ce que la subjectivité de l'observateur intervient, relativisant l'acuité de son regard et limitant sa portée. La solution wébérienne a dès lors une double face. Sur l'une, elle consiste à réintroduire une dimension d'universalité par le biais de la typologie des formes d'activité. Construite comme instrument de connaissance et valable quels que soient les contextes et les situations, celle-ci offre alors le moyen d'une compréhension qui peut s'étendre à toutes les cultures [31]. Sur l'autre face, la solution de Weber revient à montrer que les points de vue multiples qui résultent de l'exploration scientifique sont communicables. Sous cet aspect, il est encore de la tâche de la science de rendre compte des conditions de la communication entre points de vue en dégageant un socle qui leur soit commun. Ce dernier peut alors être découvert dans les règles de l'objectivité.

Un exemple typique développé par Max Weber permet de résumer cette thèse. D'un côté, il est indéniable que la science ne peut évacuer « l'intérêt pratique » au moment où s'opère l'orientation de son activité vers des problèmes et des objets précis liés à l'homme ou à la culture. Pourtant, « il est et il demeure vrai que dans la sphère des sciences sociales une démonstration scientifique, méthodiquement correcte, qui prétend avoir atteint son but, doit pouvoir être reconnue comme exacte également par un Chinois ou plus précisément *doit avoir cet objectif*, bien qu'il ne soit peut-être pas possible de le réaliser pleinement, par suite d'une insuffisance d'ordre matériel [32] ». En ce premier sens, le dépassement du perspectivisme s'effectue non pas grâce à la supposition qu'il existe un point de vue ultime d'où le réel s'ordonne en vertu d'une finalité rationnelle, mais au sein même de la connaissance : par une théorie commune de l'objectivité, des procédures de démonstration qui sont universalisables et des règles conventionnelles d'argumentation qui permettent une reconnaissance et une communication entre les perspectives sur le monde. Reste qu'il faut à nouveau aller plus loin que cette considération interne à l'épistémologie et mettre au jour les thèmes au travers desquels s'éprouve la capacité pour une science de la culture de dépasser son propre perspectivisme, en s'élevant à des niveaux de signification qui témoigneraient de la présence d'un fil conducteur de l'histoire.

Le paradigme de la rationalisation

On est en droit de penser que les thèmes qui attestent au sein de l'œuvre de Max Weber de la possibilité d'une unité de l'histoire sont ceux-là mêmes qui assurent à cette œuvre son unité problématique. Ils se focalisent sur un motif central, qui semble concentrer à lui seul les divers intérêts de connaissance présidant à une démarche multiforme : celui de la rationalisation du monde. Comment ne pas voir en effet que Weber le place tout à la fois au cœur de ses réflexions théoriques sur la science et en tête de la plus vaste de ses enquêtes empiriques, celle qui concerne la sociologie et les transformations des formes religieuses. Ainsi l'essai sur la « neutralité axiologique » fixe-t-il pour objectif aux sciences de la culture de comprendre le phénomène de la rationalisation, attaché au constat selon lequel « notre vie sociale et économique européano-américaine est " rationalisée " d'une manière spécifique et dans un sens spécifique [33] ». De façon analogue, l'introduction générale aux écrits sur la religion situe son propos « du point de vue de l'histoire des civilisations » et précise son intention en proposant de « reconnaître les *traits distinctifs* du rationalisme occidental et, à l'intérieur de celui-ci, de reconnaître les formes du rationalisme moderne, puis d'en expliquer l'origine [34] ».

Cette unité thématique de l'œuvre de Max Weber se confirme en se reproduisant au sein même de l'analyse de la rationalisation du monde. On verra que celle-ci est conduite pour chacun des registres qui préoccupent une science de la culture et de l'activité humaines : religion, économie, droit, politique et même esthétique, puisque Weber consacre une étude à la musique et nombre d'allusions à l'histoire de l'art. Mais cette pluralité de niveaux d'in-

vestigation est elle-même organisée et ordonnée à partir de la
sociologie des religions, qui dessine en quelque sorte le portique
soutenant l'ensemble de la construction. C'est avec elle en effet
que se dévoile le motif du « désenchantement du monde » qui
viendra donner la ligne de force de ce qui s'apparente *a posteriori*
à la trajectoire d'une histoire universelle. Or ce motif lui-même
naîtra d'un unique problème, interne à la sphère religieuse, et
auquel Weber accorde une portée universelle : celui de la théodicée. Surgi au cœur de l'explication de la rationalisation des images
religieuses du monde, ce dernier se présente comme suit. À l'origine de l'histoire religieuse proprement dite, toute prophétie
éthique pour être légitime requiert l'idée d'un dieu transcendant,
placé dans « une position sublime par rapport au monde » et la
rationalisation des images du monde s'opère sous cette contrainte.
Cependant, et quelles que soient les formes qu'emprunte cette évolution vers la notion d'un dieu unitaire supramondain, toutes les
grandes religions affrontent le problème de la théodicée :
« Comment l'énorme puissance d'un tel dieu peut-elle se concilier
avec le fait de l'imperfection d'un monde qu'il a créé et qu'il
gouverne [35] ? »

Un tel enchâssement de thèmes indique une seconde configuration de l'œuvre et cerne les conditions de son déploiement à
partir d'un petit nombre de problèmes relevant du domaine de la
« grande théorie ». C'est elle qui, aux yeux d'Habermas, par
exemple, rend compte de la place centrale qu'occupe Max Weber
parmi les différentes critiques de la rationalisation du monde
vécu [36]. C'est à partir d'elle aussi que se met en place l'une des
orientations de ce travail qui consistera dans la reconstruction des
structures de la rationalisation à partir d'une hypothèse concernant
le rôle prééminent de celles qui touchent aux images religieuses.
C'est à travers elle enfin que se posera l'une des questions d'interprétation les plus lourdes que soulève la démarche wébérienne
et qui concerne sa capacité en dernier ressort à dépasser sur la
trajectoire de l'histoire le perspectivisme induit par la théorie de
la connaissance. Ce qui suggère une troisième et dernière considération sur l'unité problématique de l'œuvre, qui prend en compte
cette fois une contrainte interne à la logique de la connaissance
elle-même.

Histoire et philosophie : un conflit interne à la conscience de Weber ?

Cette ultime considération permet d'explorer à un dernier niveau
les raisons pour lesquelles Max Weber retrouve le projet d'une

compréhension du sens historique à partir d'une théorie de la connaissance *a priori* hostile à ce type de préoccupation. Leo Strauss dévoilant l'horizon de l'épistémologie, Raymond Aron s'interrogeant sur l'intention philosophique, Jürgen Habermas soulignant la dimension critique des formes de rationalisation du monde vécu nous ont déjà fourni une indication précieuse. Afin de la creuser, on se demandera dans quelle mesure il se pourrait que Max Weber éprouve cette situation décrite par Paul Ricœur : « Le philosophe attend qu'une certaine coïncidence de la voie " courte " de la connaissance de soi et de la voie " longue " de l'histoire le *justifie* [37]. »

Précisons cette idée qui dans l'esprit de Paul Ricœur oppose et relie travaux de l'historien et aspirations du philosophe. S'agissant de ce dernier, l'interpellation de l'histoire surgit en lieu et place d'une insatisfaction, mieux, d'une humiliation, vécue comme une menace au sein de la démarche spéculative : « Doutant de soi-même [le philosophe] veut ressaisir son propre sens, en ressaisissant le sens de l'histoire en amont de sa propre conscience. » Et le voici qui se fait historien, écrivant une histoire qui, tendanciellement, se veut « l'histoire du motif transcendantal, l'histoire du *Cogito* », selon une attente qui présuppose que la « coïncidence du sens de ma conscience et du sens de l'histoire est possible [38] ». L'historien, inversement, exprime une méfiance presque professionnelle à l'encontre d'une telle entreprise. Il est en effet pratiquement de la condition transcendantale de sa propre expérience que de récuser la vision téléologique d'un sens de l'histoire : « Pour lui, l'humanité se diversifie sans fin dans sa réalité de fait, bien plus qu'elle ne s'unifie dans son sens de droit [39]. » D'où ce réseau serré de complicités mais surtout de résistances, d'attentes déçues et de méfiances enkystées en une guerre de position méthodologique. Parce que s'agissant de la signification d'une histoire de la conscience, le métier d'historien impose une sorte de devoir de réserve : « Le philosophe n'a pas à la demander à l'historien ; et s'il la demande à l'historien, celui-ci a raison de la lui refuser [40]. » Symétriquement, le philosophe est en droit de composer cette histoire en retrait de l'empiricité, puisque cette tâche est en quelque façon de « second degré » et doit demeurer conçue comme une opération de « reprise » en partie affranchie de la contrainte des faits.

On voudrait suggérer ici que ce conflit est en large part interne à la conscience et à l'œuvre de Max Weber. Il semble aller de soi que l'historien chez lui, et plus généralement le fondateur d'une tradition d'analyse scientifique des faits humains, se tient à l'écart de toute conception téléologique de l'histoire et de toute spéculation sur le devenir de l'humanité. Décision de rupture avec la métaphysique, méfiance vis-à-vis de toute solution de type dialectique aux conflits du rationalisme, sa démarche atteste d'une rigueur inégalée sur le chemin qui éloigne des philosophies de l'histoire. En ce sens Weber refuserait bien de répondre au philosophe qui lui demanderait la signification de ses études empiriques du point de vue d'une histoire, même pragmatique, de l'humanité. Mais le philosophe en question n'est-il pas en large part Max Weber lui-même ? En d'autres termes, comment rester sourd au fait qu'une interrogation qui est souvent une inquiétude traverse et même supporte l'œuvre, ne sollicitant rien d'autre que la question de l'universalité d'une trajectoire historique particulière confrontée à son devenir ? Comment ne pas accepter de voir que c'est aussi là que réside une composante essentielle de la force d'attraction d'une pensée qui déborde ses propres cadres en évoquant des thèmes qu'elle s'interdirait par souci de méthode ?

Une telle hypothèse apporte un éclairage particulier sur l'unité de l'œuvre. Loin de l'altérer, en effet, elle la renforcerait plutôt, à condition toutefois d'admettre qu'elle se module dans le registre que Paul Ricœur attribue au philosophe : celui de la « reprise » de second ordre du matériau empirique dans un motif lié au problème de la conscience historique. Plus précisément encore, la démarche wébérienne offrirait de manière exemplaire une occasion de rencontre entre la « voie courte » d'une exploration intersubjective de l'activité humaine et la « voie longue » sur laquelle se déploie un trajet historique unique en sa forme. En ce sens, elle met en place et reproduit un jeu fascinant d'entrecroisement de perspectives où cette coïncidence se fait jour puis s'élève à des niveaux de plus en plus complexes. Partant des structures élémentaires de l'inter-activité, elle décrit la façon dont celles-ci se sédimentent en une série de domaines autonomes attachés aux sphères de la religion, de l'économie, du droit ou de la politique. Mais c'est pour aussitôt réinvestir ces logiques d'autonomisation des registres de l'activité sur une trajectoire où elles dessinent la forme spécifique de la civilisation occidentale saisie au travers de ces modèles de rationalité propres qu'indiquent l'entreprise capitaliste, l'État bureaucratique et le droit formel. Avec toutefois pour horizon ultime une double interrogation, concernant d'une part l'universalité de cette configuration reconstruite et d'autre part son devenir en vertu des conflits ou des crises qu'elle connaît.

Cette capacité de reprise d'un matériau empirique foisonnant au travers du thème inlassablement reconstruit de la rationalisation du monde est sans doute ce qui pose au plus profond une forme d'unité. C'est elle qui permet de réenvisager une dernière fois la comparaison esquissée par Paul Ricœur entre la phénoménologie hégélienne et celle qui se met en place entre Weber et Husserl. À coup sûr la première, conçue *a priori* comme phénoménologie de l'esprit se déployant dans le monde de l'histoire, persiste à offrir à la réflexion des contenus d'une intensité que n'atteignent ni Weber ni Husserl. De ce point de vue, on peut accorder avec Ricœur que « le génie inégalé de Hegel, qui nous donne sans cesse à penser – voire contre lui –, est d'avoir exercé avec une amplitude sans précédent la *Darstellung*, l'exhibition de notre expérience historique dans toutes ses dimensions, sociale, politique, culturelle, spirituelle [41] ». Pourtant, même dans cet ordre des contenus, l'œuvre de Weber supporte la comparaison et l'amplitude de son regard surpasse même parfois celle de Hegel, s'agissant de l'économie, par exemple, et surtout de l'étendue des vues sur l'histoire des religions.

Mais c'est avant tout sur une question de points de vue que la comparaison se joue. Après tout, la phénoménologie de l'intersubjectivité que pratique Max Weber parvient à s'élever aux différents registres que parcourt celle de l'esprit. Qu'elle le fasse en partie contre elle-même est une chose dont il faut réserver l'interprétation au terme de son exposition. Mais il n'en demeure pas moins qu'elle relève le défi contenu dans le concept hégélien d'esprit objectif, en évitant l'hypostase des entités collectives. Et qu'elle retrouve la possibilité de penser un fil conducteur de l'histoire universelle, sans l'enfouir dans les profondeurs dialectiques d'une ruse de la raison. Cette dernière différence est essentielle, qui oppose le déterminisme des philosophies de l'histoire de type hégélien à l'intelligibilité du processus historique que propose Max Weber et qui fait signe vers l'herméneutique. En reconnaissant dans le cours des choses une orientation qui peut se reconstruire et s'estimer. Mais en refusant de la reconduire à « l'idée d'un Concept, d'un Logos qui se réalise lui-même comme Histoire dans un automouvement », en n'impliquant aucune hypothèse de forme ontologique s'agissant du principe déterminant de ce processus [42].

Cette dernière considération importe d'autant plus qu'elle s'étend à la prise en compte d'une question dont aucune pensée moderne ne peut faire l'économie : celle du statut accordé à l'autonomie du sujet. Max Weber, on l'a vu, est pour bien des raisons étranger à la problématique de la régression transcendantale, qui cherche à faire remonter la fondation ultime en deçà du « fait de la raison » postulé par Kant. Mais on peut cependant penser qu'il réinvestit le problème de l'autonomie par deux biais. Celui des catégories de la méthode en premier lieu, pour autant qu'elles s'installent sur l'idée que l'action humaine n'est compréhensible qu'à partir du sens visé par les individus. Mais par celui également de son déploiement sur la trajectoire de l'histoire, dans la mesure où la logique de la rationalisation se laisse aisément lire en termes d'accroissement de la maîtrise sur le monde et d'émancipation par rapport à la tradition. Sous le premier angle, la pensée de Weber retrouverait donc bien une autonomie que l'on pourrait dire en actes, avec cette supériorité bien décrite par Paul Ricœur et qui tient au fait que « la substitution de l'intersubjectivité à l'esprit objectif hégélien préserve [...] les critères minimaux de l'action humaine, à savoir de pouvoir être identifiée par des projets, des intentions, des motifs d'agents capables de s'imputer à eux-mêmes leur action [43] ».

C'est en revanche sous l'angle de la voie longue de l'histoire que la conception wébérienne de l'autonomie fait question. Décrite sous le registre du processus de la rationalisation des images du monde et des différentes activités de l'homme, elle semble venir buter sur le thème qui surgit au dernier moment de ce processus et s'associe à l'image de la « guerre des dieux ». À cet instant en effet, tout semble se passer comme si le sujet « autonome » ne l'était plus en vertu de la raison, mais en fonction d'une volonté pure, d'un acte de décision lancé comme un coup de dés sur fond de relativisme généralisé des valeurs. S'agit-il, comme le suggère Philippe Raynaud, d'un « [relatif] manque de confiance dans la Raison [44] » ? Faut-il, au contraire, admettre, à la manière de certains commentateurs, que se dévoile ainsi une position philosophique plus ou moins dissimulée par Weber mais qui en substance le situerait dans le sillage du perspectivisme nietzschéen [45] ? Toujours est-il que l'on cerne avec ces questions l'objet par excellence de l'interprétation de l'œuvre. Celui qui la saisit au niveau le plus élevé des reconstructions qu'elle offre du monde de l'activité humaine, au moment où elle se présente sous une forme qui l'apparente au petit nombre des grands discours sur la modernité. Celui également qui prend en charge un diagnostic sur le contemporain tout à la fois extraordinairement suggestif, voire anticipateur, et profondément ambivalent. Celui enfin qui rejoue la question de l'unité sur le terrain des harmonies et des fractures entre une épistémologie positiviste et la dimension d'un jugement sur l'univers moderne.

Par la richesse de ses contenus et la systématicité de leurs articulations, l'œuvre de Max Weber en effet développe une interprétation exemplaire de la modernité qui n'a rien à envier aux grands schémas qui la précèdent ou lui succèdent. Schéma du passage de l'état de minorité à la majorité de l'homme chez Kant ou dialectique de la résolution des conflits associés aux thèmes de la

« conscience malheureuse » et de la réconciliation dans l'hégélianisme. Figure de l'éclatement de la métaphysique en une multitude
de perspectives qui dévoilent une série d'illusions chez Nietzsche.
Schéma de l'oubli de la différence ontologique et du déploiement
de la technique avec Heidegger, ou de l'avènement d'un univers
de la désolation au travers de certaines analyses d'Hannah Arendt.
Idée enfin d'une dialectique négative qui entraînerait, selon Horkheimer et Adorno, un renversement des processus d'émancipation
pensés par les Lumières en autant de structures réifiées du monde
vécu. Reste toutefois qu'en cette familiarité avec quelques-unes
des pensées majeures de la modernité, celle de Max Weber fait
signe dans des directions contradictoires. Au point qu'en choisissant l'un ou l'autre des thèmes à partir desquels elle irradie on en
oriente l'éclairage. Ce qui n'interdit pas cependant de s'arrêter sur
celui qui tout à la fois offre un point d'ancrage constant aux intentions et aux développements des analyses et devient le réceptacle
d'une vision originale de la modernité.

La perspective du désenchantement du monde

Le thème du désenchantement du monde est dans l'œuvre de
Max Weber le motif central de cette histoire reconstruite à partir
des structures de plus en plus complexes de l'intersubjectivité. Du
strict point de vue d'une temporalité propre à l'univers occidental,
il est concomitant de celui de la rationalisation et se profile au
travers de plusieurs séquences attachées aux divers registres de
l'activité humaine. C'est alors l'emboîtement de ces séquences qui
indique la forme d'un devenir perçu comme celui d'un monde
désenchanté. C'est pourtant cette dernière figure et l'incertitude
des contenus qu'elle invoque qui donnent à la pensée de Weber
un caractère énigmatique lorsqu'elle devient un diagnostic sur le
monde contemporain. Par l'une et l'autre dimension elle acquiert
une profondeur et une capacité d'évocation qui la rapprochent des
grandes interprétations de la modernité et sollicitent une lecture
susceptible d'en restituer le sens. Reste que celui-ci est peut-être
en partie scellé dans l'ambivalence d'un thème passible de plusieurs usages et qui ferait surgir une question inédite concernant
la responsabilité de l'intellectuel.

Le paradigme du désenchantement est tout d'abord l'objet d'un
traitement presque technique, au moment où il émerge des analyses en très longue durée des phénomènes religieux. Dans ce
registre, il désignera la manière dont s'opère l'élimination de la
magie comme moyen de salut, au sein d'une séquence qui s'ouvre

avec le judaïsme antique et semble se clore avec le puritanisme
protestant. Sous cette signification, il se découvre dans l'interprétation des images religieuses du monde et de leur transformation
dans la double perspective d'une réduction anthropomorphique du
principe divin et d'une maîtrise méthodique des pratiques religieuses. Il fait pourtant déjà signe vers d'autres sphères, par la
médiation des formes de l'éthique intramondaine. Celle qui, selon
le schéma le mieux connu, réinvestit le succès dans les affaires au
sein des composantes de l'attitude religieuse aux origines du capitalisme. Mais celle aussi qui reproduit la rupture du prophétisme
dans l'ordre juridico-politique avec les problématiques du droit
naturel et de la révolution qui inaugurent l'ère moderne. Transposé
enfin au niveau des structures globales de la connaissance, le
thème du désenchantement sous les auspices de celui de l'intellectualisation du monde finit par couvrir l'ensemble des composantes de l'existence vécue. Il prend alors la forme de l'avènement
d'un monde parfaitement prévisible où le mystère a été remplacé
par la maîtrise.

Reste que dès l'instant où l'on comprend que le monde a perdu
son caractère magique par la rationalisation des images qu'il suscite et des techniques qui permettent son appropriation, le thème
du désenchantement acquiert une seconde signification. Celle-ci
s'attache alors à l'idée qui résume le diagnostic wébérien sur le
contemporain, au travers du motif de la « perte de sens ». Avant
tout s'agit-il d'un constat. À mesure que s'étendent la connaissance empirique du monde et la rationalisation des conduites en
son sein, la croyance en une finalité éthique régissant le sens de
l'existence s'estompe. La ligne de pente est alors claire qui conduit
au triomphe d'un style de rapport à la réalité qui ignore la question
du sens du devenir intramondain, pour épouser le point de vue
d'un rationalisme calqué sur l'objectivité des sciences. Longtemps
porteuse de la problématique du sens, la religion s'estompe en
étant rejetée dans l'irrationnel et avec elle tout mystère quant à la
vie humaine disparaît. Avec pour conséquence ultime en retour,
le fait que cette vie devient tout à la fois plus lourde et plus
opaque, suggérant cette réalité bien décrite par Marcel Gauchet :
« Nous sommes voués à vivre désormais à nu et dans l'angoisse,
ce qui nous fut plus ou moins épargné depuis le début de l'aventure humaine par la grâce des dieux [46]. »

D'où la figure d'un premier paradoxe, qui dépasse ce constat
pour évoquer la nécessité d'une révision de l'ambition propre à la
connaissance elle-même. Ainsi lorsque Weber retrace en quelques
pages saisissantes qui sont parmi ses dernières le destin de la
science dans l'univers contemporain. Parti de l'allégorie platoni-

cienne de la caverne, il vient de résumer la trajectoire historique de l'idée occidentale du savoir et trouve comme souvent un relais essentiel dans le moment de la Renaissance. Lorsque Léonard de Vinci écrit un *Traité de la peinture*, qui noue les idéaux de la science et de l'esthétique, c'est pour explorer cette voie ouverte par les puritains : puisque Dieu nous est caché, c'est par l'activité artistique ou savante qu'il nous faut retrouver un chemin vers Lui au travers de la nature qu'Il a créée. Mais Weber de conclure aussitôt : « Qui donc encore, de nos jours, croit [...] que les connaissances astronomiques, biologiques, physiques ou chimiques pourraient nous enseigner quelque chose sur le *sens du monde* ou même nous aider à trouver les *traces de ce sens*, si jamais il existe ? S'il existe des connaissances qui sont capables d'extirper jusqu'à la racine la croyance de quoi que ce soit ressemblant à une " signification " du monde, ce sont précisément ces sciences-là [47]. » Désabusée quant au rapport des modernes à leur situation historique, une telle considération pousse très loin le scepticisme de Max Weber, si l'on se souvient des conditions qu'il posait quant aux possibilités mêmes de sa propre activité savante autrefois formulée en termes kantiens : « La présupposition transcendantale de toute science de la culture ne consiste pas à trouver du *prix* à une civilisation déterminée ou à la civilisation en général, mais dans le fait que nous sommes des *êtres civilisés*, doués de la faculté et de la volonté de prendre consciemment *position* face au monde et de lui attribuer un *sens* [48]. »

Le monde privé de sens et le spectre du nihilisme

Il faut désormais prendre la mesure des effets de cette « perte de sens » du monde contemporain dans le registre de l'action. Ils s'installent dans la perspective ouverte par Weber sous la rubrique d'une « authentique philosophie des valeurs » qui semble renverser la problématique classique de la raison pratique. Tirant argument de ce que, du point de vue des individus, les valeurs qui orientent l'action ne sont plus passibles d'un jugement de « signification », il faut admettre que leur conflit exclut tout compromis et prend irrémédiablement la forme d'une « lutte mortelle et insurmontable, comparable à celle qui oppose " Dieu " et le " diable " [49] ». D'où le portrait en demi-teintes, selon les nuances d'une grisaille crépusculaire qui évoque le Hegel de 1829, d'une époque où triomphe le désenchantement. D'un côté, pour le commun des mortels, la « platitude de la vie " quotidienne " » où l'angoisse que suscite la perte de sens du monde s'exprime dans une sorte d'apragmatisme mâtiné de fuite devant le conflit des valeurs. Cet homme quotidien, que l'on aurait envie de dire « sans qualités », « refuse tout simplement de choisir entre " Dieu " et le " diable " et de prendre la décision fondamentale *personnelle* en vue de déterminer quelles sont parmi ces valeurs antagonistes celles qui sont sous l'empire du premier et celles qui sont sous celui du second [50] ». Face à lui, il ne reste à l'homme de la science ou de la politique qu'à renverser cette attitude dans un engagement qui n'a d'autre finalité que lui-même. Ainsi en est-il lorsque Weber écrit : « Le fruit de l'arbre de la connaissance, si amer pour notre commodité humaine mais inéluctable, ne consiste en rien d'autre que la nécessité de prendre conscience de ces antagonismes et de comprendre que chaque action individuelle et, en dernière analyse, la vie en sa totalité, [...] ne signifie rien d'autre qu'une chaîne de décisions ultimes grâce auxquelles l'âme *choisit*, comme chez Platon, son destin – ce qui veut dire le sens de ses actes et de son être [51]. »

On saisit alors la profondeur du thème du désenchantement du monde, lorsqu'il débouche sur l'idée de la perte du sens qui caractérise l'univers contemporain. Reconstruisant l'histoire de la civilisation occidentale à partir d'un système de catégories pensé contre la dialectique hégélienne, Max Weber en scelle l'éclatement final dans une mise en perspective de type nietzschéen. C'est en effet à nouveau la figure d'un paradoxe qui accompagne le rapport à la connaissance dans le cadre désormais installé du désenchantement. Tendue vers l'idée d'un système qui parviendrait à s'achever, la thématique rationaliste du savoir se retourne en son contraire puisque au terme de son trajet elle ne laisse plus entrevoir que des points de vue en conflit. Dès lors, qu'il s'agisse de comprendre ou d'agir, « c'est le destin d'une époque de culture qui a goûté à l'arbre de la connaissance de savoir que nous ne pouvons pas lire le *sens* du devenir mondial dans le résultat, si parfait soit-il, de l'exploration que nous en faisons, mais que nous devons être capables de le créer nous-mêmes, que les " conceptions du monde " ne peuvent jamais être le produit d'un progrès du savoir empirique et que, par conséquent, les idéaux suprêmes qui agissent le plus fortement sur nous ne s'actualisent de tout temps que dans la lutte avec d'autres idéaux qui sont tout aussi sacrés pour les autres que les nôtres le sont pour nous [52] ».

De manière extrêmement symptomatique, c'est en référence à l'une des problématiques les plus lourdes de signification chez Hegel, et avec ses concepts, que Max Weber trace un dernier bilan de la trajectoire propre à l'histoire occidentale. Une fois rappelé le sens technique du désenchantement comme progrès de la maîtrise instrumentale du monde, il s'interroge sur l'éventualité d'une signification plus existentielle de ce thème. Mais c'est pour aussitôt en sonner le glas : « Abraham et les paysans d'autrefois sont morts " vieux et comblés par la vie " parce qu'ils étaient installés dans le cycle organique de la vie, parce que celle-ci leur avait apporté au déclin de leurs jours tout le sens qu'elle pouvait leur offrir et parce que ne subsistait aucune énigme qu'ils auraient encore voulu résoudre. Ils pouvaient donc se dire " satisfaits " de la vie. L'homme civilisé au contraire, placé dans le mouvement d'une civilisation qui s'enrichit continuellement de pensées, de savoirs et de problèmes, peut se sentir " las " de la vie et non pas " comblé " par elle [53]. » Comment en effet ne pas voir ici allusion à la problématique hégélienne de la reconnaissance, dans la version la plus ample de sa mise en scène ? Celle qui thématise dans le « miracle grec » et l'univers d'avant le monothéisme une proximité avec la nature synonyme d'une satisfaction qui sera brisée par l'invention du Dieu unique et transcendant. Celle qui associe l'insatisfaction de l'homme historique voué à la « conscience malheureuse » à la scission entre l'ici-bas et l'au-delà, l'homme et la nature, la connaissance et l'action. Celle enfin qui pense la « fin de l'histoire » comme moment de la réconciliation, comme point d'aboutissement de la « lutte pour la reconnaissance [54] ».

Mais la référence hégélienne est ici d'autant plus frappante qu'elle éclate aussitôt sur le motif de la perte de sens, reproduit au plan des données les plus fondamentales de l'existence. Dans l'univers contemporain, Tolstoï triomphe de Hegel : ce sont la vie et la mort qui ont finalement perdu leur signification au cours du procès de désenchantement du monde. Le jeu d'ombres et de lumière mis en place par l'allégorie platonicienne de la caverne s'estompe et les signes s'inversent. Au sein du rationalisme achevé, les constructions intellectuelles de la science ne forment plus qu'un « royaume irréel d'abstractions artificielles qui s'efforcent de recueillir dans leurs mains desséchées le sang et la sève de la vie réelle, sans jamais pourtant y parvenir ». Inversement, pour les contemporains, « c'est justement dans cette vie, qui aux yeux de Platon n'était qu'un jeu d'ombres sur la paroi de la caverne, que palpite la vraie réalité [55] ».

La lecture de Max Weber ne peut faire l'économie de ces thèmes et des perspectives qu'ils ouvrent. En donnant un contenu à l'idée du désenchantement, ils forment en effet l'un des foyers de l'unité problématique propre à une œuvre qui se déploie au travers d'une reconstruction de l'histoire occidentale et d'une méditation sur son universalité. Offrant ainsi le schéma d'une interprétation exemplaire de la modernité, ils installent la démarche de Weber au cœur d'un débat qui s'inaugure en amont de lui dans le conflit entre Hegel et Nietzsche et fait signe vers les différentes figures du soupçon contemporain contre l'idéal de rationalisation des Lumières. Une dernière précision s'impose alors, qui touche à la nature et à la forme de ce schéma d'interprétation déposé sur un petit nombre d'images extraordinairement suggestives. Or ces images ont en commun de porter l'idée d'un paradoxe : la logique de la rationalisation de l'activité humaine, loin de conduire à la découverte d'une signification de l'existence, aboutirait à la perte de sens du monde. Plus généralement, les différentes perspectives théoriques et pratiques associées à l'idéal émancipateur des Lumières semblent avoir un résultat inverse de celui qu'elles poursuivent. Quelle valeur accorder à ce renversement qui prend parfois les allures d'un destin ? La question est au cœur du conflit d'interprétation que fait naître l'œuvre de Max Weber.

Une dialectique de la rationalisation ?

Soit la première de ces images philosophiques en quoi Max Weber résume son diagnostic sur le contemporain, celle de la « cage d'acier » qui rend compte de la signification des biens matériels dans le monde vécu de l'économie rationnelle. Nul doute que celle-ci émerge au travers d'un renversement paradoxal de la logique qui a présidé à la naissance du capitalisme. Au terme d'une analyse célèbre et sur laquelle on reviendra, Weber a mis au jour le lien entre une économie qui repose sur l'accumulation et une éthique intramondaine de l'ascèse par le travail qui fait du succès dans les affaires un signe d'élection. Au moment de son invention, cette forme économique est vécue comme émancipatoire. Du point de vue des images religieuses du monde, dans la mesure où elle soulage l'incertitude du puritain face à son destin enfermé dans l'idée de prédestination. Du point de vue du rapport à la nature, puisqu'elle s'associe à la conquête du monde, à l'encontre de l'idéal monastique du catholicisme, et lève l'inhibition des éthiques traditionnelles face au désir d'acquérir. À tout le moins concomitante de la technique juridique du contrat, elle se présente sous les traits d'une dialectique de la liberté et de l'affranchissement vis-à-vis des contraintes propres à la détermination naturelle ou traditionnelle de l'existence.

Mais on sait le destin de cette dialectique, qui se résume en une formule : « Le puritain *voulait* être un homme besogneux – et nous sommes *forcés* de l'être [56]. » Tout se passe comme si la logique apparente de l'accroissement de la maîtrise de l'homme sur la nature par la production et l'appropriation méthodiques des richesses s'accompagnait d'une logique cachée de soumission de l'humanité aux biens matériels. Moyen d'un accomplissement spirituel, l'accumulation des richesses devient une fin en soi, retournée vers des objets sans vie. À terme, la problématique de l'émancipation par l'activité dans le monde a donné naissance à une structure réifiée de l'existence vécue, au sein d'un système économique devenu autonome et proprement transformé en un mécanisme d'aliénation. Encore faut-il entendre cette transformation pour ce qu'elle dit, à savoir que la rationalisation du monde produit un monde irrationnel. Pour les Puritains en effet, parés d'une signification spirituelle, les biens matériels étaient pensés comme « un léger manteau qu'à chaque instant l'on peut rejeter [57] ». Mais au point d'aboutissement d'une trajectoire qui n'est autre que celle de leur manipulation rationnelle, le diagnostic est là dans sa forme tragique : « La fatalité a transformé le manteau en une cage d'acier. »

Ce premier paradoxe est d'autant plus exemplaire qu'une structure similaire se met en place avec une seconde image : celle de la « guerre des dieux ». Image qui a toutefois pour caractéristique d'être beaucoup plus englobante, associée à une vision d'ensemble du devenir de la modernité. On la verra bientôt émerger au terme de presque chacune des analyses empiriques de Max Weber : celle des visions éthiques du monde à partir des grandes religions, celle de la politique au travers de l'avènement de l'État moderne, celle enfin du système de la connaissance au sein du processus de la rationalisation des différents savoirs. Contentons-nous ici d'en marquer les contours pour ce qu'ils indiquent de la dimension problématique de l'œuvre. Ils tiennent à nouveau dans un constat : si l'universalité de la civilisation occidentale réside dans la disjonction croissante entre une rationalité technique orientée vers le monde pour sa maîtrise et d'autres sphères autonomes de rationalisation, éthique, esthétique, politique, celle-ci conduit à un résultat inattendu et à tout prendre inverse à ce qu'elle vise.

Résumant *a posteriori* la trajectoire propre à la modernité occidentale, Max Weber met en place la structure d'un syllogisme aux conséquences redoutables. S'agit-il de donner une idée d'ensemble de cette trajectoire à partir de son point de départ, il écrit : « Dans tous les ordres de la vie, le rationalisme grandiose, sous-jacent à la conduite sciemment éthique de notre vie qui jaillit de toutes les prophéties religieuses, a détrôné le polythéisme au profit de " l'Unique dont nous avons besoin " [58]. » De ce point de vue donc, la logique du désenchantement s'interprète comme réduction à l'unité du principe de la connaissance, de l'action et des normes.

Or tout se passe comme si ce principe devenait immédiatement victime de son succès, contaminé dans son essence par les moyens de sa réalisation. Porté par les transformations du monothéisme, le rationalisme s'étend de la sphère religieuse aux différents compartiments du monde vécu. Mais cette extension du rationalisme se double d'une altération puisque « dès qu'il fut lui-même aux prises avec la réalité de la vie intérieure et extérieure il s'est vu contraint de consentir aux compromis et aux accommodements dont nous a tous instruits l'histoire du christianisme [59] ». À quoi il faut encore ajouter que l'analogie avec le thème de la cage d'acier se renforce dans la mesure où, lors même que l'esprit s'échappait du système achevé de l'économie capitaliste, la source du rationalisme occidental s'est tarie au moment de son triomphe si l'on songe que « la religion est devenue de nos jours " routine quotidienne " [60] ».

Outre le fait qu'elle évoque une intimité extrêmement profonde entre le processus de rationalisation et les transformations internes de la sphère religieuse, cette mise en perspective conduit directement au thème de la « guerre des dieux ». Celui-ci surgit sous la forme de l'éclatement du lien entre la maîtrise technique du monde pensé sous le principe de raison suffisante et le style de vie qu'il génère en arrachant les individus à l'emprise de la tradition. L'une en effet requiert pour s'imposer la représentation d'une « orientation exclusive » de l'existence qu'assure avec succès la religion chrétienne. Mais l'autre nourrit avec la même vigueur les forces qui dissolvent cette identité : valorisation de l'authenticité individuelle et investissement privilégié des différents registres du monde vécu. D'où l'image de la guerre des dieux elle-même : « La multitude des dieux antiques sortent de leurs tombes, sous la forme de puissances impersonnelles parce que désenchantées et ils s'efforcent à nouveau de faire retomber notre vie en leur pouvoir tout en reprenant leurs luttes éternelles [61]. » N'hésitant alors plus à parler d'un « destin de notre civilisation », Max Weber va jusqu'à suggérer l'idée d'un cycle qui s'achève en revenant à son point de départ. Culminant dans le « pathos grandiose de l'éthique chrétienne », l'essence de cette même civilisation n'aurait alors été que de parvenir à « masquer pendant mille ans [62] » l'irréductible déchirure de l'existence humaine dont seul le modèle du polythéisme pourrait encore rendre compte.

Les maîtres du soupçon
et la confiance dans la raison

L'intensité de ces images explique celle des conflits qui entourent l'œuvre de Weber. Par leur contenu en effet, elles la situent tout à la fois au point de départ et au cœur de la vision posthégélienne de la modernité. En ce sens, cette œuvre marquerait même le moment inaugural d'une thématique propre à la plupart des pensées contemporaines : celle qui se focalise précisément sur l'idée d'une perte de sens propre au monde moderne. Mais la difficulté tient moins à cette idée elle-même qu'à l'interprétation qui en est donnée et au traitement qu'elle subit. Schématiquement, deux attitudes sont possibles face aux effets de perte de sens associés au devenir contemporain de l'histoire occidentale. L'une consiste à les imputer directement au projet de la modernité en cherchant à déceler pour quelles raisons il devait peu ou prou depuis l'origine conduire à eux. Exerçant une forme radicale du soupçon contre ce projet, elle engage le plus souvent un procès contre l'illusion métaphysique et projette sa déconstruction. L'autre attitude tend au contraire à endiguer les effets de la perte du sens, en cherchant à les contenir dans les limites d'une désorientation du projet de la modernité. Avec pour intention une critique interne de ce projet et non sa réfutation, un effort pour le préserver et non l'appel à son dépassement. Indiquons brièvement ces deux schémas, afin de poser le problème que soulève l'interprétation du thème du désenchantement du monde au sein de l'œuvre de Max Weber et dans le cadre de l'histoire des représentations de l'histoire moderne.

Avec le premier de ces schémas, la perte de sens constatée dans l'univers contemporain est la conséquence inéluctable du projet des Lumières lui-même. Centré sur l'idéal d'autonomie, plaçant en quelque sorte l'homme à la place de Dieu comme sujet de la connaissance, des normes et de la création, ce dernier devait conduire à la dilution de tout foyer de cohérence pour la science, l'éthique ou l'esthétique. Directement en vertu du combat de la raison contre la tradition. Ou indirectement, par le biais de la destruction progressive du milieu naturel, des communautés ou du sens commun. En ce sens, le monde du « dernier homme », le « règne de la technique », ou l'univers de la « désolation » sont bien le résultat de l'histoire de la raison conduisant à son propre éclatement. Dès lors, outre une tâche philosophique consistant à dévoiler une illusion pour la déconstruire, seules deux perspectives demeurent ouvertes. Une résignation, qui peut être à son tour joyeuse ou désespérée, à la dissolution des repères et à l'éparpillement des points de vue. Joyeuse, elle fera signe vers une insouciance que l'on dirait volontiers postmoderne, vers le culte de l'authenticité ou de la différence. Désespérée, elle prendra en charge les thèmes néoromantiques d'un nihilisme aux nuances millénaristes. Nietzsche à lui seul incarnerait assez bien cette oscillation qui n'est autre que celle du danseur hésitant entre la fascination du vide et l'ivresse du surhomme. L'autre perspective envisageable au sein de ce schéma repose sur une volonté de révolte contre ce qui apparaît comme la figure d'un oubli ou d'un abandon. Elle s'oriente alors vers les différentes formes de ce que l'on pourrait nommer les téléologies du retour dont l'œuvre de Heidegger donne les principes directeurs.

À ce premier schéma perçu comme liquidateur des idéaux de la modernité s'oppose celui qui vise à sauver les diverses dimensions du projet des Lumières, en les arrachant à la critique de leurs conséquences supposées. De ce point de vue, le désenchantement d'un monde subissant une réelle crise du sens serait moins le résultat direct d'une histoire de la raison que l'effet de son engourdissement sur sa propre trajectoire. Les effets constatés de réification du monde vécu, les retournements éventuels de la problématique de l'émancipation et l'extension de la technique resteraient passibles d'une critique interne à la logique de l'autonomie. Quant à l'activité de l'esprit elle-même, elle demeurerait guidée par ce qui fut toujours le propre de la pensée critique : arracher la raison à son sommeil dogmatique selon la formule de Kant. Avec pour horizon soit une reconstruction globale du projet visant à son approfondissement, soit un réinvestissement plus limité de celles de ses composantes qui présentent des formes autodestructrices. À son tour, l'œuvre de Jürgen Habermas serait au carrefour de ces différentes tentatives, qui ont en commun de vouloir considérer la modernité comme un projet qui n'a jamais atteint son achèvement [63].

L'œuvre de Max Weber présente indéniablement nombre de traits communs avec cette seconde attitude. Plus précisément encore, centrée sur les diverses significations attachées au motif du « désenchantement du monde », elle préfigure largement l'un des schémas critiques de la modernité les plus puissants : celui que construiront Horkheimer et Adorno avec la figure de la dialectique de la raison. Au sein des philosophies de l'histoire, il s'agit de s'arracher au conflit de l'optimisme et du pessimisme, de renvoyer dos à dos pensées du progrès et pensées du déclin, en s'attachant aux contradictions d'une évolution paradoxale. Celles que décrit, par exemple, Adorno au travers de la métaphore du double visage de Janus. Sur une face en effet, l'histoire de la civilisation se laisserait interpréter en termes de conquêtes de l'homme sur la nature vécues comme autant de formes d'émancipation. C'est le versant des « promesses » de la raison, du désenchantement entendu comme déploiement d'un rapport instrumental de l'homme au monde qui fait perdre à ce dernier son mystère en permettant à l'humanité de s'autocréer en se libérant des forces extérieures à elle. Mais il se double aussitôt du prix payé pour l'accomplissement de cette promesse. Tout se passe en effet comme si chaque moment d'affirmation de la subjectivité humaine par la raison instrumentale contre la nature s'accompagnait d'une mutilation et d'un appauvrissement de cette même subjectivité soudain emprisonnée dans les structures institutionnelles ou morales qui permettent son affirmation [64].

Nul mieux que Max Weber ne décrit les voies qui conduisent à l'avènement du « monde administré », symbolisant aux yeux d'Adorno ce renversement paradoxal. Qu'il s'agisse de l'entreprise économique ou de l'État de droit, les analyses wébériennes soulignent à l'envi et les promesses de liberté inscrites dans la rationalisation formelle des activités et les effets aliénants de la bureaucratisation des relations sociales. Ces analyses permettent-elles de préserver une capacité critique de ces formes de réification du monde vécu ? Laissent-elles ouverte la perspective d'une disjonction entre les logiques du développement de la raison émancipatrice et les mécanismes produisant une mutilation de l'existence ? Tout porte à penser que Weber est plus proche de l'idée d'un processus d'autodestruction de la raison subissant ce qu'Horkheimer et Adorno nommeront une « logique expiatoire [65] ».

Cette logique s'inscrit dans le raisonnement suivant. Il s'agit avant tout d'expliciter le paradoxe des Lumières qui se formule ainsi : « De tout temps, l'*Aufklärung*, au sens le plus large de pensée en progrès, a eu pour but de libérer les hommes de la peur et de les rendre souverains. Mais la terre, entièrement " éclairée ", resplendit sous le signe des calamités triomphant partout [66]. » L'opérateur de cette transformation tient dans les rapports ambigus de la raison aux mythes. La première en effet a pour but de « libérer le monde de la magie ». Elle postule donc qu'il « ne doit pas exister de secret, pas plus que de désir d'en révéler [67] ». Mais elle entraîne le fait que « sur la voie qui les conduit vers la science moderne, les hommes renoncent au sens ». Soit alors la première explicitation du paradoxe : « Le mythe devient raison et la nature pure objectivité. Les hommes paient l'accroissement de leur pouvoir en devenant étrangers à ce sur quoi ils l'exercent [68]. » En réalité, la raison s'est laissé contaminer par le mythe dans un « processus de réciprocité » lié aux conditions de sa naissance et à l'incapacité de critiquer sa propre destination : « De même que les mythes accomplissent déjà l'*Aufklärung*, celle-ci s'empêtre de plus en plus dans la mythologie. Elle reçoit toute sa substance des mythes afin de les détruire, et c'est précisément en exerçant sa fonction de juge qu'elle tombe sous leur charme. » Avec pour conséquence la dernière figure qui vient expliquer le paradoxe : « À mesure que l'illusion magique se dissipe, la répétition – sous le nom de loi – emprisonne progressivement l'homme dans ce cycle qui, objectivé dans la loi naturelle, lui semblait garantir son activité de sujet libre [69]. » D'où les aspects expiatoires de la chose. Celui par lequel la raison fait payer au mythe le fait d'avoir été la première « totalité morale » offerte à l'histoire humaine, mais en contractant aussitôt une dette à l'égard de ce mythe qui lui a fourni l'occasion de son combat. Mais celui aussi qui semble suggérer que « l'histoire serait cette crise perpétuelle inaugurée par le crime répété de la raison contre elle-même [70] ».

Les lumières critiques qui manquent de profondeur critique

En ce sens Max Weber avant Horkheimer et Adorno, voulant échapper au dilemme du progrès et de la chute, retrouverait la figure d'un destin. Destin paradoxal sans doute, puisque lié à des formes d'autodestruction de la raison sur le chemin de son développement. Mais destin à coup sûr, dans la mesure où l'apparition de formes d'irrationalité au sein du monde moderne rationalisé ne s'apparente pas au surgissement de quelque chose qui aurait pu ne pas être, mais à un processus où se nouent un devenir réifié des structures de l'émancipation humaine et des occasions de révolte contre leur perte de sens. Aux questions qui demeurent et qui touchent aux chances que l'emporte l'une ou l'autre tendance, Max Weber, on le sait, refuse de répondre, préférant laisser dans l'indéterminé sa perspective sur le contemporain. Reste qu'une telle réserve est de celles qui nourrissent depuis longtemps déjà un soupçon redoutable sur la modernité. Cette idée qui suggère qu'en triomphant le rationalisme occidental aurait fait le vide, léguant une série de problèmes dont la solution serait improbable grâce aux ressources propres de la modernité. Cette image ensuite selon laquelle la raison aurait agi comme un simple dissolvant des structures traditionnellement productrices de sens, conduisant sur son trajet à faire s'équivaloir maîtrise rationnelle et destruction du

monde, organisation formelle et vacuité de la connaissance. Cette
métaphore enfin qui faisait dire à Walter Benjamin que « la technique a trahi l'humanité et a transformé la couche nuptiale en bain
de sang [71] ».

Par la profondeur de ses vues sur le contemporain, l'intensité
des conflits qu'elle met au jour et la puissance du schéma qui les
relie, l'œuvre de Max Weber offre donc le cadre d'une interprétation exemplaire de la modernité confrontée aux tendances contradictoires de son devenir. Radicalisant l'interrogation sur le sens de
ce devenir, elle échappe à son propre enfermement dans les catégories d'une pure description du monde qui serait indifférente à
la question des significations qui peuvent lui être attachées. Mais
l'incertitude qui pèse sur ces dernières l'expose aussitôt à cette
forme de suspicion qui se retourne contre les différents « maîtres
du soupçon ». Celle que dégageait Adorno à propos de Freud,
lorsqu'il évoquait « les lumières critiques auxquelles manque un
éclairage critique (*unaufgeklärte Aufklärung*) [72] ». Celle qui pousse
Claude Lefort vers la mise au jour du paradoxe de la critique de
l'humanisme chez Marx : « L'histoire de l'humanité [...] débouche
sur une société *sans idée*, une société qui coïncide avec elle-même
au point d'annuler toute possibilité de jugement en son sein [73]. »
Celle enfin qui découvre avec Paul Ricœur le dilemme de la philosophie de Nietzsche installée sur une déconstruction radicale de
l'illusion du *Cogito* : « Ou bien elle s'excepte elle-même de ce
règne universel de la *Verstellung* – mais par quelle ruse supérieure
échapperait-elle au sophisme du menteur ? –, ou bien elle y succombe – mais alors comment justifier le ton de révélation sur
lequel seront proclamés la volonté de puissance, le surhomme et
le retour éternel du même [74] ? »

Tour à tour prophétique et sceptique, pratiquant à la fois la
révélation et la réserve, la pensée de Max Weber subit l'épreuve
de critiques contradictoires. Ainsi s'accordera-t-on généralement à
reconnaître l'acuité d'une lecture de la modernité orientée vers la
description de la manière dont la raison substantielle qu'exprimaient les visions religieuses et métaphysiques du monde se
décompose en des sphères autonomes liées aux questions de la
connaissance, de la justice ou du goût. Mais c'est pour aussitôt
interroger les conséquences de l'appauvrissement du monde vécu
associé par Weber à cette logique de la rationalisation. Cette lecture permet-elle de sauver la perspective de l'émancipation, en
débouchant sur l'idée d'un espace post-traditionnel où la problématique des Lumières préserverait son effort en le retournant
contre son propre engourdissement et les formes d'aliénation qu'il
engendre ? Est-elle au contraire frappée du sceau de ce manque

de profondeur critique des pensées qui s'arrêtent au terme de la déconstruction d'une illusion sans parvenir à imaginer les conditions de son dépassement ? Telle est en substance la question d'Habermas découvrant en Weber une pensée critique en quelque sorte privée de son fondement criticiste et qui finit par imputer à l'univers moderne des apories qui sont les siennes. En ce sens, livrant une admirable description de l'avènement d'un univers technicien dans les différents registres de l'activité, mais identifiant son triomphe à celui de la rationalité, Weber aurait occulté une part des ressources propres à la raison moderne, atrophiant son contenu soudain réduit à la seule dimension instrumentale.

Retournant l'idée d'une absence de profondeur critique contre le projet de la modernité, Leo Strauss, quant à lui, verrait en Max Weber l'archétype d'une pensée qui s'est elle-même privée de la possibilité du jugement. Radicalisant par sa théorie des valeurs et de l'objectivité de la connaissance la confusion de l'être et du devoir-être, il représenterait le moment ultime de la destruction positiviste de l'idéal philosophique. Sous ce regard, l'objectivisme intransigeant d'une science qui s'interdit de juger et le nihilisme de la philosophie implicite qu'elle fait naître seraient les deux faces d'un unique phénomène. Avec pour conséquence le fait que la « nouvelle science politique » dont l'œuvre de Weber décrit magistralement l'intention est au mieux étrangère à la question du sens de l'activité intellectuelle ou de l'action, au pire coupable de connivence avec les entreprises destructrices de la démocratie. Faute d'une capacité à ménager l'espace d'une critique des valeurs qui évite leur équivalence. Faute d'une aptitude à préserver le point de vue d'un jugement permettant d'échapper à la réduction historiciste du réel et du rationnel [75].

Étrangères l'une à l'autre par leur intention et leur orientation, ces deux formes de critique ont toutefois en commun d'orienter la discussion vers un même lieu. Celui où, au cœur du procès de rationalisation, éclate la perspective du « désenchantement du monde » avec ses harmoniques de résignation ou d'héroïsme, ses visions d'un âge de fer ou d'insouciance, ses annonces de mort ou de renaissance. Celui aussi où resurgissent avec la violence propre à un siècle tragique des questions aux conséquences redoutables. Armé de sa foi en la capacité de connaître et maîtriser le monde, mais voué à un conflit irréductible entre les visions qu'il peut en avoir, l'habitant de cet univers moderne désenchanté est-il condamné à vivre une guerre perpétuelle ? Guerre des valeurs au sein de sociétés privées d'un socle où s'attesterait la reconnaissance d'un « sens commun » pour fondement de l'éthique, du droit ou de l'esthétique. Guerre des puissances entre entités politiques souveraines n'ayant d'autres moyens de se représenter leur existence que l'affirmation de leur identité, sur fond d'épuisement des valeurs universalistes de paix et de société internationale [76]. D'une autre manière, sceptiques quant aux promesses d'une histoire pensée sous la catégorie d'un progrès linéaire, mais confrontés à la fulgurance d'événements contradictoires, les contemporains sont-ils définitivement orphelins d'une faculté de juger le monde et son devenir, destinés à osciller entre l'attente eschatologique d'une fin inlassablement déçue et la résignation à une insignifiance nourrie de nostalgie ?

Qu'il s'agisse d'apprécier la profondeur critique d'une interprétation de la modernité, de prendre la mesure des antinomies qu'elle met au jour en son sein ou encore d'estimer l'intensité des dilemmes qu'elle décrit, on aura compris qu'il est un point nodal aux questions sollicitées par les tensions internes à l'œuvre de Max Weber. Celui-ci tient à la frontière qui sépare un scepticisme tempéré par le souci de préserver les conditions d'appartenance à un monde commun d'un désenchantement versant dans un relativisme lui-même étendu de la sphère de la connaissance à celle de l'action. Nombre d'indices portent à croire que l'horizon terminal de la pensée de Weber pourrait résider dans cette forme particulière du « défaitisme de la raison » qui consiste à juger indépassables les antinomies de l'action et de la connaissance en incitant au deuil de toute perspective humaniste [77]. Ainsi semble-t-il en être lorsque Max Weber déclare, en un propos programmatique qui met à vif les contours de son projet, que « la découverte d'un dénominateur commun (*Generalnenner*) pratique pour nos problèmes sous la forme d'idéaux suprêmes universellement valables ne saurait constituer une tâche ni pour cette revue, ni pour la science empirique en général : une telle tâche serait non seulement insoluble en pratique, mais encore contradictoire en soi [78] ».

Une œuvre qui ne coïncide pas avec elle-même ?

On peut toutefois penser que c'est pourtant cette tâche qui persiste à fixer l'orientation des débats contemporains, offrant ainsi le cadre d'une dernière confrontation avec l'œuvre de Weber. Dans le registre de l'éthique, chaque fois que s'exerce l'effort pour tenter de dépasser le diagnostic de la « guerre des dieux », à la recherche d'un moyen d'opposer au conflit des valeurs la reconstruction d'un sens commun. Sur le terrain du droit, lorsque s'engage un contournement des apories du positivisme juridique par le biais d'une fondation des normes dans l'idée de justice. Dans l'ordre politique enfin, pour autant que les discussions sur la nature du totalitarisme ont réactualisé le questionnement des formes d'indétermination propres à l'univers démocratique. Reste qu'en chacun de ses domaines, si les analyses wébériennes font figure de repères, c'est bien souvent à la manière d'un point de rebroussement. Comme s'il fallait pour en assumer la leçon les dégager de ce qu'elles comportent de l'idée d'une autodestruction de la raison qui finirait par les emporter. Comme si l'on devait s'éloigner d'elles afin de retrouver les conditions d'une réponse aux questions qu'elles soulèvent. Comme si enfin, en portant la logique positiviste à son point d'achèvement dans le double registre de la fondation épistémologique et de la capacité de description de la réalité, elles contribuaient à en signaler la limite et presque l'impasse, associant ainsi le moment de son apothéose à celui de son épuisement.

À moins qu'il ne faille garder à l'esprit une ultime considération, avant d'arpenter plus largement les terrains découverts par Max Weber. Celle qui consisterait à lui appliquer cette remarque de Claude Lefort relisant Marx et découvrant une œuvre qui « ne coïncide pas avec elle-même [79] ». Comment ne pas faire grâce à Max Weber de cette thèse sur les conditions mêmes de l'interprétation. Une thèse qui tiendrait dans l'idée selon laquelle « cette œuvre, comme toute œuvre de pensée, ne se réduit pas à la part de ce qui s'y trouve affirmé. Parce que l'on y chercherait en vain les signes d'un cheminement sur une voie rectiligne, depuis un point de départ jusqu'à une conclusion. Elle porte la trace des obstacles que la pensée se crée à elle-même dans son propre exercice, dès lors que celle-ci échappe à la tentation de la déduction formelle, dès lors qu'elle se voue à l'interprétation de ce qui l'excède ou se laisse attirer par ce qui se dérobe à ses prises [80] ». En cette forme de mise en abyme de l'œuvre par elle-même et de l'interprétation par ses propres règles, c'est l'épaisseur d'une pensée qui s'expose, avec ce que cela suppose de reconnaissance de la part du doute et du revirement, de la contradiction et de l'inachèvement. Avec ce que cela entraîne encore d'un questionnement qui s'origine tour à tour dans l'œuvre et hors d'elle, au sein des problèmes qu'elle découvre, des concepts qu'elle construit et des thèses qu'elle défend, mais à partir aussi de ses fractures, de ses lignes de fuite ou de ses silences. Avec enfin ce que cela suggère d'une portée qui ne se tient pas exactement dans les contours qu'elle s'assigne comme pour se rassurer contre les conséquences de ce qu'elle met au jour.

Sous une telle hypothèse de lecture, l'œuvre de Max Weber s'enroulerait en quelque sorte autour de deux noyaux étrangers l'un à l'autre. Celui d'un projet scientifique opposé à celui de Marx mais similaire en intention pour ce qu'il vise une description exacte du réel qui effacerait toute présence de l'observateur, gommant dans la restitution du monde toute présence de subjectivité humaine. Engagé par les principes d'une épistémologie radicale, ce projet poursuit une objectivité des faits en cherchant à épuiser leur signification par la construction d'une structure formelle susceptible de se contrôler elle-même. En ce sens, il pose la matrice d'un positivisme qui n'admettrait pour horizon de discussion que l'adhésion ou le rejet, ayant exclu par son dispositif critique toute position d'extériorité du jugement. Mais à mesure même qu'elle se coule dans ce moule, la pensée de Max Weber en déplace les limites et en disjoint les formes, s'enroulant ainsi à un autre noyau nourri d'autres logiques. Installée sur un socle de questions qui sont le fond commun problématique de la vision moderne du monde, elle en demeure inlassablement taraudée, échappant par là même à son propre formalisme et puisant sans doute à une source qu'elle estimait tarie. Avancer que sur cette trajectoire Max Weber serait philosophe lors même qu'il croyait épuisées les ressources de la philosophie serait encore inexact. Il apparaîtrait plus juste de dire qu'en refusant de coïncider avec elle-même pour rester ouverte au monde, sa démarche fait œuvre de pensée, qui se dérobe à elle-même et s'expose au jugement.

Il reste que pour chercher à saisir une œuvre de pensée par le biais de ses tensions internes, une telle lecture s'impose une logique qui doit en respecter le mouvement. Mouvement d'une critique des modes de connaissance de l'activité humaine qui vise à en restituer le sens, à la poursuite d'une articulation entre les représentations du monde et les formes objectivées de l'existence vécue. Mouvement d'une analyse qui veut creuser la complexité du réel historique et social afin d'en démêler les structures enchevêtrées, à la recherche des causes qui en rendraient raison. Mouvement enfin de la mise au jour du portique où se nouent les éléments qui confèrent à la trajectoire historique de l'Occident sa part d'universalité. Ceux d'une rationalisation découverte, décomposée puis reconstruite dans les différents registres de l'action. Ceux d'une maîtrise croissante de la relation de l'homme au monde, à lui-même et aux structures construites par son activité. Ceux enfin d'un procès au cours duquel les différentes composantes de l'existence perdent leur caractère mystérieux pour dessiner la forme d'un univers désenchanté.

Ainsi sera-t-on poussé à laisser se déployer la problématique de Max Weber dans les deux dimensions qu'elle couvre. Celle, diachronique, d'une histoire, conçue comme le procès de rationalisation de l'univers humain et qui décrit les voies du désenchantement du monde. Mais celle aussi, plus synchronique, qui soulève les problèmes de cet univers en passe d'être intégralement rationalisé et précise les contours de l'état d'un monde désenchanté. C'est qu'entre l'une et l'autre de ces dimensions la pensée de Max Weber installe une passerelle qui tient à la manière dont la construction juridico-politique propre à l'État occidental semble recueillir l'intégralité des structures de sens qui avaient accompagné son avènement. C'est aussi qu'en passant de l'un à l'autre de ces registres l'analyse wébérienne constate un considérable appauvrissement des formes significatives de l'existence vécue. C'est enfin qu'en orientant sa lecture de l'histoire vers un diagnostic sur le contemporain, l'œuvre de Max Weber fournit ses perspectives les plus profondes sur le monde humain, mais s'expose aussi le plus ouvertement au jugement formulé du point de vue des conditions de possibilité d'une humanité de l'homme.

Deuxième partie

LE MONDE COMME PROBLÈME

Faire de Max Weber l'apôtre de la supériorité de la civilisation occidentale relèverait à coup sûr d'une opinion hétérodoxe et sans doute choquante. Pourtant, que faut-il entendre dans ces propos : ce n'est qu'en Occident qu'existe une science rationnelle, articulant observation empirique et systématisation théorique de la connaissance ; seul l'Occident connaît la forme de pensée logique indispensable à un droit rationnel et l'institution objective d'un État fondé sur une constitution écrite, appliquée par une administration composée de fonctionnaires compétents ; nulle autre civilisation n'a développé rationnellement l'harmonie musicale, en organisant le matériel sonore grâce à l'accord parfait, en structurant l'orchestre autour du quatuor à cordes et à partir de la technique de la basse continue, en systématisant la notation et en formalisant l'écriture de la sonate, de la symphonie ou de l'opéra, en développant enfin la maîtrise instrumentale de l'orgue, du piano ou du violon ; c'est à l'Occident qu'il faut attribuer la perspective, l'utilisation rationnelle de la voûte d'ogive ou la solution au problème de la coupole, pour répartir les forces et bâtir l'espace, mais en développant aussi un style qui englobe peinture et sculpture ; seul l'Occident encore a inventé une littérature à partir de la découverte de l'imprimerie et rationnellement organisé recherche et enseignement dans les structures de l'université ; seul enfin il connaît cette modération rationnelle de la soif d'acquérir qui a pour nom le capitalisme et installe dans une entreprise rationnelle la recherche du profit.

Sans doute Max Weber prend-il la précaution d'esquisser un contrepoint pour chacun de ces éléments : l'Inde, la Chine, Babylone et l'Égypte ont développé des connaissances d'une extraordinaire subtilité ; l'Asie a connu des formes de codification juridique et les empires orientaux ont formé de vastes bureaucraties ;

diverses sortes de polyphonies prolifèrent de par le monde, la Chine et l'Islam ont installé des systèmes sophistiqués d'éducation ; quant à la soif d'acquérir enfin ou la recherche du profit, elles appartiennent en propre à l'humanité tout entière, au garçon de café et au médecin, aux artistes et aux cocottes, aux fonctionnaires vénaux et même aux mendiants. Mais il n'en reste pas moins que l'accumulation est impressionnante des éléments qui composent l'unicité de la civilisation occidentale et partant sa supériorité d'un point de vue qui reste à déterminer. Max Weber ne le nie pas, qui avoue en ouverture du corpus le plus massif de ses travaux être guidé par l'interrogation suivante : « Tous ceux qui, élevés dans la civilisation européenne d'aujourd'hui, étudient les problèmes de l'histoire universelle, sont tôt ou tard amenés à se poser, avec raison, la question suivante : à quel enchaînement de circonstances doit-on imputer l'apparition, dans la civilisation occidentale et uniquement dans celle-ci, de phénomènes culturels qui – du moins nous aimons à le penser – ont revêtu une signification et une valeur *universelle* [1]. »

Tout porte à croire qu'en dépit de la réserve qu'elle contient et de sa formulation quelque peu ambiguë, cette question supporte et oriente l'essentiel des investigations de Max Weber. On pourrait citer à titre d'illustration ce propos presque contemporain, par lequel il dévoile une partie de la réponse en fixant le programme de ses travaux : « Notre vie sociale et économique européano-américaine est " rationalisée " d'une manière spécifique et dans un sens spécifique. C'est pourquoi l'explication de cette rationalisation et la construction de concepts correspondants pour la comprendre constituent une des tâches principales de nos disciplines [2]. » Si l'on se souvient encore de la manière dont Max Weber associe l'idée de cette rationalisation à l'image du désenchantement, on détient l'ensemble des piliers qui structurent son interprétation de l'histoire. La trajectoire historique propre à la civilisation occidentale a une orientation : le désenchantement du monde. Elle connaît un moyen privilégié, la rationalisation des structures de la vie sociale et économique. Reste donc à définir les concepts nécessaires à la compréhension du phénomène, à l'explication de ses causes et à l'interrogation de son universalité.

La problématique de la rationalisation est au cœur de cette élaboration conceptuelle à laquelle elle fixe un cadre, une méthode et des outils. Le cadre est ce qui donne toute leur ampleur aux travaux de Max Weber. Par ce souci de conjuguer l'analyse et la synthèse, la décomposition des éléments qui entrent dans une constellation unique et leur condensation en une formule qui en éclaire le sens. Mais par la volonté aussi de nouer la perspective diachronique de la formation des systèmes à la plongée au sein de leurs structures installées, traversées de tensions, de contradictions et de problèmes. Ainsi Max Weber peut-il préciser son projet en signalant qu'il s'agira de « reconnaître les traits distinctifs du rationalisme occidental, et, à l'intérieur de celui-ci, de reconnaître les formes du rationalisme moderne, puis d'en expliquer l'origine [3] ». La méthode est quant à elle typique de la théorie wébérienne de la connaissance. Parce qu'elle cherche à faire remonter la compréhension des phénomènes à des comportements individuels saisis à partir de leurs motifs. Et parce qu'elle vise ensuite à restituer le réseau de relations causales qui les enchaînent pour expliquer la formation de configurations inédites. À cet égard, une première indication est fournie contre Marx lorsque Weber déclare que toute tentative d'explication des éléments qui composent le rationalisme occidental « devra admettre l'importance fondamentale de l'économie, et tenir compte, avant tout, des conditions économiques. Mais, en même temps, la corrélation inverse devra être prise en considération. Car si le développement du rationalisme économique dépend, d'une façon générale, de la technique et du droit rationnels, il dépend aussi de la faculté et des dispositions qu'a l'homme d'adopter certains types de *conduite* rationnels pratiques [4] ».

Les outils construits par Max Weber afin d'engager cette explication sont plus complexes, à commencer par le concept de rationalisation qui lui sert de support. À ce concept, Weber semble tout d'abord donner une variété de sens. Lorsqu'il précise, par exemple, que le rationalisme signifie une chose « si l'on pense à la rationalisation qu'opère de l'image du monde la pensée systématique : une maîtrise théorique croissante de la réalité par des concepts de plus en plus précis et abstraits ». Mais qu'il en signifie une autre « si l'on pense à la rationalisation au sens de l'obtention méthodique d'un objectif pratique donné, grâce au calcul de plus en plus précis des moyens adéquats [5] ». À quoi il faudrait encore ajouter un troisième sens : celui qui a trait à l'organisation systématique des moyens du salut dans les « éthiques pratiques [6] ». Se dessine alors une première configuration conceptuelle, qui distingue trois orientations de la rationalisation. Celle qui concerne en premier lieu la rationalité théorique et passe par le développement d'une capacité croissante à reconstruire le monde réel dans les catégories abstraites de la pensée. Celle qui désigne ensuite la rationalité pratique et qui conduit à la définition de l'activité rationnelle par rapport à une fin. Celle enfin qui évoque une rationalité associée à des valeurs et mise en œuvre dans les activités quotidiennes liées à l'éthique et à la religion.

Certains interprètes de Max Weber ont donc cherché à fixer le sens du concept de rationalisation autour de trois usages du rationalisme. Le rationalisme « scientifique-technologique » décrirait la capacité de maîtrise du monde par la formalisation de ses images, le développement des connaissances empiriques, du calcul et du savoir-faire. Le rationalisme « métaphysico-éthique » quant à lui renverrait à la systématisation des structures de signification, à l'élaboration d'une représentation de plus en plus claire des fins ultimes. Le rationalisme « pratique » enfin couvrirait la manière dont se structurent des conduites méthodiques de vie [7]. On peut toutefois penser qu'une telle typologie altère quelque peu la portée du concept, en masquant en partie sa complexité. Ainsi Jürgen Habermas peut-il présenter deux suggestions qui orienteraient une autre interprétation [8]. En premier lieu, il faut être sensible au fait que Max Weber s'intéresse assez peu au développement de la rationalité théorique elle-même. De ce point de vue, sa contribution à la compréhension de l'histoire de l'esprit humain se démarque de celles des philosophes du XIXᵉ siècle. Elle se concentre en revanche sur la dimension de l'agir pratique, qui supporte l'essentiel du procès de rationalisation. D'où le fait qu'Habermas suggère de creuser un concept complexe de « rationalité pratique », afin d'en saisir les composantes qui sont autant d'éléments constitutifs de la logique du désenchantement du monde.

En première intention, le concept de rationalité pratique s'appuie sur une notion large de technique, entendue comme « la somme des *moyens* nécessaires » à une activité [9]. De l'aveu même de Max Weber, ce premier sens demeure assez flou, dans la mesure où il couvre une infinité de registres : technique de prière, technique de réflexion ou de recherche, technique de domination politique, technique érotique, musicale, juridique, etc. Force est donc de préciser la notion en approfondissant la question qu'elle met au jour, celle des moyens. En ce sens, une indication sur la rationalisation d'une technique serait fournie par le principe commun du « moindre effort », c'est-à-dire la recherche du « rendement optimum *par rapport* aux moyens à mettre en œuvre [10] ». D'où une première acception de la notion de rationalisation pratique, qui a trait au « progrès technique » : une intervention dans le monde objectif qui assure une meilleure adaptation fin/moyens [11]. Mais cette précision induit aussitôt un autre vecteur de rationalisation, qui concerne non plus les moyens de l'action, mais ses buts. Est ainsi mise en place une rationalité du choix qui complète la rationalité purement instrumentale. Max Weber la saisit au travers de l'idée selon laquelle l'action se dégage des structures de la tradition pour se focaliser sur la poursuite d'un intérêt : « *Un* des éléments essentiels de la " rationalisation " de l'activité consiste précisément dans la substitution d'une adaptation méthodique commandée par les situations à l'insertion intime dans une coutume familière [12]. »

C'est à ce niveau de complexité du concept de rationalité pratique que devient pertinente une distinction essentielle à la démarche wébérienne, celle de la rationalité par rapport à des intérêts et de la rationalité par rapport à des valeurs. Cette distinction doit d'abord être traitée de façon analytique, afin de dégager ce qui oppose les deux notions. Les actions rationnelles par rapport à une fin sont celles qui satisfont aux conditions de rationalité des choix et des moyens et reposent sur le calcul d'un ajustement des uns aux autres. Les actions rationnelles par rapport à des valeurs, en revanche, mobilisent une composante normative de l'action et s'ajustent en vertu de la profondeur et de la cohérence des représentations d'un devoir-être qu'elles sollicitent. Mais à ce moment analytique de l'élaboration conceptuelle doit nécessairement succéder un moment synthétique de recomposition. Ce n'est en effet qu'en renouant l'action rationnelle par rapport à des valeurs et l'action rationnelle en finalité que l'on peut obtenir un concept complet de rationalité pratique. Alors, et alors seulement, Max Weber parlera de « conduite de vie méthodiquement rationnelle », pour désigner ces formes complexes d'action qui articulent la dimension instrumentale de l'adaptation des fins aux moyens et la détermination des choix par référence à des principes élaborés de moralité pratique. À titre d'illustration qui anticipe sur la suite du raisonnement, il peut ainsi écrire que « le protestantisme ascétique est seul au monde à avoir associé, par principe, dans une unité systématique irréductible, l'éthique de la profession dans le monde et la certitude du salut [13] ».

On peut alors comprendre la stratégie d'analyse que met en place Max Weber, à la recherche des origines du procès de désenchantement du monde. Et dégager ensuite l'endroit où se loge le pivot de son explication. La stratégie consiste à dissocier pour les recomposer ensuite deux dimensions constitutives du processus. Celle qui a trait à la rationalisation des images du monde concerne les aspects structurels du désenchantement. Elle décrit l'émergence d'une conscience moderne, orientée par la maîtrise instrumentale du monde et organisée autour de conduites d'action adaptées à des préceptes éthiques. Mais elle se double d'une seconde dimension qui touche à la manière dont ces formes de rationalisation culturelle se convertissent en mécanismes de rationalisation sociale. De ce point de vue, l'accent sera mis sur « l'incarnation institutionnelle des structures de conscience modernes [14] ». Sur le modèle de

l'entreprise capitaliste, du système formel du droit ou de l'organisation objective de l'État en tant qu'ils représentent le cadre où
se déploie la rationalité pratique. Reste alors le pivot de ce dispositif d'explication, qui repose sur l'identification du site où
s'opère l'élaboration du monde moderne. Ce site, Max Weber va
le localiser dans l'univers des grandes religions de salut. Il va le
décrire au travers de la manière dont elles rationalisent les représentations du monde, systématisent les liens entre les comportements mondains et la question du salut, mettent en place des
conduites qui adaptent méthodiquement les différents registres de
l'existence vécue. Il va enfin l'interpréter comme contenant l'essentiel de la « percée catégoriale vers une conception moderne,
désenchantée, du monde [15] ».

CHAPITRE III

L'énigme de la théodicée

Suivant une invitation formulée par Max Weber lui-même, « il faudrait placer en épigraphe à toute étude sur la rationalité ce principe très simple mais souvent oublié : la vie peut être rationalisée conformément à des points de vue finaux (*letzt*) extrêmement divers et suivant des directions extrêmement différentes. La rationalité est un concept historique qui renferme un monde d'oppositions [1] ». De ce monde d'oppositions on connaît désormais les composantes, qui couvrent les différents domaines de l'action humaine. Action orientée vers la question du salut et qui touche aux représentations du sens de l'univers ou des fins de l'existence, mais aussi aux techniques qui permettent à l'homme de s'en assurer le bénéfice. Action tournée vers la manipulation des biens matériels, qui concerne avant même l'accumulation des richesses la signification qu'elles ont au regard des modalités spirituelles de la vie. Action enfin liée aux formes de contrainte qui s'exercent entre individus, selon des logiques qui procèdent de différents registres de pouvoir ou de normativité. Mais on sait aussi comment Max Weber choisit d'entrer dans ce monde par le biais d'une histoire qui veut décrire les conditions d'apparition des formes modernes de rationalité.

Soit le problème central qu'affronte cette histoire : comment les hommes en sont arrivés à adopter ces types de conduites pratiques rationnelles qui privilégient l'accumulation réglée des biens matériels, la formalisation des normes juridiques et l'objectivité de la contrainte politique ? La réponse que lui apporte Max Weber tient dans la mise au jour d'une dialectique de la rationalisation, par laquelle les différents registres de la réalité pratique deviennent l'objet d'une maîtrise systématique, selon un schéma initié dans la sphère religieuse par la transformation méthodique des formes de manipulation des voies du salut. Cette dialectique peut alors être saisie à partir de son programme, abstraitement résumé par Weber comme « le but rationnel de la religion de salut ». Ce programme se décrit comme suit : « Au lieu de l'état de transe sacrée, aiguë et extraordinaire, donc passager, que produisent l'orgie, l'ascèse ou la contemplation, c'est un habitus permanent de sainteté susceptible d'assurer le salut que les disciples devaient acquérir [2]. » C'est alors la réalisation de ce programme qu'il faudra restituer afin de comprendre la place nodale qu'accorde Max Weber au puritanisme dans le développement de la rationalité moderne.

Les images du monde et le procès du désenchantement

Reste à préciser qu'à cette dialectique de la rationalisation dans l'ordre réel des pratiques humaines doit venir correspondre une dialectique de l'explication qui en respecte les subtilités. On aurait envie de dire que c'est en faveur d'une fine dialectique que plaide Max Weber, en l'opposant à la dialectique pesante de la détermination matérielle telle qu'elle est à l'œuvre dans le marxisme. Ainsi en est-il par cette remarque sur le conflit classique entre les idées et les intérêts : « Ce sont les intérêts, matériels tout autant qu'idéaux, qui dominent directement l'action des hommes, et non les idées. Cependant, les " images du monde ", qui sont le produit des " idées ", ont souvent servi de canaux pour déterminer les voies dans lesquelles la dynamique des intérêts donne l'impulsion de l'action. C'est de l'image que l'on a du monde que dépend " de quoi " et " pour quoi " l'on désire être sauvé, et, ne l'oublions pas, on " peut être " sauvé [3]. » On comprend alors que le moteur de la dialectique de rationalisation doit être situé dans le complexe que forment les représentations religieuses et les comportements intra-mondains qu'elles génèrent. En l'occurrence, c'est la problématique de la rédemption qui est en cause. En tant qu'elle suscite une promesse et une attente qui orientent l'action humaine. Mais en tant surtout que le salut ne devient véritablement significatif qu'au moment où il exprime « une " image du monde " systématique et rationalisée et représente une prise de position face au monde [4] ».

D'où les deux thèses que Max Weber installe afin de pouvoir décrire le procès d'un désenchantement du monde qui n'est autre que celui de sa rationalisation. Méthodologique, la première concerne la structure de causalité au sein de laquelle le procès se déroule. Elle repose sur le renvoi dos à dos de deux schémas classiques d'explication de l'histoire humaine. Celui que défendrait une philosophie spiritualiste, en reliant l'action aux seules idées et en associant la rationalité à un arrachement aux formes traditionnelles de perception du monde. Puis celle qu'applique le marxisme, en ne référant l'action qu'à la seule logique des intérêts qui réduit les représentations du monde à une superstructure. Face à ces deux positions, Max Weber développe un réseau serré de relations entre des registres eux-mêmes décomposés. Registre des intérêts, où l'on distingue ceux qui tiennent spécifiquement aux biens matériels de ceux qui touchent des questions liées au salut. Registre de l'action, scindé dans les diverses composantes d'une typologie qui sépare la détermination par des buts objectifs ou par des valeurs. Registre des idées enfin, au sein duquel sont identifiées les différences entre les concepts abstraits de la pensée et ces « images du monde » qui indiquent des représentations sans doute plus sommaires de la réalité, mais d'une grande efficacité dans le processus de transformation des comportements.

La seconde thèse est plus substantielle et concerne le statut de ces images du monde. Max Weber les installe en position d'être les opérateurs de la dialectique de rationalisation lorsqu'il montre qu'elles orientent l'action en définissant les intérêts. Parce que ce sont elles qui dégagent ce qui a un intérêt, c'est-à-dire ce qui est suffisamment porteur de sens pour motiver une action ou imposer sa transformation. Mais aussi parce que c'est à partir d'elles que l'on comprend la diversité de ces intérêts, et notamment la nature de ceux qui tiennent à une représentation du salut, de ses voies d'accès et des techniques qui permettent de l'assurer. En ce sens, nul doute, par exemple, que la problématique de la rédemption ait été au cœur de la dialectique historique propre à l'Occident. Mais lorsque Weber précise qu'elle n'a trouvé sa signification qu'au moment où elle a structuré une image systématique du monde opposée au monde réel, il fournit une indication importante. Cette opposition entre le monde réel et le monde symbolique, entre l'univers objectif et sa représentation, est en effet le nœud de l'interprétation du procès de désenchantement. Au sens où ce procès commence dès l'instant où le monde est vécu comme un problème. Lorsque se pose la question de savoir comment concilier l'idée d'un monde créé avec l'imperfection de ce monde. Mais au sens aussi où la rationalisation du monde va largement se confondre avec la résolution de cette question de la théodicée.

La question de la théodicée

On aura compris que c'est au sein de la sphère religieuse que va s'amorcer puis se déployer la trajectoire du désenchantement du monde. À tout prendre même, on pourrait dire qu'elle s'engage à un moment qui se confond avec la naissance du religieux au sens strict. Et qu'elle s'achèvera dans l'avènement d'un monde dominé par les effets de l'expulsion du religieux, de son refoulement dans l'ordre intime de la conscience individuelle. De cette trajectoire historique on connaît le résultat, qui donne son sens technique à la notion de désenchantement. Il est contenu dans la référence à deux catégories qui s'exposent ainsi : « L'intellectualisation et la rationalisation croissantes ne signifient nullement une connaissance générale croissante des conditions dans lesquelles nous vivons. Elles signifient bien plutôt que nous savons ou que nous croyons qu'à chaque instant nous *pourrions*, pourvu *seulement que nous le voulions*, nous prouver qu'il n'existe en principe aucune puissance mystérieuse et imprévisible qui interfère dans le cours de la vie ; bref que nous pouvons *maîtriser* toute chose par la *prévision* [5]. » D'où un premier motif du thème propre au désenchantement, qui assigne une première signification à la rationalisation : l'effacement progressif de la dimension mystérieuse du monde et le passage à un univers connaissable.

Mais on sait aussitôt les conséquences de ce désenchantement, qui sont sans doute la source de ce que Nisbet appelle « l'imagination sociologique » de Max Weber : cette configuration de problèmes éthico-existentiels qui motivent l'engagement dans le processus de la connaissance et donnent à la démarche une allure presque artistique [6]. Elles tiennent dans un constat et une perspective. Par le constat, Max Weber livre la clef de son regard sur le monde contemporain : « Le destin de notre époque caractérisée par la rationalisation, par l'intellectualisation et surtout par le désenchantement du monde, a conduit les humains à bannir les valeurs suprêmes les plus sublimes de la vie publique [7]. » Il n'est pas indifférent de noter les fortes connotations nietzschéennes des deux exemples versés à l'appui de ce diagnostic. Le fait que l'art soit devenu intime, impuissant à réinventer sauf à devenir grotesque un style monumental. La vacuité des prophéties de la Chaire, versions appauvries et dérisoires des religions passées et même des grandes visions politiques et morales. À leur point de rencontre, l'épuisement du « *pneuma* prophétique qui embrasait autrefois les grandes communautés et les soudait ensemble [8] ». L'affadissement d'un lien social rongé par l'intériorisation des points de vue sur le monde qu'indique le triomphe de l'individualisme.

Reste enfin la perspective laissée ouverte et qui fait directement signe vers l'idée d'un cycle historique qui s'achèverait en revenant à son origine. Ici l'œuvre de Max Weber emprunte sans doute au style de l'histoire monumentale évoquée par Nietzsche, ce style qui touche aux frontières de la fiction poétique [9]. Mais c'est pour annoncer le repli de l'historicité dans le registre intime d'une conscience déchirée et la renaissance du polythéisme. La profondeur du thème est à la mesure de l'ampleur de son exposition : « Le rationalisme grandiose sous-jacent à la conduite sciemment éthique de notre vie qui jaillit de toutes les prophéties religieuses a détrôné le polythéisme au profit de " l'Unique dont nous avons besoin " ; mais dès qu'il fut lui-même aux prises avec la réalité de la vie intérieure et extérieure il s'est vu contraint de consentir aux compromis et aux accommodements dont nous a tous instruits l'histoire du christianisme. Mais la religion est devenue de nos jours " routine quotidienne ". La multitude des dieux antiques sortent de leur tombe, sous la forme de puissances impersonnelles parce que désenchantées et ils s'efforcent à nouveau de faire retomber notre vie en leur pouvoir tout en reprenant leurs luttes éternelles [10]. »

Tout est dit d'une trajectoire qu'il faudra désormais parcourir de manière rétrospective. En revenant vers le moment qui précède l'inauguration de l'histoire. Ce moment où n'existent ni la conscience du temps, ni à proprement parler le sentiment du religieux. Ce moment où l'univers physique est perçu comme un « jardin enchanté », tout à la fois grouillant de vie et immobile, peuplé de mystères et imperméable à la manipulation humaine. Ce moment de la magie opposée à la religion, mais qui va fixer le sens de son invention par l'irruption du prophétisme. Avec la figure du prophète en effet, se dessinera une ligne de partage du temps qui marquera l'émergence simultanée des consciences de l'historicité et du sacré. Parce que s'imposera l'idée d'un avant et d'un après de la révélation. Mais aussi pour autant que s'installera la dimension de l'attente d'une promesse qui va organiser la perception de la durée et la formalisation d'un sens du monde. Au prix toutefois d'un devenir problématique de ce monde, aussitôt vécu comme le lieu de tensions et de conflits liés à l'expérimentation de son caractère imparfait.

Le « jardin enchanté » de la magie

Avant même d'offrir une sociologie des religions, l'œuvre de Max Weber cherche à saisir l'identité du phénomène religieux entendu comme « une espèce particulière d'agir en communauté [11] ». Conformément aux règles de la méthode wébérienne, cela revient à décrire des comportements d'une nature spécifique, en cherchant à les comprendre à partir de leur signification : comme des expériences subjectives motivées par certains types de représentations et orientées vers certains types de fins. S'agissant d'expliquer les sources lointaines du rationalisme occidental, il n'est pas question de rechercher un moment d'irrationalité initiale qui formerait l'envers du monde de la raison, mais de saisir les origines du développement d'une forme spécifique d'association entre les représentations du monde extérieur et le registre de l'action. En ce sens, même réduit aux formes élémentaires de la magie, le comportement religieux présente un contenu de rationalité. Rationalité qui peut être située en amont de l'adaptation entre fins et moyens, mais qui procède à tout le moins d'un minimum de règles de l'expérience.

La régression analytique et historique permet toutefois d'aborder en un lieu où se rencontre l'expérience des formes élémentaires de la conscience religieuse. Max Weber l'évoque au travers de la métaphore du « jardin enchanté » de la magie [12]. Avec elle se dessine l'image d'un univers habité de formes et de forces mystérieuses, hanté par des créatures invisibles, agité par des esprits qui s'animent au travers des objets ou des individus. Si l'on admet que le domaine spécifique de l'activité religieuse est l'organisation des rapports entre les hommes parés d'une « âme » et des puissances surnaturelles nommées « dieux » ou « démons [13] », l'univers de la magie est une antichambre. Mais c'est en son sein que se déroule le processus qui doit conduire à la naissance du phénomène religieux dans son ensemble, puis des grandes religions universelles. Question de définition donc, et de transitions surtout, qui servent à cerner les conditions d'apparition d'un mode original de rapport au monde.

Dans sa configuration la plus authentique, la magie procède d'une forme de naturalisme pur. L'univers qu'elle organise repose sur la « représentation d'entités qui se cachent " derrière " le comportement des objets naturels [14] ». Représentation sans aucune médiation, et qui met directement en relation les objets du monde sensible avec des éléments suprasensibles inaccessibles à la perception. Ces entités magiques et les choses derrière lesquelles elles se cachent peuvent entretenir diverses formes de relation. Les premières peuvent « habiter » de façon continue ou transitoire des objets ou des processus du monde réel. La capacité à manipuler ces objets ou à solliciter ces processus sera directement à l'origine du charisme. Mais les forces cachées peuvent aussi « s'approprier » objets ou processus en modifiant leur statut habituel. D'une autre manière, mais selon un degré croissant d'abstraction, elles peuvent encore « s'incarner », temporairement ou de manière durable, dans des éléments naturels (plantes ou animaux) ou même des êtres humains. L'ensemble de ces composantes et des relations qu'elles connaissent structurent donc le cadre où s'exerce la « croyance aux esprits ». Il faut en retenir deux caractéristiques. Tout d'abord le fait que « l'esprit » n'est encore ni une âme ni un dieu ou un démon, mais une forme indéterminée. Dans son expression initiale, il figure un principe « matériel et pourtant invisible, impersonnel et pourtant doté d'une espèce de vouloir [15] ». En second lieu, cet esprit est essentiellement instable, susceptible de se déplacer pour se loger en d'autres lieux ou êtres que ceux en quoi il se manifeste.

Ainsi définie, la magie a une forme d'expression spécifique, le charisme, et un moyen privilégié, l'extase. Par le charisme, Max Weber désigne la capacité pour un être humain de découvrir les propriétés magiques des éléments ou des processus du monde naturel, et donc de les activer ou les reproduire. Avec deux variantes : celle du charisme pur qui associe un don naturel à une personne donnée, et celle qui suppose la médiation d'un travail qui vise à éveiller des pouvoirs latents. D'où l'importance de l'extase comme moyen d'activation des capacités magiques. C'est grâce à elle en effet qu'un individu parvient à des expériences qui permettent d'accéder au monde caché derrière le monde. Acquise par l'usage d'instruments divers (tabac, alcool, narcotiques et surtout musique), elle peut devenir un « art » qui mélange la maîtrise d'une technique et la manipulation du mystère. Le magicien virtuose qui possède cet art exercera alors une profession, à la différence du « profane » qui n'atteint l'extase qu'exceptionnellement. D'où la première forme de communauté religieuse, structurée autour de l'ébauche d'une « entreprise » qui n'a pas encore tout à fait la forme d'un culte, mais ressemble déjà à un rituel.

Afin de fixer l'image de ce monde enchanté, il faut retenir trois caractéristiques de la magie, qui dessinent d'ailleurs les orientations que prendront ses transformations. À la différence de ce que sera la religion proprement dite, la magie est intégralement tournée vers l'ici-bas. Si l'on suppose une relation entre le monde et quelque chose qui lui est étranger, du moins cela demeure-t-il situé dans l'ordre matériel, sous la forme d'une puissance immanente, cachée mais réelle. À la verticalité qu'évoque l'idée de transcendance, la magie oppose des liaisons horizontales, déterminées par une logique du manifeste et du latent. D'une autre manière, la magie s'attache à la notion de l'exceptionnel. Expérience exceptionnelle dans le modèle initial de l'extase, qui n'est à la limite pas reproductible. Qualités exceptionnelles d'un individu, lorsque se profile avec le charisme l'idée d'une qualification spécifique qui rompt la routine de la vie quotidienne. De ces points de vue, l'univers magique ignore les structures qui s'attacheront aux religions. Dans ses formes pures en effet, il ne connaît ni réelles institutions ni véritables rituels, dont l'apparition indique déjà son dépassement. Reste une dernière caractéristique : le rapport magique au monde est tourné vers la communauté et non pas vers les individus qui la composent. Cette donnée persistera dans des formes de religiosité plus élaborées, qui connaissent la figure du dieu et la pratique du culte. Mais elle ouvre surtout sur une première voie de transformation de la magie.

La magie transformée : l'hypothèse du ressentiment

Max Weber en effet décrit une première forme d'orientation vers les religions de salut en analysant le traitement donné à la question de la souffrance individuelle. En référence à la théorie développée dans la *Généalogie de la morale*, il emprunte à Nietzsche l'hypothèse du ressentiment [16]. Avec elle nous aurions une solution universelle au problème de l'apparition de l'éthique religieuse : l'éthique du devoir, les problématiques de la miséricorde et de la fraternité seraient nées d'une révolte d'esclaves transfigurant leur désir de vengeance. Weber plaide toutefois pour la prudence dans l'usage explicatif de cette thèse. À coup sûr décrit-elle correctement cette attitude originelle devant la souffrance qui consiste à rejeter les individus frappés par la maladie ou le malheur. En ce sens, elle signale une caractéristique propre aux formes premières de religiosité communautaire : la crainte que la souffrance n'offense les dieux et ne déclenche leur colère. Plus encore, elle permet de mettre au jour une composante psychologique essentielle de l'attitude religieuse : la tendance à « traiter la souffrance comme un symptôme de la haine divine et d'une culpabilité secrète [17] ». Cette notation est capitale, qui éclairera ultérieurement les fondements de la théorie wébérienne de la légitimité. Pour l'heure elle signale l'acquis de la conception nietzschéenne du ressentiment dans le contexte de l'apparition des grandes religions. Acquis qui s'attache à la précision avec laquelle est décrite l'idée selon laquelle « l'homme heureux est rarement satisfait du simple fait d'être heureux. Derrière lui, il a besoin de savoir qu'il a *droit* à sa bonne fortune. Il désire être convaincu qu'il la " mérite ", et par-dessus tout qu'il la mérite par comparaison aux autres. Il veut pouvoir penser qu'en ne possédant pas le même bonheur, celui qui est moins fortuné a aussi ce qu'il mérite. Le bonheur veut être " légitime [18] " ».

Reste que cette « théodicée du bonheur » n'épuise ni le sens de la problématique religieuse de la souffrance ni l'explication des conditions de naissance de la perspective du salut. À tout prendre même, c'est son renversement qui permettrait d'engager cette dernière, en soulignant la manière dont s'opère une « transfiguration religieuse de la souffrance ». Celle-ci s'amorce par des biais empiriques, par le constat du fait que les états « sacrés » peuvent être atteints par des pratiques de mortification et toutes sortes de souffrances conduisant à l'acquisition de forces magiques. Mais elle n'entre véritablement dans le schéma d'explication qu'en considération d'une médiation observée dans le registre des relations entre communauté et individu. Au sein des communautés initiales, le culte est exclusivement orienté vers la collectivité et vise l'acquisition de biens propres à tous. L'individu quant à lui est laissé seul face à sa souffrance, exclu même du rituel lorsque celui-ci peut être menacé par sa présence offensante. Se développe alors une sorte de religiosité latérale qui concerne l'individu pauvre, malade ou en péril et un sorcier ou un magicien qui traitera exclusivement le cas particulier.

On saisit alors les composantes d'une autre généalogie de la problématique du salut. Dès l'instant où, à l'écart du culte communautaire, un magicien parvient à sauver un individu de sa souffrance, il devient porteur d'une qualification nouvelle. S'il obtient régulièrement le succès dans son entreprise de « cure d'âmes », il peut être à l'origine d'une « institution communautaire consacrée à la souffrance individuelle *en tant que telle* et au salut [19] ». Telle est l'origine lointaine de la religiosité du « sauveur », qui suppose une conception du monde dont la rationalité est organisée autour de la souffrance. Les promesses liées à cette vision du salut peuvent alors demeurer un temps essentiellement rituelles, avant d'acquérir une signification éthique. Reste qu'elles commencent déjà de solliciter les idées de « péché » et de faute, qui s'attacheront à la figure du dieu sauveur, et les pratiques de l'identification puis de la cure du mal, qui conduiront à l'émergence du prêtre professionnel. Il faut alors retenir le fait que c'est bien à partir du naturalisme initial de l'univers magique que cette perspective s'est ouverte. En ce sens, ce sont les esprits qui habitent la végétation ou les animaux, régissent les saisons ou le mouvement des astres, qui deviennent les « porteurs privilégiés des mythes d'un dieu souffrant, mourant et ressuscitant, ce dieu qui garantit aux hommes qui souffrent le retour du bonheur dans ce monde, ou assure un bonheur dans l'au-delà [20] ».

Puissance du symbolisme

Parallèlement à cette première trajectoire d'avènement de la problématique du salut, Max Weber décrit une seconde modalité qui découle de la transformation du naturalisme magique en des formes de symbolismes de plus en plus sophistiquées. On sait qu'à l'origine la magie exclut toute médiation entre l'objet doté de puissance mystérieuse et les entités qui le peuplent. Sans doute ne revient-il pas à n'importe quel caillou d'être « habité » par une force cachée, à n'importe quel morceau de bois de faire la pluie, ou à n'importe quel animal d'incarner une personnalité invisible. Mais si ces phénomènes existent, ils s'exercent directement sans qu'il soit admis qu'ils représentent quelque chose d'essentiellement différent de ce qu'ils sont. La transformation commence au moment où les objets naturels sont perçus comme contenant des forces suprasensibles, douées d'un mode d'existence propre. Elle se résume alors à l'invention du symbolisme, qui se décrit comme suit : « Si derrière les événements et les choses réels se cache quelque chose d'autre, de particulier, de spirituel dont ils ne sont que le symptôme, ou même le symbole, ce n'est pas sur ceux-ci qu'il faut tenter d'influer. Ce sont les puissances qui s'extériorisent par eux qu'il faut influencer à l'aide de moyens qui puissent parler à un esprit ou à une âme, donc de moyens qui " signifient " quelque chose, les symboles [21]. »

Le glissement du naturalisme au symbolisme est riche de potentialités qui font signe vers l'apparition des religions de salut. Évoquant l'existence d'un « arrière-monde », inaccessible au moyen des sens de la vie quotidienne mais atteignable par la manipulation, il installe des catégories élémentaires de la perception religieuse du monde : âmes, démons et dieux. Dans cette perspective, les éléments du monde naturel se surchargent de significations et deviennent l'objet d'un traitement symbolique de plus en plus efficace. D'une manière similaire, les comportements magiques acquièrent un sens d'autant plus fort qu'ils se répètent avec succès et s'étendent à des domaines différents de l'activité humaine. Se met ainsi en place ce que Max Weber nomme « le cercle magique des symboles [22] », une liaison plus ou moins régulière et finalement stéréotypée entre des choses ou des gestes et les attributs divins qu'ils symbolisent. Liaison qui d'ailleurs survivra parfois très longtemps à la mort de la magie elle-même et à son remplacement par le culte propre aux religions de salut. À titre d'exemple, Weber signale le schisme provoqué dans l'Église russe

au xviie siècle autour de la question du nombre de doigts nécessaires pour faire le signe de croix. Reste le principe qui sert de
ciment à cette liaison circulaire entre le monde et les signes
divins : l'analogie. Celle-ci figure en effet la forme de rationalisation propre à ce moment symbolique de la conscience religieuse.
Elle donne aussi la clef des transformations que cette dernière doit
encore subir pour déboucher sur la forme rationalisée des religions
de salut.

Au stade primitif du symbolisme, l'univers du religieux n'est
encore ni réellement organisé ni véritablement formalisé. Sa formalisation s'opère au moyen d'un type privilégié d'analogie, celle
qui repose sur l'association de l'image du dieu à celle d'un être
humain. Là encore, la personnification du principe divin suppose
un degré relativement élevé d'abstraction qui n'est acquis qu'au
terme d'un processus de ritualisation qui conduit à l'existence d'un
culte régulier. Cette tendance au formalisme peut alors se doubler
d'une logique d'organisation qui débouche sur l'idée d'un « pan-
théon ». Au départ en effet, « les dieux ne sont souvent qu'un
méli-mélo désordonné d'entités créées par le hasard et maintenues
fortuitement par le culte [23] ». Il faut qu'un certain niveau de rationalisation de la vie ait été atteint et qu'un minimum de réflexion
systématique ait été engagé pour qu'apparaisse une association
stable entre des figures permanentes de divinités et les fonctions
qu'elles occupent.

Bien entendu, ni la personnification anthropomorphique du principe divin ni son organisation autour de compétences délimitées
ne suffisent à produire la figure du Dieu unique et sauveur. Mais
un premier bilan peut être esquissé. Le passage de la magie à la
religion a été successivement décrit de deux points de vue. Le
premier s'attache directement à l'individu et au problème psychologique de la souffrance. Il fait signe vers ce que seront les religions universelles : des religions de salut qui visent à résoudre la
question de la souffrance et plus précisément encore de la souffrance injuste. Le second point de vue était plus spécifiquement
interne à la structure des significations symboliques. Il ouvre sur
l'idée d'une autonomisation des représentations religieuses et d'un
registre qui va se séparer des autres activités de l'existence. Les
transformations décrites de ces deux points de vue cumulent alors
leurs effets. Ensemble, elles confirment la transition entre un univers magique enchanté, intégralement mystérieux parce que peuplé
de puissances invisibles, et un monde qui commence d'être chargé
de sens, puis où se formulera la question du sens. À ce niveau,
bien des questions demeurent posées. Comment se délimite l'association d'un dieu à un groupement social particulier : parental,

domestique ou guerrier ? Comment les organisations religieuses voient-elles leur naissance et leur destin liés à des associations politiques ? Comment enfin la multitude des dieux qui interviennent efficacement dans les différents registres de la vie quotidienne finissent-ils par laisser place à une hiérarchie dont l'aboutissement est dans le monothéisme ? La réponse à chacune de ces questions esquisserait une forme particulière de rationalisation du principe divin. Elles peuvent toutefois être saisies de manière synthétique, en entrant dans un second moment : celui du prophétisme.

Le monde du prophète

Dans le passage de l'univers enchanté de la magie au monde du prophète s'opèrent une série de bouleversements qui détermineront de façon définitive l'orientation et le cours de l'histoire universelle. En ce sens, on peut sans excès parler d'un moment du prophétisme, où se loge l'invention proprement dite de ces religions de salut qui façonnent le soubassement du rationalisme, en imposant une orientation méthodique des conduites humaines dans le monde. À tout prendre même, pour chaque ère de civilisation qui a connu l'irruption du prophétisme, ce moment devient synonyme d'un point de départ de la conscience du temps et se confond avec celui de la découverte de l'historicité. Au temps cyclique ou indéterminé de l'univers magique succède en effet la scansion d'un avant et d'un après de la révélation, et le plus souvent l'installation de la perspective d'un temps de la promesse divine et de l'attente de sa réalisation. À l'idée de la répétition des événements et de la routine des jours s'oppose celle d'une hiérarchie des temps puis d'une orientation significative de la durée. Avec pour conséquence le fait que les actes de la vie quotidienne changent de sens, ou plus précisément encore acquièrent un sens selon une dimension de l'existence qui excède leur portée immédiate.

Mais avant de signifier l'invention de l'historicité, le prophétisme marque surtout une modification dans le rapport au divin. Régi par la croyance aux esprits, le monde magique repose sur l'attribution de puissances mystérieuses à des entités cachées dans les choses. Du point de vue du croyant, il s'agit donc d'éveiller ces puissances, de les activer en faveur de telle ou telle activité quotidienne en attendant d'elles protection ou succès. D'où le fait que l'attribution du caractère divin dépend exclusivement de la capacité des êtres suprasensibles à se révéler efficaces. À un degré plus élevé de rationalisation, chacun d'entre eux se voit associé à un domaine de l'existence, selon une spécialisation qui dépend des structures économiques, politiques et sociales de la communauté. Un premier glissement s'opère alors : des esprits que la magie cherche à contraindre en visant l'obtention de bénéfices, vers des dieux que l'on vénère par le culte afin de s'assurer leur protection. Mais un second glissement est plus déterminant, qui tient à la transformation de la représentation du dieu comme volonté. Dans l'univers magique en effet, si l'ennemi est vainqueur ou si des malheurs s'abattent sur la communauté, il demeure possible d'invoquer la faiblesse de la divinité et même de la rejeter. Là où les esprits sont devenus dieux, en revanche, une telle attitude est interdite : si l'on rencontre la défaite ou le malheur, c'est que l'on a violé un ordre du dieu dont on subit la colère. Les données de la croyance et du respect des normes se sont brutalement transformées de la manière suivante : « Violer les normes voulues par le dieu suscite le mécontentement éthique de la divinité qui a pris ces normes sous sa protection particulière [24]. »

Le lieu d'élection de cette transformation de la représentation même du principe divin par l'irruption du prophétisme est alors Israël. Ses prophètes en effet n'auront de cesse de découvrir chez leurs contemporains ou dans les générations précédentes des fautes qui auraient suscité la colère du dieu. Mais cette rupture a une portée universelle, qui fait directement signe vers le système conceptuel et psychologique des religions de salut. Schématiquement, la magie affrontait la notion d'un mal mystérieusement déposé dans l'individu, mais qui pouvait être vaincu par une manipulation adéquate, une cure ou toute autre thérapie visant à expurger sa cause. À cette vision, le prophétisme oppose l'idée selon laquelle l'individu ou le groupe sont cause du mal dont ils souffrent. Une cause dont il faut identifier le contenu dans une manière de vivre, un comportement non conforme aux prescriptions de la divinité. Apparaît ainsi ce que Max Weber nomme « l'éthique religieuse » : une manière de lier systématiquement les normes d'origine divine, les comportements mondains et les attentes de salut. Inutile de dire combien cette liaison nouvelle propre aux éthiques religieuses bouleverse la représentation du divin et de sa puissance pour induire une modification substantielle du comportement du croyant. Désormais en effet, l'une et l'autre dimensions seront enfermées dans les catégories de la volonté divine, de la faute et du rachat. Elles s'enchaîneront alors de la manière suivante : « Transgresser la volonté du dieu devient un " péché " éthique qui, abstraction faite de ses conséquences immédiates, accable la " conscience ". Les maux frappant l'individu sont des épreuves voulues par le dieu. Il espère s'en délivrer par un comportement qui plaise à la divinité, la " piété ", et retrouver ainsi la " rédemption " [25]. »

C'est donc au prophétisme qu'il revient d'agencer systématiquement ces éléments en opérant une « centralisation de l'éthique du point de vue de la rédemption religieuse [26] ». Qu'est-ce qu'un prophète en effet, sinon un individu qui rassemble en une unique prédiction des prescriptions éparses et leur assigne une signification globale du point de vue de la question du salut ? Dans les termes de Max Weber, il s'agit d'un « porteur de charismes purement *personnels* qui, en vertu de sa mission, proclame une *doctrine* religieuse ou un commandement divin [27] ». Deux variantes peuvent alors être distinguées, séparant le « rénovateur de religion » qui réactive une ancienne révélation et le « fondateur de religion ». Mais elles ont en commun ces traits qui caractérisent la prophétie parmi les autres formes de l'activité religieuse. La nature personnelle de la « vocation » du prophète, qui ne tire pas sa légitimité de l'appartenance à un corps spécialisé comme le prêtre. Élément qui fait du prophétisme la forme spécifiquement révolutionnaire de rupture avec la tradition ou les coutumes religieuses existantes. À quoi s'ajoute le fait que le prophète proclame une révélation substantielle, un ensemble de règles agencées en doctrine, et non une simple technique nouvelle de manipulation des âmes, à la différence cette fois du magicien.

Reste une dernière distinction, qui permet de préciser la nature et la portée historique de l'expérience des prophètes. Par la notion de « prophétie exemplaire », Max Weber désigne une forme essentiellement orientale de révélation, qui ne vise pas directement une obligation éthique d'obéissance. À titre d'exemple, Bouddha n'affirme pas détenir une mission divine, mais « s'adresse à l'intérêt personnel de ceux qui éprouvent l'ardent besoin d'être sauvés et les engage à suivre la même voie que lui [28] ». *A contrario*, Zarathoustra, Mahomet et les prophètes d'Israël ne cherchent pas à être des hommes exemplaires qui indiquent aux autres les voies du salut. Porteurs d'une « prophétie éthique », ils se présentent comme des instruments annonciateurs d'un dieu, de sa volonté et des prescriptions qu'il entend voir observées. Il y a cependant tout lieu de penser que Max Weber n'accorde pas une place similaire à ces deux formes de prophétie, du point de vue de l'explication du devenir historique. Si la première peut avoir une indéniable force de rupture vis-à-vis de la pratique religieuse routinisée, elle demeure toutefois enfermée en Inde ou en Chine dans les catégories d'une religion empreinte de magie, dominée par les pratiques rituelles et sacramentelles. La raison en est simple, qui tient à « l'absence d'un dieu éthique personnel et transcendant [29] ». Mais elle a pour conséquence qu'il revient en quelque sorte à la religiosité de type moyen-oriental de porter, grâce à la prophétie exemplaire, l'essentiel du procès de rationalisation du monde associé au développement des religions universelles.

L'exemplarité d'Israël : religion et histoire

Dans ce cadre, c'est, on le sait, Israël qui va devenir la terre d'élection du prophétisme. En ce sens, son histoire éclaire bien au-delà du destin de son peuple, et ce de différentes manières. En premier lieu parce qu'à tout prendre l'histoire commence en Israël dans la mesure où se déploie une religion intégralement immergée dans la conscience de l'historicité. À la différence de l'univers des castes indiennes, par exemple, monde éternel mais qui n'a pas d'histoire, l'ordre spirituel des juifs repose sur l'idée d'un monde créé, voulu par Dieu et façonné par les actes humains. D'où l'immédiate présence de la dimension d'une attente eschatologique, puisque le monde est « un produit " historique ", destiné à céder à nouveau la place à l'état de chose réellement voulu par Dieu [30] ». En second lieu, l'universalité de l'histoire juive repose sur le fait que s'y invente la caractéristique essentielle des religions rationnelles : une « éthique religieuse du comportement social » qui tout à la fois arrache la quête du salut aux techniques magiques irrationnelles et situe la religiosité dans la sphère du quotidien, en nouant l'espérance à l'observance des préceptes divins au sein des activités sociales. Préservé dans l'univers chrétien grâce à l'interprétation paulinienne, cette éthique de l'Ancien Testament devait orienter au long cours la perspective religieuse. En se déposant dans la « théodicée prophétique de la souffrance [31] ». Et en renaissant ensuite dans la figure du Serviteur qui enseigne la Parole, souffre puis meurt sans avoir péché et accepte la notion du sacrifice expiatoire. De ces deux points de vue, l'éthique religieuse propre au judaïsme assure un tournant de l'histoire universelle et appartient au tout petit nombre des phénomènes qui donnent leur orientation à la culture et à l'histoire occidentales.

C'est alors en Israël qu'il faut saisir l'essence du prophétisme, interprété comme un moment inaugural pour la trajectoire universelle de la rationalisation du monde. S'engageant dans cette voie, Max Weber fournit une indication lourde de conséquences quant à sa pensée de l'histoire et aux formes de son regard sur le monde contemporain. En découvrant avec les prophètes d'Israël l'archétype de la prophétie éthique, il s'interroge sur les conditions de naissance des grandes religions nouvelles. Et il note aussitôt que celles-ci apparaissent toujours à l'écart des centres de cultures rationnelles : jamais à Babylone, Rome, Paris ou Londres, mais dans la Jérusalem préexilique, la Galilée romaine ou Zurich et Genève en marge du monde catholique. L'explication fournie est alors la suivante : « L'homme qui vit dans des zones *saturées de culture* et qui est pris dans le réseau de leurs *techniques* s'interroge aussi peu sur le monde qui l'environne que l'enfant habitué à prendre quotidiennement le tramway ne se demande comment on réussit à le faire démarrer [32]. » Reste alors à comprendre comment un contexte de déflation culturelle et technique peut être propice au surgissement de la question du sens, constitutive de la problématique religieuse. Comment il se fait que, « pour formuler de nouvelles idées religieuses l'homme ne doit pas avoir désappris à affronter le cours des événements, à l'interroger et à se poser des questions [33] » ? Et pourquoi la configuration historique d'Israël fait signe vers l'avènement du procès de rationalisation ?

Le judaïsme et l'histoire universelle

C'est alors dans l'histoire spécifique du peuple juif qu'il faut entrer, en cherchant toutefois à l'interroger du point de vue des parts d'universalité qu'elle contient au regard de l'expérience humaine. Dans ce cadre le contexte a son importance, qui tient aux événements situés avant l'exil et à la situation exilique elle-même. Pour Max Weber il ne fait pas de doute que les temps préexiliques ont fourni nombre de ces occasions qui suscitent l'interrogation religieuse. Les guerres de libération, l'apparition de la royauté et la formation d'un État, les menaces pesant sur cet État puis l'effondrement du Royaume du Nord ont été autant de contributions indirectes à l'émergence d'une réflexion sur le sens des événements et les formes de la présence divine en leur sein. Elles se retrouvent dans la figure initiale d'un dieu de la guerre porteur des premières formes d'attentes et d'espérances [34]. D'une autre manière, le contexte de l'exil confirme l'importance et les termes de cette interrogation. En vertu des considérations directement liées à l'irruption d'une historicité et qui devaient donner naissance à l'idée d'un dieu de l'histoire, auteur de promesses militaires et politiques. Mais en raison surtout du fait que les craintes d'un effondrement du royaume devaient élever les premières expressions de la question de la théodicée [35].

Deux autres considérations permettent de confirmer l'originalité de l'expérience propre au judaïsme dans la perspective de sa contribution à l'histoire universelle. La première tient au fait que l'éthique juive n'invente à proprement parler aucun précepte nouveau en comparaison de ceux qui prévalent dans les cultures avoisinantes [36]. En revanche, elle transforme méthodiquement les prescriptions en les soumettant à une systématisation rationnelle. Babylone et l'Égypte connaissaient à coup sûr nombre de règles de conduite ou de sagesse et des compilations de formules ésotériques qui enfermaient des exigences morales. Mais aucune de ces civilisations ne présente l'équivalent d'un décalogue éthique unifié et structuré. En d'autres termes, c'est ici le passage de la magie à la religion qui se repère dans la mesure où Israël invente l'idée d'un corpus rationnel de normes dont un dieu unique est le juge [37]. À cet égard, l'intervention des prophètes concerne moins le contenu de l'éthique que son organisation. Héritant de l'enseignement développé dans la Thora des lévites, le prophète se contente en général de réinterpréter le sens des règles en les associant directement à l'injonction divine et en transformant le respect d'un rituel en accomplissement d'une éthique. À titre d'exemple, Max Weber cite le cas de Jérémie qui oppose à la circoncision comme simple respect d'un rite la « circoncision du cœur », autre contribution à l'expulsion de la magie hors du champ de la religion [38].

Cet exemple oriente alors vers une seconde caractéristique de l'expérience du judaïsme antique, qui tient cette fois dans une manière de transformer la nature même du commandement religieux. On l'a dit déjà, la substance de l'éthique juive est moins le fait des prophètes eux-mêmes que de l'enseignement de la Thora. Les prophètes supposent les préceptes de cette dernière connus et travaillent surtout à en réélaborer la signification dans la perspective de la révélation. Là réside sans doute l'apport le plus décisif d'Israël à la problématique universelle et rationaliste des religions de salut qu'elle invente : dans l'idée selon laquelle la magie, le rituel et l'invocation ne peuvent se substituer à l'obéissance. En rejetant les moyens magiques par lesquels les Égyptiens trompaient les dieux, en refusant l'usage des psaumes babyloniens qui permettaient d'intercéder vers des puissances invisibles, les anciens yahvistes avaient déjà interdit une religiosité fondée sur la répétition de formules incantatoires dont on ignore le sens. Les prophètes y ajoutent l'abandon de l'extase comme voie d'accès à la connaissance, voie à laquelle ils opposent systématiquement celle de la révélation. Ainsi le charisme du prophète n'a-t-il pas à se prouver : « Yahvé arrache Amos à son troupeau, un ange de Yahvé pose un charbon ardent sur la bouche d'Isaïe, Yahvé lui-même touche de son doigt la bouche de Jérémie, et les voici consacrés [39]. » Ainsi la communauté n'a-t-elle pas non plus à reconnaître le prophète en s'abandonnant à l'extase, mais simplement à renouveler sa promesse d'obéissance en renouant les liens créés par l'alliance initiale. Ainsi les rapports du prophète à la communauté ne sont-ils jamais ceux qu'institue la sainteté par l'exemplarité, mais ceux qui découlent d'une mission qui a toujours pour forme la révélation d'une parole ou le rappel d'un engagement [40].

Là encore, cette spécificité du prophétisme d'Israël trouve ses sources lointaines dans la manière dont les anciens lévites avaient déjà barré la route de la magie, en faisant entrer le savoir rationnel dans l'ordre du religieux. Dès l'époque préprophétique en effet, l'enseignement des lévites s'affirmait comme un savoir et non comme la maîtrise d'une technique de manipulation des âmes. Plus encore, ce savoir se présentait comme la voie d'accès privilégiée vers le salut, le moyen d'être pareil à Dieu. Lorsque dans l'interprétation yahviste du paradis Dieu déclare que « l'homme est devenu comme nous-même », il désigne l'arbre de la connaissance, cette connaissance du bien et du mal qui fait l'homme à l'image de Dieu. En ce sens ce n'est déjà plus l'observation d'un rituel qui sauve, mais la conscience d'une relation formelle de l'homme à Dieu qui repose sur un « impératif éthique rationnel [41] ». L'impératif de confiance dans la promesse du dieu de l'alliance, qui défie l'orgueil des puissants pour imposer l'humilité et l'obéissance. L'impératif d'accomplissement du commandement de la part d'un peuple qui connaît la responsabilité collective et ne peut donc plus attendre son salut de l'action exemplaire de quelques-uns, mais d'une attitude éthique de chacun dans la vie quotidienne. Dans cette perspective, Max Weber n'hésite pas à cerner le legs essentiel du judaïsme à l'histoire universelle dans le caractère farouche de son « hostilité à la magie ». Si l'on songe en effet à la manière dont la magie oppose un frein redoutable à la rationalisation en imposant une « attitude stéréotypée face à la technique et à l'économie [42] », si l'on ajoute qu'il a transmis son hostilité au christianisme, il entre comme initiateur dans le processus de désenchantement du monde dont il assure la première configuration.

Avec le judaïsme antique, c'est donc bien l'essence de l'opposition entre magie et religion qui se trouve découverte. De cette opposition Max Weber donne par ailleurs une présentation systématique, qui accentue sa signification au regard des représentations mêmes du divin. Dans l'univers magique, il n'existe que deux formes de relation possibles avec les puissances surnaturelles : « Ou bien soumettre ces puissances aux fins humaines à l'aide de la magie, ou bien se les concilier en se rendant agréable à elles, non pas par l'exercice de quelconques vertus éthiques, mais en satisfaisant leurs désirs égoïstes [43]. » Quoi qu'il en soit de cette différence, la relation de l'homme à la divinité s'entend comme une « contrainte du dieu [44] » et l'activité magique vise avant tout à orienter le comportement de ce dernier dans un sens favorable aux intérêts humains. Aucune exigence éthique ne pèse alors sur l'individu qui doit tout au plus user correctement de formules efficaces au sein d'une communauté qui pourra encore abandonner telle ou telle divinité au profit d'une autre si elle ne répond pas aux attentes mises en elle. L'invention de la religion casse cette architecture et inverse les signes de la relation entre l'homme et le divin. Avec elle désormais, « l'obéissance à la loi religieuse prend place comme moyen spécifique d'obtenir la bienveillance divine [45] ». Il y a même tout lieu de penser que pour Max Weber l'intensité de cette obéissance et le degré d'élimination de tout autre moyen de salut sont les indicateurs directs de la contribution du phénomène religieux au procès de rationalisation du monde. Et que c'est dans cette direction que le judaïsme acquiert une signification privilégiée. Nul mieux que lui en effet n'a opéré cette transformation avec sa conséquence : remplacer la « contrainte du dieu » par le « service divin [46] », une activité religieuse strictement orientée vers le respect de la loi et un comportement dans le monde qui soit conforme avec les prescriptions éthiques d'origine divine.

Si l'on veut bien restreindre le propos à la question de l'histoire universelle, la conclusion de Max Weber est lapidaire. Elle tient en deux propositions complémentaires. La première vise l'universalité du phénomène prophétique, puisque l'on peut penser « qu'il n'a jamais existé qu'un seul moyen de briser la magie et de rationaliser le mode de vie : les grandes *prophéties rationnelles* ». La seconde quant à elle explicite la thèse en élargissant son contenu : « Ce sont les prophéties qui ont engendré le désenchantement du monde et ont posé par là même les fondements de notre science et de notre technique modernes ainsi que du capitalisme [47]. » Reste alors à savoir en quoi réside cette révolution et, une fois encore, pourquoi le judaïsme en a livré l'héritage le plus authentique. La révolution du prophétisme se confond largement avec l'avènement des religions de salut, et plus précisément encore avec la mise au jour d'une dimension éthique de la croyance dont l'objet est la vie quotidienne. En ce sens précis, « une véritable prophétie crée une orientation systématique de conduite de la vie autour d'*une* échelle de valeurs prise dans sa définition interne, le monde apparaissant alors au regard de cette orientation comme un matériau qu'il faut façonner selon la norme éthique [48] ». C'est alors sous couvert de ce rapport au monde paré d'une signification religieuse que vont pouvoir se déployer les mises en forme méthodiques de comportement qui conduisent au rationalisme moderne. Grâce au fait que c'est désormais par l'éthique journalière que se gagne le salut. Au travers de l'idée selon laquelle le respect du commandement divin se négocie tout autant dans les relations inter-individuelles et les activités mondaines que dans l'observation des rites.

La force rationalisatrice du prophétisme

Une fois encore, c'est le judaïsme antique qui pousse le plus loin les conséquences de cette révolution éthique en matière religieuse. Lui font obstacle en revanche les religions qui privilégient l'adaptation au monde en cherchant à calquer l'attitude du croyant sur la configuration de l'univers environnant. À titre d'exemple, le confucianisme développe un idéal de perfection humaine qui repose sur une capacité à s'adapter aux conditions du monde sans chercher à le transformer. D'où le fait que n'est pas visée une unité systématique de l'existence, un style de vie conforme à une exigence de méthode orientée vers un but transcendant [49]. Le judaïsme a, quant à lui, fait prévaloir très tôt une conception du salut qui renverse les rapports de l'homme au monde et à l'espérance. Là où nombre d'annonces religieuses situent le salut dans l'au-delà par le respect du rituel, le prophétisme juif prédit le malheur ici-bas à cause des violations de la loi divine. Ce qui veut aussitôt dire que l'aspect pathétique de la promesse eschatologique se déplace vers l'existence vécue qui devient le lieu par excellence de l'activité religieuse. En résumé, « c'est d'une conduite conforme à l'éthique et notamment à l'éthique de la vie quotidienne, que dépendait le salut particulier promis à Israël [50] ».

Apparaissent alors mieux les raisons qui font du prophétisme juif la forme la plus authentique du phénomène. Attachés à la figure de Yahvé comme dieu de l'histoire, elles tiennent tout d'abord au fait que dès la scène initiale est posée l'idée d'une responsabilité éthique. Ainsi que le remarque Weber, « que le paradis où régnaient la paix et l'innocence ait été perdu par suite d'une faute éthique est une conception lourde de conséquences [51] ». Conséquence au regard de la forme de l'attente religieuse, puisqu'elle s'associe à la possibilité de retrouver le paradis par une conduite adéquate. Mais cette conséquence se loge aussitôt dans le registre de l'obéissance à la loi et rejaillit sur l'ensemble du comportement du croyant dans l'ordre de la quotidienneté. Conséquence enfin sur la nature de la promesse, promesse d'avenir et de paix, qui peut toutefois se moduler selon une vaste palette d'annonces qui vont de l'épouvante de la destruction à l'émerveillement de la renaissance. De ce point de vue, en devenant le « peuple de l'attente et de l'espérance [52] » par le biais de l'alliance scellée avec Dieu, le peuple juif inventait le schéma du rationalisme propre aux religions de salut. Ce schéma repose sur l'opposition entre le malheur auquel est destiné le grand nombre des pécheurs et le salut promis au « reste », à ceux qui auront observé la loi. Pourront encore varier les manières d'identifier ce reste, mais l'essentiel est acquis, puisque « le renversement du malheur en salut ou bien la combinaison des deux représentent en fait le type autour duquel la promesse prophétique a toujours gravité [53] ».

On pourrait alors esquisser un bilan des transformations opérées dans le passage du jardin enchanté de la magie à l'univers austère du prophète. Elles sont contenues dans un triple système de relations de l'homme à Dieu, au monde et finalement à l'homme. S'agissant du rapport de l'homme à Dieu, la transformation tient au fait que désormais chaque geste, chaque comportement, chaque intention même de la vie quotidienne est doté d'un sens au regard de la question du salut. La leçon du prophétisme est ici sans ambiguïté et fait signe vers un investissement du religieux dans toutes les dimensions de l'existence vécue. Elle a pour conséquence l'idée selon laquelle « la vie et le monde, les événements sociaux et les événements cosmiques ont un " sens " unitaire systématique déterminé. La conduite des hommes doit être orientée selon ce sens et être modelée de façon significative et unitaire pour qu'on puisse leur apporter le salut [54] ». Imposition d'une « manière de vivre » conçue comme l'expression de la foi, cette forme d'intériorisation du lien de l'homme au divin engage ensuite une réinterprétation de son rapport au monde. Celui-ci en effet cesse d'être perçu comme un jardin mystérieux et foisonnant dont l'homme est l'habitant émerveillé ou effrayé, un univers peuplé de puissances sacrées qu'il peut manipuler pour ses propres fins, et devient la création de Dieu, le lieu où l'individu joue son propre sort en toute responsabilité. Le monde est alors vécu comme un « cosmos » qui forme une « totalité ordonnée de façon " significative " [55] », selon un sens dont la maîtrise ultime est encore le dessein de Dieu. Une dernière donnée découle enfin de ce qu'en un tel monde, l'autre homme est avant tout une créature de Dieu, envers qui se prolonge l'exigence de respect. C'est en ce dernier sens la relation de l'homme à l'homme qui devient significative du point de vue religieux, réceptacle d'une éthique étendue à tous les registres de la création et sous-tendue par l'idée selon laquelle « Dieu protégera l'ordre qu'il a créé contre toute espèce de violation [56] ».

Du point de vue des processus de l'histoire universelle, le

moment du prophétisme marque donc le passage de la magie à la religion et lègue une contribution essentielle au regard des questions posées par la rationalisation du monde. On peut penser que c'est en référence à ce moment que Max Weber évoque une sorte d'échelle de classification qui se présente comme suit : « Le niveau de rationalisation qu'exprime une religion peut être évalué, avant tout, selon deux critères qui sont du reste liés entre eux à plus d'un titre. D'abord le degré auquel cette religion a évacué la *magie*. Ensuite le degré d'unité systématique auquel le rapport entre Dieu et le monde, et donc la relation éthique au monde propre à cette religion, ont été portés [57]. » Sous ces deux aspects, l'héritage du prophétisme juif est décisif. En bannissant la magie de sa vision du monde, en écartant les formes rituelles et sacramentelles du rang de ses méthodes d'accès au salut, il a ouvert la voie à une orientation rationnelle de la pratique religieuse. D'une autre manière, il a donné à l'ensemble des représentations mobilisées par la religion l'allure d'un système de connaissance. Par l'idée essentielle selon laquelle les décrets divins sont intelligibles et passibles d'une compréhension raisonnée, à l'encontre de la conception magique du mystère et du hasard. Mais aussi par le fait que les commandements sont concrets, positifs et surtout « entièrement tournés vers ce monde-ci [58] ». Par ce biais, l'épreuve religieuse se trouve désormais située dans le monde, attachée aux faits et gestes de la vie quotidienne, dépendante des actes du croyant dans les moindres registres de son existence.

Surgit alors une dernière conséquence de la révolution prophétique : le fait que le monde replacé au centre de la construction religieuse devient immédiatement un problème. Problème de son origine, au regard de l'idée qui veut en faire une création de Dieu, mais qui soulève aussitôt la question des intentions qui président à sa naissance et des destinations finales de son existence. Problème de son organisation et des formes de systématicité qui nécessairement relient ses diverses composantes. Problème surtout de son imperfection, d'autant plus redoutable qu'elle est vécue comme relevant aussi d'un dessein divin. Comment concilier l'idée d'un monde créé et le constat de son caractère tourmenté ? Comment admettre que chaque entité de l'univers puisse avoir une signification et une fin tout en étant confronté à une série infinie de contradictions entre elles ? Comment assumer enfin l'exigence d'une activité mondaine de part en part signifiante du point de vue religieux ? Questions qui dessinent à coup sûr l'espace propre de l'interrogation religieuse. Mais questions qui vont bien au-delà encore du point de vue d'une histoire de la rationalisation du monde, puisque l'on peut admettre que « l'ultime question de toute métaphysique a toujours été : si le monde en tant que totalité, et la vie en particulier, doivent avoir un " sens ", quel peut-il être, et quel devrait être l'aspect du monde pour qu'il puisse lui correspondre [59] ? ».

Le problème d'un monde imparfait

« Les religions pas plus que les hommes n'ont été des livres élaborés par la pensée. Elles ont été des formations historiques et non pas des constructions logiques exemptes de contradictions psychologiques [60]. » Par cette métaphore négative, Max Weber situe sans doute l'esprit et l'intention de ses études sur les religions de manière plus exacte que dans de nombreuses digressions méthodologiques. Avec elle en effet apparaît clairement la nature d'un projet qui vise à restituer les multiples composantes du phénomène religieux sans décider jamais d'en privilégier aucune. Qui cherche à rendre compte de la diversité des relations qu'entretient le domaine de la religion avec ceux de l'économie, de la politique, de la science, de l'art ou de la vie quotidienne, en refusant toujours de laisser le dernier mot à l'un ou l'autre s'agissant de découvrir des causes ou de fournir des explications. Mais avec elle aussi il faut pénétrer au cœur de la subtilité des analyses wébériennes. Au point où les grandes religions universelles ne s'écrivent pas comme des livres, mais ne se laissent non plus réduire aux composantes matérielles de leur naissance. Au moment où l'on croirait avoir saisi dans l'irruption du prophétisme l'origine du puissant mouvement de rationalisation du monde qui devait conduire à la science et à la technique modernes, mais où il faut repartir vers l'exploration des contradictions qu'il fait surgir. Au lieu où se découvrent les tensions psychologiques nées de l'affirmation d'une exigence éthique propre à l'existence vécue.

Du point de vue du croyant, qui par principe d'analyse oriente toujours la lecture que propose Max Weber des phénomènes religieux, l'héritage du prophétisme tient avant tout en une série de tensions. Passibles d'une infinité de variations, sensibles à des degrés divers selon les univers religieux, celles-ci couvrent la plupart des registres qui composent une vision du monde : « Tension entre la nature et la divinité, entre les exigences éthiques et l'insuffisance humaine, entre la conscience du péché et le besoin de salut, entre les actions accomplies ici-bas et leur rémunération dans l'au-delà, entre le devoir religieux et les réalités politico-sociales [61]. » Mais une tension résume toutes celles-ci, en formulant un problème universel au regard des religions de salut : le problème de la théodicée. Il peut se présenter de la manière suivante. Il n'est jamais certain que la vision éthique de dieu conduise au monothéisme. Toutes les religions orientées vers le monothéisme ne reposent pas nécessairement sur un accroissement du caractère éthique de la divinité. Enfin, il faut admettre que « toute éthique religieuse n'a pas forcément donné naissance à un Dieu personnel, transcendant, créateur de l'univers à partir du néant dont il est le seul maître [62] ». Il est en revanche acquis que dès l'instant où la rationalisation des images religieuses conduit à placer la figure de Dieu en position sublime par rapport au monde, à chaque renforcement de l'idée d'un dieu unitaire, universel et supramondain, se pose puis se renforce une question redoutable : « Comment l'énorme puissance d'un tel dieu peut-elle se concilier avec le fait de l'imperfection d'un monde qu'il a créé et qu'il gouverne ? »

Ainsi formulé, ce problème de l'imperfection du monde apparaît dès les premières formes de rationalisation de l'univers magique. Dès l'instant où la spiritualité commence de comporter l'idée selon laquelle la répartition des bienfaits a une signification éthique. Dès le moment où la question de la souffrance individuelle acquiert un sens au regard de l'espérance de salut. Mais dans ce contexte, le problème de la théodicée fait bien souvent obstacle à la rationalisation des images du monde et se pose comme une difficulté sur le chemin de l'élimination des croyances magiques. Tout se passe en effet comme si « la douleur " imméritée " de l'individu était trop fréquente, les individus " mauvais " réussissant mieux que les " bons ", et ce au regard des critères du bien et du mal propres aux maîtres et non à une " morale d'esclaves " [63] ». D'où la prévalence maintenue de conceptions qui ignorent l'importance éthique des actes de la vie quotidienne et persistent à traiter la souffrance et l'injustice comme les symptômes d'un mal mystérieux et incompréhensible. Mais d'où aussi les premières esquisses de dépassement de ce problème, sous la forme de théodicées rationnelles de la souffrance. Celle qu'opère l'idée de péchés commis par l'individu dans une vie antérieure, dans la perspective de la transmigration des âmes. Celle qu'évoque la notion d'une culpabilité des ancêtres, avec la notion d'une vengeance divine ou d'une corruption de la création. Celle enfin qui repose sur la vision inverse d'une promesse de compensation, pour l'individu lui-même dans une autre vie ou pour les générations futures, grâce au règne messianique.

D'une tout autre manière, ce même problème resurgit au terme du moment prophétique, même si ce dernier semble avoir pu en masquer un instant les effets. Dans le cadre des prophéties d'Israël, par exemple, la question du mal et de la souffrance fut apparemment différée pour un temps grâce à l'éviction de la préoccupation d'un sens du monde créé. Dans sa forme initiale, la prophétie recommandait seulement d'obéir au commandement divin et ne se préoccupait que du sort de la communauté, restant indifférente à celui des individus qui la composent. Ainsi les idées de la faute collective et de la vengeance suffisaient-elles à expliquer la douleur : « Dieu était toujours dans son droit et aucun problème de théodicée ne se posait [64]. » Symétriquement, l'insistance sur la foi orientait le message des prophètes dans un sens délibérément non métaphysique : « Agir conformément aux commandements divins et non pas s'interroger sur le sens du monde, voilà ce qui était profitable pour l'homme [65]. » Une telle attitude devait donc retarder l'émergence d'une spéculation sur la signification de l'univers et le dessein de Dieu, laissant la place à une forme traditionnelle de religiosité, peu compatible avec la logique de rationalisation des images du monde [66].

Le judaïsme antique devait toutefois rencontrer le problème de la théodicée au travers de composantes marginales de la révélation prophétique. Ainsi Ézéchiel souleva-t-il le premier la question : « Pourquoi donc les justes doivent-ils souffrir avec les impies et quelle sera leur compensation [67] ? » Il semble pour Max Weber qu'il faille attendre les prophéties de l'exil pour que soit donnée une réponse satisfaisante à ce problème. Celle d'Ézéchiel en effet « n'en est pas une », qui pose que, « au jour du malheur, Yahvé épargnera les justes et récompensera ceux qui ont été charitables, qui n'ont pas pratiqué l'usure et qui ont restitué les biens donnés en gage ; tous ceux qui se seront convertis à temps échapperont à la mort. Mais le peuple de pécheurs ne sera pas sauvé, malgré la piété de certains individus [68] ». En revanche, la prophétie d'Isaïe rationalise la question de la souffrance. En faisant passer au premier plan la figure du « serviteur de Dieu » et en affirmant que sa souffrance est imméritée. En insistant moins sur la rupture de l'ancienne alliance que sur la promesse faite à Abraham et Jacob. En réinterprétant enfin et surtout la souffrance d'Israël « dans la perspective universelle d'un ordre du monde institué par un Dieu plein de sagesse [69] ». On dira sans doute cette réinterprétation ambiguë, qui accentue tout à la fois le caractère injuste de la souffrance et la promesse de délivrance qui lui est associée. Qui semble surtout refuser de donner une valeur immédiatement significative en terme de salut individuel à la douleur.

Mais aux yeux de Max Weber, c'est cette ambiguïté qui est décisive, en ce qu'elle préserve la relative obscurité du thème eschatologique : « La signification de tout cela c'est précisément l'exaltation de la condition imposée à un peuple paria, ainsi que la patience et la persévérance que celle-ci exige. C'est par là que le Serviteur de Dieu et le peuple, dont il est l'archétype, deviennent les sauveurs du monde. Bien que le Serviteur de Dieu puisse être conçu comme un sauveur personnel il ne se qualifie qu'en assumant librement la condition de paria du peuple exilé et en supportant sans se plaindre et sans résister la misère, la laideur et le martyre. [...] La condition de peuple paria en tant que telle et son acceptation patiente deviennent ainsi le degré suprême de la religiosité et de la vénération de Dieu ; elles sont hissées au rang d'une mission décisive pour l'histoire universelle[70]. » Ces deux éléments, la radicalisation de l'obéissance de la part d'un peuple assumant sa condition de paria et la localisation de la prédiction sur l'horizon de l'histoire, forment alors la contribution de ce prophétisme tardif au procès de rationalisation. Avec eux sont préfigurées les dimensions utopiques du message évangélique (« ne résiste pas au mal par la force »). De même cette dialectique de la souffrance et de l'espérance, ainsi que cette relative indifférence au monde, anticipent-elles la figure du Christ souffrant et rédempteur.

L'expérience de l'irrationalité du monde et ses solutions

Dans une perspective plus large, l'expérience du judaïsme met enfin à jour une composante essentielle de toute religiosité rationalisée : celle qui tient dans l'espoir de libération. Sur ce point à nouveau, Max Weber ne craint pas d'universaliser le propos : « Partout et toujours, le besoin de libération, entretenu consciemment en tant que contenu religieux, est né en conséquence de la recherche d'une rationalisation systématique et pratique des réalités de la vie[71]. » À mesure que se développe l'idée d'un dieu créateur, omniscient et transcendant, les images du monde se transforment et conduisent à la représentation d'un ordre pourvu de sens, qui doit d'une manière ou d'une autre venir coïncider avec une intention ou une volonté divine. Et qui doit aussi correspondre à un souci protecteur de cette dernière, souci orienté vers la promesse d'une émancipation et d'une liberté. Or, comment concilier cette conception du monde avec le spectacle qu'offre l'univers mondain ? Comment assumer le fait qu'un monde voué à la grâce de Dieu puisse être imparfait ? Comment interpréter les desseins d'un dieu dispensateur de salut mais qui semble accepter l'existence de la souffrance ? Comment admettre que l'espoir de salut mis dans la religion vienne se heurter aux brutalités de l'expérience terrestre, que l'attente d'une libération de l'homme par Dieu rencontre quotidiennement l'existence de la misère, de la souffrance et de la mort injustes ?

Dans la perspective d'une histoire universelle de la rationalisation, Max Weber fait de ce problème de l'expérience d'une irrationalité du monde « la force motrice du développement de toutes les religions [72] ». Si l'on se souvient que ce même développement marque le premier moment du processus de désenchantement qui conduira à la naissance de la raison moderne, tout porte à croire que l'on saisit ici la clef d'une interprétation originale de l'histoire humaine. Une histoire reconstruite à partir des structures de conscience propres aux acteurs. Une histoire qui se déploie au travers des conflits entre visions du monde et réalités du monde, exigences éthiques de comportement porteuses de promesses de salut et déceptions attachées à la réalité de l'expérience vécue. Formulons une dernière fois avec Weber le problème universel des religions et le cadre logique où sa solution se profile : « Comment se fait-il qu'une puissance qu'on nous présente à la fois comme omnipotente et bonne ait pu créer un monde aussi irrationnel de souffrances non méritées, d'injustices non punies et de stupidité incorrigible ? Ou bien cette puissance est omnipotente et bonne ou bien elle ne l'est pas, ou enfin des principes totalement différents de compensation et de sanction régissent la vie, principes qu'il n'est possible d'interpréter que par les voies de la métaphysique à moins qu'ils n'échappent complètement à notre pouvoir de compréhension [73]. »

Sur fond de ce problème universel de la théodicée, une typologie peut être construite qui organise les différentes solutions possibles et dessine les voies que pourra emprunter le désenchantement des images religieuses du monde. Si l'on veut épouser le mouvement d'une rationalisation croissante, elle connaît une première forme qui adhère encore largement à l'univers magique dont elle systématise les contenus de manière rationnelle. Ainsi en est-il, dans l'environnement d'Israël, de la religion babylonienne qui répond au problème de la théodicée en développant une sorte de religiosité double, réservant la qualité de dieux aux puissances bienfaisantes et renvoyant la question du mal vers des entités démoniaques. Dans un tel cadre, « l'expérience de la souffrance de l'innocent ne semblait pouvoir se concilier avec la confiance accordée aux dieux que si c'était des démons et des esprits maléfiques et non pas les dieux eux-mêmes qui étaient les artisans du mal : la théodicée aboutissait ainsi à un demi-dualisme latent [74] ». Nul doute pour Max Weber qu'en vertu de la persistance de ce dualisme, un tel système de représentation ne soit une solution imparfaite au problème. Exclusive de toute conception unitaire du principe divin, elle sera refusée par le premier prophète du judaïsme, Amos, qui affirme que le mal aussi provient de la volonté de Yahvé. Mais surtout, en ne liant pas l'existence du malheur à un dessein divin ou au comportement du croyant, elle n'entraînera aucune conséquence en terme de rationalisation éthique du comportement des individus.

Ce type de solution pouvait toutefois se systématiser un peu plus et conduire à des formes élaborées de dualisme. Le mani-chéisme, par exemple, renforce l'idée selon laquelle les différentes composantes du problème de la théodicée, l'injustice, la souf-france, le péché sont « la conséquence de l'assombrissement apporté à la pureté lumineuse des dieux grands et bons par le contact avec les puissances des ténèbres indépendantes d'eux, et avec la matière impure identifiée à ces puissances [75] ». Deux pers-pectives semblent alors envisageables. Soit la préservation du dua-lisme, selon une logique qui fait retour vers la magie au travers de l'idée d'impureté propre à l'éthique du tabou. Soit sa réduction par développement de la conviction d'une victoire finale du dieu de lumière contre les forces de la nuit. Demeure cependant une leçon de ce type de religiosité, marginale du point de vue du procès de la rationalisation : la prégnance des thèmes associés au péché et à l'impureté qui résisteront au combat des religions uni-verselles contre la magie. En ce sens, Max Weber peut encore décrire une attitude généralisable selon laquelle « le mal apparaît comme une souillure, et le péché – tout à fait à la manière du sacrilège magique – comme une chute abjecte du royaume de la pureté et de la clarté dans celui des ténèbres et de la confusion, chute qui mène à la boue et à la honte méritée ». Et d'ajouter aussitôt que « dans la plupart des religions à orientation éthique on retrouve ces limitations inavouées de la toute-puissance divine sous forme d'éléments d'une pensée dualiste [76] ».

À l'opposé de cette forme inachevée de réponse au problème de la théodicée et à l'écart de ses prolongements, Max Weber identifie aussitôt la « solution formellement la plus parfaite » dans la théorie de la transmigration des âmes telle qu'elle apparaît dans la doctrine indienne du *karma*. Celle-ci se présente en effet sous les auspices d'une parfaite pureté formelle : « Le monde est un cosmos de rétribution sans faille. Dans l'univers, mérite et faute sont inéluctablement rétribués par la destinée dans des vies futures. L'âme aura à en vivre un nombre infini, revenant au monde sous forme animale, humaine ou même divine. Les mérites acquis dans la vie d'ici-bas peuvent faire que cette renaissance se produira au ciel, mais celle-ci ne durera strictement que le temps d'épuiser le compte créditeur des mérites. » La perfection de cette solution tient alors à deux éléments complémentaires. Par le premier s'exprime une vision originale qui donne sa forme la plus pure à l'idée selon laquelle l'individu crée son propre destin lui-même. Aucune autre construction religieuse ne portera aussi loin le principe qui veut que la finitude terrestre, les souffrances et les peines, même injustes, découlent de la responsabilité du croyant et sont la punition de fautes commises dans une vie antérieure. D'où le second élément de perfection qui s'attache au fait qu'une telle vision du monde élimine toute forme de naturalisme au profit d'un système de rétribution par lequel « aucun acte d'importance *éthique* n'est jamais perdu [77] ». Ce qui voudrait aussitôt dire qu'au regard du schéma wébérien qui associe la rationalisation du monde avec la capacité des systèmes religieux à imposer des conduites de vie méthodiques, cette doctrine aurait un rôle privilégié.

Tel n'est pourtant pas le cas, en raison du fait qu'au terme du processus de rationalisation interne de la croyance à la prédestination des âmes le principe divin finit par s'estomper. Tout se passe en effet comme si cet immense mécanisme de compensation rendait superflu et même impensable l'idée d'un dieu tout-puissant. L'ordre éternel du monde, pensé comme un cosmos où rien ne se perd jamais, semble exclure les notions de création et de dieu créateur, puisque « le processus éternel du monde s'acquitte des tâches éthiques d'un tel dieu [78] ». Ce qui veut aussitôt dire que l'individu se voit en partie soulagé des contraintes éthiques qui pèsent sur son comportement, dans la mesure où il ne joue plus son salut au travers des actes de la vie quotidienne et sous le regard de Dieu. D'où le fait qu'une nouvelle forme de dualisme resurgit. Il ne s'agit plus alors d'un dualisme spiritualiste qui divise le monde, les événements et les actes humains entre lumières et ténèbres, pureté de l'esprit et souillure de la matière. Mais d'un « dualisme ontologique », qui sépare l'ordre éphémère du monde de « l'être persistant et immobile de l'ordre éternel [79] », en finissant par dévaloriser le registre de l'existence vécue. Ce qui entraîne le fait que la rationalisation, en l'occurrence parfaite, des images religieuses n'a aucun effet concret sur l'éthique quotidienne et donc sur l'organisation rationnelle des activités mondaines.

*Le messianisme et la naissance
de l'historicité du monde*

Cet enchaînement est au contraire valorisé dans un troisième
type de solution au problème de la théodicée : l'eschatologie messianique. Inverse de la précédente sous l'angle du rapport à la
temporalité, elle en retrouve la forme du point de vue des rapports
du croyant à ses actes et à la volonté divine. Là où la transmigration fait signe vers l'idée d'un temps cyclique, l'eschatologie met
en avant la figure d'un temps orienté. Orienté vers une juste
compensation des actes au moment où « un héros puissant, ou un
dieu, viendra mettre ses disciples à la place qu'ils méritent en ce
monde [80] ». Orienté par cette attente elle-même et son terme, qui
se confondent avec la venue du royaume de Dieu sur terre. Pourtant, la vision eschatologique rejoint celle de la transmigration sous
l'aspect d'une importance décisive accordée aux comportements
mondains quotidiens. C'est ici la notion de compensation qui
devient centrale, dans la mesure où elle renoue la sphère de l'activité quotidienne à la question du salut attaché à la rédemption.
Avec toutefois pour caractéristique une projection vers le futur de
cette espérance, qui se reporte le plus souvent sur les générations
à venir. Mais avec surtout pour conséquence un très fort investissement dans le monde, qui a pour finalité son changement, selon
un processus qui vise à le rendre conforme à la volonté divine.

Strictement située dans le registre de l'ici-bas, mise en jeu dans
une « transformation politique et sociale du monde [81] », cette
conception du salut est la plus radicale sous deux aspects. En ce
qu'elle donne naissance à une forme de radicalisme social et politique à forte intensité religieuse. Mais au regard aussi du problème
de la théodicée qu'elle aborde en laissant à l'homme la charge de
résoudre l'imperfection du monde créé. Elle trouve toutefois la
limite de sa propre perfection dans ce motif lui-même et le type
d'épreuve qui s'associe à l'attente d'un messie rédempteur, annonciateur du royaume de Dieu. D'un côté, tout se passe comme si
le désir d'une participation personnelle au moment messianique
entretenait la croyance et la vivacité de l'activité religieuse, fût-ce
par le biais de l'émergence de nouveaux prophètes. Mais inversement, une attente trop longue de la venue du royaume peut aussi
transformer les conditions mêmes de la visée eschatologique. En
l'occurrence, elle peut avoir pour conséquence son déplacement
du registre de l'ici-bas, où elle modèle directement l'activité mondaine, vers la dimension d'un au-delà en quoi se reportent l'espoir

et le désir de consolation. Avec pour effet une modification du contenu accordé à l'idée même de Dieu, modification qui fait signe vers son obscurcissement. Mais aussi un changement du sens accordé au comportement éthique dans le monde, qui glisse du statut immédiat de chance de salut vers la notion plus complexe d'un « *symptôme* de l'état de grâce fixé par décret divin [82] ».

Au regard des grandes interprétations contemporaines du phénomène des religions universelles, le traitement de ce thème paraît à son tour éminemment symptomatique. On notera en effet que Max Weber greffe le motif du dieu obscur comme solution au problème de la théodicée très tôt dans la généalogie des religions de salut, puisqu'il en interprète la présence dans la conclusion du Livre de Job qu'il commente ainsi : « Le Dieu tout-puissant doit être placé par-delà toutes les exigences éthiques de ses créatures, ses décrets sont impénétrables à la compréhension humaine, sa toute-puissance absolue sur ses créatures est sans limites ; il est donc impossible d'appliquer les critères humains de la justice à sa conduite. Ainsi, le problème de la théodicée était supprimé en tant que tel [83]. » Mais tout se passe comme si l'on glissait ensuite directement de ce passage qui forme la source inépuisable de méditation des théologies occidentales sur le mal vers ce qui paraît en être la formalisation dans la doctrine protestante. Traitant ainsi le Livre de Job comme solution au problème de la théodicée plutôt qu'en tant que son expression la plus intense, Weber occulte sans doute deux perspectives largement explorées par les historiens et philosophes contemporains de la religion. Le phénomène gnostique en premier lieu, qui nourrit la vaste entreprise de réinterprétation de l'histoire occidentale chez Eric Voegelin et auquel Hans Jonas devait consacrer le massif imposant de ses premiers travaux, pour y découvrir une origine lointaine du nihilisme moderne [84]. Les représentations du messianisme dans l'histoire du judaïsme ensuite, en quoi Gershom Scholem s'attache à reconnaître une puissante dialectique du rapport de l'homme au monde qui éclaire par-delà la situation d'Israël en exil une position de l'humanité entière dans l'univers historique [85].

La manière dont Max Weber loge le thème du *deus absconditus*, qui va donner naissance à la doctrine de la prédestination dans l'analyse de l'eschatologie messianique doit-elle laisser entendre l'idée d'une continuité qui s'interpréterait en termes de rationalisation des représentations religieuses du monde ? Tout semblerait l'indiquer, dans la mesure où il n'hésite pas à faire de cette doctrine la plus étrangère à l'univers magique, et donc la plus rationnelle en ce sens qui structure toute la lecture du processus de désenchantement du monde. De ce point de vue en effet, « la

" croyance en la Providence " est la rationalisation la plus cohérente de la divination magique à laquelle elle se rattache mais
qu'elle dévalue pour cette raison, précisément et par principe, de
la façon la plus radicale [86] ». Il faut alors saisir cette radicalité de
la manière suivante : de toutes les visions religieuses du monde,
celle qui s'attache à la prédestination est celle qui a poussé le plus
loin l'abstraction du principe divin, en l'arrachant à toute manifestation sensible dans le monde des choses et des êtres. Symétriquement, elle a plus que nulle autre tenu à distance la magie dans
les rituels et sacrements, jusqu'au point de juger répréhensible et
sacrilège toute forme d'idolâtrie.

Reste qu'aussitôt signalée, cette forme de contribution à la
logique de la rationalisation du monde – contribution qui se confir-
mera magistralement dans le registre de l'économie – Max Weber
semble en retourner les effets. On attendrait en effet que pour
rationnelle qu'elle soit au regard de l'intellectualisation du principe
divin, la doctrine de la prédestination devienne aussi la solution
la plus achevée au problème de la théodicée. Or il n'en est rien,
dans la mesure où elle renforce un peu plus l'abîme qui sépare
Dieu de la créature, renvoyant le premier dans une position d'éloignement inédite et confrontant le second à un mystère proprement
insondable. Et Max Weber de souligner le renversement suivant :
« Parce que, précisément, cette croyance ne fournit *aucune* solution au problème de la théodicée, elle recèle les tensions les plus
fortes entre le monde et Dieu, entre le devoir-être et l'être (*Sollen
und Sein*) [87]. » On sait trop l'importance intellectuelle de cette dernière opposition et les multiples usages qu'en offre Max Weber
dans l'ordre épistémologique ou l'interprétation du monde contemporain pour ne pas relever sa présence et l'interroger.

S'agissant de la question de la théodicée et de ses solutions,
faut-il comprendre que s'opère une disjonction entre la rationalisation des représentations religieuses selon une logique d'éloignement de la magie et la recherche d'une réponse au problème de
l'imperfection du monde créé ? Si tel était le cas, pourrait-on voir
dans cette disjonction l'indice de la permanence d'une tension qui
se reporterait progressivement hors du religieux et serait reprise
en charge par d'autres discours assumant l'opposition entre être et
devoir-être ? Sur une trajectoire plus longue enfin, devrait-on
entendre que le procès de désenchantement du monde ne s'achève
qu'au moment où cette forme persistante de dualisme s'estompe,
par l'affirmation de la positivité d'un savoir affranchi de toute
référence à des valeurs ? Quoi qu'il en soit en tout cas de ces
questions, demeure un bilan contrasté de l'analyse du problème de
la théodicée. Apparu avec la naissance d'un dieu unique, trans-

cendant et créateur, il ne semble pouvoir connaître que des solutions paradoxales. Celle qui finit par diluer l'idée même de Dieu dans la vision d'un devenir infini du monde où son imperfection s'atténue. Celle de la prédestination qui, à l'inverse, accentue la tension entre le principe divin et la réalité du monde, au point de devoir presque « renoncer à la bonté de Dieu [88] ». En tant qu'elle cherche à interpréter l'imperfection du monde par le biais du rapport de Dieu à sa création, la problématique de la théodicée semble donc finalement impuissante à penser ensemble et à articuler le constat de la souffrance, l'idée du monde comme cosmos doté de sens et celle d'un Dieu créateur et bon. Échapper à cette difficulté peut alors aisément revenir à emprunter une ligne de fuite : une attitude d'éloignement par rapport à un monde dont l'imperfection apparaît comme contradictoire avec l'espérance de libération entretenue par le croyant. D'où l'importance qu'accorde Max Weber aux différentes manifestations du refus du monde dans l'analyse de son désenchantement.

CHAPITRE IV

Le refus du monde

Résumant dans un texte tardif ses analyses de la contribution du phénomène religieux à la rationalisation du monde, Max Weber écrit : « Ce problème de l'expérience de l'irrationalité du monde a été la force motrice du développement de toutes les religions [1]. » Dans un contexte polémique contre le pacifisme en général et F. W. Foerster en particulier, le propos est politique, mobilisant l'expérience des grandes religions confrontées à l'imperfection du monde pour montrer que la politique se compromet toujours avec « les moyens de la puissance et de la violence ». Ajoutant que « qui ne voit pas cela est en vérité, politiquement, un enfant », Weber réfute directement la proposition canonique d'un idéalisme radical : « Le bien ne peut engendrer que le bien et le mal ne peut engendrer que le mal. » À cette proposition sont alors opposés deux registres lourds d'autorité puisqu'ils ne sont rien moins que « le cours de l'histoire mondiale » d'une part, l'examen impartial de « l'expérience quotidienne » de l'autre. Au-delà de la figure typiquement wébérienne d'un réinvestissement des analyses « savantes » dans les querelles éthiques et politiques de l'Allemagne contemporaine, ce rappel éclaire la place toute particulière qui est accordée au motif de l'imperfection du monde dans l'explication du processus de désenchantement. En effet, nous dit en substance Max Weber, s'il était vrai que dans l'histoire et l'expérience vécues le bien engendre toujours le bien et le mal toujours le mal, « il n'y aurait plus de problème ». Entendons alors qu'il n'y aurait plus, ou qu'il n'y aurait en réalité jamais eu, de problème religieux ou de problème éthique. A contrario, c'est précisément parce que la question de la théodicée est contemporaine du passage de l'univers magique aux grandes religions et accompagne leur développement qu'elle a une portée que l'on pourrait dire universelle.

L'universalité du phénomène est confirmée par l'ampleur de l'interrogation qui le résume et que l'on peut rappeler : « Comment se fait-il qu'une puissance qu'on nous présente à la fois comme omnipotente et bonne ait pu créer un monde aussi irrationnel de souffrances non méritées, d'injustices non punies et de stupidité incorrigible [2] ? » Suit une sorte de topique des positions, qui épuise le spectre des réponses possibles à ce qui taraude toute conscience religieuse : « Ou bien cette puissance est omnipotente et bonne ou bien elle ne l'est pas, ou enfin des principes totalement différents de compensation et de sanction régissent la vie, principes qu'il n'est possible d'interpréter que par les voies de la métaphysique, à moins qu'ils n'échappent complètement à notre pouvoir de compréhension. » Reste qu'aux yeux de Max Weber, ce n'est pas tant cette dimension métaphysique de la question qui importe, que ses effets concrets dans le registre de l'action. Autrement dit, indépendamment même de ses aspects théologiques, le problème de la théodicée est réintroduit dans le schéma d'explication historique sur un autre plan : celui de l'expérience individuelle et de l'attitude du croyant dans un monde irrationnel. C'est sur ce plan en effet qu'une dimension de la conscience religieuse peut structurer un rapport au monde : un rapport doté de sens aux choses du monde, à l'action en son sein et finalement à l'investissement dans des affaires *a priori* entachées d'impureté.

Or, au plan de l'expérience vécue, l'action s'éprouve avant tout au travers de la contradiction entre les exigences de la religion et les formes imparfaites de la réalité mondaine. Identifiée à partir de la représentation d'un univers produit par la volonté divine, cette contradiction se déploie en une série de conflits avec le monde, logés dans les différents registres de l'activité : dans les sphères familiale, économique, politique, esthétique, intellectuelle et même érotique. L'examen de ces conflits devrait alors permettre d'estimer les conditions d'une rationalisation de l'activité dans chacune de ces sphères. En soulignant le degré d'adaptabilité des grandes visions religieuses du monde et, par voie de conséquence, leur contribution au procès de désenchantement. Mais la série de ces conflits invite aussi à remonter jusqu'à l'éventualité d'une opposition de principe entre les injonctions religieuses et la présence au monde saisie dans les catégories d'une compromission avec des puissances néfastes. D'où l'insistance de Max Weber sur la problématique du refus du monde et la description méticuleuse de ces attitudes de fuite hors d'un monde irrationnel qui semblent dissocier en profondeur la logique de rationalisation des images religieuses de celle qui préside à l'autonomisation des différents registres de l'action. Apparemment conduite négativement, sous l'angle d'une tension qui oblitère toute contribution du phénomène religieux à l'avènement d'un univers rationnel, cette analyse permettra toutefois de dégager les conditions de possibilité d'un investissement du croyant dans les multiples composantes du monde vécu.

Les conflits avec le monde

Max Weber est revenu à plusieurs reprises sur les structures de conflit entre les attentes nées de la transformation du religieux et le monde décomposé en différents registres d'activité [3]. Les analyses d'*Économie et société* donnent au thème sa plus grande ampleur, en élevant le conflit au niveau d'une interprétation globale du phénomène religieux. Il faut alors remonter aux formes préreligieuses de la magie pour comprendre comment et pourquoi « plus la religion de salut est systématisée et intériorisée dans le sens d'une " éthique de la conviction ", plus la tension qu'elle entretient avec les réalités du monde est profonde [4] ». De ce point de vue, l'univers magique se caractérise par le fait que les croyances ont pour effet de « figer en un stéréotype tout le domaine des institutions juridiques et des conventions (sociales), de même que le symbolisme a stéréotypé certains éléments culturels significatifs, comme l'ont fait aussi les prescriptions magiques du tabou par rapport à des types concrets de relations entre les hommes et les biens matériels ». En ce sens, la logique du sacré dans cet univers est bien une logique d'adaptation au monde, dans la mesure où elle transforme en stéréotypes dotés de valeur et de sens la plupart des comportements propres à la vie sociale.

Au plan d'une histoire universelle reconstruite à partir de la logique de rationalisation, c'est toutefois cette adaptation qui fait problème, puisqu'elle barre la route à toute transformation des comportements économiques, politiques ou même simplement communautaires. Ce qui fait dire, par exemple, à Max Weber que « la domination du droit stéréotypé par la religion constitue l'un des obstacles les plus importants à la rationalisation du droit et de l'économie [5] ». À tout prendre, donc, le procès de rationalisation ne peut s'amorcer qu'au moment où cette logique se renverse. Lorsqu'elle laisse place à une réinterprétation du monde et des commandements sacrés dans un sens qui s'éloigne d'une stéréotypisation des comportements. Lorsqu'elle ouvre vers ce que Weber nomme une « systématisation » des relations entre les composantes de l'activité mondaine et les injonctions sacrées. Pourtant, loin d'alléger la tension, cette transformation la renforce, au point de pouvoir conduire à un conflit d'ensemble entre « le postulat religieux » et « les réalités du monde ». Ainsi, « avec la systématisation croissante et la rationalisation des relations de communauté et de leurs contenus, les postulats extérieurs de compensation propres à la théodicée sont remplacés par des conflits entre les autonomies particulières des sphères de vie et les postulats religieux. Plus le besoin religieux est intense, plus le " monde " devient un problème ». En d'autres termes, plus s'opère une rationalisation de la vision du monde propre aux grandes religions et plus s'éloigne la perspective d'une adaptation au monde du croyant. On pourrait souligner au passage qu'en opposant ainsi les formes d'adaptation au monde offertes par la magie et la dés-adaptation née de l'émergence des religions universelles Max Weber retrouve la manière dont Hegel identifiait la naissance de l'histoire à l'apparition du monothéisme. Une apparition qui fait fond sur la rupture de la « belle totalité » grecque, entendue comme un registre de sens marqué par l'adaptation de la religion au monde. Une apparition qui fait signe vers une scission doulou-reuse de la conscience, puis s'étend en une série de conflits qui déchirent l'existence vécue des individus [6].

Pour Max Weber, cette rupture de l'adaptation du religieux au monde s'intensifie en vertu de trois facteurs. Du côté des croyances, plus les religions de salut systématisent leur représen-tation d'une libération de la souffrance et plus elles entrent dans un rapport de tension avec la réalité mondaine. Cette tension se reproduit alors s'agissant des comportements, dans la mesure où une rationalisation méthodique des conduites de vie de plus en plus exigeante accentue le sentiment d'une irrationalité du monde. Du côté des institutions intramondaines enfin, chaque progrès en termes de systématisation selon des lois propres se double d'une « tension de principe » avec les contenus de l'éthique religieuse. D'où le paradoxe qui veut que la tension éthique naisse d'un double mouvement de rationalisation : celle des images du monde systématisées par les grandes religions, jusqu'à la représentation d'un cosmos organisé autour d'un principe unique ; celle d'acti-vités qui s'autonomisent au point de ne plus fonctionner qu'en référence à leurs lois internes. À quoi il faut toutefois ajouter qu'aux yeux de Max Weber c'est précisément cette tension qui est féconde et « constitue un facteur dynamique important d'évolu-tion [7] ».

Accumulation et fraternité :
le conflit dans l'ordre économique

C'est sans doute entre l'éthique religieuse du salut et l'économie que la tension se présente avec le plus d'acuité, selon une forme qui entraînera les conséquences les plus décisives. Le conflit se manifeste en effet au travers de ce qui oppose une activité reposant sur la lutte pour l'accumulation à ce que toute éthique religieuse contient d'un principe de fraternité. Max Weber l'expose de manière systématique : « L'économie rationnelle relève de l'activité pratique. Elle est orientée vers des profits qui naissent dans le combat d'intérêts que les hommes se livrent entre eux sur le marché. Sans estimation des prix, donc sans ce combat, pas de calcul possible. L'argent est ce qu'il y a de plus abstrait et de plus impersonnel dans la vie des hommes. Le monde de l'économie capitaliste, moderne et rationnelle, est né de là ; plus il suivait ses propres lois internes et immanentes, plus tout rapport concevable à une éthique de fraternité religieuse devenait difficile [8]. » Exprimé de manière synthétique, le conflit repose donc sur une structure d'opposition lourde. Entre l'abstraction d'une activité économique fondée sur la rationalité calculatrice et l'objectivité d'un lien social de proximité appuyé sur une éthique distributive. Entre ce qui noue dans le capitalisme un référent individualiste à une logique de lutte pour l'appropriation des richesses et la prévalence de la dimension communautaire dans les éthiques traditionnelles. Entre ce que ces éthiques enfin supposent d'obligations interpersonnelles et le caractère précisément impersonnel du monde vécu de l'économie rationnelle.

À quoi il faut aussitôt ajouter que le conflit se déploie dans la dynamique historique, en radicalisant une opposition qui remonte vers une incompatibilité de principe entre deux rationalités divergentes. Car c'est bien de deux rationalités qu'il s'agit, et non du dépassement progressif d'une forme prérationnelle d'accumulation des richesses. D'un côté, de même que l'univers magique connaît une forme de rationalité s'agissant d'accroître et de donner sens à la richesse du groupe, les sociétés traditionnelles développent une économie dont la rationalité fait signe vers le devoir de charité. En ce sens, c'est le caractère personnel des liens sociaux qui importe, au point que « tout rapport purement personnel, d'homme à homme, quel qu'il soit, y compris la réduction à l'esclavage, peut être éthiquement réglementé [9] ». Inversement, au sein des dispositions de l'économie moderne, c'est le commerce qui fait problème, pour autant qu'il repose sur un lien impersonnel, exprimé dans un équivalent monétaire abstrait des richesses, incompatible avec toute éthique de charité. C'est sur ce point précis que s'opère la disjonction entre deux rationalités. Celle d'une conception traditionnelle du lien social qui fait de la charité le fondement même des relations entre personnes et qui devient impraticable dans un univers de relations abstraites entre détenteur d'une obligation et débiteur d'une banque, actionnaire et employé, détenteur de matières premières et ouvrier. Celle à l'inverse d'une activité économique qui trouve la condition de possibilité de sa rationalité interne par l'objectivation des liens entre individus dans un cadre nouveau : celui de la « sociation de marché » (*Marktvergesellschaftung*)[10].

La mise au jour de ce conflit permet d'éclairer les raisons de la tendance des grandes religions de salut au « rejet antiéconomique du monde [11] ». En son origine la plus lointaine, il tient à ce que toute forme de prêt, même au sein des communautés les plus restreintes, est vécu en tant que faute contre l'éthique fraternelle et le devoir d'assistance. À la suite de quoi il découlera de la contradiction entre la « réglementation éthique de la vie [12] » par les éthiques de convictions attachées à la *caritas* et ce que Max Weber nomme la « légalité objective [13] » du marché. En d'autres termes, le fond du conflit réside dans le fait que l'univers capitaliste suppose des règles et des comportements radicalement étrangers au monde éthique des sociétés régies par les valeurs et les devoirs, les anticipations et les espoirs des religions de salut. Pour des raisons qui tiennent bien sûr à « l'humeur récalcitrante et à l'insuffisance des personnes concrètes ». Mais pour une autre aussi, autrement plus profonde, qui réside dans l'idée selon laquelle les exigences de la charité religieuse « perdent généralement toute espèce de *sens* [14] ». D'où la tendance des différents clergés à soutenir les formes d'organisation sociale propres au patriarcalisme. En raison de ses affinités avec l'éthique de charité constitutive de la vision traditionnelle du monde. En contradiction toutefois avec la manière dont le prophétisme disjoint les liens patriarcaux, pour établir une relation de dépendance sans médiation entre le croyant et son dieu.

À cette première contradiction s'en ajouterait une autre, en quelque sorte inverse, décisive au regard de la rationalisation de l'activité économique. Dans l'univers des religions de salut, la réponse logique à l'incompatibilité entre accumulation des richesses et préceptes éthiques de charité devait conduire à un ascétisme de « rejet antiéconomique du monde ». À un repli sur des structures communautaires d'existence, de type traditionnel, hostiles à toute forme d'enrichissement. Or, Max Weber insiste sur le fait qu'il est « vraiment paradoxal que l'ascétisme retombe toujours dans la contradiction qui fait que son caractère rationnel le conduit à l'accumulation des richesses [15] ». Le phénomène monastique est ici caractéristique, qui systématise une économie d'autosuffisance fondée sur le rejet des circuits d'échanges de biens au sein de la société, mais conduit à une production et une accumulation rationnelles de richesses. Avec pour conséquence qu'à la fin du Moyen Âge le « travail au rabais des célibataires ascétiques » est devenu plus productif que celui de « l'individu chargé d'assurer le minimum vital à sa famille [16] ». Ce qui veut aussitôt dire que le conflit entre un pur désintéressement dans le retrait contemplatif du monde et une activité mondaine assumant les impératifs de l'accumulation peut s'atténuer au profit d'une réinterprétation de l'état de grâce dans le cadre d'une éthique de la profession.

Fraternité et violence : le rejet du politique

Une structure de conflit et une évolution similaires pourraient être mises au jour s'agissant des liens entre l'éthique religieuse et la politique. En première analyse, la tension est ici poussée jusqu'au tragique, dans la mesure où elle s'attache à ce qui est tout à la fois le critère ultime du politique dans le système des catégories wébériennes et l'enjeu essentiel du salut dans ce même système : la signification accordée à la mort. Au sens fort du terme, il s'agit bien ici d'un conflit de principe entre le caractère sacré de la question de la mort comme objet par excellence de la religion et l'usage nécessaire de la violence en politique. D'un côté, la vision du monde des religions de salut n'a de sens et de fonction qu'aussi longtemps qu'elle prend en charge l'interprétation de la mort et détient le monopole de son traitement. De l'autre, le politique ne s'affirme dans sa légitimité que s'il peut à son tour donner sens au devoir de mourir [17]. D'où la structure d'un conflit qui se présente sous la forme suivante : « Cette capacité à ranger la mort dans la série des événements significatifs et sacrés est finalement à la base de toutes les tentatives faites pour soutenir la dignité spécifique du lien politique né de la violence. Mais la manière dont la mort peut être ici conçue comme significative se situe tout à fait à l'opposé d'une théodicée de la mort telle qu'elle s'exprime dans une religion de fraternité [18]. »

Cette concurrence entre le religieux et le politique, qui réinvestit puis cherche à capter à son profit l'interprétation du sens de la mort, se déploie alors en se radicalisant sur la trajectoire histo-

rique. À titre d'illustration, la guerre crée des formes de liens inter-
personnels qui se situent au plan de ceux que fait naître le sentiment religieux. Au point de venir les menacer directement en tant
qu'ils donnent le fondement dernier du sentiment d'appartenance
à une communauté. Ainsi Max Weber peut-il relever que « la
guerre, comme menace réalisée de recours à la force, crée, précisément, dans les communautés politiques modernes, un pathos et
un sentiment communautaire ; par là, elle libère chez les combat-
tants un esprit commun de sacrifice inconditionnel ; elle éveille,
de surcroît, massivement des sentiments de dévouement, de pitié
et d'amour à l'égard des malheureux, sentiments qui vont bien au-
delà des liens naturels. Or les religions n'ont en général rien de
semblable à mettre à la place, si ce n'est dans les communautés
héroïques de l'éthique fraternelle. En outre la guerre apporte au
guerrier lui-même quelque chose d'extraordinaire au sens précis
du terme : la sensation, qu'il est seul à éprouver, que la mort a un
sens et un caractère sacré [19] ». Le point limite d'un tel mouvement
est alors occupé par la notion de guerre « juste » ou « sainte », au
moment où la mort militaire et la mort religieuse se confondent
en un sacrifice paré de deux significations cumulées.

La dynamique de ce conflit et son intensification croissante se
retrouvent alors sur un plan plus global, lié au développement de
l'État. Max Weber insiste de nouveau sur la manière dont l'autonomie croissante des logiques étatiques du politique entre en
opposition ouverte avec les exigences de l'éthique de fraternité
des religions de salut. Ainsi, « progressivement, l'usage de la force
à l'intérieur (de la communauté) politique s'objective dans l'organisation de l'" État juridique " – qui n'est, du point de vue religieux, que le mimétisme le plus efficace de la brutalité. Mais toute
la politique s'oriente sur la raison d'État concrète, sur le pragmatisme et les fins propres de l'État – sur le plan religieux, ces
dernières apparaissent presque inévitablement dépourvues de tout
sens, – fins qui consistent à maintenir la répartition intérieure et
extérieure du pouvoir. C'est seulement ainsi que la politique
acquiert un aspect et une rhétorique (*Pathos*) particuliers, carac-
téristiquement rationnels et fabuleux – qui, à l'occasion, ont été
brillamment formulés par Napoléon, – une rhétorique qui paraîtra
aussi radicalement étrangère à toute éthique de la fraternité que
les institutions économiques rationnelles [20]. » À terme donc,
l'opposition est absolue entre l'éthique religieuse et le politique
installé dans un État qui revendique le monopole de la violence
intracommunautaire légitime ou recourt à la guerre pour préserver
l'identité d'un corps collectif exigeant de ses membres le devoir
de mourir pour lui.

Ainsi rappelé, le conflit entre l'éthique religieuse et le monde comme lieu de la domination politique se situe sur deux plans. Sur celui spécifiquement religieux de l'interprétation des intentions divines, il oppose l'idée d'un Dieu d'amour et de bonté au spectacle quotidien de la violence et de la guerre. Faisant signe vers la question de la théodicée, il réactive l'interrogation sur le dessein caché et devient le support d'une tentation de fuite hors d'un monde absurde, où le devoir de fraternité paraît impossible à assumer. Au plan de l'expérience vécue du croyant dans le monde, il déchire la conscience entre deux impératifs contradictoires. Celui du Sermon sur la montagne contenu dans ce précepte : « Ne réplique pas au mal par la violence. » Celui d'un État qui revendique le seul usage légitime de la violence, mais l'implique dans la formule du devoir qu'il impose : « Tu dois contribuer à la victoire du droit même par la violence, – car chacun est personnellement responsable de l'injustice [21]. » Avec à nouveau pour conséquence une tendance au rejet antipolitique du monde dont l'idéal monastique donnerait le modèle. Mais aussi des formes de retournement paradoxal de ce rejet lorsque l'institution ecclésiale entre en concurrence avec le politique sur son terrain, contribuant ainsi à sa rationalisation dans les structures de l'État.

Le refus religieux des sphères esthétiques et érotiques

La structure du conflit entre l'éthique religieuse et la sphère esthétique est *a priori* différente. À l'origine, c'est l'affinité qui s'impose. Sous la plupart de ses expressions, l'art naît en effet dans le contexte de la magie puis de la religion naissante. Parce qu'il découle de la transformation en stéréotypes de pratiques ayant une visée initiale liée à la manipulation des esprits ou l'invocation du divin. Parce qu'il fixe des rituels ou des représentations qui ont un contenu directement religieux dans des formes stables parfaitement adaptées à l'univers traditionnel et qui expriment ses idéaux. En ce sens, la musique naît avec la fixation de rapports de tonalité expérimentés dans des activités tournées vers l'extase ou l'exorcisme. De même en est-il de la danse, apparue comme moyen d'action sur les puissances magiques et qui donne lieu à des formes rythmiques. D'une manière similaire, les idoles, icônes et autres signes de la présence du divin ou de son invocation sont à l'origine des registres picturaux ou architecturaux de l'art. Ce qui permet à Max Weber de dégager un double constat : « Tout ceci a eu pour effet que d'une part la religion fut une source intarissable de possibilités de développement artistique, que d'autre part elle a entraîné la stylisation par fixation de la tradition [22]. » À quoi s'ajouterait un dernier trait, qui scelle l'intimité entre l'art naissant et la vision religieuse du monde : la dimension communautaire d'une expérience essentiellement attachée au contenu des manifestations artistiques et non pas à leur forme [23].

À l'inverse, c'est l'autonomisation de la sphère artistique qui engendre un conflit avec l'éthique religieuse, dans un mouvement où l'attachement aux formes, l'émergence du jugement de goût et l'individuation de l'expérience esthétique se confondent et cumulent leurs effets. S'agissant de l'opposition entre forme et contenu des objets artistiques, Max Weber souligne que « toute religion sublimée de salut ne s'intéresse qu'au sens des choses et des actes qui ont de l'importance pour le salut, non à leur forme [24] ». Cette dernière en revanche est à tout le moins indifférente du point de vue religieux, sinon même dévalorisée, renvoyée vers l'accidentel et un registre étranger au problème du sens. Tout se passe alors comme si la complicité entre l'art et la religion demeurait possible aussi longtemps que le créateur s'efface derrière sa création et que cette dernière reste de l'ordre d'un « savoir-faire ». Que se transforme la signification de l'œuvre, qu'émerge la notion d'une création artistique attachée aux formes et le conflit apparaît entre une sphère artistique qui se prétend créatrice de sens et une sphère religieuse menacée sur un terrain où elle revendique un monopole.

On peut souligner ici le fait que c'est dans le moment tardif des religions instituées que Max Weber situe le conflit avec l'esthétique pensée comme processus de création. En ce sens, il sous-estime sans doute la place de l'interdit de la représentation et du refus des images dans le moment constitutif du monothéisme ainsi que la prégnance du débat sur l'icône dans l'univers occidental et à ses frontières [25]. À ses yeux en effet, l'enjeu du conflit demeure la question de la création artistique sous une forme qu'il systématise de la manière suivante : « À un moment ou à un autre, une tension se manifeste entre l'orientation éthico-religieuse qui se trouve au centre de toute religion prophétique et *" l'œuvre humaine "* : cette dernière, selon le prophète, n'est qu'une performance illusoire sur le plan de la rédemption. Plus le dieu annoncé par la prophétie est transcendant au monde et, en même temps, sacré, plus la tension entre l'art et la religion est implacable [26]. »

Cette menace engendrée par la rationalisation intellectualiste de l'art se rejoue sur un autre plan, lors même qu'il s'affirme comme organisant un système de valeurs cohérentes et autonomes. Ce plan est à nouveau de ceux que prennent en charge traditionnellement les religions de salut et concerne le besoin de libération vis-à-vis des réalités mondaines. Pensé et vécu comme une manière de s'affranchir dans le monde des pesanteurs du monde, l'art entre en concurrence directe avec la dimension d'un espoir de libération portée par le discours religieux. Ce qui fait dire à Max Weber que « toute éthique religieuse rationnelle doit se tourner contre cette libération irrationnelle et intramondaine comme à l'encontre d'un règne de la jouissance, de son point de vue irresponsable : un règne de secrète indifférence [27] ». Affirmation d'une jouissance qui ne peut être traduite en valeurs communautaires de fraternité mais fait signe vers une libération de l'individu, l'art se substitue alors à l'éthique dont il reprend les formes tout en abandonnant la visée. Il s'agit en l'occurrence de la manière dont s'opère la conversion du jugement éthique fondé sur des valeurs en un jugement esthétique, lié à la question du goût. Au nom d'une critique des préjugés attachés à la tradition et avec pour conséquence une dilution des repères communautaires.

C'est donc en dernier lieu l'individuation de l'expérience esthétique qui est génératrice de conflits avec la sphère religieuse. Parce que l'individu s'affirme contre la tradition et la communauté grâce au jugement de goût et que « la prise de position esthétique ne laisse aucune place à une éthique cohérente de la fraternité, laquelle, pour sa part est toujours orientée dans un sens antiesthétique [28] ». Mais aussi dans la mesure où l'émotion esthétique offre à l'individu un accès aux domaines réservés du religieux. D'où le fait que les religions deviennent ennemies des formes, ces formes pures de l'art qui prétendent dire l'indicible et exprimer l'inexprimable. C'est alors l'exemple de la musique qui devient le plus symptomatique, dans la mesure où « le plus " intérieur " des arts peut, dans sa forme la plus pure, c'est-à-dire la musique instrumentale, passer, de par son autonomie par rapport à la vie intérieure, pour une forme illusoire et irresponsable de l'expérience religieuse essentielle. La prise de position bien connue du concile de Trente sur la musique peut se ramener à ce sentiment. L'art devient alors " idolâtrie de la créature ", pouvoir concurrent et illusion mystifiante ; représenter et symboliser les choses religieuses n'est alors rien d'autre que blasphémer [29] ».

Déployé sur une trajectoire qui est celle de l'autonomisation de l'esthétique, le conflit entre la sphère éthique des religions de salut et l'art se focalise en quelque sorte sur la dimension antitraditionnelle d'une expérience qui met en avant l'autonomie de jugement de l'individu au détriment du substrat communautaire des éthiques de fraternité. Dans sa forme la plus intense, il remonte jusqu'au plan où l'art concurrence la religion sur son propre terrain : celui de l'émancipation par rapport aux conditions mondaines de l'existence vécue et d'un espoir de libération vis-à-vis de la finitude humaine. Max Weber peut, de ce point de vue, aller jusqu'à évoquer une « rédemption dans le monde que prétend dispenser l'art en tant que tel [30] ». Rédemption condamnable tant pour la religiosité éthique que pour la mystique, dans la mesure où elle nie pour l'une la dimension communautaire de la fraternité lors même qu'elle représente pour l'autre une forme faussée de l'ascèse intramondaine, dénuée de toute exigence de rationalisation méthodique des conduites de vie. Ces deux derniers traits rapprochent alors le conflit entre l'esthétique et l'éthique des religions de salut de celui qui naît dans des conditions similaires avec la sphère érotique. Comme si l'érotisme et l'art, qui d'ailleurs finissent par se rejoindre dans la littérature, avaient pour commune caractéristique en s'autonomisant de s'arracher à l'emprise d'une religion avec laquelle ils ont *a priori* de fortes attaches.

Partant d'une description de l'intimité entre l'extase orgiaque pratiquée par la magie et la sexualité, Max Weber met en scène une séparation dont les mécanismes rejoignent ceux rencontrés avec l'esthétique. Avec la chevalerie, par exemple, se développe une sexualité sublimée en érotisme qui structure à son tour une « sphère consciemment cultivée et extra-quotidienne [31] ». Celle-ci voile l'aspect naturel de la sexualité et le remplace par un jeu formel dont les codes sont parfaitement étrangers aux structures de la vie quotidienne et aux règles communautaires d'une éthique de fraternité. Pour une part, l'amour courtois attaché aux valeurs féodales de l'honneur et aux liens de vassalité pouvait encore garder une affinité avec l'univers traditionnel. Conçu dans le cadre des exigences de responsabilité propres à l'Occident chrétien, volontiers développé dans les catégories du tragique, il pouvait encore se combiner avec les symboliques de l'ascétisme. Mais il devait rapidement s'en défaire, à mesure que l'érotisme acquérait une forme essentiellement sensuelle qui trouverait son réceptacle dans la culture de salon. Avec elle en effet s'imposait l'idée selon laquelle le commerce amoureux entre deux êtres est créateur de valeurs, dans un registre nécessairement en rupture vis-à-vis de celui de la tradition.

Au total, les raisons de l'hostilité des religions de salut à l'autonomisation de la sphère érotique sont identiques à celles qui président au rejet de l'esthétique. À nouveau, c'est la mise en forme d'une sensation « d'être libéré du rationnel au sein même du monde [32] » qui est visée. Parce qu'elle évoque une forme d'émancipation intramondaine détachée de l'éthique fraternelle et des exigences de maîtrise méthodique du comportement. Ou parce qu'elle décrit au contraire trop bien une sorte de maîtrise de soi centrée sur la relation interpersonnelle, au détriment du respect dû à Dieu. Max Weber peut en ce sens relever que « la relation éro-tique semble garantir à un degré suprême l'accomplissement de l'exigence amoureuse, autrement dit la communication directe entre les âmes, d'humain à humain ». Concurrente de la religion sur le terrain de l'amour du prochain, elle en donne une version à finalité terrestre, qui produit une prétention similaire à celle mise en jeu dans l'esthétique. Celle d'une relation purement humaine, porteuse de valeurs et d'une éthique individuelle substituable au devoir envers la communauté et le créateur. Avec pour réaction une tendance qui s'accroît avec le raffinement de l'érotisme : tirer la sexualité vers le registre de l'animalité, de la perversion et de la violence.

L'hostilité à l'intellectualisme

Resterait une dernière forme de tension qui en quelque sorte les résumerait toutes, puisqu'elle s'installe au plan global du rapport au sens. Il s'agit de celle qui oppose la religion en tant qu'elle revendique un monopole de l'interprétation du monde à la sphère intellectuelle qui précisément se structure autour de ce problème. À l'exception de l'univers intellectuel et religieux de la Chine, où les rapports au monde parviennent à maintenir une unité, le conflit semble patent dès l'instant où s'amorce l'idéal d'une connaissance empirique. Max Weber envisage au passage la dimension de la métaphysique comme espace commun d'une interrogation ration-nelle du monde et de l'aspiration religieuse, mais c'est pour aussi-tôt souligner le fait qu'elle dérive avec une extrême facilité vers le scepticisme. S'impose alors la structure d'une opposition fron-tale qui ne peut aller qu'en s'accroissant : « Partout où l'applica-tion systématique des connaissances empiriques rationnelles a ôté au monde son aspect magique et en a fait un mécanisme soumis aux lois de la causalité, le postulat éthique selon lequel le monde est un cosmos ordonné par Dieu, ayant par conséquent un certain sens sur le plan moral, s'est trouvé définitivement contesté, car une conception empirique et, à plus forte raison mathématique du monde, exclut par principe tout mode de pensée qui cherche un " sens ", quel qu'il soit, dans le phénomène du monde inté-rieur [33]. »

Faute de pouvoir décrire la multitude des occasions de friction entre religion et connaissance intellectuelle, Max Weber accentue l'idée d'une hétérogénéité de principe et la logique selon laquelle

« la religion de salut résiste à l'idée d'une intelligence autosuffi-
sante [34] ». Avec pour conséquence une tendance des religions à
dévaluer les formes de savoir visant la compréhension de la réalité.
En radicalisant la préférence pour l'illumination opposée à l'entendement. Et en privilégiant des formes immédiates de perception
du « sens » global du monde contre les tentatives poursuivant son
explication. Demeure pourtant un paradoxe, qui tient au fait que
le conflit entre la vision religieuse du monde et son intellectualisation par la connaissance empirique est logé au cœur même du
processus de rationalisation du religieux. Ainsi Max Weber note-
t-il que « plus la religion devint religion du livre et doctrine, plus
elle devint " littéraire " et partant plus elle eut pour effet de provoquer une pensée laïque, rationnelle et indépendante des prêtres [35] ». Cette remarque fournit sans doute une indication essentielle s'agissant de l'interprétation du procès de désenchantement
du monde. Que dit-elle en effet, sinon qu'il est en quelque sorte
du destin des grandes religions de salut d'emprunter les voies d'un
formalisme dont la structure même du livre donne l'épure ?
Comme si pour se déployer sur la trajectoire historique, la vision
religieuse du monde devait s'élever à la hauteur d'un système.
Mais comme si en retour la connaissance formelle devait échapper
à ce cadre pour vivre sa propre vie, dans une perspective qui est
l'essence même du désenchantement.

Au plan d'une interprétation globale du phénomène, il est alors
possible de rassembler les traits qui portent la logique de désenchantement du monde dès l'instant où se profile la série des
conflits entre l'éthique traditionnelle des religions de salut et les
sphères de l'existence mondaine. Au-delà de l'autonomisation
fonctionnelle de ces différentes sphères, ils touchent à la manière
dont s'esquissent des registres de sens concurrents de la vision
religieuse. Et au fait aussi que ces derniers se structurent autour
d'une figure qui menace l'équilibre de cette vision : celle de
l'individu porteur de valeurs et capable de les activer dans des
relations intersubjectives affranchies de toute médiation transcendante. Avec pour horizon la dilution des formes communautaires
de l'éthique fraternelle portée par les religions de salut et leur
remplacement par les impératifs laïcisés d'une responsabilité interpersonnelle. À long terme, ces trois perspectives font signe vers
l'émergence de l'individualisme moderne. Un individualisme installé sur la capacité d'interprétation du sens du monde par des
sujets autonomes et décliné aux différents plans de l'accumulation
des richesses, de l'action politique, de la création esthétique ou de
l'érotisme. Pourtant, au cœur du procès de rationalisation du
monde, l'esquisse de cette vision résume les données d'un conflit

que Raymond Aron synthétise de la manière suivante : « Il y a
donc une contradiction fondamentale entre le savoir positif,
démontré mais inachevé, et le savoir issu des religions qui n'est
pas démontré mais qui donne réponse aux questions essentielles [36]. » Un conflit qui concerne le sens même de l'existence
rapportée à l'appréciation du monde et qui nourrit une attitude qui
pourrait être à tout prendre la plus rationnelle : la fuite hors d'un
monde précisément jugé comme irrationnel du point de vue de
l'expérience la plus intime du croyant.

La fuite hors d'un monde irrationnel

C'est à nouveau d'un paradoxe qu'il faut partir, afin de restituer
la manière dont Max Weber interprète la contribution des formes
religieuses de retrait du monde au processus global de sa rationalisation. Ce paradoxe peut se formuler de deux manières. L'effort des religions de salut pour produire une éthique méthodique
des conduites dans le monde débouche sur une attitude méthodique
de refus du monde. Le travail de ces mêmes religions pour rationaliser la question du salut conduit à l'appréciation d'une irrationalité du monde vectrice de son rejet. Pour comprendre cette
figure, il faut redescendre vers le point de vue du croyant dans le
monde. Au plan des représentations intellectuelles d'un individu
qui cherche du sens et subit les influences contradictoires d'une
religion qui rationalise sa vision du monde en systématisant le
mystère attaché aux fins dernières et d'une connaissance laïque
qui autonomise des registres de sens disjoints. Au plan aussi de
l'expérience vécue de ce même individu, écartelé entre une attente
de salut attachée à la rationalisation méthodique des conduites de
vie sur fond d'une éthique de fraternité et le constat d'une irrationalité du monde où se déploie son action.

C'est en effet le mouvement même de la rationalisation des
images religieuses du monde qui nourrit le sentiment d'une irrationalité de l'existence terrestre. Plus l'idée d'un dieu créateur et
omniscient s'impose et se systématise, et plus s'intensifie le
contraste entre la volonté bonne qui lui est prêtée et le spectacle
de la réalité. D'où une logique de dépréciation du monde aux yeux
du croyant, lorsque l'univers créé apparaît comme « lieu de l'imperfection, de l'injustice, de la souffrance, du péché, de l'éphémère, de la culture, nécessairement peccamineuse et d'autant plus
absurde à mesure qu'elle se développait et se différenciait [37] ».
Autant dire alors que sous ce même regard du croyant, « le monde
dans toutes ses instances apparaissait nécessairement fragile et

déprécié, d'un point de vue purement éthique, et ce par référence au postulat religieux qui accordait un sens divin à son existence [38] ». C'est donc d'une opposition tranchée entre deux visions du monde qu'il faut repartir, puisqu'elle est le cadre dans lequel le monde vécu est l'objet d'estimations contradictoires qui déterminent des comportements. D'un côté, un monde qui, dans la problématique religieuse, est compris au travers d'une « causalité de compensation éthique [39] » où la question du sens se joue dans l'idée d'un cosmos organisé à partir de la volonté bonne du créateur et des exigences de fraternité. De l'autre, le monde de la science, régi par une causalité naturelle née de l'intellectualisation et où la connaissance se gage dans le rapport au réel. Mais un réel qui ne crée pas de sens, ou plus encore oppose à la perspective du sens le spectacle d'une incohérence qui touche à l'absurdité.

Est alors saisi à sa naissance le thème du désenchantement du monde, qui oriente la lecture wébérienne de l'histoire. La séparation croissante de ces deux univers donne en effet sa signification technique au concept : celle qui indique le développement de la conception classique du progrès. Comme la substitution d'une connaissance empirique à l'interrogation métaphysique, selon une logique dont la finalité est la prévision et la maîtrise du monde. Comme le glissement d'un système de représentations dont la cohérence est située hors du monde vers l'idée d'une causalité de la nature qu'il faudrait découvrir dans les choses par la science. Mais l'opposition des deux univers dessine aussi les contours de l'autre face du concept de désenchantement. Celle qui évoque l'idée d'une perte de sens, dans un monde de la « culture » où la possibilité de connaître se paie du sentiment accru de l'absurdité d'une existence vouée à la finitude. Ainsi Max Weber esquisse-t-il une comparaison qui deviendra le thème central de son jugement sur le moment contemporain : celle qui oppose la satisfaction de l'homme vivant dans un univers traditionnel, où il peut avoir le sentiment d'accomplir un cycle parfait de la vie, à l'irréductible insatisfaction de l'homme cultivé qui vit une tension permanente entre son désir d'appropriation de « contenus de cultures » et l'irrémédiable inaccomplissement d'une vie pensée dans ce registre. Embrassant tout l'espace de l'histoire occidentale, cette comparaison expose sa forme paradoxale : « Le paysan pouvait comme Abraham mourir satisfait de la vie. Le seigneur féodal et le héros guerrier aussi. En effet tous deux accomplissaient le cycle de leur existence sans tendre à rien en dehors de lui. Ils pouvaient ainsi atteindre à leur manière cette perfection d'ici-bas résultant de ce qui était clairement et naïvement leur vie. Mais ce n'était pas le cas de l'homme " cultivé " aspirant au perfectionnement de

lui-même au sens de l'appropriation ou de la création de " contenus de culture ". Cet homme pouvait certes devenir " las de la
vie ", mais pas au sens où il aurait pu se dire " satisfait " de
l'accomplissement d'un cycle de vie [40]. »

L'originalité de la thèse de Max Weber tient alors à l'articulation de deux propositions apparemment contradictoires. Celle qui
résume les leçons d'une analyse des conflits entre les registres de
l'activité mondaine et les préceptes religieux, en rappelant que « ce
qui constituait le contenu spécifique de la religion commença à
devenir intemporel et étranger à toute vie cultivée [41] ». Mais aussi
celle qui aussitôt ajoute que la raison qui conduisait dans cette
voie « n'était pas seulement la pensée théorique porteuse de désenchantement du monde, mais bien l'effort de l'éthique religieuse
pour le rationaliser pratiquement et moralement ». Le fait que ce
soit précisément le travail des religions de salut pour rationaliser
le monde par le biais d'une éthique du comportement quotidien
qui provoque une expulsion de la vision religieuse hors de la vie
cultivée est sans doute une des données essentielles du regard
wébérien sur l'univers désenchanté. Mais il est aussi la clef de
l'importance accordée à un phénomène en apparence marginal
comparé aux formes de religiosité de masse : les diverses attitudes
de fuite hors d'un monde jugé irrationnel du point de vue des
impératifs d'une éthique méthodique du salut. C'est en effet dans
ce phénomène que se nouent les deux composantes de la rationalisation éthique et de l'intellectualisation des visions du monde.
Mais à l'écart de ce dernier, dans une position de retrait qui semble
anticiper la séparation progressive du religieux et de la culture.

Les tournants vers l'au-delà

C'est en premier lieu au plan des attitudes individuelles et du
point de vue du croyant que l'on peut suivre l'analyse wébérienne
des formes de fuite hors du monde. Sous l'angle d'une typologie
qui creuse l'identité et les différences entre le mysticisme et
l'ascétisme. À partir d'une considération générale sur l'orientation
de l'éthique des religions de salut. Si cette dernière connaît une
affinité profonde avec les structures communautaires des sociétés
traditionnelles par le biais des impératifs de fraternité, elle fait
également signe vers des figures de détachement de l'individu au
travers de ce que Max Weber désigne sous la notion de virtuosité.
À tout prendre en effet, et en vertu du contenu même des exigences imposées au croyant, « une doctrine religieuse de salut
méthodique est toujours une *éthique de virtuose* [42] ». Des formes

initiales du charisme aux théories des grandes religions de salut concernant la qualification des individus, l'éthique intramondaine du croyant est toujours conçue au travers de l'idée d'un dépassement de la naturalité, d'un arrachement aux déterminations premières de l'existence. En ce sens, celui qui vise la conformité aux principes d'une éthique de la conviction est bien un virtuose dont la qualité se mesure à la capacité de maîtrise des affects, des pulsions et des désirs qui tirent l'homme vers le registre de l'animalité. Ce qui revient à dire que « la méthode de salut signifie toujours, en pratique, un dépassement des désirs ou des états affectifs particuliers de la nature humaine brute, non façonnée par la religion [43] ».

Cette tendance à la virtuosité de l'éthique des religions de salut induit alors une forme immédiate de rejet du monde, qui tient au fait que ce dernier est identifié comme le lieu de la tentation, l'espace où l'individu est menacé de chuter dans le péché qui lui ôterait sa qualification. Le retrait est alors une manière de protection, un moyen de se préserver dans les occasions de la vie quotidienne des composantes pulsionnelles et affectives de l'existence. Inversement, le degré d'affranchissement vis-à-vis de ces composantes peut être réinterprété comme indice de virtuosité ou comme symptôme d'un état de grâce perpétuellement menacé. Au cœur d'une dialectique de l'élévation et de la chute, de la tentation et de la grâce ou bien encore du péché et de la rédemption, le monde est *a priori* déprécié. Avec pour conséquence une logique qui tend à identifier l'exigence de maîtrise méthodique du comportement à une capacité de mise à distance des activités intramondaines plutôt qu'à un effort pour les investir et les orienter dans un sens favorable à l'éthique religieuse. Pensé à partir de l'idéal de virtuosité, le rejet du monde est alors bien une forme rationnelle de traitement de l'irrationalité. Une manière de compenser le sentiment d'imperfection qui naît au spectacle du monde par un comportement individuellement conforme aux injonctions divines.

Sur fond d'un modèle de comportement attaché à la virtuosité, les formes religieuses de fuite hors d'un monde irrationnel se déploient en vertu de la définition et de l'interprétation des biens du salut qui conditionnent la béatitude. L'ascétisme est sans doute la forme la plus radicale de ce rejet, dans la mesure où il repose sur une interprétation intégralement négative des signes de la présence au monde. Avec lui, la virtuosité est bien entendu guidée par le souci d'une conduite méthodique de la vie qui cherche à contenir, refréner et même annuler les effets des différents types de pulsions naturelles. Mais l'exigence de virtuosité va plus loin et s'étend à un dualisme au sein duquel le monde et ses composantes affectives, économiques, politiques ou sociales sont vécus comme menaces. D'où un premier motif, par lequel la virtuosité « soumet à une critique radicale, *éthico*-religieuse, ses relations avec la communauté sociale et ses vertus, qui sont inévitablement utilitaires et conventionnelles et nullement héroïques [44] ». Mais ce motif s'amplifie et s'élève à un véritable conflit qui inverse les signes de la relation naturelle au monde : « Non seulement les simples vertus " naturelles " dans le monde ne garantissent pas le salut, mais elles le mettent en péril en faisant illusion sur ce qui seul est nécessaire. »

Les formes de l'ascétisme

Cette première forme d'ascétisme radical, que Max Weber nomme « ascétisme hors du monde », présente donc deux caractéristiques essentielles. L'une tient à un registre d'opposition systématique entre l'univers éthique des impératifs religieux et les réalités du monde. Fussent-elles celles des vertus et des devoirs attachés aux liens familiaux ou sociaux, ces réalités sont au mieux vaines, au pire synonymes d'illusions qui entraînent le croyant sur le chemin d'une fausse conscience. De ce point de vue, l'éthique de salut se détache de la quotidienneté et le virtuose se sépare de l'homme ordinaire. Non seulement le monde humain et les relations sociales se laissent percevoir comme l'espace de la tentation et de l'irrationalité, mais plus encore ils deviennent « le lieu de la suffisance infatuée propre à l'accomplissement de ces fameux devoirs banals de l'homme moyen religieux, aux dépens de sa concentration exclusive dans la recherche active de la rédemption [45] ». L'autre caractéristique de cet ascétisme radical découle de la vision même de cette rédemption sous l'angle de la relation du croyant à Dieu. En l'occurrence, cette vision repose sur l'idée selon laquelle « l'individu est un instrument de Dieu » pour qui les biens du salut sont directement accessibles grâce à un comportement conforme aux injonctions divines.

Par l'insistance sur le caractère systématique de cette opposition au monde, Max Weber éclaire l'aspect paradoxal de la contribution de l'ascétisme au processus de rationalisation. Apparemment en effet, cette attitude semble contradictoire avec un mouvement qui s'identifie à la maîtrise méthodique des comportements humains. Réduit à la concentration du croyant sur les conditions d'une rédemption qui se joue exclusivement dans la relation à Dieu, l'ascétisme ignore et rejette le monde. Dans sa forme pure, il impose « un détachement d'avec les liens sociaux et spirituels de la famille, de la propriété, des intérêts politiques, économiques, artistiques, érotiques, bref, de tous les intérêts de la créature en général [46] ». À la limite même, il en vient à penser la participation aux affaires du monde en général comme une aliénation, une attitude non seulement perverse, mais contradictoire avec tout espoir de libération. Et pourtant à l'inverse, nulle autre forme d'éthique religieuse active n'a poussé aussi loin l'exigence de maîtrise, l'association de la recherche du salut à un impératif de méthode. Faut-il alors entendre que la forme radicale de l'ascétisme hors du monde soit une sorte de laboratoire où s'élabore une éthique susceptible de se moduler selon d'autres voies ? Max Weber semble le suggérer qui reprend le concept d'ascétisme pour décrire une autre attitude directement orientée quant à elle vers le monde.

Le paradoxe se dénoue quelque peu en effet lorsque Weber envisage une seconde forme d'ascétisme, qui laisse cette fois à l'individu pensé comme instrument de Dieu le devoir de participer au monde. Sur le fond commun d'une virtuosité pensée dans les catégories d'une capacité de résistance aux tentations de l'existence quotidienne qui détourne du salut, cet ascétisme dans le monde passe par un réinvestissement. Lieu de l'irrationnel et de la faute, le monde doit être l'objet même de l'intervention du croyant, selon une activité qui vise à le rendre conforme aux injonctions divines. En ce sens, « le monde est un " devoir moral " imposé au virtuose religieux, qui est alors obligé de transformer le monde pour le mettre en accord avec ses idéaux ascétiques [47] ». Volontiers réformateur ou révolutionnaire, l'ascète devient alors l'agent d'une transformation rationnelle du monde dont le schéma moderne du droit naturel donnerait le modèle. Et dont les expériences du « Parlement des saints » sous Cromwell, de l'État quaker de Pennsylvanie ou du « communisme de conventicule » fourniraient des exemples. Des exemples qui illustrent à la fois la radicalité d'un rapport à la problématique du salut directement engagé dans le monde et ses limites au regard de la transformation méthodique de ce dernier. Fondé sur une virtuosité agissante, l'ascétisme dans le monde semble en effet voué à retrouver le problème de l'imperfection. Directement au contact des « hommes moyens », les organisations ascétiques deviennent des formes « aristocratiques » au sein de la société, au risque de s'en isoler et d'altérer leur projet initial.

L'insistance de Max Weber sur le phénomène de l'ascétisme dans le monde se justifie par le caractère exemplaire de sa capacité d'adaptation. C'est alors la tension que subit l'ascète qui est symptomatique et le mode de solution qu'il lui trouve qui devient significatif. La tension tient au fait que s'il parvient à mettre ses actions dans le monde en conformité avec une visée de perfection, l'ascète rencontre toujours l'impureté du monde dans sa globalité. Face à la vision du monde comme « *massa perditionis* », il peut être tenté de renoncer au projet de transformation, en s'isolant à nouveau d'un univers de turpitudes, sur le modèle de l'ascétisme hors du monde. Mais ce serait avouer l'incomplétude d'une tâche qui noue la conviction ascétique à la volonté de combattre l'imperfection là où elle se trouve. D'où une forme d'adaptation plus subtile, qui réinterprète ensemble la signification de l'irrationalité du monde et de devoir du croyant en son sein. Pour ce dernier demeure l'exigence d'un refus de s'abandonner à la jouissance des biens terrestres, pour autant que « le monde persiste dans son avilissement de chose créée [48] ». Sous cet angle est donc maintenu l'idéal de renaissance, identifié à la concentration exclusive sur les biens du salut. Mais est aussitôt confirmé le fait que cet idéal se joue dans la réalité mondaine et les différents registres d'activité qui s'y déploient. Avec pour conséquence une association directe de la transformation du monde et de la question du salut : « Le monde est l'unique matériau dans lequel le charisme religieux personnel puisse se confirmer par une façon d'agir éthique rationnelle, destinée à acquérir et conserver la certitude de son propre état de grâce [49]. »

On aura compris que le puritanisme va devenir l'archétype de cette réinterprétation du salut par l'investissement du monde, selon une logique qui éclaire la place centrale que lui accorde Max Weber dans l'analyse historique du procès de rationalisation. L'ascète vivant dans le monde est en effet un rationaliste qui cherche à relier les deux plans de l'attitude individuelle et de l'action. S'agissant de la première, la finalité demeure « la maîtrise méthodique (toujours) en éveil de la conduite personnelle [50] » et le refus de toute forme d'irrationalité éthique. La seconde en revanche devient l'objet d'une double appréciation en termes de rationalité. Celle qui touche directement à l'effort pour rendre le monde conforme à la vision religieuse. Mais celle surtout qui rejoint le fait que par l'action l'ascète joue son propre salut, puisque son activité l'aide « à atteindre les qualités auxquelles il aspire qui, à leur tour, sont propres à une activité fondée sur la grâce divine [51] ». La différence est alors ténue, et pourtant essentielle, entre les deux variantes du refus ascétique du monde. Seul le premier en effet correspond directement à une « *fuite* hors du monde », à un refus de se compromettre avec une réalité vécue comme une menace. Le second en revanche entend le refus du monde comme un combat, le refus de concéder au monde tel qu'il est et la volonté de le transformer. D'où la description de l'état

d'esprit de l'ascète dans le monde qui illustre à l'avance sa contribution au phénomène de la rationalisation : « Il se sent être un
combattant de Dieu, peu lui importent l'ennemi qu'il combat et
les moyens qu'il emploie dans la lutte. Psychologiquement, la fuite
hors du monde n'est pas une fuite mais une victoire toujours nouvelle sur de toujours nouvelles tentations contre lesquelles il doit
combattre avec une activité toujours renouvelée. L'ascète qui
refuse le monde a au moins un rapport négatif avec lui, celui du
combat qu'il mène sans relâche contre " lui ". »

La mystique comme rejet du monde

Tout autre est à l'évidence l'attitude du mystique, qui devient
au sein des formes de rejet religieux du monde l'envers de l'ascète.
Là où l'ascète peut réinterpréter le monde comme un lieu d'investissement à la recherche du salut, le mystique demeure par
essence un contemplatif. Pour lui, ne pas agir n'est pas uniquement
synonyme de se protéger des turpitudes du monde, mais correspond à la visée « d'un " repos " en Dieu, et seulement en lui [52] ».
Ne pas agir signifie alors aussitôt ne pas penser, faire le vide en
soi, s'abstraire de la réalité corrompue pour atteindre une possession divine, une union mystique avec le créateur. Lors même que
l'ascète se pense comme instrument de Dieu, le mystique se
conçoit comme un réceptacle du divin en quoi se dépose une qualité qui ne peut se préserver qu'au travers de la contemplation.
Pour lui, non seulement l'action dans le monde est vaine, mais
c'est très précisément l'inaction qui maintient l'état de grâce. À
tout prendre même, l'activisme de l'ascète lui paraît une compromission avec les puissances maléfiques du monde, « une aliénation
continue du divin dans une fonction marginale ». Et son éthique
lui impose « d'éviter toute activité de type rationnel (*Zweckhan-
deln*) [agir en vue d'une fin] comme étant la forme la plus dan-
gereuse de la sécularisation [53] ».

Résumant l'analyse des formes de refus du monde, Max Weber
peut opposer trait pour trait le point de vue de l'ascète et celui du
mystique, sous la forme de ce qui s'apparente à une antinomie de
la conscience religieuse. Du point de vue de l'ascète, la contemplation du mystique apparaît vaine et stérile. Elle figure au mieux
un contresens concernant la tâche assignée à l'homme au sein de
la création. Elle représente au pire « une satisfaction égoïste
condamnable du point de vue ascétique, une débauche d'émotions
que le contemplatif se suggère à lui-même, aboutissant à la déi-
fication de la créature [54] ». En d'autres termes, le mystique, der-

rière des apparences de totale soumission, ne pense pas à Dieu, mais à lui-même, vivant une situation d'inconséquence vis-à-vis de ses propres principes puisqu'il est contraint malgré tout d'être dans le monde. Inversement, le jugement du mystique sur l'activité de l'ascète n'est pas moins sévère. Max Weber le résume de la manière suivante : « Du point de vue du mystique contemplatif, l'ascète est continuellement éloigné de l'union en et avec Dieu, il est forcé de s'empêtrer dans des contradictions et des compromissions sans recours par son combat, les tourments qu'il s'inflige – même si c'est hors du monde –, ainsi que par son activité ascétique et rationnelle dans le monde, avec tous les fardeaux de la vie créée, les tensions insolubles entre la violence et la bonté, entre la réalité quotidienne et l'amour qui en sont la rançon. »

Ce conflit de points de vue oppose des attitudes qui veulent articuler la question du salut à celle de la présence au monde, se rejoignent sur une appréciation *a priori* péjorative de ce dernier, mais divergent quant à l'attitude du croyant. D'où sans doute la voie médiane empruntée par le processus de rationalisation. À sa manière, le radicalisme du mystique témoigne d'une logique qui est aussi à l'œuvre dans l'ascétisme, quelles que soient ses formes. Celle qui conjugue la recherche du salut avec la perspective d'un « incognito religieux dans le monde [55] », un monde vécu comme imparfait et inconciliable avec le respect des principes éthiques de la religion. Mais symétriquement, l'adaptabilité de l'ascétisme oscillant entre le retrait et l'investissement mesuré dans le monde indique une part de la difficulté où s'enferme cet incognito. Celle qui tient à la série des contradictions rencontrées et dont les effets se cumulent. Contradiction entre l'idée d'un monde créé et le spectacle de son imperfection. Contradiction entre la tentation d'un refus de participer de cette imperfection et le désir de travailler à son dépassement. Contradiction enfin entre la recherche d'un salut personnel qui se satisferait volontiers d'une recherche purement individuelle ou virtuose de la grâce et le contenu communautaire d'une éthique religieuse, qui suppose un investissement dans les relations interpersonnelles.

L'antinomie entre des points de vue dont Max Weber s'attache à reconstituer l'authenticité conduit alors vers l'idée selon laquelle le processus de rationalisation du monde supposerait un dépassement. Dans leurs formes pures en effet, aucune des attitudes de refus du monde ne permet d'expliquer directement la rationalisation des différents registres d'activité. Le mysticisme et l'ascétisme hors du monde, par leur souci de se préserver de l'impureté du quotidien et leur manière de lier le salut à une virtuosité sans liens avec la mondanité, forment à tout prendre un verrou à toute maîtrise du monde qui aurait une signification religieuse. Si l'ascétisme dans le monde réduit quelque peu cet obstacle, en situant l'exigence de contrôle méthodique du comportement au sein de l'activité, il demeure toutefois réservé quant à la signification immédiatement religieuse de ce travail. Tout se passe alors comme si tout ce que le processus de rationalisation du monde requiert d'un investissement de sens dans les différents registres de l'activité supposait une réinterprétation du contenu même de l'éthique religieuse. Une réinterprétation qui passe à son tour par la recherche de compromis avec ce monde tout à la fois pensé comme une création et vécu en tant que lieu où s'éprouve la dialectique de l'imperfection et de la grâce qui est l'objet même de la question du salut.

CHAPITRE V

Les compromis avec le monde

La typologie des formes du refus religieux du monde construite à partir du point de vue individuel du croyant est sans doute l'une des composantes les plus fécondes de la sociologie de Max Weber. Reproduite sur d'autres plans que ceux sur lesquels elle s'exerce directement, elle ouvrirait, par exemple, une perspective d'analyse des stratifications sociales permettant de classer les degrés du refus du monde en référence aux différentes couches des sociétés traditionnelles [1]. En ce sens, décrivant le « travail religieux » du prophète, du prêtre ou du laïc, elle dégagerait l'horizon d'une théorie de l'interaction symbolique permettant de rompre plus que ne l'avait fait Weber avec la conception marxiste de la religion comme reflet. Chez Max Weber lui-même, elle dégage un regard plus englobant sur l'histoire universelle où se déploie la trajectoire des grandes religions de salut, pour autant que chacune contient un composé de ces différentes attitudes, mais entretient des affinités électives avec certaines d'entre elles [2]. Mais sa contribution décisive tient à la manière dont les conceptions du salut parviennent à donner sens aux diverses dimensions de l'activité. À privilégier cette voie, on ne fait que répondre à l'invitation méthodologique de Max Weber qui se formule comme suit : « Quelle que soit la forme qu'elle revêt, l'aspiration au salut ne nous intéresse ici que dans la mesure où elle a des conséquences sur le *comportement pratique* dans la vie. Elle acquiert cette orientation positive vers les affaires de ce monde en créant une conduite spécifique, déterminée par la religion, autour d'une signification centrale ou d'un but positif qui lui donnent sa cohérence [3]. »

Jusqu'à présent, l'étude des phénomènes de refus du monde a surtout mis l'accent sur la manière dont la rationalisation des images religieuses et de la problématique du salut peut faire obstacle à un investissement dans les affaires terrestres. Obstacle d'autant plus puissant qu'il ne procède pas de la persistance d'une religiosité primitive de caractère magique, mais découle directement de l'effort pour produire une éthique systématique, régissant le comportement à partir de la finalité ultime de la religion. À tout prendre donc, l'hypothèse wébérienne suppose-t-elle que soient décelés les facteurs qui inversent cette tendance. Ceux qui, sur fond de liaison rationnelle entre la question du salut et le statut éthique du comportement dans le monde, valorisent un investissement dans des activités dotées de sens d'un point de vue religieux. Ceux qui, en préservant l'idée selon laquelle aucune part de l'existence mondaine n'est indifférente religieusement, font sauter le verrou posé par l'identification de la grâce et du retrait hors d'un monde imparfait et irrationnel. Ceux qui, en d'autres termes, vont réinterpréter les structures de l'existence vécue sous les catégories d'une éthique active, visant à loger la perspective du salut dans le monde, par la recherche de compromis avec lui.

S'agissant de la localisation de ces facteurs dans le cadre global de l'interprétation wébérienne du phénomène religieux dans l'histoire, une seule indication devrait suffire à préciser l'orientation du propos. Elle consiste à relier la promesse de rédemption propre aux grandes religions à la question du monde, en notant que « l'espoir de salut a les conséquences les plus profondes pour la conduite lorsque la rédemption elle-même prend la forme d'un processus intérieur qui projette déjà son ombre sur la vie d'ici-bas, ou celle d'un processus entièrement *intérieur* en ce monde [4] ». Se dessinent ainsi deux perspectives essentielles pour saisir la cohérence de la lecture que propose Max Weber d'une histoire contenue dans le schéma du désenchantement du monde. La première concerne la manière dont cette intériorisation dans le monde de la question de la rédemption se module au travers des différents registres de l'activité, selon une logique d'adaptation et non de défiance. Il s'agira de déceler les structures de compromis avec un monde qui demeure imparfait, mais peut devenir à tous les sens du terme le lieu d'élection du croyant. Sur un plan plus large peut alors se développer une seconde perspective qui cerne plus directement la contribution spécifique des grandes religions de salut à ce processus et ouvre vers la saisie plus précise de la voie occidentale du désenchantement du monde.

Le schéma de l'investissement dans le monde

En concevant les religions universelles comme autant de solutions apportées à un unique problème, celui du monde créé confronté à son imperfection, Max Weber a dessiné ce que Jürgen Habermas nomme « l'espace conceptuel de base des visions religieuses et métaphysiques du monde [5] ». Dégagé à partir de la rationalisation de l'univers magique, cet espace se structure autour d'une série d'oppositions. Opposition de la doctrine de la transmigration des âmes à celle de la prédestination, du modèle de l'eschatologie messianique à celui de la providence, au plan des solutions apportées au problème de l'imperfection du monde. Opposition des images théocentriques du monde qui radicalisent l'idée d'un Dieu transcendant et des images cosmocentriques de ce même monde, lorsqu'il s'agit d'articuler une éthique du salut à une prise de position quant à la création. Opposition de l'affirmation et de la négation du monde, puis de la fuite mystique hors du monde et de sa maîtrise ascétique, quand cette prise de position nourrit des méthodes systématiques d'acquisition des biens du salut. Reste que cette organisation conceptuelle n'épuise pas, loin s'en faut, l'analyse de la contribution spécifique de la rationalisation des images religieuses au procès global du désenchantement.

Ainsi que le remarque à nouveau Habermas, « la rationalisation de la culture devient empiriquement efficace seulement à partir du moment où elle se traduit par une rationalisation des orientations d'action et des ordres de vie [6] ». C'est donc vers ce plan qu'il faut glisser, afin de saisir l'impact empirique des visions religieuses du monde sur le processus de rationalisation de l'activité au sein de ce dernier. Sans perdre toutefois des yeux le fait que l'interprétation a une visée globale, attachée à la signification historique d'une logique qui se déploie dans toutes ces manifestations de la rationalisation religieuse mais trouve des affinités particulières avec certaines d'entre elles : le désenchantement du monde. À ce titre, on sait désormais que pour Max Weber l'expulsion de la magie hors du champ des techniques de salut passe par l'affirmation d'une coupure entre deux univers : le monde d'ici-bas, lieu de l'éphémère ou de l'imperfection, et l'autre monde, situé au-delà des apparences déchues et vers quoi s'oriente l'attente du croyant. Avec pour conséquence le fait que la dévalorisation du monde vécu et le dégradé d'attitudes qui vont du rejet radical à l'indifférence sont en quelque sorte les moments d'une rupture nécessaire avec l'adaptation magique au monde [7].

Telle est donc la leçon paradoxale de l'étude des phénomènes de rejet religieux du monde : ils figurent en quelque sorte l'espace par excellence où s'élabore la maîtrise rationnelle du monde avant qu'elle ne s'exporte dans les différents registres de l'existence vécue. Persiste alors l'énigme du passage d'une attitude négative vis-à-vis du monde à une ascèse intramondaine, qui seule a des effets empiriques sur la rationalisation des activités. À cette énigme, plusieurs solutions sont possibles. Pour Jürgen Habermas, celle de Max Weber consiste à sélectionner « parmi les attitudes de négation du monde, celle qui poursuit activement une maîtrise du monde dévalué et objectivé [8] ». Au sein du corpus des religions de la rédemption orientées vers des éthiques de la conviction seraient donc privilégiées celles qui appuient la recherche d'une *vita activa* contre la *vita contemplativa*, celles qui, en termes wébériens, acclimatent l'idée selon laquelle le croyant est un instrument de Dieu et non un réceptacle du divin, incitant ainsi à une maîtrise de la vie active tournée vers le monde. Avec toutefois le risque de prêter à Max Weber une réduction de la complexité mise au jour dans la sociologie des attitudes religieuses en référence à la question du salut lors de sa réimplantation dans un schéma d'analyse du développement historique devenu linéaire.

On aura compris que derrière la question précise du renversement de l'ascétisme hors du monde en un ascétisme intramondain régissant les activités quotidiennes se loge un débat d'interprétation de la théorie wébérienne de l'histoire. Dans sa biographie intellectuelle de Max Weber, Reinhard Bendix attire l'attention sur le danger de cette réduction. Reconnaissant que Weber donnait aux différentes manifestations de la rationalisation méthodique des conduites de vie la signification d'un « processus global », il insiste sur le fait que ce processus n'est pas conçu comme « inévitable, sans équivoque et irréversible [9] ». Telle est en effet la question que soulève l'énigme signalée : la reconnaissance des formes d'ascétisme actif dans le monde ne conduit-elle pas à un évolutionnisme de la théorie de l'histoire qui reviendrait à n'identifier la rationalisation religieuse empiriquement efficace que dans les seules espèces du puritanisme protestant ? Habermas semble adopter ce point de vue interprétatif en montrant que pour Weber la pénétration de l'ascétisme dans les « domaines de vie extra-religieux » se confond avec une forme de laïcisation de l'éthique religieuse de la conviction et s'identifie avec l'émergence de la doctrine protestante de la vocation [10].

À ces deux solutions quelque peu brutales on aurait envie d'opposer une attitude intermédiaire, qui réserve pour un temps encore la question de la cohérence du schéma d'explication historique et insiste sur la diversité des formes d'apparition d'un ascétisme dans le monde. Raymond Aron suggère cette solution, en signalant comment Max Weber retarde la réduction historique de la pluralité des visions religieuses du monde au schéma du désenchantement. Selon Raymond Aron en effet, pour Weber « chaque religion a dû, à chaque époque, trouver des compromis entre les exigences qui résultaient des principes religieux et les exigences internes à un certain domaine d'activité [11] ». Ce pourquoi l'on insistera ici sur les structures de compromis mises au jour par Max Weber. En soulignant qu'il s'agit avec elles non de supprimer la tension entre le monde et les exigences éthiques des religions de salut, ni même d'abandonner l'appréciation péjorative des registres de l'existence vécue, mais de saisir une réorientation de l'interprétation des techniques de salut dans un sens qui s'accommode d'une participation aux affaires mondaines. Une participation qui pourrait alors devenir l'un des réceptacles où s'exerce la mise à l'épreuve du croyant dans la perspective du salut.

Travail et charité : l'acclimatation de l'économie

S'agissant de l'opposition entre l'éthique religieuse et l'économie, la structure du conflit se trouve déjà partiellement disjointe dans la distinction entre les attitudes mystiques et ascétiques. Seul le mysticisme en effet radicalise le rejet éthique de toute rationalisation économique, selon une logique qui apparaît au mieux sur une question centrale : celle de la charité. Située à la charnière de l'éthique et du rapport au monde, la question de la charité est l'objet d'un traitement systématique dans le cadre du mysticisme. Mais celui-ci se révèle d'autant mieux qu'il consiste en une réponse aux défis lancés par la rationalisation économique. Confronté à l'absence de prise des principes éthiques de fraternité sur « la réalité dénuée d'amour du monde économique », le mysticisme refuse d'adapter ses exigences et répond en renforçant l'impératif d'amour désintéressé du prochain. Plus encore, il « l'élève jusqu'à cette bonté sans discrimination qui ne s'interroge ni sur la raison et le résultat du don absolu de soi ni sur la dignité et la capacité du demandeur à s'aider lui-même et donne aussi sa chemise à qui ne lui demande que son manteau [12] ». En ce sens, il offre la forme ultime de la fuite hors du monde, qui pousse le rejet de la réalité mondaine jusqu'à cette forme d'abstraction qui s'identifie au don sans objet pour un individu parfaitement interchangeable, un « prochain » réduit à son épure : celle de quiconque « se trouve par hasard sur sa route, notable seulement par sa détresse et son besoin d'assistance ».

L'ascétisme en revanche inverse la tendance et se prête volontiers à des formes de rationalisation de la charité qui auront des conséquences sur l'économie en général. La rationalisation de la

charité passe tout d'abord par la lutte contre les formes traditionnellement anarchiques de distribution des aumônes. Institution des
hospices et répartition méthodique des deniers dans l'Occident
chrétien à la fin du Moyen Âge, ritualisation de la mendicité à
Byzance ou en Chine, centralisation de l'impôt des pauvres dans
l'Islam, autant d'indices d'une logique d'institutionnalisation du
problème de la charité. Mais sa rationalisation intervient surtout
avec le renversement de l'attitude vis-à-vis des pauvres qu'impose
l'ascétisme calviniste. Dans ce cadre en effet est mis un terme à
la bienveillance à l'égard du mendiant dont le statut est réinterprété
en vertu de l'idée de la providence, selon laquelle Dieu doit avoir
des raisons pour répartir les richesses de manière inégale. Ce qui
veut dire que le pauvre est responsable de son sort, pour autant
qu'il est dans la capacité de subvenir à ses besoins par le travail.
Et que le devoir de charité est restreint aux catégories incapables
de travailler (orphelins, infirmes), dans une perspective qui
demeure « la plus grande gloire de Dieu », mais selon une logique
par laquelle « l'assistance aux pauvres vise à intimider les pares-
seux [13] ». En ce sens, la charité devient elle-même une entreprise
rationnelle, qui met en cohérence la valorisation religieuse du travail comme organisation méthodique de la vie et le devoir éthique
de solidarité.

Le traitement du problème de la charité témoigne pourtant dans
l'ordre économique d'une donnée plus générale et qui tient à ce
que « dans le domaine des faits, l'éthique religieuse a connu des
fortunes diverses par suite des compromis inévitables [14] ». De ces
compromis, Max Weber donne quelques exemples. L'utilisation à
des fins économiquement rationnelles des sentiments d'obligation
religieuse par les créanciers. Le paradoxe qui fait que l'ascétisme
monastique entraîne une accumulation méthodique de richesses.
La nécessité pour les religions dotées d'une organisation institutionnelle de s'assurer les moyens d'une puissance économique.
Toutefois, aucune de ces formes de compromis, ni même leur
éventuel ajout les unes aux autres, ne saurait suffire à enrayer la
logique qui, en Occident, tend à laisser incompatibles les nécessités des affaires et l'idéal de vie chrétien. À ce titre, même si la
pratique des indulgences atténue largement le rigorisme éthique
associé à la prohibition de l'intérêt, elle n'a pas permis la mise au
jour d'une « méthode éthique cohérente » dans le domaine économique [15]. Un domaine qui demeure donc largement en friche du
point de vue des exigences du salut, en dépit de compromis qui
relèvent du factuel plus que d'une transformation éthique.

Plus symptomatique d'une réorientation globale de l'attitude
éthique vis-à-vis de l'économie, l'exemple du judaïsme éclaire

mieux les conditions du compromis religieux avec le monde. À son propos, Max Weber parle d'une religion « attentive » au monde, c'est-à-dire ni directement adaptée puisqu'elle refuse les hiérarchies mondaines, ni organisée autour d'un principe éthique de rejet des activités terrestres [16]. Cette position médiane fait du judaïsme un exemple particulièrement propice à l'observation de l'émergence des formes de compromis avec l'activité économique. Sur cette question fortement controversée, l'adversaire de Weber est Werner Sombart, au travers de son interprétation du lien entre le judaïsme et l'industrie capitaliste comme facteur formateur de l'économie moderne [17]. En l'occurrence, Weber met en avant une composante sociale, liée à la situation de paria faite au peuple juif et qui marque de son empreinte la signification éthique donnée aux relations économiques. Il s'agit de la manière dont le cadre fortement communautaire de l'existence donne naissance à une « double morale » selon laquelle « ce qui est condamné " entre frères " est permis envers les étrangers [18] ». Cette dualité de l'exigence éthique en fonction des dimensions intra et extra-communautaires de la vie est à l'évidence favorable à une atténuation de l'interdit lié à l'intérêt. D'un côté, l'éthique juive est fortement traditionaliste, proscrivant l'usure entre membres de la communauté et imposant un devoir de fraternité. Mais elle peut aussitôt devenir par ailleurs « indifférente » à l'attitude adoptée dans les échanges avec les étrangers [19].

Cette configuration dans laquelle un investissement dans les affaires, par le biais de ce que les éthiques traditionalistes répriment, devient à tout le moins « toléré par Dieu » puis finalement « moralement indifférent », cerne la contribution précise du judaïsme aux compromis avec le monde économique. Une contribution dont la limite est fixée par le fait que si le juif pieux peut interpréter religieusement son succès dans le monde, c'est au moyen d'une compensation entre les différentes sphères d'activité, sans qu'il lui soit toutefois « facile de se confirmer sur le plan éthique au moyen de l'activité d'acquisition économique spécifiquement moderne [20] ». Ce qui permet alors d'esquisser la typologie des relations qu'entretiennent les religions de salut occidentales avec les compromis économiques. Seul l'ascétisme puritain franchira en effet le dernier pas, qui conduit à l'idée selon laquelle le succès économique a bien une signification positive « au plan authentique de la validité éthique [21] ». Seul il poussera le compromis avec le monde des échanges jusqu'au point où la méthode rationnelle de maîtrise de l'ensemble des conduites de vie s'objective dans l'entreprise économique. *A contrario* le catholicisme maintient, seul lui aussi, le principe suivant lequel la vie des affaires est « directement suspecte » ou, à tout le moins, « non agréable à Dieu ». Refusant la valorisation éthique qu'engagera le puritanisme, ignorant la « double morale » en vigueur dans le cas du judaïsme, il tolère tout au plus un « laxisme » éthique insuffisant en tout état de cause pour une réorientation de la perspective du salut dans un sens favorable à l'économie. Ainsi Max Weber peut-il illustrer cette thèse en soulignant la persistance jusqu'au XVe siècle de la sentence : *homo mercator vix aut numquam potest Deo placere* [22].

L'expérience du confucianisme livre un enseignement d'une autre nature et fortement paradoxal. Dans l'essai qu'il consacre à sa comparaison avec le puritanisme, Max Weber insiste sur la présence d'éléments qui entreraient, dans un autre contexte, directement dans la dynamique d'une rationalisation de l'économie par l'éthique religieuse. Mais c'est pour aussitôt constater qu'il n'en est rien et mieux cerner la hiérarchie des composantes décisives pour ce procès. D'un côté, un monde vécu où l'argent occupe une place bien plus grande que dans bien des civilisations comparables [23]. Une culture qui valorise le bien-être matériel comme un « but suprême [24] ». Et même une mobilisation des techniques du calcul visant à favoriser des mesures de « *politique* économique » dont on ne trouverait d'exemples nulle part ailleurs. Pourtant, à la convergence de ces facteurs ne vient s'associer aucune des caractéristiques d'un capitalisme naissant. À cela deux raisons, qui viennent négativement confirmer le système des hypothèses de Max Weber. En premier lieu, le fait suivant lequel « on ne crée pas une mentalité économique capitaliste avec une *politique* économique [25] ». En d'autres termes, une rationalité fiscale et une politique économique, même accouplées à une éthique religieuse qui ne s'oriente pas « *intentionnellement* contre l'argent », ne suffisent pas à produire un style de vie favorable à l'accumulation. Il manque en effet en second lieu la donnée qui apparaît mieux alors comme décisive : la médiation entre une éthique religieuse et une « méthode de vie (*Lebensmethodik*) bourgeoise ». Plus précisément encore, l'élément absent consiste dans la maîtrise de soi qui conduit à « réprimer » la soif de gain pour l'accumulation systématique des richesses. Lorsqu'elle existe chez le Confucéen, celle-ci a une signification esthétique plus que directement éthique, tournée vers l'accomplissement de soi de « l'homme distingué » et non vers la valorisation d'une maîtrise du monde extérieur [26]. À la différence du puritanisme, le confucianisme offre une variante des compromis avec le monde économique qui passe par « l'adaptation rationnelle au monde » et non par la « domination rationnelle du monde [27] ».

Les accommodements avec l'univers
politique de la violence

Les compromis de l'éthique religieuse avec le monde politique
sont *a priori* plus incertains, en vertu de la nature même d'une
activité qui manipule inévitablement la violence. On sait que Max
Weber rattache la tendance des grandes religions de salut au rejet
du politique au fait que ce dernier requiert des individus la possibilité d'un devoir de mourir pour la communauté, selon une
sacralisation de la mort dont la religion revendique le monopole.
À cette donnée s'ajoute celle qui découle des dispositions que
sollicite la politique dans ses formes actives, dispositions radicalement opposées aux réquisits d'une éthique de fraternité. Ainsi,
« l'activité authentiquement politique repose sur les qualités
moyennes de l'homme, les compromis, la ruse et l'emploi d'autres
moyens, surtout en hommes, que l'éthique réprouve, ainsi que sur
la relativisation de tous les buts : elle requiert donc l'abandon des
exigences éthiques rigoristes dans une mesure infiniment plus
grande que l'activité économique [28] ». Dès lors l'éventail des possibilités de compromis est plus étroit que lorsqu'il s'agit d'autres
activités et les facteurs qui les expliquent doivent souvent être
cherchés hors du domaine propre aux éthiques religieuses. Dans
la pression externe d'un monde où peu ou prou le politique
s'autonomise selon des voies spécifiques. Ou encore dans l'impact
du développement de formes de religiosités symptomatiques de la
situation de certains groupes sociaux.

Du point de vue de la typologie des attitudes religieuses dans
le monde, la religiosité mystique est la plus éloignée de toute tendance au compromis avec le politique. C'est en son sein que se
développe le dispositif le plus cohérent visant à immuniser le
croyant contre la tentation du pouvoir. Par une vision globale qui
dévalorise l'engagement dans le monde en général : « Parce que
la quête mystique du salut, cherchant à minimiser l'activité et affirmant la nécessité de passer dans le monde incognito exige cette
attitude d'humilité et de sacrifice de soi en tant qu'unique moyen
de confirmer son salut [29]. » Mais aussi par la radicalisation du
« sentiment d'amour acosmique sans objet », qui érige le devoir
de fraternité en impératif universel, incompatible avec les formes
agonistiques de l'activité politique [30]. En ce sens se renouvelle le
conflit entre « toute éthique de héros, sûre d'elle-même et s'en
tenant au monde » et les diverses formes d'un « antipolitisme radical de la recherche mystique du salut, toute de bonté acosmique

et de fraternité [31] ». À titre d'exemple, le bouddhisme et le christianisme primitif se rejoignent sur un rejet du politique fondé sur l'idée qu'il ne faut pas résister au mal par la violence. Avec toutefois pour conséquence le fait que les conditions de la survie d'une forme de religiosité peuvent être menacées par l'application de ce principe.

À l'inverse, les compromis de l'éthique religieuse avec le monde du politique sont facilités dans deux occurrences. Celle tout d'abord où l'éthique plaide en faveur d'une « adaptation intelligente de l'homme cultivé au monde [32] ». Il en est ainsi dans l'univers du confucianisme, où la possibilité d'une adaptation se déploie en politique par des moyens similaires à ceux observés au regard de l'activité économique. Mais la structure de compromis est plus décisive encore dans le cadre de l'ascèse intramondaine qui limite aisément le devoir de fraternité dans l'intérêt des « affaires » de Dieu. S'agissant de l'ascèse puritaine de la vocation, par exemple, la volonté de Dieu s'interprète de la manière suivante : « Ses commandements doivent être imposés à ce monde des créatures, soumis à la violence et à la barbarie éthique, et éventuellement par le moyen propre à ce monde, c'est-à-dire la force [33]. » C'est pourtant le cas de l'Islam antique qui fournit l'occurrence la plus claire d'une suppression du conflit entre éthique et politique, au travers d'une sorte de sacralisation de la guerre comme moyen du salut. Ici, la religion « a pour devoir de propager la vraie prophétie par la violence, renonce consciemment à la conversion universelle et reconnaît comme but non le salut de ceux qu'elle soumet, mais la subjugation et la soumission des incroyants sous la domination d'un ordre dominateur consacré, par devoir fondamental, à la guerre sainte [34] ». Avec toutefois deux conséquences contradictoires. En premier lieu le fait que « la violence ne fait pas problème [35] », ce qui permet un investissement immédiatement religieux du politique. Mais aussi en retour une sorte d'atténuation du principe d'universalité propre aux religions de salut, puisque « la situation voulue par Dieu c'est, précisément, la domination violente des croyants sur les incroyants, qui ne sont que tolérés [36] ».

Si l'on se place cette fois sous l'angle d'une comparaison entre les grandes religions, trois exemples illustrent une relative facilité du compromis avec le monde politique. Celui de l'Islam, par le fait qu'il produit directement une grille éthique d'interprétation du monde empruntant les catégories du politique. Ce qui revient à dire que les formes d'action propres au politique sont immédiatement logées dans les structures de l'activité visant à la recherche du salut. Est ainsi caractéristique la figure du « combattant de la

foi », chargé de « dompter le monde du péché » pour la gloire de
Dieu, dans le contexte de guerres « saintes » ou « justes [37] ». Le
judaïsme quant à lui offrirait l'exemple d'un biais beaucoup plus
indirect d'atténuation du conflit entre éthique et politique. C'est
ici la situation d'un groupe paria exclu des droits politiques qui
est décisive. Avec elle les conflits sont isolés et limités à quelques
occurrences de contradiction entre les demandes concrètes de
l'État et les impératifs éthiques de la religion. Mais de manière
plus globale, ni l'État ni le pouvoir ne sont *a priori* condamnés,
le judaïsme ayant même « attendu dans le Messie son propre des-
pote politique, au moins jusqu'à la destruction du Temple par
Hadrien [38] ». Pour des raisons différentes aux conséquences toutefois similaires, le bouddhisme supprime les conditions du
conflit : « Toutes relations sont rompues avec le monde de l'action,
la violence personnelle de même que la résistance au pouvoir sont
strictement interdites, et aussi sans objet [39]. »

Mais on voit dès lors trop bien l'ambiguïté d'un thème logé
dans deux de ces exemples et qui a des conséquences comparables
en dépit de significations divergentes : celui du martyre. Dans un
cas, celui d'une « religiosité communautaire (qui) rejette toute violence comme contraire à la volonté divine et convainc réellement
ses membres de s'en abstenir, sans toutefois en tirer la conséquence qu'il faut fuir absolument le monde », le martyre conduit
à une « tolérance passive, antipolitique, du despotisme [40] ». Dans
l'autre cas, à l'inverse, le martyre est celui du croyant devenu
« combattant de la foi » et qui poursuit directement son salut en
s'engageant dans un combat politique violent mené au nom du
principe divin. Symptomatique de cette ambivalence est alors
l'exemple du conflit interne au protestantisme entre les formes
d'ascèse plaidées respectivement par Luther et Calvin. Pour le premier, le refus de la guerre de religion et du droit de résistance à
la profanation de la foi fait fond sur une volonté de ne pas « mêler
le salut aux affaires de pouvoir », selon une stricte distinction du
spirituel et du temporel [41]. En revanche est défendue une obéissance aveugle à l'autorité publique, puisque « la sphère des autorités séculières n'est en rien touchée par les postulats rationnels de
la religion [42] ». Avec pour conséquence le fait que la responsabilité
d'une guerre politique repose sur ces seules autorités et que « le
sujet ne charge pas sa conscience s'il obéit activement ici, comme
pour tout ce qui ne détruit pas sa relation à Dieu [43] ». À l'inverse,
pour Calvin, l'apolitisme propre à l'éthique religieuse cède devant
une autre exigence : le « devoir de défendre la foi par la violence,
contre les tyrans [44] ». Avec cette fois pour effet que le calvinisme

« légitimait les guerres de religions », là où Luther se contentait de soustraire l'individu à la responsabilité éthique de la guerre [45].

Reste qu'il faut remonter plus haut pour saisir l'ensemble le plus significatif des oscillations de la religion et restituer la forme des compromis entre l'éthique et le politique : à un point de vue global sur le christianisme. S'agissant de ses formes primitives et médiévales en effet, le spectre des positions balaie presque l'intégralité des attitudes possibles. Un « refus total de l'Empire romain existant, en tant que domination de l'Antéchrist [46] », dans la période initiale et dans un contexte d'attente eschatologique structuré par l'idée que l'Empire durerait jusqu'à la fin du monde. Puis, une « indifférence totale envers l'État », doublée d'une soumission passive à un pouvoir toujours taxé d'illégitimité. Il faut ici noter que la formule qui résume cette attitude, « rendre à César ce qui appartient à César », se laisse interpréter pour Max Weber non comme une « reconnaissance positive du train du monde », mais comme une indifférence voulue envers lui. En ce sens c'est toujours le cadre de l'attente eschatologique qui prévaut, entraînant le fait que l'accomplissement des obligations politiques qui ne menacent pas directement le salut est dénué de toute signification religieuse, positive ou négative.

À ces attitudes initiales dont les résurgences historiques demeurent possibles succéderont deux formes contradictoires de rapport au politique. La première se caractérise comme suit : « Abstention envers la chose politique concrète, parce que y participer conduit nécessairement au péché (culte des Césars), mais reconnaissance positive de l'autorité, même exercée par des incroyants, comme, en quelque sorte, voulue par Dieu (même si elle est peccamineuse) [47]. » Dans un tel cadre, l'existence même des autorités politiques détentrices de pouvoir est vécue comme signe du péché originel, leur acceptation étant alors une forme de docilité. La seconde quant à elle opère un glissement vers une « évaluation positive de l'autorité, même exercée par des incroyants, en tant que moyen indispensable dans l'état de péché pour réprimer les péchés déjà réprouvés par les païens non illuminés sur le plan religieux mais à qui Dieu a donné une connaissance naturelle [48] ». C'est alors la nécessité de l'autorité en tant que telle qui est mise en avant, sans considération de sa forme et en vertu d'une sorte d'anthropologie fondamentale. À quoi il faudrait encore ajouter que ce type de rapport entre éthique religieuse et pouvoir survit à la reconnaissance comme religion d'État. Et que seule l'Église médiévale a opéré une transformation décisive des liens entre les deux sphères.

En rejoignant sur ce point les thèses d'Ernst Troeltsch, Max

Weber opère donc une distinction entre deux séquences historiques discontinues. Dans la première prévaut la doctrine stoïque du christianisme primitif, centrée sur l'idée d'un « âge d'or et d'un état bienheureux originel d'égalité universelle, anarchique, des hommes [49] ». Weber peut y déceler l'origine lointaine du « droit naturel », entendu comme solution au problème affronté par le christianisme du lien entre le registre de la révélation religieuse et les formes politiques positives dans le monde. La seconde séquence en revanche sollicitera un réinvestissement de l'idée d'une diversité naturelle parmi les hommes, justifiant des différences d'états à l'appui d'une conception renouvelée du rapport au politique. La doctrine de Thomas d'Aquin fournit ce dispositif, afin de « résoudre les tensions entre l'éthique religieuse et les exigences non éthiques et anti-éthiques de la vie à l'intérieur de la structure du pouvoir étatique et économique du monde ». Ce n'est alors que beaucoup plus tardivement, au terme d'une « transaction cas par cas » avec la situation nouvelle créée par la naissance d'un État juridique que s'opère une adaptation de la doctrine éthique du catholicisme au politique. Encore faut-il noter qu'elle se profile de façon mimétique : lorsque les adaptations de l'éthique religieuse « constituent un sauvetage des intérêts du pouvoir ecclésiastique élevé concrètement au rang de " raison d'Église " par des moyens modernes semblables à ceux qu'utilise le pouvoir séculier [50] ».

La leçon de ce dernier exemple acquiert alors une portée générale. Pour Weber en effet, « seule l'éthique professionnelle de l'ascèse dans le monde est réellement adaptée, sur le plan inférieur, à l'objectivation du pouvoir [51] ». Ce qui veut aussitôt dire que se manifestent ailleurs ou sous une autre forme des résistances éthiques au procès de rationalisation politique. Sous d'autres formes, lorsqu'une tendance à « la fuite accrue dans les irrationalités du sentiment apolitique » répond à la violence captée par l'État rationnel au travers de la renaissance du mysticisme ou par la reviviscence des formes d'une « éthique acosmique de la " bonté " absolue » dont le pacifisme serait le symptôme. Il faut alors noter que ce peut être par d'autres biais que surgissent des formes de « rejet antipolitique du monde », lorsque le discours religieux peut offrir un réceptacle à « l'éthique de ceux qui sont dominés [52] ». En précisant toutefois avec Weber qu'il s'agit moins alors de voir des intérêts sociopolitiques nourrir des sentiments religieux que de saisir la naissance de ces derniers dans la suppression de ces intérêts au sein de structures communautaires. Mais ces résistances s'opèrent aussi ailleurs, puisque c'est, par exemple, la sphère érotique qui peut être réinvestie par une éthique religieuse soumise à une trop forte adaptation au politique.

Sexualité et esthétique :
les voies d'une reconnaissance

Toutes choses égales par ailleurs, il se pourrait que les facteurs qui poussent au compromis entre l'éthique religieuse et le politique soient en partie comparables à ceux qui expliquent l'investissement éthique de la sexualité. On sait combien l'univers des éthiques radicales propres au mysticisme ou à l'ascétisme hors du monde est *a priori* hostile à une interprétation valorisante de l'érotisme. À tout prendre même, on pourrait voir dans l'abstinence le moyen par excellence d'une quête du salut orientée par le détachement d'un monde vécu comme le règne de l'instinct tirant l'homme vers l'animalité. Tout se passe pourtant comme si la dimension communautaire des formes de religiosité en cause finissait par prendre le dessus, en considération des conséquences irrationnelles d'un principe de chasteté érigé en critère absolu. En ce sens, c'est une dynamique propre à la rationalité des relations communautaires qui conduit à la juxtaposition d'une autre logique. Celle qui prône la technique ascétique de la « vigilance », et plus précisément encore « la maîtrise de soi et la vie méthodique [53] ». Apparemment triviale au plan de ses motifs, la structure des compromis entre l'éthique religieuse et la sphère érotique est cependant décisive. Directement, dans la mesure où l'adaptation au monde par le biais d'un impératif de maîtrise méthodique de soi entraîne des conséquences décisives au plan de la rationalisation des relations interpersonnelles dans le monde vécu des communautés. Indirectement aussi, pour autant que la manière dont « l'ensemble de l'existence humaine de plus en plus rationalisée sort du circuit organique de la simple existence paysanne et agit sur les rapports avec l'éthique [54] » finit par s'étendre à d'autres plans. Et tout particulièrement à ceux qui touchent au conflit entre l'éthique religieuse et la sphère intellectuelle, au travers de l'art et de la connaissance abstraite du monde.

S'agissant de cette dernière localisation du conflit entre les éthiques du salut et le monde, Max Weber insiste sur deux registres de facteurs poussant au compromis. Ceux qui tiennent à la logique d'une autonomisation des sphères de l'art et de la connaissance, selon un procès qui force la doctrine religieuse à s'adapter face à l'émergence d'activités productrices de sens. Mais ceux qui relèvent aussi de composantes plus directement sociales, découlant de l'apparition de couches nouvelles de clercs contestant le monopole d'interprétation du monde. Pour ce qui concerne le premier plan, on se souvient de l'insistance de Weber sur le fait que peu ou prou toutes les religions de salut requièrent un « sacrifice de l'intelligence », entendu comme l'attente de ce que le désir d'interprétation systématique du sens du monde cède devant l'adhésion à sa vérité révélée [55]. En ce sens, elles supposent la préservation d'un pouvoir « d'illumination », le respect d'une part inexplicable et incommunicable de l'expérience mystique. Et elles confirment une hostilité déclarée à l'égard d'une expérience esthétique conçue comme une forme pernicieuse de rédemption dans le monde, à l'écart des voies traditionnelles de recherche du salut.

La première voie de compromis avec le monde de l'esthétique et de l'intellectualisme est ouverte dans le sillage d'un mouvement de rationalisation propre aux religions universelles. Si lors du moment prophétique le conflit est radical avec une forme de rédemption illusoire offerte par l'œuvre humaine, la religiosité de masse semble supposer des moyens qui la retrouvent dans son combat contre la magie et l'idolâtrie. Une dialectique complexe se met alors en place entre le rejet d'une fausse rédemption intra-mondaine par l'art et le besoin de substituts efficaces aux modes magiques d'accès au salut. De ce point de vue peuvent alors se déceler des affinités électives sous forme de compromis entre les types de religiosités émotionnelles et différents registres de l'expérience artistique. Ainsi la religiosité orgiaque pourra-t-elle se tourner vers la musique et le chant, celle qui s'appuie sur le ritualisme vers les arts plastiques et enfin les formes de religiosité « où l'amour est prépondérant » (*Liebesreligiosität*) vers la poésie lyrique ou à nouveau la musique [56]. À quoi peuvent encore s'ajouter des intérêts plus directs, lorsque, par exemple, les moines byzantins usent du commerce des icônes dans leur combat contre le pouvoir césaro-papiste appuyé quant à lui sur une armée iconoclaste.

De façon parallèle, un espace de compromis est largement ouvert par le rôle que jouent les couches spécifiques d'intellectuels dans la formation, la réception et la diffusion des éthiques propres aux grandes religions de salut. Là encore, la religiosité intellectuelle est *a priori* menaçante, dans la mesure où elle désenchante le monde en le considérant comme un problème dont le sens est à percer et à résoudre. Pourtant, cette spécialisation peut aussi se retourner et mettre au service de l'éthique religieuse ses capacités d'analyse et de didactique. Tel est notamment le cas des « couches populaires d'intellectuels juifs [57] », nées dans le contexte social d'un rejet de l'indifférence observée chez « les riches et les

superbes » et devenues rapidement nécessaire à la diffusion de la
Loi dans le contexte d'une communauté fragilisée par la domination étrangère. Opposée au rabbinat en tant que « couche pro-
létaroïde », cette forme d'interprètes a notamment joué un rôle
décisif dans le travail des Écritures et largement contribué à donner
sa spécificité à une religion du Livre pour laquelle l'enseignement
devient essentiel à la survie. En ce sens, elle est l'archétype d'un
mouvement plus vaste, propre à tout le moins à l'ensemble des
religions du Livre.

Ainsi Max Weber observe-t-il la transposition du judaïsme vers
le christianisme primitif de la catégorie des docteurs de la Loi et
des formes d'intellectualisme petit-bourgeois qu'elle entraîne. En
ce sens, si le premier christianisme promeut une doctrine de salut
qui prend position contre l'intellectualisme, il retrouve rapidement
les formes abstraites de la pensée des docteurs. À titre d'illustration, on peut relever que « l'argumentation des *Épîtres* de saint
Paul constitue le type suprême de la dialectique de l'intellectualisme petit-bourgeois [58] ». Elles supposent en effet un degré élevé
d'imagination logique, un entraînement à des modes de raisonnement réservés à certaines couches et surtout un décalage entre une
idée de l'adaptation des préceptes au fait de la vie quotidienne et
une doctrine de la justification beaucoup plus ésotérique. Reste
que Weber réduit aussitôt l'importance du rôle des couches intellectuelles dans la formation et la diffusion du christianisme médiéval. Limité au phénomène du monachisme ou enfermé dans la
logique des sectes, l'impact de l'intellectualisme est restreint,
cédant la place dès l'époque carolingienne à l'influence de
« couches cultivées » qui n'entrent pas dans un processus de spécialisation. Esquissant alors une sociologie de l'humanisme, Max
Weber insiste surtout sur l'ambiguïté au moment du schisme, puis
le rôle second joué par les humanistes dans les procès de la
Réforme et de la Contre-Réforme. Avec pour conséquence une
perte d'influence croissante des intellectuels humanistes, y compris
au début des Lumières [59].

Le bilan de Max Weber est alors très contrasté, s'agissant des
structures de compromis entre l'éthique religieuse et la sphère
intellectuelle. À tout prendre même, la conclusion est abrupte, qui
semble fortement dissocier l'impact des grandes religions de salut
et l'incidence des formes intellectualistes de rationalisation du
monde. En un sens, Weber semble saisir l'origine du compromis
hors du domaine religieux, dans l'attitude des intellectuels. Il souligne alors « le besoin des intellectuels, que ceux-ci soient litté-
raires, universitaires-aristocratiques ou intellectuels de cafés, de ne
pas négliger les sentiments " religieux " dans leur inventaire des

sources de sensations ou de sujets de discussion, le besoin des écrivains de composer des livres sur ces problèmes intéressants et le besoin encore plus efficace d'éditeurs astucieux de vendre de pareils livres ». Mais c'est pour aussitôt noter que tous ces éléments ne fournissent que « l'illusion d'un vaste " intérêt religieux " ». Et conclure enfin que « cela ne change rien au fait que jamais encore une nouvelle religion n'est née d'intérêts de ce genre manifestés par des intellectuels, pas plus que des bavardages de ces derniers. Le reflux de la mode emportera de nouveau ce sujet de convention et de journalisme, de même que son flux l'a mis en vogue [60] ».

La voie occidentale du désenchantement

Parcourue selon différents registres d'activité qui vont de l'économie à la sphère intellectuelle en passant par le politique, l'analyse des logiques de compromis entre les grandes religions et le monde a déjà mis au jour quelques-unes des affinités qu'entretient l'Occident avec le processus global d'adaptation de l'éthique religieuse au monde vécu. Reste alors à cerner de manière plus synthétique les raisons qui poussent Max Weber à identifier le processus de la rationalisation avec la transformation des grandes religions occidentales. Celles-ci sont essentiellement de deux ordres qui touchent d'une part aux composantes spécifiques par lesquelles une forme occidentale de religiosité se détache du fond commun des grandes religions, d'autre part à un certain nombre de facteurs institutionnels et sociaux qui organisent une rationalisation croissante du rapport au monde. Abordant ce problème de la différenciation d'une voie proprement occidentale de traitement de la question du salut, il faut garder en mémoire cette remarque générale de Max Weber qui pose que « la différence historique entre les variétés principalement orientales et asiatiques du fond commun des religions de salut et les variétés qui prédominent en Occident, réside en ce que les premières débouchent essentiellement sur la contemplation et les secondes sur l'ascétisme [61] ».

On ne reviendra pas ici sur les formes typiques de l'opposition entre le mysticisme contemplatif et l'ascétisme. Sauf à rappeler l'aspect de cette opposition qui entre directement dans le schéma d'explication du désenchantement : celui qui touche à l'attitude du croyant vis-à-vis du monde. Pour l'ascète en effet, « la certitude du salut se vérifie sans cesse dans une activité rationnelle dont le sens, les moyens, le but sont sans équivoque et s'appuient sur des principes et des règles [62] ». En ce sens, si l'irrationalité du monde fait à ses yeux problème, c'est toujours avec la perspective d'en changer le cours, *a minima* grâce à un comportement exemplaire, ou de façon plus décisive selon des modalités qui peuvent aller jusqu'à la transformation révolutionnaire des choses. À l'inverse, la réalité du monde est peu significative pour le mystique qui s'attache avant tout à la possession effective des biens du salut. Avec pour conséquence le fait que « le sentiment de son salut ne se manifeste pas dans l'action et ses modalités, mais au contraire dans un état subjectif et la qualité qu'il revêt ».

Le premier élément de généalogie propre à cette opposition touche la question centrale de la représentation du divin. Plus précisément, l'orientation spécifique de la religion occidentale trouve son origine au Proche-Orient, dans « la conception d'un dieu transcendant, d'une toute-puissance absolue, et le caractère de créature du monde qu'il a créé à partir du néant [63] ». Cette représentation avait en effet pour conséquence directe le fait de barrer la route à un certain nombre de méthodes de salut, telles que l'autodivinisation ou encore la possession mystique. En ce sens, elle opère déjà, au strict plan des représentations, une rupture avec la vision magique du monde en substituant l'image d'un ordre voulu et créé par Dieu à la vision d'un univers mystérieux, « enchanté », peuplé de puissances invisibles et agissantes. Mais c'est surtout en déplaçant ou peut-être, plus simplement, en inventant la question de la rédemption que cette conception du divin devait orienter le désenchantement du monde. Avec elle en effet, « toute rédemption a dû prendre le caractère d'une " justification " éthique devant Dieu, justification qui, en dernière analyse, devait s'accomplir et être garantie par une conduite active (dans le monde), quelle qu'elle fût [64] ».

Outre les aspects directement liés à l'idée d'un monde créé et qui de ce fait ne peut plus être jugé totalement absurde ni même indifférent, c'est l'imbrication des œuvres qui devient typique d'une attitude favorable à la rationalisation. D'un côté, en tant qu'œuvre de Dieu, le monde ne peut plus être l'objet d'un refus radical, quitte pour le croyant à devoir affronter une série de conflits entre les impératifs de son éthique et les formes d'imperfection rencontrées dans les différentes sphères d'activité. Mais en retour, la vie immergée dans le cours de ce monde devient à elle seule une œuvre qui ne peut plus se confondre avec la simple union cosmique dans un ordre intemporel et infini. Déposée dans la quotidienneté de l'existence, l'exigence éthique qui régit la question du salut se redéploie dans les différents registres de l'activité. De manière concentrée et restreinte, lorsque c'est dans l'espace clos du monastère que s'organise une maîtrise rationnelle du comportement. D'une façon plus ouverte, au moment où l'ascétisme sort de sa réclusion pour développer une méthode systématique d'acquisition des biens du salut par une activité réglée dans l'univers des relations sociales, politiques et économiques.

L'impact de l'idée de création est alors d'autant plus important qu'il permet de détacher la religiosité occidentale d'un type d'intellectualisme qui maintiendrait la notion d'une signification ésotérique du monde empirique. Alors que, par exemple, la représentation d'un monde « pénétré » par les divinités persiste dans les formes les plus sophistiquées de la religion indienne, elle devient interdite dès l'intervention d'un dieu transcendant. Avec lui en effet s'impose au croyant « le paradoxe absolu de la " création " d'un monde constamment imparfait par un dieu parfait [65] ». Paradoxe qui a pour conséquence que la contemplation purement intellectualiste de Dieu tendrait à tout prendre à éloigner de lui, lors même que l'investissement du monde et l'affrontement à ses problèmes l'en rapproche. À ce titre, la voie qui consisterait à explorer une réconciliation du monde empirique et de l'univers religieux par une philosophie mystique cherchant à dépasser les antinomies de la connaissance et de l'action par abstraction semble barrée en Occident. Reste alors la perspective d'une résolution pratique de ces antinomies, qui pousse indéniablement aux compromis avec les registres du monde de l'action.

Le troisième facteur décisif de spécification d'une religiosité occidentale est perçu par Max Weber sur un tout autre plan. Il concerne le fait que seul l'Occident ait mis en place et maintenu un droit rationnel. Cet élément central, qui éclairera plus tard la formation des cadres politiques de l'État moderne, est sans doute ce qui dessine le plus tôt l'orientation rationnelle d'un rapport au monde d'abord perçu dans les catégories religieuses. C'est ici une homologie de structure qu'il faut identifier, entre une relation de l'homme à Dieu structurée sur le mode de la sujétion et un espace social organisé par des logiques procédurales. S'agissant de la genèse des représentations, l'héritage est cette fois romain, qui rencontre une composante plus ancienne encore, léguée par le judaïsme. Le fait de pouvoir donner à l'obéissance à Dieu une forme juridique, l'idée selon laquelle le problème du salut pourrait être « résolu par une sorte de procédure » entraînent une fois encore une série de conséquences qui vont de la définition de la nature même de l'obéissance à des similitudes fonctionnelles entre institutions ecclésiales et politiques. À nouveau, cet édifice qui suppose une extériorité de Dieu par rapport au monde et la représentation d'une transcendance était inconcevable dans le cadre des religions orientales. Celles qui logent le divin à l'intérieur d'un ordre éternel de l'univers. Celles qui le reconnaissent sous la forme de puissances impersonnelles.

Une dualité d'héritage similaire se retrouve à propos des formes précocement rationnelles de la méthode de salut. Cette fois c'est par rapport à la Grèce que l'héritage romain est significatif. Lorsqu'il permet de saisir un rejet des formes magiques du salut au profit d'une hiérarchie sociale et d'une organisation du culte rationnelles. Ainsi, alors que les Grecs accordent encore une valeur positive aux techniques magiques telles que l'extase, l'orgie ou l'euphorie, les Romains les rejettent comme *superstitio*, enfermant danses et pratiques rituelles dans des cercles restreints, coupés de toute religiosité communautaire [66]. Lors de la naissance du christianisme, cet héritage s'ajoute à celui du judaïsme pour entretenir une réticence vis-à-vis des formes irrationnelles d'acquisition des biens du salut. C'est alors dans un cadre romain que l'Église primitive développe « la systématisation dogmatique et éthique de la foi [67] ». Au point d'ailleurs que même les règles ultérieures des premiers ordres, pour les Bénédictins, puis par la réforme de Cluny ou encore chez les Jésuites, paraissent répondre d'une logique d'adaptation aux besoins de l'Église plus qu'à une éthique contemplative sur le modèle oriental. Cette tendance serait d'ailleurs corroborée par l'observation des ordres mendiants, inclus dès leur naissance dans la logique rationnelle d'une entreprise caritative favorable aux buts de l'Église et non vécus comme lieux d'un rejet acosmique du monde par la pratique de la charité désintéressée.

Cette dernière remarque débouche alors sur la composante déterminante de l'originalité occidentale. Elle repose sur la notion d'Église, et sa définition comme « organisation unitaire rationnelle avec un sommet monarchique et un contrôle centralisé de la piété [68] ». On voit immédiatement en quoi cette notion synthétise nombre des éléments isolés auparavant. En reliant la reconnaissance d'une loi transcendante à une institution, elle assure les conditions d'un contrôle effectif des comportements mondains dans un sens conforme à la logique de rationalisation. En dédoublant à l'inverse l'autorité entre une puissance située hors du monde et un souverain terrestre chargé des affaires politiques, elle installe une homologie de structures qui renforce un peu plus le dispositif. On sait que cette construction est porteuse de lourds conflits, mais ceux-ci n'interviendront qu'une fois stabilisés les acquis d'une méthode rationnelle de traitement de la question du salut. Dès lors, aboutissement de la représentation du principe divin sous les traits d'une figure anthropomorphique, la structure hiérarchisée de l'Église et son équivalent dans la forme du royaume fixent définitivement la contribution de la religion occidentale au processus de rationalisation du monde.

Les puissances du dieu éthique, personnel et transcendant

Un dernier regard rétrospectif permet encore d'aller au-delà de la simple description des facteurs structurels de cette contribution, à la recherche des causes de leur apparition. S'agissant de la figure centrale du « dieu éthique, personnel et transcendant », Max Weber insiste sur les conditions matérielles du Moyen-Orient semi-désertique. Relevant la prégnance de l'image du magicien faiseur de pluie, soulignant les liens qui nouent le problème de l'irrigation en Chine du Nord à l'apparition de la bureaucratie impériale, il relève les premières traces d'une promesse de pluie dans les représentations les plus anciennes de Yahvé. Ce pour illustrer la thèse selon laquelle « le contrôle de l'irrigation a probablement été l'une des sources de la conception d'un dieu créant la terre et l'homme à partir du " néant " [69] ». Sous l'analogie entre Dieu et l'irrigation royale qui crée des récoltes à partir de « rien » dans le désert se développent en effet une série de figures qui se superposent. Celle du roi qui crée le droit à partir de codifications rationnelles. Celle de l'organisation de l'espace qui se structure autour des points d'eau et des canaux qui assurent sa circulation. Celle enfin d'une vie sociale qui se structure autour d'un « seigneur personnel » possesseur de la terre et de ses habitants.

Cette mise en scène des facteurs matériels qui président à l'apparition de la religiosité occidentale du dieu transcendant conduit alors à la prise en compte de données plus directement sociales, déduite d'une analyse des couches respectivement porteuses des grandes religions de salut. Une première approche consisterait à simplement différencier la demande de salut en fonction de la position sociale, favorisée ou défavorisée. De ce point de vue, la recherche de rédemption serait prioritairement le fait d'une détresse exprimée par des couches défavorisées, témoignant ainsi de l'attente d'une compensation. Schématiquement, le sentiment d'une absence de faveurs dans le monde pourrait pousser à la disqualification de certaines divinités. Il contribuerait ainsi à nourrir un sentiment de dignité tourné hors du monde, vers un salut déposé entre les mains d'un dieu étranger à la quotidienneté du monde vécu. En ce sens, les notions de « fonction », « mission » ou « vocation » seraient associées aux espoirs spécifiques mis par les membres des couches non privilégiées dans une autre vie. Par cette voie, « ils comblent la lacune entre ce qu'ils sont et ce qu'ils ne peuvent pas prétendre " être " soit en se référant à la dignité de ce qu'ils seront un jour, de ce qu'ils sont " appelés à être par vocation " dans une vie future, ici-bas ou dans l'autre monde, soit, considéré du point de vue de la Providence [...] par ce qu'ils " signifient " et " réalisent " en ce monde [70] ».

Inversement, le besoin des couches privilégiées est davantage tourné vers la recherche d'une justification de leur position, organisée par l'attente de la certitude du fait qu'elle est légitime. La religion n'a plus ici pour fonction de combler un écart entre ce qui est et ce qui devrait être, mais de justifier ce qui est. En l'occurrence il s'agit pour les membres des groupes favorisés de trouver une preuve de « l'excellence de leur style de vie [71] », étant entendu qu'ils cherchent les moyens de croire qu'ils ont « droit » à leur bonne fortune, vécue comme une situation méritée. En ce sens, « la noblesse guerrière et toutes les puissances féodales ne montrent aucune propension à devenir facilement porteuses d'une éthique religieuse rationnelle [72] ». Parce que le style de vie d'un guerrier demeure peu compatible avec les exigences d'une conduite méthodique et routinisée de l'existence. Parce que sa vision de la dignité est étrangère aux notions de péché et d'humilité, voire de rédemption. Parce que enfin l'irrationalité du destin humain n'est pas vécue comme un conflit de nature éthico-religieuse, mais est une composante quotidienne de l'expérience. Dès lors, « accepter une religion qui opère avec de pareilles conceptions, plier le genou devant le prêtre ou le prophète apparaît nécessairement vil et indigne au héros guerrier ou à l'aristocrate – au noble romain du temps de Tacite comme au mandarin confucéen [73] ».

Sur fond d'une « corrélation entre le malheur de l'individu et la colère et l'envie des démons et des dieux [74] », deux situations typiques se dégagent alors. D'un côté, sur le modèle de la Grèce, les couches porteuses des grandes religions orientales sont celles d'intellectuels disposant d'une éducation classique et souvent candidats aux fonctions publiques. Ainsi du confucianisme et des grandes réformes de l'hindouisme conduites par des intellectuels aristocratiques [75]. Symétriquement, les religions de salut occidentales se développent à partir de la situation d'individus négativement privilégiés. Ce parce que « leur besoin spécifique est d'être délivrés de la souffrance [76] ». Mais aussi parce que les promesses initiales de ces religions, focalisées sur l'annonce prophétique, développaient des contenus adaptés à l'espérance de rétribution. À ce titre, l'exemple du judaïsme postexilique demeure essentiel. Comme illustration d'une religion éthique du ressentiment qui, au sens de Nietzsche, compense le sentiment d'injustice par l'idée que la punition de Dieu viendra s'abattre sur les privilégiés[77]. Mais aussi comme témoignage du lien qui unit la promesse de salut à un « moralisme de la loi » qui imprègne toutes les dimensions de la vie quotidienne. En ce sens apparaît exemplaire l'évolution qui conduit de l'idée d'une légitimation morale de la vengeance, à la période des Psaumes ou du Livre de Job, vers une intériorisation croissante du lien d'obéissance.

Cette opposition typique, qui en tant que telle n'exclut pas des exceptions qui empêchent de faire des grandes religions de salut une « révolte des esclaves dans la morale[78] », peut être présentée une dernière fois sous un angle plus large. Celui qui insiste sur le fait que « l'apparition et le développement des grandes religions universelles sont associés à l'apparition et au développement de la ville[79] ». De ce point de vue, c'est la religiosité paysanne qui sert de référence négative pour la description d'un processus qui cumule les effets de la rupture avec un style de vie naturaliste, de l'accroissement de la division du travail et de la formation d'un corps spécialisé dans la prêtrise. À l'origine en effet, l'existence paysanne se caractérise par son adaptation à la nature, avec pour conséquence une tendance au respect de la tradition peu favorable à la rationalisation éthique. D'où une proposition générale de Max Weber selon laquelle « le paysan voit son sort si fortement lié à la nature, il dépend dans une si large mesure des processus et des événements naturels, il est si peu enclin à une systématisation (économique) rationnelle qu'il ne devient, en général, coporteur d'une religiosité que lorsqu'il est menacé d'esclavage ou de prolétarisation par des forces internes (le fisc ou les propriétaires terriens) ou externes (politiques)[80] ». À titre d'exemple, le judaïsme préexilique est encore une religion de paysans qui ne se rationalise grâce à la loi mosaïque qu'après l'installation à Jérusalem, puis l'expulsion. D'une autre manière, dans le cas du christianisme primitif le vocabulaire même est significatif, qui voit le païen nommé « paysan » (*paganus*)[81].

À l'inverse, la genèse des religions de salut semble souvent associée à cette couche urbaine centrale à l'époque qu'est l'artisanat. Là encore, « le christianisme primitif a été dès le début une religion d'artisans. Son sauveur était un artisan issu d'une ville de province, ses missionnaires des compagnons itinérants[82] ». Plus tard, au Moyen Âge, c'est la bourgeoisie urbaine qui devint la couche la plus pieuse, tantôt dans le sens du respect de l'orthodoxie, tantôt au contraire dans celui de l'innovation dont attestent les différentes variantes du protestantisme. D'où une seconde proposition englobante qui pose que la vie des petits-bourgeois, artisans et commerçants des villes, moins assujettie à la nature que celle des paysans, se détachait plus facilement de la magie. Parce que « leurs conditions d'existence économiques étaient essentiellement plus rationnelles, en ce sens qu'elles étaient plus accessibles au calcul et à l'influence de ce qui est rationnel en finalité [83] ». Mais aussi parce que dans ce cadre l'individu a intérêt à imaginer que le travail mérite une juste récompense, selon « une manière éthiquement rationnelle de voir le monde, au sens d'une éthique rétributive [84] » qui rejoint en cela la vision généralement associée aux couches non favorisées.

Reste cependant que l'aspect de cette analyse qui semblerait presque rejoindre le déterminisme économique de Marx est compensé par l'importance qu'accorde Max Weber à une composante d'une autre nature : l'incidence du phénomène de la prêtrise dans la formation des religions de salut occidentales. Même si, comme le souligne Pierre Bourdieu, l'analyse wébérienne de cette contribution n'est pas sans évoquer celle d'Engels et de Marx s'agissant des conséquences de l'apparition des couches de clercs et de la division entre travail manuel et travail intellectuel, elle demeure avant tout liée au dégagement de la voie occidentale des formes religieuses de la rationalisation du monde [85]. Si l'on retient la définition qu'adopte finalement Max Weber du clergé comme « spécialisation, dans une *entreprise cultuelle régulièrement* exercée, d'un *cercle particulier de personnes* liées à des normes, des époques et des lieux déterminés, en relation avec des *groupes sociaux* déterminés [86] », le phénomène qui oriente le plus durablement le développement historique est à coup sûr celui de l'Église. Non qu'il ne faille retenir la portée générale des transformations religieuses liées à « l'existence de prêtres intéressés à un culte [87] », corollaires partout où elles se sont manifestées de rationalisation des éthiques intramondaines. Mais seul l'exemple de l'Église fournit la médiation historique qui permet d'expliquer l'institutionnalisation des compromis passés avec le monde.

L'Église et les logiques de l'adaptation au monde

Par Église au sens strict il faut alors entendre « une *entreprise* hiérocratique de caractère *institutionnel* lorsque et tant que sa direction administrative revendique le *monopole* de la contrainte hiérocratique légitime [88] ». Il s'agit alors de repérer les éléments concrets qui assurent et garantissent une « contrainte *psychique* par dispensation ou refus des biens spirituels du salut ». En premier lieu la capacité à disqualifier les pratiques individuelles de recherche du salut telles que l'extase, puis à empêcher l'apparition d'entreprises de salut indépendantes qui, comme les sectes, donnent une assise communautaire au lien religieux. Ensuite une aptitude à promouvoir l'émergence et la stabilisation d'un corps de clercs dispensant les sacrements. Sur ce plan, l'apparition d'une église au travers d'un personnel régulier de prêtres correspond à une logique de routinisation du charisme, qui vise précisément à en éviter l'apparition récurrente. Lointaine héritière du prophétisme qui préside à la naissance des grandes religions universelles, l'Église est alors un espace de contrôle de la distribution des biens du salut qui voit dans les prophètes un obstacle. C'est en ce sens précis qu'elle rationalise l'accès à ces biens, et, par voie de conséquence, l'attitude du croyant dans le monde. En limitant le nombre des techniques de type magique à des sacrements ritualisés. En empêchant la prolifération d'entreprises personnelles de dispensation de la grâce. En stabilisant enfin les modèles de comportement éthique dans le monde.

Reste cependant qu'à vouloir trouver dans cette logique institutionnelle, dont l'invention de l'institution ecclésiale serait le couronnement, le principe central d'une explication directe du procès occidental de rationalisation du monde, on méconnaîtrait l'originalité profonde de la thèse de Max Weber. À tout prendre, en effet, ce ne sont jamais ni la routinisation du charisme en prêtrise, ni la monopolisation des biens du salut, ni même l'émergence d'une Église qui préfigure les bureaucraties modernes qui conduisent directement aux formes de rationalisation des activités d'accumulation et de domination qui s'identifieront dans le marché ou l'État. Parce qu'il y aurait là un saut méthodologique trop rapide au sein d'un système d'interprétation qui part toujours du point de vue des acteurs pour remonter vers les structures. Parce que surtout cela reviendrait à occulter la contribution la plus originale de Weber à la compréhension des conditions d'avènement du monde moderne : la description d'une série de médiations entre acteurs et structures, médiations qui sont toujours de l'ordre des représentations du monde, des éthiques de la vie quotidienne constituées en vue du salut et enfin des réinterprétations de la grâce au sein d'un univers devenu obscur.

Au moment de quitter l'interprétation de la question du monde comme problème il faut se remémorer la signification de ce problème et insister sur le caractère paradoxal de sa solution. La raison pour laquelle la transformation des images du monde est bien une composante déterminante de l'explication du processus de rationalisation était et demeure le fait que l'invention des grandes religions de salut a provoqué une désadaptation du croyant par

rapport aux dimensions naturelles, relationnelles et institutionnelles de son existence. En cessant d'être un « jardin enchanté »
peuplé de puissances magiques, pour apparaître comme une « création », le monde est en effet devenu l'objet d'un conflit au regard
du postulat religieux. D'un côté, l'attente religieuse du salut continue d'être référée à l'idée d'une perfection d'autant plus prégnante
qu'elle est devenue celle que l'on prête à un dieu tout-puissant.
De l'autre cependant, l'expérience vécue dans le monde quotidien
apparaît absurde, confrontée à une souffrance, une injustice et une
imperfection à leur tour d'autant plus problématiques qu'elles
contredisent la bonté supposée du Créateur. D'où le problème de
la théodicée, que les grandes religions universelles déclinent
comme autant de variantes d'un même thème : le monde a été
voulu et créé par Dieu, mais il est imparfait et procure une insatisfaction croissante.

À leur tour les solutions à ce problème demeurent porteuses de
paradoxes. À l'exception de celles qui finissent soit par abandonner le principe divin au profit d'un cours éternel du monde, soit
par maintenir un dualisme des puissances bénéfiques et maléfiques,
elles sont toutes confrontées à un problème de sens. Sur une face
de leur projet en effet, elles engagent nécessairement l'idée selon
laquelle le rapport du croyant au monde se joue dans la capacité
à organiser méthodiquement l'existence, en donnant aux différentes activités terrestres une orientation sensée. Orientation qui
passe par une maîtrise de soi dans la relation à la nature ou aux
richesses, aux autres ou aux institutions, aux attitudes ou aux rites
enfin qui déterminent l'accès au salut. Sur l'autre face pourtant,
elles sont conduites à éloigner de façon croissante la perspective
du salut de la signification immédiate des actes humains dans un
monde imparfait. Avec pour conséquence, une première approche
de l'idée de désenchantement, située au plan de l'expérience
intime de l'homme et que l'on pourrait associer au paradoxe de la
culture : à mesure que se formalisent des « contenus de culture »
qui organisent cette maîtrise de soi et du monde dans une perspective rationnelle, l'idée de perfectionnement de soi par la culture
devient de plus en plus étrangère à l'univers religieux. En ce sens,
« plus les biens culturels et les visées de perfectionnement de soi
se différenciaient et se multipliaient, plus devenait insignifiante la
fraction dont l'individu, passivement comme récepteur, activement
comme cocréateur, pouvait faire le tour dans le cours d'une vie
limitée [89] ». Quant à ce sentiment inédit de la finitude, il se confir-
mait du fait que les mêmes valeurs culturelles qui étaient élevées
au plan d'une vocation dans le monde finissaient par apparaître

comme une course fragile ou absurde contre le temps et l'incertitude dans la perspective du salut.

Un dernier regard devrait alors découvrir le contraste suivant. Indéniablement, le parcours qui va de la magie à la religion, puis au sein de cette dernière du refus du monde à l'investissement dans les activités mondaines en dépit de leur imperfection, est porteur de rationalisation. Au sens d'un rapport d'adaptation des exigences éthiques de la religion aux composantes de l'existence vécue. Et dans une perspective qui apparaîtra comme le soubassement d'un processus d'autonomisation des différents registres économiques, politiques et sociaux de l'action selon des logiques d'organisation rationnelle. Pourtant, il s'en faut et de beaucoup que le conflit soit supprimé. À tout prendre même, lorsqu'il faudra resserrer l'analyse sur les mécanismes de rationalisation de l'activité en gardant le projet d'une explication de la trajectoire historique propre à l'expérience occidentale, c'est encore de ce conflit entre l'incertitude qui pèse sur la question du salut et les devoirs d'une éthique religieuse dans le monde qu'il faudra repartir. Pour prendre la mesure définitive de la contribution de la transformation des images religieuses du monde à sa rationalisation. Afin d'éclairer au terme du parcours les raisons qui poussent Max Weber à diagnostiquer sous l'idée de désenchantement à la fois l'achèvement d'un procès de maîtrise par l'homme de son environnement et la perte de sens du monde ainsi conquis.

Troisième partie

LES VOIES DU
DÉSENCHANTEMENT DU MONDE

Au regard d'une histoire des interprétations généalogiques de la modernité, la théorie de la rationalisation du monde est sans doute le moment qui condense les traits saillants de la contribution wébérienne et focalise les débats suscités par l'œuvre. Parce que c'est en elle que pour l'essentiel et la part la plus visible Max Weber loge les composantes de « son affrontement de toute une vie avec Marx [1] ». Mais aussi parce que c'est avec elle que se noue la cohérence d'une démarche tout à la fois historique et sociologique, attachée à la compréhension des acteurs et à l'explication des structures, nourrie d'investigations extraordinairement vastes au sein du corpus des grandes religions et d'enquêtes minutieuses au cœur du monde vécu des différentes époques humaines, portée enfin par l'analyse du passé des sociétés modernes et pourtant tournée vers l'élaboration d'un diagnostic sur le monde contemporain.

Si l'on s'accorde à reconnaître que les sources secrètes de l'ambition de Max Weber résident dans l'affrontement avec les grands systèmes de l'histoire, elle trouve son terrain d'excellence dans une capacité originale à déployer une théorie de la rationalisation du monde à partir de l'analyse des transformations propres aux images religieuses. En ce sens chez lui théorie et histoire se relaient et se complètent, échangent leurs catégories et cumulent leurs effets pour élaborer un schéma unifié d'interprétation des conditions d'apparition de la modernité. Avec pour conséquence le fait que ce schéma demeure toujours passible de plusieurs lectures : « par en haut » ou « par en bas » pour reprendre une suggestion de Jürgen Habermas [2]. À partir des idées, des images et des représentations ou des intérêts, de leur mise en forme et de leur organisation, comme l'indique Habermas. Mais aussi, en inversant l'opposition, à partir du point de vue des acteurs, de leurs comportements et de leur recherche de sens ou sous l'angle des institutions, des structures et des organisations sociales et politiques. Ou bien encore par le biais de l'histoire, des transformations et ruptures ou celui des types idéaux qui reconstruisent la réalité pour en saisir les logiques.

La forme universelle des problèmes décrits sous la question de la théodicée, la prise en compte du système de leurs solutions possibles au plan des visions religieuses et la description d'une première trajectoire du désenchantement qui se confond avec une réinterprétation positive de l'engagement dans le monde conduisent au moment où il faut cerner les conditions d'apparition de la rationalité moderne propre à l'Occident. Jusqu'à présent en effet, n'ont été indiqués que des modes de représentation qui découlent de la rationalisation des images religieuses du monde mais dont l'efficience pratique demeure potentielle dans l'univers traditionnel. C'est la libération de ces potentialités qui fait l'objet de la théorie de la rationalisation et esquisse une histoire du monde moderne et du désenchantement. Parce que cette libération requiert la transcription d'images rationalisées du monde en des éthiques reliant la question du salut à des registres d'activité et des conduites méthodiques de vie. Parce qu'elle accompagne la différenciation et la stabilisation de systèmes d'actions qui se traduiront dans les formes des grandes institutions modernes. Et enfin parce que c'est elle encore qui relie les deux composantes d'un univers qui se désenchante : celle de la maîtrise instrumentale et celle de la fuite du sens.

Apparaît alors ce qui devrait faire figure de « voie royale de la rationalisation [3] » au cœur de l'histoire occidentale : l'institutionnalisation de l'action rationnelle par rapport à une fin dans les deux dimensions de l'économie capitaliste et de l'État. C'est dans la première que s'expriment au mieux les ressources de rationalisation que recèle la transformation des grandes religions. Mais c'est par la seconde que se manifestent au grand jour les structures formelles d'un univers rationalisé. Inversement, c'est au travers de sa théorie de l'État bureaucratique et du droit formel que Max Weber relève le défi d'une histoire de la rationalité reconstruite à partir du point de vue des acteurs et s'élevant au plan des institutions en parcourant les médiations propres aux différents registres d'interaction. Mais c'est en diagnostiquant le retournement paradoxal des mécanismes rationnels de l'économie qu'il fonde son interprétation du monde contemporain et son jugement sur l'histoire. Comme si en quelque sorte les ressources du sens et de la rationalité s'échangeaient sans pouvoir se confondre. Ou comme si encore les formes de rationalisation de l'action dans le registre de l'existence vécue glissaient en se déployant dans l'histoire du statut de méthodes de vie systématiquement agencées à l'attente du salut, selon une perspective de l'émancipation, vers des structures institutionnelles durcies, devenues autonomes mais affranchies des contraintes de sens qui avaient présidé à leur formation.

Si l'on admet avec Jürgen Habermas que Max Weber a conçu les religions universelles comme une série de solutions différentes apportées au même problème, et ainsi dessiné « l'espace conceptuel de base des visions religieuses et métaphysiques de l'ordre du monde [4] », on peut imaginer que la trajectoire occidentale d'une rationalisation portée par les transformations religieuses consiste en une solution tout à la fois formelle et pratique de ce problème. Franchissant un pas supplémentaire, on pourrait avancer l'hypothèse selon laquelle Max Weber aurait en quelque sorte construit le système *a priori* de la rationalisation du monde comme solution logique au problème de la théodicée. En montrant que ce problème, qui repose sur le conflit entre la perfection supposée d'un ordre créé et le caractère visible de son irrationalité, ne connaît qu'un nombre fini de solutions. En décrivant la manière dont l'espace logique formé par ces solutions s'organise autour d'une série restreinte d'attitudes de fuite, de refus ou d'acceptation. En réduisant enfin cette série à la seule attitude susceptible de lier une solution formelle à la question de l'imperfection du monde avec une méthode pratique d'investissement dans les registres de l'action. Avec pour conséquence le fait que les analyses consacrées à la naissance du capitalisme et, à un moindre degré, à la genèse de l'État moderne seraient pour partie les vérifications empiriques de la pertinence de ce système logique d'explication de l'histoire.

Pour rester encore un instant au plan de la présentation logique du problème, on peut en rappeler la forme. Plus le devoir religieux est systématisé en une « éthique de la conviction », plus cette systématisation est intériorisée par le croyant sous les auspices d'obligations situées dans l'existence quotidienne, et plus la désadaptation entre les postulats religieux et les réalités du monde s'accroît. Parce qu'éclatent les normes stéréotypées et les rites de la magie. Parce que la notion de « lois sacrées » propres à un univers mystérieux laisse la place à celle de « disposition intérieure sacrée » qui renverse vers le croyant la charge de la preuve d'un comportement conforme aux injonctions du dieu. En d'autres termes, « avec la systématisation croissante et la rationalisation des relations de communauté et de leurs contenus, les postulats extérieurs de compensation propres à la théodicée sont remplacés par des conflits entre les autonomies particulières (*Eigengesetzlichkeit*)

des sphères de vie et les postulats religieux [5] ». Avec pour conséquence, le fait que la solution cohérente qui se dessine consiste
schématiquement en un rejet de la tradition et un engagement dans
le monde en vue de sa transformation. À ce titre peut-on retenir
que « la relation au dieu transcendant et au monde corrompu, éthiquement irrationnel, a entraîné le caractère fondamentalement
impie de la tradition ainsi que la tâche absolument indéfinie de
travailler sans cesse à la maîtrise et à la domination du monde tel
qu'il est, au moyen d'un rationalisme éthique : l'objectivité rationnelle du " progrès " [6] ».

Transposée dans l'histoire, cette solution se restreint à des configurations empiriques limitées : l'ascétisme en général puis les
formes puritaines de son expression intramondaine. Sans doute le
premier est-il un phénomène répandu dans toutes les civilisations
religieuses pour autant qu'il repose sur l'attente d'un comportement maîtrisé en vertu des impératifs divins. Mais, tout d'abord,
est propre à l'Occident chrétien la juxtaposition d'une religiosité
de virtuoses et d'une thématisation des devoirs imposés aux laïcs.
À titre d'illustration, le Tibet offre l'exemple d'une parfaite réalisation du mode de vie méthodique de l'ascèse. Mais il le connaît
à l'écart du monde, dans des communautés sans lien avec l'univers
profane. À l'inverse, le christianisme évite la coupure entre
l'éthique des moines et l'éthique des masses, mobilisant une problématique de l'exemplarité. En ce sens, « le moine est le premier
homme à mener [...] une vie rationnelle, le premier homme à
tendre méthodiquement, et avec des moyens rationnels, vers un
but, l'au-delà [7] ». À lui seul, le monachisme promeut des logiques
de rationalisation. Dans l'ordre économique, puisque les communautés monastiques mettent en place des structures de production,
d'accumulation et d'échange rationnelles. Au plan politique, bien
que de façon plus diffuse, dans la mesure où « les moines don-
nèrent au premier Moyen Âge une partie de ses fonctionnaires [8] ».
Pourtant, ces effets de rationalisation sont limités pour autant
qu'ils demeurent le fait d'un espace et d'un cercle restreints, pouvant sans doute inspirer des comportements laïcs mais sans projet
d'un investissement dans le monde.

C'est alors sur un autre plan, celui des techniques de salut, que
s'opère la séparation significative au sein de l'Occident chrétien.
Pour une part en effet, c'est le christianisme dans son ensemble
qui a contribué à la rationalisation du monde grâce à sa conception
du salut. Au sens large où, « aidée par les ordres confesseurs et
les ordres pénitents, l'Église domestiqua l'Europe médiévale [9] ».
Ce n'est cependant qu'au puritanisme que revient la percée décisive : celle qui inscrit la logique de rationalisation dans l'ordre des

comportements privés et de la vie quotidienne. Avant lui en effet, « pour l'homme du Moyen Âge, la possibilité qu'offrait la confession de se délester, moyennant certains actes de pénitence, signifiait qu'il disposait ainsi du moyen de se distraire de la conscience coupable et du sentiment du péché qu'avaient appelés les prescriptions éthiques de l'Église ». De telle sorte qu'était en partie brisée l'unité entre la rigueur méthodique d'une conduite de vie et l'attente du salut. Seule la Réforme devait rompre ce système de compensation immédiate et provoquer des effets de rationalisation vécus, en imposant au croyant l'épreuve d'une recherche permanente de la grâce. La logique de cette rupture est la suivante : « L'abolition des " *consilia evangelica* " par la réforme luthérienne signifiait déjà l'abandon de la double morale, distinguant une morale obligatoire pour tous et une morale magistrale dispensatrice d'avantages spécifiques. Par là même, l'ascèse hors du monde disparaissait. Ceux qu'animait une nature religieuse stricte, et qui jusqu'alors se retiraient dans les monastères devaient désormais accomplir les mêmes choses, mais *à l'intérieur* du monde. Cet ascétisme intramondain a reçu des branches ascétiques du protestantisme une éthique adéquate [10]. »

On comprend alors mieux les raisons qui président au choix qu'opère Max Weber en faveur de la Réforme contre la Renaissance lorsqu'il s'agit de sélectionner la configuration historique la plus propre à expliquer le processus de rationalisation du monde. Il ne s'agit pas de nier les apports de la Renaissance, d'occulter notamment la manière dont les artistes se sont passionnés pour des problèmes techniques dont la solution pouvait se traduire en de nouvelles sciences. Inversement, on ne peut non plus omettre qu'à tout prendre les grandes découvertes furent le fait de catholiques alors que le puritanisme avait tendance à les mépriser, le protestantisme n'ayant d'intérêt pour les sciences qu'à la condition qu'elles puissent répondre à des besoins de l'existence quotidienne. Mais l'essentiel est ailleurs, qui tient au fait que, « comme *vision du monde*, la Renaissance a certes largement déterminé la politique des princes, mais elle ne transforma pas l'âme de l'homme comme le firent les innovations de la Réforme [11] ».

Transformer l'âme de l'homme, réinterpréter la question du salut en sorte qu'elle se joue à chaque instant de l'existence et dans tous les registres de la vie quotidienne, tel est donc le cœur de la logique qui porte la rationalisation du monde encore nommée désenchantement. Une logique qui peut alors se déployer dans l'histoire en réorganisant les deux systèmes d'action essentiels à l'existence humaine, dans l'ordre de l'affrontement avec la nature pour la satisfaction des besoins et dans celui des relations interpersonnelles autour de la légitimité du pouvoir. Une logique qui vient alors façonner les structures modernes du monde vécu de l'économie et de la politique. En installant les formes de la rationalité économique du capitalisme. En assurant la rationalisation de la domination par le politique. En construisant enfin l'espace empirique et le système formel qui encadrent l'activité : celui de l'État fondé sur le monopole de la violence légitime.

CHAPITRE VI

Les mystères de la rationalité économique

« Le capitaliste n'est respectable qu'autant qu'il est le capital fait homme [1]. » Peu de formules de Karl Marx délimiteraient aussi bien la scène où se déroule son affrontement avec Max Weber. Au-delà du conflit sur les facteurs de causalité qui expliquent la naissance du capitalisme, elle localise en effet un plan où les préoccupations se rejoignent : lorsque Marx ne dédaigne pas d'esquisser une psychologie du capitaliste et une théorie de la reconnaissance de l'accumulation comme fin légitime, terrains privilégiés de Weber. Mais elle indique aussitôt l'espace qui sépare les deux approches, puisque Marx va concevoir cette reconnaissance dans une dialectique qui oppose le capitaliste aux autres membres de la société définie par ses rapports de classe, alors que Weber insistera au contraire sur une respectabilité acquise aux yeux de soi-même par l'individu. Dès lors, *Le capital* développera la thèse d'une accumulation primitive qui finit par générer une psychologie et une « émotion humaine », lors même que *L'Éthique protestante* partira des contraintes psychiques induites par la rationalisation des croyances pour éclairer la formation des comportements économiques. En ce sens, Max Weber pourrait à la limite reprendre le mot de Marx selon lequel « Accumulez, accumulez ! C'est la loi et les prophètes ! », mais en lui ôtant toute connotation ironique, et surtout métaphorique. Car telle est bien l'orientation profonde du système d'interprétation wébérien. Comprendre en premier lieu comment l'accumulation a pu devenir la loi, au sens d'un ensemble de maximes régissant la pratique, pour un comportement primitivement orienté par le mépris à l'égard des biens matériels. Puis saisir comment il se peut qu'elle en soit venue à être vécue comme la parole des prophètes, c'est-à-dire la promesse d'un salut en raison d'un comportement adapté.

Autrement dit, si mystère il y a dans la naissance d'une économie d'échange rationnelle centrée sur l'accumulation, il tient en ce que jamais aucune des grandes religions universelles n'a prêché l'enrichissement, lors même que l'une d'entre elles en se transformant a conduit au moment où ce dernier pouvait être la solution vécue à un problème spécifiquement religieux. Avec pour effet de dessiner ce cadre propre à la thèse wébérienne rappelé par Raymond Aron : « Entre l'homme économique et l'homme religieux, il n'y a pas de coupure radicale. C'est en fonction d'une éthique déterminée que l'homme de chair et d'os, l'homme de désirs et de jouissances en certaines circonstances rares, devient l'*homo œconomicus* [2]. » Faut-il penser avec Aron que cette insistance sur la continuité et les circonstances, loin de situer l'entreprise de Max Weber un pas en retrait de la « grande théorie » contemporaine, lui assigne au contraire une ambition plus haute ? Doit-on à l'inverse estimer qu'en situant son projet dans le registre d'une explication de la trajectoire historique occidentale Weber se délimitait un terrain plus étroit que celui de Marx ? Force est en tout cas d'admettre avec Aron que l'originalité de Weber commence avec celle de sa démarche, qui combine « une théorie abstraite des concepts fondamentaux de la sociologie » à ce qui relève d'une « interprétation à demi concrète de l'histoire universelle ». Et que la puissance de cette dernière interprétation elle-même repose sur sa capacité à déceler les composantes qui président à l'invention d'une rationalité économique nouvelle dans les structures les plus intimes du monde vécu. Avec pour conséquence que Max Weber pourrait à nouveau souscrire à ce jugement de Marx selon lequel « ainsi que, dans le monde religieux, l'homme est dominé par l'œuvre de son cerveau, il l'est, dans le monde capitaliste, par l'œuvre de sa main [3] ».

La logique profonde de l'interprétation wébérienne tient alors au besoin de se hisser à la hauteur de deux paradoxes. Un paradoxe empirique tout d'abord, qui est le fond des critiques tournées vers l'ensemble des schémas explicatifs disponibles pour l'analyse des origines du capitalisme, de Marx à Sombart, par exemple. Celui qui veut que « le cœur du capitalisme moderne doit être recherché dans une région où une théorie économique absolument hostile au capital [...] a officiellement dominé [4] ». En ce sens, l'interprétation proposée par Max Weber est effectivement « demi-concrète », dans la mesure où elle défie les théories construites sur des imputations causales trop directes entre les divers plans de la réalité empirique. À la manière de Marx localisant les facteurs d'apparition du capitalisme dans la structuration du capital lui-même, comme si la transformation des conditions matérielles finissait par engendrer une mentalité. Ou à la manière inverse de Sombart, qui situe l'origine de la rationalité capitaliste dans la vision religieuse du monde propre au judaïsme, comme si la tolérance religieuse à l'égard de l'usure pouvait entraîner sans médiations une méthode systématique d'accumulation des richesses. C'est alors sur le terrain empirique que s'opère la réfutation de ces thèses. Non sans que Weber ait toutefois pris la précaution de construire un système d'hypothèses *a priori* dont le moment empirique de l'analyse doit venir vérifier la pertinence. Comme s'il fallait toujours loger le critère de vérité des modèles d'intelligence de l'histoire dans le registre des faits, mais à distance critique méticuleusement contrôlée de l'empiricité.

Le second paradoxe qui oriente la lecture wébérienne de l'histoire propre à la rationalité économique est de nature théorique et réside sur ce plan du contrôle des liaisons entre les différents registres de la réalité empirique. Max Weber le formule par une remarque d'apparence anodine, mais qui fait presque figure de réserve à l'égard de sa propre méthode, voire même de toute méthode analytique de l'histoire confrontée à la persistance d'un noyau d'indécidabilité lié à une part d'indétermination des faits. Évoquant la puissance des politiques économiques de la Chine classique, la cohérence éthique du confucianisme et sa capacité d'encadrement des comportements individuels, il souligne que la rencontre de ces éléments n'a pas conduit à la naissance d'une « méthode de vie bourgeoise ». En insistant sur le contraste entre les conséquences empiriques radicalement différentes de constellations comparables dans l'univers oriental et le monde de l'Occident chrétien. Et pour conclure s'agissant de ce dernier au « caractère paradoxal des résultats pratiques de la volonté [5] ». En explicitant ce paradoxe comme ayant la forme du « problème de l'homme et du destin », ou, plus précisément encore, du « destin comme *conséquence* de son action par rapport à ses *intentions* », Max Weber pose alors les deux horizons entre lesquels se déploie son interprétation. Celui qui est tourné vers les racines d'un comportement économique dont les fondements sont à chercher hors de l'économie : dans un rapport religieux au monde, au salut et à la grâce. Puis celui qui, plus tard, viendra recueillir la mesure des effets de ce comportement dans un univers qu'il régit intégralement : lorsque l'activité économique rationnelle aura oublié son intention initiale et perdu son sens pour devenir le cadre d'une existence routinière.

Contenue entre ces deux paradoxes, l'interprétation de la rationalisation économique repose sur un double portique. En premier lieu, s'agissant des instruments théoriques visant à assurer la compréhension des conditions de naissance de l'économie moderne, c'est un système conceptuel qui se met en place. Avec lui il faut réenvisager le sens des catégories analytiques de l'économie, afin de les adapter à un regard historique concentré sur la transformation des comportements individuels. Mais il faut aussi construire des catégories nouvelles, propres à décrire ces médiations recherchées entre un point de vue régi par des considérations ou des attentes étrangères à l'économie et des types d'activité directement liés à la production et l'échange des richesses. C'est sur ce plan que s'opère de façon privilégiée la réfutation de Marx, au cœur d'une discussion centrée sur le statut de la causalité historique et les déterminants de l'explication d'un phénomène de portée universelle. Le second portique de la thèse wébérienne est plus directement empirique, au sens où il concerne les composantes de cet « esprit du capitalisme » qui devient le cœur du modèle d'interprétation. Étant entendu que celui-ci se situe dans un rapport aux biens matériels dont le sens est attaché à des anticipations religieuses nouées à la question du salut et de l'obéissance, l'enjeu en est la localisation dans les diverses configurations historico-religieuses situées dans la région de naissance du capitalisme. Catholicisme, protestantisme ou judaïsme : tel est l'objet d'une critique des différentes interprétations disponibles dont celle de Sombart est probablement la plus résistante.

Le système conceptuel de L'éthique protestante

Si l'on admet que c'est au plan théorique que se joue la discussion entre Marx et Weber, il faut avant tout dégager les éléments d'un affrontement dont l'enjeu est le statut de la causalité dans l'explication historique. En reconnaissant toutefois que Max Weber limite les occasions d'affrontement direct avec le schéma marxiste, pour assurer plutôt les différentes assises de sa stratégie dans deux registres : celui de la construction des catégories d'analyse et celui d'un jeu complexe sur la structure des liaisons causales entre une multiplicité de facteurs. Fournissant l'une des rares occurrences d'attaque frontale contre la méthode de Marx et ses disciples, une note de *L'éthique protestante* révèle les lignes de force de cette stratégie. Max Weber y loge en effet tout à la fois l'ironie d'une critique et la logique d'un programme : « Pour ceux dont la bonne conscience causale ne peut se passer d'interprétation économique (ou " matérialiste " comme l'on continue malheureusement à dire), précisons que je tiens pour fort importante l'influence du développement économique sur le destin des idées religieuses ; plus tard, j'essaierai d'exposer comment, dans le cas présent, se sont constitués les processus d'adaptation et les rapports mutuels. Mais les idées religieuses *ne se laissent pas déduire* tout simplement des conditions " économiques "; elles sont précisément – et nous n'y pouvons rien – les éléments les plus profondément formateurs de la mentalité nationale, elles portent en elles la loi de leur développement et possèdent une force contraignante qui leur est propre [6]. »

On aura compris qu'en marquant son choix en faveur de la thèse qui assure une large autonomie aux idées religieuses, Max Weber pose les fondations d'une interprétation qui veut relever le défi lancé par l'ampleur de celle de Marx, tout en préservant la cohérence de ses propres hypothèses concernant la trajectoire d'une rationalisation du monde initiée par la transformation des images du monde. S'il est vrai en effet que le processus de désenchantement est porté par le glissement d'un univers magique peuplé de puissances mystérieuses vers l'idée d'un monde créé par un dieu unique et transcendant, c'est au plan de l'intériorisation de la volonté de ce dieu et de ses conséquences sur l'orientation quotidienne des comportements qu'il faut chercher la source d'un rapport légitime à l'accumulation. À condition toutefois de supposer que cette dernière ne précède pas la mentalité qui la justifie. À condition aussi de pouvoir montrer la pertinence empirique d'un enchaînement causal qui part des croyances pour remonter vers les structures, en passant par toutes les médiations nécessaires à l'explication de leurs liens. Dans cette perspective, c'est bien l'aspect matérialiste de la thèse de Marx qui est en cause, au travers de son argument central qui fait des contenus de croyance, des visions religieuses du monde ou des systèmes de représentation une série de reflets des données empiriques de l'existence vécue. Est cependant préservée l'orientation d'une démarche qui part, si l'on veut, du « bas », de la sphère du monde vécu, pour remonter vers la cohérence des systèmes et l'organisation des structures.

Formulé dans les termes de Max Weber, le problème a donc la forme suivante : « De quelle façon certaines croyances religieuses déterminent-elles l'apparition d'une " mentalité économique ", autrement dit l'éthos d'une forme d'économie [7] ? » Dès lors, et même si Weber prend la peine de préciser qu'il ne s'agit que « d'un seul aspect de l'enchaînement causal », c'est bien l'affinité entre des comportements économiques encore désignés comme « types de conduite rationnels pratiques » et des représentations religieuses qui est au cœur du schéma d'explication. Avec pour corollaire l'idée d'un impact réel de ces dernières sur des registres d'activité situés hors du champ religieux, de la recherche du salut ou du respect des rites. Mais avec pour conséquence aussi que le point nodal du raisonnement réside dans les chaînons intermédiaires : dans la zone médiane entre le religieux et l'économique, le registre intime d'un questionnement qui concerne le sens même de l'existence ou de l'appartenance au monde et le domaine des échanges, situé en amont des structures et des organisations. Dans un espace, en d'autres termes, qui est l'objet par excellence de la démarche wébérienne, puisqu'il est celui où se manifeste une efficacité des images du monde qui s'étend du symbolique à l'action et une mise en forme de l'expérience vécue selon des modalités pratiques héritées d'un univers de sens antérieur au processus de rationalisation. Un espace enfin où peuvent se conjuguer les deux visées d'analyse qu'évoquent successivement la compréhension et l'explication : la reconstitution de la cohérence propre aux points de vue des acteurs à partir de leurs motivations originales et leur réinclusion dans une chaîne de causalité permettant d'éclairer le déroulement de l'histoire.

Le centre de ce dispositif analytique repose donc sur la notion d'éthique économique dont Max Weber entend qu'elle désigne des « *incitations pratiques à l'action* enracinées dans les textures psychologiques et pragmatiques des religions [8] ». Avec elles il faut donc saisir la manière dont les grandes religions étendent leurs prescriptions dans un domaine qui couvre bien au-delà de la seule quête des biens du salut. Vers le registre de l'obéissance s'agissant des relations politiques au sein d'une communauté. Vers celui de l'échange économique, pour autant qu'il engage des aspects éthiques de l'existence liés au respect, à la fidélité et aux devoirs envers les frères et les étrangers. Ces différents registres deviennent alors le lieu où s'opère ce que Weber nomme très précisément la « détermination religieuse du mode de vie (*Lebensführung*) [9] » : la mise en forme d'un rapport au monde par lequel la quotidienneté vécue est investie d'une multitude de significations reliées entre elles et finalement orientées par l'interprétation du sens de l'injonction divine. Comme s'il fallait descendre très bas dans le domaine des conduites intériorisées pour percer l'origine de comportements ou de styles de vie qui apparaissent sous la forme d'habitudes culturelles, politiques ou sociales. Comme s'il était toujours nécessaire d'en revenir aux formes de conscience du rapport de l'homme au monde pour avoir quelque chance de percevoir les logiques qui président à la naissance d'une rationalité qui finira par contenir la plupart des expressions de l'existence humaine.

Entre Nietzsche et Marx :
le statut des éthiques religieuses

L'insistance de Weber sur ce registre médian, essentiellement occupé par des contraintes pragmatiques issues du religieux, a tout d'abord une série de fonctions négatives. Contre la séduction que peut exercer en premier lieu une psychologie construite à partir du modèle nietzschéen du ressentiment, si tant est qu'elle prétend induire directement une structuration sociale à partir d'une éthique religieuse. Là où Nietzsche semble vouloir trouver à l'origine des problématiques de la fraternité une forme de « révolte d'esclaves » contre le destin et des maîtres perçus comme dégagés de toute obligation éthique. Là où encore il paraît relier la naissance du sentiment du devoir à un désir de vengeance refoulé par des êtres démunis face au style de vie d'une classe à tout prendre immorale [10]. Ne retenant de l'hypothèse du ressentiment que l'élément qui touche à l'accentuation du rôle de la souffrance et de sa transfiguration, Weber repousse en quelque sorte l'élément déterminant de l'explication au-delà du seuil élémentaire du psychologique si l'on entend avec lui les composantes immédiates de la réaction sentimentale aux conditions du monde et de l'existence. Au-delà d'une psychologie primaire, mais en deçà d'une sociologie qui supposerait l'existence quasi naturelle des classes : c'est dans cet espace que réside à nouveau l'analyse wébérienne. Dans le moment précis où la notion d'éthique désigne une réalité qui n'est pas encore véritablement sociale, au sens d'une logique de structuration des groupes régie par des positions de pouvoir ou d'accès aux richesses, mais qui est déjà plus qu'une simple projection des devoirs religieux dans les composantes d'une psychologie individuelle.

Délaissant Nietzsche en effet, c'est aussitôt contre Marx que se tourne à nouveau Max Weber pour éclairer le sens de ses travaux consacrés à la naissance de la rationalité économique au sein de l'histoire occidentale. En notant, par exemple, qu'il refuse la thèse selon laquelle les caractéristiques d'une forme particulière de religiosité pourraient être « une simple fonction de la situation de la couche apparaissant comme son porteur (*Träger*), quelque chose qui se réduirait à son " idéologie " ou à un " reflet " de ses intérêts matériels ou idéels [11] ». Visant ici le modèle d'interprétation marxiste au cœur de sa théorie de la superstructure, Weber assigne donc une autonomie considérable aux représentations, aux croyances et surtout à leurs expressions élaborées dans des systèmes éthiques qui organisent le rapport au monde dans ses diverses composantes : depuis la perception de l'identité personnelle et du devoir jusqu'à la signification des biens, en passant par les multiples registres de la relation à autrui. Mais en confirmant au passage que dans la structuration de ces systèmes, c'est toujours l'impulsion religieuse qui est efficiente. Ainsi en vient-il à indiquer qu'« une éthique religieuse peut bien, dans tel ou tel cas, avoir subi profondément des influences sociales, d'ordre économique et politique, mais ce sont d'abord des sources religieuses, et en premier lieu, le contenu de leur révélation et de leur promesse, qui ont donné à cette éthique sa physionomie. Et même s'il ne fut pas rare de voir ces sources religieuses profondément réinterprétées dès la génération suivante pour s'adapter aux besoins de la communauté, il s'est toujours régulièrement agi d'abord des besoins *religieux* [12] ».

Inversant en quelque sorte l'ordre des relations causales qui présidaient à l'explication de la naissance du capitalisme chez Marx, Max Weber en viendrait à considérer que si infrastructure il y a, elle est logée dans l'ordre des croyances, de leurs réinterprétations éthiques et de leurs incidences pratiques. Avec toutefois une difficulté à restituer ce domaine qui n'est pas sans rappeler celle que le marxisme associe à la recherche des composantes de la base cachée du système économique. À tout prendre même pourrait-on parler chez Weber comme chez Marx d'une énigme du capitalisme, enfouie dans des structures apparentes qui masquent ses dispositions originaires, dissimulée par une histoire qui a effacé les traces de son inauguration, voilée par un jeu de déterminants dont les liens se sont transformés avec le temps. Si énigme il y a pour Max Weber, elle tient dans la nature des besoins religieux qui ont opéré une réévaluation du monde d'ici-bas, poussant le croyant à chercher en son sein la trace d'une présence divine expulsée par l'invention du modèle de la transcendance. Avec pour conséquence au plan méthodique le fait qu'il revient à l'analyse de tenter la restitution de ce que Hegel aurait appelé un monde éthique disparu, la mise en forme d'une vision cohérente du monde qui peut être reconstruite à partir des différents éléments qui la composent. Son fondement dogmatique, directement attaché aux questions de la présence divine et de sa justification, du salut de l'homme et du problème de la prédestination. Le corpus des règles de conduite morale qui traduisent un enseignement dogmatique en maximes pratiques régissant la poursuite du salut. Les contraintes psychologiques enfin qui pèsent sur un individu livré à lui-même, à l'idée selon laquelle ses actes ont une signification, mais qui demeure privée d'une inscription immédiate.

D'où une double difficulté de méthode, qui réside d'une part dans le choix d'un ordre logique de l'imputation causale entre ces facteurs, d'autre part dans la sélection du matériel empirique permettant d'étayer la construction. S'agissant de ce dernier problème, c'est la technique des types idéaux qui sera choisie, pour autant qu'elle permet de s'affranchir de la contrainte de complexité du réel historique en formalisant les idées qui le travaillent pour isoler leur incidence sur le cours des choses. Faute de pouvoir restituer la diversité des contenus doctrinaux, faute surtout de parvenir à une mesure concrète de leurs effets pratiques, c'est vers une élaboration systématique qu'il faut se tourner, espérant qu'elle éclaire la manière dont les conduites économiques deviennent porteuses de sens. Avec cependant le sentiment que persiste une opacité liée au fait que tout se joue dans l'intimité des croyances au sein d'un monde qui nous est devenu étranger. Ayant à remonter vers un moment historique dont il y a tout lieu de penser qu'il ne reste plus rien, il nous faut prendre la mesure de cet effet d'éloignement : « À cette époque, l'homme ressassait des dogmes abstraits à un degré que nous ne pouvons comprendre que si nous examinons en détail et démêlons les relations que ces dogmes entretenaient avec les intérêts religieux [13]. » Étant entendu qu'il faut entendre ici par « intérêts religieux » non pas les dispositions qui opposent profanes et prêtres dans la logique conflictuelle qui préside à la dispensation des biens du salut, mais les besoins de sens, de certitude et d'assurance vécus par des individus confrontés à l'inquiétude quant à leur destin dans le contexte d'une religiosité qui a écarté les moyens magiques.

On saisit alors l'orientation définitive du projet de Max Weber, une fois encore située dans le registre médian entre une imputation directe de la dogmatique religieuse sur une rationalité économique et l'explication de cette même rationalité par les facteurs matériels qui entourent sa naissance. Elle consiste à explorer le plan des représentations et des idées, afin de chercher à « découvrir les *motivations* (*Antriebe*) psychologiques qui avaient leur source dans les croyances et les pratiques religieuses qui traçaient à l'individu sa conduite et l'y maintenaient [14] ». Dans ce cadre, les corpus de moralité religieuse peuvent bien avoir été divers, dessinant des pratiques quotidiennes différentes, leurs fondements dogmatiques peuvent aussi s'être effacés dans les luttes qui les ont opposés, l'essentiel demeure disponible à l'interprétation : leurs traces déposées dans une éthique « non dogmatique », dans le registre d'une existence vécue orientée par la recherche du salut et baignée de préceptes nés de la réinterprétation du besoin de certitude. À condition toutefois de parvenir à dégager ces traces d'un « premier enracinement » dogmatique de l'ascétisme, de savoir « comprendre le lien unissant cette moralité ascétique à l'idée de l'*au-delà* qui exerçait son emprise sur les hommes les plus conscients de l'époque [15] ». En gardant enfin devant les yeux le sens d'une causalité qui remonte toujours aux composantes d'un monde vécu dans l'attente religieuse de l'au-delà et le fait que « sans l'ascendant de cette idée sur les âmes, *aucun* renouveau moral de quelque importance pour la vie quotidienne n'aurait pu voir le jour ».

L'économie dans l'ordre de la raison pratique : à la recherche du capital

Si l'on admet avec Max Weber que la série causale opportune pour éclairer la naissance du capitalisme est celle qui relie le besoin religieux du salut à des injonctions dogmatiques retranscrites en des éthiques quotidiennes puis en des méthodes d'action rationnelle, si l'on ajoute avec lui encore que cette série trouve son inscription privilégiée dans l'espace et le moment de la Réforme, force est toutefois d'ajouter une réserve qui touche au statut de cet enchaînement. À la différence de celle de Marx à nouveau, la visée qui oriente la démarche de Max Weber n'est attachée ni à la recherche d'effets mécaniques entre les différents éléments mis en cause, ni à la mise au jour d'une linéarité des enchaînements. Il y a tout lieu au contraire de penser que Weber se satisfait de découvrir des associations non prédictibles, et qui apparaissent *a posteriori* comme les conséquences imprévues d'un projet strictement localisé au plan métaphysique. En ce sens, rappelle-t-il, que l'accent mis sur le contenu de la doctrine éthique de Calvin ou des autres réformateurs n'a jamais pour objet de déceler chez eux l'intention de créer quelque chose qui ressemble à « l'esprit du capitalisme ». Plus encore faut-il souligner que jamais la recherche des biens de ce monde comme valeur et comme fin n'a été parée de la moindre signification éthique à leurs yeux. En d'autres termes et définitivement, « le salut des âmes – et lui seul – tel fut le pivot de leur vie, de leur action. Leurs buts éthiques, les manifestations pratiques de leur doctrine étaient tous ancrés là, et n'étaient que les *conséquences* de motifs purement religieux [16] ». Par conséquent, il faut se contenter, s'agissant de la localisation du foyer de la rationalité économique dans le moment de la Réforme, d'une double détermination négative. Celle qui repose historiquement sur le constat suivant lequel « cette puissante expression de l'attention sérieuse que le puritain dirige sur

le monde, cette valorisation (*Wertung*) de la vie d'ici-bas considérée comme une *tâche* à accomplir, aurait été impossible sous la
plume d'un auteur médiéval [17] ». Puis celle qui renouvelle d'un
point de vue plus méthodologique la prise en compte du fait que
les incidences culturelles de la Réforme ont été des « conséquences
imprévues, *non voulues*, de l'œuvre des réformateurs, conséquences souvent fort éloignées de tout ce qu'ils s'étaient proposé
d'atteindre, parfois même en contradiction avec cette fin [18] ». En
résumé, même porté par le souhait de montrer comment « les
" idées " deviennent des forces historiques efficaces [19] », Max
Weber se défie de l'inversion du déterminisme : « Il est hors de
question de soutenir une thèse aussi déraisonnable que doctrinaire,
qui prétendrait que " l'esprit du capitalisme " (toujours au sens
provisoire où nous employons ce terme) *ne* saurait être *que* le
résultat de certaines influences de la Réforme, jusqu'à affirmer
même que le capitalisme en tant que *système économique* est une
création de celle-ci [20]. »

Se précise ainsi l'orientation de la riposte wébérienne au défi
des interprétations historicistes de l'avènement du monde
moderne. Celle qui conçoit l'Histoire comme le déploiement de
l'Idée dans le réel en tournant son regard vers des institutions dont
la naissance, l'extension et la rationalisation sont perçues comme
autant de signes de la marche de l'Esprit dans le monde. Mais au
risque de masquer ce que l'historicité doit à des sujets concrets
derrière l'affirmation hyperbolique d'un Sujet caché. Puis celle qui
à l'inverse ne veut saisir dans l'Histoire que l'effet d'une dialectique de la matière intégralement logée dans un monde empirique
conçu comme un organisme vivant. Au risque cette fois de dissimuler la part proprement humaine d'un processus dont la compréhension n'a de sens que rapportée au contenu des promesses qu'il
véhicule. Tout se passe comme si Max Weber renvoyait dos à dos
ces deux schémas en dégageant pour s'y installer un plan qui permette de dépasser leur conflit. En adoptant si l'on veut le point de
vue qu'ignorent ensemble Hegel et Marx : celui d'individus agissant en vertu de modèles de rationalité reliés à des valeurs, des
croyances, des représentations du monde tel qu'il est ou encore
devrait être. En reconstruisant l'histoire occidentale à partir de ce
point de vue, comme un procès empirique qui ne pourrait être
éclairé qu'à partir des contenus de sens qui y ont été déposés. En
engageant enfin l'explication sous l'angle de l'action, mais selon
une définition de celle-ci qui préfère à l'idée d'une simple adaptation au milieu et au contexte la restitution des attentes, des anticipations et des estimations du sens intime de l'existence qui président à son déroulement.

Par ce choix de l'individu contre les structures institutionnelles ou économiques, Max Weber explore une région qui correspond assez bien à celle que Paul Ricœur définit comme appartenant en propre à la raison pratique. En d'autres termes, une « zone *médiane* qui s'étend entre la science des choses immuables et nécessaires et les opinions arbitraires, tant des collectivités que des indivi-dus [21] ». Sans doute Weber se préoccupe-t-il moins de penser le statut normatif de ce domaine de la raison pratique que de décrire les conditions d'invention de sa forme moderne. Mais du moins ne peut-on oublier qu'une part de son projet demeure attachée à la question de la possibilité de son maintien dans l'univers contem-porain. À un moment où il peut sembler que la dimension qui touche à une connaissance des « choses immuables » a été désertée au profit d'un règne des « opinions arbitraires » mises en scène dans le conflit des valeurs. En une époque aussi où paraît à l'ordre du jour la transformation d'une rationalité pratique motivée par la visée d'une promesse de salut en une pure technique dénuée de tout fondement dans une problématique du sens. Il faut alors sou-ligner ce que la richesse des analyses empiriques de Weber doit à cette position théorique et à cette perspective. Lorsqu'elle réside dans une capacité à reconstruire les configurations historiques significatives à partir des composantes du monde vécu des indi-vidus. Lorsqu'elle repose sur un méticuleux travail de dégagement de celles de ces composantes qui touchent à l'interrogation la plus intime du sens de l'existence. Lorsque la démarche emprunte enfin le détour qui consiste à réévaluer la manière dont sont construites les catégories élémentaires de la connaissance empirique du monde humain.

S'agissant de fixer le sens des catégories de base de l'analyse, à commencer par celle de capitalisme elle-même, on peut une fois encore revenir vers Marx. Pour lui en effet, « à l'origine de la production capitaliste – et cette phase historique se renouvelle dans la vie privée de tout industriel parvenu – l'avarice et l'envie de s'enrichir l'emportent exclusivement [22] ». Nul doute à nouveau que ce soit à l'encontre de telles propositions que Max Weber construise son propre système de catégories, récusant la prégnance du désir de profit tant à la source de la trajectoire historique du capitalisme naissant que dans les motivations des premiers entre-preneurs. Poussant à l'extrême la réfutation de l'hypothèse marxiste, il pose en effet que « la " soif d'acquérir ", la " recherche du profit ", de l'argent, de la plus grande quantité d'argent pos-sible, n'ont en elles-mêmes rien à voir avec le capitalisme. Gar-çons de café, médecins, cochers, artistes, cocottes, fonctionnaires vénaux, soldats, voleurs, croisés, piliers de tripots, mendiants, tous peuvent être possédés de cette même soif – comme ont pu l'être ou l'ont été des gens de conditions variées à toutes les époques et en tous lieux, partout où existent ou ont existé d'une façon quelconque les conditions objectives de cet état de chose. [...] L'avidité d'un gain sans limites n'implique en rien le capitalisme, bien moins encore son " esprit " [23] ». Si donc énigme économique il y a, elle ne tient en rien dans celle de la naissance du profit à partir d'un hypothétique communisme initial. Comme désir le profit est universel et il n'est rien à attendre de la mise au jour du moment de son apparition. À tout prendre même, c'est une perspective inverse qui serait valide : celle qui part de l'idée selon laquelle « le capitalisme s'identifierait plutôt avec la *domination* (*Bändigung*), ou à tout le moins avec la modération rationnelle de cette impulsion irrationnelle [24] ».

Si l'on voit bien en quoi la définition du capitalisme comme manière rationnelle d'apprivoiser un désir irrationnel correspond parfaitement à l'hypothèse qui associe son apparition au moment historique de l'ascétisme puritain, on peut être davantage surpris de voir aussitôt Max Weber donner une autre définition du phénomène, qui semble strictement contradictoire. Celle qui affirme que « le capitalisme est identique à la recherche du profit, d'un profit toujours *renouvelé*, dans une entreprise continue, rationnelle et capitaliste – il est recherche de la *rentabilité* [25] ». Une précision est toutefois apportée qui éclaire le sens de cette apparente contradiction, lorsque Weber ajoute que « là où toute l'économie est soumise à l'ordre capitaliste, une entreprise capitaliste individuelle qui ne serait pas animée (*orientiert*) par la recherche de la rentabilité serait condamnée à disparaître ». Il faut s'arrêter sur l'écart entre ces deux définitions, dans la mesure où il situe à la fois le différend qui oppose Weber à Marx et l'objet précis sur quoi l'analyse wébérienne se focalise. Concernant ce dernier point, on perçoit que le projet s'attache moins à la description de l'univers capitaliste lui-même qu'aux conditions de son apparition. Il est peu douteux en effet que Weber considère le capitalisme comme un phénomène universel, qui vient correspondre à une forme sans doute indépassable de la rationalité économique. D'où la possibilité d'une seconde définition, strictement formelle, liée à la description des composantes techniques du phénomène. Mais on comprend aussi qu'en creusant en amont et en aval de la formation de ce dispositif technique, Max Weber pourra bientôt rejoindre partiellement Marx dans la mise en lumière de l'emprise d'un système qui, une fois installé, en vient à dominer et à régir l'ensemble des dispositions de l'existence humaine. Le sens profond de l'interrogation de Max Weber réside alors dans la compréhension du renversement qui s'opère entre le moment de naissance d'une économie rationnelle à partir de motivations étrangères au profit et celui de son triomphe selon des modalités qui déboucheront sur l'effacement de toute autre considération. Comme si à nouveau le mystère qui fascine Weber était plus spirituel que matériel, attaché aux formes de la compréhension du monde et de son sens bien plus encore qu'à l'analyse de ses structures économiques.

Si l'on accepte cette dernière hypothèse, c'est donc dans un contexte de relatif enchantement qu'il faut entendre dans les catégories wébériennes la naissance du capitalisme et de l'économie rationnelle. Renouant ensemble les différentes définitions proposées, le système des hypothèses construites et leur localisation dans le moment historique de la Réforme, il faut en venir au motif central de l'analyse. Celui où la révolution puritaine intervient sur une trajectoire qui n'est autre que celle de la transformation des images religieuses du monde. Celui surtout par lequel l'ascétisme intramondain devient la solution la plus rationnelle du problème universel de la théodicée. À un moment qui est donc crucial du point de vue de la problématique du désenchantement, puisqu'il en marque à la fois la ligne la plus avancée sous l'angle des conséquences vécues par l'individu et une sorte de suspension, pour autant que l'investissement systématique de l'univers des échanges va, un temps encore, retarder les effets de perte de sens induits par l'expulsion du principe divin hors du monde. En d'autres termes qui formulent le paradoxe à quoi s'attache en priorité Max Weber, c'est en réenchantant pour un moment le monde que l'ascétisme puritain va définitivement le désenchanter. C'est en redonnant un sens religieux aux comportements quotidiens dans l'univers des relations interpersonnelles et de l'économie qu'il va contribuer à l'avènement d'un monde où la rationalité sera dépourvue de sens. C'est enfin en inventant la figure du dernier homme susceptible de poursuivre la perspective du salut dans les différentes sphères du monde vécu qu'il va ouvrir la voie à un système d'où cette perspective s'échappera.

L'esprit du capitalisme

Pour faire droit à la singularité de la thèse de Max Weber, il faut désormais chercher à restituer cette configuration centrale qu'il désigne par la notion d'esprit du capitalisme. En gardant en mémoire le fait qu'il s'agit moins de découvrir dans la réalité passée des sociétés occidentales une donnée empirique dont l'apparition pourrait être définitivement associée à la naissance de l'économie rationnelle que de relier intellectuellement les traits épars d'un rapport au monde composé d'éléments de dogmatique religieuse, d'injonctions pratiques et de modes d'action permettant d'expliquer les motifs d'un investissement positif de l'homme dans l'univers des choses terrestres. Quelque chose comme « un style de vie déterminé, surgissant drapé dans une " éthique " [26] » et qui va venir radicalement réorienter la perspective religieuse de la quête du salut en même temps que l'attitude économique vis-à-vis de l'accumulation des richesses. Quelque chose aussi qui s'apparenterait assez bien à ce que Hegel désigne sous le nom de « monde éthique », comme cette constellation de valeurs partagées qui ne relèvent pas de l'idéal kantien de la moralité abstraite, mais expriment la vérité d'une communauté inscrite dans sa culture et un moment d'historicité. Mais en ne pouvant oublier non plus qu'il s'agit pour nous d'un monde perdu, enfoui sous les structures auxquelles il a donné naissance et qui, en s'autonomisant, ont précisément expulsé ce que Weber nomme son esprit. Reconstituer ce monde à partir des quelques fragments qui nous en sont parvenus, le reconstruire dans la forme sous laquelle il se présentait au regard et à la conscience de ceux qui le vivaient : telle est au fond la tâche de Max Weber en un propos d'étape sur la trajectoire de l'histoire occidentale qui est toutefois le moment capital où se décide son orientation.

Dans une perspective d'interprétation commune à tous les héritiers des Lumières, Max Weber est conduit à situer la césure explicative de l'avènement de la modernité dans le geste d'une rupture avec l'univers traditionnel. Nul doute alors pour lui qu'en tant que « style de vie » nimbé des maximes d'une éthique quotidienne, l'esprit qui préside à cette révolution décisive ait eu à « lutter tout d'abord contre cette façon de sentir, de se comporter et de réagir aux situations nouvelles que l'on appelle la *tradition* [27] ». Plus frappante est en revanche la manière dont il présente les éléments de cette tradition, dans une direction qui semblerait presque en naturaliser les contenus. Et en sollicitant l'intuition selon laquelle il se pourrait qu'à tout prendre les composantes rationalisatrices du monde moderne fassent fond sur un cours antinaturel des choses. Esquissant la description de ces contenus de tradition « par en bas », c'est-à-dire à partir du point de vue des ouvriers et des paysans confrontés, par exemple, à la technique du travail aux pièces, il souligne les résistances à ces changements initiés par des entrepreneurs soucieux de rationalité et de rentabilité. Mais c'est pour bientôt conclure à une sorte de naturalité des comportements traditionnels, lorsqu'il pose que « l'homme ne désire pas " par nature " gagner de plus en plus d'argent, mais il désire, tout simplement, vivre selon son habitude et gagner autant d'argent qu'il lui en faut pour cela [28] ». Pierre à nouveau lancée dans le jardin de Marx, une telle remarque peut sans doute éclairer d'une lumière incidente l'ensemble d'une démonstration aussitôt appuyée sur la dimension culturelle du phénomène.

La dimension antinaturaliste du procès qui concourt à la naissance de l'économie capitaliste est confirmée par la prise en compte de ce qui apparaît comme sa condition de possibilité essentielle : la transformation de la signification accordée au travail. Si l'on admet en effet que l'attitude traditionnelle est uniquement liée au souci de préserver un style de vie en limitant les anticipations de rémunération à la stricte reproduction de ce qui lui est nécessaire, le problème de l'individu se réduit à savoir « comment gagner un salaire donné avec le maximum de commodité et le minimum d'effort [29] ». Or l'économie rationnelle du capitalisme requiert une tout autre conception, qui fait signe vers l'idée selon laquelle « le travail, au contraire, doit s'accomplir comme s'il était un but en soi – une " vocation " (*Beruf*) [30] ». Et il faut à nouveau reconnaître qu'un tel état d'esprit « n'est pas un produit de la nature ». D'où l'énigme que cherche à élucider l'enquête wébérienne lorsqu'elle se situe au plan des individus qui vont participer, contre leur attitude traditionnelle et leur intérêt naturel, à l'invention de l'économie nouvelle et qui creuse le fait que « même de nos jours, le capitalisme n'aurait pu arriver au but sans le secours d'un puissant allié qui [...] l'a secondé dans son développement [31] ». Quelle est la nature de cet allié qui ne peut jouer ni sur l'intérêt bien compris ni sur l'habitude de la tradition ? C'est en réponse à cette question que va se découvrir à nouveau le rôle de ce qui touche selon les termes mêmes de Weber à la capacité de transformer « l'âme de l'homme ». En l'occurrence la représentation du travail dans un métier comme une activité liée à l'attente religieuse du salut.

Une structure de forme identique se retrouve si l'on interroge le même phénomène par le « haut ». À partir du point de vue de la catégorie des entrepreneurs, c'est-à-dire de ceux qui font figure, à tous les sens du terme, d'inventeurs de l'économie capitaliste. Ici encore aucun facteur matériel n'est suffisant à expliquer l'apparition d'une rationalité nouvelle. Persiste en effet longtemps un univers traditionnel dont la description met en lumière le caractère routinisé, attaché à une sorte de douceur presque naturelle de l'existence. Dans le contexte de la tradition en effet, « le nombre d'heures de travail était très modéré [...]. Les gains étaient modestes ; suffisants pour mener une vie décente et mettre de l'argent de côté les bonnes années. Dans l'ensemble, les concurrents entretenaient entre eux de bonnes relations, étant d'accord sur les principes essentiels des opérations. Une visite prolongée au café, chaque jour, un petit cercle d'amis – la vie agréable et tranquille [32] ». Autant dire alors que ces « novateurs » qui vont révolutionner l'économie le font en s'arrachant à la régularité naturelle de l'économie domestique traditionnelle. En s'aventurant hors de l'univers étroit et rassurant d'un cercle restreint de production et d'échanges. En partant dans le monde conquérir main-d'œuvre et produits, débouchés et marchés. Mais encore faut-il prendre la mesure du fait qu'ils ne sont en cela jamais poussés par une force matérielle. Ce n'est pas une « transformation essentielle dans la *forme* de l'organisation » qui les expulse hors du cadre de la vie et de l'économie traditionnelles. Pas davantage n'est-ce un « afflux d'argent frais [33] » qui explique ce qui apparaît comme une considérable prise de risque. Reste alors une seule hypothèse, qui associe ce phénomène à une réalité beaucoup moins tangible et visible, mais secrètement plus efficace, à « un *esprit* nouveau : l'esprit du capitalisme ».

L'énigme de la rupture avec la tradition

Le caractère relativement contre-intuitif de l'hypothèse de Max Weber ne s'éclaire que si l'on prend en compte l'idée selon laquelle il s'agit bien ici de résoudre une énigme. Énigme qui n'est pas celle du profit, comme le pensait Marx, mais celle d'un style de vie en rupture avec la tradition. Énigme existentielle si l'on veut, dans la mesure où il faut comprendre les motivations qui poussent des individus à échanger le confort de la vie traditionnelle contre la brutalité d'un monde économique et humain dominé par la concurrence. Énigme morale aussi, pour autant que l'aventure requiert des qualités étrangères à celles qui organisent un univers de relations sociales fondées sur la confiance et la connivence de la fraternité. Énigme enfin qui est contenue dans les deux traits qui dessinent le portrait du « premier novateur » tel que l'imagine Max Weber. Par un constat tout d'abord : « [Il] s'est très régulièrement heurté à la méfiance, parfois à la haine, surtout à l'indignation morale. Une véritable légende s'est formée sur sa vie passée, que recouvraient des ombres mystérieuses [34]. » Puis par un paradoxe, si l'on songe que ces personnages n'étaient ni des spéculateurs « risque-tout sans scrupules », ou des « aventuriers », ni même des financiers géniaux comme il peut en exister à toutes les époques, mais beaucoup plus simplement des individus « élevés à la dure école de la vie, calculateurs et audacieux à la fois, des hommes avant tout sobres et sûrs, perspicaces, entièrement dévoués à leur tâche, professant des opinions sévères et de stricts " principes " bourgeois ».

D'où la question qui organise à nouveau l'enquête de Max Weber, s'agissant cette fois de comprendre les conditions d'apparition de l'entrepreneur moderne, vecteur de l'accumulation capitaliste : « Quel est donc l'arrière-plan d'idées qui a conduit à considérer cette sorte d'activité, dirigée en apparence vers le seul profit, comme une vocation (*Beruf*) envers laquelle l'individu se sent une *obligation morale* [35] ? » Là encore, la réponse sera localisée dans un registre qui concerne l'âme humaine, et plus précisément encore la disposition par laquelle le succès dans les affaires pourra être vécu comme un signe de la grâce dans le contexte de l'angoisse née avec la doctrine de la prédestination. Ce qui permet une dernière fois de préciser les contours du système de causalité construit par Max Weber, en réfutation cette fois de l'hypothèse purement idéaliste de Sombart. S'il récuse avec force le paradigme marxiste de la détermination matérielle des conditions de naissance du capitalisme, pour lui opposer celles qui découlent de la formation de son esprit, ce n'est pas pour aussitôt confondre ce dernier avec une idée au sens formel du terme. Touchant à la question de la situation du moment originaire dans la Renaissance ou la Réforme, la discussion porte à ce propos sur le rôle que prête Sombart au Florentin Leon Battista Alberti. Théoricien des mathématiques, de la sculpture et de l'architecture, le grand humaniste est aussi l'auteur d'un *Trattato della famiglia*, recueil de préceptes domestiques offrant une série de maximes comparables à celles que développe Benjamin Franklin. Ce qui semble autoriser Sombart à lier l'origine du capitalisme au corpus des idées « utilitaristes » d'une Renaissance empruntant à l'Antiquité [36].

Outre des raisons empiriques qui tiennent à la difficulté d'apporter la preuve d'une similitude de contenu entre les propositions de Franklin, d'Alberti puis de Caton ou Xénophon, c'est un motif strictement théorique qui nourrit la critique de Weber : la différence de statut entre les idées et les croyances [37]. Même formellement cohérente et largement diffusée, une construction intellectuelle comme celle d'Alberti n'aurait aucune chance de déployer une capacité révolutionnaire comparable à celle d'une croyance religieuse. Et ce pour une unique raison qui concerne le fait que seule une croyance religieuse « dispose du salut pour récompenser une manière de vie particulière [38] ». Autrement dit, le détour par cette distinction confirme la position exacte qu'occupe Max Weber, entre le matérialisme de Marx et les différentes thèses que l'on pourrait dire idéalistes pour autant qu'elles visent à expliquer l'invention d'un nouveau monde social et économique par l'influence des représentations intellectuelles issues des rangs des savants ou des lettrés. Entre les déterminants matériels et les idées, c'est donc strictement aux croyances que se réfère Weber. Croyances qui sont sans doute moins formellement organisées que les « sagesses temporelles », mais qui seules disposent de cette puissance rationalisatrice qui découle de la capacité à modeler les comportements dans la perspective de l'attente du salut. Se dévoile ainsi l'association qui forme le cœur du modèle d'explication de Max Weber. Elle réside très exactement là où « une éthique ancrée dans la religion entraîne pour le sujet certains *bénéfices psychologiques (psychologische Prämien)* de caractère non économiques extrêmement efficaces pour le maintien de l'attitude qu'elle prescrit − et cela aussi longtemps que la croyance religieuse reste vivante [39] ».

La conscience du temps et le sens du monde

Si l'on admet que cette proposition de portée générale renoue les deux points de vue associés aux différents acteurs qui participent au processus, un pas supplémentaire peut être franchi dans une démarche régressive qui remonte vers les arrière-plans de l'explication. L'élément commun mis au jour, tant chez les entrepreneurs que chez les employés, concernait l'émergence d'une représentation du travail comme vocation. Il faut donc désormais déterminer en quoi cette éthique professionnelle connaît bien un ancrage religieux dans un contexte où elle assure aux individus qui la partagent des bénéfices psychologiques. Ce qui revient pour une part à élucider les conditions dans lesquelles cette disposition qui a été identifiée comme antinaturelle consiste en un arrachement à l'univers de la tradition. Mais ce qui conduit surtout à reconstruire le cadre de ce qui s'apparente à une révolution religieuse. Une révolution qui mobilise un réaménagement de la conscience du temps, contre la vision traditionnelle attachée à l'attente eschatologique. Une révolution qui suppose aussi une réinterprétation radicale de la question du salut, à partir d'un bouleversement de la représentation du dieu créateur lui-même, de sa volonté et des formes de l'obéissance qui lui est due. Une révolution enfin qui étend ses ramifications depuis un noyau doctrinal centré sur la question du destin de l'homme vers les sphères successives de la technique d'acquisition des biens du salut, de l'action méthodique dans l'ordre terrestre et de la recherche d'assurance quant à leurs liaisons.

Le premier complexe d'éléments significatifs repose sur l'alliance entre la conception religieuse du temps et le statut accordé au travail. L'univers traditionnel sur ce point est caractérisé par la prégnance du modèle de l'eschatologie pour lequel la psychologie du croyant est structurée par l'attente du sauveur. Que chacun à sa place poursuive ses occupations et remplisse ses devoirs. Que l'individu assure sa subsistance afin de ne pas tomber à la charge d'autrui. Mais sans poursuivre une activité supérieure à ce qui est nécessaire pour satisfaire les besoins élémentaires qu'évoque la prière « Donnez-nous aujourd'hui notre pain quotidien ». Sans doute les choses ont-elles pu évoluer depuis l'époque du Nouveau Testament, mais l'essentiel demeure : l'activité professionnelle est considérée avec indifférence et même méfiance. Et en tout état de cause les voies de l'obéissance à l'autorité et du respect des sacrements étaient préférables à celle du travail : « Il valait mieux s'assurer contre l'incertitude de ce qui pouvait se passer après la mort, et [...] une soumission extérieure aux commandements de l'Église suffisait à assurer le salut [40]. » Rien en conséquence qui ressemble à l'idée selon laquelle le croyant pourrait sauver son âme en partant à la conquête du monde, en travaillant dans le cadre d'un métier, en rencontrant le succès dans des affaires au mieux conçues comme neutres, au pire rejetées comme turpitudes. Tout au contraire, l'accès à ces conceptions largement vécues comme antinaturelles était barré par la prédominance de la doctrine du rachat des fautes et la technique de la confession. Au point même qu'il ressort de cette époque traditionnelle l'image d'une sorte de faillite éthique de l'institution religieuse [41].

Dans le cadre logique où s'opère la vérification d'un système d'hypothèses, la justification éthico-religieuse de l'activité professionnelle devait donc connaître comme préalable une réorientation de la conscience du temps et une réévaluation du monde. Telle est à l'évidence la contribution initiale du puritanisme, qui renoue ensemble le sentiment que la question du salut se joue ici et maintenant et le fait que cela passe par une « évaluation positive de l'activité quotidienne [42] ». D'où la suppression de la dualité catholique entre une morale de la vie séculière de faible valeur et l'idéal de dépassement que représente le monachisme. D'où aussi le renversement d'un ascétisme hors du monde, centré sur la contemplation, dans un ascétisme intramondain significatif à la fois d'une accentuation du présent et d'un rehaussement de l'exigence éthique quotidienne. Avec au cœur du dispositif l'idée selon laquelle « l'unique moyen de vivre d'une manière agréable à Dieu [...] est d'accomplir dans le monde les devoirs correspondant à la place que l'existence assigne à l'individu dans la société (*Lebens-*

stellung), devoirs qui deviennent ainsi sa " vocation " (*Beruf*) [43] ».
Comme si désormais l'épreuve de la grâce était logée dans chaque
moment du temps propre à l'existence de l'homme. Mais comme
si elle échappait aussi à la logique rassurante de la compensation
des fautes par la confession pour entrer dans le registre plus inquié-
tant d'une élection toujours incertaine, vécue dans le monde par
le sentiment de la vocation et ne pouvant jamais trouver le point
de repos d'une certitude.

Genèse de la prédestination

Pivot de l'analyse, la notion de *Beruf* (vocation) apparaît au
travers d'une évolution interne à la doctrine de Luther qui résumerait presque à elle seule les éléments de représentation qui
conditionnent l'arrachement à la tradition. Dans les premiers temps
en effet, la pensée de Luther demeure proche de la vision traditionnelle de l'homme et du travail. Proche en l'occurrence de celle
de Thomas d'Aquin, lorsqu'elle « présente la division de l'homme
entre condition et métier comme étant l'œuvre de la divine *Providence* [44] », se référant à l'idée du monde comme cosmos organisé
où chaque être a sa place. De manière significative, c'est la
réflexion luthérienne sur les valeurs respectives du rejet contemplatif du monde et de l'engagement en son sein qui conduit à
l'abandon de la tradition. À mesure que Luther creuse l'idée de
sola fides, précise les enjeux de sa conception de la solitude du
croyant devant Dieu et poursuit les conséquences logiques de sa
critique de l'idéal monastique valorisé par l'Église. Au point où il
en vient à opposer ce qui dans la vie monacale soustrait le croyant
aux devoirs envers Dieu et exprime en fait la « sécheresse de
cœur » et l'égoïsme, à ce que l'engagement dans le monde par
l'accomplissement d'une besogne représente d'altruisme et
d'amour du prochain [45]. Accompagnant les travaux d'exégèse et
de traduction accomplis par Luther, l'usage du concept de *Beruf*
aboutit à une formalisation qui finit par organiser les trois pôles
essentiels de sa doctrine. Le rejet de l'idéal catholique du dépassement de la moralité propre à la vie dans le monde après la
Confession d'Augsbourg de 1530. Le fait de considérer comme
sacré l'ordre où l'homme est placé par une volonté divine qui
demeure difficilement déchiffrable. La présence enfin de la Providence dans les moindres détails de l'existence quotidienne [46].
Sans doute faudrait-il ici relever ce que, dans cette forme, une
telle doctrine peut encore présenter de traits conformes à la Tradition. Notamment lorsque l'interprétation qu'en donne Max

Weber souligne le fait qu'elle offre une « inclination croissante à accepter comme immuable et voulu par Dieu l'ordre des choses de ce monde [47] ». Pourtant, l'essentiel tient en ce qu'elle ouvre une brèche décisive par cela seul qu'elle livre cette « justification morale de l'activité temporelle [48] » qui manquait complètement dans la vision du monde du catholicisme et pour de larges mesures au sein des autres religions universelles. Celle qui au plan doctrinal éloigne l'idée pascalienne de la vanité du monde et de ses œuvres. Celle qui, s'agissant des techniques du salut, condamne l'adaptation utilitaire au monde pour laquelle plaidaient les Jésuites. Celle qui enfin renvoie sur le croyant et lui seul l'épreuve de la traversée d'une existence dont chaque moment et chaque acte sont désormais dotés d'un sens. Avec pour conséquence que c'est dans les régions les plus intimes de l'existence quotidienne qu'il faudra découvrir les motivations d'un investissement du monde qui fait signe vers la quête du salut. Et qui fait fond aussi sur l'énorme poids d'angoisse qui pèse sur un individu convaincu de la présence de la providence régissant le cours de son existence, mais impuissant à saisir ses modalités cachées et à déceler ses desseins.

Révolution dans le registre du rapport à la temporalité du monde vécue dans la perspective du salut, la formation de l'éthique puritaine doit à l'évidence l'essentiel de son impact à ce qui l'oriente en profondeur : la doctrine de la prédestination. Second élément du schéma d'interprétation construit par Max Weber, elle en figure le pilier proprement lié à la dogmatique religieuse. Mais elle ne deviendra réellement significative qu'en étant saisie au plan des interrogations qu'elle fait naître dans la conscience du croyant et de leurs effets sur son comportement. Dans le contexte global de la reconstruction wébérienne d'une histoire du monde occidental, l'apparition de l'idée de prédestination est sans aucun doute le moment décisif. Le moment où, sur la très longue trajectoire du passage des anciennes conceptions magiques aux grandes religions, le procès d'intériorisation de la croyance et de rationalisation des techniques de salut est conduit à son ultime degré de systématicité. Mais le moment aussi où, par ce biais, les transformations de la sphère religieuse se transposent dans la vie profane, pour installer les soubassements d'une vision moderne du monde qui sera aussi celle de l'expulsion du religieux. En d'autres termes, le moment où la représentation d'un Dieu créateur et transcendant est conduite à ses extrêmes conséquences, présentant ainsi ses effets les plus profonds sur la rationalisation méthodique des conduites humaines. Mais aussi celui où, par cela même qu'elle s'étend dans les registres quotidiens de l'existence, elle contribue paradoxalement au processus qui les privera de toute inscription dans la dimension de la recherche du salut ou de la grâce.

Esquissant une histoire de l'idée de prédestination, Max Weber détache les deux voies par lesquelles elle se découvre. Celle qu'incarne Luther procède en quelque sorte d'une rationalisation interne à l'expérience religieuse. Depuis saint Augustin en effet, l'expérience des « grands hommes de prière » commençait à faire glisser le sentiment de la rédemption du registre où elle se gagne par l'accomplissement d'actes personnels vers celui où elle procède d'une puissance extérieure, objective et qui se manifeste par des décrets secrets. D'où la possibilité d'isoler la façon dont « ce sentiment profond, cette assurance allègre qui les soulageait du poids terrible du sens du péché, a paru les submerger soudain et anéantir en eux toute possibilité d'imaginer que ce don inouï de la grâce risquait de rien devoir à leur collaboration personnelle ou pouvait dépendre de la qualité de leur foi et de leur volonté propre [49] ». Ainsi thématisée à partir de l'expérience d'une sorte de mélange entre l'évidence et l'insondable obscurité de la grâce, la notion de prédestination est cependant toujours tenue un peu en retrait par les luthériens qui semblent craindre ses effets dissolvants sur le lien communautaire. Et qui maintiennent alors la référence à l'idée selon laquelle la grâce perdue peut se reconquérir par l'obéissance, l'humilité et la confiance. Ce qui semblerait vouloir indiquer que la contribution de la pensée de Luther au procès de désenchantement du monde se limiterait à cette forme de rationalisation qui découle du souci de « rendre visible, sur cette terre, l'Église invisible des élus [50] ». Mais sans aller jusqu'au point décisif où cette représentation conduit à remodeler l'ensemble des comportements humains. En ce sens, par sa tendance à nourrir une religiosité sentimentale fortement empreinte de motifs émotionnels, le luthérianisme n'offrirait que la figure d'un désenchantement inachevé. Comme arrêté, si l'on veut, au seuil où persiste la notion selon laquelle la sanctification est le « fruit de la gratitude envers la croyance en la rédemption [51] ».

Si le luthérianisme continue de préférer le « pardon des péchés » à la « sanctification pratique [52] », en tolérant notamment le maintien de l'institution de la confession, c'est précisément ce pas que franchit le calvinisme. Abandonnant l'aspiration à une forme de certitude rationnelle d'acquérir une béatitude future, c'est ici-bas et maintenant qu'il choisit de loger la communion avec Dieu. Ici-bas, c'est-à-dire dans l'ordre des relations et des activités quotidiennes, là où l'échec et le succès, le triomphe et l'humiliation, vont pouvoir être vécus comme ces signes d'élection qui soulagent l'angoisse de ne savoir percer son destin personnel. Et maintenant,

pour autant que c'est au présent que s'éprouve un sentiment religieux qui n'est plus tourné vers l'attente de l'au-delà, mais vers
la recherche de traces attestant de ce qui est écrit et invisible. Il
faut ajouter que c'est cette fois à partir d'une réinterprétation radicale de la notion du dieu transcendant que Calvin parvient à la
doctrine de la prédestination. Et que c'est en vertu d'un déploiement logique des conséquences de cette idée qu'il en vient à poser
les bases d'une religiosité purement désenchantée. Lorsqu'il
reprend en effet la figure du Créateur tout-puissant et omniscient,
c'est pour insister sur le fait que seul Dieu est libre, affranchi de
toute loi, et maître de sa volonté de communiquer aux hommes
les signes de ses propres décrets. Avec pour corollaire le fait que
« Dieu n'existe pas pour l'homme, c'est l'homme qui existe pour
Dieu [53] ». Ce qui veut dire d'un côté que lui seul est susceptible
de décider quelle part de l'humanité est destinée au salut éternel
et que, de l'autre, il serait vain ou même impie d'appliquer à ce
choix les critères de la justice terrestre.

L'angoisse d'une « humanité pathétique »

Ce sont alors les conséquences logiques de cette réinterprétation
de l'idée de Dieu qui installent les fondements les plus solides de
l'ascétisme intramondain. Celles qui engagent tout d'abord un réaménagement radical de l'espace propre à l'expérience religieuse,
si tant est que toutes les médiations disparaissent entre le croyant
et son dieu. Livré au sentiment de sa finitude, au caractère imposant des devoirs et au désir de salut sur fond d'incertitude quant
à son destin, l'individu ne peut plus connaître le secours des institutions. Privé du prédicateur qui lui indiquerait le chemin, des
sacrements qui rachètent et effacent les fautes, de ce qui dans
l'Église rassure et accueille, c'est à son imperfection personnelle
qu'il est confronté. Mis en face d'un dieu qui ne peut être ni
influencé ni compris, écrasé sous le poids d'un destin qui est à la
fois l'expression la plus intime du sens de son existence et le
mystère le plus insondable qu'il ait à rencontrer, c'est le sentiment
d'une angoisse qui marque le fond de son expérience vécue. Cette
angoisse qui fait dire à Max Weber que le calvinisme impose les
rigueurs d'une « humanité pathétique [54] ». Cette angoisse qui procède directement du noyau central de la doctrine de Calvin, de ce
qui en elle figure la radicalisation ultime de l'idée de prédestination : ce *decretum horribile* par lequel Dieu a désigné les élus et
les a réprouvés, sans qu'il leur soit possible de le savoir par la

connaissance, de l'espérer par la fidélité, de l'influencer par l'action.

Ainsi décrite, la forme calviniste de la doctrine puritaine représente sans aucun doute l'expression la plus achevée d'une religiosité désenchantée. Au sens technique du terme bien sûr, pour autant qu'il désigne cette trajectoire de l'histoire des religions qui éloigne de la magie, qui pousse à l'intériorisation de la croyance et à la rationalisation des sacrements ou des techniques de salut. Rejetant avec mépris toutes les institutions et toutes les pratiques « magico-sacramentelles », éliminant la plupart des rites, traquant les superstitions, elle affirme magistralement la transcendance de Dieu et poursuit ainsi à son terme le procès ouvert par la révélation des prophètes. Mais cette forme du puritanisme porte aussi le désenchantement selon cet autre sens qui explore chez Max Weber les composantes d'une modernité paradoxale dès l'instant de sa naissance. Soulignant le contraste entre la redoutable austérité de cette conception qui va « éliminer toute possibilité d'une culture des sens » et celle qui sera portée par la philosophie des Lumières, il y trouve la racine d'un « individualisme pessimiste, sans illusion [55] » qui caractériserait cette part de l'humanité contemporaine passée par l'expérience puritaine. Comme s'il identifiait ici les deux sources de la modernité. L'une riante et joyeuse, confiante en l'homme, portée par l'idéal de la liberté et le projet de l'émancipation. L'autre sévère et grave, nourrie d'un pessimisme foncier sur l'homme et d'un sentiment puissant de la finitude. Mais comme s'il indiquait aussitôt que leurs destins sont communs, scellés dans une double connivence. Celle qui fait de l'une et de l'autre des expressions de ce qui s'apparente à une religion de la fin du religieux, faisant signe soit vers le recyclage laïc des attentes de salut dans les idéaux de progrès et d'humanité, soit vers une pure intellectualisation du principe divin. Mais celle encore qui reconduirait au dernier sens du désenchantement, lorsqu'il doit apparaître que l'esprit enthousiaste des Lumières tout comme l'austère inquiétude du puritanisme sont voués à se perdre, pour céder la place à ce qu'ils ont contribué à créer : un monde où triomphe une technique rationnelle mais dénuée de toute spiritualité.

Le fait qu'à l'angoisse des premiers puritains confrontés à l'incertitude du salut puisse venir correspondre celle de l'homme contemporain immergé dans la « guerre des dieux » confirme qu'en ces contrées Max Weber révèle ses motivations intimes qui, en l'espèce, s'exposent par la reformulation d'une énigme : « Comment pareille doctrine a-t-elle pu être tolérée à une époque où l'au-delà était non seulement chose plus importante, mais à bien des égards plus certaine de surcroît que tous les intérêts de la vie d'ici-bas [56] ? » Cette énigme à son tour reconduit alors sur la piste des médiations cherchées autour de deux questions. Comment un type d'activité autrefois indifférent au salut et même contraire à ses fins peut-il être devenu un symptôme d'élection ? Par quels détours l'incertitude face au destin peut-elle nourrir le sentiment que seul le succès dans les affaires mondaines ou simplement le travail inlassable dans un métier assurent à l'individu ce minimum de reconnaissance nécessaire pour rendre son existence supportable ?

À la première de ces questions deux réponses sont possibles, selon que l'on épouse le point de vue de l'homme ordinaire ou celui du virtuose. S'agissant de ce dernier, la solution à l'énigme de la prédestination tient si l'on veut dans la critique de la question et le maintien du caractère énigmatique de la réponse. Chez Calvin lui-même, par exemple, nulle intention d'entrer dans les considérations permettant de savoir si l'on est un élu. Maintenant l'intransigeance de la doctrine, il réitère l'idée selon laquelle le virtuose religieux est un « vase d'élection ». Et au besoin d'une assurance quant au statut d'élu ou de réprouvé il oppose que « nous devons nous contenter de savoir que Dieu a décidé, et persévérer dans l'inébranlable confiance en Christ qui résulte de la vraie foi [57] ». Au-delà de la persistance de ce mystère, il n'y aurait que sacrilège à prétendre pénétrer les desseins divins. Objet des discussions dogmatiques internes à la pensée de Calvin et de ses successeurs, cette première perspective est délaissée par Weber. Pour autant qu'elle ne concerne que l'aspect théologique du problème. Mais surtout parce que son incidence réelle sur le cours concret de l'histoire est minime, dans la mesure où ni Calvin ni ses disciples ne sont les acteurs directs de cet investissement du monde des affaires terrestres auquel invite leur doctrine. Tout autre est en revanche l'impact de la réaction des croyants ordinaires au dogme de la prédestination. Outre l'effet de masse dans un domaine de l'explication historique où sont visés des éléments de causalité empirique, importe surtout le fait qu'existe un écart entre l'interprétation purement dogmatique de la doctrine et l'usage qu'en ont les individus concrets.

C'est alors dans le registre des représentations et des comportements des individus ordinaires placés dans le contexte de la révolution puritaine que se décide la liaison entre la doctrine de la prédestination et cette valorisation du travail mondain qui donne sa marque définitive à l'économie moderne. Si l'on quitte le cercle étroit des virtuoses et des disciples, il devient difficile de refréner le désir de reconnaître l'état de grâce et l'angoisse de la prédestination ne peut avoir pour thérapie la seule réaffirmation de la thèse qui associe le croyant à l'image d'un « vase d'élection ». Plus encore, il apparaît « impossible de refouler la question : existe-t-il des critères auxquels on puisse reconnaître à coup sûr que l'on appartient au nombre des *electi* [58] ? ». Question impie, on l'a vu, sous l'angle de la réception dogmatique du principe de la prédestination. Mais question décisive pour mesurer ses effets sur le véritable renversement du rapport religieux au monde qui est en train de s'opérer. Question en tout cas qui est par excellence celle qui fait écrire à Max Weber que « cette combinaison de la croyance à des normes d'une valeur absolue avec le déterminisme le plus entier et la transcendance complète du divin, constituait à sa manière une création géniale [59] ». C'est alors dans la suite des médiations entre cette création géniale et les différents plans de la conscience et de l'action humaines qu'il faut entrer pour percer les composantes d'un procès de rationalisation qui se déploie du religieux vers l'économique, et, plus lointainement, le social puis le politique.

Au plan le plus élémentaire de la conscience, c'est de ce « sentiment de *solitude intérieure* inouïe [60] » auquel est soumis le croyant confronté au dogme de la prédestination qu'il faut repartir. Lorsque, dans le contexte de cette inhumanité pathétique dont parle Weber, il doit affronter l'imposante présence d'un principe divin réaffirmé comme jamais dans sa majesté et composé à l'opacité absolue de ses décrets. Lorsque « dans l'affaire la plus importante de sa vie, le salut éternel, l'homme de la Réforme se (voit) astreint à suivre seul son chemin à la rencontre d'un destin tracé pour lui de toute éternité ». Lorsque enfin lui est arraché le bénéfice de ces sacrements et de ces techniques qui, telle la confession, peuvent le soulager périodiquement de sa culpabilité et de ses incertitudes, de ses fautes et errements. Le renversement est alors complet par rapport au monde éthique et religieux du catholicisme. Là, le croyant pouvait obtenir régulièrement l'absolution de l'Église pour compenser son imperfection. Ici il l'affronte inlassablement, sans même pouvoir mesurer son étendue exacte à l'aune du critère ultime de la décision divine. Hier il connaissait un dieu qui réclamait de bonnes œuvres isolées, en nombre suffisant pour équilibrer les péchés. Maintenant il rencontre une exigence du devoir attachée à « de bonnes œuvres érigées en système [61] ». Enfin, dernière figure d'une opposition radicale : « Le prêtre était un magicien accomplissant le miracle de la transsubstantiation et il disposait du pouvoir des clefs. On pouvait se tourner vers lui dans le repentir et la contrition ; en administrant les sacrements il dispensait le rachat, l'espoir de la grâce, la certitude du pardon, assurant par là la *décharge* de cette monstrueuse *tension* à laquelle son destin condamne le calviniste, sans évasion possible ni adoucissement aucun [62]. »

Une dialectique du puritanisme

Orphelin de certitudes, privé de cette sorte de « prime d'assu-rance » qu'offraient autrefois la contrition et le repentir, le croyant immergé dans l'univers puritain subit donc l'épreuve d'une angoisse à proprement parler existentielle, puisqu'elle concerne le sens le plus profond qu'il pourrait accorder à sa vie. C'est alors la recherche des moyens de dépasser cette angoisse, de la renverser par le biais de mécanismes de réassurance qui devient l'élément décisif d'une interprétation qui se loge dans l'intimité des repré-sentations et des comportements pour se redéployer ensuite au plan plus vaste des configurations historiques. Max Weber la décrit au travers de la notion de confirmation (*Bewärung*). Ne désignant ni réellement une méthode, au sens des techniques traditionnelles d'acquisition des biens du salut, ni simplement une composante psychologique, celle-ci explore précisément cette zone intermé-diaire qui s'étend entre les contenus purement dogmatiques de la croyance et les déterminants strictement rationnels de l'action. Cette région où l'individu aménage les dispositions doctrinales afin de les rendre compatibles avec la possibilité de vivre son univers quotidien. Ce domaine où la raison pratique se déploie par des logiques d'adaptations qui puisent à la fois dans le besoin de sou-lager une angoisse insoutenable et la visée d'un style de vie cohé-rent. De manière pragmatique si l'on veut, pour indiquer ce en quoi ces logiques doivent moins au travail d'une raison abstraite sur elle-même qu'à une sorte de dialectique par laquelle l'individu tente d'accorder son système de représentations aux contraintes du monde.

Il est désormais possible de s'arrêter un instant sur la description que donne Max Weber de ce monde éthique puritain, avant d'entrer dans le détail de ses composantes et l'analyse de leurs interactions. C'est l'essai consacré à la comparaison entre confu-cianisme et puritanisme qui en donne la formulation la plus syn-thétique [63] : « Tout était donc centré autour de la grâce de Dieu et de la destinée dans l'au-delà, la vie ici-bas étant une vallée de larmes ou seulement un passage [premier moment, comme rappel de la caractéristique essentielle d'une religion désenchantée]. Mais [premier renversement en forme de paradoxe] c'est précisément pour cette raison que ce tout petit laps de temps et ce qui s'y déroulait étaient investis d'une énorme importance [second moment, passage du dogme à son interprétation], à la manière de ce que dit, par exemple, Carlyle : " Des millénaires ont dû passer avant que tu ne viennes à la vie, et d'autres millénaires attendent en silence ce que tu vas faire de ta vie. " Non pas parce qu'il serait possible de gagner son salut éternel par ses propres actes, c'était impossible. Mais [second renversement] parce que la vocation au salut ne pouvait échoir à l'individu et surtout ne pouvait être reconnue qu'à travers la " sanctification ", c'est-à-dire à travers la conscience que sa courte vie était tout entière centrée sur le Dieu transcendant et sa volonté. Cette sanctification à son tour [troisième moment, glissement des structures de conscience à l'action] ne pouvait se confirmer (*sich bewären*), comme pour toute ascèse active, que dans une action voulue par Dieu, et procurer ainsi à l'individu la certitude du salut avec l'assurance d'être un instrument de Dieu. »

Le premier moment de cette dialectique interne à la vision du monde puritaine ne fait donc que rappeler la forme typique d'une religiosité désenchantée. Celle qui s'attache au fait que l'objet de la croyance est expulsé hors du monde, exclusivement centré sur la perspective de l'au-delà. En rupture radicale avec l'univers magique dans lequel c'est ici-bas que tout se joue : entre des puissances immédiatement présentes et influençables et des techniques qui permettent de s'assurer leur bienveillance. En conséquence logique aussi de l'affirmation de la transcendance du divin, qui déplace hors de l'existence terrestre la localisation de la vie avec Dieu. Mais un renversement s'opère aussitôt, de cet élément dogmatique à son interprétation. Renversement qui a une forme paradoxale : c'est précisément parce que le dogme expulse la perspective du salut hors du monde que ce dernier se trouve investi, du point de vue du croyant, d'une signification essentielle. Mais une signification intériorisée, qui fait signe vers l'idée de la place et de la responsabilité de l'individu en son sein et non plus vers celle de l'extériorité d'un univers naturel et matériel peuplé de puissances et manipulable. Est ainsi découverte une disposition psychologique commune à toutes les religions qui contribuent au processus de désenchantement au plan des croyances : l'individu est placé face à un monde vécu comme une création de Dieu ; il subit le spectacle de son imperfection ; il assume une large part de son destin dans la suite de ses actes. D'où le problème de la théodicée, qui laisse encore ouverte une série d'attitudes possibles qui vont du rejet contemplatif à l'investissement systématique du monde, en passant par la représentation de l'existence humaine comme objet d'une balance comptable qui décidera finalement du sort des individus.

Ce n'est donc qu'en un troisième moment que se fixe l'orientation spécifique du puritanisme. Lorsqu'une réinterprétation radicale du principe de transcendance du divin conduit à une double structure d'opposition. Au plan du rapport entre l'homme et le monde l'univers terrestre est d'autant plus dévalorisé qu'il n'est plus le lieu où s'achète, se comptabilise ou s'assure l'accès à la vie éternelle. Mais il est d'autant plus investi de significations que les conditions de cet accès sont fixées à l'avance par un décret strictement inconnaissable. D'où le glissement au plan des liens entre un schème psychologique et une forme d'action, quand la « monstrueuse tension » entre la responsabilité de l'homme dans le monde et l'incertitude absolue qui pèse sur sa forme conduit à une angoisse insoutenable. Alors, et alors seulement, s'opèrent le renversement et la liaison décisive. Le renversement tient au fait que le croyant, confronté à l'absence de résolution de la question du salut, va se lancer à corps perdu dans une activité mondaine qui doit lui fournir les signes de ce qui lui manque : une indication concernant la place qu'il occupe dans une séparation décidée à l'avance, essentielle mais invisible. Quant à la liaison, elle n'associe pas un élément du dogme (la prédestination) à une structure de comportement (l'investissement systématique des activités mondaines), mais un besoin d'assurance contre l'angoisse à une herméneutique de l'indéchiffrable. Une herméneutique toutefois qui n'est assurée par aucune institution, garantie par aucune autorité, sanctionnée par aucun rite. Et qui reste en tout état de cause dans l'ordre d'une confrontation du croyant avec lui-même, sa conscience et son action.

L'herméneutique de la confirmation

À l'origine de cette herméneutique des signes de l'élection, c'est donc bien le besoin de « confirmation » qui est à l'œuvre. Ce besoin qui naît dès l'instant où l'individu acquiert la conviction qu'il ignorera toujours la place qui lui a été attribuée, mais veut croire cependant qu'il sera parmi les élus. Ce besoin lié au désir de compenser l'angoisse de l'incertitude et « la pression intérieure exercée par la préoccupation de cet état de grâce qu'il faut sans cesse vérifier et qui est la garantie de l'avenir éternel [64] ». Ce besoin enfin qui semble le prix à payer pour que la « lugubre rigueur [65] » de la doctrine de la prédestination soit supportable. Reste alors à déterminer les moyens par lesquels peut s'opérer cette confirmation de la grâce, en sachant qu'ils ne peuvent être qu'indirects, issus de mécanismes de réassurance psychologique et non de rites, de techniques ou de pratiques institutionnelles. Ne demeure donc ouverte qu'une seule voie, celle d'un « salut par les œuvres [66] » qui ne se conçoit pas comme la pratique discontinue de bonnes œuvres rachetant les mauvaises, mais comme un véritable système d'action, méthodique, rationnel et orienté par l'idée que c'est le succès dans ces œuvres qui pourra être vécu comme signe de l'élection. Et ce dans une perspective qui a la forme suivante : « Seule une transformation radicale du sens de la vie tout entière, à chaque instant, dans chaque action, était à même de confirmer les effets de la grâce, soustrayant l'homme au *status naturae* pour le placer dans le *status graciae* [67]. »

Une notion résume à nouveau ce point central de l'explication : celle d'épreuve associée à l'expérience que subit le croyant dans le moment de sa vie terrestre. Comme s'il s'agissait pour lui d'accepter le risque d'une véritable mise à l'épreuve de sa foi, dans chaque instant de l'existence et chaque acte du quotidien. Soulignant qu'est en cause avec elle la localisation exacte du « schéma de la jonction entre la foi et la conduite », Max Weber indique qu'il faut examiner cette idée « à l'état pur » comme composante de la doctrine de la prédestination, avant d'envisager « sa signification pratique en tant que base psychologique de la moralité méthodique [68] ». S'agissant du premier aspect, c'est une nouvelle fois la pensée de Calvin qui fournit l'épure de cette idée d'épreuve. À la différence de Luther et Mélanchthon qui continuent de renvoyer pour l'essentiel les devoirs du croyant au respect scrupuleux de la loi, Calvin les déplace dans la vie quotidienne, sous le principe général qui veut que « Dieu vient en aide à qui s'aide soi-même » et que l'homme quant à lui « crée lui-même son propre salut, ou, plus correctement, la certitude de celui-ci [69] ». Évitant que la prédestination ne conduise au fatalisme, cet élément capital de la doctrine est donc bien celui qui décide d'une orientation historique dont les effets portent jusqu'à l'époque contemporaine. Simplement déposée dans le corpus des idées de la Réforme, la prédestination pouvait soit conduire à la réinvention d'une forme d'ascétisme hors du monde, pour une minorité de virtuoses tournés vers la contemplation monacale et le refus des activités quotidiennes, soit même pousser à une acceptation fataliste de l'ordre des choses. Ce n'est donc que retravaillée par Calvin au travers de l'idée d'épreuve subie par le croyant qu'elle acquiert sa force révolutionnaire, antitraditionaliste. Il fallait en effet qu'une « digue (soit) bâtie qui s'opposait à la fuite de l'ascétisme hors de la vie laïque quotidienne [70] ». C'est l'interprétation par les hommes ordinaires de l'épreuve mondaine qui la fournit.

L'épreuve de la foi dans l'univers de l'accumulation

Apparaît alors la signification pratique de cette idée. Résultat d'une adaptation de la doctrine de la prédestination aux pressions psychologiques qui pèsent sur les individus, elle offre la motivation première en faveur de l'ascétisme. L'idée que « l'*épreuve (Bewährung) de la foi* dans la vie professionnelle profane est nécessaire [71] » régit alors l'installation du fond de représentations sur lequel vont s'élever l'éthique bourgeoise et l'organisation rationnelle du capitalisme. En retour en effet de ce qu'elle impose d'exigence éthique aux individus plongés dans une existence dont chaque registre est taxé d'une signification religieuse, elle leur offre le système de compensations nécessaire pour rendre supportable la perspective de la prédestination. Sentiment d'agir en vertu d'un plan divin qui assigne à l'individu une place dans l'univers pour les uns, qui travaillent sans relâche dans un métier ; certitude que les succès dans les affaires mondaines peuvent se lire comme des signes de la grâce pour les autres : les formes de l'investissement méthodique du monde deviennent les traces fragiles de cette confirmation du salut qui taraude le puritain. En ce sens la doctrine réinterprétée peut directement conduire à cette mentalité qui « glorifie la réussite en affaires et le gain en tant que symptômes d'accomplissement [72] ». Et la rationalité pratique trouve aisément à s'adapter à l'idée selon laquelle le succès révèle l'élection, la tempérance et la persévérance confirment la grâce, le travail et la réussite ouvrent sur la perspective du salut. Ultimes médiations entre les données purement dogmatiques de la doctrine religieuse et la sphère pratique, la perception du succès en affaires et du travail comme symptômes d'excellence, la réception de la réussite comme signe de la volonté invisible de Dieu et l'usage de la profession comme procès de reconnaissance ou de confirmation du croyant achèvent ainsi de bâtir le socle de l'économie rationnelle. En parvenant à « anéantir l'ingénuité de la jouissance instinctive et spontanée [73] » de l'individu au profit d'une organisation systématique du travail et d'une rétention méthodique des richesses. En dévoilant une capacité à « mettre de l'ordre dans les conduites individuelles [74] » que n'auraient à elles seules ni les forces matérielles de la production, ni les logiques politiques de l'État, ni même sans doute les injonctions purement dogmatiques d'une religion, fût-elle appuyée sur une Église.

Est ainsi intégralement construite cette configuration de préceptes religieux, de dispositions psychologiques et de maximes pratiques que Max Weber décrit comme l'esprit du capitalisme. Parce que désormais, l'appel à un contrôle méthodique de l'existence n'est plus réservé à une élite de saints coupés du reste de l'humanité, mais saisit chaque croyant à la racine la plus intime de ses besoins psychologiques, en vertu de l'abîme d'incertitude qu'impose le caractère invisible de son destin. Parce que transposée en une incitation à la « confirmation de la vertu dans la vie quotidienne [75] », l'idée d'épreuve peut irradier vers les différents registres de la pratique, en installant les structures professionnelles qui vont porter le développement de l'économie rationnelle. Parce que enfin elle pourra assurer pour un temps un soubassement éthique puissant pour une activité d'accumulation largement anti-naturelle, contradictoire avec les valeurs propres aux communautés traditionnelles et peu susceptible au départ d'être parée de la légitimité d'une justification religieuse. Comme si c'était en quelque sorte un spiritualisme intense, nourri des angoisses les plus profondes de l'homme confronté à l'expulsion du sacré hors du monde, qui fournissait la justification du matérialisme quotidien de l'acteur économique. Quitte à ce qu'un jour ce matérialisme puisse avoir pourtant le dernier mot, lorsque l'esprit s'échappe de cette construction pour ne plus dévoiler que la rigueur implacable de sa structure.

Avant de tirer les conclusions de cette contribution de l'esprit puritain à la rationalisation économique du monde, en repérant son expression dans les formes institutionnelles de l'entreprise et de l'organisation professionnelle modernes, on peut élargir une dernière fois la perspective ouverte par l'analyse des effets pratiques de la doctrine de la prédestination. En soulignant alors qu'il se confirme que Max Weber découvre avec elle la naissance d'un phénomène dont l'ampleur dépasse celle, pourtant considérable, de la base du capitalisme moderne. Notant que « le déterminisme de la prédestination était un moyen de centralisation de " l'éthique de la conviction " la plus intensément systématique que l'on puisse imaginer [76] », il en étend en effet la portée jusqu'au sein de l'univers désenchanté dont il prend en charge l'une des valeurs dominantes. Avec pour conséquence toutefois que s'illustre un peu plus l'intuition selon laquelle il se pourrait que les différentes composantes de la modernité aient partie liée. Ainsi lorsque Weber esquisse le parallèle suivant : « Il y a un pendant non religieux, reposant sur un déterminisme orienté vers l'ici-bas, à cette évaluation religieuse de la foi. C'est cette espèce de " honte " et, pour ainsi dire, de sentiment athée du péché, propre à l'homme moderne, en vertu d'une systématisation morale basée sur " l'éthique de la conviction ", quel qu'en soit le fondement métaphysique. L'angoisse secrète de l'homme moderne ne vient pas d'avoir accompli un acte particulier, mais d'avoir *pu* l'accomplir sans y être pour rien, du fait de sa propre structure immuable, du fait qu'il " est " tel qu'il est [77]. » Comme si le désenchantement induit par la doctrine de la prédestination et ses interprétations pratiques ascétiques ne pouvait rester contenu dans le cadre qu'ils inventent et n'était destiné à connaître qu'un bref moment de grâce. Celui où les puritains partent à la conquête du monde pour trouver dans l'édification d'un univers rationnel la compensation de leur angoisse. Celui encore où ils façonnent et vivent une rationalité pratique encore parée des signes spirituels du sacré. Mais comme s'il devait bientôt s'échapper au-delà de lui-même, vers des horizons qui en détruisent le sens et génèrent de nouvelles angoisses. Comme s'il lui fallait céder la place à cette forme de solitude moderne que vit l'homme de conviction, et qui le met dans une « situation inhumaine parce que sans possibilité significative de " pardon " de " repentir " de " réparation ", tout à fait semblable à celle de la foi religieuse en la prédestination, mais au moins celle-ci pouvait imaginer quelque secrète *ratio* divine [78] ». Comme si à nouveau Max Weber glissait discrètement un élément du portrait qu'il trace de lui-même dans le motif qui révèle le fond ultime de son interrogation.

Si l'on voulait résumer le trajet parcouru sur le chemin de l'interprétation wébérienne de la naissance de la rationalité économique moderne, il faudrait souligner ici le fait que ce sont un style de vie et un monde éthique qui ont été décrits, et non à proprement parler des structures de production et d'accumulation des richesses. À tout prendre en effet, c'est avant tout de « l'éthos de la *bourgeoisie* moderne [79] » qu'ont accouché la doctrine protestante de la prédestination et sa transposition dans un style de vie susceptible de compenser l'angoisse née de l'incertitude quant au salut. Et il faut alors prendre la mesure du fait que pour Max Weber les conséquences strictement économiques de cet accouchement sont bien des effets non voulus de la volonté, des excroissances du phénomène hors du domaine où il connaît sa signification première. En effet, si le puritanisme conduit à une réévaluation positive des biens de ce monde entendus comme signes de l'élection divine, il s'en faut et de beaucoup qu'il plaide directement pour l'accumulation. Plus encore, l'incitation à une conduite dans le monde méthodiquement maîtrisée semble inclure en première intention un rapport contrôlé aux richesses, une rétention de la jouissance immédiate des biens terrestres. Manque alors encore une série de médiations pour conduire à la recherche systématique du profit. Des médiations toutefois qui ont une forme paradoxale, celle qui relève d'une sorte de mécanisme fonctionnant selon une logique qui échappe à l'intention de ses inventeurs. Comme si Max Weber faisait reposer son schéma d'interprétation du capitalisme sur deux structures de causalité contiguës, logiquement liées l'une à l'autre, enchaînées dans le déroulement historique empirique, mais qui auraient pu ne pas l'être en ne se rencontrant jamais.

La première de ces structures est celle qui relie la révolution religieuse opérée par le protestantisme et la doctrine de la prédestination à ce qu'il ne faut pas encore appeler l'économie capitaliste mais seulement la vision bourgeoise du monde. À ce titre, l'apport des sectes puritaines tient dans le fait d'avoir su imposer une « éducation disciplinée » à leurs adeptes, en mobilisant « les intérêts *individuels* tout-puissants sur le plan social de l'estime de soi-même [80] ». En l'occurrence, il s'agit d'intérêts liés à la recherche du salut dans le contexte de l'angoisse vécue dès l'instant où s'impose l'idée selon laquelle le destin de l'individu dans l'au-delà dépend d'un décret divin écrit à l'avance mais inconnaissable. La séquence d'analyse repose donc ici sur deux moments. Le premier relève de la démarche strictement compréhensive, cherche à reconstituer l'univers de sens des individus et leurs besoins, pour insister sur la recherche de « bénéfices psychologiques » compensatoires : ceux qui s'attachent à la notion d'une « confirmation » du croyant devant Dieu, par des œuvres conçues comme des signes de l'élection. Le second s'apparente davantage au procédé de l'explication et associe ce besoin de trouver une assurance de salut par la confirmation de la grâce à l'attitude quotidienne de l'individu dans le monde. Il décrit alors la manière dont, à l'intérieur des sectes, les bénéfices psychologiques que peut acquérir le sujet sont tournés vers « l'attestation devant les hommes, au sens d'affirmation sociale de soi-même [81] ». En ce sens, sont ainsi déposés avec ce que Weber nomme l'éthos de la bourgeoisie, trois piliers de la modernité. La préférence affichée pour le monde et l'engagement en son sein, au détriment des attitudes de retrait contemplatif. L'individualisme dans la mesure où il contient la représentation d'une antériorité du sujet par rapport aux communautés et la localisation d'une responsabilité personnelle des actes individuels. Le principe enfin d'une conduite méthodique de l'existence, résultante logique de la dissolution des médiations entre le sujet et les différentes sources de l'autorité.

Reste qu'il manque un chaînon entre cette première structure qui va d'une réorientation du rapport de l'homme à Dieu et au salut vers une éthique systématique de la vie quotidienne et celle qui peut expliquer l'apparition d'une accumulation rationnelle des richesses. Un chaînon qui devrait cette fois relier la vision bourgeoise du monde, avec ses connotations ascétiques et l'austérité de son rapport aux choses terrestres, à une logique systématique de production des biens matériels. Il faut une fois encore insister sur le fait que ce chaînon est loin d'être nécessaire aux yeux de Max Weber [82]. Comme si la sophistication de sa conception méthodologique de la causalité lui laissait entrevoir l'image d'un univers historique qui n'aurait pas connu l'association de la vision bourgeoise du monde et d'un système économique reposant sur le profit. Comme si la technique du « jugement de possibilité [83] » autorisait l'observateur à imaginer un instant que la révolution puritaine ait pu donner naissance à un monde social de contrôle méthodique de soi régi par la recherche du salut sans poursuivre les satisfactions immédiates de la possession, de l'accumulation et de la consommation. Comme si encore se dessinait la vision d'un capitalisme rêvé, centré sur la maîtrise des besoins et des désirs, la capacité méthodique de les satisfaire par le travail. Mais un capitalisme qui se serait arrêté au seuil au-delà duquel le système prend son autonomie par rapport aux individus qui l'ont porté pour devenir le cadre imposé d'une existence privée des significations visées par les premiers puritains.

Un motif faustien de L'éthique protestante

« L'ascétisme était la force qui " toujours veut le bien et toujours crée le mal " (Goethe, *Faust*, 1336), ce mal qui, pour lui, était représenté par la richesse et ses tentations [84]. » En glissant ce motif du *Faust* dans sa reconstitution des liens entre l'ascétisme et l'esprit capitaliste, Max Weber indique sans doute l'un des ressorts les plus profonds de son interprétation, mais l'un des plus secrets aussi. Celui qui désigne cette dimension paradoxale de la logique qui finira par unir l'entreprise religieuse qui invite avec le plus d'intensité l'individu au contrôle de soi à une recherche débridée du profit, dénuée de toute finalité spirituelle. Celui qui marque l'empreinte dans l'histoire des écarts redoutables entre une raison pratique fondée dans les motivations les plus intimes du sujet et ses conséquences au plan des structures qu'elle contribue à faire naître. Celui enfin qui initie le thème qui viendra s'accomplir dans la vision finale d'un système ayant acquis son autonomie en expulsant toute dimension du sens hors d'un mécanisme qui écrase l'homme. Et tout se passe alors comme si, au cœur de ce motif, c'était la même valeur accordée à la richesse qui pouvait successivement figurer l'image du bien comme signe d'une assurance de salut sur fond d'incertitude angoissante de la grâce et la forme spécifiquement moderne du malheur humain comme aliénation à un monde privé de sens. À un moment donc où Weber viendrait rejoindre Marx après s'être écarté de lui aussi loin qu'il se puisse et ouvrirait une perspective qui baignera les critiques contemporaines de la réification du monde des échanges en un univers d'aliénation au travail et à la technique [85].

Réduite à quelques propositions synthétiques, la contribution du puritanisme à la naissance du monde moderne confirme bien l'écart entre deux dispositions à première vue contradictoires. Tout d'abord en effet, c'est une détermination négative qui s'impose, lorsqu'il est noté que « l'ascétisme protestant, agissant à l'intérieur du monde, s'opposa avec une grande efficacité à la *jouissance* spontanée des richesses et freina la *consommation*, notamment celle des objets de luxe [86] ». Refus de la possession ostensible des richesses, critique du luxe comme forme d'idolâtrie de la créature, méfiance vis-à-vis de la tentation d'acquérir les biens matériels pour eux-mêmes, c'est encore vers la maîtrise de soi-même que s'oriente l'éthique puritaine, selon une logique qui tend moins vers le profit que vers la rationalisation des comportements économiques. Et s'il fait sauter un verrou décisif, ce dernier se situe sur un autre plan, associé au fait qu'il « eut pour effet psychologique de *débarrasser* des inhibitions de l'éthique traditionaliste le *désir d'acquérir*. Il a rompu les chaînes qui entravaient pareille tendance à acquérir, non seulement en la légalisant, mais aussi [...] en la considérant comme directement voulue par Dieu [87] ». Reste alors à comprendre comment ces deux logiques, qui font signe respectivement vers la légalisation du désir de gain et la rétention de la jouissance des richesses, peuvent conduire à l'accumulation du capital, critère empirique qui atteste de la formation du monde économique moderne. En sachant qu'il s'agit ici pour Max Weber de l'énigme la plus puissante qui s'attache à sa naissance et porte probablement son destin s'agissant des hommes qui vivent en son sein.

Au plan strictement économique, la réponse est limpide, qui tient en un constat : « Le capital se forme par l'épargne forcée ascétique [88]. » D'un côté, l'incitation à l'acquisition des biens favorise une rationalisation de la production qui trouvera son lieu d'élection dans l'entreprise organisée autour du métier. De l'autre la critique de la consommation à son tour oriente l'utilisation des biens acquis comme capital à investir, comme emplois productifs de nouvelles richesses. Avec pour résultante une accumulation que l'on pourrait dire primitive, qui n'a pas pour moteur le profit au sens de Marx, mais la conduite méthodique de l'existence. Tout se passe pourtant comme si cette forme d'accumulation désintéressée devenait aussitôt victime de son propre succès, pour laisser la place au sentiment plus naturellement humain de la tentation de la richesse. Une place qui peut alors être occupée par le système capitaliste tel que le décrit Marx à partir de la formule qui en décrit ironiquement l'esprit : « Accumulez, accumulez ! C'est la loi et les prophètes. » Que s'est-il passé entre ces deux moments, qui vienne situer exactement l'espace qui sépare les interprétations marxiste et wébérienne de la naissance du capitalisme ? Un enchaînement qui relie sans aucun doute chez Weber la dialectique qui préside à la transformation de la vision religieuse du monde à celle qui organise la formation d'une économie nouvelle. Mais un enchaînement qui substitue d'autant moins un déterminisme culturel des représentations religieuses au déterminisme matérialiste des forces productives que l'impact empirique des croyances et de leur mise en forme dans des éthiques quotidiennes ne se manifeste au plan empirique de la rationalisation économique du monde qu'à l'instant où elles sont déjà dénaturées.

La seconde des structures de causalité qui portent l'interprétation wébérienne de la naissance du capitalisme a donc bien cette forme paradoxale d'une logique dont les conséquences sont contraires aux intentions qui l'avaient engagée. Car on aura compris qu'au moment où la liaison s'est opérée entre l'éthos bourgeois du méthodisme ascétique et le mécanisme capitaliste de l'accumulation, la vague d'enthousiasme religieux qui accompagnait le premier s'est déjà éteinte. « Tu croyais avoir échappé au monastère, mais désormais chacun doit être un moine sa vie durant [89] », disait Sebastian Franck, scellant l'esprit initial de la Réforme dans la vision austère du saint invité à conjuguer la conquête méthodique du monde avec la plus parfaite maîtrise de soi. À quoi semble répondre l'inquiétude de John Wesley dressant une sorte d'épitaphe de l'esprit puritain contemplant les logiques incontrôlables de son propre succès : « Je crains que, partout où les richesses ont augmenté, le principe de la religion n'ait diminué en proportion [...]. Car *nécessairement* la religion *doit* produire industrie et frugalité et celles-ci, à leur tour, engendrent la richesse. Mais lorsque la richesse s'accroît, s'accroissent de même orgueil, emportement et amour du monde sous toutes ses formes [...]. Ainsi, bien que demeure la forme de la religion, son esprit s'évanouit rapidement. N'y a-t-il pas moyen de prévenir cela, de faire obstacle à cette décadence continue de la vraie religion ? N'empêchons pas les gens d'être diligents et frugaux. *Exhortons tous les chrétiens à gagner et à épargner tout leur saoul, autrement dit, à s'enrichir* [90]. »

L'élection par les œuvres et la foire aux vanités

Tout porte à croire que ce texte cité par Max Weber est bien le noyau interprétatif central de son analyse de la formation de l'économie moderne et plus avant même du procès de rationalisation du monde dans son ensemble. En ce sens il faut comprendre que l'ultime médiation entre la révolution produite par la Réforme et l'installation du capitalisme est déjà située hors du champ propre à la rationalisation de la vision religieuse du monde qui avait accouché de l'éthique méthodique du puritanisme. Dans une sécularisation de ses idéaux, afin qu'ils soulagent un peu plus l'angoisse née de la doctrine de la prédestination. Dans une transformation utilitariste de ses principes rigoristes liés à la recherche d'un salut privé de toute assurance terrestre. Ainsi Weber souligne-t-il qu'au moment où les idées de l'ascétisme finissaient par exercer leur plein effet sur l'économie, « l'ardeur de la quête du royaume de Dieu commençait à se diluer graduellement dans la froide vertu professionnelle ; la racine religieuse dépérissait, cédant la place à la sécularisation utilitaire [91] ». Il pouvait alors ouvrir un espace où venait se loger un nouvel imaginaire, celui d'un *Homo œconomicus* toujours aventurier, encore tendu vers la conquête du monde, plus que jamais auparavant capable de s'adapter aux vicissitudes de l'existence. L'imaginaire de Robinson Crusoé par exemple, nourri de profondes affinités électives avec le système d'un Adam Smith et de ses successeurs. Mais un imaginaire qui, en triomphant avec la rationalité économique, l'éloignait sans retour de « l'image du " pèlerin " de Bunyan traversant à la hâte la " Foire aux vanités ", tout à la recherche spirituelle solitaire du royaume des cieux [92] ».

Faut-il entendre que pour Max Weber, dès leur naissance, le capitalisme et la modernité dans son ensemble sont irrémédiablement enracinés dans la « foire aux vanités » lors même que l'esprit qui présidait à leur invention les retenait encore dans le registre d'un monde humain doté de sens ? Doit-on saisir dans cette image la signification définitive du motif faustien au regard duquel l'ascétisme en voulant le bien créait un mal dont il ne pouvait imaginer les conséquences ? Peut-on interpréter ici la présence d'une nostalgie wébérienne de l'âge d'or d'un puritanisme et d'une vision bourgeoise du monde désormais enfouis sous leurs excroissances utilitaristes, consuméristes et proprement désenchantés ? Toujours est-il que lorsque le dernier maillon du schéma d'interprétation de la naissance de l'économie rationnelle moderne paraît, il relie déjà deux registres devenus étrangers l'un à l'autre. Puisqu'il s'agit de lui, le travail sans relâche dans une profession, va nouer deux séries partiellement hétérogènes. Comme expression d'une adaptation des préceptes de l'éthique méthodique du puritanisme aux conditions du monde, il viendra figurer l'ultime réceptacle d'un espoir de salut privé d'inscription sûre dans la pratique des œuvres et le respect des sacrements. En ce sens il sera encore situé dans le registre où l'homme éprouve l'angoisse de la prédestination en cherchant à la compenser par la recherche de signes attestant de son élection. Mais comme vertu propre à un système d'échange et à une nouvelle forme de stratification sociale, il sera déjà ailleurs. Dans un univers où les richesses valent par elles-mêmes et non plus en tant que traces d'un sens situé hors du monde. Dans une logique où l'accumulation n'est plus vécue comme preuve d'une action conduite à la gloire de Dieu, mais est devenue la simple poursuite rationnelle de l'utilité individuelle.

Précepte pratique central de l'éthique puritaine du point de vue de son influence sur la formation du monde économique moderne, le travail dans un métier connaît en premier lieu un fondement dans ce même dispositif doctrinal qui récuse la jouissance immédiate des richesses. Situé au moment où les idées religieuses du protestantisme donnent naissance à des maximes visant directement la vie économique quotidienne, Max Weber le découvre dans les œuvres de Baxter. Contemporain de la Grande Révolution anglaise, ce dernier délaisse largement les controverses théologiques, pour focaliser son intérêt sur un enseignement consacré à la direction des consciences et aux règles de vie de ces croyants voués à éprouver leur foi dans le monde. Ainsi développe-t-il un thème essentiel au regard de la liaison entre l'éthique intramondaine du protestantisme et le capitalisme que Weber résume de la manière suivante : « *Gaspiller son temps* est [...] le premier de tous les péchés. Notre vie ne dure qu'un moment, infiniment bref et précieux, qui devra confirmer (*festmachen*) notre propre élection. Passer son temps en société, le perdre en " vains bavardages ", dans le luxe, voire en dormant plus qu'il est nécessaire à la santé – six à huit heures au plus – est passible d'une condamnation morale absolue [93]. » Articulé à la méfiance vis-à-vis de la « foire aux vanités » du monde, noué au fait que l'attente principale du croyant réside dans la capacité à trouver des traces qui confirment son salut, l'éloge du travail est donc avant tout celui d'un moyen ascétique de contrôle de soi en référence aux injonctions maîtresses de la doctrine. D'une manière qui retrouve l'expérience traditionnelle de l'Église d'Occident au travers de la plupart des règles monastiques. Avec toutefois une orientation qui le fait préférer à la contemplation inactive dans la mesure où « elle plaît *moins* à Dieu que l'accomplissement de sa volonté dans un métier (*Beruf*) [94] ».

Réinterprétant la parabole des Talents qui voit le serviteur chassé pour n'avoir pas fait fructifier l'argent qui lui avait été confié par son maître, Baxter en vient presque à opposer termes à termes ces deux registres de l'existence terrestre où se manifestent respectivement l'œuvre de la chair identifiée au péché et l'œuvre du travail attachée à la poursuite de la grâce. À l'encontre de toute une tradition religieuse, désirer être pauvre devient pour lui synonyme de vouloir être malade ou cultiver une mauvaise réputation. Et le précepte qui en découle sonne déjà comme une justification de l'accumulation rationnelle des richesses : « Travaillez donc à être riches pour Dieu, non pour la chair et le péché [95]. » On perçoit alors la frontière que trace Max Weber entre la morale pratique du puritanisme et les éthiques religieuses qui valorisaient aussi l'activité mondaine. Ainsi trouverait-on chez Thomas d'Aquin, Bernard de Clairvaux ou Bonaventure des éléments casuistiques qui plaident en faveur d'une tolérance vis-à-vis de l'économie, de l'intérêt et du travail. De même les jésuites avaient-ils développé une doctrine rationnelle de l'investissement du monde à la gloire de Dieu. Mais deux différences essentielles persistent qui sont décisives au regard des recherches sur l'origine du capitalisme. La première tient à ce qui sépare des recommandations destinées à des moines retirés de la sociétés ou une élite spécialisée et une éthique directement tournée vers la masse des croyants, visant à organiser la vie profane au quotidien. Puis, par-delà cette opposition pratique, demeure aussi une différence théorique qui éloigne la doctrine de l'Église catholique de celle des puritains : « Dans le catholicisme, ces vues latudinaires étaient le produit de théories éthiques particulièrement laxistes, non approuvés par l'Église, et auxquelles s'opposaient les fidèles les plus sérieux et les plus stricts, tandis qu'à l'inverse l'idée protestante de profession mettait les disciples les plus convaincus de la vie ascétique au service de l'acquisition capitaliste [96]. »

À cela il faudrait encore ajouter que ce dernier dispositif résulte lui-même d'une évolution interne à la doctrine protestante. Pour Luther en effet, la division des classes et des métiers dans l'ordre historique, la division du travail dans l'ordre économique sont encore pensées comme des objets de la providence. Avec pour conséquence une acceptation de type traditionaliste de l'ordre des choses, comme une réalité inscrite dans un cosmos naturel voulu par le Créateur. Et le fait que la tâche du croyant consiste avant tout à persévérer dans une disposition qui lui a été assignée. Avec Baxter en revanche, le dessein de la providence en la matière est réinterprété au travers de l'idée selon laquelle c'est avant tout aux fruits du travail que l'on reconnaît les signes de l'élection divine. D'où la fine séparation qui oppose deux rapports aux biens de ce monde entendus comme résultats de l'activité économique : « Si on la poursuit dans le dessein de vivre plus tard joyeux et sans souci, la richesse n'est que tentation de la paresse et scabreuse jouissance de la vie. Au contraire, dans la mesure où elle couronne l'accomplissement du devoir professionnel, elle devient non seulement moralement permise, mais encore effectivement ordonnée [97]. » Ce qui réoriente la vision de l'ordre économique dans une direction qui mène vers Adam Smith lorsque se développe l'idée selon laquelle « c'est aux *fruits* qu'il porte que l'on reconnaît le but providentiel de la division du travail [98] » et que peuvent se justifier l'habileté et la technicité professionnelles. Mais ce qui peut aussi donner naissance aux variantes séculières d'un utilitarisme fondé sur le principe qui veut que « la spécialisation des occupations conduit à un accroissement quantitatif et qualitatif de la production et sert ainsi le bien général (*common best*), identique au bien du plus grand nombre ».

Se trouve ainsi installé l'un des piliers sur quoi peut s'élever la nouvelle économie rationnelle : l'injonction en faveur d'une activité continue dans un métier et la recherche de la « stabilité de la profession ». Avec elles, un précepte de vie et un habitus social recommandés au nom de leur valeur ascétique comme moyen de confirmation de la grâce peuvent donner un fondement éthique à la spécialisation du travail, pour la grande masse des individus plongés dans le monde moderne des échanges. Si l'on ajoute que, de la même façon, « l'interprétation providentielle des chances de profit transfigure l'homme d'affaires [99] », on voit se dessiner la structure sociale du capitalisme. Une structure qui, pour un temps au moins, trouve une justification profonde par son ancrage dans un univers de valeurs éthico-religieuses et des attentes attachées à la perspective du salut. S'éloignant de la valorisation médiévale de la pauvreté, délaissant la contemplation monastique et le retrait du monde comme moyens d'accéder aux biens de la grâce, le puritanisme en effet fournit le système de normes sur lequel peut reposer la société capitaliste. D'un côté, une idée d'une efficacité considérable pour l'ensemble des individus ne disposant que de leur force de travail. Celle qui veut que « le travail en tant que *vocation* (*Beruf*) constitue le meilleur, sinon l'*unique* moyen de s'assurer de son état de grâce [100] ». Avec pour corollaire une notion de travail dépouillée de toute recherche du plaisir, mais cependant dotée des attributs d'une transfiguration éthique dont seront plus tard privés les ouvriers dans le système capitaliste contemporain. Mais l'ensemble fait système si l'on songe qu'au moment où intervenait cette motivation psychologique au labeur dans une profession stable, « l'ascétisme protestant légalisait l'exploitation de cette bonne volonté au travail tout en interprétant l'activité acquisitive de l'entrepreneur comme une " vocation " ». Avec pour perspective cette fois l'image de l'entrepreneur tout à la fois détachée de celle du seigneur condescendant et de celle plus ostentatoire du « nouveau riche ». Une image qui devait se focaliser sur celle du bourgeois sobre, du *self-made-man* ardemment défendue par un Benjamin Franklin, par exemple.

Le monde de Benjamin Franklin et son destin

On peut alors admettre que se trouvent résolues ensemble l'énigme qui pour Max Weber accompagne la transposition dans une éthique séculière des composantes doctrinales de la révolution puritaine et l'interrogation concernant les racines de l'économie et du monde modernes. À l'énigme selon laquelle « l'ascétisme voyait le *summum* du répréhensible dans la poursuite de la richesse en tant que *fin* en elle-même, et en même temps tenait pour un signe de la bénédiction divine la richesse comme *fruit* du travail professionnel [101] », il peut être répondu en opposant les conceptions qui s'attachent aux biens matériels comme valeurs ou comme signes. Dans un univers de sens régi par l'attente du salut et ordonné autour du besoin de connaître des preuves de l'élection, cette opposition peut pour un temps fonctionner au travers de l'image du « léger manteau qu'à chaque instant l'on peut rejeter [102] » que propose Baxter. Comme si ces biens pouvaient à la fois être désirés en vertu de motifs liés aux besoins les plus intimes de l'individu et se détacher en quelque sorte de leur matérialité. Comme si, entre le mépris qu'imposait à leur égard la religion médiévale et la consommation trivialement utilitariste que l'on en connaît dans le monde contemporain, ils avaient pour un bref moment une signification que l'on pourrait dire sacrée. Ce qui revient à dire que c'est peut-être en insistant moins sur la question du profit comme Marx que sur celle de la marchandise que Weber résout le problème de l'apparition du capitalisme. Une marchandise qui à nouveau ne serait pas essentiellement conçue comme valeur, mais comme signe de la persévérance dans le travail et du succès dans les affaires. Une marchandise qui ne viendrait pas figurer le support matériel d'une révolution économique, mais le vecteur par lequel les idéaux d'individus partis à la conquête de leur ciel par le travail dans le monde structurent en profondeur les statuts sociaux et les logiques d'échange d'un univers nouveau.

Il n'est alors pas surprenant que ce soit dans une forme tardive, empruntée à un moraliste laïc issu de l'Amérique nouvelle, que Max Weber découvre l'expression la plus achevée de l'éthique puritaine du capitalisme naissant. Présentant le texte de Benjamin Franklin qui l'expose, Weber insiste sur la « pureté presque classique [103] » du document et souligne son absence de lien direct avec la doctrine religieuse ou la préoccupation théologique. L'apport de Benjamin Franklin est ici décisif, précisément en ce qu'il offre une ultime formalisation éthique du propos, encore immergée dans le contexte de l'enthousiasme des saints partant conquérir le monde pour se prouver leur salut et déjà disponible pour ses formes de sécularisation ultérieures, orientées vers un pragmatisme laïcisé. En ce milieu du XVIIIe siècle, le ton a déjà changé, délaissant l'évocation angoissée de la perspective du salut pour l'appel au respect de maximes pratiques, abandonnant la subtilité des distinctions attachées aux diverses significations de la richesse pour offrir des règles quotidiennes régissant leur usage. Et si Benjamin Franklin donne la version la plus opérante de l'éthos du puritanisme, c'est qu'il se contente de livrer une « maxime *éthique* pour se bien conduire dans la vie » qui tient en quelques propositions : « Souviens-toi que le *temps*, c'est de l'*argent* [...]. Souviens-toi que le *crédit*, c'est de l'*argent* [...]. Souviens-toi que l'argent est, par nature, *générateur et prolifique* [...]. *Souviens-toi du dicton : le bon payeur est le maître de la bourse d'autrui* [104]. » Loin déjà de ce qui faisait penser à Baxter que la critique du temps perdu était celle d'un temps soustrait au travail dévoué à la gloire de Dieu, le principe qui le transforme en argent conduit plutôt vers ce monde qui faisait dire à Goethe que le progrès du capitalisme se mesure au fait que les horloges sonnent tous les quarts d'heure [105]. Soudain devenu étranger à l'idéal d'une rétention de la jouissance des richesses produites, le principe de l'argent générateur fait directement signe vers l'univers d'une économie qui n'aura bientôt plus besoin de son substrat éthique pour s'imposer.

Il faut sans doute admettre qu'au moment où Max Weber découvre chez Benjamin Franklin la forme la plus pure de l'esprit du capitalisme, il conçoit aussi qu'elle est déjà détachée de son soubassement religieux. Se confirme ainsi le paradoxe qui veut que la contribution du puritanisme à la naissance de l'économie moderne ne soit parachevée qu'au travers d'une expression de ses valeurs complètement adaptée au monde. Dans un mouvement donc où tout se passe comme si l'efficacité empirique des représentations religieuses dans l'histoire ne pouvait s'assurer que par le biais de leur traduction en des corpus de normes éthiques sécularisées, vidées de leur contenu directement noué à la question du salut, transformées en maximes d'actions disponibles pour tout un chacun. Avec pour effet que la place est désormais libre pour l'édification d'un système économique et social qui pourra user des ressources fournies par les principes d'une morale ascétique radicalement intramondaine, valorisant à la fois le travail méthodique dans une profession et la recherche continue du profit, aménageant un nouveau rapport à l'espace et au temps du monde [106]. Nul doute alors pour Max Weber que s'achève ainsi un processus qui a les traits d'une rationalisation décisive de l'activité humaine dans le registre de l'affrontement avec la nature, pour la satisfaction des besoins et par le biais d'une organisation méthodique de la production et de l'échange des richesses. Demeure cependant la trace de ce qui fait l'originalité de sa thèse, quand persiste le sentiment selon lequel il se pourrait que cette construction ne puisse survivre à son succès. Ou plus précisément encore que son succès matériel ne se paie du retournement de l'enthousiasme religieux qui présidait à son invention en une résignation au fonctionnement d'un système privé d'esprit et de sens.

C'est en effet dans cette perspective que Max Weber renouvelle en profondeur l'interprétation du phénomène économique, bouleversant l'espace des discussions qui le précèdent et libérant celui où se déploient les nôtres. Loin des formes massives du déterminisme de Marx ou de celles plus subtiles de Sombart ou Simmel, l'originalité de l'interprétation réside dans la mise au jour de deux dialectiques qui échangent leurs effets entre la sphère religieuse et la sphère économique. Ainsi pourrait-on emprunter à Claude Lefort la formulation de la position exacte de Weber s'agissant de la forme de communication qui s'établit entre la révolution économique et la révolution religieuse. Une position qui récuse l'idée selon laquelle il faudrait « supposer un Esprit du monde derrière le cours manifeste des événements, en sorte que la dialectique religieuse et la dialectique économique [ont] de toute nécessité, quelles que soient les apparences, le même sens [107] ». Puis qui refuse encore ce que « la métaphysique de l'Histoire acceptera comme ruse de la Raison », à savoir le fait que les transformations du visage du protestantisme entre le moment de sa naissance et le XVIIIe siècle, ou encore l'écart entre l'attitude religieuse et les opinions laïques, les significations vécues par les différents hommes historiques, soient des composantes nécessaires de cette double dialectique. Avec pour conséquence qu'une large part est laissée à l'indétermination du déroulement historique, à l'impossibilité d'une déduction *a priori* du cours des choses, à l'adaptation des formes de rationalité à des motivations nouvelles issues des composantes sécularisées du monde. Mais ce sont à nouveau les questions que soulève une telle révolution interprétative qui sont décisives. Qu'en est-il des chances de cette adaptation ? Comment estimer les possibilités que persistent les assurances que procurait l'activité économique rationnelle à sa naissance, lors même qu'elle est destinée à être vécue dans un univers laïcisé ?

La fable des abeilles : rationalité et réification

C'est dans la réponse à ces questions que vient se loger un thème qui fait figure de véritable *leitmotiv* de la pensée wébérienne et qui éclaire peut-être d'une autre lumière le sens de la leçon qu'elle veut livrer. Ainsi l'ultime page de l'*Histoire économique* reprend-elle le motif qu'exposait déjà celle de *L'éthique protestante* : le constat suivant lequel l'esprit religieux s'est échappé de la structure que représente désormais l'économie rationnelle du capitalisme. Max Weber note alors que « la racine religieuse de l'humanité économique moderne est morte [108] », sans doute avec la génération des saints qui avaient quitté le couvent pour conquérir le monde à la recherche de leur propre certitude de salut. Et il ajoute aussitôt la conséquence qui en découle du point de vue des fondements de l'ordre économique : « Le concept de *Beruf* est dans le monde d'aujourd'hui un *caput mortuum*. » Reste donc à comprendre comment il se peut que cet ordre persiste, si tant est que se soit effacée la promesse qui l'enracinait au plus profond des attentes humaines. À son tour la réponse à ce problème est riche de signification quant à l'orientation dernière de la perspective wébérienne : « La religiosité ascétique s'est muée en une attitude qui affiche, face au monde et à l'homme, un réalisme pessimiste en soutenant, comme dans la fable des abeilles de Mandeville, par exemple, que les vices privés peuvent dans certaines circonstances présenter un intérêt pour la collectivité. » Comme s'il advenait au bout du compte que la vérité d'un phénomène apparenté à une révolution dans le rapport humain à la question du salut ne se dévoile qu'au moment où il se dépouille de sa dimension religieuse pour laisser place à l'idéalisme des Lumières croyant à l'harmonie des intérêts par une ruse de la raison. Un idéalisme qui peut pour un temps guider la main des princes, des hommes d'État, des écrivains, ou encore des entre-preneurs ou des marchands, mais qui ne peut éviter que se profilent des conséquences qui s'annoncent graves. À ce titre Max Weber peut-il apporter pour dernier message une constatation amère et dénuée de tout optimisme : « Il était possible que la classe ouvrière se satisfît de son sort aussi longtemps qu'on pouvait lui promettre le bonheur éternel ; que ces bonnes paroles vinssent à cesser, et il devenait alors inévitable qu'apparussent dans la société ces ten-sions qui depuis n'ont cessé de croître avec constance. Ce moment est atteint au XIXᵉ siècle, lorsque s'achève le premier capitalisme et que s'annonce l'ère de l'acier [109]. »

Comment entendre le sens de ce brutal retour au monde contem-porain qui fixe toujours le motif terminal des analyses de la nais-sance de la modernité chez Max Weber ? Comment intégrer la portée de ce constat qui est inlassablement la dernière variation sur le thème du désenchantement du monde, une fois épuisées toutes celles qui touchent à la description des formes de rationa-lisation propres aux différents registres de l'activité humaine ? Sans doute est-il trop tôt pour répondre, faute d'avoir pu encore vérifier sa présence dans un registre qui diffère de celui de l'af-frontement de l'homme avec la nature et touche à la rationalisation de la domination de l'homme par l'homme. Mais du moins peut-on souligner déjà ce qu'il suggère de l'idée selon laquelle l'histoire occidentale est travaillée par une dialectique paradoxale. Celle qui veut tout d'abord que ce soit dans le combat de la sphère religieuse contre sa propre tradition qu'il faille aller chercher les articulations initiales et décisives d'un rapport au monde orienté par le projet de le maîtriser. Ce contre la plupart des interprétations qui, dans le sillage des Lumières, font passer ailleurs la frontière entre l'univers de la tradition et le monde moderne. Mais celle pourtant qui aussitôt ajoute qu'il se pourrait que le procès de rationalisation du monde porte en son sein une logique qui retourne ses compo-santes vécues sous le signe de la quête du salut, puis de l'éman-cipation ou de la liberté, en des structures réifiées pour une existence privée de toute inscription dans la dimension du sens. Comme si l'aventure des puritains n'avait été en quelque sorte qu'un voile déposé sur les mécanismes propres à l'organisation rationnelle du monde, ou encore un moment de répit sur la trajec-toire qui conduit à son triomphe dans un contexte de parfait dés-enchantement. Comme si enfin, en libérant dans le monde les res-sources potentielles de rationalisation contenues dans les grandes religions universelles, la dynamique historique de l'Occident avait ouvert un chemin où elles devaient se confondre avec l'expulsion de la dimension du salut hors de l'expérience humaine.

CHAPITRE VII

Les chemins détournés
de la rationalisation politique

Du point de vue de la réception de l'œuvre de Max Weber, la description des formes politiques de l'État moderne et la théorie de la rationalisation économique du monde ont connu des destins séparés et pour tout dire contradictoires. Autant cette dernière a donné naissance à une abondante littérature critique, autant la typologie des formes de la domination, l'histoire du pouvoir et la définition du monopole de la violence légitime ont été reconnues et reprises presque sans discussion, comme si elles révélaient une sorte d'impensé de l'imaginaire politique occidental ou formulaient un point médian des expériences modernes de l'autorité. De cette dissymétrie on trouverait une source dans le corpus wébérien lui-même, qui tout à la fois cherche et fuit l'idée selon laquelle les rationalités économiques et politiques procèdent de logiques identiques. Rechercher d'autres « *traits distinctifs* du rationalisme occidental [1] » dans le sillage de *L'éthique protestante*, mais résister à la tentation de déduire des représentations religieuses « *tout* ce qui " caractérise " la civilisation moderne [2] » : tel est le dilemme. Refuser de « considérer historiquement le protestantisme comme une simple " étape antérieure " d'une philosophie purement rationaliste [3] », mais avancer toutefois que « la suite de notre tâche aurait plutôt consisté à montrer la signification [...] du rationalisme ascétique pour le contenu de l'éthique *politico-sociale*, ainsi que pour les types d'organisation et les fonctions des groupes sociaux, depuis le conventicule jusqu'à l'État [4] » : telle est l'ambition partiellement contrariée par l'inachèvement de l'œuvre.

De ce projet laissé en friche Max Weber donne le résumé suivant qui poursuit l'esquisse des influences du rationalisme ascétique : « Il aurait fallu analyser ensuite ses rapports avec le rationalisme humaniste, les idéaux de vie, l'influence culturelle de ce dernier ; étudier en outre ses rapports avec le développement de l'empirisme philosophique et scientifique, ainsi qu'avec le progrès technique et les idéaux spirituels. Pour finir, il aurait fallu suivre son devenir historique, depuis les amorces médiévales d'un ascétisme à l'intérieur du monde jusqu'à sa dissolution dans le pur utilitarisme, à travers les aires d'extension de la religiosité ascétique [5]. » Cependant, tout se passe comme si à l'entrée des contrées occupées par les questions de la domination, de l'autorité et du pouvoir aucune de ces perspectives n'était plus disponible pour restituer l'histoire du phénomène politique et ses catégories, pas même celle d'une rationalité pratique entendue comme « une manière de vivre qui rapporte consciemment le monde aux intérêts séculiers (*diesseitig*) du *moi* et les juge selon ceux-ci [6] ». En d'autres termes, le présupposé d'autonomie du politique semble à ce point puissant chez Max Weber qu'il requiert un nouveau départ, un système de catégories propres et la description de moments historiques spécifiques.

Lutte pour la reconnaissance
et rationalisation du pouvoir

C'est à l'évidence ce type de considération qui nourrit le choix en faveur du concept de *Herrschaft* pour éclairer l'identité du phénomène politique. Acceptant pour des motifs exposés par Raymond Aron sa traduction française par le terme de domination, qui transpose dans le latin *dominus* la racine allemande de *Herr* (maître), on insistera avec lui sur le fait qu'un tel choix tourne le propos de Max Weber vers un domaine où les relations de puissance (*Macht*) se restreignent à celles par lesquelles la volonté qui s'impose « recourt au commandement et s'attend à l'obéissance [7] ». Vers une perspective aussi qui élève le projet wébérien au plan de ce que Raymond Aron encore appelle la « théorie générale de la politique [8] ». Celle qui vise à élaborer des questions « significatives à toutes les époques » et qui expriment le « problème permanent de la politique humaine [9] ». Celle qui, plus précisément encore, reconduit ces questions vers celle d'entre elles qui les résume toutes : « Qui est en droit de commander et pourquoi suis-je tenu d'obéir ? » Tout porte à croire en effet que l'orientation interne à la sociologie compréhensive de Weber le pousse à préférer ancrer son analyse dans le point de vue des acteurs et les motifs de l'obéissance, plutôt que dans la description des moyens techniques du pouvoir ou dans les problématiques philosophiques de la souveraineté, de la représentation, ou de l'exercice de la volonté. Ce qui veut dire que la sociologie de la domination diffère d'une théorie du pouvoir de fait et prend les allures d'une explication des mécanismes de l'obéissance. Selon la définition qui pose que « l'action de celui qui obéit se déroule, en substance, comme s'il avait fait du contenu de l'ordre la maxime de son action [10] ». Et dans un espace déterminé de la manière suivante : « On ne peut dire qu'existe une communauté politique comme structure séparée, que quand elle constitue plus qu'un " groupe économique ", ou pour autant qu'elle possède des systèmes de valeur régissant des registres autres que la stricte disposition des biens et des services [11]. »

Mais il y a sans doute plus et qui renvoie à l'une des clefs essentielles de la pensée de Max Weber : l'idée selon laquelle la domination figure le fond irréductible de la politique. Ce contre l'utopie d'une pacification du lien politique que développe la critique des idéaux anarchistes et pacifiques dans les textes consacrés à la situation contemporaine. Mais dans le contexte aussi d'une sociologie qui traque les moindres traces d'illusion pratique jusqu'au cœur même de la définition de ses catégories d'analyse. En témoigne cette remarque sur le caractère formel du pouvoir démocratique : « Le fait que le chef et la direction administrative d'un groupement se présentent, quant à la forme, comme " serviteurs " de ceux qu'ils dominent n'est nullement une preuve contre le caractère de " domination " [12]. » L'impossibilité d'éliminer la domination au sens du « pouvoir de décision » au sein même de la forme politique qui vise à le répartir dans l'ensemble du corps social inviterait donc à admettre qu'elle est bien le socle ultime d'une activité qui régit la sphère des relations interpersonnelles. Mais en un sens qui reconduit à nouveau la notion de domination vers la question de l'obéissance et le mystère qui s'attache aux conditions dans lesquelles il se peut qu'elle se fasse valoir et surtout accepter par ceux qui la subissent. Comme si en la matière importaient, plus que les structures et les techniques du pouvoir, les logiques de revendication et d'acceptation d'une capacité à imposer sa propre volonté comme maxime de l'action d'autrui.

Peut-on aller plus loin, pour tenter d'éclairer un peu mieux les raisons du choix en faveur du concept de domination ? En relevant, par exemple, qu'il est difficile de ne pas imaginer que, dans l'univers culturel de Max Weber, il fasse signe vers le concept hégélien de *Herrschaft* et la dialectique reliant maîtrise et servitude qui le met en scène. On ne peut qu'être frappé par le fait que c'est le même terme qui désigne chez Max Weber la catégorie centrale d'une théorie politique vouée à la compréhension des conditions de possibilité de la légitimité et s'associe chez Hegel à l'analyse du besoin de reconnaissance réciproque du maître et de l'esclave.

Intitulé « domination et servitude » (*Herrschaft und Knechtschaft*), le paragraphe de la *Phénoménologie de l'esprit* qui déploie cette dialectique repose sur l'idée selon laquelle l'opération en quoi consiste la conscience de soi se dédouble « non pas seulement en tant qu'elle est aussi bien une opération *sur soi* que *sur l'autre*, mais aussi en tant qu'elle est, dans son indivisibilité, aussi bien l'opération *de l'une* des consciences de soi que *de l'autre* [13] ». Outre ce qu'elle engage d'une problématique selon laquelle l'histoire « n'est qu'une dialectique de la Maîtrise *et* de la Servitude [14] », une telle idée souligne ce que la catégorie de domination contient d'une dimension de lutte. Une lutte dont l'objet est précisément la reconnaissance réciproque des deux parties. Une lutte dont l'inscription historique décrit une trajectoire par laquelle les deux composantes de l'existence humaine se neutralisent et conduisent à une synthèse. Une lutte enfin qui souligne peut-être l'arrière-fond intellectuel qui donne au concept wébérien de domination ce que l'on pourrait appeler son esprit.

Risquant un pas de plus, on aurait envie d'ajouter que la problématique qui relie la dialectique du maître et de l'esclave à celle de la reconnaissance chez Hegel éclaire peut-être quelques-uns des considérants qui président à l'élaboration des catégories de l'analyse politique par Max Weber. Nul doute en effet que ce dernier, en choisissant d'accorder la priorité aux modalités pratiques de l'action et non aux structures, puis en focalisant son attention sur les motifs qui orientent cette action, accentue l'importance des formes de conscience et de leur développement. Dans un sens qui demeure de la sorte conforme à l'orientation de *La phénoménologie de l'esprit*. Mais dans une perspective qui peut aussi retrouver le chemin ouvert par la *Philosophie du droit*, lorsqu'il s'agit de laisser se déployer la formation de ces modalités de la conscience sur une trajectoire historique qui parcourt les différentes étapes conduisant à l'affirmation d'un État rationnel, appuyé sur une logique de la domination formelle. Avec pour médiation entre ces deux registres de l'analyse la dimension de la reconnaissance, qui recueille à la fois la part d'un besoin propre à la conscience humaine de se poser en lutte avec autrui et cette logique de la politique qui consiste en l'aménagement du caractère conflictuel de cette opposition. Lorsqu'il est dit sous l'un des aspects de la chose que « le combat de la reconnaissance et la soumission à un maître sont le *phénomène* au sein duquel a surgi la vie en commun des hommes, comme un commencement des États [15] ». Mais lorsqu'il est aussi ajouté sous l'autre aspect que la forme de reconnaissance qui nourrit déjà le recours au contrat peut s'élever jusqu'au plan où il est mis fin à l'hostilité entre les individus, chacun trouvant sa propre satisfaction d'être reconnu par et dans l'État [16].

En gardant en mémoire cette hypothèse concernant l'arrière-plan intellectuel de la pensée de Max Weber, on peut désormais revenir au système des catégories de l'analyse politique, pour chercher à en restituer l'économie interne. En remontant aux définitions premières, c'est sur celle du concept de domination qu'il faut revenir. Weber a été successivement conduit à en donner plusieurs formulations, qui en précisent le contenu. Dans un premier temps, il s'agit de l'approcher en l'opposant au concept de puissance (*Macht*), entendue comme « toute chance de faire triompher au sein d'une relation sociale sa propre volonté, même contre des résistances, peu importe sur quoi repose cette chance [17] ». Notant le caractère « sociologiquement amorphe » de ce concept, Weber recentre le propos sur la possibilité pour un ordre de rencontrer une « docilité » et propose la définition suivante : « *Domination* (*Herrschaft*) signifie la chance de trouver des personnes déterminables prêtes à obéir à un ordre (*Befehl*) de contenu déterminé [18]. » Une première dimension est ainsi acquise, qui consiste en ce que la domination n'est pas une substance ou une qualité propre à certains individus ou groupes, qui découlerait de leur nature ou même de leur position économique et sociale, mais une probabilité concrète de conformité du comportement d'un individu à celui d'un autre.

Max Weber donnera par la suite une définition plus étroite du concept de domination, directement centrée sur son contenu politique. Ainsi écrit-il : « Dans notre terminologie, *domination* sera identique à pouvoir autoritaire de commander. Pour être plus précis, domination va ainsi signifier une situation dans laquelle la volonté manifeste (commandement) du dominant ou des dominants est censée influencer la conduite d'une ou plusieurs personnes (les dominés) et l'influence directement de manière telle que leur conduite, à un degré socialement pertinent, se déroule comme s'ils avaient fait du contenu du commandement la maxime de leur conduite pour l'intérêt propre de celle-ci [19]. » Il est alors souligné qu'en dépit de son caractère insatisfaisant la dimension du « comme si » qui préside à cette définition est essentielle dans la mesure où elle confirme qu'il s'agit moins d'isoler des structures d'autorité que de comprendre le fonctionnement de dispositions intériorisées à l'obéissance. À quoi l'on peut encore ajouter que la part décisive de l'analyse résidera dans la capacité à restituer les motifs de cette intériorisation, en les faisant remonter jusqu'au plan où s'éclairent les raisons pour lesquelles un individu peut agir en conformité avec la volonté d'autrui qu'il se représente comme identique à son intérêt propre. Comme si à nouveau il était bien question de cerner quelque chose qui ressemblerait à l'énigme d'une servitude délibérément consentie, intégrée par le sujet comme une composante de sa volonté personnelle.

La légitimité comme représentation

C'est sous cet angle que le concept de domination conduit immédiatement au problème de la légitimité. On pourrait en effet imaginer qu'il suffise de relier la domination comme disposition intériorisée pour l'obéissance à la série des motifs de l'action que présente la typologie qui lui est consacrée. À la coutume qui expliquerait une grande part des comportements d'obéissance dans la vie quotidienne, par la convenance, la politesse ou simplement l'habitude. À l'intérêt matériel au sein de l'action rationnelle en finalité, pour décrire d'autres formes de comportements routinisés dans l'ordre de la quotidienneté. Aux valeurs et aux affects enfin, si l'on songe au type de rationalité de l'action qui correspond au respect des prescriptions religieuses ou idéologiques. Or Max Weber insiste à plusieurs reprises sur le fait suivant : « L'expérience montre qu'aucune domination ne se contente de bon gré de fonder sa pérennité sur des motifs ou strictement matériels, ou strictement affectuels, ou strictement rationnels en valeur. Au contraire, toutes les dominations *cherchent à éveiller et à entretenir la croyance en leur " légitimité "* [20]. » Envisagée comme revendication de la part de ceux qui prétendent à l'autorité, la légitimité est donc partiellement détachée des motifs sur lesquels celle-ci peut habituellement s'appuyer. Elle apparaît alors comme une sorte de supplément, une disposition qui s'ajoute à celles qui orientent le comportement des acteurs et peut venir leur assurer une stabilité qu'ils n'auraient pas dans le contexte routinisé de la vie quotidienne.

On doit insister sur la part de « croyance » que Max Weber inclut dans ce concept de légitimité. C'est elle en effet qui cerne l'identité de la domination parmi les autres formes de l'action sociale, dans la mesure où elle fait signe vers ce que l'obéissance suppose de reconnaissance dans une dialectique de la revendication et de l'acceptation du pouvoir. En ce sens, elle renvoie bien le mystère de l'obéissance dans le registre d'un face-à-face entre individus qui cherchent, pour les uns à imposer leur volonté à autrui et qui acceptent, pour les autres, de recevoir cette volonté comme l'équivalent de la leur. Si l'on revient un instant aux toutes premières catégories de la sociologie compréhensive, tel est bien

leur objet principal : permettre de séparer au sein des représentations qui forment les structures réelles de l'activité ce qui relève de
« quelque chose qui est », ou encore appartient à l'ordre de
« l'étant » (*Seiendes*), de ce qui au contraire procède du « devant-
être (*Geltensollendes*) qui flotte dans la tête des hommes réels [...]
et d'après quoi ils *orientent* leur activité [21] ». Saisie au travers de la
sollicitation d'une croyance, la revendication de légitimité désigne
donc le moment initial où les formes d'activité sociale dont nous
connaissons les expressions institutionnelles se fondent dans l'ordre
intime des motivations individuelles. Ainsi peut-on dire de l'État
moderne qu'il n'existe que « *parce que* des hommes déterminés
orientent leur activité d'après la *représentation* qu'il existe et doit
exister sous cette forme, par conséquent que des réglementations
orientées juridiquement en ce sens *font autorité* [22] ».

Il est alors symptomatique que Max Weber découvre la racine
la plus lointaine de la légitimité comme représentation du caractère
nécessaire de ce qui est dans la sphère religieuse : là où la question
du salut touche les sentiments de la dignité ou la justification de
la situation des individus dans l'ordre du monde vécu quotidien.
Il s'agit alors de montrer que les grandes religions universelles ont
toujours fourni deux types de ressources aux individus ou aux
groupes qui les ont inventées et portées. Une « théodicée du bonheur [23] » pour les couches privilégiées, lorsqu'il s'agissait de remplir ce besoin qu'éprouvent les individus satisfaits par la vie de
voir leur situation dans le monde correspondre à une mission, une
vocation ou une élection qui les confirmerait dans l'idée que leur
destin n'est pas le fruit d'un hasard, mais trouve sa justification dans
la perspective de la grâce. Une transfiguration de la souffrance à
l'inverse, quand la maladie, la pauvreté ou la détresse doivent à leur
tour pouvoir être interprétées comme les signes d'un dessein divin
dont la forme serait celle d'un renversement des ordres lors du passage de l'existence terrestre à la vie éternelle. Fondation des visions
eschatologiques du monde, soubassement des doctrines de la
rédemption et support des principales promesses offertes par les
grandes religions, de telles structures de représentation étendent
bien entendu leurs effets bien au-delà de la simple thématisation
d'une répartition des biens du salut. Vers les stratifications sociales
attachées à la considération des rangs et des ordres qui découlent
de la dignité des personnes. Mais sans doute aussi vers les formes
sécularisées d'une conception du monde nourrie du besoin d'en
référer la réalité à une sorte de nécessité.

Il faut ici s'arrêter un instant sur la structure en miroir qui organise cette conceptualisation de la légitimité à partir des besoins
opposés d'une théodicée du bonheur et d'une transfiguration de la

souffrance. Pour épouser tout d'abord le point de vue des individus appartenant aux couches socialement ou économiquement privilégiées, afin de restituer les « constellations psychologiques » qui organisent leur vision du monde. Pour constater alors que « lorsqu'un homme heureux compare sa position à celle d'un autre qui est malheureux, il ne se contente pas de constater simplement sa chance, mais il veut avoir, par surcroît, le " droit " à son bonheur, c'est-à-dire avoir conscience qu'il l'a " mérité " par opposition avec l'infortuné qui, d'une manière ou d'une autre, a lui aussi mérité sa malchance [24] ». En ce sens donc, en traitant la souffrance d'autrui comme un symptôme de culpabilité ou d'imperfection, cette forme élémentaire du besoin religieux tend à transfigurer la réalité dans une perspective précise : « Le bonheur veut être *légitime* [25]. » Et Max Weber suggère que cette logique peut aisément s'étendre à l'ensemble des modalités du monde vécu lorsqu'il note que « notre expérience quotidienne nous montre ce besoin de confort intérieur qui se satisfait en légitimant le bonheur, que celui-ci concerne le destin politique, les différences de situation économique, la santé physique, le succès dans la compétition amoureuse, ou quoi que ce soit d'autre [26]. » Et l'on retrouve ainsi quelque chose de cette dialectique de la reconnaissance par laquelle l'individu ne peut obtenir la satisfaction qu'en disposant d'une justification de sa position par référence à celle d'autrui.

La dialectique qui décrit la « constellation psychologique » propre aux individus les plus défavorisés est plus complexe, et repose pour l'essentiel sur le renversement qui nourrit la logique du ressentiment. Leur besoin le plus spécifique est en effet d'être « délivré de la souffrance », et il structure cette idée selon laquelle il y aurait une corrélation entre « le malheur de l'individu et la colère et l'envie des démons et des dieux [27] ». Avec elle, le moralisme religieux peut alors servir de moyen pour « *légitimer* une soif de vengeance ». Ainsi en est-il donc de l'éthique religieuse des couches négativement privilégiées qui « en prenant directement le contre-pied de l'ancienne croyance, se consolent de l'inégale répartition des sorts terrestres en disant qu'elle repose sur le péché et l'injustice de ceux qui sont dotés de privilèges positifs et que, tôt ou tard, cette injustice attirera sur eux la vengeance divine [28] ». Avec pour conséquence cette fois que, si l'on veut, l'esclave trouve sa satisfaction dans le fait de reconnaître dans l'autre un impie, et sa propre reconnaissance dans la possibilité de croire au retournement des rôles dans la perspective de l'attente eschatologique. Mais avec toutefois cette même disposition qui pousse les individus à considérer leur sort comme légitime, justifié sur un plan où se joue la promesse du salut, plutôt que de l'éprouver comme un résultat du hasard ou de la contingence.

Est ainsi confirmée l'idée selon laquelle en cherchant à remonter aux composantes élémentaires du rapport au monde des individus Max Weber retrouve toujours ce registre de sens qui concerne la question du salut, les attentes et les promesses d'une vie meilleure ou encore la justification d'une existence vécue comme un destin. Qu'en l'occurrence il apparaisse que des groupes humains puissent assigner comme fonction première à la religion de « légitimer leur propre situation sociale et leur propre façon de vivre [29] » suffirait à souligner les liens puissants qui unissent les différents registres de la réalité sociale. Mais il faut aller plus loin, et imaginer que ce registre de sens traditionnellement occupé et porté par l'éthique religieuse peut aussi se redéployer sur d'autres plans et étendre son efficacité vers l'ensemble des formes de l'action. Sous cette hypothèse, la problématique de la légitimité viserait à dégager les différentes manifestations d'un besoin quasiment universel de justification du monde et la théorie de la domination chercherait à décrire les manières de mobiliser ce besoin à l'appui d'une stabilité des structures d'autorité ou des relations de pouvoir. Grâce aux ressources d'une dialectique de la reconnaissance réciproque des individus qui veut que ceux qui commandent cherchent à asseoir leur capacité sur la représentation d'un ordre nécessaire des choses, lors même que ceux qui obéissent sont disponibles pour croire à la pertinence de cet ordre. Mais avec pour conséquence, une sorte d'effort pour démythifier les catégories de l'analyse politique qui revient toujours au fait que la domination est bien le fond irréductible de cette activité, et qu'elle s'affirme par une manipulation des affects et des passions les plus élémentaires de l'homme.

En témoignerait cette définition de la nation comme communauté politique spécifique de l'époque moderne : « On attend de l'individu qu'à la limite il affronte la mort dans l'intérêt du groupe. La communauté de destin politique, c'est-à-dire avant tout la lutte politique commune à la vie à la mort, a donné naissance à des groupes de mémoires communes, mémoires qui ont souvent un impact supérieur à celui des liens de communauté culturels, linguistiques ou ethniques. C'est cette communauté de mémoire qui constitue l'ultime et décisif élément de la conscience nationale [30]. » Renvoyant le socle de l'appartenance politique au critère du devoir de « mourir pour la patrie », une telle définition appartient au fond commun des conceptions organicistes de la souveraineté. Celle qui conduira un Carl Schmitt à transformer en principe normatif l'opposition politique de l'ami et de l'ennemi. Celle qui pousse

Ernst Kantorowicz à suivre les translations du modèle théologico-politique de la souveraineté incarnée dans les formes nationales et étatiques de la politique moderne [31]. Celle qui a incité certains interprètes à déceler un moment cynique de l'analyse wébérienne, logé dans la manière dont il critique l'allure de « mystification » que prend une doctrine moderne de la souveraineté prétendant dissimuler la domination derrière les figures d'un pouvoir partagé [32]. Reste que l'on voit aussi ce que cette définition doit à l'orientation profonde de la démarche de Max Weber. En insistant sur cette part de l'identité politique qui se nourrit des représentations d'un destin et d'une mémoire commune. En suggérant aussi qu'il se puisse que la politique moderne ne fasse que recycler dans l'ordre des relations d'appartenance et de pouvoir ces motifs de l'action humaine qui correspondent aux besoins et aux attentes ultimes de l'individu confronté à la finitude et à l'angoisse de la mort.

Ainsi reconstruit et installé sur le socle de préoccupations qui lui donne sens, le concept de légitimité peut servir de base à une typologie formelle de la domination. Produite selon la technique des types idéaux, à ce titre vouée à demeurer dans le registre de la théorie abstraite, celle-ci devra toutefois conduire à une analyse concrète de la formation et de la transformation des relations de pouvoir. D'un point de vue méthodologique, il s'agit de montrer que « tout pouvoir de direction, profane ou religieux, politique ou apolitique, peut être considéré comme une variation ou une approximation d'un certain nombre de types purs [33] ». Et de parvenir ensuite à classifier ces types de domination « en recherchant les bases de *légitimité* que le pouvoir de direction revendique ». C'est sur ce plan et en référence à cette ambition que Raymond Aron localise le projet de Max Weber dans le champ de la « théorie générale » de la politique telle qu'elle pouvait se rencontrer chez Aristote ou Montesquieu. Mais il faudra toutefois garder à l'esprit la visée empirique d'une démarche qui cherche aussi à expliquer les formes concrètes de la dialectique de l'autorité et de l'obéissance prise dans l'histoire. Une intention qui demeure d'ailleurs d'autant mieux présente que l'on peut considérer que « pour une domination, cette forme de justification de sa légitimité est bien davantage qu'une spéculation théorique ou philosophique et constitue la base de très réelles différences dans les structures empiriques de la domination [34] ».

Les formes de la domination

Tant du point de vue de la logique interne à la théorie abstraite de la domination que sous l'angle de sa translation dans l'analyse historique, c'est la forme charismatique de la légitimité qui vient en premier lieu. Non parce qu'il faudrait voir en elle une manifestation « primitive » de l'activité politique, mais parce qu'elle est celle de ses expressions qui la reconduit au plus près de son essence et des liens profonds qu'elle entretient avec les émotions et les affects. Reposant sur « la soumission extraordinaire au caractère sacré, à la vertu héroïque ou à la valeur exemplaire d'une personne [35] », elle a pour caractéristique principale de faire surgir la domination dans des conditions de rupture avec les structures quotidiennes du monde vécu. De transcender en d'autres termes les formes routinisées de l'existence mondaine selon une orientation qui doit aux logiques religieuses de l'irruption de l'autorité. Celle qui préside à l'affirmation du sorcier, par exemple, dans l'univers de la magie, lorsqu'un individu se fait reconnaître par la nature extraordinaire de ses pouvoirs. Mais celle aussi qui accompagne l'émergence du prophétisme, lorsque c'est par les voies de la révélation que s'impose un contenu nouveau de recommandations, de prescriptions ou de commandements. En ce sens, le charisme est bien « la grande puissance révolutionnaire des époques liées à la tradition [36] », qui produit une « transformation intérieure » des styles de vie ou des comportements et réoriente « toutes les positions envers les formes particulières de vie et envers le " monde " ».

Cette dimension se retrouve dans la définition du charisme comme « qualité extraordinaire [...] d'un personnage qui est, pour ainsi dire, doué de forces ou de caractères surnaturels ou surhumains ou tout au moins en dehors de la vie quotidienne, inaccessible au commun des mortels ; ou encore qui est considéré comme envoyé par Dieu ou comme un exemple, et en conséquence considéré comme un " chef " (*Führer*) [37] ». Étranger à l'économie, il renvoie aux notions de vocation ou de tâche et n'est pas directement tourné vers l'acquisition matérielle régulière dans la vie quotidienne. Et il ne connaît aucune des structures administratives ou politiques qui appuient et garantissent les autres formes de légitimité. Par définition lié à la singularité d'une personne, il est privé des ressources que peuvent constituer pour un pouvoir l'existence d'un appareil de partisans ou de fonctionnaires et des règles de compétence ou de privilège. En ce sens, le « groupement de domination » qui résulte de son émergence correspond à la variante la plus pure de la « communauté émotionnelle [38] », fondée sur l'inspiration des individus et la mobilisation des affects ou des besoins primaires. Et il est sans cesse confronté au risque de voir ces sentiments se diluer, jusqu'au moment où peut s'effacer un lien d'allégeance entièrement fondé sur la confirmation de la confiance.

Ainsi défini, le charisme contient donc quelque chose qui renvoie à une composante fondamentale du politique : celle qui concerne le besoin qu'il connaît de prendre en charge la part irrationnelle des affections humaines. À ce titre, il reconduit à l'essence même de la légitimité, au moment où elle apparaît comme une pure affaire de croyance et de représentation. Ainsi Max Weber insiste-t-il sur le fait que « la *reconnaissance* par ceux qui sont dominés, reconnaissance libre, garantie par la confirmation [...] née de l'abandon à la révélation, à la vénération du héros, à la confiance en la personne du chef, décide de la validité du charisme [39] ». Nourri d'espoir enthousiaste ou teinté de résignation, cet abandon est au fond le critère ultime de la légitimité, la vérité de ce concept pour autant qu'il est distinct de ceux d'autorité ou de pouvoir. En l'occurrence, il s'éclaire d'autant mieux que la domination charismatique est en quelque sorte celle qui dénude le lien d'obéissance pour le présenter dans son expression la plus élémentaire : lorsque l'individu charismatique ne dispose d'autres ressources que celles d'une proclamation qui a toujours plus ou moins la forme d'un « c'est écrit, je vous le dis [40] ».

Apparaît alors la nature paradoxale de la domination charismatique, à la fois extraordinairement puissante et particulièrement instable, représentant en même temps une composante authentique du politique sous toutes ses formes et l'une de ses expressions presque nécessairement vouée à se transformer. Moyen par excellence du changement dans l'univers de la tradition, le charisme trouve sa puissance révolutionnaire dans le fait qu'il ne connaît *a priori* aucune limite. Ni celle qui s'attache aux conditions formelles de la reconnaissance au travers de procédures. Ni celle qui procéderait du respect des normes existantes qu'il bouleverse en activant une compétence inédite. Ni celle enfin qui consisterait en la routine de la vie quotidienne, aussi longtemps qu'il se maintient par sa capacité à en transcender le cours. Mais tel est bien son principal problème : s'inscrire dans les composantes durables du monde vécu avec lequel il entretient des relations contradictoires. Sur le versant par lequel il rompt avec la routine d'une existence traditionnelle, le charisme doit en effet être porteur de bénéfices pour ceux à qui il s'impose, sous forme de bien-être ou de sentiments de la réussite. Et il lui faut encore inlassablement confirmer cette disposition en réitérant la preuve des bienfaits qu'il procure. D'où le danger de retournement qui le menace, « si la confirmation tarde à venir, si celui qui possède la grâce charismatique paraît abandonné de son dieu, de sa puissance magique ou de sa puissance héroïque, si le succès lui reste durablement refusé, si surtout *son gouvernement n'apporte aucune prospérité à ceux qu'il domine* [41] ». Inversement, sitôt qu'il « s'expose aux conditions de la vie quotidienne », il risque de s'enliser dans ses structures, et notamment de retomber dans la compétition traditionnelle des intérêts [42].

On aura compris que pour exemplaire qu'elle soit d'une composante fondatrice du politique, la domination charismatique est presque nécessairement destinée à se transformer. Comme concept en effet, elle ne paraît « dans la pureté du type idéal que *statu nascendi* [43] ». Puis dans la réalité historique, elle est soumise à une alternative étroite : « Elle se traditionalise ou elle se rationalise (se légalise) [44]. » À la charnière de ces deux dimensions enfin, la modalité la plus immédiate de cette transformation est effectivement la forme traditionnelle de la domination. On pourrait alors dire que si la fragilité du charisme réside dans l'impact des conditions de sa naissance, la forme de la domination traditionnelle repose sur l'oubli des origines. Une structure de domination sera dite traditionnelle « lorsque sa légitimité s'appuie, et qu'elle est ainsi admise, sur le caractère sacré de dispositions transmises par le temps (" existant depuis toujours ") et des pouvoirs du chef [45] ». Apparaît d'emblée la dimension centrale du temps, cœur d'une forme de domination assise sur la sanctification de la durée. Si le charisme impose la discontinuité, la tradition se nourrit de la permanence. Si la légitimité charismatique procède d'une rupture radicale avec ce qui est, la légitimité traditionnelle tient quant à elle dans le sentiment de son éternité. Enfin, si la première sollicite l'idée d'une discontinuité synonyme de pouvoirs exceptionnels, la seconde mobilise celle d'une continuité qui se réfère à la valeur de « l'éternel hier ». Tout juste n'auraient-elles alors en commun que leur faible affinité avec une plasticité de l'espace social et politique favorable à l'orientation du système économique vers le marché : par indifférence envers la stabilité des échanges, ou par un privilège accordé à la régularité des comportements économiques sur la mobilité des capitaux et des hommes.

Particulièrement adaptée aux formes patriarcales et patrimoniales du pouvoir, la domination traditionnelle trouve sa terre d'élection dans les sociétés corporatives. Là où la représentation de l'ordre des relations sociales se nourrit de la métaphore du corps, pour imposer l'idée selon laquelle l'espace politique se conçoit comme un organisme vivant. Là où le principe de la dévolution du pouvoir se confond avec la reconnaissance d'une permanence de ce corps, inlassablement renvoyé à son identité naturelle. Là enfin où la justification des normes repose sur le constat de leur conformité avec un ordre éternel des choses ou leur inscription dans un cosmos de l'univers physique qui sert d'étalon de toute valeur. Dans cette perspective, la légitimité traditionnelle dispose d'autant mieux des ressources attachées à l'existence d'un appareil administratif et d'un système de règles qu'elle les voit parés du respect qui découle du caractère sacré des dispositions sanctionnées par le temps. Avec pour corollaire le fait que la modalité privilégiée de la reconnaissance est celle de la sanctification par la durée, au sens, par exemple, où des règles nouvelles ne peuvent « devenir légitimes qu'une fois reconnues par le " droit coutumier " comme valables de tout temps [46] ». Marquée par une aussi nette tendance à la stabilité que le charisme est instable, la légitimité traditionnelle a pour problème sa capacité d'adaptation à l'évolution des structures du monde vécu, et demeure toujours menacée par la possible irruption de puissances charismatiques comme réaction aux formes de routinisation de la vie quotidienne.

Reste un dernier plan sur lequel les formes traditionnelles et charismatiques de la domination se comparent et s'opposent : celui du degré de personnification du pouvoir qu'elles offrent. *A priori*, l'une comme l'autre ont tendance à focaliser l'autorité sur une personne, bénéficiant dans un cas d'une règle intemporelle de dévolution, par exemple, dans l'autre des mécanismes de la révélation et de l'exemplarité. En ce sens, elles sont toutes deux situées dans un registre où le pouvoir est volontiers incarné, visible, déposé en un lieu prescrit et occupé par un seul homme ou ceux qui lui sont liés. Reste pourtant une différence significative quant à l'intensité et aux contours de ce pouvoir personnel. Typiquement en effet, celui du porteur de charisme est illimité quant à son contenu et sa nature, même s'il est soumis à l'épreuve d'une confirmation régulière aux yeux de ceux à qui il s'impose. Lorsque c'est la tradition qui modèle les formes de l'autorité légitime en revanche, celle-ci est encadrée par des normes coutumières et le pouvoir est limité par l'exigence de leur respect. Avec pour conséquence le fait que des conflits peuvent surgir entre instances dépositrices de différents registres de normativité : l'Église et l'État dans une concurrence pour la maîtrise des comportements ou les institutions politiques entre elles lorsque les compétences sont suffisamment détachées pour laisser place à des revendications contradictoires quant à la capacité à assurer le respect de la tradition.

C'est au fond l'incertitude induite par la tension qui persiste entre la personnalisation du pouvoir et le caractère intemporel des normes qui président à son édiction que vient combler la forme de domination rationnelle-légale. Avec elle en effet, la légitimité présente « un caractère *rationnel*, reposant sur la croyance en la légalité des règlements arrêtés et du droit de donner des directives qu'ont ceux qui sont appelés à exercer la domination par ces moyens [47] ». Insistant sur le fait que le critère distinctif de ce type de domination n'est pas l'effacement de la dimension de la croyance associée à la reconnaissance des règles, on soulignera la référence au double aspect formel et impersonnel des ordres considérés comme légitimes. En ce sens, la domination légale a pour caractéristique la manière dont le pouvoir se détache de la personne qui l'exerce et vient se confondre avec l'application d'une norme abstraite de portée générale. Mais cette transformation impersonnelle du contenu de l'autorité a aussi pour effet de délocaliser sa source, pour la loger dans des institutions soumises à des procédures qui deviennent la garantie de la validité des normes. Dans cette perspective, la relation de domination n'est alors plus celle qui oppose des personnes à une autre personne, mais celle qui tisse un ensemble de médiations entre des autorités installées par la loi et l'ensemble des individus réputés s'y soumettre.

Les conditions de la reconnaissance de l'autorité légitime dans le contexte de la domination légale induisent donc une transformation décisive de la logique de l'obéissance. Pour autant en effet que ce ne sont plus les qualités individuelles ou les dispositions traditionnelles qui prévalent comme indice de légitimité, « les membres du groupement, en obéissant au détenteur du pouvoir, n'obéissent pas à sa personne mais à des règlements impersonnels ; par conséquent, ils ne sont tenus de leur obéir que dans les limites de la compétence objective, rationnellement délimitée, que lesdits règlements fixent [48] ». La composante rationnelle de cette forme de légitimité semble donc venir d'un processus d'abstraction de la domination par lequel la dimension de volonté qu'incorpore le pouvoir est médiatisée par la référence à des règles et s'impose des limites. Dans ce cadre, elle est celle qui bénéficie au plus haut point des ressources institutionnelles offertes par l'existence d'un appareil politico-administratif agencé à un édifice normatif et sa force tient directement à une capacité de neutralisation des dimensions d'allégeance personnelle que porte l'obéissance. Son éventuelle faiblesse en revanche peut provenir de la réification des mécanismes par lesquels le pouvoir de commandement est institutionnalisé.

L'État et la violence légitime

Plus que toute autre composante de l'œuvre de Max Weber, la typologie des formes de la domination appartient désormais au patrimoine de la sociologie contemporaine. De manière similaire, parce qu'elle paraît fusionner la clarté conceptuelle de cette typologie avec la puissance analytique de la notion de légitimité, la définition wébérienne la plus célèbre est bien celle de l'État moderne comme « une communauté humaine qui, dans les limites d'un territoire déterminé – la notion de territoire étant l'une de ses caractéristiques – revendique avec succès pour son propre compte *le monopole de la violence physique légitime* [49] ». Si l'on admet qu'ici chaque terme est à la fois méticuleusement choisi et enserré dans un réseau de significations intimement liées à l'économie interne de la pensée wébérienne, il faut concevoir que l'on puisse être en présence de l'un des noyaux conceptuels de cette pensée. L'un de ceux où se résume le projet qui vise une articulation inédite du concept et de la réalité, une liaison renouvelée entre les formes du monde humain telles que la connaissance peut les reconstruire pour les rendre intelligibles et les manifestations empiriques de ce même monde, avec la diversité de leurs expressions vécues, déformées par le temps, livrées au mélange de chaos ou de nécessité que semble offrir l'histoire.

Reste que c'est précisément cette capacité à absorber toute l'amplitude des phénomènes politiques en une même forme qui fait naître un soupçon formulé par Raymond Aron de la manière suivante : « Max Weber n'a pas choisi entre des concepts purement analytiques et des concepts semi-historiques [50]. » Ancré dans la découverte d'une dissymétrie entre la typologie des modalités de l'action et celle des expressions de la domination, ce soupçon se nourrit du constat de la disparition dans cette dernière de toute manifestation de la rationalité en valeur (*Wertrational*) au profit de la seule rationalité instrumentale en finalité (*Zweckrational*) [51]. Préfigurant le rejet wébérien des éthiques de la conviction comme symptômes d'irrationalité en politique, une telle éviction met aussitôt en évidence le risque d'une historicisation de la théorie abstraite de la domination qui deviendrait le support d'une vision linéaire de la rationalisation du pouvoir culminant dans la figure de l'État légal. Témoignerait de cette tension et de la possibilité de ce glissement l'opposition entre deux regards de Weber sur l'État. Celui qui relie le refus d'une définition substantielle à une perspective de l'interaction symbolique, lorsqu'il est dit que « si nous nous demandons ce qui dans la réalité empirique répond à la notion d'État, nous y trouvons une infinité d'*actions* et de *servitudes* humaines, diffuses et discrètes, une infinité de *relations* réelles et réglées juridiquement, uniques en leur genre ou revenant périodiquement, maintenues ensemble par une *idée*, par la *croyance* à des normes qui sont effectivement en vigueur ou qui devraient l'être, ainsi que des relations de *domination* de l'homme sur l'homme [52] ». Puis celui qui refermerait cet horizon au moment où Weber affirme, par exemple : « La domination bureaucratique est *spécifiquement rationnelle* en ce sens qu'elle est liée à des règles analysables de façon discursive, la domination charismatique est *spécifiquement irrationnelle* en ce sens qu'elle est affranchie des règles [53] ».

La tension entre ces deux points de vue est caractéristique de l'hésitation signalée par Raymond Aron ainsi que de l'incertitude qui demeure quant aux perspectives ouvertes par la sociologie politique de Weber. Tourné vers le renouvellement des concepts analytiques, le premier n'est pas sans évoquer la technique de la réduction phénoménologique et la manière dont Husserl voudra briser la naïveté des sciences de l'esprit lorsqu'elles prétendent que « je puis, en tant que savant, *mettre pour ainsi dire une histoire en route*, thématiquement, en tant que *souvenir de la communauté* [...]. Je puis mettre en question mon évolution et celle des autres, poursuivre l'histoire de ce qu'on pourrait appeler le souvenir de la communauté et en faire un *thème* [54] ». Pourtant, la forme d'un tel projet paraît aussitôt contrariée chez Weber par le retour en force des « analyses semi-historiques », qui viennent donner le sentiment que le monde vécu de la politique est travaillé par un procès interne de rationalisation conduisant inéluctablement vers l'installation de l'État rationnel moderne. Au travers de ces analyses, Weber déploie son inégalable aptitude à la synthèse à partir d'hypothèses audacieuses sur la routinisation du charisme ou les conditions de transformation des univers de la tradition. De la même manière, il poursuit avec Hegel et Marx une longue discussion sur la nature du féodalisme et ses traces dans la civilisation moderne [55]. Mais au regard de la théorie contemporaine de la connaissance, l'édifice ainsi bâti ne paraît cependant jamais pouvoir s'arracher au reproche d'historicisme que suggérait Aron [56].

On pourrait alors multiplier les hypothèses visant à expliquer les sources de cette ambivalence. À la manière de Marx contre Hegel, il serait ainsi possible de suggérer que Max Weber tend parfois à souligner le « beau côté des choses [57] ». Par goût de la démystification historique, lorsqu'il montre que « le lien féodal est construit dans sa nature profonde sur un contrat » ou encore que « l'État providence est la légende du patrimonialisme [58] ». Ou plus simplement par une sorte d'hypertrophie des processus rationalisateurs de la bureaucratie décrite comme une révolution technique qui réoriente les relations sociales par « une détermination rationnelle des moyens et des fins [59] ». Mais on pourrait aussi replacer ce problème dans une thématisation de ses époques empruntée à

Franz Rosenzweig. Dans sa magistrale généalogie du système de l'État hégélien en effet, ce dernier propose la comparaison suivante : « À côté de Rousseau, il y a Montesquieu [...] ; à côté de *l'idéal étatique* de l'un, tantôt passionnément éprouvé, tantôt froidement évalué, il y a *le musée politique* de l'autre, chambre forte d'un inestimable matériau expérimental, constitué avec l'authentique joie ressentie par le collectionneur devant le multiple, le pittoresque, voire l'étrange. » Puis, soulignant le fait qu'au XVIIIᵉ siècle les deux visages de cette tête de Janus ne regardent jamais le même objet, Rosenzweig conclut : « *Réunir les deux visages, transformer en une confluence les deux perspectives, telle fut l'œuvre du XIXᵉ siècle* [60]. »

À l'aune d'un tel projet et au sein d'un tel paysage, Max Weber est toujours un homme du XIXᵉ siècle, qui hérite des tensions persistantes entre le désir de conserver la diversité irréductible des expériences politiques et le souhait de leur réconciliation dans les catégories de l'esprit puis la perspective d'une histoire de la raison. À quoi s'ajoute qu'il est aussi un homme de ce XIXᵉ siècle allemand qui a vécu douloureusement la prétention révolutionnaire française à incarner la liberté universelle et qui cherche à réunir les deux visages évoqués dans une forme de synthèse. Schématiquement alors on pourrait dire de l'œuvre de Weber ce que montre Rosenzweig à propos de Hegel : qu'elle offre à la fois la richesse d'un magasin d'antiquités où foisonnent d'innombrables fragments du monde historique et celle plus abstraite d'un système de concepts. Mais il faudrait préciser aussitôt que le « musée politique » qui rappelle chez lui Montesquieu ne cherche pas à se réconcilier avec l'idéal de Rousseau, qui paraît plutôt combattu comme l'expression caractéristique de l'illusion moderne d'un renouvellement de l'expérience politique. À ce titre donc, si les morceaux du monde empirique qui se collectionnent dans le cabinet de l'historien servent d'illustration pour un propos théorique, ce dernier vise chez Max Weber le souci de marquer la permanence d'une situation où s'impose la domination, dans un contexte où règne toujours l'usage de la violence.

*L'image de Max Weber
dans un portrait de Machiavel*

Parmi les dialogues plus ou moins discrets qu'entretient Max Weber avec ses prédécesseurs, celui qui concerne la politique est de ceux qui remontent le plus loin vers les racines d'une fondation empiriste du monde moderne. Plus haut que Hobbes sans doute, si l'on songe que ce dernier plaidait en faveur d'une transmutation symbolique de la violence naturelle par le contrat où s'échangent la crainte de la mort violente et le respect de la loi, alors que Weber persiste à maintenir la référence à une violence qui est précisément de nature physique. Vers Machiavel plutôt, et la justification paradoxale de la République installée par le meurtre, vers ce qui pousse à admettre que « ce n'est pas la violence qui restaure, mais la violence qui ruine qu'il faut condamner [61] ». Comme si Max Weber retenait cette leçon dans les deux dimensions qu'elle contient : celle d'un froid constat sur la réalité du monde humain, puisé au catalogue des expériences qu'enseigne l'histoire et synthétisé sous la forme lapidaire d'un refus de la naïveté ; puis celle de la mise au jour d'un principe qui fait plus qu'épuiser les faits et conduit directement au cœur de l'énigme politique [62].

Sans doute pourrait-on dire que ni la poursuite d'un principe qui unifierait les faits ni l'insistance sur la positivité de la violence dans l'histoire ne sont étrangères à Hegel, par exemple. Mais du moins faut-il prendre chez ce dernier la mesure des effets d'une synthèse plus ambitieuse encore : celle qui relie ces deux moments sous les formes du déploiement historique de la raison. Dans ce cadre on connaît l'insistance sur le travail du négatif, les figures de cette ruse de la raison qui oblige à considérer la guerre comme la vérité de l'existence des peuples. Avec toutefois pour perspective la transfiguration de cette violence par l'histoire et surtout son retrait du concept d'État. Ainsi, même si Hegel peut évoquer « le droit des héros à fonder des États [63] » selon des déterminations de l'Idée dont il importe peu de savoir si elles sont vécues comme bienfaits divins ou brutalités et injustices, c'est pour aussitôt envisager la résorption de cette violence instauratrice dans la légalité formelle. Dès lors et définitivement, « bien que l'État puisse naître aussi par (la) *violence*, il ne repose pourtant pas sur elle ; la violence a seulement amené à l'existence, en le faisant naître, quelque chose qui est fondé en droit en et pour soi, – les lois, la constitution [64] ». C'est pourtant à nouveau contre cette forme d'expulsion de la violence hors de la définition de l'État que Max Weber s'insurge au travers d'un argument par l'absurde : « S'il n'existait que des structures sociales d'où toute violence serait absente, le concept d'État aurait alors disparu et il ne subsisterait que ce qu'on appelle, au sens propre du terme, l'anarchie [65]. »

Au plan doctrinal, il est alors malaisé de situer la position qu'occupe Max Weber. La qualifier de réaliste serait un moindre mal, si l'on donne à cette notion le sens que lui confère Raymond Aron pour identifier ceux qui considèrent que « ni la formule démocratique [...] ni même l'idée démocratique ne sont des réponses ultimes à la question de l'autorité légitime [66] ». En ce sens, la férocité anti-idéaliste des écrits politiques de Weber rejoindrait sa formalisation du concept d'État au point précis où c'est bien sur le statut de la violence que se décide l'enracinement ultime de la légitimité. Mais en rester au critère de la virulence critique exercée contre l'idéalisme politique serait peut-être une manière d'en dire trop ou trop peu. Trop si l'on songe qu'une fois éliminée la présence de l'Idée hégélienne dans le schéma de l'interprétation historique, Max Weber garde du moins devant les yeux des composantes de l'explication qui décrivent des représentations ou des croyances : des idées entendues comme formes intériorisées de la rationalité de l'action. Mais trop peu si l'on ajoute que ces idéalités saisies en tant que motivations interviennent selon des modalités dénuées de toute dimension normative et qui n'effacent jamais le fait que le concept d'État dissimule une réalité dont le socle ultime est l'usage de la violence physique de la part de certains hommes envers d'autres qui vivent cette situation comme nécessaire.

On pourrait alors décalquer une nouvelle fois le fragment d'un portrait de Machiavel pour fixer les contours de la position de Max Weber, en empruntant à Claude Lefort la description de cette forme caractéristique d'une certaine pensée politique moderne qui consiste à se détourner de l'intellectualisme. Ainsi, « tant que le philosophe ou l'historien se borne à décrire un état premier d'insécurité où chacun est une menace pour autrui, il est permis d'imaginer un moment où le renoncement des particuliers à la puissance, en faveur de l'un d'entre eux, coïncide avec l'avènement d'un ordre profitable à tous ; tant qu'il parle de la division civile comme d'une situation de fait, sans préciser ce qui en tend le ressort, dans la seule pensée que l'inégalité des conditions crée le clivage des groupes antagonistes, la possibilité demeure de s'en tenir à cette même image. En revanche, elle ne résiste pas à la découverte qu'un conflit irréductible déchire la société [67] ». Que fait au fond Max Weber en insistant avec l'énergie que l'on sait sur l'ineffaçable présence de la violence au sein de l'État, sinon travailler à dissiper cette image de la possible réconciliation des individus par le politique ? À celui des contenus de cette image qui se précise de Hobbes à Rousseau, puis chez Kant et Fichte, en associant le renoncement à la puissance avec la découverte de la loi morale pratique, il oppose cette réalité qui reconduit toujours l'existence de l'État à la capacité physique d'imposer la contrainte. Puis à cet autre contenu de la même image, qui se fixe entre Hegel et Marx sur l'attente du moment où la dialectique du réel en viendra à résoudre le conflit, il réplique à nouveau qu'il est de l'essence du phénomène politique de reposer sur le fait que « des hommes dominés se soumettent à l'autorité revendiquée chaque fois par les dominateurs [68] ».

Au cœur du paradoxe politique

Si l'on accepte de reconnaître dans l'anti-intellectualisme ainsi thématisé une sorte de renvoi dos à dos des deux courants majeurs de la pensée politique moderne depuis ses origines, la situation de Max Weber se précise tout autant par la nature du problème qu'il affronte que par les formes de l'héritage qu'il assume. Plus encore, si l'on veut y voir une manière de réfléchir le politique à partir d'une expérience de la nécessité et d'une présence tenace de la violence qui échappe tout autant à sa tentative d'effacement par le normativisme éthique qu'à la visée de sa résolution dialectique, ce problème en dit peut-être plus long qu'il ne semble sur l'orientation de la pensée et de l'œuvre. Ainsi pourrait-on relever qu'en parcourant la vitrine historique des expériences passées, Weber va toujours droit à ce que la philosophie, la théologie ou les récits politiques fournissent d'éléments de preuve des effets non voulus de la volonté. En les réincluant dans ce que Paul Ricœur désigne dans un autre contexte comme une « description indirecte de l'énigme de l'État et de sa pédagogie [69] ». Et en insistant inlassablement sur ce que la logique de l'État doit à un mystère qui pourrait avoir la forme suivante : une force qui crée le bien en pratiquant le mal, pour renverser la formule du *Faust* citée par Max Weber à l'appui de son interprétation historique du puritanisme. De même, en choisissant de construire le problème de l'État autour de la question de la violence, Max Weber se place délibérément en position d'explorer ce que Paul Ricœur nomme « le paradoxe politique ». Avec pour intention sans doute de toujours rappeler qu'il n'est « pas contestable que l'État le plus raisonnable, l'État de droit, porte la cicatrice originelle des tyrans faiseurs d'histoire [70] ». Mais avec comme projet aussi d'éclairer ce par quoi il se peut qu'il apparaisse néanmoins supportable, lors même qu'il est admis que cette blessure est ineffaçable.

Nul n'a sans doute mieux que Max Weber assuré l'ancrage des deux versants de ce paradoxe politique. Celui tout d'abord qui tient au fait que « l'existence politique de l'homme développe un type de *rationalité* spécifique, irréductible aux dialectiques à base économique [71] ». Ainsi posé, ce principe d'autonomie trouve chez lui ses fondements dans au moins trois directions. Celle qui vise la compréhension d'un rapport humain qui ne se réduit pas à l'opposition des classes, mais se nourrit des conditions de l'intersubjectivité, des motifs, des anticipations, des attentes que des individus concrets placent dans une forme d'action orientée vers le pouvoir. Puis celle qui en rattache le contenu à des modèles de rationalité sans doute comparables à ceux qui régissent d'autres registres de l'activité, mais selon des combinaisons originales et qui cernent une expression de l'expérience humaine qui ne se peut rabattre sur aucune autre. Celle enfin qui dessine les trajectoires historiques sur lesquelles se déploie puis s'installe cette autonomie du politique. En gardant le projet d'en repérer l'origine dans le moment où la lutte pour le pouvoir prend en charge des besoins humains qui se détachent de ceux que veulent satisfaire la religion ou l'économie, par exemple. En décrivant les modalités concrètes de son affirmation au travers des conflits de légitimité qui structurent en longue durée l'émergence de l'État moderne. En focalisant enfin le noyau de cette sorte de rationalité particulière sur « la confrontation entre la forme et la force dans la définition de l'État [72] ».

D'où la manière exemplaire à son tour dont Max Weber installe l'autre versant du paradoxe politique, attaché cette fois au fait qu'elle « développe des *maux* spécifiques, qui sont précisément maux politiques, maux du pouvoir politique [73] ». Telle est sans doute la mission assignée à l'inscription de la violence dans la définition de l'État et qui étend ses ramifications jusque dans la froideur du portrait de l'homme politique authentique, le réalisme qui préside à la description de son action et la dureté avec laquelle s'expose la critique de l'illusion associée au projet d'une pacification du pouvoir. Confirmer qu'il n'est d'autre essence du politique que celle qui découle de la nature d'une activité tournée vers le pouvoir, structurée par la lutte pour son exercice, entretenue par le désir de le conserver. Rappeler sans cesse que la finalité du politique est la décision, et qu'elle ne connaît pour moyen ultime que la force, l'usage plus ou moins réglé de la violence physique. Marquer enfin qu'il se pourrait que l'on doive concéder que « le pouvoir est une grandeur de l'homme éminemment sujette au mal ; peut-être est-il, dans l'histoire, la plus grande occasion du mal et la plus grande démonstration du mal [74] ». Sans doute est-ce le sens qu'il faut accorder à la formule de Trotski que Max Weber place en exergue de sa définition de l'État : « Tout État est fondé sur la force [75]. » Pour confirmer une intuition qui se déploie selon Ricœur des prophètes d'Israël ou du *Gorgias* jusqu'à Marx en passant par le *Prince*. Pour souligner aussitôt que « de nos jours la relation entre État et violence est tout particulièrement intime [76] ». Mais pour installer enfin une perspective qui ferait moins signe vers le projet d'une résistance à ce mal politique que vers un aménagement de ses formes dans le contexte de l'efficacité de l'action et une description de ses modalités dans les conditions d'une connaissance objective de la réalité humaine.

Cet alliage de pragmatisme au plan de l'action et d'objectivisme de la connaissance reconduirait une dernière fois la définition wébérienne de l'État du côté de Machiavel. Et plus précisément encore vers la manière dont le Florentin thématise la découverte du conflit irréductible qui déchire toute société au travers de l'idée d'une double nature de l'État. Celle qui pousse pour une part le prince à manipuler la force afin de s'arracher aux caprices de la fortune et de s'abriter dans « cette espèce de citadelle que lui crée sa position de dominant [77] ». Mais celle aussi qui le conduit aussitôt à pratiquer avec la même vigueur « la quête du consentement populaire, la satisfaction donnée aux besoins des dominés ». Celle enfin qui, renouant ces deux motifs pragmatiques, invite à considérer que le problème ultime consiste à comprendre « le sens de la relation qui lie (le prince) à ses sujets, pourquoi il faut à la fois les réduire à l'obéissance et gagner leur amitié, comment par ce double lien s'institue cette unité d'un genre particulier qu'est l'État [78] ». N'est-ce pas au fond ces deux plans du lien énigmatique sur quoi repose le politique qu'explore simultanément Max Weber ? Le plan de la domination au sens strict, lorsqu'il affirme que l'essence de l'État est moins dans « le contenu de ce qu'il fait » que dans « le *moyen* spécifique qui lui est propre [79] », à savoir la violence physique. Un moyen qui plus est qui ne se laisse à son tour approcher que par ce à quoi il vise : produire la docilité par la contrainte et assurer cette réduction à l'obéissance par laquelle le pouvoir se protège. Pourtant Max Weber ne perd jamais des yeux l'autre plan où s'exerce la relation politique. Celui où l'amitié entre le prince et les sujets se noue par l'intériorisation des motifs de l'obéissance. Celui pour lequel la perspective de la légitimité se nourrit des représentations, des croyances et des valeurs qui flottent dans la tête des hommes concrets pour transformer en quelque sorte une brutale relation de puissance en une douce conformité à l'ordre des choses.

Ainsi pourrait-on dire que Machiavel se détournait de l'intellectualisme propre aux humanistes de la Renaissance, en refusant l'idée d'une résorption des marques de la violence initiale du pouvoir par la sagesse et la bienveillance des princes. Max Weber quant à lui s'éloigne de l'intellectualisme du dernier idéalisme allemand, en délaissant le point de vue qui reconnaît dans les ruses de l'histoire un progrès vers la paix, le bonheur et la réconciliation sociale. Là où la philosophie politique voulait voir un travail de la raison dans l'histoire, ce sont des conflits de pouvoir, d'autorité ou de puissance que perçoit Weber. Là où elle interprétait la naissance de l'État moderne comme le passage de l'insécurité à la sécurité, il décrit une logique de monopolisation de la violence qui assure sans doute sa mise en forme, mais ne peut la dissocier de l'essence même de la domination politique. Là enfin où elle pensait percevoir une promesse d'émancipation et de liberté, il découvre une simple transformation des conditions de l'obéissance et le risque d'une réification de la vie quotidienne par la bureaucratisation de la société. Avec pour conséquence que la passion antiquaire qui pousse à rassembler les fragments d'historicité où se loge la genèse des formes de la politique moderne a pour résultat principal de faire une nouvelle fois de l'État, réduit comme concept au monopole de la violence légitime et comme réalité à la bureaucratie, la résultante des conflits ayant successivement opposé les princes aux puissances féodales dans la société d'ordre puis l'Église et l'État au sein des longues durées de l'histoire occidentale [80].

Les conditions de la sécularisation politique : la machine et le métier

Dans l'interprétation des trajectoires longues de la rationalisation, la voie royale qui se découvre au plan politique est similaire à celle que parcourait un peu plus tôt l'économie. Au regard des concepts abstraits de l'activité sociale, elle se confond pour Max Weber avec le triomphe de cette même rationalité par rapport à une fin qui portait la formation du calcul économique, l'installation des marchés et les logiques de l'accumulation. Mais elle prend dans l'ordre du pouvoir la forme d'une captation progressive de l'autorité par l'État grâce aux moyens techniques de la bureaucratie impersonnelle. En ce sens, la sécularisation de l'autorité entraîne le remodelage des conditions de la lutte pour le pouvoir dans des organisations politiques construites sur le modèle de l'État. De manière analogue, la personnalité de l'homme d'action dans l'univers moderne viendra mettre à nu les motifs de son investissement à mesure que la nature du lien entre politique et violence se découvrira par l'effacement des significations plus nobles qui lui avaient été autrefois accordées. Privée des puissances de la tradition, expulsée hors des ordres du salut ou de la grâce, la politique moderne vivra désormais ses conflits dans une structure de concurrence entre l'appareil de l'État et le système des organisations qui luttent pour la conquête du pouvoir, dans l'espace étroit des machines partisanes et au sein même enfin de la conscience de l'homme déchiré entre les sentiments contradictoires de la conviction et de la responsabilité.

Les potentialités du conflit entre l'institution étatique et les différentes structures de l'activité politique sont inscrites dans les conditions historiques qui président à l'émergence de l'État moderne. On ne saurait alors trop insister sur le fait que Max Weber dépose dans la même analyse l'interprétation de trois phénomènes. La genèse d'une figure nouvelle de l'homme de pouvoir, qui conçoit l'activité politique comme l'exercice d'une expertise et la confond avec son existence dans le cadre d'une profession. La formation des machines politiques et du système qui organise leur concurrence en tant qu'espace d'une compétition rationnelle pour le pouvoir. Mais aussi la transformation démocratique des expressions de la lutte politique, dans une perspective réaliste sur la nature des effets empiriques de la révolution moderne quant aux représentations de la légitimité. Comme si en l'espèce les tendances structurelles qui expliquent en longue durée l'apparition des institutions politiques rationnelles étaient bien plus profondes et décisives que les ruptures symboliques et juridiques retenues par l'histoire. Et comme si leur mise au jour conditionnait déjà un scepticisme concernant le sens effectif de la démocratie au plan de la réalité vécue de l'action politique.

S'agissant d'identifier les racines les plus lointaines de l'ordre politique moderne, Max Weber n'hésite pas à se hisser vers la généralisation historique. Ainsi lorsqu'il revient sur les conditions du passage de la féodalité à la modernité en écrivant : « Au cours de ce processus d'expropriation politique qui s'est affirmé avec plus ou moins de succès dans tous les pays de la terre, on vit apparaître une nouvelle sorte d'hommes politiques professionnels [81]. » Présentée de cette manière, la thèse renvoie à deux réalités partiellement disjointes, mais dont la réunion façonne en profondeur la forme de l'activité politique. Celle de la professionnalisation elle-même, entendue comme la formation d'une couche de clercs au service des intérêts du pouvoir central dans son conflit avec les notables, en vertu d'une compétence technique, juridique et politique : en un mot déjà bureaucratique. Puis celle des modalités d'une politique désormais vécue comme un métier dans le cadre d'un parti, avec des effets décisifs sur les raisons de l'investissement dans cette activité ou encore de la forme de l'éthique propre à ceux qui l'exercent. Dans une perspective qui se nourrit cette fois de la critique libérale des machines politiques, héritée de Bryce et d'Ostrogorski. Mais avec cette différence toutefois que Max Weber délaisse la forme de questionnement qui était celle d'Ostrogorski ou redeviendra celle de

Michels et que le premier présentait ainsi : « Comment la foule des hommes vieux et jeunes, savants et ignorants, riches et prolétaires, proclamés tous en bloc *arbitres de leurs destinées politiques*, pourraient-ils, réunis pêle-mêle, remplir leur nouvelle fonction de *" souverain "* [82] ? »

Au titre de la genèse du métier politique dans le système de concurrence entre les pouvoirs, c'est la formation de la figure du clerc qui est significative. Au plus loin que l'on remonte, l'archétype en est fourni par le scribe, l'individu disposant d'une compétence technique rare liée au fait de savoir écrire. Mais c'est de manière plus précise la disponibilité pour le pouvoir et l'absence d'intérêt matériel et spirituel pour son exercice qui expliquent les raisons du succès. Considérant l'exemple médiéval, Max Weber peut alors écrire que « le clerc, et tout particulièrement le clerc célibataire, était en effet à l'écart de l'agitation suscitée par les intérêts politiques et économiques normaux de ce temps, et surtout il n'était pas tenté, comme le vassal, de vouloir conquérir au détriment de son maître et au profit de ses propres descendants une puissance politique propre [83] ». De manière parallèle, c'est l'émergence du lettré humaniste, laïc ou religieux, et surtout du juriste, qui livre les fondements de l'une des trajectoires historiques majeures de la politique. D'un point de vue comparatif, les deux catégories correspondent assez bien à une répartition entre le monde oriental où règnent les mandarins chinois, par exemple, et l'univers occidental plus directement influencé par la formation des juristes. De ce dernier point de vue, à la suite d'un Tocqueville, Weber souligne la présence de l'esprit des juristes dans la séquence politique décisive qui va des remontrances du Parlement de Paris aux doléances des États généraux. Pour conclure que « sans ce rationalisme juridique on ne pourrait comprendre ni la naissance de l'absolutisme royal ni la grande révolution [84] ».

Cette dernière remarque livre sans doute l'une des clefs du schéma d'interprétation de Max Weber pour ce qui concerne la formation du cadre de la politique moderne. Elle tient à l'articulation entre le contexte conflictuel dans lequel elle s'opère et le fait qu'elle procède au travers de logiques qui surplombent la rupture entre l'Ancien Régime et le monde moderne. Dans la première perspective, est toujours déterminant le fait que « pour lutter contre les ordres, le prince s'appuya sur les couches sociales politiquement disponibles qui n'étaient pas intégrées à un ordre [85] ». Ou bien encore le recyclage d'une partie des personnes expropriées du pouvoir politique local dans une noblesse de cour attachée au souverain et spécialisée dans les activités militaires ou diplomatiques. Mais l'essentiel tient surtout au fait que les mécanismes de la professionnalisation du politique trouvent leur origine bien avant l'émergence du principe électif comme source de la légitimité. En l'occurrence dans le fait qu'au sein du conflit avec les ordres, les princes ne pouvaient se contenter de la présence d'un personnel qualifié mais dilettante, apte à remplir les fonctions concrètes de l'autorité comme auxiliaires du pouvoir central, mais susceptible de s'en approprier les bénéfices en raison de son indépendance sociale et économique. D'où ce constat qui décrit à nouveau une situation de portée générale : « Évidemment, ces auxiliaires, qui ne faisaient qu'occasionnellement de la politique ou qui ne voyaient en elle qu'une activité secondaire, étaient loin de faire l'affaire du prince. Il ne restait donc à celui-ci d'autre moyen que de chercher à s'adjoindre un corps de collaborateurs exclusivement dévoués à sa personne et qui fassent de l'activité politique leur occupation principale [86]. »

Héritée des formes prémodernes de la vie politique, cette distinction entre sa pratique occasionnelle et celle qui passe par la forme d'un métier oriente toute l'interprétation du phénomène, depuis la description de l'entreprise partisane jusqu'à l'exploration des conditions psychologiques propres à l'exercice d'une activité qui touche de manière ultime à la violence de l'homme sur l'homme. Max Weber en précise les critères en opposant deux rapports entre la politique et l'existence individuelle. D'un côté en effet, « celui qui vit " pour " la politique fait d'elle, dans le sens le plus profond du terme, le " but de sa vie ", soit parce qu'il trouve un moyen de jouissance dans la simple possession du pouvoir, soit parce que cette activité lui permet de trouver son équilibre interne et d'exprimer sa valeur personnelle en se mettant au service d'une " cause " qui donne sens à sa vie [87] ». À l'inverse, celui qui vit de la politique y trouve purement et simplement un moyen de subsistance, même s'il peut à son tour éprouver les satisfactions décrites chez le premier. On aura compris que le fondement de cette distinction est moins logé dans la dimension d'idéal qui préside à l'engagement politique que dans la réalité matérielle qui le structure. En ce sens, cette typologie des formes de l'activité politique est largement historique, désignant pour l'une des catégories un rapport au monde dominant dans le passé des sociétés occidentales mais devenu résiduel dans l'univers moderne, et pour l'autre la condition *sine qua non* de l'accès à la compétition pour le pouvoir dans le contexte contemporain.

L'apparition du métier politique moderne peut donc s'interpréter au travers de deux structures. Celle tout d'abord qui est initiée par les besoins propres à la sphère du pouvoir dans le processus d'affirmation de l'État, puis se trouve renforcée par la transformation des conditions économiques. Dans le monde de la propriété privée et du salariat en effet, les couches disponibles pour une activité politique dilettante et désintéressée se raréfient, ouvrant l'espace pour une catégorie nouvelle d'individus se consacrant entièrement à elle contre une rémunération. À quoi s'ajoute une seconde structure, plus directement dépendante de la modification des conceptions de la légitimité politique. À ce titre, c'est la reconnaissance du suffrage comme mode normal de dévolution du pouvoir qui est significative. Reste qu'à nouveau Max Weber donne à l'analyse des effets de cette reconnaissance une allure délibérément réaliste, insistant sur le fait qu'elle entraîne nécessairement la formation d'organisations uniquement vouées à la recherche des suffrages et méthodiquement tournées vers la conquête du pouvoir. Le cadre de cette formation peut alors se décrire de la manière suivante : « Partout ailleurs que dans les petits cantons ruraux lorsqu'il doit y avoir élection périodique des détenteurs du pouvoir, l'entreprise (*Betrieb*) politique est nécessairement une entreprise d'intérêts. Cela signifie qu'un nombre relativement restreint d'hommes intéressés en premier chef par la vie politique et désireux de participer au pouvoir recrutent par libre engagement des partisans, se portent eux-mêmes comme candidats aux élections ou y présentent leurs protégés, recueillent les moyens financiers nécessaires et vont à la chasse des suffrages [88]. »

Une liaison s'opère donc qui correspond terme à terme à celle qui nouait la rationalité économique à l'apparition de l'entreprise ou encore à celle qui associera la réorientation de l'appareil administratif dans le sens de la bureaucratie. Dans les trois cas, ce sont les logiques de la rationalité et de l'efficacité par rapport à une fin qui orientent une sorte d'unification des modèles d'organisation. Au point d'ailleurs que ces modèles s'échangent lorsque Weber parle du parti comme entreprise et que la même métaphore de la machine peut désigner les différentes modalités d'un système qui optimise les conditions d'exercice rationnel d'activités respectivement tournées vers la production des biens, l'accumulation des suffrages et l'exercice de la domination. Mais c'est au plan de l'expérience politique que les conséquences réalistes de ce triomphe de la rationalité instrumentale sont les plus édifiants : « Les citoyens qui ont le droit de vote se divisent en éléments politiquement actifs et en éléments politiquement passifs [89]. » Comme si se trouvaient dévoilées les racines d'un phénomène qui sera décrit par d'autres comme la loi d'airain de l'oligarchie dans les sociétés politiques modernes. Mais comme si Weber venait à considérer que l'aménagement de ce phénomène était au fond l'objet de la rationalisation de la vie politique moderne.

Témoignerait de cette tendance le fait que les considérations liées à la description du parti politique comme entreprise ou comme machine surplombent les différentes typologies de cette forme d'organisation. L'une de ces typologies en effet distingue des finalités et oppose les « partis de patronage », qui se limitent à l'obtention du pouvoir pour leurs chefs, aux « partis d'ordre ou de classe », qui prennent en charge des intérêts collectifs, puis aux « partis de représentation du monde (*Weltanschauungs-Partei*) [90] » qui veulent étendre leur programme à la définition de principes abstraits régissant l'ordre social ou politique. Une autre typologie se fonde quant à elle dans la nature de l'attachement aux individus, pour séparer l'orientation par le « charisme plébiscitaire » (foi dans le chef), la référence à la tradition (reconnaissance du prestige social) et la rationalité entendue comme désignation des responsables par le scrutin [91]. Mais aucune des catégories mises en place par ces différentes typologies n'efface la dimension d'une coupure entre la masse des individus qui votent et le petit nombre de ceux qui s'inscrivent dans la logique de conquête du pouvoir par l'entreprise politique. Non plus que celle qui sépare, au sein de cette entreprise, le chef qui exercera le pouvoir du nombre de ceux qui auront participé à sa poursuite sans bénéficier de ses avantages. On peut alors souligner le fait que la première perspective retrouve le cœur de la thèse d'Ostrogorski sur la confiscation de la démocratie par les notables de la politique moderne. Et que la seconde sera le noyau de la critique de la réification des organisations démocratiques par l'oligarchie bureaucratique des responsables chez Roberto Michels [92].

Pour Max Weber lui-même, l'interprétation du phénomène partisan comme cadre de la rationalité politique moderne implique une dissociation partielle entre deux univers pourtant réunis dans la même organisation. La compréhension de l'univers des individus qui participent à l'activité des partis politiques modernes requiert une exploration des conditions psychologiques qui président au fait d'accepter de se mettre au service d'une entreprise. L'analyse est sur ce point largement ancrée dans un paradigme économique et vise à identifier une structure de correspondance entre des besoins et des formes de satisfaction. Elle se déploie au travers d'un syllogisme radicalement réaliste : « Quiconque veut instaurer par la force la justice sociale sur terre a besoin de partisans, c'est-à-dire d'un appareil humain. Or cet appareil ne marche que si on lui fait entrevoir des récompenses psychologiques ou matérielles indispensables, qu'elles soient célestes ou terrestres [93]. » Conclusion du syllogisme, la décomposition de ces récompenses confirmerait l'allure volontairement triviale de l'analyse.

Soit celles qui demeurent dans l'ordre psychologique : « Dans les conditions modernes de la lutte de classes, ce sont la satisfaction de ses haines, de ses vengeances, de son ressentiment surtout et de son penchant pseudo-éthique à avoir raison à tout prix, par conséquent son besoin de diffamer l'adversaire et de l'accuser d'hérésie [94]. » Explicitement située dans le sillage de la théorie nietzschéenne du ressentiment, cette analyse insiste donc sur la structure d'une fausse conscience et souligne le caractère inauthentique des motifs éthiques ou idéologiques de l'action politique. Ce que renforcerait encore un peu plus la prise en compte des rétributions matérielles de cette même activité : « aventure, victoire, butin, pouvoir et prébendes ». À quoi il faudrait encore ajouter deux éléments. Le fait tout d'abord que les exigences de l'efficacité politique dans le contexte des partis de masse modernes entraîne une routinisation des phénomènes d'obéissance, avec pour conséquence la « dévotion au chef [...] l'appauvrissement et la mécanisation ou encore la prolétarisation spirituelle au profit de la " discipline " [95] ». Puis l'idée selon laquelle les effets de désenchantement de cette structure sont d'autant plus puissants que l'enthousiasme politique est élevé, l'expérience la plus cruelle en ce sens étant celle des révolutions qui attendent l'émancipation de l'homme par l'homme et s'abîment dans « la routine quotidienne d'une tradition », ou encore « la phraséologie conventionnelle des cuistres et des techniciens de la politique ».

L'univers de sens des individus plus directement concernés par l'exercice du pouvoir est à son tour entièrement façonné par les conditions structurelles de la lutte politique : la réification de la forme partisane et les déterminants psychologiques de son personnel humain. Au plan des mécanismes de l'entreprise politique, la réalité moderne se confond avec la bureaucratisation des différents échelons de l'organisation. Le processus de démocratisation entraîne une dissociation progressive entre les hommes politiques en tant que tels (parlementaires ou ministres) et l'appareil des partis, ces derniers semblant se répartir entre deux modèles. Celui de l'entreprise proprement dite, qui fonctionne comme une « machine » à collecter les suffrages et demeure maîtrisée par ceux qui disposent des ressources économiques. Puis celui de la bureaucratie, qui organise un secteur de la société, fournit des emplois à un grand nombre de personnes et repose entre les mains de « permanents qui sont responsables de la continuité du travail à l'intérieur de leur organisation [96] ». Mais ces deux formes ont en commun d'entraîner une dépendance du personnel politique à l'égard des individus qui font vivre le parti et attendent de lui qu'il leur assure et la satisfaction de leurs besoins matériels par sa permanence et des gratifications symboliques ou réelles par ses succès électoraux puis l'exercice du pouvoir.

L'homme politique authentique dans le contexte du désenchantement

Sont ainsi déposées toutes les déterminations qui président au portrait de l'homme politique authentique dans le contexte de la modernité. Ayant à affronter le besoin d'un appareil humain au service de ses propres aspirations, il devra mobiliser tous les moyens disponibles en vue d'une fin unique : « Procurer, de façon durable, toutes ces récompenses aux partisans dont il ne peut se passer, qu'il s'agisse de la garde rouge, des mouchards ou des agitateurs [97]. » En ce sens, il devra se souvenir que ses convictions personnelles ne servent en réalité qu'à « justifier moralement les désirs de vengeance, de pouvoir, de butin et de prébendes [98] ». En élève de Machiavel, il lui faudra savoir manipuler la reconnaissance et la menace, créer le besoin et inspirer le respect, tenir ses disciples par le charisme et la crainte. Puis se faisant nietzschéen, il prendra la mesure des puissances du ressentiment, de la haine sociale et du désir de gloire, afin de forger un instrument pour lequel la conquête du pouvoir est une affaire vitale. S'agissant des motifs plus intimes de son engagement, c'est avec Nietzsche encore qu'il vivra la politique en vertu de ce qu'elle procure : « d'abord le sentiment de la puissance [99] ». Puis un moyen de s'arracher à la banalité de la vie quotidienne, en s'élevant au rang de ceux qui participent à l'histoire. Une manière enfin de « *maintenir à distance* les hommes et les choses [100] », pour préserver une liberté que le monde moderne a enfermée dans des structures vides de sens. À la condition toutefois de se remémorer une dernière fois le précepte machiavélien qui veut que la politique toujours retienne ceux « qui ont préféré la grandeur de leur cité au salut de leur âme [101] ».

À cette figure de l'authenticité politique peut alors s'accrocher la mise en forme de son éthos spécifique. Avec lui, Max Weber veut répondre à deux questions : « Quelle est [...] la mission que la politique peut remplir dans l'économie globale de la conduite de la vie ? Quel est pour ainsi dire le lieu éthique où elle réside [102] ? ». À la première interrogation vient correspondre l'image d'une froide détermination, susceptible d'aider l'homme d'action à franchir les obstacles du découragement et de la fatigue, du sentiment de la défaite ou de la tentation du renoncement. Ainsi lui faudra-t-il savoir qu'elle « consiste en un effort tenace et énergique pour tarauder des planches de bois dur [103] ». Un effort qui requiert passion et coup d'œil, acharnement et résistance, enthousiasme et résignation. Puis il devra encore être capable d'assumer les paradoxes de l'action. D'accepter le fait que « le résultat final de l'activité politique répond rarement à l'intention primitive de l'acteur [104] ». De dépasser les satisfactions immédiates de la puissance ou les incertitudes récurrentes du pouvoir. D'affronter avec une âme égale la flatterie et l'outrage, l'échec et le succès, la reconnaissance et l'injure. D'où ce destin tragique du professionnel de la politique, dans un monde qui a délaissé les vertus de la grandeur et de l'orgueil : partager avec le journaliste « l'*odium* du " déclassé " [105] », l'image d'un homme à gage qui met son talent ou sa plume au service d'intérêts médiocres et d'une gloire éphémère. Mais avec pour corollaire pourtant, le fait que « celui qui ne peut faire face en son for intérieur à ces injures et qui est incapable de se donner à lui-même la bonne réponse, ferait mieux de ne pas entrer dans de pareilles carrières qui, outre quelques pénibles tentations, ne lui offriront dans tous les cas que des déceptions continuelles ».

Quant au lieu éthique de la politique, il occupe à tout prendre la place laissée vacante par le religieux, lorsque la perspective du salut de l'âme a déserté l'univers moderne. Au moment où la lutte pour le pouvoir est privée de toute signification transcendante. Parce qu'elle a effacé au sein des sociétés où elle s'exerce la vieille promesse de réalisation d'une cité de Dieu, et parce que les individus qui se consacrent à elle savent désormais qu'ils n'y gagneront pas leur ciel, mais tout juste le bonheur illusoire de dominer pour un temps un fragment des choses ou le destin de quelques hommes. En ce sens, l'unique principe qui peut organiser le monde éthique de l'homme politique est la remémoration du fait qu'il « se compromet avec des puissances diaboliques qui sont aux aguets dans toute violence [106] ». Comme s'il fallait admettre qu'en l'affaire Dieu et Diable s'équivalent, laissant chaque personne face à la nécessité d'un choix qui n'aura d'autre horizon et critère de vérité que le succès ou l'échec. Comme s'il fallait entendre dans les compétitions politiques contemporaines un lointain écho des affrontements qui déchiraient les dieux d'autrefois. Mais sans la distance rassurante de l'Olympe et l'annonce qu'un jour la réconciliation interviendra. Comme si enfin dans son combat avec les forces mystérieuses de la violence, l'authentique homme d'action s'opposait à lui-même, éprouvant à la fois l'enthousiasme d'Abraham à l'instant où il reçoit les signes de l'Alliance et l'inquiétude sans consolation du dernier homme contemplant les ruines de tout espoir de libération.

Dans ce contexte, s'il est encore possible de dissocier les formes de l'éthique politique, du moins devrait-on reconnaître qu'aucune d'entre elles ne laisse persister les puissances enchantées des conceptions anciennes. L'éthique de la conviction (*gesinnungsethisch*) et l'éthique de la responsabilité (*verantwortungsethisch*) offrent ainsi à la fois les composantes d'un conflit indépassable et l'idéal impraticable d'une unité qui marquerait enfin la vraie grandeur politique [107]. Ancrée dans l'imperfection du monde et le désir de la justice, la première fait fond dans les plus lointaines expressions de la conscience humaine. Éthique de la paix et de la réconciliation, elle peut s'affranchir de ses sources religieuses, pour se loger dans les différentes manifestations du refus de la force ou de la croyance dans les capacités de l'amour. Mais au mieux elle n'est pas de ce monde, destinant ceux qui la pratiquent à l'impuissance, alors qu'elle abandonne au pire ses partisans à une irresponsabilité distante, au sentiment dérisoire que les misères et le malheur ne tiennent pas aux conséquences de l'action politique mais à la finitude de l'existence humaine. L'éthique de la responsabilité, quant à elle, renverse radicalement ce sentiment et vient abolir cette distance, pour se déployer uniquement au plan des conséquences. En comptant avec « les défaillances communes de l'homme [108] », elle ne s'attachera qu'aux ajustements entre des fins dénuées de toute illusion et des moyens de la politique irrémédiablement enracinés dans la violence. Ainsi fera-t-elle signe vers les composantes de ce réalisme qui sied à celui qui n'est plus « politiquement un enfant [109] ».

Fasciné par la richesse évocatrice de sa propre mise en scène des éthiques politiques, Max Weber en éprouve en quelque sorte le vertige. Comme s'il ne savait plus quoi faire d'une opposition nourrie de la multitude des expériences humaines du monde de l'action. Ou encore comme si son discours se brisait au moment où la profondeur du regard historique se heurte à l'urgence d'une définition pratique de l'authenticité politique. S'agissant de conclure sur ce point, il peut dire en effet : « On le voit maintenant, l'éthique de la conviction et l'éthique de la responsabilité ne sont pas contradictoires, mais elles se complètent l'une l'autre et constituent ensemble l'homme authentique, c'est-à-dire un homme qui peut prétendre à la " vocation politique " [110]. » Quelques instants plus tôt cependant, c'est leur caractère irréconciliable qu'il avait évoqué, en soulignant le fait qu'elles renvoient à « deux maximes totalement différentes et irréductiblement opposées [111] ». Que doit-on induire de cette antinomie, quant au sens de la pensée wébérienne lorsqu'elle est confrontée aux débouchés empiriques de son système de la connaissance et pour ce qui concerne le destin de ce monde décrit dans les catégories du désenchantement ? Sur le second point sans doute, qu'il faut encore franchir un pas dans l'interprétation des structures qui organisent l'univers vécu de la politique moderne, en pénétrant au sein d'un mécanisme bureaucratique qui bouleverse les conditions de l'existence politique. Mais ne faudrait-il pas imaginer alors qu'il se puisse que l'œuvre emporte un déchirement qui doive plus à l'homme qu'au monde lui-même, aux conflits qui traversent la conscience de Max Weber qu'aux ruptures imposées par l'avènement de la modernité ?

Les raisons de l'État bureaucratique : un débat allemand

Décelée dans les transformations lentes des sociétés et du pouvoir, formalisée dans un système inédit de catégories et poursuivie enfin dans la description des modalités de l'agir collectif, la rationalisation de la domination politique par l'État culmine dans le modèle de l'appareil bureaucratique qui figure un point d'Archimède de l'œuvre de Max Weber. Hegel, Marx, Weber : nul doute que l'on soit ici au cœur du triangle d'or de la théorie de l'État. Dans un dispositif conceptuel dont toutes les recherches ultérieures se sont nourries. Dans une géographie dont ni les conditions de l'expérience ni les mouvements de la pensée n'ont véritablement bouleversé les frontières. Dans une polémique qui organise aujourd'hui encore l'essentiel d'un débat qui vise les conditions effectives de la liberté politique et les dangers de sa réification dans un univers administré. Étrangement, c'est sans doute Marx qui signale le plus clairement et d'une manière presque idéaliste l'enracinement allemand de cette discussion. En témoignerait l'Introduction de 1844 pour la *Critique de la philosophie du droit de Hegel*. Soulignant en effet ce que cette philosophie doit à une méditation sur la réalité de l'État prussien, Marx décrit ainsi la fierté et l'illusion historique allemande : « Nous avons participé aux restaurations des peuples modernes, sans jamais partager leurs révolutions. Nous avons été restaurés, en premier lieu, parce que d'autres peuples ont osé faire une révolution et, en second lieu, parce que d'autres peuples ont subi une contre-révolution ; la première fois, parce que nos seigneurs ont eu peur, la seconde fois, parce que nos seigneurs n'ont pas eu peur. Nous, nos bergers en tête, nous ne nous sommes trouvés qu'une seule fois en compagnie de la liberté, *le jour de son enterrement* [112]. » Puis, évoquant la manière dont les Allemands oubliaient la trivialité de leur réalité en s'élevant à l'universalité théorique par l'orgueil de la pensée, pendant que les Français changeaient le monde, il leur reproche d'avoir subi les souffrances des révolutions modernes sans en partager les jouissances et la satisfaction. Pour conclure enfin que l'Allemagne « se retrouvera un beau matin au niveau du déclin européen, avant de s'être jamais trouvée au niveau de l'émancipation européenne. On pourra la comparer à un *fétichiste* que rongent les maladies du christianisme [113] ».

Max Weber est l'héritier de cette vision dans un contexte puissamment dialectique où les discussions sur la bureaucratie sont inséparables d'une méditation concernant le destin de l'Allemagne. Si l'on s'arrête un instant sur la structure de l'analyse hégélienne de la bureaucratie, c'est pour découvrir qu'elle se présente comme une théorie de la médiation institutionnelle. Pour Hegel en effet, la bureaucratie occupe un espace médian une première fois, comme intermédiaire entre la société civile en tant que « spectacle de la débauche, de la misère et de la corruption [114] » et l'État désignant la « réalité effective de la liberté concrète [115] ». Puis elle revient une seconde fois, lorsque l'on constate que d'un point de vue social elle est occupée par la classe moyenne « où se trouvent l'intelligence cultivée et la conscience juridique de la masse d'un peuple [116] ». Enfin, elle correspond au plan de l'idée à la position précise qu'occupe une médiation. Position en l'occurrence parfaitement résumée par Marx : « Les *corporations* sont le matérialisme de la bureaucratie, et la bureaucratie est le *spiritualisme* des corporations. La corporation est la bureaucratie de la société civile ; la bureaucratie est la corporation de l'État [117]. »

À son tour, la critique de Marx retourne cette structure dont elle résume idéalement l'aspect, et à laquelle elle sait parfois rendre un hommage détourné [118]. Mais si elle garde la forme dialectique du raisonnement hégélien, elle en attaque successivement chacun des moments. Soit le soubassement d'une théorie de la médiation, il s'agira de contester la stabilité de la réalité décrite. À ce titre, on le sait, là où Hegel part de la permanence de la sphère du besoin, Marx met au jour le mécanisme de sa transformation par le jeu des forces productives. D'où le second axe de sa critique, qui vise le statut de vérité de la médiation opérée par la bureaucratie. En substance, Hegel confond ici un moment de l'histoire de l'Allemagne avec l'essence du politique. Il n'est « pas à blâmer parce qu'il décrit la nature de l'État moderne telle qu'elle est, mais parce qu'il donne l'existant pour la *nature de l'État* [119] ». Avec pour corollaire que sa théorie est prise dans un double jeu de miroir : les formes juridiques de l'État allemand reflètent les conditions de la société bourgeoise et une bonne partie de la philosophie du droit « pourrait figurer textuellement dans le code civil prussien [120] ». La conclusion peut alors révéler la fausseté de la théorie de la médiation, qui n'assurait pas une réconciliation réelle et n'évoquait qu'une « détermination *allégorique*, substituée [121] ». L'erreur de Hegel consiste dans le fait d'avoir vu la médiation s'accomplir effectivement entre la société civile et l'État. D'avoir cru que « les deux extrêmes ont renoncé à leur rigidité, délégué mutuellement le feu de leur essence particulière [122] ». Reste alors pour solde de son illusion une réalité brutale et tenace : « Les deux antithèses sont le prince et la société civile [123]. »

Se dévoile ainsi le sens de l'hommage empoisonné de Marx à Hegel. Mystique au sens où elle ne sait pas être authentiquement critique, la pensée hégélienne de l'État interprète une conception ancienne du monde en la travestissant en une conception nouvelle. Elle ne donne dès lors naissance qu'à « une misérable chose hybride, où la forme trahit le sens et le sens la forme, si bien que ni la forme n'accède à sa signification et à sa forme réelle, ni la signification à la forme et à la signification réelle [124] ». En d'autres termes, Hegel a pratiqué une « construction du respect [125] » qui n'a focalisé son attention que sur l'aspect formel des choses. Et qui a confondu la perfection d'un syllogisme rationnel par lequel la particularité se transforme en généralité avec le cours réel de l'univers politique. En ce sens, « Hegel donne à *sa Logique un corps politique* ; il ne donne pas la *logique du corps politique* [126] ». Ce qui veut dire qu'il a manqué la médiation qu'il visait et qu'il faut désormais chercher ailleurs que dans les principes de la bureaucratie. Dans la dialectique concrète des conflits entre le prince et la société, pour autant qu'elle concerne cette fois la véritable antithèse dissimulée sous l'abstraction du concept. Dans la structure des affrontements réels qui nourrissent une transformation historique du monde. À quoi l'on pourrait tout juste ajouter en guise de défense que « ce manque d'esprit critique, ce *mysticisme*, est tout autant l'énigme des constitutions modernes [...] que le mystère de la philosophie hégélienne [127] ».

Weber avec Marx : la critique d'une illusion

Énigme des constitutions modernes et mystère de la philosophie de l'État : telles sont en substance les composantes du débat qui revient à Max Weber en héritage. À coup sûr partage-t-il une part de la prévention de Marx contre le formalisme abstrait du droit hégélien et le syllogisme de l'État comme structure de réconcilia-

tion entre le particulier et l'universel. De même pourrait-il emboî-
ter le pas de la critique de l'illusion qui préside à la théorie de la
bureaucratie comme médiation entre les intérêts du prince et ceux
de la société civile. Sa démarche enfin maintient la marque de ce
qui était l'horizon de celle de Marx : dénoncer le mécanisme par
lequel la rationalité bureaucratique peut masquer une simple transformation des conditions de la soumission au pouvoir et un renouvellement de l'aliénation politique ; faire valoir le fait que la tâche
critique consiste aussi à « démasquer l'aliénation de soi dans ses
formes profanes, une fois démasquée la *forme sacrée* de l'aliénation de l'homme [128] ». À tous ces titres, la théorie wébérienne de
la bureaucratie s'attachera à une description empirique des
logiques qui accompagnent sa formation et son fonctionnement
comme organisation. Et elle pourrait préserver l'espace d'une critique de la réification de cette forme organisationnelle qui fait
signe vers la dénonciation marxiste d'une fausse émancipation.

De ce dernier point de vue et pour ce qui concerne l'arrière-
plan allemand de la discussion, on peut être frappé par l'allure
presque wébérienne d'une remarque de Marx qui relie la question
de la bureaucratie au problème de la vision religieuse du monde.
Autour de la proposition qui fait de la religion « l'opium du
peuple », Marx dépose un certain nombre d'éléments qui évoquent
en effet la perspective de la légitimité dans le contexte du désenchantement. Lorsqu'il indique tout d'abord que « la misère religieuse est tout à la fois l'*expression* de la misère réelle et la *protestation* contre la misère réelle [129] », ce qui n'est après tout que
l'analogue de l'idée wébérienne selon laquelle l'une des sources
du besoin de légitimation est le dépassement de la souffrance ou
la justification du bien-être. Quand il montre ensuite que si
« l'homme, c'est *le monde de l'homme*, c'est l'État, c'est la
société », la religion apparaît comme un « monde renversé », un
complexe de sanctions morales, de « complément cérémoniel » ou
encore un « motif de consolation et de justification [130] ». Mais surtout au moment où il signale que le passé révolutionnaire de
l'Allemagne se confond avec la Réforme et se réduit à cette aventure qui « commença alors dans le cerveau du *moine* » et qu'il
ajoute aussitôt : « Luther a certes vaincu la servitude par *dévotion*,
parce qu'il a mis à sa place la servitude par *conviction*. Il a brisé
la foi en l'autorité, parce qu'il a restauré l'autorité de la foi. Il a
transformé les clercs en laïcs, parce qu'il a transformé les laïcs en
clercs. Il a libéré l'homme de la religiosité extérieure, parce qu'il
a fait de la religiosité l'homme intérieur. Il a émancipé le corps
de ses chaînes, parce qu'il a chargé de chaînes le cœur [131]. »

Comment ne pas retrouver un écho de cette dialectique de

l'émancipation religieuse dans les propos qui concluent *L'éthique protestante* ? Tout se passe comme si Weber, à la manière de Marx, identifiait dans la Réforme la formulation authentique du problème de l'émancipation moderne. Un problème qui se présente de la manière suivante : « Il ne s'agissait désormais plus du combat du laïc avec le *clerc extérieur à lui*, mais du combat avec le *clerc à l'intérieur de lui-même*, avec sa *nature de clerc* [132]. » Puis tout se passe encore comme s'ils percevaient ensemble les traductions de cette révolution du for intérieur dans les ordres du monde. La libération des forces économiques autrefois entravées par l'éthique du christianisme. L'autonomisation des princes, ces clercs laïcs jadis soumis à l'Église et désormais capables d'instituer leur cléricature par la bureaucratie. Mais avec pour conséquence, la perspective d'une réification de cette logique émancipatoire et son arrêt sur un double phénomène. Celui du capitalisme comme unique expression de la sécularisation des biens, et qui donnerait naissance à une structure dominant l'ensemble des composantes de la vie quotidienne. Celui de la bureaucratie comme forme d'une émancipation politique qui se limiterait aux princes, et qui en viendrait à signifier une spoliation du pouvoir par une armée de fonctionnaires. Dans les termes de Marx, resterait alors à savoir ce qu'il en est du *statu quo* en quoi réside la caractéristique de l'Allemagne, de son histoire et de sa philosophie. Max Weber sera-t-il conduit à découvrir comme Hegel la conformité du réel et du rationnel dans les figures dialectiquement liées du système des échanges et de l'appareil étatique ? Ou bien finira-t-il par se résigner au constat de leurs imperfections, pour les imputer aussitôt aux allures tragiques du désenchantement ?

Au travers de ces questions, c'est la dualité de l'ancrage propre à la théorie wébérienne de la bureaucratie qui est visée. Sur l'une de ses faces en effet, celle-ci trouve à l'évidence son origine dans le projet d'une description des composantes institutionnelles du monde vécu de la politique moderne. Et elle accueille comme horizon la dimension d'une réflexion sur l'aliénation de l'homme par un système durci, sclérosé par le mécanisme de la bureaucratisation. Mais sur l'autre face pourtant, Max Weber persiste à voir dans la bureaucratie l'instrument d'une domination rationnelle. Parce qu'elle apparaît comme le résultat d'un procès de neutralisation de l'autorité, comme la résultante des conflits de pouvoir qui ont opposé par le passé les princes aux ordres et l'Église à l'État. Puis parce qu'elle déploie une logique d'objectivation de la contrainte, en offrant les traits d'une organisation techniquement efficace et extérieure aux conflits qui déchirent la société. Ce en quoi elle serait simultanément indépassable comme expression de la rationalité administrative et incontournable en tant que moyen de gestion de la conflictualité sociale. Peut-on concilier ces deux approches, maintenir à la fois l'idée d'une raison bureaucratique et la perspective d'une critique de ses effets ? Le paradoxe serait ici que Max Weber se révèle finalement plus matérialiste qu'un Marx largement idéaliste lorsqu'il formule le programme de la théorie de l'État et du droit dans le contexte de l'effacement de la dimension religieuse du monde : « La critique a saccagé les fleurs imaginaires qui ornent la chaîne, non pour que l'homme porte une chaîne sans rêve ni consolation, mais pour qu'il secoue la chaîne et cueille la fleur vivante [133]. » Nul doute que la description wébérienne de la bureaucratie moderne ne comporte l'image d'une domination désolante et froide. Mais il restera à savoir si elle n'a pas pour horizon d'enfermer l'homme dans cette vision, en le laissant inconsolable de la perte du rêve de son émancipation politique.

Bureaucratie et civilisation

Avant même de pouvoir envisager l'examen de ces hypothèses, il faut commencer par souligner la puissance historique qu'accorde Max Weber au phénomène bureaucratique. Cette puissance en effet tient à la convergence de deux logiques qui cumulent leurs effets pour expliquer la naissance et l'expansion de la bureaucratie moderne. L'une s'apparente à une logique de civilisation, qui semble associer les différents registres du progrès humain à un besoin croissant d'administration. Un besoin ressenti à toutes les époques de l'histoire de l'économie, de la domination ou du droit. Un besoin qui fait signe vers l'aspiration la plus universelle de l'homme : la maîtrise et la possession de la nature. L'autre logique est plus directement celle de la rationalisation et s'appuie sur le fait de la supériorité technique de l'organisation bureaucratique par rapport à toutes les autres formes d'administration des choses. En ce sens, elle se relie aux autres composantes de la trajectoire qui décrit la formation du monde rationnel moderne. Aux multiples manifestations de l'extension puis du triomphe de la rationalité en finalité, dans les sphères économiques, politiques et juridiques. Et elle s'interprète comme un procès d'adaptation instrumentale aux conditions du monde vécu.

Soit la première de ces logiques, celle qui correspond à une attente d'administration dans le cadre du projet de maîtrise de la nature et du monde. Max Weber n'hésite pas à en faire une sorte d'organon historique, lorsqu'il écrit, par exemple, que « dans l'État moderne, les demandes croissantes d'administration reposent sur la complexité croissante de la civilisation [134] ». Comme s'il devenait possible de reconstruire une histoire de la civilisation occidentale qui prendrait pour objet et ligne de force l'entrecroisement entre un processus de complexification de la vie sociale et un mécanisme de réduction de l'incertitude qu'elle entraîne par la rationalité bureaucratique. Et comme s'il fallait ensuite relire les structures de comparaison avec d'autres univers de civilisation sous cet angle, afin de découvrir une universalité du phénomène bureaucratique. À ce titre on pourrait résumer l'aspect politique de la question en disant que ce parallélisme est apparu dans le contexte de la lutte des princes contre les ordres et l'Église pour l'installation d'un appareil de domination centralisée. Puis qu'il s'est confirmé lorsqu'il s'agissait de séculariser le pouvoir en affirmant un monopole sur un territoire. Et qu'il perdure dans les conditions contemporaines, s'agissant d'assurer l'intégration sociale de couches nouvelles et instables. Mais il semble qu'il faille aller plus loin, pour repérer schématiquement trois grandes époques du besoin de bureaucratie, qui correspondraient à trois types de fonctions du pouvoir et à trois modèles de l'État.

Une première illustration de ces associations devrait être trouvée en remontant très haut dans l'histoire. À ce que l'on pourrait appeler l'époque de la conquête du monde et de la formation des empires. Dans le contexte d'un rapport immédiat au territoire et à la puissance, le besoin d'administration vise avant tout les investissements lourds liés à l'appropriation de la terre et les structures de communication qui déterminent les conditions de l'autorité. Les exemples de l'Égypte ou de la Chine témoignent de ce phénomène qui touche aux équipements matériels permettant l'irrigation ou assurant l'organisation des transports [135]. Se noue alors une première détermination du lien entre les besoins propres à la maîtrise du monde et les structures bureaucratiques. Elle concerne surtout la civilisation matérielle et repose sur l'accroissement des demandes quantitatives du pouvoir ou de l'économie et l'amélioration qualitative des réponses offertes par l'appareil administratif. Se dessine alors le visage de l'État patrimonial, qui focalise son intervention sur les données primaires de l'existence quotidienne. Mais il marque aussi les fondements d'une logique qui poursuit ses effets jusque dans le monde moderne. Celle qui s'associe aux besoins de police et d'armée pour assurer la sécurité du territoire et des personnes. Celle qui préside à l'installation des infrastructures de communication ou de fourniture d'énergie. Celle enfin qui engage l'existence d'une administration fiscale susceptible de donner au pouvoir politique les ressources nécessaires au financement de ces travaux ou de ces dispositifs de protection.

On pourrait alors isoler une seconde époque significative du point de vue de l'histoire universelle : celle de la formation des marchés. Dans le contexte de la naissance du capitalisme cette fois, le besoin d'administration est relié à la nécessité d'un droit des échanges qui garantisse les acquisitions de biens. Pour autant en effet que ce type d'économie repose sur « des chances acquises par contrat [136] », elle demande à la fois une codification des formes de cet acte juridique et une stabilité des relations qu'il couvre. Se met alors en place une liaison profonde entre intérêts économiques et attentes de contrôle juridico-administratif : « L'intensité des échanges modernes exige un droit fonctionnant de manière prompte et sûre, c'est-à-dire garanti par la plus forte puissance de contrainte possible ; c'est ainsi que l'économie moderne, par son caractère propre, a contribué plus que toute autre chose à détruire les autres groupements sociaux qui étaient porteurs de droits et donc d'une garantie de droit. » C'est ainsi une sorte de paradoxe historique qui fait que le résultat du développement du marché soit le monopole de la contrainte juridique par l'État. Un État qui prend certes le visage du gendarme libéral qui fixe des règles par le droit et assure leur respect au travers d'une administration de la justice. Mais qui peut aussi hériter des fonctions issues de sa première époque, lorsqu'il lui revient encore de prendre en charge les structures d'équipement, d'approvisionnement ou de transport qui demeurent trop lourdes pour être assumées par le marché.

Resterait alors une dernière époque, plus directement concernée par la stabilisation des systèmes politiques, économiques et sociaux dans le contexte d'un besoin de civilisation qui se confond essentiellement avec une attente d'éducation. Dans ce cadre, c'est l'accroissement de la richesse des couches les plus influentes dans l'État et autour de lui qui entraîne « une demande croissante de culture [137] ». Tout se passe alors comme si, une fois les besoins primaires satisfaits et les conditions techniques de l'accès des individus au marché assurées, c'était la maîtrise de soi dans le rapport à l'accumulation et aux biens qui était décisif. Une maîtrise qui passe avant tout par la disposition de biens secondaires de type culturel, et leur mise à disposition grâce à l'éducation. D'où une nouvelle structure qui nourrit l'extension de l'administration : « La bureaucratisation croissante est une fonction de la possession croissante de biens de consommation et d'une technique de plus en plus sophistiquée de façonnement de la vie extérieure, une technique qui correspond aux opportunités permises par une telle richesse. » On aura compris que cette logique nouvelle qui vise à la fois des politiques de bien-être social et la possibilité d'une éducation de masse décrit l'émergence de l'État providence moderne. C'est-à-dire celui qui étend ses fonctions et accroît les formes de standardisation de l'existence vécue des individus « pour des raisons de pouvoir ou des motifs idéologiques [138] ». Avec pour conséquence qu'il recueille en quelque sorte l'ensemble des justifications de la bureaucratie que connaissaient les périodes précédentes. Mais leur en ajoute un certain nombre d'autres, qui orientent une transformation des conditions de son intervention dans la sphère économique et sociale.

Weber avec Hegel : la supériorité d'une technique

Quoi qu'il en soit de cette dernière perspective, cette esquisse d'une généalogie de l'État au travers du besoin d'administration et dans le contexte des époques de la civilisation conduit à souligner une seconde logique. Celle qui s'attache aux raisons fonctionnelles du succès de l'organisation bureaucratique. Ici encore, Max Weber ne craint pas d'universaliser le phénomène. Ainsi lorsqu'il écrit que « la raison décisive de l'avancée de l'organisation bureaucratique a toujours été sa supériorité purement *technique* sur toute autre forme d'organisation. L'appareil bureaucratique complètement développé se compare aux autres organisations exactement à la manière de la machine avec les modes de production non machiniques [139] ». Il faut insister sur la puissance de cette image, dans la mesure où elle renvoie au réseau des métaphores associées à la technique dans l'imaginaire moderne et pour autant qu'elle veut résumer l'interprétation du phénomène bureaucratique comme fait de civilisation en insistant sur sa composante centrale : la neutralité des mécanismes décrits vis-à-vis des différentes sphères de l'activité qu'ils rencontrent. C'est alors l'aspect technique de la supériorité de la bureaucratie comme forme d'organisation qui oriente la présentation du type de rationalité qu'elle incarne. Et qui préside à l'examen de son mode de légitimation en tant qu'instrument d'une neutralisation des allures arbitraires du pouvoir de l'homme sur l'homme.

S'agissant de mettre au jour les fondements de cette supériorité technique de la bureaucratie, Max Weber insiste sur la structure d'une organisation hiérarchique. Rejoignant en cela Hegel, il souligne le fait que le fonctionnement de l'administration repose sur deux principes : le contrôle des actes par l'appareil lui-même et la possibilité de recours vis-à-vis des décisions. Au titre du premier, le type idéal de la bureaucratie correspond à une rationalisation des conditions de l'autorité et de l'obéissance à l'intérieur de l'État par « un système bien ordonné de domination et de subordination dans lequel s'exerce un contrôle des grades inférieurs par les supérieurs [140] ». Puis, au titre du second principe, la hiérarchie administrative suppose un « droit d'appel ou de requête des subordonnés aux supérieurs [141] ». À quoi il faut toutefois ajouter que la logique qui préside à ce système ne vise pas une mise en forme des conditions internes de la légitimité de l'autorité hiérarchique. Mais correspond de manière plus triviale à un phénomène d'une autre ampleur et qui se présente de la manière suivante : « Dans toutes les formes de domination est vital le fait de l'existence de la direction administrative et de son action *continue* en vue du maintien de la docilité qui tend à l'exécution des ordres sous la contrainte [142]. » Avec pour corollaire que se déploie en l'espèce une double dialectique de la continuité et de la docilité : entre les échelons hiérarchiques de l'appareil bureaucratique, puis entre le système administratif lui-même et les individus sur lesquels s'exerce sa contrainte.

Au plan fonctionnel, le principe hiérarchique de l'organisation bureaucratique correspond au processus global de la division du travail. Chez Hegel, cette dernière s'exerce horizontalement, afin que « là où la société civile est concrète, les choses soient réglées de manière concrète [143] ». Puis de bas en haut, pour que la matière empirique des affaires administratives soit « répartie en ramifications abstraites, confiées à des autorités spécifiques », jusqu'au sommet de l'édifice gouvernemental qui assure un point de vue unitaire sur la cohérence de l'ensemble. Pour Max Weber, il s'agit avant tout d'une rationalisation des activités administratives qui suppose « une division du travail dans l'administration, en fonction de points de vue purement objectifs et en répartissant les différentes tâches entre les mains de fonctionnaires spécialement formés qui s'y adaptent de plus en plus par un exercice continu [144] ». Sa finalité est alors celle du système administratif et politique en lui-même, à savoir l'adaptation la plus rapide possible aux conditions extérieures, par le temps de réaction le plus court aux demandes issues de la société. D'où le substrat spécifiquement technique de la supériorité d'un modèle d'organisation : « Précision, vitesse, absence d'ambiguïté, connaissance des dossiers, continuité, discrétion, unité, stricte subordination, réduction des frictions et des coûts matériels et personnels, tout cela atteint un point optimum dans l'administration strictement bureaucratique, et particulièrement dans sa forme monocratique [145]. »

On peut alors reconnaître la forme de rationalité qui correspond à cet idéal d'efficacité technique garantie par une structure hiérarchique. Elle pourrait être dite procédurale, dans la mesure où elle repose sur un système de règles et l'existence de mécanismes d'appel des décisions. D'un côté en effet, « la domination bureaucratique est spécifiquement rationnelle en ce sens qu'elle est liée à des règles analysables de façon discursive [146] ». En ce sens, elle apparaît comme l'expression au plan des techniques gouvernementales de la légitimité légale. Mais cette coïncidence n'est effective que pour autant que s'ajoute à ces règles un dispositif permettant de contester les conditions de leur application ou la nature de leur respect. Là encore, c'est le caractère hiérarchique de l'appareil administratif qui offre une telle opportunité, puisque le système ouvre « la possibilité pour les gouvernés de faire appel, d'une manière précisément réglée, des décisions d'un office inférieur devant l'autorité supérieure correspondante [147] ». Reliées l'une à l'autre, ces deux dispositions dessinent ce qu'il faut désormais appeler les raisons de la bureaucratie et l'idée régulatrice de son fonctionnement. Elles se présentent comme suit : « Derrière chaque acte de l'administration bureaucratique, se trouve un système de " raisons " discutables, à savoir soit une prémisse sous des normes, soit une balance entre des fins et des moyens [148]. » Qu'elles soient purement légales ou plus directement inclinées vers l'utilité, ces raisons ont alors pour caractéristique de pouvoir être motivées, comme autant de justifications de la présence et de l'intervention de l'État.

Ainsi décrite, la rationalité bureaucratique connaît encore un instrument privilégié avec la conception de l'office comme profession. Véritable pierre de touche de toutes les théories de l'administration moderne, cette dimension du problème surgit une nouvelle fois à la rencontre des logiques historiques de la rationalisation de la domination et des réquisits formels d'un modèle abstrait du pouvoir politique rationnel. Réceptacle d'une transformation des conditions de la vie sociale, elle correspond au besoin d'assurer aux agents de l'administration cette indépendance économique et ce statut social qui faisaient dire à Hegel que le fonctionnaire trouve dans l'État « la satisfaction de sa particularité [149] ». Puis conforme au modèle de la « vocation » déjà décrit chez l'homme politique, elle permet de garantir cette forme d'identification de la bureaucratie à l'État qui doit devenir synonyme de neutralisation des affects, des intérêts et de la puissance même selon la croyance en une domination impersonnelle et objective [150].

Objectivité et déshumanisation : une dialectique
de la bureaucratie

C'est sans doute dans cette perspective que Max Weber peut dire que « la bureaucratie, lorsqu'elle est pleinement développée, se tient en quelque sorte sous le principe *sine ira ac studio*. Plus la bureaucratie se perfectionne, plus elle est " déshumanisée ", plus elle parvient avec succès à éliminer des activités officielles l'amour, la haine et tous les éléments personnels, irrationnels et émotionnels qui échappent au calcul [151] ». Il faut bien entendu relever l'ambivalence de la formule, pour autant qu'elle fait signe vers le paradoxe selon lequel l'optimum de la rationalité pour l'humanité politique résiderait dans une parfaite déshumanisation du lien de gouvernement. Le paradoxe serait alors d'autant plus puissant que Weber souligne aussitôt l'affinité élective entre cet aspect de la bureaucratie et le capitalisme, pour le relier comme expression de la rationalisation sociale à ce qui demeure la forme incontestée de la rationalité économique. Avec pour conséquence, le fait que les deux phénomènes semblent épuiser définitivement les ressources qui avaient porté la trajectoire de la modernisation. Surgit alors une question décisive : qu'en est-il du destin et du sens de cette domination bureaucratique qui loge le principe ultime de sa légitimité dans l'absence de passion ? On pourrait bien sûr admettre avec Hegel que se dévoile ici une attache authentique de la bureaucratie avec la raison objective de la politique, si tant est qu'elle incarne l'esprit de la société et que ses agents ont intériorisé la grandeur de l'État [152]. Mais on pourrait aussi juger avec Marx que cette synthèse est le symptôme par excellence de l'illusion pratique et conclure avec lui que « l'esprit bureaucratique est un esprit foncièrement jésuitique, théologique. Les bureaucrates sont les jésuites d'État et les théologiens d'État. La bureaucratie est la *république prêtre* [153] ».

Max Weber hérite à nouveau de cette critique et de ses deux composantes. Celle qui vise l'aspect métaphysique de la capacité prêtée à la bureaucratie de dépasser les conflits et les passions. Puis celle qui désigne le caractère religieux, c'est-à-dire illusoire, de l'identité entre l'État et l'intérêt général. Mais il en franchit en quelque sorte l'obstacle, en montrant la neutralité de l'administration vis-à-vis des intérêts qui organisent la société civile. Au plan historique tout d'abord, dans la mesure où la bureaucratie résulte d'un lent processus d'expropriation des titulaires d'offices, de coupure entre le pouvoir et les moyens matériels de son exercice, d'arrachement de la sphère administrative aux conditions empiriques de la vie économique et sociale. Au plan fonctionnel ensuite, pour autant que l'appareil politique de l'État connaît une division interne, qui assure à la fois une efficacité accrue de la technique gouvernementale par la spécialisation et une neutralisation des effets d'arbitraire par la collégialité [154]. Au plan institutionnel enfin, si tant est que la notion moderne d'autorités constituées désigne des mécanismes de contrôle de l'administration par des corps spécifiques et assure le respect d'une contrainte de légalité sur l'ensemble des actes propres aux agents de l'État [155]. En ce sens, c'est donc toujours par les subtilités dans l'aménagement du principe hiérarchique que la bureaucratie garantit sa légitimité. Lorsque c'est au travers de la hiérarchie des normes que sont définies la nature et l'étendue des pouvoirs propres aux corps administratifs. Ou encore quand c'est dans l'autonomie de la direction administrative que s'ancrent l'indépendance de la bureaucratie par rapport à l'autorité politique et sa neutralité à l'égard des citoyens, au nom de la raison d'État.

Retrouvant par tous ces biais l'esprit de la synthèse hégélienne, Max Weber ne peut ignorer que c'est sous ce point d'achèvement qu'elle offre le plus de prise aux critiques ravageuses de Marx. Celle qui met au jour la nature spirituelle de l'identité visée entre le fonctionnaire et l'État et qui dévoile le fait qu'en réalité « l'*examen* et le *pain* des fonctionnaires sont les ultimes synthèses [156] ». Celle encore qui ne veut voir dans le désintéressement et la neutralité des agents de l'État que des conflits irrésolus, entre les composantes de la société civile, entre la société et l'État, puis au sein même de la conscience et de la vie du fonctionnaire. Celle enfin qui retourne systématiquement les catégories de la dialectique hégélienne, pour en inverser un à un les signes. Pour montrer que « la bureaucratie est l'État imaginaire à côté de l'État réel, le spiritualisme de l'État [157] ». Pour souligner la manière dont elle conçoit la société comme sa propriété privée, entretenant autour d'elle un mystère impénétrable. Pour dénoncer enfin la façon dont « à l'intérieur de la bureaucratie, le *spiritualisme* se change en *matérialisme crasse*, en obéissance passive, en culte de l'autorité, en *mécanisme* d'une pratique formelle et figée, de principes figés, de conceptions et de traditions figées [158] ». Tout se passe comme si Max Weber entendait un écho de ces critiques dans le thème de la raison d'État, lorsqu'il est invoqué à l'appui de la légitimité que revendique la bureaucratie. Pour noter que c'est par instinct quant aux conditions du maintien de sa propre puissance qu'elle nourrit « la canonisation de l'idée abstraite d'une raison d'État " objective " [159] ». Mais pour remarquer aussitôt qu'elle épouse

alors, même sans le vouloir, le mouvement précis de la démocratie : une démocratie qui s'attache avant tout au principe de l'égalité
devant la loi et qui est prête à la confondre avec les garanties
légales, rationnelles ou formelles, d'une neutralité de l'administration. Une démocratie qui met sa passion dans le refus de l'arbitraire et qui consent à se satisfaire de l'échange de la « grâce »
qui présidait à l'exercice du pouvoir dans la vieille domination
patrimoniale contre les raisons, l'abstraction et le savoir-faire
objectifs de la bureaucratie moderne.

Les accents tocquevilliens d'une telle analyse dévoileraient
assez bien les traces d'une dialectique de la bureaucratisation dans
l'interprétation wébérienne de l'État moderne. Celle-ci se manifesterait une première fois au détour de la discussion qui concerne
la nature du savoir de l'administration. Max Weber relève alors
l'ampleur du phénomène de la « domination bureaucratique rationnelle du savoir [160] ». Pour souligner qu'il n'est guère que l'entrepreneur capitaliste qui puisse parvenir à s'immuniser contre son
emprise, en l'affrontant sur son terrain, par sa propre spécialisation
et sa connaissance des faits. Mais pour montrer aussi que sa profondeur tient au fait que la maîtrise acquise par la formation se
double d'un « savoir du *service* », nourri de l'accès aux « issues
des dossiers ». Et surtout qu'elle participe d'une « aspiration à la
puissance », qui a pour instrument privilégié la notion de « secret
de la fonction ». Tout se passe alors comme si le principe même
qui ancrait la rationalité de l'activité administrative, assurait son
autonomie fonctionnelle face à l'autorité politique et garantissait
la légitimité de ses interventions, se transformait en écran pour
protéger l'opacité d'un mécanisme de pouvoir. Se retrouverait
ainsi l'intuition de Marx selon laquelle « l'esprit de la bureaucratie,
c'est le *secret*, le mystère ; au-dedans, c'est la hiérarchie qui préserve ce secret et, au-dehors, c'est son caractère de corporation
fermée [161] ». Et serait aussi mise au jour une première tendance
interne aux sociétés politiques modernes : l'isolement de la sphère
bureaucratique, sa coupure d'avec le monde réel et sa propension
à l'exercice d'un pouvoir de fait qui excède les limites imposées
par le droit.

Cette logique serait aussitôt confirmée par le constat de la capacité de la bureaucratie à capter l'effectivité du pouvoir, en jouant
des ressources de sa compétence. En ce sens, l'irruption de la
figure de l'expert comme vecteur de la rationalité politique peut
se retourner en un processus de dépossession des détenteurs légitimes de l'autorité. C'est cette dérive que décèle Max Weber, lorsqu'il remarque que « le " maître " politique se trouve toujours lui-
même, vis-à-vis du fonctionnaire spécialisé, dans la position du

dilettante face à l'expert. Et cela vaut même lorsque le " maître " que la bureaucratie sert est le peuple, équipé des armes de l'initiative législative, du référendum et du droit de démettre les fonctionnaires [162] ». Au travers de cette seconde composante d'une dialectique de la rationalisation, Max Weber dégage l'un des thèmes de la critique contemporaine du phénomène. Celui d'un détournement de pouvoir d'autant plus profond qu'il est inavoué et masqué par le discours de l'expertise. Jusqu'à un certain point, pourraient trouver ici leur origine les analyses qui dénoncent moins les dysfonctionnements de l'appareil bureaucratique que la formation d'une société particulière, qui use pour légitimer son action d'un *éthos* de l'universalité et dissimule la conquête du gouvernement derrière le caractère impersonnel de son fonctionnement [163]. Dans une large mesure aussi, cette remarque de Weber pourrait ouvrir vers la problématique de l'envahissement de la sphère politique par une rationalité strictement instrumentale, qui transforme l'exercice de l'autorité légale en technique d'administration [164].

Reste qu'à nouveau, Max Weber associe cet effet de bureaucratisation de la vie politique à une forme de l'attente démocratique. Ainsi peut-il noter que « la démocratie adopte une attitude ambivalente à l'égard du système de l'examen pour l'expertise, comme elle le fait à propos de tout le phénomène bureaucratique que cependant elle promeut. D'un côté, le système des examens signifie, ou du moins apparaît signifier, la sélection des personnes qualifiées issues de toutes les couches sociales à la place du gouvernement des notables. Mais de l'autre, la démocratie craint qu'examens et brevets d'éducation ne créent une " caste " privilégiée, et pour cette raison elle s'oppose au système [165] ». Exposé de cette manière, le problème semble déboucher sur deux considérations. Au plan pratique, tout se passerait comme si la critique de la bureaucratie était condamnée à se heurter à une antinomie indépassable. Si elle se déploie sous la forme d'une hostilité à la figure de l'expert, elle épouse nécessairement le point de vue du dilettante. Au risque de conforter la position du démagogue politique ou de confirmer le sentiment d'un déficit de légitimité. Si à l'inverse elle se présente au travers d'une discussion des conditions de l'expertise dans la perspective de la légitimité rationnelle, elle renforce les relations entre bureaucratie et efficacité organisationnelle, pour contribuer paradoxalement à enraciner le phénomène qu'elle dénonce. À quoi s'ajouterait une autre considération, située au plan historique cette fois, et qui donnerait raison à Marx. Pour constater que quoi que l'on en veuille, « la bureaucratie doit s'efforcer à faire de la vie la chose la plus matérielle possible [166] ».

Mais pour imputer cet effort à l'ambiguïté des passions démocratiques et à leur connivence malheureuse avec un processus de nivellement de l'univers social.

Sans doute trouverait-on chez Max Weber quelques textes qui expriment un sentiment de révolte contre ce qui s'apparente à un procès de réification du lien social par le phénomène bureaucratique ou qui retrouvent encore les accents de Marx contre le fait que « la bureaucratie est un cercle d'où personne ne peut s'échapper [167] ». En témoignerait cette longue parabole : « Il est horrible de penser que le monde ne pourrait être un jour rempli que de ces petits hommes qui ne sont rien d'autre que de petites roues dans un engrenage et qui s'accrochent à leurs postes subalternes, tout en essayant d'accéder à de plus hautes fonctions [...]. Cette passion pour la bureaucratie a de quoi conduire au désespoir [...]. Que le monde ne connaisse plus que de tels hommes, voilà ce vers quoi nous nous dirigeons déjà, et la grande question est donc de savoir non pas comment promouvoir et hâter cette évolution, mais ce que nous pouvons lui opposer pour qu'une partie de l'humanité ne soit pas atteinte par cette paralysation de l'âme, par cette domination absolue du mode de vie bureaucratique [168] ». Le caractère allégorique de l'image évoque tout à la fois les descriptions du monde administré telles qu'on les rencontre chez Tocqueville et les visions d'un univers totalement bureaucratisé qu'offrira la littérature contemporaine. Héritier des libéraux les plus pessimistes du XIXᵉ siècle et ancêtre d'Orwell sur ce point, Max Weber dégage l'impression saisissante d'une sorte de vertige bureaucratique qui travaillerait les sociétés modernes. À ce titre, son œuvre peut encore représenter l'une des origines d'une critique de la domination bureaucratique du point de vue de la réification du monde vécu [169].

Mais on peut craindre que cette critique ne parvienne pas à trouver son fondement avec lui, dans la mesure où il ne tranche pas dans la double nature de la bureaucratie. Comme s'il mettait au jour une ambivalence d'autant plus puissante qu'elle s'inscrit dans celle des passions démocratiques. Mais comme s'il renonçait aussitôt à faire la part de ce qui revient à ces dernières, avec l'éventualité de travailler à leur apaisement, et de ce qui pourrait sceller le destin tragique des sociétés modernes. Ainsi en va-t-il lorsque Max Weber pose de la manière suivante l'alternative de la modernité : « On n'a que le choix entre la " bureaucratisation " et la " dilettantisation " de l'administration, et le grand instrument de supériorité de l'administration bureaucratique est le *savoir spécialisé*, dont le besoin absolu est déterminé par la technique moderne et l'économie de la production des biens [170]. » Sans doute ce propos a-t-il une visée polémique, contre l'illusion socialiste d'une suppression de la domination de l'homme sur l'homme par l'administration des choses. De même prend-il pour cible la partialité des invectives de Marx contre la « Sainte bureaucratie [171] ». Peut-être pourrait-il enfin s'interpréter comme une anticipation du fantastique phénomène de bureaucratisation de la société qui accompagnera la formation des systèmes communistes. Mais du moins peut-on dire qu'il n'a pas pour effet de déposer le socle d'une critique de la bureaucratie dans la perspective de la démocratie. Reproduisant au sujet de la sphère administrative le schéma qui reliait déjà la rationalité de l'action politique au triomphe du professionnel sur le dilettante, Max Weber reconduirait alors une nouvelle fois la démocratie moderne au pied d'une alternative qui la condamne soit à se perdre, soit à accepter ses propres déformations.

Franchissant un pas supplémentaire, on pourrait suggérer qu'il se puisse qu'ici « la méthode détermine, au moins en partie, ses résultats [172] ». Situant l'essentiel de son analyse de la bureaucratie dans l'ordre d'une description des dysfonctionnements d'un système dont la supériorité technique n'est jamais interrogée, Max Weber s'interdirait ainsi et de remonter avec Marx jusqu'aux principes de la puissance du modèle de la rationalité administrative dans l'imaginaire libéral, et de descendre avec Tocqueville jusqu'aux racines de l'aliénation bureaucratique dans la passion égalitaire de la démocratie. De fait, il renonce bien à l'interprétation de ce qui se logeait chez Marx derrière le phénomène d'envahissement du monde de la vie par la bureaucratie : le syllogisme de la souveraineté, comme fondement de l'illusion de la rationalité intrinsèque de l'État. Pour Hegel en effet, l'identité entre la personnalité abstraite du sujet de droit et l'État reposait sur le raisonnement suivant : la subjectivité n'est réelle qu'en tant que sujet ; or le sujet n'est réel que pour autant qu'il est Un ; donc « la personnalité de l'État n'est réelle que si elle est une seule personne, une personne physique, le monarque [173] ». À quoi Marx rétorquait qu'à considérer de cette façon la représentation de la dignité du monarque comme « un absolu commencement en soi », on pouvait tout aussi bien le faire du « pou du monarque [174] ». Et qu'ainsi construite, « la " raison d'État ", la " conscience d'État " est une personne empirique " unique ", à l'exclusion de toutes les autres, mais cette raison personnifiée n'a pas d'autre contenu que l'abstraction : " je veux ", *L'État, c'est moi* [175] ». Qu'à ce titre enfin, la captation du pouvoir par la bureaucratie est déjà inscrite dans la théorie de la souveraineté comme expression de la raison.

Sans reprendre bien sûr les attendus de cette justification philosophique de l'État, récusant ce qu'elle doit à une fétichisation des concepts et à une divinisation du pouvoir lorsque Hegel écrit que « c'est la marche de Dieu dans le monde qui fait que l'État existe [176] », Max Weber n'en retrouve-t-il pas cependant les allures sous les traits sécularisés de la bureaucratie comme forme de perfection de la domination rationnelle ? C'est ce que suggère Claude Lefort lorsqu'il lui reproche de ne la concevoir que « comme un type d'organisation, c'est-à-dire d'une façon purement formelle [177] ». À quoi l'on pourrait encore ajouter que par ce choix Max Weber s'est en quelque sorte privé de la fécondité de certaines de ses hypothèses, qui s'orientaient vers l'interprétation tocquevillienne du phénomène. Dans ce qui serait cette perspective, il écrit, par exemple, que « de même que la bureaucratisation crée un nivellement des conditions sociales [...], de même, à l'inverse, tout nivellement social [...] favorise la bureaucratie, laquelle est partout l'ombre inséparable de la "démocratie de masse" en progrès [178] ». Mais c'est pour revenir aussitôt à une description de l'esprit de la bureaucratie, en délaissant la piste de son inscription dans la dialectique de l'égalisation des conditions. Et sans creuser plus avant la structure paradoxale qu'exposait Tocqueville en parlant de la manière dont les peuples démocratiques s'accommodent aisément d'une « espèce de compromis entre le despotisme administratif et la souveraineté du peuple [179] ». Sans percevoir le fait que la bureaucratie est moins alors une perturbation de l'équilibre propre à une forme universelle de la rationalité politique que le possible « foyer d'un nouveau régime [180] ». Sans explorer l'idée selon laquelle elle manifesterait une variante spécifiquement moderne de la servitude volontaire : celle qui échange les inquiétudes de la liberté contre le désir de l'égalité et les lenteurs inhérentes à l'action politique contre les jouissances immédiates de la douceur des choses.

Il se pourrait alors que l'analyse du phénomène bureaucratique soit symptomatique des limites propres à l'interprétation de la modernité politique chez Max Weber. Rapidement indiquées, celles-ci tiennent sans doute au fait de ne pas prendre la mesure des effets de la révolution démocratique lorsqu'ils s'entremêlent à la description des expressions de la rationalité pratique telles qu'elles résultent du processus de désenchantement du monde. De ce point de vue, quand Weber met au jour les structures réifiées du monde vécu bureaucratique, il tend à confondre leur caractère inéluctable avec leur origine dans le triomphe de la raison instrumentale et ses conséquences en termes de perte de sens. Sans percevoir toutefois ce que voyait un Tocqueville, par exemple : le fait que l'aspiration démocratique peut se conjuguer avec le désir d'enfouir la pratique du pouvoir sous l'idéal d'une production symbolique du lien social et les garanties d'une réglementation de l'existence qui ne laisserait rien en dehors d'elle. Avec pour conséquence que l'État n'est alors plus « de la domination ostensible, mais de l'administration totale [181] ». En d'autres termes, décrivant des anticipations de liberté, de neutralisation de l'arbitraire du pouvoir et d'émancipation qui sont vécues comme autant d'expériences d'une simple transformation des mécanismes de l'aliénation politique, l'analyse wébérienne s'arrête trop vite sans doute au diagnostic d'un destin. Avec pour effet d'en avoir trop dit sans doute sur les allures inéluctables de la rationalisation des mondes de la politique. Mais pas assez peut-être pour ce qui concerne la recherche des mécanismes qui les rigidifient pour les transformer en une cage où la liberté ne serait plus qu'illusion.

CHAPITRE VIII

Raisons du droit et formes de l'État

Au moment d'aborder la question des formes de l'État de droit, il faut se remémorer le fait qu'elle surgit à l'entrecroisement de deux logiques qui cherchent à cerner les conditions de l'expérience politique moderne. Sociologique, la première consiste à réitérer la décision de ne voir dans l'État qu'une modalité de l'action sociale, significative du point de vue des individus qui y participent. En ce sens, il convient de rappeler que l'on ne peut saisir dans l'État qu'un « contenu significatif » visé par des acteurs et non « un sens normativement " juste " ou métaphysiquement " vrai " [1] ». Avec pour conséquence cette restriction de l'horizon d'analyse : « Le fait qu'un État *existe* ou a existé signifie donc exclusivement et uniquement que *nous* (les observateurs) jugeons qu'il existe ou a existé une *chance* suivant laquelle, sur la base d'une attitude de nature déterminée de certaines personnes déterminées, on *agit* d'une certaine manière encore définissable en un *sens visé en moyenne* [2]. » C'est sur ce plan que viendrait se loger la dimension phénoménologique de l'entreprise, qui correspondrait dans un vocabulaire de type husserlien au projet de parachever la description du monde « dans toute la plénitude *concrète* dans laquelle il est le monde de notre vie à tous [3] ». En étendant la restitution du monde de la culture jusqu'au registre des communautés de rang supérieur où se manifeste l'expérience politique. En poussant l'exploration de couches de plus en plus vastes du présent jusqu'à la prise en charge des formes institutionnelles de cette expérience ainsi que de « l'horizon de passé » qui les détermine.

Mais c'est précisément cet horizon temporel qui installe l'État moderne dans une histoire : celle de la restriction de l'expérience politique à la participation au système des règles formelles qui organisent une institution de la domination rationalisée. Ainsi, « la croyance en la légitimité spécifique de l'action politique peut, et sous des conditions modernes doit, effectivement, parvenir à un point où seules certaines communautés politiques, à savoir les *États*, sont considérées comme capables de " légitimer " l'exercice de la contrainte physique par toute autre communauté en vertu de mandats ou d'autorisations. Afin de rendre menaçante et d'exercer une telle contrainte, la communauté politique pleinement achevée a développé un système casuistique de règles auquel cette légitimité particulière est imputée. Ce système de règles constitue " l'ordre juridique ", et la communauté politique est regardée comme son seul créateur normal puisque cette communauté, dans les temps modernes, s'est arrogé le monopole du pouvoir d'imposer le respect de ces règles par la contrainte physique [4] ». En d'autres termes, c'est bien cette structure qui façonne le monde vécu politique moderne et conditionne l'activité des individus en son sein, selon des déterminations pour l'essentiel situées dans un univers formalisé par des règles. Et c'est à travers elle que Weber propose une définition de l'institution politique moderne qui insiste sur cette caractéristique de formalisme : l'État est « une *institution* politique ayant une " constitution " écrite, un droit rationnellement établi et une administration orientée par des règles rationnelles, ou " lois " [5] ».

Au plan doctrinal, l'analyse wébérienne de la dimension formelle de l'État moderne comme État de droit pourrait être située entre deux moments. Le moment hégélien tout d'abord, qui illustre la manière dont cette forme représente tout à la fois la condition d'une résorption de la violence initiale du lien politique et le signe d'une persistance de cette origine. Au sens qui veut que l'individu trouve la sécurité et la satisfaction de son être dans sa dignité de membre du tout lors même qu'il n'a de vérité, d'existence objective et de vie éthique qu'en tant que citoyen de l'État. Mais au sens qui pose également que si l'État perd sa réalité lorsqu'il ne peut satisfaire les aspirations des individus, il demeure néanmoins « l'unique condition qui permet à la particularité d'accéder au bonheur et de réaliser ses fins [6] ». À quoi s'ajoute encore que cette dialectique de la reconnaissance par le formalisme étatique s'opère dans le contexte de l'inéluctable enracinement de la pensée dans les conditions de son temps : *hic* Rhodus, *hic* saltus, « il est aussi insensé de prétendre qu'une philosophie, quelle qu'elle soit, puisse franchir le monde contemporain pour aller au-delà, que de supposer qu'un individu puisse sauter par-dessus son temps, puisse sauter par-dessus le rocher de Rhodes [7] ». Proposition qui a nourri, s'agissant des *Principes de la philosophie du droit*, un soupçon équivalent à celui que suscite la description wébérienne des conditions de l'existence politique moderne : celui de confondre le respect des déterminations empiriques des formes de l'État avec la justification de leur rationalité.

Le second moment intellectuel du débat sur le formalisme juridico-politique serait attaché aux travaux de Carl Schmitt en tant qu'ils dénoncent la forme rationnelle de l'État de droit comme l'expression par excellence de l'illusion politique moderne. Typique de ce qui serait une position commune à Hegel et Weber, celle-ci se décrit comme suit : « La tendance propre de l'État de droit bourgeois vise à refouler le politique, à limiter par une série de normations toutes les manifestations de la vie de l'État, et à transformer toute l'activité de l'État en *compétences*, c'est-à-dire en pouvoirs rigoureusement circonscrits, *limités* par principe [8]. » Soulevant la vacuité du « système de garanties de la liberté bourgeoise », Carl Schmitt localise le cœur de l'illusion libérale dans l'attitude consistant à oublier que l'agencement formel des libertés et des pouvoirs ne prend en charge que l'une des composantes de l'État en occultant ce qui fait sa vérité : une « décision positive sur la forme d'existence politique [9] ». Dissimulant ce que la réalité de l'État doit à un choix politique vital derrière les apparences d'une fausse naturalité du lien social, le libéralisme moderne se cache la vérité du politique et vit dans une fausse conscience de la transfiguration des conditions de la domination : « En réalité, malgré tout son juridisme et sa normativité, l'État de droit reste quand même un *État* et contient par conséquent, en sus de la composante spécifiquement libérale bourgeoise (*bürgerlich-rechtsstaatlich*), toujours aussi une autre composante spécifiquement *politique* [...]. Le politique ne peut être dissocié de l'État – l'unité politique d'un peuple – et dépolitiser le droit public (*Staatsrecht*) reviendrait bel et bien à le désétatiser (*entstaatlichen*) [10]. »

On peut alors penser que Max Weber se tient à la charnière de ces deux moments, un pas en avant de Hegel lorsqu'il découvre dans l'État moderne l'idéalité formelle réalisée, un pas en retrait de Schmitt à l'instant où il refuse d'être prisonnier d'une illusion d'effacement de la domination. En dépit du caractère réaliste de sa définition de l'État, sans doute n'irait-il pas comme Schmitt jusqu'à dire que « la *légalité* a précisément le sens et la tâche de dénier et de rendre superflue la *légitimité* [...] ainsi que toute forme d'autorité supérieure », pour conclure que « la légalité a justement une signification opposée à celle de la légitimité [11] ». Mais au-delà de Hegel, toutefois, il assigne une portée supplémentaire à l'impossibilité de franchir le rocher de Rhodes : celle qui tient à la réalité de la domination comme expression du pouvoir de l'homme sur l'homme.

Les trois moments de la raison juridique

S'agissant d'expliquer dans la longue durée des processus historiques de la rationalisation la formation du droit comme « cosmos de règles abstraites [12] » tout en déterminant ce qui le rend acceptable comme forme de la contrainte, Max Weber poursuit un double système d'hypothèses. Par l'un ce sont la forme des règles, la nature des raisonnements juridiques et les mécanismes de procédure qui sont significatifs pour autant qu'ils stabilisent un moyen de contrôle des individus par des normes. C'est alors de manière presque unilatérale le processus de monopolisation de cette capacité normative par l'État au travers de la loi, des codes et de l'institution judiciaire qui décrit le trajet de la rationalisation. Par l'autre toutefois, l'histoire de la modernité politique se déploie sur une trajectoire plus ambivalente : celle d'une familiarité croissante entre la conflictualité sociale et l'élaboration juridique. Dans cette seconde perspective, la voie droite de la construction d'un droit formel se laisse bien sûr déceler dans les étapes d'une histoire, mais tout se passe comme si cette dernière abandonnait à découvert nombre d'éléments susceptibles d'être recyclés comme autant de protestations contre les formes stéréotypées d'une vie sociale construite par le droit. Comme si, en d'autres termes, chaque moment d'une histoire de la rationalisation du droit éclairait une part de sa vérité, mais une part seulement qui n'est jamais parfaitement susceptible de livrer la place de ce phénomène dans le monde humain.

À l'origine de l'histoire du droit, c'est à l'évidence la « révélation charismatique » qui s'impose [13]. Portée par des « prophètes du droit », elle sollicite la légitimité de la grâce ou de l'exploit pour autoriser un individu à produire des normes nouvelles ou imposer une réorganisation de celles qui existent. Fondée sur le principe de l'exemplarité ou la capacité de manipulation des puissances magiques, elle repose sur une formule : « Des mages ou des sages charismatiques qualifiés révèlent à l'assemblée des nouveaux principes qui leur furent suggérés par le rêve ou par l'extase ; les participants, reconnaissant cette qualification charismatique, les transmettent à leurs groupements en tant que nouvelles maximes devant être appliquées [14]. » Ce type de création primitive du droit a donc deux caractéristiques. Celle d'un « formalisme conditionné par la magie [15] » puisque pèsent ici les contraintes spécifiques du charisme et notamment son besoin de confirmation. Puis celle d'une « irrationalité conditionnée par la révélation », pour autant qu'un tel droit ne présente que de faibles qualités structurelles par l'absence d'homogénéité de ses contenus et la fragilité des mécanismes de son invention. D'où une contradiction entre « le caractère formel de la procédure », qui suppose une délimitation des conditions d'accès à l'arbitrage puis une stricte définition de la capacité charismatique, et le « caractère irrationnel des moyens de décision » régis par la croyance [16]. Privé de régularité parce que lié à la puissance oraculaire du mage, faiblement associé à un appareil de contrainte, ce droit n'exerce qu'une influence mal différenciée de la religion au sein des communautés dans la mesure où il ne déclenche qu'une obéissance motivée par un abandon d'ordre sentimental. Mais il ouvre cependant à sa manière la perspective de la rationalisation, au moment où la formulation d'une décision débouche sur l'énoncé d'une règle édictant ce qui devra arriver dans des cas semblables. C'est alors dans le passage de l'affirmation de ce qui est juste pour une situation particulière vers la formalisation d'un lien entre un conflit d'allure générale et une forme de solution qui s'y applique que le droit révélé apparaît comme la « mère de toute disposition juridique [17] ».

Opposé à ce stade initial du développement juridique, le passage à « une création et une découverte empiriques du droit [18] » fait figure de moment privilégié de la rationalisation. Ce sont ici les techniques de la jurisprudence et du précédent qu'il faut prendre en compte, lorsqu'elles imposent une contrainte formelle sur l'édiction de règles. Au travers de la doctrine du précédent se met ainsi en place une forme de stabilité des dispositions juridiques, puisque celui qui dit le droit doit motiver son jugement en référence à des décisions antérieures. De même, la démarche jurisprudentielle confirme l'émergence d'une exigence de cohérence qui fait échapper le droit à la simple décision au cas par cas. Avec elles, la production du droit s'oriente vers des types de rationalité plus complexes, en l'occurrence façonnés par un mélange de respect pour la tradition et de soumission à un principe de conformité de contenu entre les décisions. En ce sens, l'activité de jugement requiert déjà un processus d'abstraction ou de généralisation à partir des situations empiriques et les mécanismes de formation de ce jugement portent en germes les règles de procédure et de raisonnement qui caractérisent un droit formel. Mais si le droit gagne ainsi en prévisibilité, sa découverte par des moyens empiriques demeure en retrait par rapport à l'idéal d'un formalisme purement déductif.

Max Weber insiste fortement sur les limites du droit jurisprudentiel, selon un motif qui organisera plus tard sa critique des tendances juridiques contemporaines. Le cœur du propos tient au fait que la référence à la jurisprudence induit une conception essentiellement matérielle du droit, qui s'attache aux liens entre ses contenus et la réalité plus qu'aux qualités logiques des raisonnements ou des décisions. Encore fortement attaché à la figure de celui qui le prononce, ce droit est moins structuré par la rigueur déductive et procédurale que par des considérations d'ordre concret propres à l'état des personnes. En témoignerait l'exemple du droit anglais et ses applications spécifiques dans l'ordre commercial. Ici la technique du précédent assure une forme de rationalisation, puisque l'on dissocie les éléments de faits et les principes juridiques qui étaient autrefois mêlés dans « l'incognito du verdict » pour inclure ces derniers dans le droit en vigueur. Mais en mettant au jour des « états de choses typiques », cette démarche n'assure qu'une formalisation imparfaite, pour autant que les règles qui se dégagent demeurent attachées à la ressemblance entre des situations concrètes plutôt que de faire signe vers des formules abstraites de portée générale [19].

Caractéristique d'une forme de juridicité qui « ne distingue pas le droit objectif du droit subjectif, l'édiction du droit du jugement, le droit public du droit privé ni même les règlements des règles normatives [20] », la jurisprudence est la marque d'une époque liée à la tradition et le fait d'une domination encore largement informelle. Associée à la couche des notables de robe qui sont autorisés à juger pour des raisons étrangères à la compétence juridique, elle demeure liée à des intérêts « théocratiques et patrimoniaux [21] » et ne procure surtout que des instruments imparfaits de création normative, qui « ne sont pas des concepts généraux formés par abstraction du concret au moyen d'une interprétation logique signifiante ou par généralisation ou par subsomption (et qui) ne peuvent être appliqués comme normes à la manière d'un syllogisme [22] ». En témoigne la formule que Weber emprunte à Blackstone pour comparer le juge anglais à un « oracle vivant » et montrer que « le rôle joué par les *" décisions "* en tant que forme spécifique et indispensable de l'incarnation de la *Common Law* correspond pour le moins à celui de l'oracle dans l'ancien droit : ce qui auparavant était incertain (l'existence du principe juridique) est maintenant devenu (grâce à la décision) règle permanente [23] ».

À tout prendre donc, la production jurisprudentielle paraît mieux correspondre à une sorte de transmutation intellectuelle du droit charismatique qu'à une véritable invention de la rationalité formelle. Tout juste pourrait-on dire qu'elle contribue à cette dernière en offrant une première figure de professionnel du droit. Au sein de l'univers de la jurisprudence le mécanisme qui lui correspond repose sur la logique du standard qui paraît au moment où « il est très difficile, souvent presque impossible à un juge qui désire ne pas s'exposer au soupçon de la prévention de dénier la garantie de contrainte qu'il avait accordée auparavant dans des cas similaires à une certaine maxime qui lui a servi de façon concrète de norme de décision [24] ». Max Weber pourtant persiste à ne voir dans cette forme de rationalisation interne du droit par la jurisprudence ou le standard qu'un mécanisme d'invention juridique qui n'a « rien de moderne », puisqu'il suppose encore « la croyance subjective en ce que l'on ne fait qu'appliquer des normes déjà en vigueur [25] ».

Reste alors la seule disposition authentiquement tournée vers la rationalisation du droit : l'apparition d'une « juridiction se développant grâce à une formation littéraire et formellement logique en tant qu'œuvre de savants (les juristes professionnels) [26] ». Au plan large des conflits historiques qui régissent la compétition pour le pouvoir, il faut concevoir que ce dispositif est généralement le fait d'une autorité politique centrale, qui cherche à exproprier les puissances périphériques en les privant progressivement de la capacité d'arbitrer ou de juger. Ainsi en va-t-il à l'égard des pouvoirs de droit conférés aux « états » ou aux corporations dans l'univers patrimonialiste du féodalisme. Ainsi en est-il aussi pour ce qui concerne la production normative traditionnellement assurée par l'Église ou le pouvoir théocratique en général. Au point qu'il faudrait pratiquement admettre que l'émergence de professionnels du droit est l'instrument par excellence de la lutte du pouvoir central contre les privilèges. Et qu'elle est sous cet angle le vecteur décisif du mouvement de monopolisation de la contrainte légitime par l'État moderne.

On peut alors décrire la trajectoire de la rationalisation du droit au travers de la succession de trois moments typiques. Pour autant qu'il s'associe à une création spontanée de règles et fait signe vers les formes élémentaires de la légitimité, le moment du droit des prophètes ferait figure d'origine naturelle de toute disposition à la normativité. C'est alors par sa routinisation sous l'autorité personnelle de celui qui tranche les conflits et agence des contenus informels de normes ou de procédures que l'on aboutirait au moment du droit du juge. La jurisprudence serait ici l'équivalent au sein d'un univers traditionnel de la révélation pour le charisme : le support d'une reconnaissance des décisions comme légitimes, mais aussi la marque d'un formalisme inachevé. Le moment du droit des juristes viendrait enfin parfaire l'entreprise, en substituant à la formation révélée du droit ou à sa création diffuse par le précédent son édiction systématique par une procédure régulière et en assurant aux décisions de justice un fondement purement raisonnable, logé dans la valeur que l'on accorde au résultat d'une délibération organisée et formalisée. C'est ainsi une pure rationalité de l'ordre normatif qui s'installe par l'agencement de trois éléments. La « sublimation logique [27] » de règles visant l'édiction de prescriptions à prétention générale, subsumées sous des normes à vocation universelle. La « rigueur déductive [28] » des raisonnements et la forme syllogistique de l'argumentation qui offrent une logique juridique sollicitant un mécanisme d'inférence. La restriction de la capacité normative en faveur d'autorités compétentes et structurellement agencées les unes aux autres par la procédure enfin qui achève de limiter les sources du droit à la voie royale de la législation ou aux canaux des jugements formellement codifiés conformément aux modalités rationnelles de la domination politique.

Les héritages du droit moderne :
droit romain et droit canon

Dans cette typologie raisonnée des mécanismes de formation du droit moderne, le mystère de la rationalisation se confondait largement avec celui de l'innovation dans les univers de la tradition : « Comment le mouvement s'introduit-il dans une telle masse inerte d'habitudes canonisées qui, précisément parce qu'elles ont valeur obligatoire, semblent ne pouvoir rien engendrer de nouveau par elles-mêmes [29] ? » À la recherche d'une solution à ce problème, Max Weber a successivement discuté les thèses disponibles. Celle de l'école historique allemande qui lui paraissait à juste titre récuser l'idée hégélienne d'un Esprit qui se déploie dans l'histoire pour mettre l'accent sur la part d'irrationnel qui entre dans la création des normes, des valeurs et de la culture propres à chaque peuple. Mais reconnaissant là une hypothèse féconde, il reprochait à cette critique de l'optimisme rationaliste des Lumières de basculer dans une illusion métaphysique caractéristique par exemple des travaux de Hugo et Savigny : « En insistant sur la connexion inséparable entre le droit et les autres aspects de la vie des peuples, ils ont hypostasié le concept d'un *Volksgeist* essentiellement irrationnel et unique comme source du droit, du langage et de toutes les richesses culturelles du peuple, afin de rendre intelligible le caractère unique de chaque " droit " authentiquement populaire [30]. » De même consacre-t-il de longs développements à l'examen plus ou moins direct de la conception marxiste de la superstructure au travers d'une réflexion d'ailleurs largement irrésolue sur le rôle de l'économie dans la rationalisation. Enfin quelques éléments rela-

tivement épars laissent apparaître la préoccupation d'une inscription du phénomène juridique dans une généalogie des sentiments
de l'obligation, de l'obéissance et du devoir qui conduit vers la
représentation moderne de la nation [31].

Mais on peut penser que Max Weber lui-même logeait l'essentiel de sa contribution à l'interprétation de la naissance du droit
moderne dans la reconnaissance d'une large autonomie des phénomènes juridiques. En ce sens, il insistait sur le fait que « la
technique juridique a suivi ses propres voies » en soulignant sa
capacité d'adaptation aux conditions concrètes de la vie du droit [32].
À quoi il ajoutait toutefois aussitôt que ces mécanismes ne devenaient compréhensibles que sur fond de conflits entre agents pro-
ducteurs de droit et institutions revendiquant le monopole de sa
création, puis dans le cadre d'une histoire propre à l'Occident où
tant l'héritage romain que la place de l'Église entraient comme
composantes du procès de rationalisation de la contrainte normative. De ce dernier point de vue qui demeurait largement controversé à l'époque, Weber n'hésitait pas à montrer la forme de rationalité interne aux droits issus de l'Antiquité ainsi que leur capacité
d'adaptation dans des contextes inédits, au point de conclure
qu'« aucun système juridique occidental n'a pu se libérer de l'influence du droit romain [33] ».

Plusieurs traits de ce dernier peuvent alors être retenus comme
anticipations des formes rationnelles du droit moderne et en premier lieu cette caractéristique de sa logique : « la décomposition
d'un ensemble de faits complexes de la vie quotidienne en composantes élémentaires juridiquement qualifiées de façon univoque [34] ». Essentielle dans l'ordre du droit civil, cette disposition
se complète d'une capacité de synthèse qui apparaîtra à l'époque
byzantine lorsque le droit romain primitif sera systématisé par les
jurisconsultes. À quoi l'on pourrait opposer bien sûr le caractère
désordonné de la vie juridique romaine, l'usage des raisonnements
ad hominem et le fait que l'art oratoire fondé sur l'éloquence
l'emporte sur la qualité formelle des arguments, ce dont témoignerait à elle seule l'œuvre d'un Cicéron. Pourtant, même s'il faut
attendre ici encore la période tardive de l'Empire, la structure
administrative de la justice à Rome offre « la meilleure position
possible pour élaborer des concepts juridiques très abstraits [35] ».
Mais l'essentiel de la contribution du droit romain à la formation
du monde juridique moderne tient à une dernière et décisive
dimension : « la sécularisation complète de l'administration de la
justice [36] ».

C'est alors cette disponibilité à la sécularisation qui oriente le
devenir de l'univers occidental du droit. À l'inverse du droit isla-

mique qui connaît l'équivalent des jurisconsultes et de leurs techniques de réponse, le droit romain en effet ignore toute influence théologique et parvient ainsi à entrer au contact de la vie quotidienne sans lier ses décisions à des considérations religieuses. Plus encore, dans le cadre d'un État laïc qui se bureaucratise avec le Bas-Empire, il donne naissance à « cette collection unique au monde que sont les pandectes [37] ». Complétés par les juristes byzantins, reconstruits par la pensée juridique des universités médiévales, ceux-ci pourront alors asseoir la « dénationalisation » du droit romain et assurer sa transformation en un « droit mondial [38] ». Sur ce chemin il fallait bien sûr que le droit romain perde ses traits nationaux en accédant à la forme abstraite de contenus logiquement justes et qu'il rencontre des intérêts compatibles avec ce qu'il pouvait offrir en guise de garantie des personnes et des biens. Mais à ces conditions, « une jurisprudence de seize siècles » devait parvenir à le transformer en un droit universel, reconnu et renforcé par l'université et installant le soubassement des formes modernes de la transaction juridique : le fait que « ce que le juriste ne peut penser n'existe pas juridiquement [39] ».

Reste que si « ce sont les qualités formelles du droit romain qui contribuent à sa victoire [40] », c'est aussi son succès auprès d'une couche spécialisée de notables de robe pour cette raison qui crée les conditions de son déclin, leur disgrâce accompagnant son discrédit. Puissants instruments d'affirmation du pouvoir politique central en Occident, l'une et l'autre en effet allaient devenir un obstacle pour l'autorité monarchique à l'âge de l'absolutisme. Le motif de ce conflit porte en germes l'une des structures les plus profondes qui déchirent l'univers juridique : la tension entre un droit des juristes visant à l'abstraction universelle des normes et des contenus de justice plus substantielle, adaptée aux besoins des communautés et malléable en fonction des intérêts politiques. Incarnée pour un temps dans l'opposition entre l'héritage d'un droit romain rationalisé et le droit canon, cette dialectique du droit formel et du droit matériel allait entraîner l'effacement du premier : « C'est à partir du XVIIIᵉ siècle, époque de son apogée, que le " despotisme éclairé " a essayé de se débarrasser de façon consciente de ce droit commun formel et logique ainsi que de ces notables du droit formés par l'université [41]. » La raison en est là, encore lourde de conséquence, et anticipe sur les évolutions lointaines de l'institution politique moderne : « Le pouvoir patriarcal se transforme en État providence et procède sans tenir compte ni des désirs concrets des intéressés ni du formalisme de la pensée juridiquement formée. »

Cette dernière considération éclaire en négatif l'influence du droit canon comme droit théocratique offrant « un mélange de motifs matériels et de buts moraux avec des éléments formels [42] ». Prétendant unifier la contrainte normative sous les auspices d'un droit paré d'un caractère sacré tout en maintenant une fluidité des règles, ce dernier a su offrir au pouvoir en Occident des ressources puissantes de contrôle de la société. Certes, il fallait au préalable que fût levée l'hostilité de l'autorité religieuse envers l'univers séculier, mais dès la fin de la période charismatique du christianisme le conflit donne place à une rivalité mimétique qui fait que « l'Église occidentale s'est engagée sur le chemin de la création rationnelle du droit de façon beaucoup plus prononcée que toute autre communauté religieuse ». À titre de comparaison, si le judaïsme connaît une tradition interprétative extrêmement savante, son influence historique est contrecarrée par la situation d'un peuple paria avec pour conséquence qu'en son sein « du droit vivant et du droit mort s'enchevêtrent, les normes juridiques [n'étant] pas séparées des normes éthiques [43] ». Exceptionnelle dans l'ordre des droits de type théocratique, une telle séparation rend compte et de l'impact du droit canon sur le monde juridique occidental et des conditions de sa concurrence avec le droit romain.

Au regard de cette dernière dimension, l'Église primitive a long-temps dû se résoudre à traiter « l'Empire romain et son droit comme existant aussi longtemps que le monde d'ici-bas » puisqu'il était devenu en raison de sa continuité historique « le droit profane à caractère universel [44] ». En longue durée il faut donc sans doute considérer des influences croisées qui relèveraient d'une sorte de partage du domaine juridique. Schématiquement, le legs du droit romain tient essentiellement en des contenus normatifs au travers de concepts qui se retrouvent jusque dans le droit civil moderne. À l'inverse, ce sont surtout le droit pénal et la procédure qui gardent des traces du droit canon. L'exemple le plus significatif est ici celui de la persistance de l'aveu dans le procès selon une logique bien caractérisée : « S'opposant au droit formaliste de la preuve fondé sur le principe accusatoire, toute justice théocratique recherche une vérité matérielle et non une vérité formelle, déve-loppant très tôt une méthode rationnelle mais spécifiquement maté-rielle, celle de la procédure inquisitoriale [45]. » Reste qu'en dépit de ces apports différenciés, ces deux droits ont influencé en pro-fondeur l'univers juridique continental, ce dont témoigne *a contra-rio* l'exemple de l'Angleterre. À titre d'illustration, ils ont permis ici une élaboration scientifiquement rationnelle du droit, alors que son enseignement demeurait là-bas « artisanal » et empirique [46]. Demeure ainsi un paradoxe lourd de sens, qui veut qu'alors même que ces droits hérités façonnent durablement la vie juridique occidentale en raison de leur conflit, leur succès leur échappe au moment où il s'efface par la naissance de l'État moderne.

Le paradigme de la légalité

Entrecroisant les composantes d'une analyse génétique de la formation du monde juridique moderne au travers d'une histoire de ses concepts ou de ses procédures avec une exploration globale des formes de la sociabilité, de l'autorité et de la légitimité, Max Weber associe les traits de la rationalité du droit à un petit nombre de figures [47]. Celle de la spécialisation qui s'opère grâce à l'enseignement et conduit à la définition de concepts qui ont le caractère de normes abstraites « formées et délimitées entre elles de façon formaliste et rationnelle par des interprétations signifiantes [48] ». Puis celle de la codification qui représente le moment par excellence de la rationalisation en déclarant la guerre au droit coutumier, en cherchant à prévenir toute création du droit par la « maudite jurisprudence » et en imposant une « logique juridique abstraite », ce dont témoigne la rédaction du Code civil français, monument porté par « la conviction souveraine qu'ici l'on crée pour la première fois un droit rationnel et libre de tout " préjugé " historique [49] ». Celle enfin d'une unité du droit garantie par sa création à partir d'une source unique affirmée de telle manière que « les pratiques juridiques qui ne reposent pas sur une disposition législative expresse tout comme les formes traditionnelles d'interprétation ne sont pour le législateur rationnel que des sources mineures à ne tolérer qu'aussi longtemps que la loi n'a pas parlé [50] ».

En restreignant ainsi la rationalité du droit au paradigme de la légalité, Max Weber installe pour longtemps le socle théorique de l'approche positiviste du phénomène. Exposant le présupposé de cette dernière en comparant la science du droit à la médecine ou à l'esthétique, il montre qu'elle se contente d'établir « à quel moment des règles de droit déterminées et des méthodes déterminées d'interprétation sont reconnues comme obligatoires ». En ce sens, de même que la médecine « ne se pose pas la question de savoir si la vie mérite d'être vécue et dans quelles conditions », la science du droit ne répond pas à la question : « Devrait-il y avoir un droit et devrait-on instituer justement ces règles-là [51] ? » Mais lors même qu'il affirme avec la même distance méthodologique que l'esthétique présuppose l'œuvre d'art, c'est curieusement dans une autre langue qu'il développe ce motif en ajoutant que la science « ne se demande pas si le royaume de l'art n'est peut-être pas un royaume de la splendeur diabolique, un royaume de ce monde et donc dressé contre Dieu, mais également dressé contre la fraternité humaine en vertu de son esprit foncièrement aristocratique ». Comme si l'idéal savant de la connaissance ne parvenait pas tout à fait à effacer la nostalgie du sens. Ou comme si encore l'histoire propre à la rationalisation du droit moderne préfigurait quelque chose de son destin dans l'univers du désenchantement.

Quoi qu'il en soit de ces perspectives, c'est dans le conflit qui oppose le droit matériel au droit formel que Max Weber découvre la structure qui organise la formation du droit moderne mais aussi l'antinomie qui menacera de le déchirer. Aperçu au travers de l'opposition entre la justice théocratique et l'héritage juridique romain, ce conflit se nourrit de la tension entre un droit libre de toute intrusion d'éléments extérieurs à lui et celui qui accepte la « recherche de principes matériels réglant l'ordre social, principes politiques, utilitaires ou éthiques [52] ». Historiquement, ce dernier trouve son modèle dans la « justice de cadi » qui désigne une autorité compétente pour interpréter librement la tradition en vertu de ce qu'elle considère comme l'intérêt de la communauté. Procédant par les voies de la révélation prophétique, de l'oracle ou du jugement de Salomon, elle offre des jugements fondés sur la situation des personnes ou des enjeux matériels selon la formule : « c'est écrit... mais je vous le dis [53] ». Caractéristique en ce sens des époques traditionnelles, elle déploie sa forme spécifique de rationalité dans les contextes où persiste un dualisme du droit laïc et du droit théologique. Mais elle peut aussi resurgir en raison de la déception vis-à-vis des promesses de liberté portées par le droit abstrait, quant le système de la justice formelle légalise la répartition inégale des richesses et viole « les postulats matériels de l'éthique religieuse ou de la raison politique [54] ».

Inversement, le succès du droit formel dans l'univers historique moderne tient largement à une rencontre d'intérêts entre les princes cherchant à exproprier la noblesse de robe de sa puissance judiciaire et la bourgeoisie soucieuse d'une garantie juridique des acquisitions économiques : « Mettre le " règlement " à la place du " privilège " rend service aux deux [55]. » De manière plus large, l'universalisme abstrait de la justice formelle favorise non seulement ceux qui cherchent à assurer leur puissance économique, mais aussi ceux qui veulent pour des raisons idéologiques « briser l'assujettissement aux autorités ou restreindre les instincts irrationnels des masses en vue du développement des chances et capacités de chacun [56] ». Dans cette perspective, la rationalisation juridique semble se confondre inévitablement avec la transformation du droit en une machine, un appareil technique dont la rationalité devient purement instrumentale et dépourvue de tout contenu sacré. Ce droit à son tour trouve sa forme normale dans le monopole de la loi qui exprime le principe suivant lequel « seules certaines communautés, à savoir les États, sont considérées comme capables de " légitimer " en vertu de mandat ou d'autorisation l'exercice de la contrainte physique [57] ». Puis il sépare méthodiquement les règles qui fixent des contenus normatifs correspondant à des autorisations ou des interdits de celles qui définissent les procédures permettant de les appliquer aux situations de la vie quotidienne. Il restreint enfin la « création du droit » à la formation de normes objectives et de portée générale qui pourront s'appliquer aux conflits empiriques de la vie sociale.

Il reste qu'aussitôt marquée cette trajectoire de la rationalisation juridique qui passe par l'élimination de la justice matérielle et le triomphe du droit formel, Max Weber souligne brutalement les limites du processus : « On a tendance à croire en général que les principes " démocratiques " de la justice sont identiques à ceux de l'adjudication " rationnelle " (au sens de la rationalité formelle), en réalité c'est le contraire qui advient [58]. » S'agissant alors de montrer que l'institution par excellence de la démocratie judiciaire qu'est le jury réintroduit volontiers des considérations de justice éthique, politique ou sociale, il offre une comparaison ironique : « Quand des jurés français acquittent régulièrement, contrairement au droit formel, le mari ayant tué l'amant de sa femme, ils font exactement ce que faisait Frédéric le Grand quand il rendait sa " justice de cabinet " à l'avantage du meunier Arnold [59]. » Mais pour significative qu'elle soit d'une forme de redécouverte des pratiques propres au despotisme éclairé, ou même des procédures initiales de la justice de cadi par la justice populaire d'une démocratie moderne, cette remarque conduit aussitôt à un constat d'une autre ampleur et d'une portée décisive : le fait qu'il existe une « antinomie *inévitable* entre le formalisme abstrait de la logique juridique et le besoin de réaliser des postulats matériels par les voies juridiques [60] ». Que cette antinomie représente la limite du procès de rationalisation du droit par le triomphe de la légalité formelle ou qu'elle apparaisse au contraire comme son résultat importe peu pour l'instant. Retenons simplement qu'elle formera bientôt l'un des piliers de la cage où s'enfermera le droit moderne rationalisé.

Une critique du droit naturel

Restant pour un temps encore aux plans où s'entrecroisent l'analyse formelle des catégories du droit moderne et l'explication des logiques historiques qui lui donnent naissance, il faut insister sur la manière dont Max Weber concentre la description de cette antinomie sur le conflit entre droit naturel et droit positif. Que la nature profonde d'une pensée juridique, la signification de son inscription dans le contexte d'une théorie de l'action et sa portée au regard d'une interprétation de la modernité puissent se dévoiler dans le traitement qu'elle accorde à la question du droit naturel ne devrait guère surprendre. On peut en effet penser que, du débat entre Hobbes et Locke aux discussions contemporaines qui opposent C. Schmitt à J. Habermas ou H. L. A. Hart à R. Dworkin, en passant par le conflit entre Hegel et Kant, se déploie une généalogie de la conscience juridique moderne déchirée entre deux perspectives. Celle qui voudrait identifier le droit à l'existence de normes positives, conçues comme l'expression d'une volonté politique propre aux membres d'un groupement à qui il s'impose par la contrainte de l'institution étatique. Puis celle qui, au contraire, cherche à explorer la distance qui sépare l'ordre des normes existantes d'un sens universel de la justice décliné à partir d'une idée commune de l'homme. Trois questions sont alors décisives. L'une concerne l'origine des normes et oppose une problématique de la fondation du droit dans des principes de justice au simple constat de l'existence d'un ordre de contrainte formelle. L'autre s'attache au problème de l'effectuation des règles et voit s'affronter un souci d'universalisation similaire à celui qui oriente leur justification en raison et la description des mécanismes de procédure permettant de trancher des conflits. Une troisième question touche enfin la figure du juge et sépare une conception centrée sur un travail de l'interprétation de celle qui vise une forme d'automaticité des décisions de justice [61].

Dans le contexte d'une discussion de cette ampleur, Max Weber occupe une position stratégique pour autant qu'il paraît susceptible de renouveler la critique du droit naturel, en dépassant le conflit qui oppose l'idéalisme kantien à sa réfutation par le romantisme allemand ou Hegel et en déplaçant la question vers la mesure des promesses d'émancipation offertes par un principe conçu pour alléger la dépendance des individus à l'égard des autorités [62]. C'est d'ailleurs cette préoccupation qui semble guider la définition générale qu'il donne du droit naturel comme « ensemble des normes indépendantes de tout droit positif et supérieures à ce dernier (et qui) sont légitimes non pas en vertu de leur édiction par un législateur légitime, mais en vertu de leurs qualités immanentes [63] ». De manière similaire, c'est aussi le souci de dégager les formes authentiques du droit naturel moderne qui oriente Max Weber lorsqu'il esquisse sa généalogie. À ce titre, réfutant l'idée venue de l'école historique allemande d'un développement « organique » du droit par l'évolution du « sentiment de la justice », il fait droit aux prétentions du droit naturel moderne à fonder une juridicité rationnelle : les « axiomes jusnaturalistes du rationalisme juridique sont seuls en mesure de créer des normes d'un type formel [64] ».

D'où cette généalogie des formes du droit naturel moderne qui veut isoler les différentes sources de l'idée d'un droit fondé dans la nature et la raison. La première d'entre elles est religieuse et se découvre dans l'idée de loi naturelle. Héritée des stoïciens, celle-ci connaît une expression propre au christianisme et trouve sa signification dans le contexte de la théodicée, comme solution au problème de l'imperfection du monde. Dans une telle perspective la signification de la loi naturelle est alors la suivante : « légitimée selon la volonté de Dieu, elle est le " droit pour tous les hommes " de ce monde du péché et de la violence, par opposition aux commandements de Dieu révélés directement à ses fidèles et évidents seulement pour ses élus [65] ». Entachée d'une forme de dualisme qui oppose un droit sacré authentique au droit naturel lui-même, cette idée se retrouve dans l'imaginaire des sectes protestantes. De manière symptomatique, c'est dans cette sphère que Weber découvre la véritable ambivalence que présente à ses yeux le droit naturel moderne. Sur une face les droits de l'homme sont l'œuvre des formes de « fanatismes du rationalisme extrême [66] ». Mais sur l'autre aussitôt « nous ne devons pas oublier que nous devons aux sectes des choses dont *personne* d'entre nous ne pourrait se passer aujourd'hui : liberté de conscience, et les plus élémentaires " droits de l'homme " qui sont aujourd'hui notre possession toute naturelle. *Seul* un idéalisme *radical* pouvait le faire [67] ».

Par-delà ce paradoxe qui emportera bientôt le destin du droit naturel, Weber en reconnaît aussi des sources plus familières. Celle qui vient tout d'abord des composantes propres au rationalisme juridique et politique anglais et de l'idée selon laquelle « tout membre d'une communauté est doté de droits nationaux innés [68] ». À tout prendre pourtant, c'est ici encore une sorte de ruse historique qui fait que certains droits particuliers des barons confirmés par la Grande Charte deviennent « des droits nationaux de tous les Anglais ». Plus sûre est sans doute la voie qui remonte au socle rationnel du droit naturel moderne tel que le propose la doctrine de la nature élaborée à la Renaissance et qui peut conduire vers la théorie contractualiste et les idéaux de l'individualisme moderne. Avec eux en effet se déploie la séquence propre à l'esprit des Lumières qui associe l'idée selon laquelle « tout homme en tant que tel a certains droits » à celle qui veut que « seul est légitime le droit dont le contenu n'est pas en contradiction avec *la conception d'un ordre raisonnable fondé sur des accords libres* [69] ».

En offrant cette dernière formalisation de la problématique du naturalisme moderne, Max Weber semble un instant admettre qu'il puisse asseoir le fondement rationnel du droit. « Base réelle et historique de toute socialisation rationnelle y compris l'État », puis « mesure régulative d'évaluation » des expressions concrètes de l'existence juridique, le dispositif formé par les droits de l'homme et le contrat pourrait en outre offrir un critère de reconnaissance de la légitimité : « La liberté contractuelle ne connaît de limites formelles que dans la mesure où les contrats et l'activité communautaire en général ne violent pas le droit naturel qui les légitime, dans la mesure où ils ne portent pas atteinte aux droits imprescriptibles à la liberté [70]. » Semblant alors admettre que Nature et Raison puissent fournir les critères d'une légitimité supérieure à la légalité, Weber fait alors du droit naturel moderne « la forme spécifique d'un ordre créé révolutionnairement [71] ». Franchissant un pas supplémentaire qui est toutefois déjà une réserve, il va même jusqu'à dire qu'il représente « la seule forme spécifique et conséquente de légitimité qui puisse subsister quand les révélations religieuses et la sainteté autoritaire de la tradition et leurs servants ont disparu [72] ».

Ce sont pourtant ces deux dernières remarques qui orientent aussitôt la critique wébérienne du droit naturel. Au regard de son essence révolutionnaire, il procède en effet de formes de révélation qui sont plus proches du charisme que du rationalisme moderne et devient rapidement un obstacle opposé à une « élaboration véritablement constructive des institutions dans leur cohérence pragmatique [73] », ce dont témoigne l'expérience de la Révolution française. D'où l'idée d'une sorte d'inauthenticité du droit naturel moderne qui se manifeste de deux manières : dans la tension qui oppose au regard de l'historicité son caractère révolutionnaire et sa référence à une immuabilité de la nature ; puis dans la contradiction entre un formalisme conceptuel tiré de la raison et un utilitarisme pratique découlant d'un imaginaire des besoins de l'homme. Pour Max Weber une telle structure est redoutable dans la mesure où elle affaiblit l'ordre juridique sous ses deux compo-

santes. Du côté de la rationalité des normes, le droit naturel se
contente d'admettre que « le devoir-être est identique à l'être,
c'est-à-dire avec ce qui effectivement existe en moyenne [74] ». Puis
sous l'angle de l'administration de la justice il incite à confondre
le rationnel avec le « pratiquement utile », révélant ainsi « l'intrusion explicite de suppositions matérielles dans le concept de raison, qui, en fait, y sont depuis toujours de façon latente ».

Affrontant directement l'antinomie du droit formel et du droit
matériel, la problématique du droit naturel semble donc lui apporter une solution typiquement contraire aux réquisits du rationalisme juridique lorsqu'elle s'étend à la protection de droits acquis
et non plus issus de la nature. Dans cette perspective elle conduit
au mieux à une dépréciation de la rationalité des règles, puisque
« le droit naturel formel se transforme en un droit matériel dès que
la légitimité d'un droit acquis est reliée à son mode non plus formel mais économique ou matériel d'acquisition [75] ». Mais elle peut
aussi s'effondrer dans un mélange explosif de contradictions intellectuelles et d'illusions politiques dont la révolution russe donnerait l'exemple. Ici en effet deux regards s'opposent au nom de
conceptions radicalement opposées de l'héritage du naturalisme
moderne : celle qui fait de la propriété privée une composante des
droits issus de la nature et celle qui les réinterprète à partir des
acquisitions liées au travail. Tout se passe alors comme si l'anticipation d'une tragédie historique avait pour conséquence de sonner le glas d'une forme juridique : « Pour autant que l'on puisse
juger aujourd'hui, la révolution russe de la deuxième décennie de
ce siècle aura probablement été la dernière révolution agraire qui
se fonde sur le droit naturel. Elle a perdu tout son sang dans des
oppositions intrinsèques. En effet, ces deux conceptions du droit
naturel sont non seulement incompatibles l'une avec l'autre, mais
sont également en contradiction avec les programmes historiques,
politiques et économiques de la paysannerie, qui, à leur tour, n'ont
aucun rapport avec les programmes agraires de l'évolutionnisme
marxiste [76]. »

Au terme de ce parcours critique, Max Weber en vient à une
conclusion lapidaire : « L'axiomatique jusnaturaliste est tombée
dans un profond discrédit, en tout cas, elle a perdu sa capacité à
servir de fondement à un droit. Comparées à la ferme croyance
dans le caractère révélé d'une norme juridique ou dans la sacralité
inviolable d'une très vieille tradition, même les normes les plus
convaincantes dégagées par abstraction semblent trop subtiles pour
ce faire [77]. » Il reste qu'à nouveau une telle proposition est passible
d'une double lecture. Par l'une il s'agit d'insister sur le fait que,
la pensée du droit naturel succombe sous les effets conjugués de

ses contradictions internes et des critiques qu'elle subit. À titre d'illustration de la première dimension, il suffit de noter la tension qui opposera au XIXe siècle l'utilisation libérale des droits naturels de l'homme dans leur version formelle à la réinterprétation matérialiste de ce motif par les socialistes. S'agissant de la seconde, il faut prendre la mesure des conséquences ravageuses des critiques issues des différents courants du « scepticisme de l'intellectualisme moderne », du positivisme, du relativisme et de l'évolutionnisme, de Comte, de Marx ou encore de Bentham. Avec pour conséquence un indice empirique du discrédit qui emporte le naturalisme : le fait que, « sous l'influence du radicalisme antimétaphysique, les attentes eschatologiques des masses cherchent un appui dans des prophéties et non dans des postulats [78] ».

Mais cette considération à son tour suffit à marquer l'ambivalence du phénomène. Dans l'ordre concret de la réalité du droit, la découverte du caractère insoluble de l'opposition entre droit naturel formel et droit naturel matériel tend à renforcer le processus de rationalisation dans la mesure où elle montre que la vie juridique n'est pas réellement influencée par un « droit du droit » ou encore la croyance en des principes « à force obligatoire immédiate et ne pouvant être abolis par le droit positif octroyé [79] ». En ce sens, Max Weber oppose définitivement aux partisans d'une redécouverte du droit naturel le constat suivant lequel « le positivisme juridique semble pour le moment irrésistiblement en progrès [80] ». La version douce de l'histoire serait alors simplement liée au fait que « la disparition des anciennes conceptions du droit naturel a anéanti toute possibilité de pourvoir le droit d'une dignité supra-empirique en vertu de ses qualités immanentes ». Mais dans une interprétation plus dure, Weber en vient à imaginer qu'il se puisse que sous couvert d'un « droit naturel fondé philosophiquement » ce soit en fait une résurgence de droit sacré qui s'introduise dans le processus de « sécularisation progressive de la pensée juridique [81] ». Reste qu'à nouveau et en dépit de la manière dont l'échec du naturalisme confirme le triomphe du positivisme, Max Weber abandonne une considération qui viendra nourrir le motif d'un désenchantement de la raison juridique lorsqu'il note que « dans beaucoup de ses dispositions les plus importantes, le droit s'est dévoilé comme produit et moyen technique d'un compromis d'intérêt [82] ».

L'État, le droit et l'interrogation sur la légitimité

S'il fallait tirer une leçon de la critique que propose Max Weber du droit naturel, elle pourrait se formuler de la manière suivante :

il représente un moment exemplaire de l'histoire de la raison juridique ; mais un moment voué à être dépassé pour que s'accom-
plisse le programme de la rationalisation du droit. Il représente un
moment de cette histoire, parce qu'il offre l'instrument par excellence de la rupture avec la tradition, nourrit l'imaginaire moderne
de la table rase et poursuit l'idéal d'une reconstruction de l'ordre
juridique sur des assises rationnelles en cherchant à substituer les
concepts de raison ou de nature à ceux du divin ou de la providence. À ce titre, il représenterait à lui seul une forme de la raison
et présente « le type le plus pur de la validité rationnelle en
valeur [83] ». Mais c'est précisément son appartenance à cette catégorie qui fixe sa limite : outre le discrédit où il tombe du fait de
ses tensions internes et des critiques qu'il subit il ne peut offrir le
socle stable d'un ordre juridique pour cette raison précise qu'il
repose sur des valeurs. Ainsi est-ce bien son attache métaphysique
qui est en cause et qui pousse Weber à considérer qu'« un droit
naturel purement formel ne peut exister, car il coïnciderait avec
des concepts juridiques généraux vides de contenu [84] ».

On peut alors s'interroger sur la manière dont la critique wébérienne du droit naturel emprunte à une conception de la raison et
à une théorie du droit. Du premier de ces points de vue, il paraît
clair que Max Weber doutait à tout le moins de la possibilité de
fonder le système normatif de l'État de droit sur un accord inter-
subjectif concernant des valeurs [85]. En ce sens il est au cœur d'une
tradition positiviste qui reproduit au plan épistémologique la coupure ontologique entre être et devoir-être telle qu'elle sépare par
exemple le droit de la morale [86]. Mais il faut ajouter aussitôt qu'il
occupe une place singulière au sein de cette tradition : celle qui
inocule un doute à l'intérieur même du scientisme moderne en
conjuguant un pessimisme de la connaissance avec un scepticisme
radical quant aux possibilités de l'émancipation de l'homme par
la raison. Là où par exemple un Comte ou un Durkheim pouvaient
croire à une loi du progrès qui conduirait en même temps sur le
chemin de la liberté et vers l'objectivité du savoir, Weber comme
Kelsen exposent un positivisme « dégrisé », revenu de ce qui leur
apparaît comme une illusion, insistant sur les limites de la science
et la fragilité des processus d'atténuation de la contrainte. Radicalisant la coupure entre « connaître (*erkennen*) et porter un jugement (*beurteilen*) [87] », ils marquent ainsi au même moment un souhait de dépasser une crise de la rationalité dans la science et un
retrait de son ambition face au sens de l'expérience humaine.

Au regard des formes de l'expérience du droit et de leur histoire,
la position de Weber est alors originale. Sa critique du droit naturel
n'est en effet similaire ni à celle de l'école historique allemande

qui soulignait la diversité des cultures et attachait les formes juridiques à l'expression d'un *Volkgeist* ni à celle de Hegel opposant
la vacuité de la moralité abstraite (*Moralität*) à l'effectivité empirique des éthiques concrètes situées dans l'histoire (*Sittlichkeit*).
Leo Strauss a toutefois raison d'insister sur le fait que Max Weber
reprochait à l'historicisme « non pas d'avoir obscurci l'idée de
droit naturel, mais de l'avoir maintenue sous un travesti historique
au lieu de la rejeter complètement [88] ». Inversement, prenant à son
compte ce rejet radical de toute tentative pour fonder le droit dans
des principes ou valeurs éthiques il met à nu une question redoutable, celle des conditions de la reconnaissance des normes et donc
de la légitimité du pouvoir qui les édicte en disposant de la force
pour les faire appliquer. Autrement dit, au moment où se pose le
problème de la nature de l'obéissance dans un ordre juridique strictement rationnel Weber est forcé de convenir que « dans la vie
quotidienne, la domination est administration [89] ».

Par cette formule le propos est bien sûr reconduit dans l'ordre
d'une description de l'État moderne en tant qu'État de droit ou
plus précisément comme représentant du « type de la direction
administrative, rationnelle et légale, susceptible d'application universelle ». Formalisant cette définition, Weber peut s'inscrire dans
ce versant de la tradition politique libérale qui accentue les conditions d'efficacité du système en cherchant notamment à rationaliser
les procédures d'exécution. Au côté de Locke il admettrait ainsi
volontiers la doctrine de la prérogative qui réserve au pouvoir
exécutif une large autonomie [90]. De même pourrait-il dire comme
Hegel que « la loi de finance est essentiellement une affaire de
gouvernement » dans la mesure où elle détermine les moyens de
la puissance exécutrice [91]. De ces différents points de vue, sa doctrine du pouvoir ne porte pas la trace d'une inquiétude quant aux
conditions d'acceptabilité de la domination puisqu'il semble
acquis que l'ordre juridique suffit à encadrer l'exercice de l'autorité : « Un gouvernement moderne déploie son activité en vertu
d'une " compétence légitime " qui juridiquement est toujours
conçue comme reposant en dernière analyse sur le pouvoir donné
par les normes " constitutionnelles " de l'institution étatique [92]. »

Dans une telle théorie normativiste de la légitimité gouvernementale moderne les critères de la rationalité et de la légalité
semblent donc suffire pour assurer les conditions de la légitimité.
À l'ombre de cette considération Max Weber peut alors décrire
les formes de l'État de droit sous des traits qui, à quelques nuances
près, agencent des éléments reconnus par une tradition allant de
Montesquieu aux doctrines allemande ou française du droit
public [93]. Une séparation des pouvoirs qui fait que « l'*imperium*

se heurte à un autre *imperium*, son égal ou à certains égards son supérieur dont la validité lui fixe des limites [94] ». Une distinction entre droit privé et droit public qui spécifie ce dernier comme « l'ensemble des normes qui, suivant le sens donné par le système juridique, règlent l'activité qui se rapporte à l'institution étatique [95] ». Une différenciation enfin du pouvoir et de ses détenteurs qui efface l'ancienne confusion du prince comme souverain et du prince comme particulier pour culminer dans la doctrine de la personnalité morale de l'État et la reconnaissance de sa responsabilité [96].

À ces composantes qui assurent « le développement du concept moderne de souveraineté [97] », Weber ajoute encore une disposition qui devrait se révéler essentielle du point de vue du destin de la légitimité moderne : celle qui concerne la reconnaissance des droits subjectifs de l'individu. Par celle-ci il semble falloir distinguer deux situations. L'une relève principalement du droit privé et vise le fait que « l'individu qui a le pouvoir de disposer d'une chose ou d'une personne acquiert par la garantie juridique une sécurité spécifique quant à la durée de son pouvoir [98] ». Elle se déploie alors dans le domaine de la liberté des contrats qui pose que « tout individu a le pouvoir de créer du droit au moyen de transactions juridiques privées d'une certaine nature [99] ». Tout autre apparaît être la définition du droit subjectif au travers de la notion d'un droit à la liberté (*Freiheitsrecht*). Cette dernière paraît en effet directement évoquer l'idée d'une autonomie de la sphère privée puisqu'elle désigne « la simple garantie de n'être pas dérangé par des tiers, en particulier par l'appareil étatique dans le domaine du comportement juridiquement permis (liberté de mouvement, liberté de conscience, liberté de disposer de ses biens, etc.) [100] ».

On peut alors penser que cette différence conceptuelle renvoie à la manière dont Max Weber interprète la thématique du contrat et sa place dans l'histoire du droit au travers de l'opposition entre contrat-fonction (*Zweckkontrakt*) et contrat-statut (*Status-Kontrakt*). Le contrat-statut en effet désigne une forme ancienne de transaction qui engage la personne dans sa totalité et marque sa place dans l'espace social. De ce point de vue par exemple, « le lien féodal est construit dans sa nature profonde sur un contrat » et « le " contrat " au sens de libre accord constituant la source juridique de prétentions et d'obligations est très répandu, même aux époques les plus reculées de l'histoire du droit [101] ». À l'inverse, le contrat-fonction ne sollicite pas l'identité du sujet, mais conditionne sa responsabilité vis-à-vis des engagements pris. Spécifiquement moderne, cette modalité de la relation contractuelle a pour archétype le lien d'échange qui régit les acquisitions de biens et surtout organise le régime des réparations en cas de défaillance de l'accord. À ce titre, sa généalogie historique pourrait renvoyer aux questions suivantes : « savoir comment la responsabilité personnelle pour délit génère l'obligation contractuelle et comment de la dette délictuelle naît en tant que motif de plainte la dette contractuelle [102] ».

Pourtant c'est à nouveau un doute quant à la réalisation des promesses contenues dans l'invention de cette forme de juridicité qui s'étend chez Weber jusqu'à une interrogation des modalités mêmes de l'autonomie juridique. Résumant l'idéal qui présidait à l'installation du droit libéral moderne, il rappelle alors que « la transformation des relations juridiquement réglées en une association contractuelle ainsi que le développement du droit lui-même dans le sens de la liberté contractuelle, notamment dans le sens d'une autonomie réglementée par des schémas de transactions juridiques, sont d'habitude qualifiés de diminution de la contrainte et d'augmentation de la liberté individuelle [103] ». Mais c'est pour ajouter aussitôt qu'une telle attente se heurte brutalement à une autre réalité : « La manière de vivre s'est standardisée malgré ou peut-être à cause de ce phénomène [104]. » Comme si la problématique émancipatoire portée par la revendication de droits subjectifs se retournait en un mécanisme de réification des styles d'existence. Comme si la technique du contrat ne pouvait échapper au contexte économique de son apparition et demeurait enfermée dans une sorte de détermination matérielle de l'existence quotidienne. En d'autres termes, tout se passe une nouvelle fois comme si une composante essentielle du processus de rationalisation du droit devenait le symptôme d'une pathologie du monde juridique moderne subissant une sorte de proximité inquiétante entre la rationalité et le désenchantement.

Les formes pathologiques de la liberté moderne

Par son ampleur et la diversité de ses composantes, la théorie de l'État de droit qu'offre l'œuvre de Max Weber croise des approches parfois dispersées entre la philosophie et la doctrine juridique, la discussion institutionnelle et la réflexion politique. À ce titre, elle parvient à déplacer les contours du débat moderne, en faisant se rejoindre des problématiques étrangères les unes aux autres et en reliant sans cesse les logiques d'un modèle formel de la domination aux systèmes d'action qu'il accompagne ou engendre. Par son inscription dans une histoire des formes de juridicité et son attention à la question des sources du droit, elle retrouve notamment les objets d'une interrogation philosophique qui s'orientait depuis le XVIIIᵉ siècle vers les horizons de la liberté et de l'égalité juridiques, puis cherchait à penser les conditions dans lesquelles le droit pourrait cesser d'être le reflet d'une normativité étrangère à l'homme pour devenir l'expression de l'autonomie du sujet. L'originalité du propos wébérien est alors de réinterroger ce projet à partir de la réalité vécue de l'univers juridique contemporain en mesurant l'effet des attentes qu'il suscite et des promesses qu'il porte dans le registre de la quotidienneté. Mais c'est précisément sur ce terrain qu'il se heurte au constat d'une pathologie lorsque surgit un écart considérable entre les anticipations de diminution de la contrainte, de limitation du pouvoir ou d'accroissement de l'autonomie individuelle et la réalité d'un ordre juridique qui s'identifie à l'État pour aménager la domination de l'homme sur l'homme.

À elle seule la prise en charge de cette pathologie des formes de la liberté moderne occuperait un chapitre de la discussion contemporaine sur les formes du droit, la nature de l'État ou les conditions de la politique. Schématiquement elle pourrait se présenter sous l'alternative entre deux attitudes qui se déploient entre l'époque de Weber et la nôtre tout en se nourrissant des expériences d'un siècle traversé par des expressions inédites de la violence. Par l'une il s'agirait d'assumer la déception parfois tragique envers les promesses de liberté portées par le rationalisme politique tout en cherchant à dépasser la réalité d'une crise par une critique de la réification du monde vécu. Pour l'autre au contraire, la crise est moins celle de la réalité que celle de la pensée qui l'avait imaginée, avec pour conséquence l'urgence d'une critique de l'illusion propre à la problématique de la liberté moderne et surtout au projet consistant à relier la connaissance du monde humain à une exploration des conditions de l'émancipation humaine. Maintenir l'idéal moderne de l'État de droit avec le souci d'en corriger les défauts ou séparer radicalement la sphère d'une description des mécanismes de domination de celle des évaluations pratiques, tout porte à croire que Weber se situe au cœur de cette tension qu'il contribue à installer dans l'univers intellectuel contemporain.

On peut alors estimer que pour une part de lui-même Max Weber place le doute concernant la possibilité de maintenir une rationalité pratique au sein du monde désenchanté à la résultante des analyses d'une sociologie du droit qui recueille les composantes juridiques de la décomposition des univers traditionnels, les éléments d'une crise du sens de la normativité et les effets politiques de la déception envers les idéaux émancipateurs des Lumières. Sous cet angle, sa pensée du droit trouverait sa vérité dans un scepticisme profond quant aux capacités politiques de la raison moderne. Un scepticisme lié à la découverte d'un conflit indépassable entre l'attachement aux principes de la liberté ou des droits et leur inconsistance à l'aune de quelques apories de la politique moderne [105]. Il reste cependant qu'une autre lecture est possible qui offrirait à ce scepticisme un débouché plus radical dans ce qui s'apparenterait à un achèvement du désenchantement de la connaissance. Dans cette perspective, l'interprétation wébérienne du destin de la raison juridique moderne serait moins structurée par la prise en compte rétrospective des idéaux de liberté pensés au XVIIIᵉ siècle que vers la réduction contemporaine du projet de la connaissance à une pure description des faits de la contrainte, de la domination ou du pouvoir. La vérité des considérations inquiètes de Weber sur l'État de droit serait alors à chercher du côté de Kelsen, dans le paradigme d'une théorie du droit qui veut dépasser l'illusion du rationalisme libéral en défendant la vision réaliste d'un ordre juridique conçu comme fait de la contrainte.

Parmi les différentes formes de pathologie de la liberté moderne décrites par Max Weber, celle qui s'attache aux limites de la problématique des droits subjectifs de l'individu est sans doute la plus significative. Dans l'économie interne du libéralisme juridique, on sait qu'elle concerne deux dimensions de la liberté : la capacité pour l'individu de construire des relations juridiquement garanties avec d'autres par le biais du contrat ; la protection de l'autonomie du sujet au travers d'une séparation de la sphère privée et des ordres du droit objectif de l'État. Or c'est bien la capacité de ce dispositif à dépasser l'antinomie classique de la liberté et de la contrainte que met en doute Weber lorsqu'il soupçonne le contractualisme de n'être qu'une illusion de liberté. L'objet du problème est alors le suivant. En accordant à l'individu la capacité d'un sujet créateur de droit, le contrat devait atténuer la part accordée à l'État comme source de normativité contraignante, accroissant ainsi la liberté en son sens formel. Mais c'est précisément le caractère formel de cette opération qui se découvre au travers d'une analyse de la réification des relations juridiques par le contrat que ne renierait pas Marx.

Soit en effet le rappel du schéma contractualiste et des effets attendus de sa généralisation comme technique juridique assurant l'économie des choses et les relations entre personnes : « toutes les possibilités sont ouvertes à n'importe qui » et chacun dispose de « la chance, par une utilisation intelligente des biens sur un marché, d'acquérir un pouvoir sur d'autres [106] ». Mais dès l'instant de cette formulation apparaît la première limite d'une liberté qui n'est effective que dans le contexte de l'échange et ne concerne donc que ceux qui sont intéressés à ce type de relations parce qu'ils peuvent y trouver une garantie pour leurs propriétés. *A contrario*, « le droit formel pour un ouvrier de conclure n'importe quel contrat de travail avec n'importe quel employeur ne représente pas pour lui la moindre liberté dans la détermination de ses conditions de travail et ne lui garantit aucune influence sur son contrat ». Tout se passe alors comme si l'illusion de liberté offerte par le modèle du contrat égal entre sujets de droit se dévoilait dans le fait qu'elle cache la transformation de l'individu en objet de la transaction juridique. Inventé comme un moyen d'arracher l'homme à l'autorité d'un droit extérieur à lui, conçu comme la forme la plus souple de détermination juridique de l'existence, le contrat se révélerait alors comme un instrument de réification des relations sociales qui laisse intactes les composantes vécues de la domination.

Max Weber peut alors passer d'un doute sur la possibilité de réaliser l'idéal de la liberté moderne comme autonomie juridique par les moyens de l'association contractuelle à une franche opposition entre le caractère formel de cette liberté et l'aspect contraignant de l'ordre juridique réel. En effet, il serait sans doute possible d'imaginer que le contrat soit le vecteur d'une émancipation, s'il se développait dans le cadre abstrait d'une liberté formelle généralisée. Dans la réalité sociale moderne pourtant il en va tout autrement, puisque les contrats « ne sont accessibles qu'aux possédants et ne font qu'étayer l'autonomie et la position dominante de ces derniers [107] ». Mais Weber va plus loin que l'indication de ce décrochement entre le droit de la liberté formelle et le droit réel des sociétés modernes. Radicalisant ce motif, il en vient en effet à renverser l'articulation entre logiques matérielles et formes juridiques dans l'espace social : « L'importance croissante de la liberté contractuelle et particulièrement des " pouvoirs de droit ", confiant tout à des accords libres, implique une réduction relative de ce type de coercition qui résulte de la menace de normes impératives ou prohibitives. Formellement, c'est une diminution de la coercition. Mais il est également évident que cet état de choses n'est avantageux que pour ceux qui du point de vue économique sont en mesure de faire usage de ces droits. La mesure exacte de l'augmentation de la liberté à l'intérieur d'une communauté juridique dépend de l'ordre économique concret, notamment de la distribution de la propriété des biens ; elle ne peut en aucun cas être déduite du contenu du droit [108]. »

Se dégage ainsi ce qui peut devenir le point de départ d'une véritable critique interne du projet de l'émancipation tel qu'il est présenté dans la reconnaissance des droits subjectifs. Renonçant à interroger la manière dont la technique contractuelle pourrait se dégager de l'emprise économique pour tenir ses promesses de liberté, Weber s'arrête sur le contrat d'une triple impuissance : celle d'une forme juridique qui devait offrir un modèle de normativité affranchie de la contrainte ; celle de droits subjectifs qui prétendaient organiser l'espace des relations entre personnes dans le respect de leurs libertés ; celle enfin d'un droit en général qui voulait s'émanciper des déterminations économiques de l'existence et retombe sous leur coupe. Dès lors ce qui relevait de la dénonciation d'une possible connivence entre le schéma contractualiste et des formes de standardisation de l'existence juridique apparaît déboucher sur une réfutation de la consistance théorique du paradigme libéral lui-même à partir de son motif central. En l'espèce la critique prend une nouvelle fois la forme du dévoilement d'une illusion liée au paradoxe suivant : « Un ordre juridique qui contient très peu de normes impératives ou prohibitives et énormément de " droits à la liberté " et de " pouvoirs de droit " peut en pratique conduire non seulement à une intensification qualitative et quantitative de la coercition en général, mais également à une accentuation du caractère autoritaire des autorités coercitives [109]. »

Ainsi présenté, ce paradoxe est ruineux pour la doctrine du subjectivisme juridique moderne et la manière dont elle associe sa conception de la liberté comme autonomie au schéma contractualiste des relations entre personnes. Au plan de ces relations en effet, loin d'entraîner une résorption de la violence interpersonnelle, la généralisation des contrats semble surtout masquer un renouvellement des formes de la domination. Première figure de l'illusion, la capacité du droit subjectif à dissimuler des rapports de forces viendrait signaler l'ambivalence du concept de liberté formelle. Mais le paradoxe se reproduit aussitôt au plan institutionnel, par l'écart entre l'attente d'un allégement de la contrainte imposée par l'appareil juridique déposé dans l'État et le constat d'un renforcement de l'autorité. D'où une seconde figure de l'illusion : on attendait de la reconnaissance d'une sphère de création autonome de rapports de droits par les individus qu'elle assure une limitation de la contrainte étatique. Elle s'avère au contraire capable de donner une nouvelle vigueur à la puissance de coercition de l'autorité publique. Au total se profile donc ce qui sera le substrat du désenchantement du droit : le fait que l'extension de liens contractuels produits à partir des droits subjectifs de l'individu, loin d'étendre l'autonomie, tend à réifier l'existence sociale par une logique qui s'étend du monde de la vie juridique jusque vers les sphères intimes de l'expérience quotidienne.

De Weber à Kelsen :
une critique de l'illusion libérale ?

Si la force des analyses wébériennes des formes du droit moderne et de leur destin historique tient à leur manière de se situer à la charnière d'une théorie descriptive de l'ordre juridique et d'une réflexion sur les conséquences pragmatiques de sa transformation, elles donnent parfois le sentiment de ne pas aller jusqu'au bout de ce qu'elles découvrent. On peut alors penser que leur horizon est à découvrir au-delà de l'œuvre de Weber, dans un univers théorique dont il est le fondateur mais qui trouve son accomplissement après lui. Autrement dit, c'est probablement chez Hans Kelsen qu'il faut aller chercher la vérité de la critique wébérienne de l'idéal formaliste du droit moderne, comme une sorte de dépassement de son caractère inachevé. Ce dépassement prend alors l'allure d'un tournant radicalement réaliste de la théorie du droit, qui va désormais se focaliser sur la description d'une forme particulière de la contrainte en délaissant la préoccupation des dimensions vécues de ce phénomène humain. Sur cette voie Kelsen et le positivisme contemporain à sa suite peuvent bien sûr mobiliser en les renforçant la coupure wébérienne des faits et des valeurs ainsi que l'opposition de points de vue entre le juriste qui interroge le sens des normes et le sociologue qui se contente d'en montrer l'effectivité sociale. Resterait alors à savoir si ce qui se gagne en pureté théorique ne se perd pas en puissance suggestive même si nombre des aperçus wébériens sur la vie juridique moderne restent souvent dans le demi-jour qui sépare le constat du jugement.

Quoi qu'il en soit pour l'instant d'une telle appréciation, il semble raisonnable de penser que Kelsen cherche à donner une solution purement théorique aux antinomies du droit modernes dégagées par Weber sous leur aspect pragmatique. À ce titre, la critique de l'opposition entre droit objectif et droit subjectif qui était située chez l'un dans le registre de l'expérience vécue chez Weber devient chez l'autre un moment explicite de la fondation d'une connaissance scientifique du monde juridique. Le contexte est alors bien ce tournant réaliste du système de la connaissance qui reformule le projet épistémologique wébérien en fixant l'objet de la science de la manière suivante : « Elle veut décrire le droit tel qu'il est, et non pas tel qu'il devrait être ; elle entreprend de connaître le droit réel et le droit possible, et non pas le droit " idéal " ou juste [110]. » Puis l'horizon se dégage comme celui d'un empirisme radical, qui détache cette même science des considérations pratiques en affirmant qu'elle « ne se considère comme obligée à rien d'autre ni de plus qu'à saisir le droit positif dans son essence et à le comprendre par une analyse de sa structure [111] ». Avec pour corollaire le fait que ce que Weber voyait comme un fossé entre les idéaux de la liberté moderne et la réalité du monde juridique dont ils accompagnent la naissance devient l'expression par excellence de l'illusion intellectuelle sur quoi reposait cette conception de la liberté.

Dans cette perspective, Kelsen élève immédiatement la critique du subjectivisme juridique au plan d'une réfutation de ce qu'il nomme la « doctrine traditionnelle », à savoir la représentation commune de l'institution comme une personne détachée des phénomènes empiriques de la contrainte. À la base de cette doctrine selon Kelsen se trouve « la représentation d'un être juridique existant indépendamment de l'ordre juridique, d'une subjectivité juridique que le droit trouve pour ainsi dire préexistante, que ce soit dans les individus, ou en certaines entités collectives, qu'il n'aurait lui, le droit, qu'à simplement reconnaître, – et il devrait nécessairement la reconnaître s'il ne veut pas perdre son caractère de " droit " [112] ». Constitutive de la vision libérale de l'ordre juridico-politique moderne, cette doctrine reposerait donc sur une antithèse entre le droit subjectif comme expression de la liberté ou de l'indépendance et le droit objectif vecteur de liaisons entre les individus et donc de contrainte. L'illusion consiste alors à postuler en même temps l'autonomie et l'hétéronomie : la liberté subjective comme possibilité de se déterminer soi-même et d'agir en référence à la simple raison ; puis la nécessité d'un droit objectif extérieur au sujet qui formerait la garantie de validité de l'ordre juridique.

Venant au cœur de l'une des difficultés les plus tenaces qu'ait affronté la pensée politique moderne en supposant que le sujet qui obéit au droit imposé par l'État retrouve dans la forme de la loi l'expression de sa propre volonté, Kelsen profite d'une faille logique pour accentuer le caractère fictif de l'autonomie invoquée par la doctrine subjectiviste. Fonder le droit sur l'idée d'une volonté autonome revient en effet à faire comme si l'acte juridique pouvait se réduire à un pur solipsisme de l'individu, tantôt auteur du droit par un acte de sa volonté, tantôt sujet de l'obéissance à la loi qu'il s'est lui-même donné. Or il est clair qu'à tout le moins le droit requiert « la manifestation de volonté concordante de deux individus [113] ». Même dans le cas apparemment le plus simple du contrat, le sujet n'agit pas en stricte référence à lui-même et le droit de chacun n'existe que sous hypothèse de l'obligation d'autrui. Il en résulte donc que ce n'est pas la volonté autonome qui fait le contrat comme acte créateur de droit, mais bien l'existence préalable d'un droit objectif, qui seul rend possible la mise en forme de l'accord des volontés. De manière plus générale, Kelsen peut alors conclure « qu'en dernière analyse la détermination juridique émane précisément de ce droit objectif, et non du sujet de droit qui lui est soumis [114] ».

Alors que l'on reconnaît aisément ici une critique tournée vers l'effort qui se déploie de Rousseau à Fichte et au-delà pour fonder l'ordre juridique objectif sur le principe de l'autonomie de la volonté, Kelsen glisse aussitôt vers le caractère inauthentique de toute forme d'exercice de la subjectivité dans l'ordre du droit. Prolongeant ici l'interprétation wébérienne, il souligne l'allure fictive de l'indépendance des individus telle que la suppose le subjectivisme et il dénonce la forme autocontradictoire de sa définition du droit. Ainsi que l'avait montré Weber, l'antériorité affirmée du droit subjectif des individus sur le droit objectif de l'État répond à un besoin de garantir des intérêts matériels. En supposant que l'individu ne réalise sa liberté que dans une sphère privée autonome, une telle doctrine tend à ne faire de l'objectivité du droit qu'une simple assurance de la personnalité et de ses attributs. Dès lors, elle vise très directement à « protéger l'institution de la propriété privée contre toute éventualité de suppression par l'ordre juridique [115] ». À quoi s'ajoute une illusion plus directement liée à la représentation des fondements et des finalités de l'ordre juridique : « L'idée d'un sujet de droit indépendant en face du droit objectif, en tant qu'il est titulaire de droits subjectifs, prend une importance accrue lorsque l'idée s'introduit que l'ordre juridique qui garantit l'institution de la propriété privée est un ordre modifiable et qui se modifie constamment, ne reposant pas sur la volonté éternelle de la divinité, sur la raison ou sur la nature, mais créé par la volonté humaine [116]. »

Typiquement wébérien, ce dernier motif donnerait une signification précise à l'idée d'un désenchantement du droit en suggérant qu'il appartient en propre à l'univers moderne de subir une perte de sens liée à l'épuisement du sacré, mais que l'illusion de la doctrine de la subjectivité libre consiste précisément à prétendre combler ce déficit par l'idée d'une volonté créatrice de l'homme. Dès lors, l'illusion juridique d'une dualité des droits recouvre toute l'étendue des antinomies décrites par Weber et s'étend vers les apories de la raison politique telles qu'il les découvre dans l'écart entre la promesse d'émancipation et la réalité maintenue de la domination. Chez Kelsen c'est ainsi la « fonction idéologique » de la doctrine subjective de la liberté moderne qui est en cause lorsqu'elle prétend à la fois reconnaître la réalité du droit comme contrainte objective et maintenir la position transcendante d'un sujet créateur de normes par sa volonté. D'où la structure d'une fausse conscience qui pense pouvoir stabiliser l'ordre juridique en dépit du caractère volatil des volontés et qui ajoute encore que la reconnaissance d'un droit subjectif peut devenir « une institution qui oppose une infranchissable barrière à ceux qui ont à fixer le contenu de cet ordre juridique [117] ».

On voit alors par quel moyen Hans Kelsen va résorber cette difficulté en supprimant ensemble l'illusion doctrinale d'une dualité entre droits et l'antinomie qui déchire la conscience juridique moderne selon Weber. Le procédé est radical qui consiste à hisser le conflit découvert entre les idéaux de la liberté et l'expérience vécue de la contrainte au plan d'un problème épistémologique focalisé sur la connaissance de la réalité du droit et l'erreur liée à la doctrine de la personnalité juridique. En ce sens, l'antinomie du subjectivisme de la volonté et de l'objectivité de l'État se résout méthodiquement : « La théorie pure du droit élimine ce dualisme ; elle ramène le soi-disant droit au sens subjectif au droit au sens objectif, car elle dissout le concept de personne, parce qu'elle montre qu'il répond simplement à la personnification d'un complexe de normes juridiques [118]. »

Une telle réduction du dualisme à l'unité du droit dégage alors le terrain d'une connaissance scientifique des faits juridiques, désormais purgés de leurs scories métaphysiques et considérés comme des phénomènes relevant purement de l'existence d'un ordre de contrainte objective. Mais il faut aussitôt mesurer les conséquences de ce type d'affirmation radicale de l'unité du droit. Identifiant le droit à un strict registre de l'hétéronomie, elle en vient à confondre la liberté des individus avec le fait empirique de l'existence d'un système juridique. Reconduisant de même la réalité de ce système au monopole effectif de la capacité de contraindre dans l'État, elle supprime toute possibilité d'opposer un cran d'arrêt à la logique du pouvoir. Assimilant enfin le droit et l'État, elle reconduit enfin les normes juridiques vers l'expression d'une puissance qui ne se laisse limiter ni par les conditions de sa justification ni par le jeu de l'autonomie des sujets de droit.

En attaquant la doctrine de la personnalité de l'État dans sa prétention à fournir une limite à l'action du pouvoir, Kelsen rencontre à nouveau une difficulté qui est au cœur de la doctrine juridique moderne. À tout prendre même donne-t-il de cette difficulté une formulation précise lorsqu'il souligne la circularité du raisonnement qui veut dissocier le droit de l'État : « Il faut que l'on se représente l'État comme une personne distincte du droit afin que le droit puisse justifier cet État – qui crée le droit et qui se soumet à lui. Et le droit ne peut justifier l'État que si l'on suppose qu'il est un ordre essentiellement différent de l'État, opposé à la nature originaire de celui-ci – qui est : la force, la puissance – et, pour cette raison, un ordre en quelque sens juste ou satisfaisant [119]. » Cette figure logique une fois découverte, Kelsen peut à nouveau souligner la fonction idéologique d'une thèse qui rend étrangères l'une à l'autre l'essence du droit lié à l'autonomie des volontés individuelles et celle de l'État portant la marque de l'autorité ou de la domination, mais qui les réconcilie aussitôt par l'image d'un État conçu comme personne morale, comme individu collectif en quelque sorte dépositaire de l'ensemble des volontés particulières de ses membres. Une nouvelle fois caractéristique de la construction d'un Rousseau par exemple, un tel schéma paraît alors opérer une sorte de transmutation des natures respectives de l'État et du droit qui prend l'allure suivante : « D'un simple fait de puissance ou de force, l'État devient État de droit, qui se justifie par le fait qu'il réalise le droit [120]. »

Nouvelle figure de l'illusion juridique moderne, celle de l'État de droit peut alors être une fois encore dissipée par Kelsen dans un style très wébérien. Historiquement, elle surgit au moment où la modernité se vit comme l'avènement d'un univers laïcisé, privé des ressources de justification du pouvoir qu'offraient la référence à la Nature ou l'appel à la transcendance divine. Dans le contexte d'une crise de légitimité, elle consiste en quelque sorte à rétablir un principe de transcendance, sauvant à la fois l'ordre politique du discrédit attaché à l'autorité et le droit d'une désuétude fruit de la perte de son caractère sacré. Emboîtant le pas de l'idée de Max Weber selon laquelle le droit naturel figure la seule forme de légitimité qui demeure lorsque se sont effondrés la tradition et le droit divin, Kelsen insiste sur l'aspect paradoxal de la sacralisation de l'État à laquelle conduit la théorie de la personnalité morale. Ainsi il apparaît tout d'abord que « dans la même mesure où une légitimation métaphysico-religieuse de l'État perd son efficacité, cette théorie de l'État de droit devient nécessairement la seule justification possible de l'État [121] ». Mais cette dernière permet aussitôt une réassurance de l'autorité étatique, dans la mesure où elle pare l'État des attributs d'une personne douée de volonté et susceptible d'agir de manière autonome.

Reste que l'horizon de cette critique de l'illusion idéologique de la doctrine libérale de l'État de droit est exactement similaire à celui que dégageait la réfutation du dualisme juridique. Elle consiste en une définition réaliste de la notion d'État qui vient encore renforcer le caractère brutal qui avait été donné à celle de droit. Qu'est-ce que l'État en effet, une fois éliminées les allures idéologiques de sa doctrine et réaffirmé le principe d'une connaissance objective du monde social ? Un phénomène qui désigne un « ordre de la conduite humaine », qui consiste en une « organisation politique » et repose sur « la contrainte que certains individus exerceront contre d'autres individus [122] ». Rejoignant alors la proposition de Max Weber qui ne voyait dans l'État « que le déroulement d'une activité humaine d'une espèce particulière [123] », cette définition conduit à une manière de démystifier les catégories juridiques et politiques qui pourraient être communes aux deux théoriciens : « Dire que l'État crée le droit, c'est seulement dire que des hommes dont les actes sont attribués à l'État en vertu du droit créent le droit [124]. » Demeurent alors deux conséquences d'une telle appréciation. Celle qui étend la critique des métaphysiques de l'État jusqu'au radicalisme épistémologique suivant : « Un positivisme juridique conséquent ne peut connaître le droit, tout de même que l'État, que comme un ordre de contrainte de la conduite humaine – et comme rien d'autre –, sans que cette affirmation implique rien touchant la valeur morale ou de justice de cet ordre. C'est dire que l'État se laisse comprendre juridiquement au même degré que le droit lui-même ni plus ni moins [125]. » Puis celle qui traduit cette indifférence théorique aux formes de l'État, à la valeur de ses normes et au contexte de son histoire en une proposition lapidaire : « Tout État est un État de droit [126]. »

Max Weber suivrait-il Kelsen jusque dans ces positions ultimes et les effets qu'elles peuvent avoir à l'articulation de la théorie et de l'action, de la connaissance et de la politique ? Force est d'admettre qu'au plan de la formalisation des procédures de la science Kelsen ne fait que reprendre à Weber l'intransigeance d'une coupure entre les faits et le sens, l'intérêt pour l'explication de l'univers social et le souhait de le juger à partir de critères issus de la subjectivité humaine. De ce point de vue l'objectivisme de la *Théorie pure du droit* n'apporte rien qui n'ait été dit dans les essais méthodologiques de Weber et ces derniers forment le socle de ce retrait de l'idéal du savoir vers la description du monde qu'annonçait le dernier Hegel. Reste pourtant que Max Weber semblait parfois manifester une inquiétude vis-à-vis de certains des processus qu'il décrivait avant Kelsen comme devant s'associer à un État rationnel dégrisé des illusions métaphysiques de la liberté ou de l'autonomie subjective de l'homme. Ainsi remarquait-il par exemple que l'unité interne au système juridique et sa confusion

avec l'appareil de l'État pouvaient aboutir en certaines circonstances à une situation redoutable où « l'ensemble du droit se dissout dans la finalité poursuivie par l'administration : le gouvernement [127] ». Imaginait-il sous cette hypothèse une transformation
de l'institution politique en pouvoir totalitaire ? Pouvait-il concevoir les formes paradoxales de réponse à la réification des relations
sociales, juridiques et politiques qu'allaient inventer les résurgences de l'État puissance au XXᵉ siècle ? C'est avec ces questions
qu'il faut aborder le dernier moment de sa pensée du droit, l'analyse des rapports ambigus qu'entretient la démocratie avec l'univers désenchanté d'un droit privé de transcendance.

Les formes du désenchantement du droit

S'il paraît assuré que Max Weber partage avec Kelsen les attendus d'une approche objectiviste des phénomènes juridiques et la
conception du processus de rationalisation du droit comme élaboration d'un système unitaire par élimination des dualismes entre
registres de normativité, il demeure cependant plus préoccupé que
lui par la prise en compte des effets de ce modèle historique au
plan des représentations institutionnelles et des pratiques sociales.
En témoignerait la manière dont il revient sur l'antinomie du droit
formel et du droit matériel pour caractériser les tensions qui déchirent la vie juridique à l'époque de son désenchantement. Nul doute
pour lui que cette antinomie qui oppose le souci d'un formalisme
abstrait de la règle de droit au souhait de réaliser des buts matériels
par la justice ne soit peu ou prou présente à toutes les périodes de
l'histoire du droit et qu'elle exprime une difficulté inhérente à la
mise en forme juridique des relations humaines. Mais il est tout
aussi clair à ses yeux que la trajectoire de rationalisation du droit
se confond avec la réduction progressive de la justice matérielle
orientée par des idéaux éthiques au profit d'un formalisme des
concepts, des raisonnements et des procédures. Amorcée par les
grandes constructions normatives de type théologique, assurée par
l'attente d'une justice objective de la part des puissances politiques
ou économiques, réalisée par le travail systématique des juristes
professionnels et les entreprises de codification, cette expulsion
progressive des considérations matérielles hors du droit culmine
dans le modèle d'un système juridique centralisé, structuré par la
loi et associé au monopole de l'État.

En découlent les formes précises de l'État de droit contemporain
et le style de vie juridique qu'il impose tant aux acteurs du système
qu'aux individus confrontés avec lui. Postulat de la rationalité

méthodique, l'unité de ce système est la condition de sa neutralité vis-à-vis des intérêts particuliers et de son objectivité dans le traitement des affaires : « Le droit objectif en vigueur figure un système " sans faille " de prescriptions juridiques, ou le contient de façon latente, ou bien encore doit être traité comme tel pour pouvoir être appliqué [128]. » Sans doute ces nuances viennent-elles souligner l'imparfaite coïncidence entre le modèle abstrait de la rationalité juridique moderne et la réalité empirique de l'institution. Mais la prescription est suffisamment explicite pour marquer la nature du lien entre l'univers social et le monde des règles de droit puis imposer l'état d'esprit qui peut organiser cette relation. Visant une clôture formelle et un idéal de complétude, le système juridique « prétend que tous les faits imaginables doivent pouvoir être subsumés à l'une de ses normes, faute de quoi l'ordre créé par ces normes est dépourvu de la garantie juridique [129] ». En ce sens, l'édifice normatif doit tendre à couvrir toute la surface des manifestations de la vie réelle en pouvant inclure l'intégralité des événements qui surviennent en son sein. Mais il y a plus et l'idéal du droit rationnel moderne semble inclure une prétention à reconstruire la réalité du monde de la vie à partir de ses catégories et de ses concepts. Ainsi parvient-il à poser que « ce qui ne peut être " construit " juridiquement de façon rationnelle n'est pas juridiquement important [130] ».

On aura compris que ce principe qui peut encore se formuler sous l'idée selon laquelle « ce que le juriste ne peut " penser " ne peut pas exister du point de vue de son efficacité juridique [131] » décrit à la fois les conditions quotidiennes de l'activité judiciaire et le risque d'une standardisation de la réalité sociale par le droit. La démarche du juge consiste en effet à traduire les événements du monde réel dans les catégories du système juridique en transposant la langue naturelle qui en offre le récit dans le langage artificiel des concepts du droit. Dans ce travail de qualification il est guidé par la forme normale des prescriptions juridiques entendues comme « des normes abstraites dont la teneur est la suivante : une situation définie doit entraîner des conséquences juridiques définies [132] ». À son tour, la forme rigoureuse de son raisonnement est celle du syllogisme qui assure « l'application de normes générales à un fait concret [133] ». Cette pragmatique de chacun des agents peut alors se relier à l'ensemble de l'institution par un principe régulateur : « La mise en relation de toutes les " prescriptions juridiques " élaborées par l'analyse de telle façon qu'elles forment entre elles un système logiquement clair, ne se contredisant pas et avant tout sans lacune [134]. » L'idéal formaliste du droit moderne est ainsi reproduit à tous les plans de la vie juridique, de la reconnaissance de la loi comme source légitime de la normativité à l'organisation du rapport du juge avec les faits de l'univers social en passant par la cohérence interne aux systèmes que forme le monde des règles.

C'est toutefois selon un schéma typique des analyses wébériennes que cette même cohérence formelle du droit moderne ouvre sur l'ambivalence de son désenchantement. Sur une face du phénomène en effet, les différents traits de cette rationalité juridique témoignent de l'expulsion de toutes les traces de magie qui pouvaient exister dans les pratiques anciennes de la justice, offrent les garanties d'objectivité requises pour assurer la légitimité de l'institution et semblent apporter l'impartialité attendue par les différentes parties. Mais surgissent aussitôt les conséquences de ce triomphe du droit formel qui se manifestent dans la signification acquise par le rituel judiciaire et les usages qui en sont faits. Dans le monde du formalisme en effet, le procès devient « une forme spécifique de lutte pacifique assujettie à des "règles du jeu" fermes et inviolables [135] ». À ce titre il recueille les effets de la rationalisation des procédures et confirme l'idée selon laquelle le droit est l'instrument pour la société moderne d'une alternative à la violence dans le traitement des conflits. On voit cependant en quoi cette perspective désacralise le procès en particulier et l'activité juridique en général, puisque l'un et l'autre n'apparaissent plus qu'en tant que « simple moyen de régler pacifiquement des conflits d'intérêt [136] ». Il faut alors souligner la contiguïté de ces deux perspectives qui ne font qu'exposer les deux aspects d'une même réalité sans que l'on puisse imaginer qu'elles parviennent à se dissocier.

Telle est bien la conclusion que tire Max Weber de son analyse des conséquences de la rationalisation du droit. À son terme en effet et lorsque toutes ses composantes sont installées dans la réalité historique, « le formalisme juridique laisse fonctionner l'appareil judiciaire comme une machine techniquement rationnelle [137] ». L'ambivalence de la rationalité moderne est ici parfaitement résumée. Nul doute en effet que l'idéal technique de la machine corresponde à cette forme de la raison qui vise une stricte adaptation instrumentale des moyens et des fins. Il ne semble guère plus discutable qu'au regard de l'expérience juridique la neutralisation des intérêts au sein de l'institution judiciaire vienne satisfaire les attentes associées à un espace où s'exposent les expressions conflictuelles de la vie sociale. Mais cet imaginaire technique de la raison et ces anticipations d'objectivité montrent aussitôt leur revers qui surgit avec force sous la figure de celui qui incarne la fonction pacificatrice de la justice. L'idée de désenchantement du droit vient ainsi culminer dans une image saisissante, celle du juge moderne devenu *Paragraphen Automat* : « Réduit à l'interprétation des paragraphes et des contrats, travaillant comme un automate dans lequel on jetterait les faits et les frais de justice et qui cracherait le jugement et les motifs [138]. »

On ne peut alors qu'être frappé par le fait que revienne la même association d'idées qui présidait déjà à la description du désenchantement de l'économie ou de la politique entre la rationalité d'une part et la technicité mécanique de l'autre. Jusque dans les images de la machine ou de l'appareil, Weber voit toujours se profiler une structure réifiée qui s'impose comme technique dans l'aboutissement des processus de rationalisation des grandes activités humaines. L'échange devenu système, la bureaucratie ou le mécanisme du procès marquent alors la forme désenchantée de modalités de l'action qui ont acquis une cohérence formelle du point de vue de la raison mais qui perdent au même moment le sens qu'elles pouvaient avoir dans l'expérience intime de l'homme. Le caractère inéluctable de ce phénomène et l'imbrication de ses deux faces se manifestent alors de manière particulièrement nette dans l'ordre juridique, pour des raisons qui tiennent sans doute à son lien privilégié avec l'expérience du conflit et au souvenir des significations anciennes qu'il avait connues. Manière de dire qu'il n'en est que plus lourd puisque Weber conclut sa sociologie juridique par l'affirmation suivante : « Est inévitable la conception selon laquelle le droit est un appareil technique rationnel qui se transforme sous l'influence de considérations rationnelles et finalité et qui est dépourvu de tout contenu sacré [139]. »

Les ambivalences de la démocratie juridique

Ce sont désormais les conséquences de cette transformation inéluctable du droit rationnel moderne en une technique qui doivent retenir l'attention dans la mesure où elles permettent de préciser la nature du scepticisme de Max Weber quant au destin de la démocratie juridique et politique. Le fait que la standardisation de la vie juridique accompagne et renforce les phénomènes de réification des relations sociales déjà manifestes dans les sphères de l'économie ou de la politique est maintenant acquis. Reste à saisir la place de ce processus dans l'univers démocratique étant entendu qu'en ses grandes tendances la rationalisation du droit par le formalisme abstrait et la modernisation des sociétés occidentales marchent main dans la main. Apparaît alors l'ambivalence fondamentale de la démocratie face au couple que forment la bureaucratisation de la justice et la juridification des relations sociales. On pourrait imaginer en effet que deux logiques soient possibles : celle d'une attente d'uniformisation des liens juridiques conforme aux idéaux d'égalité ou celle d'une révolte contre la perte de sens induite par l'objectivation du droit dans la perspective de l'individualisme. Or Weber insiste surtout sur l'entrecroisement de ces deux attitudes en cherchant à montrer qu'elles procèdent d'une même aspiration, révélant ensemble la connivence qu'entretiennent la société démocratique et les passions irrationnelles dans le monde de l'action.

Nul doute pour lui en effet que les processus de démocratisation dans l'histoire puissent emprunter les voies d'une égalisation autoritaire des droits, des conditions d'existence et des chances des individus. Décrit sous la catégorie de « démocratie passive », ce phénomène renvoie aux exemples de la Russie de Pierre le Grand ou de la France napoléonienne, mais s'étend à l'expérience de la plupart des démocraties modernes incluant l'Angleterre et les États-Unis. Il correspond au fait que l'on attende du pouvoir politique qu'il assure le « nivellement des gouvernés » en réalisant le programme de l'égalité juridique [140]. Typique des époques du despotisme éclairé, il se retrouve cependant dans le monde contemporain lorsque ce sont le pouvoir en général et l'institution judiciaire en particulier qui prétendent assurer l'allocation des biens ou la réalisation du bien-être. Évoqué par Weber sous l'hypothèse d'un droit qui se dissout dans la finalité du gouvernement, ce mécanisme de démocratie passive conduit donc à renforcer la légitimité du système bureaucratique tout en atténuant les préventions libérales à l'égard du pouvoir. Au risque d'un contrôle accru des institutions sur les conduites sociales, il travaille effectivement à produire une société cherchant à effacer les divisions en son sein quitte à relativiser les contraintes formelles qui devraient limiter l'exercice de l'autorité.

Mais c'est au plan plus restreint des représentations de la justice et de la transformation des attentes déposées dans l'institution judiciaire que Weber décèle ces mécanismes secrets d'altération du rationalisme qui rappellent l'antinomie inéluctable à ses yeux entre droit formel et droit matériel. Ainsi vient-il souligner le fait que « de nos jours il est souvent demandé au juge, en vertu soit de normes juridiques positives soit de théories juridiques, de décider en se fondant sur des principes matériels tels que la moralité, l'équité ou l'opportunité [141] ». À nouveau caractéristique d'une manière de renforcer la légitimité du pouvoir en justifiant des interventions dans les ordres de l'utilité, cette attitude représente surtout pour Weber le symptôme d'une résurgence de l'irrationalisme dans

le monde du droit rationnel moderne. Brisant la logique d'une administration de la justice dont l'objet devrait être de « faire respecter
et exécuter le droit objectif », elle accompagne le retour du droit
matériel qu'avait progressivement éliminé le rationalisme juridique
moderne. De même promeut-elle la réhabilitation de cette « maudite
jurisprudence » que combattaient les grandes entreprises de codification et d'organisation procédurale. De ces différents points de
vue elle signifie donc une régression de la forme de rationalité instrumentale qui devait garantir la neutralité de la justice aux intérêts
et aux affects tout en assurant son efficacité technique.

Il faut alors souligner le fait qu'au moment même où il découvre
sous ce phénomène le puissant symptôme d'un retour de l'irrationalisme juridique et politique, Max Weber l'associe à des
demandes venues d'horizons contradictoires mais qui cumulent
leurs effets jusqu'à dessiner une forme de destin du droit moderne
désenchanté. Résumant les facteurs qui concourent à la dissolution
du modèle rationnel de l'État de droit, il juxtapose en effet la série
impressionnante des éléments suivants : « Ces demandes de justice
matérielle sont d'abord formulées par des intérêts de classe et des
idéologies ; elles le sont ensuite par les tendances inhérentes à
certaines formes de pouvoir politique, démocratique et aristocratique ; elles le sont enfin par des " profanes " exigeant une justice
intelligible. En dernière analyse [...], elles sont favorisées par des
aspirations idéologiquement fondées à la puissance des juristes
eux-mêmes [142]. » On voit ainsi se reproduire au plan du droit la
double structure du désenchantement déjà mise au jour dans le
registre de l'expérience politique. Celle qui associe la signification
normative du concept à l'émergence d'une raison abstraite dans
sa forme et instrumentale dans ses moyens pour soutenir le projet
d'une émancipation de l'homme par rapport à la nature ou à la
transcendance des normes. Puis celle qui constate les effets inat-
tendus de cette logique dans les ordres de la connaissance et de
l'action, effets qui se vivent dans les termes d'une déception ou
d'une insatisfaction.

Mais l'allure imposante que prend cette structure dans l'univers
juridique oblige à un examen méticuleux de ses composantes. À
l'articulation des formes intimes de la vie démocratique et des
représentations des individus, c'est la déception qui se manifeste
selon un mécanisme précis : « La logique juridique purement professionnelle, la " construction " juridique des faits de la vie à l'aide
de propositions juridiques abstraites, la maxime voulant que ce
que le juriste ne peut " penser " à l'aide des principes dégagés par
le travail scientifique ne saurait juridiquement exister – tout cela
conduit inévitablement à des conséquences qui vont profondément

décevoir les " attentes " des intéressés [143]. » Puis cette déception démocratique envers les promesses du droit moderne va se transformer en une critique des exigences d'objectivité de la justice formelle pour s'orienter enfin vers une revendication concrète en faveur d'un utilitarisme juridique compatible avec les demandes sociales. Protestation contre la pensée juridique professionnelle, cette position installera donc une formulation renouvelée de l'antinomie entre droit formel et droit matériel puisqu'il apparaît ainsi que « le droit des juristes n'est jamais et n'a jamais été conforme aux attentes des profanes, à moins qu'il ne renonce totalement au caractère formel qui lui est immanent [144] ».

Pourtant ce retour en force de l'antinomie ne prend toute son ampleur que sous la considération du fait qu'elle ne se déploie pas seulement sous les traits d'une opposition de points de vue entre citoyens profanes et professionnels du droit. Du côté de ces derniers en effet, se profile une révolte contre la figure du *Paragraphen Automat*, un puissant rejet de la position « subalterne » où se trouve enfermé le juge. D'où la revendication d'une activité « créatrice » qui trouve son terrain d'élection dans le même milieu qui reçoit la protestation des justiciables contre le formalisme : la conception d'un « droit libre » des entraves d'une conceptualité abstraite ou d'une procédure contraignante. S'agissant ici de libérer le juge de la redoutable image d'une machine, la doctrine et la pratique judiciaire viennent réhabiliter l'aptitude à apprécier le sens des normes ou la nature des situations empiriques dans la perspective d'une interprétation qui s'autorise la prise en compte de considérations étrangères à l'ordre du droit formel. Évoquant à ce sujet l'article 1er du Code civil suisse qui invite le juge à agir comme s'il était législateur dans les occurrences de silence de la loi, Max Weber confirme son refus et étend sa condamnation à toute idée d'un « juge créateur » : « Une juridiction qui voudrait mettre en pratique un tel idéal devrait, le compromis quant aux valeurs étant inévitable, négliger la considération de normes abstraites [...] et serait non seulement informelle mais irrationnelle [145]. »

Reste qu'en un dernier moment de cette critique des dérives irrationalistes de la vie juridique contemporaine, Max Weber voit toutes les atteintes au formalisme se focaliser dans une forme d'invasion de la sphère rationnelle du droit par des considérations issues de résurgences du jusnaturalisme. Sans remettre en cause son interprétation du discrédit porté contre le « vieux droit naturel » au plan large des justifications de l'autorité et des normes, il multiplie les exemples qui tendent à montrer la réacclimatation de ses contenus ou de son rapport à l'authenticité de la justice. Dans le cadre global d'une « campagne taxant la cohérence systématique du droit de fiction [146] », sont alors évoquées toutes les doctrines qui contestent la distinction radicale du langage juridique et de la langue naturelle puis remettent en cause le modèle de la décision de justice comme « application » d'une norme générale à une situation concrète. Est tout d'abord désignée la tentative par la pensée catholique de retrouver les contours d'une normativité déduite de la nature et qui engloberait des énoncés visant la réalisation de finalités sociales. Puis viennent les « théories *a priori* des néokantiens [147] » lorsqu'elles veulent asseoir le système normatif d'une société libre sur un « droit juste » qui serait à la fois l'étalon d'une législation rationnelle et la source d'une autonomie du juge par rapport au système des normes en vigueur. Plus étrangement enfin, sont ajoutées les doctrines inspirées du positivisme français d'Auguste Comte et qui reformulent le sens de l'objectivité du droit en vertu d'une conception des sentiments moyens de l'obligation dans une société.

Max Weber était trop au fait des débats intellectuels de son temps pour ne pas connaître le caractère antinomique de ces différentes positions et leurs places dans des univers de pensée profondément opposés les uns aux autres. La source de la confusion qu'il installe entre elles lorsqu'il ne veut y voir que « la notion nostalgique d'un droit suprapositif dominant le droit positif [148] » est alors à chercher en un point précis : le fait de découvrir en elles l'origine d'un État providence pensé comme une dérive profonde des formes rationnelles de l'État de droit. Ainsi le néo-naturalisme catholique offrirait-il une justification du redéploiement de l'institution politique et juridique dans le sens de la réalisation immanente de la providence au sein de la cité terrestre, en réinterprétant l'ancienne notion de loi naturelle dans une perspective de justice commutative ou d'équité. D'une autre manière, le néokantisme organiserait son effort autour de la recherche de critères du juste ou du bon tirés d'une idée de la liberté humaine et visant l'horizon sans doute désigné sous les catégories du droit cosmopolitique. La doctrine du droit public inspirée du positivisme enfin viendrait quant à elle autoriser un nouveau découpage des fonctions de l'État destiné à promouvoir des valeurs de solidarité. Peu soucieux de marquer les conflits qui opposent ces différentes approches, la manière dont le positivisme juge métaphysique l'entreprise kantienne ou celle qu'a cette dernière de refuser le retour vers des formes d'hétéronomie pratiqué par le catholicisme social par exemple, Weber ne veut y voir qu'une intrusion régressive de considérations éthiques ou matérielles dans l'édifice formel du droit moderne.

Cette genèse doctrinale de l'État providence semble donc accompagner les formes de résistance au rationalisme qui se manifestaient dans le monde vécu du droit des juristes ou des profanes. Max Weber ne disposait bien sûr pas davantage de ce concept qu'il ne pouvait anticiper celui d'État totalitaire. Mais il paraît clair que pour lui les tendances à l'invasion du droit formel par un droit matériel porté par des considérations de justice et le développement d'un appareil bureaucratique qui bouleverse les équilibres construits par l'État de droit procèdent d'une logique commune. Ancrée dans les déceptions engendrées par le triomphe du formalisme juridique, celle-ci puise dans un retournement de l'individualisme libéral qui fait que le membre de la société politique « se voit accorder par l'organisation étatique actuelle le moyen de protéger ses intérêts [149] ». Puis elle emprunte la voie d'une sorte de revanche du juge contre sa position qui a pour instrument une autonomie d'interprétation qui s'étendra à mesure que « des raisonnements sociologiques, économiques ou éthiques prendront la place de raisonnements juridiques [150] ». Mais lors même qu'il anticipe alors profondément sur les évolutions contemporaines de la pensée du droit et les débats actuels qui la concernent, Weber ferme ces perspectives en concluant immédiatement à un retour de l'irrationalisme. De ce point de vue donc il reste impossible pour lui de conjuguer une rationalité formelle du droit avec la prise en charge d'impératifs de justice et l'État providence qui s'avance est déjà condamné.

Par de telles analyses, Max Weber appartient bien à cette génération de libéraux pessimistes qui soulignent l'ambivalence de la démocratie envers les idéaux rationnels qui la portent. Attaché aux valeurs de la liberté moderne mais sceptique quant aux chances d'en assurer la persistance ou la réalisation dans le contexte d'une crise du rationalisme, il semble souvent hésiter entre l'austérité d'un savant et le prophétisme d'un visionnaire. Sur l'une de ses faces alors, son interprétation des phénomènes politiques et des formes du droit dans l'univers de la modernité démocratique vient aux côtés de celle de Tocqueville. Avec lui, c'est dans le registre des attentes insatisfaites et des promesses non tenues de la démocratie libérale et de l'État de droit rationnel qu'il cherche à déceler les orientations possibles du destin des sociétés modernes. Puis c'est aussi dans sa compagnie qu'il imagine l'émergence d'un État tuteur, pourvoyeur d'égalité et de bien-être, qui façonnerait les traits d'un despotisme démocratique prenant le visage d'une bureaucratie envahissante [151]. Mais lui manque souvent la finesse avec laquelle Tocqueville explorait les tensions cachées de la société démocratique, les ressorts parfois contradictoires de l'égalité et de la liberté, les douceurs respectives de l'indépendance et de la protection. Distinctes de la tendance wébérienne à réduire les formes pathologiques de la modernité à un phénomène unique, ces nuances pourraient manquer au moment où il faudra penser la différence entre les expériences du totalitarisme et de l'État providence.

Précisant cette dernière perspective, on peut estimer que l'interprétation wébérienne de l'État et du droit moderne demeure partiellement entachée d'incertitudes. Par celui de ses aspects qui évoque Tocqueville, elle pourrait se retrouver dans l'alternative qui vient conclure *De la démocratie en Amérique* : « Les nations de nos jours ne sauraient faire que dans leur sein les conditions ne soient pas égales ; mais il dépend d'elles que l'égalité les conduise à la servitude ou à la liberté, aux lumières ou à la barbarie [152]. » Partageant ce regard, Tocqueville et Weber auraient en commun d'explorer ce que Robert Nisbet nomme « la nemesis du rationalisme [153] », le fait que le destin des traits de civilisation qui portent la trajectoire de la rationalisation du monde demeure radicalement indéterminé, oscillant entre l'horizon de la liberté et celui du despotisme, la promesse d'une émancipation poursuivie et le spectre d'une aliénation inédite. Pourtant cet équilibre entre un pessimisme nourri du spectacle des sociétés modernes et une confiance raisonnable dans la capacité humaine d'en affronter les crises semble laisser la place chez Max Weber à un autre sentiment. À ses yeux en effet, il semble qu'il faille franchir un pas supplémentaire pour remonter des formes vécues de la déception vers une sorte de logique dévoilée tardivement de la rationalisation qui devrait s'entendre comme nourrissant en son sein au mieux un irrationalisme de révolte contre le dessèchement de l'expérience, au pis la vérité d'un processus grandiose de destruction des figures autrefois associées au sens du monde.

Comme l'économie auparavant, le droit offre le terrain d'élection pour la manifestation de cette structure dans la mesure où l'une et l'autre activité procuraient les repères les mieux discernables pour une rationalité purement instrumentale. Dans chacune de ces sphères en effet et à la différence sans doute des terrains plus mouvants de la politique, l'imaginaire de la modernité conjuguait l'affranchissement de l'homme à l'égard de la nature ou de la domination avec le triomphe d'une raison adaptant les moyens aux fins déterminées par le besoin ou la liberté. Mais le monde du droit est celui où le retournement de cette attente surgit avec le plus de violence, sans ces médiations qui semblaient parfois retarder la réification de l'expérience propre à l'accumulation des richesses. Ici tout se passe comme si un motif central de la pensée de Max Weber se révélait dans sa forme pure lorsqu'il est dit que toutes les composantes méticuleusement décrites de la crise du droit moderne « sont le produit d'une rationalisation scientifique se retournant contre elle-même ainsi que d'une autocritique implacable [154] ». Les questions qui s'ouvrent alors changent de statut et l'horizon. Faut-il estimer avec Weber que les antinomies pratiques de la modernité sont à ce point ancrées dans son code qu'elles donnent à son devenir irrationnel l'allure d'un destin ? Doit-on imaginer avec lui que le processus de désenchantement du monde mêle si étroitement progrès de la raison et perte du sens de l'existence qu'il devienne impossible d'envisager le maintien d'une sagesse, la reconnaissance de formes de la justice ou la poursuite du projet de l'émancipation ? Ou bien à la charnière du diagnostic sur l'univers contemporain et du système de la connaissance qui cherche à le décrire peut-on se détacher de l'autorité de Max Weber pour penser en partie contre lui les occurrences d'une raison susceptible de dépasser ses paradoxes, d'une action capable de préserver ses finalités, d'une liberté enfin qui ne serait pas illusoire ?

Quatrième partie

L'ÉTAT D'UN MONDE DÉSENCHANTÉ

« Le cruel destin d'être des épigones politiques » : ainsi Max Weber concevait-il la situation historique de sa génération en 1895, au moment d'inaugurer sa chaire d'économie à l'université de Fribourg [1]. Le propos s'entendait au plan politique, pour une génération de citoyens allemands assistant aux difficultés d'installation du jeune empereur Guillaume II, dans le sillage de la succession douloureuse du chancelier Bismarck. Et qui venaient à douter de ce que la nation allemande fût encore assez vigoureuse pour envisager une politique mondiale, lors même qu'elle se débattait à l'intérieur de ses frontières avec les problèmes d'un pays vieillissant. La formule avait aussi une signification au plan social, pour une génération de bourgeois confrontés à la double épreuve du constat d'effondrement des anciennes couches dirigeantes et de la montée en puissance de la classe ouvrière. Et qui demeuraient méfiants à l'égard de la maturité ou du sens des responsabilités de leur propre classe. La perspective s'étendait enfin au plan intellectuel, pour une génération de jeunes savants conscients des défaites de l'idéal universaliste de l'humanisme des Lumières et des attentes déposées dans le projet d'une connaissance de la société qui serait aussi une science pour l'action orientée vers la grandeur nationale. Mais qui restaient pourtant soucieux de laisser par leur travail et leur être les germes d'une humanité future.

Les conséquences que Max Weber tirait alors de cette mise en forme de la conscience d'une époque et d'une situation sont bien connues, et ont été l'objet de nombreuses controverses : « La science de l'économie politique est une science politique [2]. » Non pas en un sens visant l'épistémologie nouvelle d'une connaissance des faits économiques et sociaux qui viendrait rompre avec la détermination matérielle du monde pour explorer les possibilités d'une science centrée sur la compréhension du phénomène politique. Mais au sens beaucoup plus brutal d'un savoir politique qui serait à la fois radicalement pragmatique et délibérément tourné vers les intérêts de la puissance nationale. Au sens donc où cette science politique serait « la servante de la politique, non pas de la politique du moment pour le souverain et les classes qui se succèdent au pouvoir, mais des intérêts permanents de la politique de puissance de la nation [3] ». Ainsi posé, ce programme a nourri bien des soupçons à l'égard de la pensée et de l'œuvre de Max Weber. Et comment ne pas soupçonner une démarche qui affirme crûment que « l'histoire humaine connaît le triomphe de types sous-développés de l'humanité et le dépérissement des élites de la vie de l'esprit et de l'âme, quand la communauté humaine qui en était le support a perdu la capacité de s'adapter à ses conditions de vie, que ce soit à cause de son organisation sociale ou de ses qualités raciales [4] » ? Au mieux en effet, ce type de propos viendrait correspondre à une forme de recyclage naïf d'un nietzschéisme vulgaire dans le cadre d'une théorie de la sélection sociale. Au pis, il anticiperait sur la réorientation des thèses nationalistes vers la revendication de l'espace vital nécessaire à une race supérieure [5].

De manière analogue, comment ne pas suspecter l'inauguration solennelle d'une démarche de connaissance qui se place sous les auspices du projet « d'unifier socialement la nation, déchirée par les développements économiques modernes, en prévision des dures luttes à venir [6] » ? Comment ne pas imaginer cette fois qu'il se puisse que l'on rencontre à tout le moins une réinterprétation hâtive de la problématique hégélienne de la lutte pour la reconnaissance ? Dans le contexte d'une classe angoissée par l'incertitude qui préside aux conditions de sa domination politique. À un moment de l'histoire d'une nation logé entre la nostalgie des victoires passées et la crainte qu'elle soit impuissante à savoir les reproduire. Plus encore, comment ne pas entendre l'écho d'un plaidoyer en faveur de la violence politique dans la description négative des formes engourdies de la conscience des peuples ? Lorsqu'il est dit par exemple de la nation que « ce n'est que dans les grands moments, en cas de guerre, qu'elle prend conscience de l'importance de la puissance nationale, car alors il apparaît que l'État national repose sur des assises psychologiques primitives [7] ». Ou lorsqu'il est encore noté que « la communauté économique n'est qu'une autre forme de la lutte entre les nations et une lutte telle qu'elle n'a pas atténué le combat pour le maintien de sa propre civilisation, mais l'a aggravé parce qu'elle provoque l'alliance d'intérêts matériels au sein même de la nation contre l'avenir de celle-ci [8] ».

Comment enfin ne pas accueillir un doute quant au fait qu'il se

puisse que ce texte inaugural recèle les motifs qui organisent en
secret l'ensemble des développements futurs d'une œuvre tourmentée, volontiers austère dans ses attendus méthodologiques,
mais souvent polémique lorsqu'elle refait irruption dans les débats
de son époque ? Comment par exemple ne pas trouver l'origine
lointaine de l'intérêt accordé aux formes de la domination dans
cette déclaration liminaire : « Pour nous, l'État national n'est pas
quelque chose d'indéterminé que l'on croit devoir placer d'autant
plus haut qu'on le voile davantage dans une obscurité mystique :
il est l'organisation temporelle de la puissance de la nation ; et
dans cet État national l'étalon de valeur suprême est pour nous,
même pour ce qui concerne la réflexion économique, la raison
d'État [9] » ? Avec pour conséquence qu'il se pourrait alors que l'on
doive relire l'ensemble d'un corpus savant méticuleusement placé
au-delà d'une coupure épistémologique qui oppose les faits aux
valeurs à partir de l'idée selon laquelle il masquerait une nostalgie
de la puissance articulée à une sorte d'économie de la grandeur
politique. Comme si l'intégralité de l'entreprise reposait sur un
projet brièvement mis au jour puis systématiquement enfoui sous
des considérations désengagées. Mais comme s'il fallait aussitôt
garder à l'esprit la présence d'un propos ésotérique au sens de Leo
Strauss [10]. Un propos immédiatement politique, dissimulé sous les
propositions édifiantes attachées à la formation d'une science nouvelle. Un propos qui inciterait à considérer que la vérité de l'œuvre
est située dans ses deux moments extrêmes : dans l'espace
commun à la *Leçon inaugurale* et aux deux conférences de 1919
sur la science et le politique. Un propos qui inviterait à saisir dans
L'éthique protestante une méditation inquiète et nourrie de regrets
sur l'âge d'or du monde bourgeois. Et qui pousserait enfin à découvrir dans l'immense traité que forme *Économie et société* une
manière de thématiser les conditions de la puissance matérielle,
sociale et politique.

Sans doute pourrait-on dire qu'il appartient souvent aux œuvres
de pensée d'entretenir un rapport énigmatique à leur propre
commencement. Une remarque qui devrait d'ailleurs être portée
tant à l'appui d'une telle lecture qu'à son encontre. Contre elle en
effet, vaudrait le fait qu'il est de nombreux exemples d'œuvres
dont l'économie repose sur un tournant, une rupture interne ou
plus simplement un éloignement d'avec leurs origines, ce qui n'est
après tout peut-être que la marque du travail même de la pensée.
Reste qu'à l'appui cette fois de l'invitation à une relecture ésotérique de Max Weber, il faut constater qu'il n'est guère de traces
visibles d'un souci de thématiser l'éloignement par rapport à ces
intentions premières. Et qu'il est au contraire une multitude de

signes attestant de la connivence profonde entre les différents moments de la démarche. Wolfgang Mommsen par exemple les a systématiquement traqués, en montrant qu'ils relient non seulement le propos inaugural de la *Leçon* de 1895 aux écrits politiques en situations de guerre ou d'inquiétude sociale, mais encore l'ensemble de ces textes controversés à l'esprit qui entoure la formalisation des catégories abstraites du système [11]. À l'aune d'une telle considération il faudrait à tout le moins admettre que l'œuvre de Max Weber connaît une double ambiguïté. Celle qui concerne la nature des relations qu'entretiennent si l'on veut les préoccupations de la jeunesse avec la certitude qui s'affiche lors de la maturité de parvenir à une connaissance objective. Puis celle qui préside aux liens entre cette tension de la pensée vers la systématicité et ce que ses expressions initiales révèlent d'un projet fortement inscrit dans son histoire et des enjeux immédiatement pratiques.

À ce titre d'ailleurs on pourrait ajouter qu'il en va de même pour nombre de démarches touchant au politique dans le cadre d'un système de la connaissance. Et qu'à tout prendre la *Leçon inaugurale* pourrait être à *Économie et société* ce que *La constitution de l'Allemagne* est aux *Principes de la philosophie du droit* chez Hegel, ou encore ce que le *Discours à la nation allemande* est au *Système du droit naturel* pour Fichte. Une thématique dont l'interprétation demeure incertaine, oscillant entre le statut de scorie présystématique et celui de composante à part entière de l'œuvre. Un motif qui pourrait aussi être traité comme le noyau séminal d'une pensée visant inlassablement à l'élever vers des formes de conceptualité plus hautes, plus abstraites et plus achevées. Ou encore et d'une autre manière, l'indice du fait qu'il revient parfois aux grands exercices de pensée de travailler en partie contre eux-mêmes. Comme si la réflexion puisait simultanément à plusieurs sources, quitte à ce que l'une d'entre elles soit destinée à être tenue à distance, écartée, et même refoulée. Mais comme si, à l'inverse, sa consistance ne pouvait être véritablement saisie qu'à la condition de restituer la tension par laquelle la pensée échappe à ses propres contraintes formelles. Pour explorer des régions qu'elle croyait interdites, ou à tout le moins remodelées par les mécanismes de l'objectivation intellectuelle des modalités du savoir. Pour reconduire l'interrogation vers les origines lointaines d'un processus qui peut aussi relever de l'autoréflexion.

On aura compris que, dans le cas de Max Weber, cette tension interne au travail de l'œuvre s'exerce à chacun des moments où elle aborde le problème du monde contemporain. Et que le ressort pourrait alors en être l'intimité qu'entretiennent l'immense fresque historique qui dessine le procès de la rationalisation et le système des catégories qui lui donnent forme avec une inquiétude insistante concernant le point d'aboutissement de cette histoire. Chacun des éléments du diagnostic porté sur le monde contemporain devient ainsi un autre point autour duquel s'enroule la pensée. À la manière d'un pendant de l'interprétation du passé focalisée sur l'exemplarité de l'expérience modalisée par l'avènement de la rationalité moderne. Mais à la manière aussi d'une contrepartie au projet de reconstruction des différentes couches du monde vécu à partir du point de vue des acteurs. Comme si l'ampleur démesurée de ce dernier projet ne se justifiait qu'en un foyer logé dans les formes de conscience personnelles de l'auteur et le point de vue de son propre engagement dans l'histoire. Puis comme si l'une et l'autre dimensions de la démarche trouvaient aussi leur sens dans la question qui les relie et qui touche aux conditions de la survivance d'un style de vie, d'un rapport au monde et au savoir qui scellent l'unicité de l'expérience humaine caractéristique de la modernité occidentale.

S'agissant d'initier une lecture de l'œuvre de Max Weber qui insisterait sur l'ancrage dans le moment contemporain et le diagnostic qu'elle offre le concernant, la *Leçon inaugurale* livre de nouvelles clefs. Dans le contexte académique de la démarche de Weber, elle présente tout d'abord une synthèse des travaux antérieurs : pour une part allusive, la *dissertatio* sur l'histoire des sociétés de commerce au Moyen Âge et la thèse d'habilitation consacrée au problème de la formation du droit romain dans le cadre de l'histoire agraire ; mais surtout la grande enquête sur les travailleurs agricoles qu'avait lancée en 1890 le *Verein für Sozialpolitik* [12]. Il fallait alors chercher à estimer les effets d'une politique de peuplement des régions de l'est de l'Allemagne, conçue contre l'avancée des populations polonaises. D'où l'étude de la situation des ouvriers agricoles allemands dans les territoires ostelbiens, qui croise les tendances à la mobilité géographique avec les intérêts matériels, sociaux et religieux. Et qui met aussi au jour un dilemme tout à la fois théorique et politique opposant un conservatisme agraire appuyé sur la forme patriarcale des structures de domination et le soutien que pouvait éventuellement apporter l'État à un renouvellement des structures sociales et économiques.

La question est au départ purement empirique : comprendre pourquoi ces travailleurs quittent les territoires agricoles pour les villes, laissant s'installer une main-d'œuvre polonaise plus favorable au maintien de faibles coûts de production. Délaissant les hypothèses qui évoqueraient les conditions matérielles ou la nostalgie de la ville pour expliquer comment « ce mal chronique s'éveille », Weber avance une raison à première vue confuse :

« Sur l'ensemble des domaines du pays natal, il n'y a que des maîtres et des valets, et pour les descendants, jusqu'aux plus éloignés, il ne reste que la perspective de faire des corvées, sur le sol d'autrui, au rythme de la cloche du domaine. Dans cette poussée sourde vers de lointains horizons, subsiste, enfoui, un reste d'idéalisme primitif [13]. » Étrange dans la mesure où elle repose sur un décrochement brutal de l'analyse par rapport au plan empirique où elle se déployait, cette hypothèse s'éclaire toutefois de la considération qui la suit, tout à la fois arrogante intellectuellement et nourrie d'une forte préoccupation existentielle mais aussi politique : « Celui qui n'est pas à même de le déchiffrer, celui-là ne connaît pas l'attrait de la liberté. En fait il est rare que, dans la quiétude d'un cabinet de lecture, son esprit vienne à nous toucher. Les idéaux naïvement libéraux de notre jeunesse ont pâli et certains d'entre nous ont vieilli avant l'âge, sont devenus bien trop intelligents, et croient que les mots d'ordre d'une conception décadente de la politique et de l'économie porteront au tombeau une des pulsions les plus primitives et les plus fortes dans la poitrine de l'homme [14]. »

Paradoxale, cette dernière formulation invite à une lecture ésotérique. Ne peut-on concevoir en effet qu'il faille déjà trouver dans cette description si particulière de la position des travailleurs agricoles une sorte de mise en abyme de la situation des Allemands en général ? En d'autres termes, ne faut-il pas percevoir ici l'esquisse d'un propos qui s'étendra plus tard à la thématisation du statut d'un peuple qui a connu sa grandeur dans le moment d'un féodalisme modernisé, mais qui risque le déclin dans le contexte de l'économie capitaliste et de la politique mondiales ? Franchissant un pas de plus, ne devrait-on pas entendre les premiers accords d'un thème aussitôt plus large : celui qui associera la situation de l'homme moderne en général au constat de l'éclatement de la liberté dans les composantes durcies du monde vécu ? Des accords qui en l'occurrence sonnent déjà comme l'anticipation de la figure propre au retournement de l'idéal d'émancipation des puritains dans la cage d'acier que façonne le système capitaliste achevé. Ou qui annoncent dans une modalité plus grave encore la vision grandiose d'un univers désenchanté où l'accès aux moyens d'une maîtrise rationnelle du monde se paye de la soumission à des formes réifiées de l'existence en son sein, comme si jamais la rationalité et la liberté ne pouvaient parvenir à se conjuguer autrement que sous les modalités d'une fausse conscience ou d'une vie inauthentique.

Une telle hypothèse de lecture transformerait les conditions d'approche du propos parfois sibyllin de la *Leçon inaugurale*, en lui apportant une lumière issue des interrogations permanentes de l'œuvre de Max Weber. Sans doute laisserait-elle partiellement ouverte la question désormais classique du sens de la liaison entre les moments strictement savants du corpus et ceux qui paraissent ouvertement politiques. Mais du moins le ferait-elle en sortant l'interprétation d'une problématique de la contamination qui revient toujours plus ou moins à suspecter le système des catégories abstraites de la connaissance et les séquences de l'analyse historique d'une sorte de connivence avec une interrogation politique au statut douteux. Avec cette hypothèse en effet, il s'agirait de concevoir l'orientation de la démarche de Weber à partir de ses premières manifestations comme relevant du procédé de l'élargissement progressif de la pensée. Une pensée qui en l'espèce serait profondément ancrée dans quelques questionnements élémentaires inlassablement repris. Mais qui s'avancerait en élargissant peu à peu ses perspectives. Latéralement, dans la mesure où l'on passerait du problème social et économique des marges de l'Allemagne à une auscultation systématique des structures du monde moderne et de leurs origines historiques. Substantiellement, pour autant qu'en l'affaire un propos à valeur essentiellement pratique conduit vers une réorganisation des principes de causalité qui relient l'économique au social, puis au juridique et au politique. Vers le haut enfin, si tant est que ces formes d'une pensée qui s'élargit épousent aussi le point de vue d'une réflexion épistémologique dévouée aux conditions de possibilité d'une connaissance de l'univers humain.

Reste que même sous cette hypothèse, les premiers écrits de Max Weber éclairent d'un jour particulier la nature de son radicalisme épistémologique. On peut bien entendu penser que ce dernier figure une forme de refoulement de cette première conception du lien entre connaissance et action, de cette manière encore intuitive de concevoir le savoir comme un instrument au service de l'engagement dans le monde. Sans doute Max Weber prend-il déjà soin de souligner que la science ne procure pas la félicité et que les leçons qu'elle offre barrent la route à tout espoir de pacification de l'univers humain, puisque rien ne permet « d'être des eudémonistes, ni d'imaginer que la paix et le bonheur de l'humanité se cacheraient au cœur du futur, ni de penser que l'espace nécessaire au mouvement puisse être conquis autrement sur cette terre que dans le dur combat de l'homme avec l'homme [15] ». Mais du moins semble-t-il encore possible d'attendre qu'à défaut de rendre heureux elle aide à demeurer libre ou à préserver les conditions de la grandeur dans le contexte d'une histoire tourmentée. Et s'il existe alors une ébauche de réflexion concernant la tension entre l'idéal universaliste de la pensée et la relativité du savoir, c'est pour accueillir favorablement le jugement de valeur, en tant qu'il représente « cette empreinte de l'humanité que nous trouvons dans notre propre être [16] ».

C'est précisément cette forme de fondation, de justification et d'orientation du travail de la connaissance que veulent refouler les écrits épistémologiques. En venant ancrer la garantie de l'objectivité du savoir dans une sévère mise à distance des jugements de valeur, grâce à une amplification de la coupure classique entre l'être et le devoir-être qui conduit à une séparation radicale des énoncés descriptifs et des propos normatifs. En cherchant à assurer ensuite la validité des propositions analytiques par une procédure de contrôle méthodique de leur production, au sein d'un système autonome de la science. En tournant enfin le regard du savant vers un horizon dégagé des illusions de l'utilité pratique ou existentielle : celui qui fera dire cette fois que « bien qu'un optimisme naïf ait pu célébrer la science – c'est-à-dire la technique de la maîtrise de la vie fondée sur la science – comme le chemin qui conduirait au *bonheur*, je crois pouvoir laisser entièrement de côté la discussion de cette question à la suite de la critique dévastatrice que Nietzsche a faite des " derniers hommes " qui ont " découvert le bonheur [17] " ». Comme si désormais l'effort propre à la visée de scientificité était principalement mobilisé pour contenir cette intention qui présidait aux travaux de jeunesse : mettre au jour l'exemplarité des expériences passées ou contemporaines afin qu'elles éclairent tantôt les conditions de leur reproduction, tantôt les moyens d'empêcher leur retour, dans la perspective d'une authenticité de l'expérience vécue.

Refoulement de la tentation d'un usage eudémoniste, pragmatique ou directement politique de la science, mise à distance de l'idéal qui consistait à croire en la connivence entre l'accroissement de la connaissance et le progrès moral de l'humanité, réserve absolue quant au fait que le savoir puisse procurer la satisfaction de celui qui le poursuit ou de ceux à qui on le destine : cette construction fait signe vers l'idée d'une autonomisation achevée des sphères du monde humain et d'un isolement de la démarche scientifique. Avec pour conséquence que cette autonomie de la science doit permettre son immunisation vis-à-vis des sphères de la pratique, de la moralité ou de l'esthétique. Mais avec pour effet aussi d'associer, comme l'a bien vu Raymond Aron, la forme de liberté propre à la communauté scientifique à la revendication du pouvoir de désenchanter le monde. En ce sens, si la première des libertés du savant est bien « l'absence de restriction dans la recherche et l'établissement des faits eux-mêmes [18] », elle entraîne aussitôt une relative dévalorisation de l'interprétation. De même, lorsque la seconde de ces libertés concerne « l'absence de restriction au droit de discussion et de critique, appliquée non pas seulement aux résultats partiels, mais aux fondements et aux méthodes [19] », elle produit une perspective de relativisation des connaissances. Enfin, pour autant que la liberté de la science se confond avec « l'absence de restriction au droit de désenchanter le réel [20] », tout est dit d'une logique par laquelle l'accès à la maturité du projet d'un savoir spécifique du monde humain se paye d'une radicale altération de son sens au plan des attentes existentielles des individus qui le pratiquent ou le reçoivent.

Pour autant et comme le note encore Raymond Aron, il se pourrait qu'il apparaisse aussitôt que l'austérité de ce programme le rende impraticable et qu'il s'avère « presque inhumain » que le savant conjugue les trois formes de cette liberté pourtant revendiquée comme la condition de possibilité de son travail. Ne devrait-on pas alors penser que Max Weber préserve quelque chose de cela même qu'il cherchait à refouler ? Délibérément ou à son insu, ne conserve-t-il pas une part de ce qu'il voulait évacuer des tentations de son premier regard sur le monde ? De façon plus nette encore, n'est-il pas forcé de réinclure une visée qui était expulsée au nom de la neutralité du savoir, et ce afin que soit maintenu son sens au regard de l'existence humaine ? C'est cette forme d'inflexion que semble porter la théorie du rapport aux valeurs lorsqu'elle admet le retour à titre d'hypothèses des points de vue sur le monde qui avaient été extirpés du principe du savoir. C'est elle aussi qu'accompagne la thématisation de l'intérêt pour la connaissance, au moment où elle compense la coupure radicale entre la science et le monde des évaluations personnelles du savant par la réappropriation critique des raisons qui président au choix de ses objets. C'est elle enfin qui oriente la réflexion de Weber lorsqu'en esquissant une sorte de testament intellectuel il livre une conception de l'inspiration du savant. Au moment où, dans un propos tardif et qui étend une sorte de regard rétrospectif sur toute une existence, il souligne avec amusement que « nos meilleures idées nous viennent [...] lorsque nous sommes assis sur un canapé en train de fumer un cigare [21] ». Lorsqu'il indique que, même s'agissant de science, « rien n'a de valeur pour l'homme en tant qu'homme qu'il ne *peut* faire *avec passion* [22] ». Ou quand il signale encore cette « ivresse » que procure « l'expérience vécue de la science [23] ». Comme si, selon l'un de ces motifs faustiens qu'il affectionne, c'était quelque chose de l'enthousiasme un peu désinvolte de la jeunesse qui venait baigner la vision de l'homme qui contemple à son terme une vie de travail.

En ce sens, l'intensité du diagnostic porté par Max Weber sur le monde contemporain pourrait aussi s'éclairer de la considération d'une sorte de refus d'accepter le désenchantement radical de la connaissance. Comment ne pas être frappé par exemple de retrouver sous sa plume décrivant l'expérience vécue de la science cette même formule de Carlyle qui servit autrefois à évoquer l'idéal des puritains partant à la conquête du monde dans l'espoir du salut : « Des milliers d'années devaient s'écouler avant que tu n'aies vu la vie et d'autres milliers d'années attendent en silence [24] » ? Comme s'il en allait de l'engagement dans la connaissance d'une sorte d'ultime variante de cet esprit qui présidait à l'invention de la modernité et se confondait avec l'espoir d'une assurance de sens et d'une perspective de libération. Mais comme si pesait aussitôt sur cette vision le destin qu'a connu l'enthousiasme des saints, basculant avec le temps de la promesse de la grâce dans la soumission sans retenue aux structures réifiées d'un monde désenchanté. D'une autre manière, comment ne pas déceler un fragment d'autoportrait au sein de la description que donne Weber de l'intellectuel dans le contexte des religions universelles : « Le salut que cherche l'intellectuel est toujours fondé sur une " nécessité (ou détresse) intérieure " ; c'est pourquoi il est, d'une part, plus étranger à la vie et, d'autre part, plus enclin à s'appuyer sur des principes, plus systématique que dans le cas du salut propre aux couches non privilégiées reposant sur une " nécessité (ou détresse) extérieure ". L'intellectuel cherche par des voies diverses, dont la casuistique s'étend à l'infini, à conférer de bout en bout un " sens " à sa façon de vivre, il cherche l'unité avec lui-même et avec le cosmos. C'est lui, l'intellectuel, qui conçoit le " monde " comme un problème de " sens " [25]. » Comme si une nouvelle fois la mise en scène du virtuose religieux pouvait produire l'effet d'une mise en abyme de la situation de l'auteur. Mais avec pour corollaire à nouveau que l'intérêt pour le monde contemporain oscille entre le désir de préserver la connaissance de la perspective d'un radical désenchantement et le constat suivant lequel il se pourrait qu'elle soit elle aussi désertée par les logiques du sens.

Toutes choses égales par ailleurs, on aurait alors envie de dire que l'intérêt pratique de la connaissance pourrait connaître chez Max Weber un sort analogue à celui de l'idée de bonheur dans la philosophie morale de Kant : qu'il est exclu de son principe pour qu'elle soit pure, mais qu'il revient dans l'ordre de son horizon ultime afin qu'elle soit complète ou même qu'elle demeure supportable. Comme si, dans un style kantien, la rigueur des constructions épistémologiques de Weber correspondait à cet effort d'apurement des catégories de la connaissance qu'engage la critique de l'illusion transcendantale. Mais comme si en retour la sociologie de la domination pouvait s'interpréter comme l'épreuve d'une traversée de cette « nuit du pouvoir » qui succède à la « nuit du savoir [26] ». Et qui conduit à réaccueillir cette perspective de l'utilité et du bonheur qui avait été exclue de l'orientation initiale du projet. À cela près toutefois que l'équivalence s'arrête au moment où Kant sépare radicalement le bonheur et l'utilité, en concentrant sa définition du premier concept dans le registre d'une idée fondée en raison et construite dans le miroir où l'identité se réfléchit par l'altérité. Perspective à laquelle Max Weber oppose la relativité absolue de ces dernières déterminations et la perspective d'une réduction de la maxime pratique à la figure la plus étroite de l'utilité, confondue avec la stricte adéquation des moyens et des fins. Il se pourrait alors que ce soit entre les deux frontières de cet espace que doive se déployer l'interprétation du jugement porté par Weber sur le monde contemporain. Entre la mise au jour d'un effort pour sauver la possibilité d'une critique des formes altérées du monde vécu ou des manifestations pathologiques de la conscience et le constat d'une concession sans retour à l'expulsion du sens hors de l'univers désenchanté.

Nul doute en effet *a priori* que le diagnostic sur l'univers contemporain soit porté par la première des tendances décrites au cœur de l'œuvre de Max Weber. De ce point de vue, c'est bien à une figure du refoulement des intérêts pratiques, d'autant plus intense qu'ils sont proches dans le temps et l'espace, qu'il faut attribuer l'orientation de la description des manifestations spécifiquement modernes de l'action dans le monde. Cette manière si particulière d'hypertrophier les mécanismes organisationnels pour pénétrer au cœur de la logique de l'État. La méticulosité avec laquelle sera reconstruite la forme juridique que prend la domination dans un contexte issu du procès de rationalisation. L'insistance enfin sur le caractère désincarné d'une légitimité focalisée sur la neutralité de la règle. Mais ne faut-il pas imaginer qu'en retour il se puisse que cette réserve cède devant les perplexités que nourrit ce diagnostic quant aux chances de maintenir la possibilité d'une grandeur politique, d'une authenticité de la vie ou d'une signification du savoir au sein d'un tel univers ? Ne peut-on concevoir que reviennent alors sous des formes renouvelées les questions qui portaient les premiers travaux ? Quel sens peut encore avoir le projet de la connaissance lorsque resurgissent avec le visage de passions démoniaques les figures d'anciens dieux que la raison avait cherché à maîtriser ? Quelle valeur peut léguer aux générations futures un monde qui multiplie les occasions d'une existence inauthentique, en lieu et place d'une histoire où l'homme pensait sauver son âme en créant des richesses, en aspirant à la beauté, ou encore en cherchant à aménager ses relations avec autrui ? Quelles perspectives peut enfin offrir aux individus qui s'y consacrent une politique privée de ses attaches avec la visée de l'émancipation et qui met à nu plus que jamais auparavant la dureté de ses moyens fondés sur l'usage de la violence ?

CHAPITRE IX

Les dilemmes du désenchantement

Qu'elle se déploie directement au travers de l'agencement des structures du rationalisme juridique et politique ou qu'elle s'expose par la critique d'un certain nombre d'illusions doctrinales ou pratiques, la théorie de l'État de droit que développe Max Weber livre la matrice d'une vision positiviste du monde moderne. À ce titre, la critique du droit naturel et la méfiance vis-à-vis des transformations du droit sous les considérations éthiques de la justice signifient un rejet de l'hypothèse d'une rationalité par rapport à des valeurs, au motif de l'impossibilité de leur donner un aspect formel. Puis la critique du subjectivisme juridique fait signe vers le dépassement de l'illusion selon laquelle il faudrait fonder le système du droit et de la politique dans les idées du juste, du bon ou du bien. Par ces deux composantes, le projet wébérien radicalise en quelque sorte le propos de la préface de la *Philosophie du droit* de Hegel, considérant que le monde de la vie humaine ne se laisse ni imaginer ni rajeunir, « mais seulement connaître [1] ». Mais il annonce aussi le programme de rupture entre science et philosophie que thématise Kelsen en posant le principe selon lequel « il n'est pas du rôle de la science du droit de légitimer le droit ; il ne lui appartient absolument pas de justifier l'ordre normatif, que ce soit par une morale absolue ou par une morale relative ; il lui appartient uniquement de le connaître et de le décrire [2] ».

Reste qu'à la différence de Kelsen, Max Weber ne peut demeurer indifférent à la forme de la réalité qu'il décrit et au destin de la connaissance qu'il en a. Ce qui veut dire qu'il ne se satisfait jamais totalement d'une expulsion radicale des intérêts pratiques hors du domaine du savoir, franchissant souvent le pas qui fait qu'un système de la connaissance s'élève au plan d'une vision du monde. Or il faut constater que cette vision du monde repose essentiellement sur le caractère paradoxal de la réalité moderne pour autant qu'elle actualise un renversement généralisé des promesses qui avaient présidé à son invention. D'où l'insistance sur les formes pathologiques de l'existence vécue dans l'univers contemporain et qui sont pour l'essentiel de deux ordres. Dans l'ordre de l'expérience immédiate, elles concernent l'aspect réifié de relations sociales dominées par les mécanismes économiques, le caractère bureaucratique des structures de la domination politique, la tournure impersonnelle du droit et la sensation de l'effondrement du sens au sein de la vie quotidienne. Puis, dans l'ordre des représentations, elles s'attachent au sentiment d'un écart insurmontable entre les attentes d'émancipation, de liberté ou d'autonomie qui portaient le projet de la modernité et l'effectivité d'une société de la technique, de la routine et de la persistance de l'autorité. D'où l'impression que le destin de l'humanité contemporaine est enfermé dans une alternative insupportable. Ou bien l'acceptation résignée des composantes appauvries du monde de la vie dans l'univers désenchanté, mais au risque de la dissolution intégrale des repères qui assuraient la reconnaissance d'une identité de l'homme. Ou bien la révolte contre l'inauthenticité de la raison instrumentale et la recherche de son dépassement, avec cette fois le danger d'une fuite éperdue dans l'irrationalisme et d'un éclatement sans retour de l'idée d'appartenance à un monde commun.

Il faut alors insister sur la structure de ce que Jürgen Habermas nomme « le paradoxe de la rationalisation sociale [3] ». Dans une perspective étroite, il concerne le fait que les systèmes économique, juridique et politique, qui s'étaient détachés les uns des autres au cours du processus qui assurait leurs rationalisations respectives, se sont autonomisés bien au-delà de ce qui était vécu comme des conditions de l'affranchissement par rapport au besoin, de l'affirmation de la liberté ou de la redéfinition de la légitimité. En ce sens, ils ont développé des dynamiques spécifiques qui ont accru la capacité de manipulation technique de la nature, des objets ou des individus dans chacun de leurs domaines. Mais en cessant de communiquer entre eux, ils ont détruit la possibilité d'une compréhension de soi et du monde pour les hommes qui vivent en leur sein. Dans une perspective plus large, ce même paradoxe réside dans l'éclatement de la raison qui semble être le résultat du triomphe de la rationalité. D'un côté en effet, « les problèmes venus de la tradition sont désormais dissociés sous les angles spécifiques de la vérité, de la justesse normative, de l'authenticité ou de la beauté, et ils peuvent être traités respectivement comme des questions de connaissance, de justice, de goût [4] ». Avec pour corollaires la différenciation inéluctable des histoires propres aux

sciences, au droit ou à l'esthétique. L'affirmation d'une spécialisation croissante des connaissances théoriques et des savoirs pratiques. Une dissociation définitive des ordres de la raison, éclatée
entre les registres de l'instrumentation, de l'action et de l'expression.

D'un autre côté cependant, le passage d'un processus de partage
interne à l'histoire de la raison et aux structures de l'existence
vécue vers un éclatement de la rationalité et des composantes de
la vie est immédiatement subi comme un appauvrissement de
l'expérience. Parce que s'effondre ainsi le sentiment de vivre une
histoire commune. Parce que sont profondément altérées les
logiques qui devaient assurer une intercompréhension humaine.
Parce que enfin un monde qui a systématiquement vidé les contenus de sa tradition menace d'apparaître radicalement privé de sens.
D'où l'irrésistible tentation de la nostalgie et le risque de la révolte
contre un univers aux allures déshumanisées. On sait que ce problème fut par excellence celui de l'*Aufklärung*, confrontée à la
tension entre le projet de comprendre le monde pour le maîtriser
et la crainte de voir le possesseur de la nature se transformer lui-
même en objet. Mais, comme le rappelle Habermas, les philosophes du XVIIIe siècle « avaient encore l'espoir de développer
rigoureusement, en leur conservant un sens spécifique, les sciences
qui objectivent, les bases universelles de la morale et du droit et
l'art autonome, et *en même temps*, de *libérer* les potentialités
cognitives ainsi amassées de leur forme ésotérique, afin de les
utiliser pour la praxis, c'est-à-dire pour organiser raisonnablement
les conditions de vie [5] ». Max Weber quant à lui est le contemporain de l'épuisement de cet espoir. Le témoin d'un moment historique où s'impose l'impression qu'il est devenu impossible de
mobiliser les ressources du savoir pour un progrès esthétique,
moral ou politique. Le spectateur d'un monde d'où s'est échappée
la croyance en la capacité pour la raison d'assurer à l'homme une
existence humaine.

Resterait toutefois à déceler le moment où Max Weber cesse
d'être le témoin de cette histoire et le spectateur de ce monde pour
éventuellement devenir l'acteur de leur crise et l'auteur du récit
de leur décomposition. En d'autres termes, il faudrait encore faire
le partage entre ce qui relève chez lui d'une défense de l'héritage
des Lumières ou de la culture humaniste et ce qui ferait signe vers
une critique sans retour de leurs illusions. Jürgen Habermas offre
à cet égard une hypothèse séduisante, qui vise à décrire l'originalité de la position wébérienne dans le débat sur la nature et la
valeur de l'univers bourgeois né du processus de la rationalisation.
Ramené à ses composantes fondamentales, ce débat porte sur le

sens qu'il faut donner à l'accusation généralement portée contre
la modernisation : avoir détruit les formes de vie traditionnelles
sans être parvenu à inventer de nouvelles structures d'identité, de
communication ou d'authenticité. À ce titre il est reproché à la
raison moderne d'avoir effacé les images du monde qu'offrait la
tradition, de leur avoir ôté jusqu'au charme d'un passé révolu ou
d'une mémoire nostalgique, pour abandonner l'homme sur une
scène où la vie n'a plus la moindre chance de retrouver une unité.
D'où le face-à-face entre deux schémas qui se confrontent sans
pouvoir se réduire. Le schéma de la critique de la culture bourgeoise consiste à reconduire les formes pathologiques du monde
moderne à l'alternative suivante : « Ou bien ce sont les images
sécularisées du monde qui ont perdu leur force d'intégration
sociale ; ou bien c'est le haut niveau de complexité de la société
qui dépasse les capacités d'intégration des individus [6]. » Inversement, le schéma de la défense de la culture bourgeoise « a livré
les deux arguments en miroir : elle affirme que le désenchantement
comme l'aliénation sont les conditions, structurellement nécessaires, de la liberté ».

Un paradoxe de l'histoire occidentale

Au sein d'un tel paysage, la stratégie de Max Weber consisterait
à renouer la paire des arguments de la critique à celle des éléments
de la défense, pour explorer « un paradoxe qui serait inhérent à
l'évolution même de l'Occident [7] ». Un paradoxe qui veut que ce
soit précisément par les phénomènes de la perte du sens et de la
liberté que le rationalisme occidental ait pour destin de s'imposer
au monde. Un paradoxe qui suggère qu'il faut entendre la critique
vigoureuse des formes de réification du monde vécu, mais pour en
déplacer les contours. En montrant que ce ne sont ni la sécularisation des images du monde ni la différenciation des sphères de
l'activité qui portent la pathologie des sociétés modernes, mais la
coupure entre l'univers des professionnels et l'espace public. En
détachant la rationalité pratique des mécanismes qui l'enferment
dans les seuls médiums de l'argent, du pouvoir ou de la technique.
Un paradoxe enfin qui serait de nature à pouvoir être dépassé, en
opérant un nouveau tri entre ce qu'il faut garder de « l'utopie de
la raison à l'âge des Lumières [8] » et ce qu'il faut abandonner de
l'idéologie bourgeoise. Comme s'il était encore possible de sauver
l'horizon utopique d'une société civile qui parviendrait à préserver
l'autonomie de l'homme privé, mais en réalisant l'accès du citoyen
à la sphère publique. Ou comme si demeurait encore la perspective

d'une réconciliation entre les logiques qui poussent à la pacification des conflits de l'homme avec lui-même et celles qui assurent un sens intime à son existence, dans l'ordre de la culture, de la satisfaction des besoins et de la reconnaissance.

Reste que si à son tour cette hypothèse fait droit aux apports respectifs de la critique et de la défense de l'œuvre de Max Weber, elle risque peut-être de n'en dire plus tout à fait assez ou déjà trop. Elle ne dit pas tout à fait assez sur la nature de l'adhésion de Weber au projet d'une poursuite ou d'une restauration du programme de l'*Aufklärung*, dans la mesure où elle n'indique pas comment il viendrait à se formuler dans sa conception de la rationalité, dans sa problématique du désenchantement et dans son système de la connaissance. De ce point de vue, l'aspect déconstructeur de la dialectique de la rationalité à quoi revient l'interprétation wébérienne de la modernité a sans doute un impact plus puissant que les rares indications qui plaident en faveur d'une reconstruction rationnelle des composantes du monde vécu. Inversement, cette hypothèse en dit peut-être déjà trop, pour autant qu'elle sous-estime en partie le durcissement ultime de la pensée de Max Weber. En ajoutant d'ailleurs qu'est ici moins visé un moment biographique de l'œuvre, qui serait associé à une sorte de pessimisme existentiel propre à la dernière époque d'une aventure intellectuelle, qu'un moment analytique de chacune des composantes de cette œuvre. Dans cette perspective, on devra s'interroger sur le fait que toutes les grandes synthèses consacrées aux différents univers de l'activité et toutes les séquences interprétatives de l'histoire de la modernité s'achèvent sur le motif d'un éclatement de la raison, d'un retournement de ses effets et d'une inversion de son sens. Au plan de la compréhension des phénomènes religieux, lorsque la sécularisation des images du monde relie l'expulsion du sacré hors de la vie quotidienne à la perte de signification de l'existence. Dans le registre de l'explication des formes institutionnelles de la politique moderne, quand il apparaît que le procès de neutralisation de la domination radicalise le caractère injustifiable du choix. S'agissant de l'univers juridique enfin, si tant est que l'horizon de la liberté semble se restreindre par l'effet des procédures qui devaient assurer son élargissement et sa garantie.

Le caractère fascinant des analyses de Max Weber tient alors largement au fait que si son diagnostic sur le monde contemporain n'exclut pas l'hypothèse de la rationalité, il contient toujours le contrepoint d'une fuite éventuelle dans l'irrationalisme. Le problème de l'interprète est ainsi de savoir si ce thème est passible d'une série presque infinie de variations en fonction de la richesse des analyses, de la profondeur des anticipations et de l'actualité

des questions qu'il soulève. Ou s'il se réduit finalement à un jugement sur le destin de la modernité en raison d'un schématisme
interne à la pensée wébérienne, exprimée au travers des figures
paradoxales du développement historique. La problématique de
l'État de droit est de ce point de vue exemplaire. L'hypothèse de
la rationalité est ici univoque, puisqu'elle se résume à la réalisation
d'une bureaucratie impersonnelle et d'un ordre juridique formaliste. Dans le parcours qui va de Weber à Kelsen, on peut alors
procéder à l'identification d'un modèle positiviste de l'État de
droit, à la fois conceptuellement cohérent et sociologiquement probable. Sa logique profonde s'inscrit dans le fait que l'État détenteur du monopole de la création normative s'assimile à l'ordre
juridique lui-même et se trouve ainsi encadré par des mécanismes
d'autolimitation. La rationalité fonctionnelle de l'administration
doit alors suffire à assurer l'efficacité d'une domination objective
et à prévenir contre son arbitraire. De même l'homogénéité du
droit positif doit-elle garantir l'effectivité de la contrainte normative en évitant la surcharge du système par des demandes matérielles. La structuration mimétique des deux systèmes est ainsi
censée résoudre les questions de légitimité liées aux interrogations
sur l'origine du droit ou les finalités de l'État par une parfaite
assimilation de la légalité et de la rationalité.

Le résultat de la confrontation des entreprises de Max Weber et
Hans Kelsen est ainsi d'autant plus saisissant que cette conception
de l'État de droit se dévoile au point de rencontre exact de deux
démarches en chiasme. Kelsen affirme en effet l'identité de l'État
et du droit comme point d'ancrage de sa théorie objective ; Weber
y parvient au terme de l'analyse historique de leurs développements. À l'inverse, Weber pose comme préalable méthodologique
d'une sociologie compréhensive la définition démystifiée de l'État
comme ordre de conduite humaine ; Kelsen y est conduit par la
critique de l'idée de personnalité juridique et de ses représentations
idéologiques. En ce sens, à partir d'un même dualisme épistémologique comme au travers d'un effort parallèle d'objectivation des
catégories de l'analyse et de neutralisation de ses résultats, ils
occupent une position identique au cœur des débats contemporains. À tout prendre même pourraient-ils prétendre à remplir
ensemble l'intégralité de l'espace décrit par Max Weber lorsqu'il
différenciait les approches normatives et sociologiques des phénomènes juridiques, l'un offrant la tentative la plus systématique
de formalisation du droit positif, l'autre la construction la plus
développée d'un modèle de l'État rationnel et légal. Si l'on ajoute
que l'un et l'autre nourrissent leur démarche de réfutations des
positions antagonistes et de larges perspectives historiques, il se

pourrait presque qu'ils parviennent à éteindre la discussion en ne laissant plus d'alternative qu'entre l'adhésion à ce système et la régression dans l'illusion métaphysique ou l'archaïsme. C'est pourtant cette étroite connivence, scellée dans l'accord des intentions théoriques, la porosité des frontières entre les analyses et la convergence des résultats, qui sollicite un renouvellement de l'interrogation.

Il n'est pas question de se demander ici dans quelle mesure la perspective de Kelsen perd de sa puissance au moment où elle affirme que la science du droit s'interdit de dire autre chose de son objet que le fait qu'il est une forme de la contrainte étatique objectivée dans des normes positives [9]. À coup sûr un tel radicalisme épistémologique permet-il de se garder contre toute illusion idéaliste, mais au prix sans doute d'une oscillation entre un systématisme à la recherche de son fondement et un réalisme délibérément relativiste. Ainsi Kelsen avouait-il ce relativisme au cœur même de la *Théorie pure du droit*, par ce propos : « Le droit de certains États totalitaires autorise le gouvernement à enfermer dans des camps de concentration les personnes dont la mentalité et les tendances, ou la religion ou la race lui sont antipathiques, et à les contraindre aux travaux qu'il lui plaît, voire même à les tuer. Si énergiquement que l'on puisse condamner de telles mesures d'un point de vue moral, on ne peut cependant les considérer comme étrangères à l'ordre juridique de ces États [10]. » Dans une large mesure, la recherche wébérienne d'une compréhension des formes de la légitimité politique soulignerait cet écueil, en immergeant l'État de droit dans une problématique historique qui lui restitue un sens en termes de rationalisation. Pour échapper aux conséquences relativistes de son indifférence théorique, le projet de Kelsen en viendrait donc à requérir un moment réflexif, de type wébérien, concernant les conditions de la légitimité. Mais l'inverse est également vrai, pour autant que la démarche de Weber doit aussi inclure un moment kelsenien de pur normativisme dans l'exposition des traits de la rationalité du droit moderne. Avec pour conséquence toutefois le fait que la reconnaissance de ce moment peut avoir pour effet de miner l'explication historique elle-même. Et de faire resurgir l'aporie liée aux questions de la fondation de l'État de droit hors de toute perspective métajuridique. Comme si, en assumant l'idée d'une parfaite identité de l'État et du droit, Weber se privait des instruments permettant de penser la légitimité de l'État de droit. Au risque de la confondre avec le triomphe de la rationalité technique, voire de devoir concéder l'éventualité de leur destruction réciproque au sein des figures paradoxales de la modernité.

En d'autres termes, les limites de la construction pourraient apparaître au travers d'une contradiction à la fois théorique et politique. Pour rester dans la logique idéaltypique et éviter une dérive discrètement historiciste, Max Weber devrait réduire l'État de droit à la dimension d'un jugement de possibilité. Un jugement qui appellerait toutefois la formulation de structures alternatives. Or celle qui se profile au travers des transformations des finalités de l'État et des fonctions du droit dans le sens de la justice est immédiatement condamnée au motif de l'impureté de son formalisme et de l'irrationalité de ses mécanismes. On peut alors être tenté de penser que l'origine de la contradiction réside dans une conception de la rationalité à ce point réduite à une signification univoque et purement instrumentale, qu'elle interdit toute interprétation autre que tragique des dilemmes du désenchantement. Sans doute resterait-il possible de sortir cette thématique majeure de l'œuvre wébérienne d'un horizon définitivement nihiliste. À condition toutefois de revenir sur la question de la fondation de l'ordre juridique, évacuée à la fois par Kelsen et Weber. Une telle occultation ne peut en effet déboucher que sur deux formes de décisionnisme. Un décisionnisme intégral, lorsque l'inquiétude à l'égard de la démocratie se transforme en réorientation de ses techniques dans le sens d'un allégement des contraintes de légitimité. Un décisionnisme au moins résiduel, quand l'identification de la légitimité à la légalité rationnelle semble ignorer la reconnaissance des principes qui empêchent sa confusion avec la seule efficacité. Ce qui peut vouloir dire que les antinomies de l'État de droit telles que Weber et Kelsen les indiquent et veulent les résoudre sont peut-être en partie internes à leur problématique. Resterait alors à tenter de dépasser la thèse de l'impossible État providence qui se profile au travers du modèle positiviste, en démontrant que non seulement toute théorie de la justice ne ruine pas l'idée de l'État de droit, mais que certaines d'entre elles permettent de repenser les conditions de sa légitimité. S'esquisserait alors le type idéal d'un État de justice visant à réarticuler la rationalité politique et le formalisme juridique, ne serait-ce qu'à titre de pôle alternatif de la modernité dans la perspective wébérienne de l'histoire.

L'image du désenchantement : la cage d'acier

Le paradoxe est installé au cœur même de la vision wébérienne de l'histoire, dans la mesure où celle-ci culmine dans l'image éminemment symbolique de la « cage d'acier ». Au-delà de l'image, c'est plus précisément d'un schéma qu'il faudrait d'ailleurs parler, puisque Max Weber désigne ainsi le procès d'autonomisation de la raison tel qu'il prend la forme d'un renversement des instruments de l'émancipation de l'homme par rapport à son environnement en structures d'oppression dans la vie quotidienne. La problématique peut alors couvrir l'ensemble des registres de l'activité : de l'économie à l'État et au droit. Mais le problème qu'elle pose est celui de la portée et des limites du paradoxe. Faut-il entendre qu'il inclut l'idée d'un renversement inéluctable de la raison en irrationalité, en vertu des protestations contre un monde intégralement désenchanté ? Doit-on même l'étendre jusqu'aux conséquences nihilistes d'une défaite de la raison, en fonction de son impuissance ultime à justifier ses choix [11] ?

Le thème est exposé dans sa forme initiale à propos de l'économie, lorsque Weber tire le bilan des effets de la vision puritaine du monde : « Selon les vues de Baxter, le souci des biens extérieurs ne devait peser sur les épaules des saints qu'à la façon d'un " léger manteau qu'à chaque instant l'on peut rejeter ". Mais la fatalité a transformé ce manteau en une cage d'acier [12]. » En ce sens, il signifie simplement que la maîtrise de l'univers matériel qui devait être, pour les protestants, le moyen de la liberté au travers d'une éthique de la vocation est devenue la fin de l'existence sociale des individus. Qu'il s'interprète comme revanche de l'instrument contre son instrumentalité ou en termes de retrait du contenu ascétique d'une doctrine théologique de l'activité mondaine, il met au jour la manière dont le monde matériel se révèle sous sa plus triviale matérialité. Il donne alors son sens premier à l'idée du désenchantement : le fait qu'une activité parée d'une signification profonde, extérieure à elle et surtout dotée de valeur liée aux questions essentielles de l'existence se retrouve privée de toute dimension éthique ou religieuse pour apparaître vide de tout contenu existentiel.

Mais la figure de la cage d'acier trouve une portée beaucoup plus systématique lorsque Weber la reformule pour la préciser : « En même temps que l'ascétisme entreprenait de transformer le monde et d'y déployer toute son influence, les biens de ce monde acquéraient sur les hommes une puissance croissante et inéluctable, puissance telle qu'on n'en avait jamais connue auparavant. Aujourd'hui, l'esprit de l'ascétisme religieux s'est échappé de la cage – définitivement ? qui saurait le dire... Quoi qu'il en soit, le capitalisme vainqueur n'a plus besoin de ce soutien depuis qu'il repose sur une base mécanique [13]. » Cet énoncé, qui représente par ailleurs l'ultime concession de Weber à Marx une fois épuisée l'étendue de leur désaccord sur l'explication des origines du capitalisme, délimite bien les contours de la thèse : portée par l'éthique religieuse, la manipulation méthodique des richesses matérielles opère une autonomisation de la sphère économique ; mais une fois cette dernière acquise, elle se vide définitivement de tout contenu spirituel. Ne reste alors, pour solde d'une libération qui se révèle finalement illusoire, qu'une forme réifiée des structures de l'existence vécue. Description de l'emprise des biens matériels et de la substitution croissante des objets fabriqués aux créations spirituelles de l'esprit, l'image wébérienne de la cage évoque nombre d'analyses contemporaines de l'aliénation par l'utilité et l'artifice de la consommation [14]. Mais son originalité et son caractère énigmatique tiennent au fait que ce schéma d'un renversement paradoxal puisse s'étendre à l'ensemble des registres de l'activité.

Autonomisation des sphères de l'activité et survivance de leurs structures en un sens opposé à celui de leur invention : ce double phénomène se laisse alors repérer comme composante propre à tous les types de rationalisation. Ainsi de celle qui concerne la politique, au travers de la manière dont la monopolisation de l'usage de la violence réalise une émancipation synonyme de dépersonnalisation du pouvoir, mais libère la puissance de l'appareil étatique. On se souvient en effet que la logique de rationalisation politique épouse celle d'une objectivité croissante de la contrainte, selon une perspective qui débouche sur la neutralité du pouvoir. À son terme, « l'appareil d'État bureaucratique remplit ses fonctions objectivement, sans acception des personnes, " *sine ira et studio* ", sans haine et par conséquent sans amour [15] ». Mais dès l'instant où elle est vécue comme libération de l'arbitraire, cette logique conduit à des formes d'appauvrissement du monde vécu. Appauvrissement synonyme d'impossibilité pour l'État moderne d'assurer une fonction de justice sociale, puisque « par suite de sa dépersonnalisation, et en dépit des apparences en sens contraire, cet État est [...] moins accessible à une moralisation matérielle que les institutions patriarcales du passé [16] ». Appauvrissement dont Max Weber souligne avec insistance l'origine dans l'identité des formes politiques et économiques de la rationalisation : « L'*Homo politicus* rationnel qui est membre (de cet État), de même que l'*Homo economicus,* remplit ses tâches de la même façon, y compris le châtiment de l'injustice, quand il les exécute dans le sens, le plus idéal qui soit, des règles rationnelles de l'institution étatique au pouvoir. » Ainsi l'émancipation politique portée par le développement de l'État se retournerait-elle en aliénation des individus à un système institutionnel qui a capté, à la manière des biens matériels dans leur ordre, les ressources de la rationalisation.

Cette structure se reproduit enfin pour ce qui concerne le droit.

Ici encore, le développement du formalisme à partir des théories du contrat a été perçu comme accompagnant un accroissement de la liberté et assurant une sécurité juridique inédite. Mais c'est pour déboucher sur un moment contemporain où il n'apparaît plus que comme « un appareil technique rationnel qui se transforme sous l'influence de considérations rationnelles en finalité et qui est dépourvu de tout contenu sacré [17] ». Relié à celui du renversement de l'État en structure réifiée de l'existence politique, le thème de la transformation du droit en une technique contribue à préciser la vision d'une politique moderne désenchantée. Au sens propre du terme, c'est alors la captation de la raison par l'État qui s'impose, dans une perspective qui exclut toute illusion quant à la capacité du droit à le modérer. Ainsi apparaît-il à Max Weber « inévitable que le jeu d'ensemble des fonctions de la politique intérieure, qui sont celles de l'appareil d'État en matière de justice et d'administration, se règle toujours en fin de compte selon la pratique concrète de la raison d'État, malgré toutes les " politiques sociales " : la finalité absolue en la matière est le maintien (ou la transformation) de la répartition du pouvoir à l'intérieur et à l'extérieur [18] ».

D'où une réinterprétation parfaitement désenchantée du thème central de la légitimité moderne, lorsque Weber écrit que « le recours à la violence sans fard, comme moyen de contraindre pour l'extérieur mais aussi pour l'intérieur, est tout simplement constitutif de tout groupement politique. Bien plus, dans notre terminologie, c'est ce qui en fait un groupement politique : " l'État " est ce groupe qui revendique le monopole de la violence légitime – il n'est pas à définir autrement. Au précepte du sermon sur la montagne : " ne réplique pas au mal par la violence ", il oppose : " tu dois contribuer à la victoire du droit même par la violence " – car chacun est personnellement responsable de l'injustice. Où manquerait ce monopole de la violence légitime, " l'État " ferait défaut : ce serait la porte ouverte à " l'anarchisme " pacifiste [19] ». Avec pour conséquence le fait de lever une ultime illusion quant à l'autonomie possible du droit par rapport à l'État, puisque « inéluctablement, selon l'incontournable expérience de tout agir social, force et menace de contrainte engendrent toujours à nouveau la violence. En outre la raison d'État suit ses lois propres, à l'extérieur comme à l'intérieur. Et le résultat de la force ou même de la menace d'user de la force dépend naturellement, en définitive, des rapports de pouvoir et non du droit moral, même quand on considère possible de trouver des critères objectifs d'un tel droit ».

C'est sans doute cette dernière configuration du thème qui lui donne sa véritable dimension, à savoir l'idée de la perte du sens dans le monde intégralement désenchanté de la science, de la technique et de la raison instrumentale. Il faut ici revenir au point de départ, dans la mesure où c'est le retournement paradoxal de la religion qui décrit la pente de l'histoire : « Le rationalisme grandiose sous-jacent à la conduite sciemment éthique de notre vie qui jaillit de toutes les prophéties religieuses a détrôné le polythéisme au profit de " l'Unique dont nous avons besoin " ; mais dès qu'il fut lui-même aux prises avec la réalité de la vie intérieure et extérieure, il s'est vu contraint de consentir aux compromis et aux accommodements dont nous a tous instruits l'histoire du christianisme. Mais la religion est devenue de nos jours " routine quotidienne " [20]. » Que l'idée s'exprime ainsi directement ou au travers de l'image plus métaphoriquement littéraire du renoncement à « l'universalité faustienne de l'homme [21] », elle prétend en tout cas identifier définitivement l'essence de la modernité avec deux phénomènes aux significations opposées : le triomphe de la prévision et de la maîtrise du monde ; la dilution de son sens par la perte de toute sacralité et l'affirmation de la prééminence des choses.

Ainsi recomposée, la vision wébérienne du monde désenchanté a évidemment une immense puissance évocatrice, et l'on pourrait multiplier à l'infini les variations sur le thème de la cage d'acier. En vertu de ses harmoniques nietzschéennes, il sonnerait comme le glas des illusions de la raison aux oreilles du dernier homme de la civilisation. Selon ses connotations plus goethéennes, il s'entendrait comme un chant d'adieu avant l'ultime « renoncement à un âge d'opulence et de belle humanité [22] ». À l'inverse, ne pourrait-il pas anticiper aussi la description qu'offrira Hannah Arendt de la désolation lorsque Weber reformule une fois encore le paradoxe : « Le puritain *voulait* être un homme besogneux – et nous somme *forcés* de l'être. Car lorsque l'ascétisme se trouva transporté de la cellule des moines dans la vie professionnelle et qu'il commença à dominer la moralité séculière, ce fut pour participer à l'édification du cosmos prodigieux de l'ordre économique moderne. Ordre lié aux conditions techniques et économiques de la production mécanique et machiniste qui détermine, avec une force irrésistible, le style de vie de l'ensemble des individus nés dans ce mécanisme – et pas seulement de ceux que concerne directement l'acquisition économique. »

Pourtant, le problème posé par cette vision tient au fait que si le monde désenchanté est un diagnostic sur l'époque contemporaine, il représente aussi, et par définition, le résultat d'une histoire du désenchantement, elle-même pensée sous la catégorie de rationalisation. En d'autres termes, Weber ne peut se dérober aux conséquences de l'histoire telle qu'il la conçoit et à la question qu'elle suscite en vertu de sa similitude avec l'idée d'un destin inéluctablement tragique. Il la formule d'ailleurs explicitement : « Ce processus de désenchantement réalisé au cours des millénaires de la civilisation occidentale et, plus généralement, ce "progrès" auquel participe la science comme élément et comme moteur, ont-ils une signification qui dépasse cette pure pratique et cette pure technique [23] ? » Mais la réponse figure l'expression la plus énigmatique de sa pensée : « Nul ne sait encore qui, à l'avenir, habitera la cage, ni si, à la fin de ce processus gigantesque, apparaîtront des prophètes entièrement nouveaux, ou bien une puissante renaissance des pensers et des idéaux anciens, ou encore – au cas où rien de cela n'arriverait – une pétrification mécanique, agrémentée d'une sorte de vanité convulsive. En tout cas, pour les "derniers hommes" de ce développement de la civilisation, ces mots pourraient se tourner en vérité : "spécialistes sans vision et voluptueux sans cœur – ce néant s'imagine avoir gravi un degré de l'humanité jamais atteint jusque-là" [24]. »

Cette péroraison en forme d'alternative fortement dramatisée de la modernité est évidemment le point d'ancrage par excellence de l'interprétation, dans la mesure où elle irradie toutes les dimensions de l'œuvre de Max Weber, en soulignant une ambivalence généralement reconnue. Selon que l'on acceptera en effet la disjonction des deux hypothèses ou que l'on accentuera à l'inverse leur liaison paradoxale, sa philosophie tombera du côté humaniste ou relativiste du débat sur les valeurs. Il en va de même pour ce qui concerne la théorie de la science, qui peut osciller en fonction de cette incertitude entre un rationalisme critique et un perspectivisme radical. Mais le conflit des interprétations est plus flagrant encore s'agissant de la politique, de l'État et du droit, puisque la position wébérienne peut emprunter toutes les nuances d'un libéralisme inquiet, du scepticisme au désespoir, ou s'abîmer au contraire en un pur décisionnisme.

L'horizon relativiste du monde contemporain :
la guerre des dieux

Du désenchantement à la « guerre des dieux » : tel serait l'horizon de la modernité au travers d'un premier type d'interprétation de l'œuvre de Max Weber. On insistera sur le fait qu'à ses yeux la perte de sens associée au monde moderne est par trop insupportable pour ne pas entraîner ces réactions évoquées sous l'image d'une renaissance du prophétisme. Plus encore, on soulignera un enchaînement de l'ordre de l'inéluctable : le rationalisme désenchanté nourrit sa propre contestation et la protestation au nom d'un sens à retrouver ne peut que s'enfermer dans le polythéisme des valeurs. D'où l'idée d'un destin dérisoire, qui figure à la fois l'échec de la raison et l'ironie de l'histoire : « La multitude des dieux antiques sortent de leurs tombes, sous la forme de puissances impersonnelles parce que désenchantées et ils s'efforcent à nouveau de faire retomber notre vie en leur pouvoir tout en reprenant leur lutte éternelle [25]. » En faisant de cette thématique de la guerre des dieux une catégorie centrale de la pensée wébérienne, on peut alors rendre compte de ses ambivalences en les considérant comme l'expression d'une philosophie profondément nihiliste [26]. Philosophie de type nietzschéen si l'on veut, en notant que, parti à la poursuite d'une réfutation du rationalisme hégéliano-marxiste, Max Weber rencontre la figure du dernier homme et la décline dans les registres successifs de la connaissance, de l'éthique et de la politique. Eugène Fleischmann peut ainsi accumuler un matériel impressionnant au service d'un parcours intellectuel qui remonterait de Weber à Nietzsche [27].

De ce point de vue et jusque dans sa forme métaphorique, l'image des dieux de l'Olympe reprenant leur guerre sans merci serait bien le cœur d'une épistémologie axée sur le caractère indépassable de l'antagonisme des valeurs. Une telle interprétation s'appuie d'ailleurs aisément sur la manière dont Weber pratique cette mise en scène : « Pour autant que la vie a en elle-même un sens et qu'elle se comprend d'elle-même, elle ne connaît que le combat éternel que les dieux se font entre eux, ou, en évitant la métaphore, elle ne connaît que l'incompatibilité des points de vue ultimes possibles, l'impossibilité de régler leurs conflits et par conséquent la nécessité de se décider en faveur de l'un ou de l'autre [28]. » Il y aurait alors effectivement une philosophie de Max Weber, qui reposerait sur le rejet des tentatives contemporaines pour fonder l'histoire sur « un système intemporel des valeurs [29] ». Et qui retrouverait alors la critique nietzschéenne de la facticité des valeurs associée au projet chrétien d'une domination des âmes et des corps. D'où l'idée d'un décisionnisme méthodologique qui certes ne nie pas la possibilité de la science, mais achoppe à lui donner d'autres fondements que ceux d'un choix en lui-même arbitraire [30]. Une position qui bien évidemment entraîne des conséquences décisives dans les registres de l'action et de l'explication historique.

S'agissant de la politique en effet, ou plus précisément de la manière dont Weber problématisait ses relations à l'éthique pour penser ses formes modernes, la lecture « nihiliste » insistera sur la présence d'un schéma hobbien ou machiavellien, attachant la recherche du pouvoir à la guerre [31]. Soient les représentations qu'ont les hommes politiques de l'éthique inspirant leur action : « Suivant la conviction profonde de chaque être, l'une de ces éthiques prendra le visage du diable, l'autre celle du dieu et chaque individu aura à décider, *de son propre point de vue*, qui est dieu et qui est le diable [32]. » Ce qui revient à dire que l'on peut agir dans le monde désenchanté du polythéisme des valeurs, qu'il est même possible de le faire en référence à des valeurs, mais dans l'incertitude absolue quant à leur vérité et surtout en un combat qui ignore le compromis et la médiation entre visions du monde également radicalisées et finalement injustifiables. C'est ce relativisme, joint à nombre de prises de position résolument « réalistes » concernant la nation allemande et ses intérêts de puissance, qui font dire à Eugène Fleischmann que Max Weber est « l'exécuteur testamentaire de Nietzsche dans le domaine politique [33] ».

La critique de Leo Strauss et ses prolongements

C'est à coup sûr Leo Strauss qui donnerait la version la plus profonde de ce type de lecture de l'œuvre de Max Weber, en montrant qu'une telle conception des valeurs illustre l'inachèvement de la rupture avec l'historicisme. Le Weber de Leo Strauss est alors définitivement paradoxal. Parce que la critique wébérienne de l'historicisme hégélien ne parvient à produire qu'une forme renouvelée, voire radicalisée, d'historicisme. Parce qu'elle ne lègue alors pour philosophie ultime que l'impossibilité de la philosophie elle-même, dès lors que le conflit des valeurs ne peut être tranché par la raison humaine. Réintroduisant la thématique du désenchantement du monde dans la perspective de la théorie de la science, Strauss reconnaît à Weber un moment de grande exigence philosophique lorsque est aperçue l'idée selon laquelle, sur fond d'effondrement de la capacité à connaître le monde du point de vue du devoir-être, persiste la possibilité pour la science qui remplace ce point de vue d'éclairer les problèmes inhérents à l'action dans le monde. Mais c'est pour aussitôt analyser les conditions d'un échec, les raisons pour lesquelles Max Weber finit par abandonner l'idée à peine entrevue selon laquelle la science ou la philosophie pourraient être pratiquées « comme le moyen d'échapper à l'illusion, comme le fondement d'une vie libre, d'une vie qui refuse de sacrifier l'intellect et ose regarder en face la sévère réalité [34] ».

Tout se passe comme si Max Weber était au fond victime des catégories de sa propre critique de l'historicisme. En première intention, la notion de désenchantement semble en effet vouloir indiquer le résultat d'un processus d'autocritique du rationalisme hérité des Lumières. Ayant eu l'occasion de juger les promesses de ces dernières à l'aune de la connaissance et de la pratique, l'homme du XXᵉ siècle serait libéré des illusions attachées au projet d'un système absolu du savoir et d'une émancipation radicale. Désenchanté en ce sens, il serait avant tout armé des moyens d'échapper à une illusion, susceptible de réinventer les conditions d'une vie avec la pensée et d'une action sensée dans le monde. Mais Max Weber inocule aussitôt un doute quant à la valeur de cette critique de l'illusion. Attachée à un regard sceptique sur l'universalisme des Lumières, renvoyant leur optimisme à un moment de l'histoire, elle subit elle-même le soupçon qu'elle met en scène : l'anti-historicisme désenchanté n'est-il pas lui-même le produit d'une époque, l'expression d'une vision du monde en instance d'être dépassée ? D'où la signification définitive du désenchantement wébérien : « La pensée contemporaine est désenchantée, irréligieuse, elle " est de ce monde ". Or ce qui prétend nous libérer de l'illusion n'est ni plus ni moins illusoire que les croyances qui ont prévalu dans le passé et qui peuvent prévaloir dans l'avenir [35]. »

L'interprétation straussienne débouche alors sur la mise au jour d'un cercle propre à la pensée de Max Weber, cercle construit par elle et dans lequel elle finit par s'enfermer. D'un côté, Max Weber admettrait aisément avec Strauss que les thèses méthodologiques « restent inintelligibles, ou du moins hors de propos, si on ne les transforme pas en thèses sur le réel [36] ». Cette transformation s'opère au travers du glissement d'une épistémologie de la neutralité par rapport aux valeurs vers une description de l'univers moderne désenchanté, c'est-à-dire dominé par un rapport technique au monde dont la science fixerait le paradigme. Mais Weber ne voit pas qu'en refusant de penser la capacité pour la science ou la philosophie de justifier leur existence ou le statut de vérité de leurs énoncés il renforce le phénomène, puis contribue à transformer la critique d'une illusion en un jugement d'impossibilité de la connaissance et de la raison. Ne reste alors du côté du réel qu'une alternative qui ne peut être tranchée entre le renouveau de l'irrationalisme et la « pétrification mécanique ». Ne demeure du côté de l'histoire de la raison que la trajectoire d'une autodestruction, qui culmine dans un relativisme qui pourrait finir par emporter la théorie wébérienne de la connaissance elle-même.

On pourrait sans doute aller plus loin encore dans le sens d'une radicalisation du schéma de la guerre des dieux. Ne peut-on en effet prêter à Weber une conception du polythéisme des valeurs qui irait bien au-delà d'un retournement paradoxal de la modernité, et finirait par s'identifier au sens même de l'histoire ? Certains textes suggèrent ce type d'interprétation. En raison de la présence réitérée du thème nietzschéen du dernier homme, qui irradie l'ensemble des descriptions qui concourent au diagnostic sur le monde contemporain. Ou lorsque Weber déclare par exemple que « tel est le destin de notre civilisation : il nous faut *à nouveau* prendre clairement conscience de ces déchirements que l'orientation prétendue exclusive de notre vie en fonction du pathos grandiose de l'éthique chrétienne avait réussi à *masquer* pendant mille ans [37] ». On en trouverait un indice supplémentaire dans l'utilisation que fait Weber du thème emprunté à John Stuart Mill suivant lequel le polythéisme serait la forme la plus immédiate de la conscience religieuse : « Si l'on se place purement sur le terrain de l'expérience, on n'accède pas à un dieu *unique* – et, me semble-t-il, moins encore à un dieu de bonté – mais au polythéisme [38]. »

Dans cette perspective s'opérerait une véritable inversion de la problématique historique, en fonction à la fois de catégories fondamentales de l'expérience humaine et d'une relecture du christianisme comme moment de dissimulation. Au travers d'une dialectique du voilement et du dévoilement, l'histoire serait intégralement immergée dans l'irrationalité : loin de procéder d'un progrès du polythéisme au monothéisme, selon un modèle du déploiement de la raison, elle n'aurait connu qu'un moment largement fictif de dissimulation, voué à être déchiré par le retour de la guerre des dieux. Ce resurgissement ne s'identifierait alors plus à un avatar paradoxal de la modernité, sous forme de résurgence de l'irrationalisme, mais serait bien l'équivalent d'une fin de l'histoire en tant que réconciliation avec les structures profondes de l'être au monde de l'homme. Articulant une théorie de la connaissance, une description du réel et une philosophie de l'histoire, la pensée de Max Weber offrirait alors une sorte d'hégélianisme inversé, substituant au schématisme de la ruse de la raison celui d'une ruse de la déraison ou de l'irrationalisme. L'histoire en ce sens n'aurait été que le déploiement d'une irrationalité attachée à la figure du polythéisme. Une figure qui aurait été manifeste dans le moment des Anciens et le monde enchanté du polythéisme proprement religieux. Qui aurait été ensuite masquée par les modernes grâce à l'image du dieu unique laïcisée dans l'idée de la Raison. Et qui se redévoilerait dans le contemporain, par le biais d'une critique démystifiante de l'illusion du rationalisme.

Une telle interprétation a évidemment l'avantage de rendre compte des textes les plus « désenchantés » de Max Weber. Ceux où se profile l'idée du caractère indépassable du conflit des valeurs, entendu comme « lutte mortelle et insurmontable, comparable à celle qui oppose " Dieu " et le " diable " [39] ». Elle permet aussi de pousser à ses extrêmes conséquences la critique wébérienne de l'illusion rationaliste telle que l'exprimerait un Hegel. Dans ce cadre en effet, le schéma de la ruse de la raison par exemple deviendrait l'analogue philosophique de la volonté du dieu unique et omniscient, à savoir l'expression la plus élaborée de la croyance en une signification ultime du monde, mais une croyance vouée à s'autodétruire. En tant que tels, le rationalisme idéaliste et le monothéisme incarneraient alors un moment de l'histoire, grandiose mais illusoire, irrémédiablement emporté par le combat inexpiable des points de vue sur le monde.

La défense de Raymond Aron et ses limites

Il faut toutefois admettre que de telles lectures, pour accentuer le caractère proprement vertigineux de certaines perspectives wébériennes, ont tendance à en forcer unilatéralement le trait. On est en droit de préférer maintenir l'ambivalence de l'œuvre, à partir de l'interprétation du thème central du polythéisme des valeurs. À condition cependant de pouvoir apporter une réponse satisfaisante aux questions mises au jour. Arracher la pensée de Max Weber à la vision d'un historicisme de l'irrationnel revient alors à fournir une interprétation du désenchantement qui s'arrête aux portes de la possibilité d'une préservation de la raison et d'une reconstruction des catégories de la pensée et de l'action. Peut-on penser, avec Philippe Raynaud, que « la " guerre des dieux " ne constitue pas pour Max Weber le régime ordinaire de l'existence sociale, mais simplement une *possibilité* qui ne se déploie pleinement que dans les situations extrêmes [40] » ? Peut-on imaginer que, sous cet angle, l'irrationalité ne soit pas le destin nécessaire du monde moderne et que le relativisme des valeurs ne figure plus la vérité ultime de l'œuvre ? Mais comment pour ce faire rendre compte du caractère pathétique des derniers textes de Weber, où se logent tout à la fois le sentiment d'une attente déçue vis-à-vis des promesses de la science et le plaidoyer en faveur d'une conception radicalement réaliste du politique ?

Désormais classique, la réponse de Raymond Aron aux critiques de Leo Strauss vise à dissocier la philosophie implicite de Weber de sa sociologie, en cherchant à préserver une théorie anti-historiciste de la connaissance de sa contamination par une sorte de métaphysique inavouée [41]. La stratégie de défense proposée par Aron s'organise de la manière suivante. Il est évidemment difficile de discuter la thèse straussienne selon laquelle la méthodologie de Weber est inséparable d'une philosophie. Mais on peut orienter leur lien en un sens inverse à celui décrit par Strauss. Pour ce dernier, la théorie de la science aurait été pervertie par une philosophie profondément nihiliste, d'inspiration nietzschéenne, et qui interdit à Weber de préserver une authenticité de la connaissance. À quoi Raymond Aron réplique que « c'est la méthodologie qui a inspiré à tort une philosophie [42] ». Plus précisément, la richesse de l'œuvre de Max Weber se noue à partir du noyau central qu'est la théorie de la connaissance, se nourrit d'une familiarité exemplaire avec le monde humain et ses dilemmes, pour déboucher sur une vision tout à la fois profonde et réaliste des conditions du savoir et de la pratique. En ce sens, « les limites de la science, les antinomies de la pensée et de l'action sont les apports authentiques d'une description phénoménologique de la condition humaine ». Les accents désenchantés de la pensée de Max Weber sont alors le résultat d'un effet de perspective dont il est à coup sûr l'auteur, mais qui se peuvent dissocier de l'œuvre elle-même. S'il existe bien une « philosophie du déchirement » propre à Max Weber, elle procède d'une transposition des éléments rassemblés dans la description de la réalité en un autre langage, qui leur donne un autre sens. Sans qu'il soit toutefois possible d'occulter le caractère vertigineux de ce sens, puisque Raymond Aron reconnaît que « cette transposition suppose le refus de discrimination entre valeurs vitales et accomplissement raisonnable, l'irrationalité totale du choix entre les partis politiques ou les représentations du monde en lutte, l'équivalence morale et spirituelle entre les attitudes, celle du sage et celle de l'insensé, celle du fanatique et celle du modéré ».

Même si l'on admet la thèse aronienne d'une transposition de la phénoménologie du monde humain en une philosophie du déchirement, demeure la question des raisons d'une telle « transfiguration tragique des antinomies [43] ». Raymond Aron la pose d'ailleurs, qui interroge les origines de la certitude de Max Weber quant au caractère inexpiable des conflits de l'Olympe. La réponse qu'il lui apporte préserve la cohérence de l'interprétation, en dégageant deux motifs biographiques et intellectuels qui dessinent une ambivalence interne à l'œuvre de Weber. Ce dernier croyait le polythéisme indépassable, « parce que les conflits étaient en lui et parce que ces conflits sont l'objet privilégié de l'étude sociologique [44] ». D'où une première tension, qui oppose deux figures de l'homme. Le rationaliste admet que ni la foi ni l'incroyance ne sont démontrables et dès lors « conclut non à la guerre des dieux, mais à la diffusion progressive des Lumières ou bien à la persistance des illusions ». Mais aussitôt le croyant s'avance, qui réplique que « c'est la foi qui fixe le sens du scepticisme ». Première conclusion de Raymond Aron, Max Weber en refusant de trancher entre ces points de vue a pris le risque d'une confusion : « La formule de la " guerre des dieux " est la transposition d'un fait indiscutable – les hommes se sont fait des représentations incompatibles du monde – en une philosophie que personne ne vit ni ne pense parce qu'elle est contradictoire. »

Cette première tension se reproduit alors à un niveau où elle oppose deux, voire trois, Max Weber. L'un, non croyant mais nostalgique de la foi, « était convaincu qu'avec la religion se perdaient des valeurs spirituelles irremplaçables [45] ». C'est le Weber du sursaut désespéré contre la « pétrification mécanique », de la révolte contre un monde à ses yeux privé de sens, du plaidoyer pour la persistance de conflits de l'esprit, fût-ce au prix d'une renaissance irrationnelle du prophétisme. L'autre était « passionné de politique et il voyait une antinomie irréductible entre les règles de la morale formelle et les exigences de l'action, c'est-à-dire de la lutte ». C'est lui qui inlassablement s'engage dans les combats de la nation allemande, assume la dimension cynique d'une politique centrée sur la volonté de puissance, et défend un héroïsme postnietzschéen de la vocation propre à « celui qui est convaincu qu'il ne s'effondrera pas si le monde, jugé de son point de vue, est trop stupide ou trop mesquin pour mériter ce qu'il prétend lui offrir [46] ». Resterait enfin le dernier Weber : le sociologue qui décrit les phénomènes humains mobilise une immense érudition pour constater que « les civilisations, les peuples, les partis pensent et agissent selon des systèmes de valeurs et d'interprétations au moins divergentes, sinon opposées [47] ». Quel peut alors être le centre de gravité d'une telle série de tensions ? La seconde conclusion de Raymond Aron concorde avec la première : « Le déchirement de l'incroyance, l'antinomie de la moralité et de la politique, la diversité des cultures devenaient, sous sa plume, autant de preuves de la " guerre des dieux ". Des analyses phénoménologiques, en elles-mêmes vraies, s'exprimaient en une philosophie humainement impensable. »

En mettant la phénoménologie wébérienne à distance de la philosophie du déchirement qui l'accompagne, la lecture de Raymond Aron ouvre la perspective d'une réinterprétation des thèmes qui sont au centre de la pensée de la modernité. Ainsi Philippe Raynaud peut-il opposer à Leo Strauss un retour original sur l'opposition des éthiques de la conviction et de la responsabilité en politique. Là où Strauss ne voyait qu'une fausse fenêtre – Max Weber estimant en fait qu'elles forment ensemble l'authenticité de l'être humain [48] – il s'agit de montrer qu'elle thématise une véritable scission au sein de la pensée de l'action. De ce point de vue, si Weber semble maintenir une dimension irrationnelle dans le choix entre les deux éthiques, il les place toutefois sur des plans différents. Seule l'éthique de la responsabilité en effet décrit une dimension universelle de l'engagement politique, lors même que celle de la conviction demeure largement inauthentique, sauf dans les cas extrêmes de la pure sainteté ou d'un pacifisme absolu [49]. Dès lors le sens de la distinction entre ces deux éthiques se trouve renouvelé. Parce que Max Weber « dévalue » l'éthique de la conviction, même s'il attend de l'homme politique authentique qu'il sache parfois agir en vertu de principes [50]. Et surtout parce que seule l'éthique de la responsabilité recueille à ses yeux la problématique d'une limitation du politique par l'éthique, le contenu de cette dernière n'étant autre chose que la prise en compte dans l'action des limites de l'action telles que les dégage la science. En ce sens, la défense de l'éthique de la responsabilité ferait moins signe vers celle d'une vision décisionniste de la politique que vers une exploration des conditions réelles de la liberté, dans le contexte du désenchantement du monde et de la cage d'acier que forment les relations sociales réifiées par le processus de rationalisation [51].

Conçue comme une clarification des conditions de possibilité de l'action et de la liberté dans l'univers contemporain, la typologie des éthiques ne chercherait donc pas tant à décrire l'homme politique authentique qu'à mettre en garde contre les illusions de la morale formelle dans le registre pratique. Contre les idéologies pacifistes de l'Allemagne aux lendemains de la guerre, mais surtout contre la volonté de l'*Aufklärung* d'atteindre une élimination de la violence dans la politique et l'histoire, il s'agirait d'insister sur la permanence du conflit. D'où la structure d'un paradoxe qui s'inscrit dans la dialectique wébérienne de la rationalisation : « Le projet d'une élimination complète de l'irrationnel est une *illusion*, mais cette illusion a elle-même un caractère *nécessaire* [52]. » Ce qui voudrait aussitôt dire qu'il y a bien pour Weber un au-delà de la déconstruction de cette illusion : la possibilité de sauvegarder l'idéal émancipateur des Lumières. Avec toutefois une condition drastique et qui découle de la crise de légitimité des institutions démocratiques : la nécessité de réintroduire en politique un certain nombre de formules que l'idéalisme des Lumières prétendait naïvement avoir dépassées. En ce sens, les positions les plus controversées de Max Weber, sur la nécessité du charisme, la problématique de la sélection des leaders ou la démocratie plébiscitaire, seraient le prix à payer pour une préservation paradoxale de l'autonomie [53].

Avec Habermas : le charisme de la raison et le statut de l'autonomie

Situant la discussion dans le registre d'une réflexion sur les antinomies de la pensée et de l'action, une telle interprétation a le mérite de replacer la pensée de Max Weber au cœur des tensions propres au projet de la modernité. Il n'est toutefois pas tout à fait certain qu'elle épuise l'explication des ambivalences d'une œuvre qui entretient avec le monde moderne une relation presque masochiste, écartée en tout cas entre le désir d'une confiance préservée dans les capacités de la raison et la crainte de n'être que l'exécuteur testamentaire d'un moment historique épuisé. Resterait à savoir ce qu'il en est de l'insistance de Weber sur la blessure que subit l'idéal des Lumières lorsqu'il est confronté à la conscience de ses déchirures et de ses conflits. En montrant que, pour radicale qu'elle soit, la critique wébérienne de la modernité n'élimine pas la possibilité d'une résolution rationnelle des conflits, Philippe Raynaud pose parfaitement le cadre et l'enjeu de la discussion qui touche au statut de la raison pratique dans le contexte du désenchantement. Faut-il penser avec lui que la déconstruction des illusions modernes peut s'intégrer dans « un modèle élargi de rationalité politique [54] » ? Ou bien doit-on suivre Jürgen Habermas dans une voie qui s'éloigne de Max Weber, pour sauver la pensée et l'action de l'effet dévastateur des paradoxes du désenchantement ?

Le dialogue qu'entretient Habermas avec l'œuvre de Max Weber concerne avant tout les conditions pratiques de préservation d'une autonomie de la raison. Est alors essentiellement visée la manière dont la conception wébérienne de l'histoire conduit à un moment contemporain caractérisé par l'éclatement de la rationalité en une multitude de sphères concurrentes, qui barrent la route à toute idée d'unité de l'homme et de la raison. Un moment redoutable pour la pensée et pour l'action, dans la mesure où il n'ouvre de perspective que sur « un appel existentiel adressé aux individus, afin que l'unité, devenue impossible à vivre dans les ordres de la société, le soit dans la sphère privée de l'histoire propre à chacun, avec l'énergie du désespoir, de l'espoir absurde des hommes sans espoir [55] ». En schématisant un instant les choses, on pourrait dire qu'il en va désormais de deux choses l'une : ou bien Max Weber a raison et donne une description exacte de la réalité du monde moderne ; ou bien il a tort, en vertu non pas d'une imprécision de ses constats ou d'une inauthenticité de ses angoisses, mais à cause d'une imperfection interne à sa théorie. S'il a raison, il faut admettre que nous vivons l'époque où les Lumières ont achevé le processus de leur autodestruction. Sur fond d'un nihilisme qui signe la victoire posthume de Nietzsche ne reste donc que l'héroïsme individuel comme possibilité de l'action et l'appel aux capacités charismatiques des chefs pour horizon de la politique. S'il a tort en revanche, ce sont les motifs de son erreur qui deviennent exemplaires et éclairent à rebours les conditions de possibilité d'une rationalité moderne.

La discussion se resserre alors sur la manière dont Max Weber identifie la rationalisation du monde au développement de la raison instrumentale, aux progrès de l'action rationnelle en finalité. Tout se passe pour Habermas comme si Weber conduisait deux moments d'analyse qui finissent par se disjoindre, dans la mesure où de l'un à l'autre la raison a changé de statut. Dans le premier, qui décrit le processus de désenchantement de l'histoire, c'est la religion qui sert de guide. Est alors sollicitée une notion complexe de rationalité qui mobilise une dialectique de l'action et des représentations du monde. Est ainsi décrit le fait que la dissociation de sphères autonomes de rationalité attachées aux différents registres de l'activité est une condition interne du rationalisme occidental. Est également mis au jour le soubassement d'un univers de sens où la raison se déploie sur des trajectoires différenciées, selon qu'il s'agit d'accumuler des richesses, de connaître et maîtriser des objets naturels ou techniques, d'agir enfin en référence à des valeurs. Mais Weber glisse aussitôt vers une autre conception de la rationalité, lorsqu'il s'attache à l'analyse des formes de rationalisation sociale à l'âge moderne. À ce moment ne subsiste plus qu'une notion restreinte à la seule rationalité par rapport à une fin, notion partagée avec des penseurs comme Marx, Horkheimer, Adorno ou Marcuse. Et c'est sur fond de cette seconde version du rationalisme que s'inscrit le jugement concernant l'univers contemporain devenu désenchanté [56]. Il n'est alors plus surprenant que ce jugement emprunte la forme de la perte de sens du monde moderne, puisque « la raison se décompose en une pluralité de sphères de valeur et détruit sa propre universalité [57] ».

Force est donc de dissocier les thèses confondues par Weber au travers de la dialectique du désenchantement. Une dialectique décrite comme celle du processus de rationalisation conduisant à l'avènement du monde moderne, mais qui pourrait apparaître comme essentiellement interne à la démarche wébérienne, liée à un changement de plan d'analyse imparfaitement maîtrisé. Pour Habermas, on peut retenir l'hostilité wébérienne au « charisme de la raison [58] », afin de distinguer les formes de rationalité propres aux différentes sphères d'activité. À condition toutefois d'admettre que « Weber va trop loin lorsque, de la perte de l'unité substantielle de la raison, il conclut à un polythéisme de puissances entre croyances en lutte les unes contre les autres, et dont le caractère irréconciliable s'enracine dans un pluralisme de prétentions à la validité *inconciliables* [59] ». Ce qui veut dire que, pour sauver Weber d'un relativisme philosophique et surtout pour permettre la prise en compte d'une possibilité de traitement rationnel des conflits, il faut à tout le moins en passer par un moment critique de la réduction de la raison à la stricte adaptation entre fins et moyens.

Au-delà de ses enjeux philosophiques, l'usage que fait Weber du concept de rationalité a en effet pour conséquence de neutraliser toutes les précautions méthodologiques construites au travers de l'analyse idéaltypique. Celle-ci viserait on le sait à échapper au déterminisme, en substituant au schéma d'un développement historique linéaire la prise en compte à la fois synchronique et diachronique de variantes de la réalité agencées en des tableaux de pensée qui tirent leur capacité heuristique de leur abstraction. Or, en s'immergeant dans une problématique de la rationalisation, la sociologie wébérienne offre des types idéaux fortement historicisés. En ce sens, ceux de l'entreprise capitaliste, de l'État bureaucratique, du droit formel et plus généralement de la légitimité rationnelle-légale n'ont pas une simple signification logique, mais identifient le résultat d'un progrès de la rationalité. Ce qui veut dire qu'au moment où ils doivent servir à porter un jugement sur le monde moderne, ils ont perdu leur caractère hypothétique et tendent à se laisser reconnaître comme un sens dévoilé tardivement du développement historique.

Le fait que Weber réduise la rationalité à sa forme instrumentale obscurcit alors un peu plus son analyse de la modernité. Sans doute peut-elle encore échapper à l'historicisme, dans la mesure où est rétablie *in extremis* une alternative qui évite de confondre la maîtrise instrumentale du monde avec une fin de l'histoire. Mais cette perspective paraît immédiatement faussée, puisque ce qui devrait être une hypothèse de statut équivalent à la première n'est interprétable qu'en termes de régression vers un type archaïque de rationalité, voire comme son éclatement. Autrement dit, faute de pouvoir s'arracher à une conception moniste de la raison, la description wébérienne du monde moderne ne peut sortir de sa propre cage, de l'opposition absolue entre une tendance au triomphe de la « pétrification mécanique » et la menace de la renaissance d'un prophétisme irrationaliste. Dès lors, ce que Raymond Aron nomme

la « philosophie du déchirement » de Weber est sans doute inévitable, mais elle exprime plus une impasse interne à l'œuvre
qu'elle n'offre un cadre adéquat pour la compréhension des tensions propres à la réalité sociale et politique moderne.

Dialectique de la raison et fin de l'individualisme

Peut-on alors sauver les éléments du diagnostic wébérien sur le
monde moderne, entendre la critique de la réification d'un univers
mécanisé menacé par la perte du sens, sans toutefois concéder au
relativisme ? En d'autres termes, peut-on retenir la déconstruction
wébérienne de l'illusion spéculative, sans l'entraîner vers ce qui
pourrait être une mise en cause de la Raison elle-même ? Entre le
rejet du « charisme de la Raison », qu'à la suite de Weber d'autres
courants de la philosophie contemporaine ont encore radicalisé, et
le perspectivisme, peut-on encore concevoir une rationalité dégagée de ses illusions mais préservant ses capacités théoriques et
pratiques ? Par sa familiarité critique avec l'œuvre de Max Weber,
c'est une fois encore la démarche de Jürgen Habermas qui offre
sans doute le cadre le plus adéquat pour un dépassement des antinomies de la conception wébérienne de la modernité. Par son
orientation progressive vers la reconstruction des conditions de
l'intersubjectivité elle offre alors un projet où redevient possible
la fondation d'une rationalité située au-delà des paradoxes du désenchantement.

Aux yeux de Jürgen Habermas, la vision wébérienne de la
modernité tombe à coup sûr sous une série de paradoxes propres
à toutes les lectures unilatéralement désenchantées. En premier
lieu, dans la mesure où elle préfigure largement le thème de
l'avènement de la technique, elle contient en germe l'idée d'une
fausseté du monde et d'une « subjectivité appauvrie [60] ». Sans
doute Weber ne donne-t-il pas à la problématique de la réification
technicienne l'ampleur qu'elle aura chez Horkheimer et Adorno
d'une part, Heidegger d'autre part. Mais comment ne pas saisir
dans l'image de la cage d'acier l'idée selon laquelle l'univers des
objets est une « totalité fausse » qui laisse pour illusoire la prétention de l'individu moderne à le maîtriser ? De la même manière,
comment ne pas percevoir dans le schéma de la « guerre des
dieux » celui d'un appauvrissement de la subjectivité, défaite dans
son effort d'unification du savoir et mutilée par l'irrémédiable
éclatement de ses jugements ? Plus encore, comment ne pas être
frappé par le fait que chez Weber comme chez les contempteurs
du règne de la technique l'une et l'autre figures sont le produit

paradoxal de l'histoire de la rationalisation du monde et de l'affirmation de l'autonomie de la subjectivité ?

Si l'on admet la pertinence d'un tel parallélisme, la critique wébérienne de la modernité peut tomber sous les objections qu'oppose Habermas à celle d'Adorno. Elles tournent autour du statut de vérité de la proposition critique en tant que telle, puisque « la faculté de connaissance elle-même n'échappe pas à cette caducité du sujet et à sa détérioration [61] ». Le diagnostic d'une illusion quant au rapport au monde d'une part, la mise au jour d'une relativité des jugements d'autre part ne finissent-ils pas par saper les fondements de l'argument critique ? Sommée de se justifier en raison, mais affirmant l'éclatement de la Raison elle-même, la critique radicalement désenchantée du monde moderne ne risque-t-elle pas de s'abîmer dans le perspectivisme lié à l'irréductible multiplicité des points de vue qu'elle met en scène ? En admettant même qu'il puisse s'agir chez Weber, comme plus tard chez Adorno, d'une critique de la domination du sujet humain par un monde technique déshumanisé, restent ouvertes à la fois les questions de la justification des énoncés analytiques et de la fondation d'un point de vue permettant de dépasser la réalité décrite.

Faute d'un fondement en raison et d'une logique de validation de ses énoncés, la critique wébérienne de la modernité semble en effet condamnée à osciller entre un refus désespéré et une soumission résignée, entre le sursaut d'une révolte aux allures héroïques et la concession à un monde privé de sens. La première figure risque toutefois de ne pouvoir s'apparenter qu'à la forme nietzschéenne d'une pure « volonté de volonté », l'au-delà de la brisure du sujet ne résidant qu'en l'émergence d'un individu affirmant radicalement son point de vue sur le monde et poursuivant une volonté de puissance affranchie de toute limitation. Dans les catégories wébériennes, il s'agirait alors du resurgissement du charisme et de la thématique de la puissance en politique, sur fond de l'hypothèse d'une renaissance du prophétisme. Quant à la seconde figure, elle décrirait une sorte d'apathie face à la « pétrification mécanique » du monde, un abandon sans principes au polythéisme des valeurs, le rejet de toute tentative de recherche du sens, voire de tout effort d'arrachement à un univers réifié. Dans les deux cas cependant, il semble impossible d'articuler au diagnostic sur la modernité désenchantée un projet d'émancipation qui requiert à tout le moins la possibilité d'une raison pratique.

Dans le sillage de l'École de Francfort, la pensée d'Habermas commençait par prendre au sérieux ce type d'hypothèse des plus pessimistes. Celles qui se focalisent sur l'éventualité d'une « renonciation à une justification de la pratique par des normes susceptibles de vérité [62] ». Globalement, il s'agissait alors d'entendre la thèse de la « dialectique de la Raison » telle qu'avancée par Horkheimer et Adorno et qui résume parfaitement le paradoxe wébérien du désenchantement du monde : « Au bout du compte les sujets au profit desquels pourtant on commença à dominer, à réifier et à désacraliser la nature, se trouvent eux-mêmes tellement dominés, réifiés et désacralisés dans leur rapport avec eux-mêmes, que même leurs efforts d'émancipation se retournent en leur contraire, et confortent ce contexte d'aveuglement dans lequel ils sont pris [63]. » Formulée dans les catégories d'un renversement de la Raison émancipatrice en une rationalité aliénante, une telle position radicalise à ce point les paradoxes de la modernité qu'elle semble pousser l'interprétation jusqu'au point où l'identité même de l'individu semblerait devenue inconsistante.

Tel serait le sens de la seconde thèse prise en compte par Habermas, celle de la « fin de l'individu ». Avec elle, se signale « le danger de voir le créateur se perdre dans son œuvre, le constructeur s'aliéner dans sa construction [64] ». Avec elle, s'esquisse une vision qui ne signifierait rien moins que la disparition des fondements mêmes de l'identité propre à cette configuration historique particulière qu'est « la vieille Europe ». Paradoxe à nouveau, c'est toujours la dialectique de la rationalisation qui conduit à cette destruction et à l'enfermement de l'individu dans le monde qu'il a lui-même façonné : « L'homme recule d'effroi devant la perspective de se perdre totalement dans une objectivité qui s'est elle-même produite, dans un être construit, et pourtant il travaille sans cesse à ce processus d'auto-objectivation scientifique et technique [65]. » Quoi qu'il en soit en tout cas des symptômes, les deux thèses en cause se rencontrent sur un point essentiel : l'éventualité d'une « destruction de la pratique », l'idée suivant laquelle l'homme moderne pourrait abandonner « les revendications universalistes, les prétentions à l'autonomie et les attentes d'authenticité [66] ». Parce qu'elles peuvent aisément s'installer dans le prolongement du diagnostic wébérien sur le monde moderne, de telles interprétations offrent le cadre problématique dans lequel Habermas inscrit sa théorisation de la possibilité maintenue d'une Raison pratique, et ce pour tenter de sortir des dilemmes légués par l'œuvre de Max Weber [67].

Par-delà scepticisme et nihilisme :
les conditions de l'agir humain

Il s'agit en tout premier lieu d'affirmer, contre le scepticisme
des uns et même le nihilisme des autres, que la société moderne
désenchantée préserve malgré tout la possibilité d'une discussion
sur les valeurs. Fût-ce au prix d'un pari et d'une forme de partialité, Habermas cherche à montrer que la critique du « charisme de
la Raison » ne débouche pas inéluctablement sur le rejet de l'argumentation raisonnée. Stratégiquement, cela revient à donner au
discours critique sur la modernité son « fondement de droit », en
glissant d'une logique de l'analyse descriptive vers une problématique de la justification qui vise à la fois l'idée d'une émancipation et une théorie de la signification et de la vérité [68]. Philosophiquement, la réponse d'Habermas au thème de la « guerre des
dieux » réside dans une réflexion sur les conditions de la communication par-delà les formes appauvries constatées dans le monde
moderne. Celle-ci peut alors conduire vers le projet d'une « pragmatique universelle », dépassant les analyses wébériennes de la
validité. Ensemble, ces deux tentatives débouchent directement sur
une théorie de l'activité qui reformule la typologie de Weber, afin
d'en dégager l'impensé et de produire une lecture de la modernité
incluant la référence à la raison pratique [69].

Nul doute pour Habermas que, tel que décrit par Max Weber,
« le mur empiriste et/ou décisionniste qui immunise le " pluralisme
des valeurs [70] " » ne puisse être percé tant que n'est pas démontrée
la possibilité d'un traitement rationnel des questions d'ordre pratique ou encore d'un choix raisonné en matière de valeurs. En
revanche, on doit opposer au pessimisme wébérien l'idée selon
laquelle les normes peuvent demeurer susceptibles de vérité et de
justification. Ne serait-ce qu'en vertu des conditions mêmes de la
discussion. Et sous couvert d'une thématisation des conditions
dans lesquelles s'opère cette discussion. Toute prétention à la validité d'une norme requiert en effet que la proposition qui l'énonce
s'affirme comme vraie et avance des arguments en ce sens dans
le cadre de la discussion. Or cette dernière suppose à son tour de
la part de ceux qui y participent la reconnaissance d'une possible
motivation rationnelle des valeurs en cause. C'est dès lors la structure même de la discussion qui donne son fondement à la raison
pratique : « La volonté formée de façon discursive peut être dite
" rationnelle " parce que les propriétés formelles de la discussion
et de la situation de délibération garantissent suffisamment qu'un

consensus ne peut naître que sur des intérêts *universalisables* inter-
prétés de façon appropriée, et j'entends par là des besoins qui *sont
partagés de façon communicationnelle* [71]. »

Par ce modèle de l'universalisation des intérêts, Habermas veut
montrer qu'il n'est pas nécessaire de nier le pluralisme des valeurs
pour admettre la possibilité d'une raison pratique. Tout juste faut-
il entendre que, sur fond de cette pluralité, il demeure possible de
distinguer entre intérêts universels et intérêts particuliers et que
l'argumentation permet à elle seule d'opérer ce tri. Chacun peut
prétendre à la validité de ses choix face à ceux des autres, mais il
doit produire les arguments de leur motivation rationnelle afin d'en
justifier l'universalité. Ainsi, c'est la structure d'intersubjectivité
de la discussion qui permet la transformation des intérêts en
normes universellement admises et rationnellement fondées. Reste
alors à lever une objection ultime, celle qui tient à l'impossibilité
où l'on serait dans un monde totalement désenchanté de parvenir
à un consensus sur l'éthique de la discussion elle-même. Qu'elles
s'expriment sous la forme d'un doute sceptique (Weber et Adorno)
ou d'une négation (Heidegger), les lectures les plus radicalement
négatives de la modernité tendent en effet à annuler la possibilité
d'une préservation de ce minimum de sens commun nécessaire à
la communication.

Sans vouloir nier le constat suivant lequel le monde moderne
offre le spectacle d'une communication dégradée, Habermas refuse
d'en induire le fait qu'un accord soit désormais impossible sur les
conditions de la discussion. Sans doute faut-il accepter de prendre
en compte ce que la thématique du désenchantement du monde,
comme celle de la technique ou du règne de la domination mettent
en lumière de la réalité d'une « communication déformée ». Mais
force est aussitôt d'admettre que ce diagnostic suppose lui-même
la reconnaissance immédiate de ce que serait le point de vue d'une
communication non déformée, même si celle-ci ne peut être formulée que sous la forme d'un idéal. Ne serait-ce que pour justifier
en droit ses conditions de possibilité, toute critique du monde
moderne doit donc assumer la possibilité d'une communication.
Chaque énoncé d'un jugement qui prétend être vrai présuppose en
effet quelque chose comme « la structure de la vie commune dans
le cadre d'une communication sans contrainte ». Pour le dire plus
précisément encore, « l'idée de vérité, qui s'est trouvée impliquée
dès qu'a été formulé le premier jugement, ne peut être en effet
constituée que d'après le modèle idéalisé de l'accord obtenu dans
le cadre d'une communication exempte de domination [72] ».

La force de la thèse d'Habermas tient donc au fait d'accepter
de se situer dans le cadre du diagnostic sur l'éclatement de la

raison, tout en cherchant à préserver la possibilité d'une rationalité par la thématisation de la communication. En ce sens, il s'agit bien d'une réfutation de l'aspect historiciste de la problématique du relativisme des valeurs, qui ne laisse pour horizon du sens qu'un irréductible conflit entre points de vue ou une détermination par le temps, l'espace ou la culture. À quoi on peut ajouter que cette réfutation ne requiert que l'acceptation d'un constat somme toute élémentaire, suivant lequel « la vérité des énoncés est liée à l'intention d'une vie selon la vérité [73] ». Reste qu'à la différence d'autres critiques de l'historicisme, Habermas refuse d'asseoir son dépassement de l'impasse de la modernité dans la référence à la Nature qui fournirait des valeurs intangibles (Strauss), dans une problématique du soupçon généralisé à l'égard de toute tradition (Adorno) ou du scrupule vis-à-vis de toute utilisation du principe de raison considéré comme un reste de métaphysique (Heidegger). Tout juste s'agit-il de faire fond sur la radicalité de ces lectures, pour en retenir la mise au jour de la part d'illusion contenue dans le projet rationaliste des Lumières. Mais en gardant à l'esprit le fait que ce projet consiste à dégager la possibilité d'une Raison critique, capable de s'autocontrôler et de déboucher sur un traitement des questions pratiques.

C'est avec la réfutation poppérienne de l'historicisme que la discussion d'Habermas est alors la plus féconde. Tout comme Habermas, Karl Popper, on le sait, considère que les questions pratiques sont susceptibles d'être argumentées et peuvent faire l'objet d'un test de validité normative [74]. Cependant, là où le rationalisme critique se contente d'un principe de falsification permettant d'éliminer l'erreur, la théorie critique d'Habermas se veut plus ambitieuse et cherche à pousser l'analyse jusqu'à la fondation des énoncés normatifs. Pour Habermas en effet, « l'idée développée par le rationalisme critique d'une élimination des erreurs qui renonce à la fondation, ne peut opposer la force du consensus rationnel auquel on parvient au terme d'une discussion, au pluralisme des systèmes de valeur et des dogmes selon Max Weber. Le mur empiriste et/ou décisionniste qui immunise le " pluralisme des valeurs " contre les efforts de la raison pratique ne peut être percé tant qu'on cherche la force de l'argumentation uniquement dans la réfutation permise par des arguments déductifs [75] ». L'essentiel du débat entre Popper et Albert d'une part, Habermas et Apel de l'autre tourne autour de la question de la justification, à la recherche d'un concept de raison pratique permettant de rendre compte de la signification des normes dans la dimension du devoir-être.

Ce débat, à tous égards central, est parfaitement éclairé et mis en perspective par Paul Ricœur. Au sein des discussions contemporaines, il s'agit de résister aux positions des sceptiques : ceux qui concluent à l'impossibilité d'obtenir un accord moral par l'argumentation. Mais dans un champ plus vaste de l'histoire de la pensée, il est aussi question de dépasser la manière dont Kant est forcé de concéder la reconnaissance du caractère autolégislatif de la liberté au travers de la théorie du « fait de la raison [76] ». Le désaccord entre Habermas et Apel ne concerne pas la manière de résister aux scepticismes de type wébérien en remettant en chantier les possibilités de dégager une dimension d'universalité. Il touche en revanche au problème de l'étendue de l'entreprise de fondation, à la question du point ultime de la remontée vers le transcendantal. Pour Habermas, « les intuitions *morales* quotidiennes n'ont nul besoin des lumières de la philosophie [77] », et l'éthique de la discussion dispose d'un fondement d'une amplitude suffisante avec les hypothèses dégagées par la pragmatique universelle. L'ambition de la pragmatique transcendantale d'Apel semble plus vaste, s'agissant de montrer que la présupposition d'une « communauté illimitée de communication » permet de remonter plus haut et d'énoncer « la parfaite congruence entre l'autonomie de jugement de chacun et l'attente du consensus de toutes les personnes concernées dans la discussion pratique [78] ».

Au regard d'une telle tentative et de cette discussion, l'incapacité de Popper, et plus encore de Weber, à fonder les propositions pratiques tient à leur refus d'envisager la possibilité d'une véritable argumentation morale. Faute d'un concept de raison suffisamment large, ils n'acceptent comme logique de validation des énoncés que la déduction, attitude qui conduit toujours à devoir admettre un moment décisionniste : tout juste peut-on examiner la cohérence des arguments, mais en devant supposer en dernier ressort que le choix des motifs relève d'une opération qui n'est plus susceptible de recevoir une justification rationnelle. À cette perspective Habermas oppose celle d'une « communauté de communication » où les acteurs examinent la prétention à la validité des normes dans le cadre d'une discussion et peuvent parvenir à « la conviction que, dans les circonstances données, les normes proposées sont " correctes " [79] ». Dans l'exemple le plus classique, « ce ne sont pas les actes de volonté irrationnels des partenaires du contrat qui fondent la prétention à la validité des normes, mais leur reconnaissance motivée rationnellement [80] ». D'où la possibilité d'une extension du modèle de la fondation des normes pratiques par la discussion : « la prétention normative à la validité est elle-même cognitive en ce sens qu'elle suppose toujours [...] qu'elle pourrait être admise dans une discussion rationnelle, autrement dit qu'elle pourrait être fondée sur un consensus des parties intéressées qui serait instauré grâce à des arguments [81] ».

À l'image du conflit irréductible des valeurs dans la guerre des dieux, Habermas oppose donc celle de la situation de discussion où « aucune contrainte ne s'exerce en dehors de celle du meilleur argument (et où), par conséquent, tous les motifs autres que celui de la recherche en commun de la vérité sont exclus [82] ». Dans un tel cadre, la pluralité des valeurs est reconnue, ainsi que le fait de les rattacher à des motifs selon une procédure déductive. Mais loin d'être abandonnée à un choix irrationnel, la motivation elle-même devient passible de justification. Une théorie des « actes de langage » fournit les éléments d'une logique de la discussion, qui aussitôt débouche sur une mise en forme de « la procédure discursive de la motivation [83] ». Au terme d'une telle construction, non seulement les questions pratiques sont susceptibles d'être fondées rationnellement, mais Habermas peut encore ajouter : « Une éthique cognitiviste du langage n'a besoin d'aucun principe ; elle s'appuie uniquement sur des normes fondamentales du discours rationnel que nous devons toujours déjà supposer tant que nous menons des discussions [84]. »

Une telle construction permet alors de revenir au point de départ de la discussion avec Max Weber, et à la critique essentielle d'Habermas : la réduction du concept de Raison à sa dimension instrumentale. Cette réduction qui finit par induire d'elle-même l'identification du monde moderne au règne de la technique. Est alors en cause la typologie des formes d'activité, et surtout la théorie de la rationalisation qu'elle contient implicitement ou induit furtivement. Afin de montrer l'impasse où s'enferme la théorie wébérienne de l'action, Habermas en distinguera deux versions. L'une, officielle, se focalise progressivement sur l'activité instrumentale et finit par dévaloriser toute autre modalité de la raison. L'autre, officieuse parce que disséminée dans l'œuvre et mal perçue par Weber lui-même et ses exégètes, pourrait formuler des intuitions fécondes quant à de possibles formes alternatives d'activités rationnelles. La question sera alors de savoir si elle est toutefois suffisante pour fonder un concept élargi de rationalité. Un concept qui permette de sortir du relativisme de la guerre des dieux en reconstruisant la perspective d'une raison pratique.

La « version officielle » de la théorie de l'action s'appuie sur la typologie des activités construite dans *Économie et société*. Celle qui oppose (a) l'activité rationnelle par rapport à une fin (*zweckrational*) ; (b) l'activité rationnelle par rapport à des valeurs (*wertrational*) ; et les activités déterminées de façon (c) « affectuelle » (*affektuel*) ou (d) traditionnelle (*traditional*) [85]. Cette typologie ne semble tenir pour possibles d'une appréciation objective que les actions orientées vers une fin. De la même manière, elle considère que seules les maximes qui sous-tendent l'organisation des moyens en vue d'une fin permettent un jugement de vérité. Pour Habermas, elle est en ce sens intégralement construite au détriment de la rationalité par rapport à des valeurs. D'où la confusion entre une théorie de l'activité et une conception de la Raison qui ne retient comme « susceptible de rationalisation [...] que la relation moyens-fins d'une action monologique représentée comme téléologique [86] ». Ce qui veut aussitôt dire que non seulement l'ensemble de la typologie est construite par référence au modèle de l'activité instrumentale, mais que toute forme d'orientation par rapport à des valeurs ne représente qu'une forme dégradée de la conscience rationnelle. On peut alors aisément penser que, résiduelle dans la typologie, l'activité par rapport à des normes ne puisse plus être considérée comme rationnellement justifiable dans un monde post-traditionnel déterminé par le triomphe de la Raison instrumentale.

Quelques remarques marginales de Weber semblent toutefois étayer une « version officieuse » de la théorie de l'action [87]. Version qui permettrait de sortir de ce cercle, en esquissant la possibilité d'une rationalité valorielle. Ainsi, lorsque Weber oppose les notions d'ordre économique et d'ordre juridique. Avec la première n'est sollicitée qu'une forme de relation sociale purement factuelle. Une relation qui ne doit son existence qu'à des situations d'intérêts. La seconde notion en revanche semble mobiliser l'idée d'une « reconnaissance de prétentions normatives à la validité [88] ». Ainsi, lorsqu'il analyse la consistance sociale d'un ordre juridique, Weber paraît-il admettre qu'une coordination d'actions déterminées de prime abord par une complémentarité d'intérêts puisse être réenvisagée sous une forme normative [89]. Plus encore, il ébauche une explication de cette possibilité, en décrivant le processus de « la formation par la *tradition* » des règles de comportement. Dans ce processus en effet, les règles élémentaires et purement factuelles que sont les coutumes « subissent une évolution et prennent la forme de normes obligatoires [90] ». Resterait alors à tout le moins la perspective d'une formation traditionnelle de la rationalité normative, décrite au travers de formes d'action sociale médiatisées par un accord normatif [91].

Si Habermas reconnaît une telle intuition chez Weber, il maintient toutefois la sévérité de son jugement sur la théorie de l'action. La typologie non officielle pourrait féconder la problématique de la rationalisation sociale, en aboutissant à la description d'un stade postconventionnel de la rationalité morale-pratique. Mais Weber s'est privé de tels développements. Faute d'avoir par exemple exploré plus avant le modèle de l'accord par contrat entre sujets de droit privé. Faute d'avoir tenté de reconnaître les « fondements moraux-pratiques d'une formation discursive de la volonté [92] ». La version officielle quant à elle interdit une telle perspective, dans la mesure où « sa conceptualité est si étroite que les actions sociales ne peuvent être jugées dans ce cadre que sous l'aspect de la rationalité par rapport à une fin [93] ». D'où l'incapacité pour Weber de réinvestir les formes de rationalisation éthique mises au jour par l'étude des traditions culturelles dans la théorie des systèmes d'action sociale. Avec pour conséquence le fait qu'il faut rechercher d'autres fondements à la théorie de l'action, pour saisir toute l'ampleur des processus de rationalisation sociale. Des fondements qui respecteraient l'existence de mécanismes de régulation par des principes et viseraient à les réinterpréter dans le sens de la raison pratique.

Afin d'engager cette recherche, Habermas reprend la typologie wébérienne en opérant une distinction entre *situations* d'action d'une part, *orientations* de l'action d'autre part. La catégorie wébérienne de l'activité rationnelle par rapport à une fin correspond alors à une situation d'action non sociale et orientée vers le succès. Purement *instrumentale*, elle ne requiert que des règles techniques d'action et ne mesure le succès que par l'incidence sur un ordre des choses ou des événements. Elle devient en revanche *stratégique* lorsque l'efficience tient compte de la capacité à influencer l'attitude d'un partenaire rationnel. Lorsqu'elle situe donc l'adaptation fins/moyens dans le cadre d'une inter-relation sociale. Cette première séparation vise à pallier l'absence chez Weber d'une prise en considération des composantes relationnelles de l'activité au profit de ses déterminations purement individuelles. Est enfin définie une ultime catégorie, celle de l'activité *communicationnelle*, qui correspond aux situations où « les plans d'action des acteurs participants ne sont pas coordonnés par des calculs de succès égocentriques, mais par des actes d'intercompréhension [94] ». Situations encore où les acteurs ne visent pas uniquement leur propre succès, mais attendent l'accord de leurs objectifs individuels avec ceux d'autrui, sur la base d'une action mutuelle régie par une définition commune des conditions de l'activité.

Avec l'activité communicationnelle, Habermas cherche à cerner le point aveugle des analyses de Weber. En considérant que l'action n'est pas nécessairement orientée vers le succès, mais peut aussi viser l'intercompréhension, il montre en effet que non seulement la rationalité ne saurait se limiter à l'agir instrumental ou stratégique, mais qu'un « accord obtenu par la communication a un fondement rationnel [95] ». Par le concept d'intercompréhension il faut alors entendre non pas une structure observée et analysée de l'extérieur, mais la conscience qu'ont nécessairement les acteurs du sens de l'activité langagière, sous la forme d'un « procès d'entente entre des sujets capables de parler et d'agir [96] ». Inhérente au langage humain dont elle est le *Telos*, l'intercompréhension forme la structure de base de la communication. Elle peut donc s'interpréter comme la condition de possibilité de toute discussion et devient ainsi ce fondement nécessaire pour que la justification des valeurs pratiques soit possible. Avec elle, la catégorie de la rationalité par rapport à des valeurs retrouve son sens. Et Habermas peut désormais opposer au pessimisme de Weber quant aux possibilités d'une raison pratique post-traditionnelle, l'idée selon laquelle le monde contemporain offre au contraire des ressources inédites d'agir en commun par référence à des motifs raisonnablement fondés.

En ce sens, l'objection ultime adressée à Max Weber repose sur le fait d'avoir négligé une dimension essentielle de la rationalisation du monde pourtant entrevue dans l'interprétation des systèmes culturels. Weber a bien perçu la manière dont le passage à la modernité repose sur la critique du savoir traditionnel et l'autonomisation de sphères de connaissance revendiquant leurs propres critères de validité. Mais il a omis d'en saisir les effets dans le registre qui était pourtant son point de départ : celui du monde vécu et de la quotidienneté. En focalisant ses analyses de l'univers contemporain sur les effets de la rationalisation de l'économie, de l'État et du droit, il vient à négliger la manière dont le règne de la critique s'étend aussi au registre de l'existence vécue. Il occulte la manière dont s'opère ainsi un arrachement par rapport aux structures traditionnelles, qui se nourrit d'un besoin croissant d'intercompréhension. Faute d'une telle perspective, il concède trop rapidement l'idée selon laquelle la rationalisation des formes institutionnelles entraîne une réification de la vie quotidienne désormais vouée au combat irréductible des valeurs. À l'inverse, la prise en considération des formes rationalisées de l'activité communicationnelle permet de sortir du dilemme wébérien sur la modernité, en évitant la concession au règne de la technique représentée par la position décisionniste.

Weber, Hegel et l'histoire : l'illusion rétrospective

À tout prendre pourrait-on dire que le schéma de cette critique de l'œuvre de Max Weber est déjà en germe chez Leo Strauss. Par des voies distinctes de celles d'Habermas, ce dernier en effet met en avant le fait que Weber « n'essaya même pas d'analyser d'une façon cohérente le monde social tel qu'il apparaît au " sens commun ", ou la réalité sociale de la vie de tous les jours [97] ». Caractéristique de la modernité dans son ensemble selon Leo Strauss, cette occultation culmine avec le projet des sciences sociales dont Weber pose le paradigme. Avec elles en effet, tout se passe comme si la connaissance scientifique voulait rompre délibérément avec la connaissance naturelle et le rapport qu'elle entretenait au monde sous l'espèce d'un sens commun. Pour ce faire, elles se placent dans une posture selon laquelle « ce monde dans lequel nous vivons et agissons n'est pas l'objet ou le produit d'une attitude théorique ; ce n'est pas un monde de purs objets auxquels nous jetons un regard détaché, mais un monde de " choses " ou d'" affaires " que nous manipulons [98] ».

Le reproche adressé à Max Weber prend alors la forme suivante : en radicalisant la coupure entre faits et valeurs, sa méthodologie épouse et renforce le paradoxe moderne de la réification du monde. Elle ne voit pas en effet que ce monde chosifié et manipulable est déjà un produit de la science, le résultat de la victoire d'un rapport à l'objectivité de la connaissance, issu de la physique, contre celui qu'entretenait la philosophie. Oubliant que ce monde « est libéré des fantômes et des sorcières dont il foisonnerait si la science n'existait pas [99] », elle trouve à l'évidence sous ses pas l'idée d'un univers intégralement technique et privé de sens. Mais cette découverte n'en est pas une, dans la mesure où elle découle plus directement de l'instrument d'observation que de la réalité du monde observé. Il n'est donc plus surprenant que le monde désenchanté par le procès de rationalisation ne puisse pas être l'objet d'un détachement similaire à celui des premiers puritains et soit vécu comme une cage qui enferme les relations entre individus. La critique straussienne fait alors signe dans une direction différente de celle d'Habermas, puisqu'elle cherche à revaloriser la connaissance naturelle du monde, disqualifiée par Weber en tant qu'expression d'un point de vue préscientifique. Elle la rejoint toutefois sur un point essentiel : la mise en évidence des sources de l'impossibilité wébérienne de penser une rationalité éthique. En valorisant exclusivement la rationalité instrumentale au détriment de la sphère des valeurs, Weber accompagne un mouvement qui conduit au point où l'attachement exclusif aux faits oblitère tout effort de justification de la pratique. Mais plus que l'état réel du monde, c'est l'hostilité à l'idée d'une connaissance du devoir-être qui l'emporte vers les rivages du nihilisme. Rivages où faute d'un rapport critique à la réalité du monde vécu l'action ne connaît plus d'autre critère que la décision.

C'est à nouveau Habermas qui décrit le mieux la manière dont l'hypothèse décisionniste pourrait être le moment de vérité de la démarche wébérienne [100]. Prenant acte des thèses de Max Weber sur l'univers moderne désenchanté, elle prolonge la perspective jusqu'au point où la rationalisation du monde entraînerait un « décrochement » du système économique, administratif et politique par rapport au monde vécu social [101]. Faute de la possibilité de préserver la référence à un concept commun de vérité, ce système se stabiliserait au-dessus de la tête des citoyens, selon une logique totalement déconnectée de toute prise en compte d'impératifs autres que techniques. Ce qui voudrait aussitôt dire que les décisions politiques s'imposent aux individus comme de pures contraintes, indépendamment de toute justification par des normes relevant d'une définition publique de la vérité. La forme de la critique habermassienne est désormais familière. À la suite de Weber, il faut retenir la crainte selon laquelle « la constellation de l'universel et du particulier ne (serait) plus pertinente pour comprendre l'état de la société [102] ». Mais il faut aussitôt se retourner vers Weber et lui reprocher d'avoir désamorcé le dispositif qui permettrait de résister à une telle tendance.

Si l'hypothèse de base du décisionnisme devait être confirmée, cette tendance serait parfaitement redoutable. Appuyée sur un processus qui remplace la logique de l'individuation par celle d'une pure et simple socialisation, elle conduit à une aliénation totale du sujet. En effet, la montée en puissance d'un système décisionniste affranchi de toute référence à des principes de justification liquide la possibilité d'une citoyenneté, en installant notamment une compétition entre élites à la place de l'espace public. Plus encore, elle finit par entraîner la destruction de l'identité même des individus : isolés, privés de référence à des normes susceptibles de vérité, ceux-ci sont définitivement dominés par un système politique dont l'unique finalité est la décision, affranchie de toute contrainte de justification. En ce sens, elle signe bien la « fin de l'individu » et met un terme à une formation historique de l'esprit humain vieille de plusieurs siècles. Celle dont les analyses wébériennes de l'émergence d'une culture moderne décrivent la genèse au travers du procès de rationalisation du monde.

Soit au travers de l'interprétation de l'œuvre de Max Weber, soit contre le décisionnisme de Niklas Luhmann, la pensée d'Habermas concentre son effort sur la découverte de moyens qui permettraient de contourner une telle hypothèse. Elle s'oriente alors essentiellement vers la recherche des supports théoriques d'une rationalité dégagée des paradoxes du désenchantement du monde. Indépendamment de sa visée vers une systématicité qu'il ne saurait être question de discuter ici, elle offre l'intérêt d'ouvrir une voie en direction du dépassement des impasses de la modernité décrites par Weber. Le fait qu'elle localise ce projet sur le problème de la fondation d'une raison pratique permet alors d'engager une confrontation avec d'autres thèses qui, bien que venues d'horizons différents, visent elles aussi à concilier la pluralité des valeurs dans le monde moderne et l'idéal d'une politique rationnelle déterminée par le principe de l'autogouvernement. Qu'il s'agisse en effet de glisser d'une épistémologie fondée sur le principe de falsification vers une politique prudentielle fonctionnant par essais et erreurs dans le rationalisme critique de Karl Popper, de justifier par une démarche néocontractualiste un consensus sur les principes régulateurs de la société dans la *Théorie de la justice* de John Rawls, ou encore de déceler les possibilités d'un sens commun situé au-delà de la critique des illusions de la raison chez Hannah Arendt, nombre des entreprises de la pensée politique contemporaine sont focalisées comme celle d'Habermas sur la question de la médiation de la pratique par des normes susceptibles de vérité.

Dans ce contexte il faut accorder une attention particulière à la démarche de Paul Ricœur. Cherchant lui aussi à dégager les conditions d'une rationalité de l'action, il entretient un dialogue permanent avec les diverses tentatives évoquées. Mais il replace aussi la discussion dans son cadre philosophique, à savoir celui du statut de la raison pratique au sein des débats internes à la pensée moderne [103]. On sait enfin que, dans ce parcours critique, il accorde une attention toute particulière à la manière dont Max Weber tente d'élever le point de vue de l'individualisme méthodologique jusqu'à la reconstruction des institutions de rang supérieur. On peut alors le suivre et emprunter avec lui le passage obligé d'un tel examen : la discussion qui oppose Kant et Hegel sur le statut de l'éthique. Discussion qui éclaire les enjeux du problème retrouvé au travers de l'interprétation wébérienne de la modernité : les normes pratiques sont-elles susceptibles d'être justifiées rationnellement ?

Aux yeux de Paul Ricœur, l'acquis kantien tient essentiellement en deux points. Avant tout, Kant a définitivement lié la question pratique à celle de la liberté entendue comme autonomie personnelle, au point de faire intégralement de la liberté pratique une détermination de la liberté. En second lieu, parce qu'elle fait subir au concept de liberté l'épreuve des antinomies liées à l'illusion transcendantale, la critique kantienne permet de véritablement fonder en raison l'autonomie pratique de l'homme. Est en revanche plus discutable la manière dont Kant noue la liberté à la loi, au point de n'entendre comme unique expérience pratique que celle de l'obligation morale impérative. Cette hypertrophie de la morale engendrée à partir des catégories abstraites de la raison entraînerait en effet une atrophie du domaine de l'action humaine proprement dite. Une action réduite par Kant à la seule dimension du devoir, pensé comme principe régulateur des conduites soumises à des règles.

L'horizon d'une telle critique de Kant est dans le danger que présente une surestimation du principe d'universalisation des maximes de l'action. Celle-ci commence dès l'instant où l'on glisse de l'effort pour justifier la possibilité d'une raison pratique vers l'idée qu'il y aurait un « savoir » de l'ordre pratique, savoir passible d'un traitement similaire à celui qui régit l'ordre théorique. Averti des conséquences d'une telle dérive par les expériences politiques du XXe siècle, Paul Ricœur oppose alors que « peu d'idées sont aujourd'hui aussi salubres et plus libérantes que l'idée qu'il y a une raison pratique, mais non une science de la pratique [104] ». Or, à bien des égards, la critique hégélienne de Kant semble offrir les instruments d'une telle méfiance, en opposant à la moralité abstraite l'éthique concrète mise en forme par les institutions. Il s'avère toutefois que la « tentative » de Hegel recèle une « tentation » à laquelle il conviendrait encore de résister.

On sait que l'attaque de Hegel contre Kant trouve deux points d'ancrage privilégiés et complémentaires. La critique tout d'abord de la « vision éthique du monde », c'est-à-dire de l'ignorance des formes concrètes de l'action morale, au bénéfice de la moralité abstraite pensée sous l'unique forme de l'impératif du devoir [105]. Mais aussi le rejet de « l'idée vide de loi en général », conçue comme liée à une volonté affranchie de toutes les médiations qui pourraient surgir par le biais de l'agir concret. S'agissant de Kant, cette seconde critique vise l'identification de la loi à « un concept de norme réduit au squelette de la règle d'universalité d'une maxime quelconque [106] ». Mais au-delà, elle rejoint la critique de l'idée de liberté sans médiation telle qu'elle se rencontre dans l'ordre historique concret au moment de la Terreur. Pour Hegel en effet, lorsqu'elle n'est pas médiatisée par des institutions concrètes et un droit empiriquement objectivé, la liberté équivaut à la mort, cette « mort la plus froide et la plus plate, sans plus de signification que de trancher une tête de chou ou d'engloutir une gorgée d'eau [107] ».

Du point de vue hégélien, les deux perspectives se rejoignent dans la prise en compte de l'opposition entre la *Sittlichkeit* (l'éthique concrète) et la moralité abstraite (*Moralität*). Étant entendu que seule la première peut contenir la raison pratique, grâce aux médiations qu'elle connaît. En substituant à l'idée d'une identité de la liberté et de la loi celle d'une synthèse entre la liberté et l'institution, Hegel préserve la possibilité d'une raison pratique. Mais il le fait en donnant à la rationalité pratique un contenu plus apte à embrasser la réalité de l'agir humain que l'idée *a priori* de liberté, ou la notion vide de loi. Pourtant, Paul Ricœur attire aussitôt l'attention sur la dérive possible d'une telle problématique. Construite sous la critique de l'hypostase kantienne de la morale, la valorisation hégélienne de l'éthique concrète médiatisée par les institutions reconduit à une autre hypostase : celle de l'État, posé comme incarnation de l'Esprit objectif. Pour le dire autrement, même si elle permet de penser dialectiquement le passage de la liberté à la volonté et à la morale concrète, la pensée de Hegel ne peut éviter une rupture entre la sphère des consciences individuelles ou de l'intersubjectivité et l'Esprit objectif. En ce sens, l'hypostase de l'Esprit entraîne celle de l'État, un État « désigné comme un dieu parmi nous [108] ».

Rappelons que, pour Paul Ricœur, l'unique alternative aux dérives symétriques du kantisme et de l'hégélianisme résiderait dans la prise en compte de l'hypothèse de travail de la cinquième des *Méditations cartésiennes* par laquelle le projet de Husserl fait écho à la démarche de Max Weber. Avec elle en effet se formule la perspective d'une dérivation de toutes les communautés, y compris les communautés de haut rang comme l'État, à partir des seuls rapports intersubjectifs. On peut alors admettre que l'individualisme méthodologique propre à la sociologie compréhensive de Weber préserve la possibilité de concevoir des concepts d'action sociale et d'ordre légitime strictement associés « aux individus se comportant les uns par rapport aux autres et réglant chacun la compréhension qu'il a de sa propre action sur la compréhension de celle des autres [109] ». Il serait ainsi envisageable de « résoudre théoriquement la dialectique de la liberté et de l'institution dans la mesure où les institutions apparaissent comme des *objectivations*, voire des *réifications*, des relations intersubjectives qui ne présupposent jamais [...] un supplément d'esprit [110] ».

Se pose toutefois la question de savoir ce qui fait qu'au terme du procès de désenchantement du monde et de rationalisation de l'activité, la réification des relations intersubjectives change de sens pour devenir cette cage d'acier que figurent l'économie, le droit et l'État objectivés. Faut-il conclure à nouveau avec Habermas que le projet de Weber change d'orientation, selon qu'il se formule au travers d'une méthodologie, d'une analytique de la transformation des structures culturelles de perception du monde ou d'une description du processus de rationalisation des activités ? Ou bien faut-il admettre avec Leo Strauss que la méthodologie wébérienne n'a de sens que transposée en « thèse sur la nature du réel [111] », transposition au travers de laquelle elle fait émerger un doute fondamental sur la possibilité même de la connaissance ? En tout état de cause, si l'on accorde à Paul Ricœur l'idée selon laquelle « la raison pratique est l'ensemble des mesures prises par les individus et les institutions pour préserver et restaurer la dialectique réciproque de la liberté et des institutions [112] », l'hypothèse de son maintien dans le monde désenchanté que décrit Weber est fortement compromise. Elle requiert en effet qu'il demeure possible de « démasquer les mécanismes de dissimulation et de distorsion par lesquels les légitimes objectivations du lien communautaire deviennent des aliénations intolérables [113] ». Mais il faut reconnaître que cette fonction critique semble devenue impossible à préserver au sein d'un univers enfermé par Weber dans l'alternative entre la « pétrification mécanique » et la résurgence du prophétisme.

Au regard de la discussion classique sur la raison pratique, le bilan des lectures de Weber demeure donc largement ambivalent. Si l'on insiste sur les catégories de l'action et l'hypothèse méthodologique qui vise à construire les institutions à partir de l'intersubjectivité, l'entreprise wébérienne ouvre la perspective d'un dépassement du conflit entre la loi vide de Kant et l'hypertrophie hégélienne de l'Esprit absolu. Mais tout se passe comme si cette perspective se refermait aussitôt, en étant immergée dans une problématique de la rationalisation. Au terme du procès de désenchantement, ne reste au mieux qu'une hypostase de l'État rationnel bureaucratique que le décisionnisme radicalise un peu plus en coupant définitivement tout lien avec l'intersubjectivité individuelle. En ce sens Max Weber rejoindrait Hegel, mais un Hegel dont on peut estimer avec Paul Ricœur qu'il demeure définitivement dépassé par Kant. Le Hegel de l'illusion rétrospective. Celui pour qui la pensée, venant au crépuscule, n'a rien à dire que n'ait déjà enseigné l'Histoire [114].

Face à cela, face à ce que Paul Ricœur nomme ce « quelque chose de Kant (qui) en nous a vaincu Hegel [115] » et qui se retrouve chez le Weber qui identifie la rationalité au triomphe de l'État bureaucratique, il faut admettre avec Habermas que la préservation d'une capacité critique de la raison pratique exige bien un détour hors de la rationalité instrumentale. À la recherche d'une rationalité communicationnelle de part en part fondée sur l'intersubjectivité. En ajoutant toutefois que cette recherche devrait encore retenir pour acquis de la discussion une conception volontairement limitée du statut de la raison pratique. Conception qui admet que la raison pratique ne doit pas « élever ses prétentions au-delà de la *zone médiane* qui s'étend entre la science des choses immuables et nécessaires et les opinions arbitraires, tant des collectivités que des individus [116] ». Conception qui accepte l'idée selon laquelle « la reconnaissance de ce statut *médian* de la raison pratique est la garantie de sa sobriété et de son ouverture à la discussion et à la critique [117] ». Voie étroite entre les illusions redoutables d'une science de l'action et le défaitisme de la raison, une telle perspective est à coup sûr barrée dans le contexte wébérien de la guerre des dieux. Resterait alors à chercher cette idée de la raison pratique dans les pensées contemporaines qui visent à sortir le monde moderne de l'horizon du désenchantement. Chez John Rawls qui explore les procédures de reconnaissance d'un sens commun démocratique. Chez Habermas qui réemprunte effectivement la voie d'une critique de l'idéologie pour asseoir la possibilité d'une éthique de la communication.

Démocratie et intersubjectivité :
l'impensé de Max Weber ?

À l'évidence l'enjeu ultime dans la perspective d'Habermas est directement politique et touche à la définition même de la démocratie. Soit celle que propose le modèle libéral. Elle semble se réduire à l'agencement de trois éléments : une légitimité légale orientée contre l'usage politique de la violence, l'instauration de compromis par le jeu des principes formels de liberté et la séparation des pouvoirs. Nul doute qu'elle ne sorte fortement altérée des critiques du marxisme et de ses dérivés, de la description wébérienne de ses antinomies et de la mise au jour décisionniste de ses dysfonctionnements. C'est donc les conditions d'une redéfinition de la démocratie qu'il faut poursuivre. En cherchant à dégager une forme de légitimité qui repose sur la formation discursive de la volonté [118]. En s'appuyant sur la conjugaison d'une théorie de l'action fondée sur la raison communicationnelle et d'une pragmatique universelle qui offre la possibilité d'une justification des normes pratiques.

Là où l'idéologie libérale suppose que tous les intérêts sont universalisables, au risque d'affronter la possible dissolution de la tension entre l'universel et le particulier, une telle conception de la démocratie affirme qu'il n'est de compromis que sur fond d'intérêts non universalisables. Et que c'est alors le propre de la démocratie que d'opérer un tri entre les diverses catégories d'intérêts, par les mécanismes de la délibération publique. Le modèle de la formation discursive de la volonté fonctionne alors comme un principe régulateur du système politique qui fonde la recherche de compromis sur la discussion et il se conçoit comme un espace de critique permanente des idéologies de la justification. Alors que la présupposition de l'universalité des intérêts empêche la discussion de leur validité et restreint la communication, le modèle de la « répression des intérêts universalisables » cherche au contraire à maintenir un écart entre l'idéal démocratique et la réalité des sociétés concrètes. Un écart qui devrait laisser constamment ouverte la question de la légitimité. Telle est la signification du « projet de reconstruction contrefactuelle » qu'engage Habermas. Projet qui vient répondre aux questions formulées dans la perspective de la pragmatique universelle : « Comment les membres d'un système social [...] auraient-ils interprété collectivement leurs besoins de façon contraignante, et *quelles normes ils auraient acceptées et considérées comme justifiées*, s'ils avaient pu et avaient voulu décider de l'organisation des rapports sociaux lors d'une formation discursive de la volonté et avec une connaissance suffisante des conditions marginales d'application et des impératifs fonctionnels de leur société [119]. »

On aura compris qu'une telle démarche pousse à son terme la logique inachevée des analyses de Max Weber. Méthodologiquement, elle demeure dans le cadre d'une conception anti-historiciste de la société moderne héritée de lui. Mais elle refuse d'occulter la dimension du sens en abandonnant le devenir de cette société au relativisme des valeurs. À la différence de Weber en effet, Habermas fait glisser cette méthode d'interprétation du point de vue de l'observateur vers celui de l'acteur : de la perspective d'une compréhension du fonctionnement social vers celle d'une théorie critique de la société à visée directement pratique. Ainsi justifiée et prise en charge dans le cadre de la théorie de la communication, la question de la validité des normes redevient un élément régulateur du fonctionnement concret des systèmes politiques. Un élément qui s'appuie sur les ressources de l'espace public de délibération où s'opèrent la formation d'un consensus sur la possibilité de justification des normes pratiques, mais aussi la formation discursive de la volonté. Un élément qui pourrait suffire alors à engager un dépassement théorique des paradoxes du désenchantement du monde.

Au-delà de Max Weber et de la critique des ambivalences de sa vision de la modernité, le projet d'Habermas rejoint alors plus directement les pensées contemporaines qui cherchent aussi à sortir des dilemmes de la Raison pratique. Il peut de ce point de vue rencontrer celui de la *Théorie de la justice* de Rawls, tant sur la forme des argumentations que sur le fond des positions défendues.

Dans la forme, la démarche de reconstruction contrefactuelle de la société peut s'apparenter au détour rawlsien par la position originelle. Même si Habermas et Rawls s'opposent sur leurs hypothèses de base, leurs entreprises ont une finalité commune : formuler des principes de la société démocratique qui puissent être issus d'un consensus rationnellement constaté et servir de base aux règles régulatrices d'un univers caractérisé par la pluralité des valeurs ou le conflit des intérêts. Contre le positivisme, les deux perspectives partagent la volonté d'assumer la dimension du devoir-être comme constitutive de la théorie démocratique, tout en laissant ouverte la question de l'utilisation des principes dégagés par l'usage de la raison pratique. Elles se retrouvent par ailleurs sur le fond, dans la mesure où elles opposent à la thèse de l'irrationalité des fins qui fait le terreau du décisionnisme l'idée de la différence essentielle entre « l'obéissance à des ordres concrets et le respect de normes reconnues dans l'intersubjectivité [120] ».

CHAPITRE X

Les antinomies de l'État de droit

Le rapport de Max Weber à l'État de droit est à tout le moins placé sous le signe de l'inquiétude. Inquiétude théorique, quand il met au jour l'érosion des valeurs qui avaient présidé à son installation et souligne particulièrement le déficit de capacité légitimatrice du droit naturel. Inquiétude plus directement pratique, lorsqu'un grand nombre de textes expriment le sentiment d'un échec de l'expérience libérale classique. Mais il y a plus, et la politique wébérienne s'avance bien au-delà du simple constat. Nourrie d'un engagement dans les affaires de la nation et du siècle, elle soulève aussi l'idée d'une crise de la démocratie, de ses représentations et de ses résultats. Déplaçant les frontières des débats contemporains, elle esquisse la révision de quelques-unes des composantes du modèle démocratique. Peut-on admettre que Weber assume cette dérogation aux principes de la neutralité axiologique et accepte l'idée d'une dichotomie interne à son œuvre, entre analyses savantes et réflexions engagées ? Faut-il au contraire y voir la preuve d'une intention cachée de révisionnisme qui ferait franchir les limites de la problématique démocratique ?

On ne peut retracer ici l'intégralité du débat sur les prises de position politiques de Weber et leur relation à sa sociologie [1]. Il est toutefois inévitable de les confronter aux thèses défendues dans le diagnostic sur le monde contemporain. Ne serait-ce que dans la mesure où elles touchent très directement au problème de la légitimité, illustrant ainsi le scepticisme wébérien quant aux chances de persistance de la liberté. Il s'agira alors de montrer qu'elles éclairent un peu mieux les contours de la compréhension wébérienne de la modernité. Mais qu'elles témoignent aussi, au-delà de Weber, des difficultés de la conception positiviste de l'État de droit. Les antinomies de l'État de droit, telles que décrites par Max Weber ou Hans Kelsen, sont-elles solubles sans qu'il faille en passer par un moment décisionniste ? Peut-on totalement occulter la question des fondements du droit sans risquer les effets dévastateurs du relativisme ? Comment maintenir les conditions de la liberté dans l'univers désenchanté de la politique ?

À la première de ces questions la réponse wébérienne est éminemment variable, selon un clivage qui relève certes des différences de statut entre les réflexions, mais qui est sans doute plus profond. Le corpus des textes politiques de Max Weber abonde en notations sur l'incertitude, l'imperfection, voire la faillite de la problématique libérale lorsqu'elle vise une limitation de l'État par le droit. À tout prendre même, c'est bien d'un diagnostic de crise qu'il s'agit. Et les remèdes imaginés découlent directement de l'identification d'un déficit de légitimité. On peut bien entendu penser que ce type de réflexion est emprunt d'un caractère conjoncturel, lié au contexte de la chute de l'Allemagne impériale ou de la reconstruction. Et qu'il n'informe de ce fait ni la façon dont Weber conçoit la modernité démocratique, ni même sa sociologie de la politique. Pourtant, les différents corpus demeurent très proches quant aux manières de problématiser les enjeux, de dégager des thématiques et de formuler des solutions. Une proximité qui autorise une autre lecture, qui intégrerait les textes politiques dans la vision wébérienne du monde contemporain.

De la leçon inaugurale de Fribourg en 1895 jusqu'à la participation à l'élaboration de la constitution de Weimar, une interrogation majeure parcourt la politique de Weber et s'exprime selon de multiples modulations. Le dispositif institutionnel inventé par les théoriciens du XVIIIe siècle et installé depuis lors est-il capable de résister aux tensions générées par l'émergence de couches sociales nouvelles ? Peut-il absorber la transformation des demandes matérielles qu'il subit et résister aux critiques que suscitent à la fois son succès et ses échecs ? En d'autres termes, les représentations modernes de la politique sont-elles susceptibles de résoudre les problèmes d'une société conflictuelle ? Ou bien ne risquent-elles pas d'accompagner l'éclatement de cette société, faute de pouvoir résorber les conflits qu'elle connaît ?

À première vue, l'intuition essentielle de Max Weber concerne le fait que la démocratie libérale a largement épuisé ses ressources de légitimité. Du côté des fondements de l'ordre politique légitime, la conception naturaliste du droit est triplement disqualifiée. Instable en raison de son origine révolutionnaire, elle est ensuite minée de l'intérieur par la transformation matérialiste des contenus du droit naturel. Elle apparaît alors pour ce qu'elle est : fondamentalement équivoque, tant d'un point de vue intellectuel qu'au regard des attentes propres aux acteurs de la politique moderne.

On sait que les deux premiers arguments sont principalement développés dans le cadre d'une défense théorique du positivisme. Le
troisième est en revanche plus directement significatif de la
réflexion politique de Max Weber. Il y traduit en effet l'idée selon
laquelle « l'axiomatique jusnaturaliste [...] a perdu sa capacité à
servir de fondement à un droit [2] ». Mais il donne à cette traduction
une dimension de désillusion pragmatique qui fait alors signe vers
la mise au jour de l'instabilité du système démocratique à l'âge
de la société industrielle [3].

Ce déplacement est d'ailleurs accentué au travers du traitement
du second axiome de la conception moderne de la démocratie : la
souveraineté du peuple. L'interrogation de Max Weber se veut ici
franchement ironique et inexorablement démystificatrice. Lorsqu'il
écrit par exemple dans une lettre à Roberto Michels : « Combien
de couleuvres devrez-vous encore avaler ! des notions telles que
volonté du peuple, vraie volonté du peuple n'existent plus pour
moi depuis longtemps, ce sont des *fictions*. C'est comme si l'on
voulait parler d'une volonté des consommateurs de chaussures qui
serait compétente pour la manière dont le cordonnier doit déterminer sa technique. Les consommateurs de chaussures savent bien
où le soulier leur fait mal, mais jamais comment on pourrait le
faire mieux [4]. » La métaphore est connue et le schéma argumen-
tatif qu'elle porte représente assez bien une manière de conjuguer
représentation et méfiance à l'égard du suffrage universel qui est
typique de l'attitude de ceux des libéraux du XIXe siècle qui
demeurent sceptiques vis-à-vis de la démocratie ou du moins de
ses chances [5]. L'originalité de Max Weber tient alors au fait de
reprendre ces problèmes constitutifs de la politique moderne dans
un contexte nouveau : celui de la démocratie de masse, de l'acceptation du suffrage universel, mais aussi de la crise du système
représentatif.

La crise de légitimation et
la démocratie plébiscitaire

En ce sens, Max Weber inaugure l'une des interrogations centrales de la réflexion politique moderne, qui tourne autour de la
question de la crise de légitimation. Selon Paul Ricœur, cette question entretient une intimité profonde avec l'univers démocratique,
en ce qu'elle dérive directement du « manque de fondement qui
paraît affecter le choix même d'un gouvernement du peuple, pour
le peuple et par le peuple [6] ». Sous une telle forme, ce sentiment
d'une crise marque précisément ce que cherchent à combler

nombre de pensées politiques contemporaines. Ainsi Habermas vise-t-il depuis *Raison et légitimité* à retrouver le fondement du choix en faveur de la démocratie, contre la tendance à la réification du monde vécu que connaissent les sociétés libérales. De même peut-on penser que cette interrogation oriente l'utilisation que fait Claude Lefort du concept d'indétermination démocratique. Et que c'est elle aussi qui pousse John Rawls à repenser la fiction du contrat social comme un moyen d'établir un lien entre l'autonomie de l'individu et le respect des personnes. Dans ces différentes perspectives, il s'agirait donc de ne laisser le dernier mot ni à l'indétermination ni à la crise ou au désenchantement, mais à la démocratie, en montrant que « les hommes ont des *raisons* de préférer au totalitarisme un régime aussi incertain du fondement de sa légitimité », et que ces raisons sont précisément celles qui sont « constitutives du vouloir vivre ensemble [7] ».

Mais si tel est bien le problème qu'affronte la politique de Weber, force est de constater qu'elle cherche à le résoudre par un concept particulièrement ambigu : celui de la démocratie hégémonique. Le raisonnement part du constat de l'incapacité du système représentatif à assurer une sélection efficace des dirigeants. Il passe par la définition du parti politique comme machine apte à produire des leaders compétents. Il débouche enfin sur l'idée d'une délégation des individus en faveur de responsables librement désignés en vertu de leur charisme personnel. Wolfgang Mommsen en résume l'esprit de la manière suivante : « La démocratie devenait de la sorte un système fonctionnaliste qui ne donnait au peuple rien de plus et rien de moins que la garantie que la conduite des affaires de l'État était entre les mains de chefs investis de la qualification formellement optimale [8]. » Si l'on admet ainsi qu'au royaume des conceptions pragmatiques du libéralisme politique celle-ci est encore démocratique, force est d'admettre que c'est au prix d'une ambivalence redoutable.

Telle que Max Weber la conçoit, la démocratie devrait être à la fois hégémonique et plébiscitaire, selon deux axes de contournement des mécanismes classiques de la représentation. Les derniers écrits politiques de Weber, et tout particulièrement ceux qui concernent la fonction présidentielle dans le cadre de la réflexion constitutionnelle de Weimar, défendent la thèse d'une organisation plébiscitaire du régime, en réponse au caractère « acéphale » de la démocratie de masse [9]. Rédigée en 1919, la conférence sur « la vocation d'homme politique » exprimera cette conception de manière brutale, en affirmant que « nous n'avons que le choix suivant : ou bien une démocratie admet à sa tête un vrai chef et par suite accepte l'existence d'une " machine ", ou bien elle renie les chefs et elle tombe alors sous la domination des " politiciens de métier " sans vocation (*Berufspolitiker ohne Beruf*) qui ne possèdent pas les qualités charismatiques profondes qui font les chefs [10] ». D'où la préférence affichée de Max Weber pour ces machines politiques décrites aux États-Unis et dont l'intrusion dans le système politique « signifie l'entrée en jeu de la démocratie *plébiscitaire* [11] ». L'idée est chez lui déjà ancienne, recoupant les leçons qu'il tirait notamment de l'expérience de Gladstone dans l'Angleterre de 1886 [12]. Mais elle renvoie aussi directement à cette définition d'*Économie et société* selon laquelle « la démocratie plébiscitaire – principal type de démocratie dirigée par des chefs – est, sous son aspect authentique, une espèce de domination charismatique qui se *cache* sous la forme d'une légitimité issue de la volonté de ceux qui sont dominés et qui n'existe que par elle [13] ». Elle tend alors à exprimer une position de fond quant à la gouvernabilité des sociétés modernes menacées d'un double danger : la dilution de l'autorité dans les mécanismes informels de la bureaucratie et l'indécision face aux enjeux économiques, sociaux et militaires. À ces tendances favorisées par les phénomènes de « démocratisation passive », l'orientation plébiscitaire vise à opposer une forme nouvelle de concentration du pouvoir, synonyme d'allégement des contraintes de légitimité et donc d'accroissement de l'efficacité.

Le caractère « hégémonique » de la démocratie voulue par Weber confirme cette idée, en soulignant la nécessité de rendre aux dirigeants l'autonomie nécessaire à la conduite de la « grande politique [14] ». Mais ce thème procède surtout d'une réévaluation profonde des valeurs de la démocratie, dans le sens d'un réalisme qui est l'une des dimensions constantes de l'œuvre. Selon une problématique mise en place dès les années 1890 et inlassablement réexposée jusqu'à la conférence de 1919, « la politique n'est pas une industrie fondée en morale ni ne saurait l'être jamais [15] ». Ce qui revient aussitôt à dire qu'elle est essentiellement affaire de puissance, en raison de la valeur déterminante qu'est la nation et avec comme horizon ultime la lutte pour la vie ou la mort. Ici encore, les différents corpus résonnent d'échos similaires. Soit la définition que donne l'œuvre savante de la nation comme « communauté de destins politiques communs, de luttes politiques communes à la vie à la mort [16] ». Elle répond directement aux propos de la *Leçon inaugurale,* qui nouent projet scientifique et volonté nationaliste, lorsque Weber déclare que « le but de notre travail sociopolitique n'est pas de rendre le monde heureux, mais d'unifier socialement la nation, déchirée par le développement économique moderne, en prévision des dures luttes à venir [17] ». On en trouverait enfin une ultime expression, chronologiquement (1917) et en intensité de désenchantement, dans la conférence sur la neutralité axiologique : « Il n'est pas possible d'éliminer de la vie culturelle la notion de lutte. On peut modifier les moyens de la lutte, son objet et même son orientation et les adversaires en présence ; on ne saurait la supprimer elle-même [...]. La " paix " n'est qu'un déplacement des formes, des adversaires ou de l'objet de la lutte ou enfin des chances de sélection : elle n'est rien d'autre [18]. » De tous ces points de vue, la démocratie hégémonique plébiscitaire, en allégeant les contraintes liées au contrôle de l'exécutif et en s'affranchissant des tergiversations délibératives du parlementarisme classique, doit permettre de réaliser le projet d'une politique de puissance dépourvue de toute naïveté. Une politique qui, sur fond d'idéal national, fait signe vers les critiques les plus radicales de l'État de droit libéral.

Les postérités controversées de Weber

Avant d'envisager la question d'une éventuelle parenté entre la solution wébérienne à la crise de légitimité de la démocratie et les thèses de Carl Schmitt qu'elle évoque inévitablement, il convient de s'arrêter sur l'hypothèse d'une convergence s'agissant de l'idée même de politique telle qu'elle se profile dans le diagnostic sur l'époque. Ces questions ont donné lieu à l'une des controverses les plus vives qu'ait suscité l'interprétation de l'œuvre de Max Weber. Celle-ci trouve son origine dans les débats du XVe Congrès de l'Association allemande de sociologie, à Heidelberg en 1962 [19]. Dans un contexte fortement marqué par l'interrogation sur les origines intellectuelles du nazisme, elle devait tourner autour de problèmes de paternité. En exhumant dès 1959 les textes de Weber sur la « démocratie hégémonique » et le charisme plébiscitaire, Wolfgang Mommsen avait sollicité l'hypothèse d'un discours viscéralement antilibéral, précurseur du nazisme. Hypothèse d'ailleurs entretenue par l'ambivalence des conclusions de son ouvrage. Celles-ci posaient en effet que Weber aurait à coup sûr « combattu avec passion toute politique se servant des bas instincts de masse et des émotions nationalistes [20] ». Mais elles ajoutaient aussitôt qu'il était impossible d'occulter le fait que « la doctrine wébérienne de la domination hégémonique charismatique, liée à sa formalisation radicale du sens des institutions démocratiques, a contribué pour sa part à inciter mentalement le peuple allemand à l'acclamation d'un chef, donc d'Adolf Hitler [21] ». Nourrie par Jürgen Habermas et Herbert Marcuse, cette dernière lecture devait susciter un tir de défense de la part de ceux que Mommsen nomme les wébériens « orthodoxes » : Karl Loewenstein, Eduard Baumgarten et Gunther Roth [22].

Mais le débat pouvait se poursuivre sous une forme à peine moins sulfureuse : celle des liens de filiation entre Max Weber et Carl Schmitt. Là encore, le Congrès d'Heidelberg avait dégagé des positions tranchées. S'appuyant sur les textes de Schmitt mis au jour par Mommsen, Jürgen Habermas plaidait la thèse du « fils naturel de Weber [23] ». Souriant de la manière dont les interprètes américains pouvaient, en vertu de leur histoire, s'autoriser la lecture généreuse d'un Weber libéral, Habermas se plaçait sur le terrain de l'expérience allemande et refusait de dégager les thèses césaristes ou impérialistes de leur signification dans la République de Weimar. Talcott Parsons venait d'évoquer l'idée selon laquelle Max Weber ouvrait l'ère de la « fin des idéologies », en rompant le trilemme entre l'historicisme, l'utilitarisme et le marxisme. À quoi Habermas opposait le fait que l'élément décisionniste de la sociologie wébérienne, loin de rompre le charme de l'idéologie, le renforçait plutôt en un sens clarifié par Carl Schmitt dans sa défense constante de la part décisionniste de la politique. Wolfgang Mommsen quant à lui persistait à parler de Carl Schmitt comme d'un « fils légitime » de Max Weber. Il insistait notamment sur la parenté entre les conceptions du Président du Reich chez les deux auteurs et accentuait l'origine wébérienne de la célèbre thèse de Schmitt selon laquelle est souverain quiconque peut décréter l'état d'exception [24]. Offusqué, Karl Loewenstein devait alors répondre que Carl Schmitt ne pourrait être qu'un « fils illégitime » de Max Weber. « Méphisto de l'époque préhitlérienne allemande », composante essentielle du « pedigree intellectuel » du nazisme, Schmitt aurait repris dans une théorie éclectique et douteuse quelques intuitions wébériennes, mais en transformant le sens [25]. Trente ans plus tard et les controverses une fois apaisées, la question demeure pourtant de connaître la mesure des proximités intellectuelles entre le scepticisme désabusé de Max Weber et la critique radicale de la démocratie qu'engage Carl Schmitt. Une mesure qui peut s'estimer par l'examen de trois thèmes d'intensité polémique croissante vis-à-vis du legs des Lumières et du libéralisme politique.

À l'évidence, Max Weber et Carl Schmitt se rejoignent autour d'une critique de la tendance moderne à considérer la politique sans « esprit de sérieux » (Schmitt [26]) ou d'une façon dénuée du sentiment de responsabilité (Weber). Le thème est patent chez l'auteur de *La notion de politique*, qui récuse avec la plus extrême fermeté les idéaux humanistes d'une paix universelle. Loin d'être associée au constat du caractère inactuel de ce projet, la critique de Schmitt vise directement l'idée selon laquelle l'unité politique de l'humanité serait un bienfait. Pour ce faire, il va jusqu'à imaginer le jour où les peuples, les religions et les classes seraient unis au point d'exclure la possibilité d'un conflit parmi eux : le jour où « même la simple éventualité d'une discrimination ami-ennemi aura disparu, [où les hommes auront atteint la pleine jouissance de leur vie ici-bas][27] ». Mais c'est pour aussitôt ajouter qu'alors « il n'y aura plus que des faits sociaux purs de toute politique : idéologie, culture, civilisation, économie, morale, droit, arts, divertissements, etc., mais il n'y aura plus ni politique ni État[28] ». On peut sans doute reconnaître dans cette éventualité une allusion à la description hégélienne du monde bourgeois. Ce monde pacifié, où la conflictualité propre à l'Histoire aurait définitivement cessé. Ce monde où, pour Hegel, ne demeureraient plus que des existences livrées au pur divertissement, par opposition au sérieux prêté à l'histoire. Ce monde enfin qu'Alexandre Kojève imagine dans un commentaire énigmatique et célèbre : « En fait, la fin du Temps humain ou de l'Histoire, c'est-à-dire l'anéantissement définitif de l'Homme proprement dit ou de l'Individu libre et historique, signifie tout simplement la cessation de l'Action au sens fort du terme. Ce qui veut dire pratiquement : la disparition des guerres et des révolutions sanglantes. Et encore la disparition de la *Philosophie* ; car l'Homme ne changeant plus essentiellement lui-même, il n'y a plus de raison de changer les principes (vrais) qui sont à la base de sa connaissance du Monde et de Soi. Mais tout le reste peut se maintenir indéfiniment : l'art, l'amour, le jeu, etc., etc. ; bref tout ce qui rend l'homme *heureux*[29]. »

Reste que, comme l'a parfaitement vu Leo Strauss, le problème de Carl Schmitt n'est pas de savoir si ce monde d'une éventuelle fin de l'histoire serait un monde de l'ennui ou de la réconciliation bienheureuse. Il n'est pas davantage de discuter la probabilité d'une telle thèse. Il tient en revanche dans la volonté de résister à ce qui apparaît comme la conséquence de l'effort libéral pour atténuer la conflictualité des formes de l'action politique. Pour Leo Strauss en effet, « Schmitt ne rejette nullement, en fin de compte, comme utopique l'idéal d'un monde définitivement pacifié et dépolitisé [...], mais il en a *horreur*[30] ». Une horreur qui acquiert d'autant plus de capacité polémique qu'elle se dissimule, plutôt que de s'exhiber de manière moralisatrice. D'où ce résumé par Leo Strauss de ce que Carl Schmitt cherche à faire comprendre : « La politique et l'État sont la seule *garantie* qui préserve le monde de devenir un monde de divertissement ; c'est pourquoi le projet des adversaires du politique revient à construire un monde de divertissement, un monde d'amusement, un monde dépourvu de *sérieux*[31]. » À l'appui de cette démonstration, Leo Strauss peut alors citer le passage suivant, qui semble condenser le propos schmittien avec ses imprégnations wébériennes : « Une planète définitivement pacifiée serait un monde sans politique. Ce monde-là pourrait présenter une diversité d'oppositions et de contrastes peut-être très *intéressants*, toutes sortes de concurrences et d'intrigues, mais il ne présenterait logiquement aucun antagonisme au nom duquel on pourrait demander à des êtres humains de faire le sacrifice de leur vie[32]. »

Leo Strauss a raison d'insister sur le sentiment d'horreur qu'inspire à Carl Schmitt l'effort libéral pour réduire les conflits et apprivoiser les dangers de violence qu'ils engendrent. De même met-il à bon droit l'accent sur le fait que l'idéal d'une pacification de la société est synonyme aux yeux de Carl Schmitt d'une mort du politique et donc de l'homme. Mais force est aussitôt d'interroger Max Weber sur ce terrain. Quel sens donner en effet à la violente critique du pacifisme qu'opèrent les conférences de 1918 sur la politique et la science comme vocation ? Sans doute peut-on admettre en première approche avec Raymond Aron qu'elles opposent une protestation conjoncturelle à l'encontre des conséquences de l'éthique de la conviction : « Oui, l'histoire est la tragédie d'une humanité qui fait son histoire, mais qui ne sait pas l'histoire qu'elle fait[33]. » Mais il faudrait toutefois ajouter que la critique dépasse celle des pacifistes et des révolutionnaires de 1918, pour inclure toute forme d'éthique de la conviction, toute soumission de l'action à des maximes formelles de type kantien, au motif de ce que précisément elles masquent les antinomies tragiques de l'action.

L'antagonisme des valeurs : une éthique pour le dernier homme ?

L'argument apparaît plus clairement encore dans le premier texte où Weber traite des deux éthiques, l'« Essai sur le sens de la " neutralité axiologique " dans les sciences sociologiques et économiques[34] ». Dans un raisonnement consacré à la démonstration des « limites de l'éthique », Max Weber commence par réfuter l'idée selon laquelle l'éthique pourrait résoudre le problème de la justice. Puis il aborde les « problèmes éthiques fondamentaux », que la morale ne peut résoudre dans la sphère de l'activité personnelle. Soit le conflit du révolutionnaire et du réaliste en politique, qui n'est autre que celui qui oppose l'éthique de la conviction à celle de la responsabilité. L'une et l'autre attitude, écrit Weber, « se réclament donc de maximes éthiques ». Et il ajoute aussitôt, « mais celles-ci s'opposent en un antagonisme éternel qu'il est absolument impossible de surmonter avec les moyens d'une morale qui se fonde exclusivement sur elle-même [35] ». Suit fort logiquement une réfutation de la *Critique de la raison pratique* : les deux éthiques sont « formelles » au sens de Kant, mais au regard de leur irréductible antagonisme, elles sont impuissantes en politique puisqu'elles ne donnent « aucune indication propre à une appréciation de l'activité [36] ».

Placée ironiquement sous les auspices « de la critique dévastatrice que Nietzsche a faite des "derniers hommes" qui "ont découvert le bonheur" [37] », la réfutation ultérieure de l'éthique de la conviction trouve alors un autre sens. Celui tout d'abord d'un éloge de la politique. Mais une politique entendue comme un moyen de s'élever « au-dessus de la banalité de la vie quotidienne [38] ». Critique nietzschéenne de l'illusion intellectualiste d'une pacification du monde d'un côté, mise en scène de la politique comme lieu d'arrachement à l'ennui de la vie bourgeoise de l'autre, la défense wébérienne de l'éthique de la responsabilité anticipe alors largement la problématique de Carl Schmitt telle que l'interprète Leo Strauss. Le mépris qu'inspire à Weber le comportement de ceux qui agissent au nom d'une éthique iréniste de la conviction, comme si le monde n'opposait pas à leur vérité la dimension tragique de l'action, et qui finissent par s'effondrer lorsque leur idéal s'avère contrarié, ne rejoint-il pas ce « dégoût » qu'a Schmitt vis-à-vis de ceux qui persistent à trouver intérêt au monde supposé de la fin de l'histoire ? On pourrait alors transposer à Max Weber ce commentaire de Leo Strauss : « Ici aussi, ce que Schmitt concède à la société idéale des pacifistes, ce qui le *frappe* dans cette société, c'est son aspect intéressant et divertissant ; là aussi il s'efforce de dissimuler la critique contenue dans cette contestation : "*peut-être* très intéressant". Il ne veut naturellement pas mettre en doute que le monde sans politique soit intéressant [...] par le "peut-être", il pose simplement la question, mais il la pose, de savoir si cet aspect intéressant peut mériter l'intérêt d'un homme digne de ce nom ; le "peut-être" dissimule et trahit le *dégoût* que lui inspire ce genre d'intérêt, que seul rend possible l'oubli par l'homme des enjeux véritables [39]. »

Max Weber et Carl Schmitt se retrouvent en outre autour d'un second thème. Si l'esprit du temps pousse à considérer la politique sans esprit de sérieux ou sans souci des conséquences, comme une simple activité « intéressante » pour ceux qui la font, ou comme objet d'une fascination romantique chez les intellectuels [40], résister aux effets dévastateurs du désenchantement revient à lui restituer son essence tragique. L'irréductible discrimination schmittienne de l'ami et de l'ennemi, le rappel de l'horizon du sacrifice qui sous-tend toute action politique ont cette fonction. L'idée nourrit cependant déjà les réflexions de Weber. Lorsqu'il ramène la politique dans les contours de la Nation entendue comme une communauté de destin et de lutte à la vie à la mort bien sûr. Mais aussi quand il dessine la figure finalement héroïque du véritable homme politique, sur fond de glaciation des idéaux humanistes et d'échec des éthiques formelles de l'action. Annonçant par exemple dès 1918, *a contrario* des espoirs suscités par une révolution qui commence, que « ce n'est pas la floraison de l'été qui nous attend, mais tout d'abord une nuit polaire, glaciale, sombre et rude [41] », il renvoie à la banalité de leur travail quotidien ceux qui paieront par l'amertume, la résignation ou le renoncement l'illusion de croire que l'on peut agir dans le monde par conviction. Et puisque ceux-là « n'étaient pas à la hauteur de leur tâche », ne reste pour solde de tous les idéalismes que l'image sisyphéenne associée à celui-là seul qui a la « vocation » de la politique : « Celui qui est convaincu qu'il ne s'effondrera pas si le monde, jugé de son point de vue, est trop stupide ou trop mesquin pour mériter ce qu'il prétend lui offrir, et qui reste néanmoins capable de dire " quand même ! " [42]. »

Une telle définition rend effectivement au politique son sérieux, en réintroduisant sa dimension essentielle aux yeux de Max Weber comme de Carl Schmitt : celle de l'antagonisme. Antagonisme des valeurs, lorsque l'on sait que chacun y devra choisir ce qui prend la figure de Dieu ou celle du diable. Et assumer le fait que cela n'est vrai que de son propre point de vue. Antagonisme avec « le monde tel qu'il est et tel qu'il se présente ordinairement [43] ». Un monde auquel l'homme politique doit accepter de se confronter inlassablement. Antagonisme enfin vis-à-vis de soi-même, dans la mesure où c'est sa propre capacité à redonner un sens à son existence, contre la banalité de la vie désenchantée, que le politique met à l'épreuve dans ce combat héroïque. Là encore, le commentaire qu'opère Leo Strauss de *La notion de politique* semble pouvoir parfaitement s'appliquer au Weber de 1918 : « Il affirme le politique parce qu'il considère que le sérieux de la vie humaine est menacé quand le politique est menacé. L'affirmation du politique n'est, en fin de compte, rien d'autre que l'affirmation de la morale [44]. »

Resterait toutefois à savoir quelle est la nature de cette morale. Carl Schmitt et Max Weber insistent sur ses déterminants, opposés à l'illusion rationaliste d'une pacification du politique. Ils tiennent à l'impossibilité, sauf à littéralement mourir d'ennui, de sortir de l'affrontement ami-ennemi chez l'un. Au fait chez l'autre que la politique a toujours pour moyen l'usage de la violence. Mais Weber répète à l'envi qu'au-delà de cette attache, peu importent les fins puisque chacun aura à choisir de son propre point de vue qui est Dieu, qui est diable : « Quant à la nature même de la cause au nom de laquelle l'homme politique cherche et utilise le pouvoir, nous ne pouvons rien en dire, elle dépend des convictions personnelles de chacun [45]. » Se pose alors la question de savoir si le discours wébérien sur « l'éthos du politique » n'est pas enfermé dans une contradiction, puisqu'il affirme simultanément l'idée selon laquelle l'existence politique n'a de sens que reconduite aux frontières essentielles d'un affrontement vital et le fait que ce choix lui-même, objet résiduel d'une morale politique, demeure strictement injustifiable. Une dernière fois cette remarque de Leo Strauss sur la manière dont Carl Schmitt dissimule un jugement moral derrière sa critique de l'éthique humanitaire libérale s'appliquerait à Weber : « Cette dissimulation fait apparaître une aporie, la menace qui pèse sur le politique rend obligatoire un jugement de valeur à son propos, et, en même temps, la compréhension de l'essence du politique fait naître des doutes sur la légitimité d'un jugement normatif quel qu'il soit sur le politique [46]. »

Leo Strauss met par ailleurs le doigt sur la même structure contradictoire, lorsqu'il résume la conception qu'a Max Weber du lien entre une éthique et une politique saisies au niveau de la question de la justice sociale. Éclairant les notions de « personnalité » et de « dignité » qui structurent la vision wébérienne de l'homme et du politique il écrit : « En vérité, Weber estimait que les impératifs éthiques sont aussi subjectifs que les valeurs culturelles, qu'il est aussi légitime de rejeter l'éthique au nom des valeurs culturelles que de rejeter les valeurs culturelles au nom de l'éthique ou d'adopter n'importe quelle combinaison non contradictoire de ces deux types de normes. Cette attitude est la conséquence inévitable de sa conception de l'éthique : ce n'est qu'en proclamant un relativisme moral qu'il pouvait concilier sa conception d'une éthique indifférente à la justice de l'ordre social et le fait que la question sociale, indiscutablement, est aussi un problème moral [47]. » À quoi il faudrait ajouter que le caractère aporétique de la position est d'autant plus sensible que l'œuvre est systématique. En l'occurrence, le fait que la théorie de la science construise une méthodologie fondée sur le rejet des valeurs ne fait que donner une lumière plus vive au conflit. Parce qu'elle contient une théorie de la connaissance, au sens classique que lui donne la philosophie, la pensée de Max Weber peut articuler les différentes dimensions de l'activité humaine : sociale, économique, politique et même artistique. Mais il est alors d'autant plus frappant de constater que l'extension de la logique des faits contre les valeurs finit par produire les mêmes effets relativistes dans les différentes sphères. Effet d'interdiction du jugement sur les fins en politique, pour une science qui doit se contenter de clarifier le contexte de la décision. Effet d'occultation de toute dimension du sens esthé-tique, pour une approche scientifique de l'art devant en rester à la description d'une série de résolutions de problèmes « techniques » en musique, peinture ou architecture [48].

Si l'on revient à la question de l'éthique de la responsabilité que Max Weber semble finalement associer au véritable homme politique, il faut constater qu'elle n'est plus une éthique de même rang que celle de la conviction qu'elle réfute. Nouée à une urgence presque vitale du choix sur fond d'irréductibilité du conflit des valeurs, elle ne vise plus des contenus (la question des fins du politique ou de la justice sociale), mais l'acte même de l'enga-gement, dans un monde précisément privé de sens quant à ses destinées ultimes. De la même manière, en tant qu'elle cherche à éclairer la décision après l'épreuve démystifiante de l'analyse scientifique des énoncés qui sont censés la justifier, elle s'oppose au contenu que donne classiquement la philosophie à l'éthique. Elle soulève alors cette question lancinante évoquée par Leo Strauss : si le point de vue scientifique sur le politique met au jour simultanément l'impératif de la décision et le caractère définiti-vement antagonique des maximes qui veulent en rendre raison, la responsabilité en cause est-elle encore de l'ordre d'une éthique [49] ?

Le problème apparaît sous sa forme la plus saillante lorsque Max Weber cherche à défendre la thématique de l'antagonisme des valeurs contre la critique qui voit en elle un « relativisme ». Il vient de rappeler une fois encore sa thèse essentielle, placée sous les auspices du « vieux Mill ». S'agissant de l'opposition entre valeurs, il est question « non seulement d'alternatives, mais encore d'une lutte mortelle et insurmontable, comparable à celle qui oppose " Dieu " et le " diable " [50] ». Est alors décrite l'attitude de ce dernier homme soumis à la « platitude de la vie quoti-dienne » et qui précisément refuse d'assumer l'éternel enchevêtre-ment des valeurs : « Il refuse tout simplement de choisir entre " Dieu " et le " diable " et de prendre la *décision* fondamentale *personnelle* en vue de déterminer quelles sont parmi ces valeurs antagonistes celles qui sont sous l'empire du premier et celles qui sont sous celui du second. Le fruit de l'arbre de la connaissance, si amer pour notre commodité humaine mais inéluctable, ne consiste en rien d'autre qu'en la *nécessité* de prendre conscience

de ces antagonismes et de comprendre que chaque action individuelle et, en dernière analyse, la *vie* en sa totalité [...] ne signifie
rien d'autre qu'une *chaîne de décisions ultimes* grâce auxquelles
l'âme *choisit* [souligné par Weber], comme chez Platon, son destin, ce qui veut dire le sens de ses actes et de son être [51]. »

L'argument de Weber en faveur de l'antagonisme des valeurs
trouve ici sa forme la plus radicale. En effet, l'irréductibilité du
conflit est directement imputée au rationalisme moderne. Ce rationalisme désenchanteur qui, en systématisant la connaissance, élimine la possibilité d'un jugement sur le sens et laisse définitivement ouverte la lutte entre les points de vue sur le monde. Mais
comme l'a bien vu Leo Strauss, la thèse peut encore se décom-
poser en deux moments de rupture croissante avec l'idéalisme des
Lumières. Dans le premier, celui de l'affirmation d'une dignité de
l'homme qui le différencie de l'animal, demeure la référence à une
idée d'autonomie : « L'homme établit en toute indépendance ses
valeurs essentielles, il fait de ses valeurs ses fins constantes et
choisit rationnellement les moyens adaptés à ses fins [52]. » À ce
stade apparaît encore quelque chose comme un impératif catégorique : « Tu auras des idéaux. » Impératif formel certes, qui ne dit
rien du contenu et des fins visées, mais qui semble toujours permettre une distinction entre noblesse et lâcheté, pour dessiner une
image de la dignité de l'homme dans l'arrachement aux appétits,
aux égoïsmes, aux besoins.

Reste qu'en un second moment tout cela se révèle finalement
n'être qu'une illusion : « Ce qui paraît être au premier abord une
église invisible s'avère en réalité la guerre de tous contre tous, ou
mieux un *pandemonium*. Weber énonçait ainsi son impératif catégorique : " écoute ton démon ", ou bien " écoute ton dieu-ou-
démon " [53]. » En termes straussiens, cette morale qui se résume à
une règle de type « tu auras des préférences » exprime la forme
ultime de la réduction de l'étalon normatif. En ce sens, elle liquide
le point de vue nécessaire à une justification des choix individuels,
le point de vue proprement éthique. Si l'idée d'un devoir-être persiste, du moins n'a-t-elle plus d'autre horizon que celui de l'accomplissement personnel qui n'a de sens que pour celui qui l'assume. En d'autres termes, si la thématique wébérienne de la
responsabilité peut encore désigner une éthique, un ensemble de
propositions posées comme maximes de l'action, celle-ci se réduit
purement et simplement à une question d'authenticité [54]. Une
authenticité qui trouve son enracinement dans la conscience du
fait que l'action politique est tragique mais nécessaire pour s'arracher à la banalité de la vie. Une authenticité qui cherche sa
signification dans la pure décision, et non dans le fait d'apprivoiser

ou réduire la violence. Une authenticité qui ruine tout effort visant à arracher le politique aux antinomies tragiques de l'action ou à penser ses liens avec la question du mal.

On peut sans difficulté reconnaître avec Paul Ricœur que la thématisation de ce lien entre le politique et le problème du mal est au centre de toutes les discussions pratiques. On peut également admettre avec lui qu'il revient à Max Weber, après Machiavel, d'avoir mis au jour cette figure au travers de l'insistance sur le fait que la politique use nécessairement du moyen de la violence [55]. Mais si l'on admet que Weber exprime l'une des formes les plus aiguës de cette conscience d'une présence du mal en politique, force est de souligner l'étrangeté de la solution avancée. Loin en effet de rapporter le phénomène à « l'insociable sociabilité » kantienne, qui sollicite des efforts de lucidité de la raison pratique quant aux moyens qu'elle manipule, Weber l'immerge dans une problématique de l'authenticité de la vie qui disqualifie presque *a priori* tous ces efforts. Au nom d'une identification de la pacification des conflits à un engourdissement synonyme de mort. Au nom de la critique de l'illusion contenue dans la volonté de penser le politique hors d'un cadre agonistique. Au nom enfin de l'idée selon laquelle la notion même d'un mal radical n'est pas plus discernable que celle du bien dans le contexte de la guerre des dieux.

Au regard de ce que Paul Ricœur nomme « le paradoxe politique », la position de Weber fait alors signe en un troisième sens vers les thèses de Carl Schmitt, fût-ce au prix à nouveau d'un retournement paradoxal. Tantôt ironique, tantôt sceptique vis-à-vis des solutions inspirées de cette « riante héritière [56] » de l'esprit ascétique qu'est la philosophie des Lumières désormais enfermée elle aussi dans la « cage d'acier », Weber, on le sait, n'accorde aucun crédit aux tentatives contractualistes qui cherchent à apprivoiser la violence politique par le droit. Inversement, il veut à l'occasion trouver les accents de Marx pour dénoncer les formes d'aliénation générées par le formalisme juridique. Sans doute récuse-t-il la logique de la philosophie de l'histoire de ce dernier, évitant ainsi le mouvement qui selon Paul Ricœur fait « qu'une eschatologie de l'innocence tient la place d'une éthique de la violence limitée [57] ». Mais entre le refus d'une eschatologie de l'innocence et le doute radical quant aux possibilités d'une domestication du mal politique par le droit, comment concevoir une limitation de la violence ?

Weber, Carl Schmitt
et le problème théologico-politique

En clarifiant la manière dont les pensées politiques modernes oscillent entre le projet d'une éthique de la violence limitée et la tentation d'une eschatologie de l'innocence, Paul Ricœur conduit la discussion au seuil d'une question redoutable : celle qui touche au problème de la persistance du modèle théologico-politique [58]. Carl Schmitt réinterprète sans doute le scepticisme wébérien sur la modernité lorsqu'il avance l'idée selon laquelle l'histoire demeure enfermée dans la matrice théologico-politique. À première vue, cette thèse semblerait s'opposer aux analyses de Max Weber. À tout prendre même, la vision de l'histoire comme procès de désenchantement du monde pourrait presque faire figure d'une antithéologie politique, puisqu'elle trouve son orientation dans l'effacement progressif du principe transcendant comme instance ultime de garantie du sens. Il est toutefois difficile de ne pas retrouver l'écho des perspectives de Max Weber sur le monde moderne dans les deux arguments essentiels que développe Carl Schmitt à l'appui de sa thèse.

Le premier argument de Carl Schmitt repose sur la mise au jour d'un parallélisme entre logiques politiques et théologiques. En ce sens, les catégories de la politique moderne ne sont pour Schmitt que des importations de celles de la religion : « Tous les concepts prégnants de la théorie moderne de l'État sont *des concepts théologiques sécularisés*. Et c'est vrai non seulement de leur développement historique, parce qu'ils ont été transférés de la théologie à la théorie de l'État – du fait par exemple que le Dieu tout-puissant est devenu le législateur omnipotent –, mais aussi de leur structure systématique, dont la connaissance est nécessaire pour une analyse sociologique de ces concepts [59]. » D'où le fait qu'en son « essence », le politique repose sur un substrat théologique. Avec pour conséquence l'impossibilité d'effacer en son sein l'opposition irréductible de l'ami et de l'ennemi, qui est bien l'analogue du choix impératif entre Dieu et diable dans la sphère de la religion. De ce point de vue, Schmitt reprend donc en les systématisant des idées wébériennes. Celle de la politique comme « lutte » qui a la forme du conflit entre Dieu et le diable. Puis celle de la souveraineté soumise à l'épreuve de vérité de l'état d'exception. Celle enfin de la responsabilité comme mise en forme de la nécessité du choix. On comprend alors la stratégie poursuivie par Carl Schmitt dans l'analyse du théologico-politique, stratégie qui révèle ce que

Leo Strauss appellerait son intention cachée. Celle-ci consiste à mettre au jour la « continuité du tissu de l'histoire » (Lefort), contre la généalogie des représentations démocratiques qui insiste pour sa part sur l'intensité des ruptures. En ce sens, elle vise à masquer les signes qui selon Claude Lefort attestent la dilution des liens entre théologie et politique : le fait d'une « nouvelle expérience de l'institution sociale », l'idée selon laquelle la réactivation du religieux ne s'opère qu'aux points de défaillance de cette expérience, l'indétermination enfin d'un univers démocratique privé de l'efficacité symbolique du religieux [60].

Mais il y a plus et la problématique théologico-politique de Carl Schmitt est aussi une thèse sur l'histoire qui fait fond sur le diagnostic du désenchantement du monde. Son point de départ est en effet la description que donne la sociologie wébérienne de l'univers moderne. Celle d'un monde où règne « la religion de la technicité », qui s'exprime au travers des formes rationalisées de l'économie, de l'État et du droit, mais aussi de l'idéal de prévisibilité propre à l'idéologie scientifique. On ne peut alors qu'être frappé par le fait que Schmitt exprime ici parfaitement cet imaginaire critique contemporain qui se déploie de Weber à Heidegger et qui expose la définition même du désenchantement : « L'esprit techniciste, qui est à l'origine de la croyance des masses à *un activisme tout terrestre et antireligieux*, n'en est pas moins esprit, peut-être mauvais et diabolique, irréductible cependant à une explication mécaniste et imputable à la technique elle-même. Cet esprit est peut-être effrayant, il n'est pas en lui-même un phénomène technique ou mécanique. Il est une conviction fondée sur une métaphysique activiste, la croyance en un pouvoir, en une domination illimitée de l'homme sur la nature et jusque sur la nature physique de l'homme, en un recul indéfini des frontières que la nature lui impose, à des possibilités illimitées de bonheur et de transformation inhérentes à son existence naturelle et terrestre [61]. »

Mais, au-delà de la description, l'explication que donne Carl Schmitt de la genèse de ce monde technicien est contenue dans une théorie de la neutralisation qui fait encore largement écho aux analyses de Weber. Si l'on admet que le retournement décisif pour la compréhension de l'histoire occidentale tient dans le passage de la théologie chrétienne à « un système scientifique naturel », la cause en est la recherche d'un terrain où puissent se neutraliser les affrontements qu'avaient fait naître les controverses religieuses du XVIᵉ siècle. En ce sens, le renvoi de la religion dans la sphère privée qui accompagne l'essor des théories naturelles de la connaissance, de la morale ou du droit avait pour sens un souci de neutralisation des conflits et l'espoir de trouver « un minimum d'accord et de prémisses communes qui rendît possibles la sécurité, la certitude, l'entente et la paix [62] ». C'est alors dans le sillage de Weber que Carl Schmitt s'attache à démonter les mécanismes de la double illusion propre à la conscience moderne de la raison. Soit la première, qui consiste à penser que le progrès technique est synonyme de progrès moral et culturel. Schmitt lui oppose le fait que la technique est une arme qui peut tout aussi bien servir la paix que la guerre, sans avoir aucun sens du point de vue de la civilisation. Mais cette illusion est aussitôt reproduite au niveau politique. Occasion pour Carl Schmitt de montrer à nouveau que le règne de la technique n'engendre ni un type nouveau de clerc ou de chef politique, ni même une maîtrise du monde par l'homme. Qu'à tout prendre même l'instrument dépasse son maître et finit par produire des résultats contraires à ceux que vise son utilisation.

Si l'on en restait à cette description de l'avènement du monde moderne identifié par Carl Schmitt au libéralisme, le Max Weber théoricien de la rationalité serait sans doute l'ultime figure de la lignée des penseurs de la neutralisation. Efficacité de l'entreprise capitaliste, impersonnalité de la bureaucratie, et domination formelle au travers de la légitimité légale : toutes les caractéristiques modernes de l'activité telles que décrites par Weber auraient aux yeux de Schmitt l'allure d'une concession à l'illusion de la neutralité dans les sphères de l'économie, de l'administration et de la politique. Mais ce n'est pas cet optimisme que l'on pourrait prêter à Weber que retient Schmitt. À l'inverse, c'est sous l'égide d'un penseur de la « fin d'une civilisation » qu'il se place lorsqu'il l'invoque aux côtés d'Ernst Troeltsch et Walter Rathenau comme témoin de la « maladie du siècle [63] ». Lorsque Weber est convoqué, c'est donc pour appuyer un autre diagnostic. Celui selon lequel « le pouvoir irrésistible de la technique apparaît comme *une domination de l'esprit par ce dont l'esprit est absent* ou comme une mécanique peut-être intelligente, mais sans âme [64] ».

La domination de la technique et l'illusion libérale

Pour commun qu'il soit dans la pensée contemporaine, le thème de la « détresse de l'esprit face à l'ère technique » fait explicitement écho chez Carl Schmitt aux propos désenchantés du Max Weber des dernières pages de l'*Éthique protestante*. Comment en effet ne pas reconnaître dans cette « domination de l'esprit par ce

dont l'esprit est absent » un reflet de l'image de la cage d'acier où
s'est enfermé l'ascétisme puritain ? Comment plus encore ne pas
entendre une amplification du thème, encore prophétique chez
Weber, de la « guerre des dieux » dans ce constat : « Avec la technique, la neutralité spirituelle avait rejoint le néant spirituel » ?
Comment enfin ne pas reconnaître un schéma wébérien dans l'idée
selon laquelle l'attente d'un « paradis terrestre » espéré de la neutralisation déboucherait sur une menace contre la civilisation elle-
même [65] ? Certes, ce qui n'est chez Weber qu'inquiétude face au
résultat peut-être paradoxal de l'histoire de la rationalisation
devient chez Schmitt point de départ de la critique de l'illusion
d'une neutralisation des conflits. De la même manière, si Weber
ne fait que suggérer l'idée d'une dialectique des Lumières, dialectique par laquelle l'effort d'arrachement aux préjugés, à la tradition
et à la domination se retournerait en structure nouvelle d'aliénation, Schmitt quant à lui engage un procès dont le terme est la
négation de l'idée même des Lumières. Mais il n'en reste pas
moins que la fidélité de l'auteur de *La notion de politique* aux
thèses wébériennes impose une dernière fois la question de savoir
si le volontarisme anti-Lumières de Carl Schmitt n'est pas l'une
des vérités possibles du scepticisme de Max Weber face au monde
moderne.

Ici encore, le commentaire que donne Leo Strauss de la
démarche de Carl Schmitt demeure précieux. Tout attentif qu'il
est au caractère ésotérique de l'écriture, Strauss se demande en
effet si l'horizon de l'hostilité de Schmitt au libéralisme n'est pas
situé au-delà du combat mené au nom des idéologies politiques.
S'il est clair que l'affirmation du politique comme tel, c'est-à-dire
reconduit à sa détermination agonistique, est bien le « premier
mot » de Schmitt contre le libéralisme, il est moins sûr qu'il en
soit le dernier [66]. En d'autres termes, aux yeux de Leo Strauss, « la
polémique contre le libéralisme ne signifie rien d'autre qu'une
action d'accompagnement ou de préparation : elle doit déblayer le
champ pour la bataille décisive entre les ennemis mortels, entre
" l'esprit techniciste ", " la croyance des masses en un activisme
tout terrestre et antireligieux " – et l'esprit et la foi opposés qui, à
ce qu'il semble, n'ont pas encore de nom [67] ». Ou encore, pour
pousser la métaphore schmittienne à son terme, il se pourrait que
l'effroi suscité par le monde neutralisé du libéralisme soit lié au
sentiment qu'il donne de s'identifier au triomphe de l'Antéchrist.
Qu'est-ce après tout que cette prétention de domination technique
du monde, d'appropriation de la nature et de prévision absolue,
sinon l'idéal d'un homme qui finit par se prétendre Dieu [68] ?

Aucun texte de Max Weber sans doute ne pousse l'interrogation à ce terme. Jamais il n'imagine la présence de l'Antéchrist derrière le triomphe de la technique. Et il n'assigne pas directement pour sens de la critique des illusions libérales quant à la pacification des conflits la persistance du modèle théologico-politique. Pourtant, ces idées ne sont pas totalement étrangères au Weber qui doute des possibilités de maintenir la politique moderne dans les limites du formalisme. Après tout, la réflexion politique de Max Weber est tout entière située dans le cadre de sa perspective sur la modernité. Perspective qui s'exprime au travers de deux propositions. Celle selon laquelle il s'agit d'un monde régi par la croyance « que nous pouvons *maîtriser* toute chose par la *prévision* » et par la technique. Avec son corollaire : « L'intellectualisation et la rationalisation croissantes ne signifient nullement une connaissance générale croissante des conditions dans lesquelles nous vivons. Elles signifient bien plutôt que nous savons ou que nous croyons qu'à chaque instant nous *pourrions*, pourvu *seulement que nous le voulions*, nous prouver qu'il n'existe en principe aucune puissance mystérieuse et imprévisible qui interfère dans le cours de la vie [69]. » Puis celle qui pose que ce monde est de ce fait privé de sens, désenchanté au sens le plus puissant du terme, dans la mesure où avec le mystère ont disparu les significations autrefois accordées à la vie et à la mort, mais aussi à la connaissance et à l'action humaine. Avec sa question, qui représente le ressort le plus authentique de la pensée de Weber : « Ce processus de désenchantement réalisé au cours des millénaires de la civilisation occidentale et, plus généralement, ce " progrès " auquel participe la science comme élément et comme moteur, ont-ils une signification qui dépasse cette pure pratique et cette pure technique [70] ? » Qu'en est-il alors de cette angoisse de Max Weber face à un monde dont l'esprit s'est envolé et où la foi est absente ? Qu'en est-il de cette défense de l'éthique de la responsabilité qui semble osciller entre une révolte contre la crise du sens et le dévoilement d'une illusion quant aux possibilités de maîtriser la domination ? L'une et l'autre ne pourraient-elles pas aussi trouver leur horizon dans l'idée d'une persistance ou d'une résurgence du théologico-politique ?

Formulons une dernière fois le dilemme de Max Weber, dont Carl Schmitt donnerait la solution. Soit la politique a subi positivement l'épreuve de la rationalisation et il demeure possible d'agir en référence à des valeurs susceptibles d'être justifiées. Mais l'opposition de l'éthique de la conviction et de l'éthique de la responsabilité perd sa profondeur. Soit elle est à ce point nouée au fait que le monde moderne désenchanté est le théâtre d'un retour à la « guerre des dieux », qu'il faut admettre qu'une part de l'effort pour la séculariser, la pacifier et la rendre raisonnable doit céder devant la nécessité de préserver la dimension d'un mystère, lié aux déterminations vitales de l'expérience. Max Weber finit par suggérer cette idée dans sa polémique contre les partisans de l'éthique de la conviction. Ayant fait allusion à la scène du Grand Inquisiteur de Dostoïevski, pour montrer l'incompatibilité des deux éthiques, il avance en effet l'analogie religieuse pour appuyer sa thèse et montrer que « c'est bien le problème de la justification des moyens par les fins qui voue en général à l'échec l'éthique de la conviction [71] ». C'est alors la problématique de la théodicée qui fournit le repère, en posant la question du lien entre un Dieu à la fois tout-puissant et bon et l'imperfection du monde par lui créé. Mais n'est-ce pas au fond la structure que connaît la politique, puisqu'elle ne peut résoudre le conflit entre ses idéaux de rationalité ou de justice et l'injustice du monde réel où s'impose nécessairement l'usage de la violence [72] ? Face à une telle structure, la possibilité d'une éthique peut sans doute demeurer sous la forme de la responsabilité. Mais cette éthique-là ne peut à coup sûr plus viser la justification des décisions dans le sens de la justice, comme le croyaient les partisans de l'idéalisme des Lumières. Tout juste peut-elle éclairer les conséquences de la décision, dans une perspective de l'efficacité qui donne son orientation à la théorie wébérienne de la démocratie.

Les antinomies de la pensée politique de Weber et le décisionnisme

Désorientée du côté de ses fondements, fragilisée par ses mécanismes et incertaine quant à ses finalités, la démocratie est à tout le moins objet d'un traitement radical de la part de Max Weber. Sans doute peut-on dire que les tonalités profondément désenchantées de l'analyse politique trouvent leur sens de n'être qu'un volet du tableau sur l'époque, vue au prisme démystificateur des catégories de la sociologie. Que les concepts ne voyagent au sein de l'œuvre de Weber qu'en un sens : celui de la science qui vient éclairer de sa lumière les antinomies de l'action. Et qu'enfin les principes de neutralité mis en avant par une épistémologie radicale ne sont en rien contaminés par les jugements pourtant abrupts de l'acteur engagé dans l'histoire. Au sein du débat désormais rituel sur les liens qu'entretiennent la sociologie et la politique chez Max Weber, ces thèses structurent l'essentiel de la défense [73]. On peut toutefois leur opposer avec Wolfgang Mommsen que les deux corpus de l'œuvre accumulent trop de similitudes entre catégories, problématiques et argumentations pour ne pas connaître au moins quelque connivence [74]. À quoi s'ajoute le fait que l'œuvre savante recèle nombre de raisonnements aux structures antinomiques, qui épousent parfaitement les antinomies propres à la politique de Weber.

Wolfgang Mommsen peut alors relever la liste des antinomies qui structurent la pensée politique de Max Weber, en repérant leurs liens avec les problématiques les plus significatives de sa sociologie [75]. Ainsi l'antinomie du libéralisme et du nationalisme ne peut-elle se résoudre par aucun compromis, dans la mesure où les deux positions en conflit se fondent dans le même système de valeur. Celui d'un « pessimisme héroïque » de type nietzschéen, qui soutient à la fois qu'il n'est de grandeur politique qu'appuyée sur la puissance nationale, qu'il n'est de choix pour l'action qu'à titre individuel et qu'en tout cela enfin nulle rationalisation n'est possible qui permette la justification des normes. D'où une radicalisation de l'alternative politique, qui s'appuie sur les formes extrêmes de domination décrites dans la typologie savante : ou bien une « démocratisation passive », portée par la bureaucratie et nourrie de passivité des citoyens ; ou bien une démocratie plébiscitaire structurée par la renaissance du charisme. Avec pour conséquence le fait qu'apparaît une seconde antinomie : celle qui tient au fait que Max Weber défende à la fois le principe de l'autodétermination de l'individu et l'idée selon laquelle l'autorité démocratique dérive directement de l'autorité charismatique. Là encore, faute d'une capacité à démêler le caractère antinomique de ces propositions, la pensée wébérienne n'offre pour horizon de la liberté dans une société ouverte qu'une dialectique hasardeuse entre principes et formes d'organisation contradictoires [76].

Reste alors un dernier point de convergence entre la pensée politique et la description du monde contemporain chez Max Weber. Il a trait à la manière dont l'une et l'autre débouchent sur une forme de perspectivisme radical. En matière politique, Weber n'hésitait pas à défendre le point de vue d'un relativisme qui s'étendait du système étatique à l'idée même de démocratie. Ainsi lorsqu'il déclarait par exemple : « Les formes de l'État sont pour moi des techniques comme toute autre machinerie [77]. » Ou encore lorsqu'il affirmait, en conformité avec son propre système de valeurs, que « quiconque aurait pour but ultime des intérêts de puissance " nationaux " devrait, selon la situation donnée, considérer comme le moyen (relativement) le mieux adapté soit une constitution absolutiste, soit une constitution démocratique radicale, et il serait hautement ridicule d'interpréter un changement dans l'appréciation portée sur ces appareils étatiques *ad hoc* comme un changement dans la prise de position "ultime" d'un homme [78] ». Défense intransigeante des impératifs de puissance de la nation allemande, mais indifférence affichée aux formes de l'État : faudrait-il conclure que Max Weber représenterait à lui seul le point de vue d'un « machiavélisme de l'âge d'acier [79] » ? Devrait-on alors admettre, avec Habermas par exemple, que c'est du côté de Carl Schmitt qu'il faut chercher la vérité des positions ambiguës d'un savant en politique ?

On sait en tout cas les conséquences que tirait Carl Schmitt de ce relativisme politique avoué par Weber. Sa *Verfassungslehre* de 1928 en particulier abandonne clairement les dernières barrières laissées pour floues par les analyses wébériennes. Celles-ci mettaient-elles l'accent sur l'impuissance du parlementarisme à assurer la promotion d'un leadership efficace ? La réinterprétation schmittienne du concept de représentation fait céder les dernières préventions en faveur des mécanismes formels de la délégation du pouvoir. Mais elle radicalise à ce point la critique qu'elle détruit le principe de représentation lui-même : « L'idée d'une sélection de l'élite dirigeante politique ne justifie pas un Parlement de quelques centaines d'agents de parti et conduit à chercher un commandement et une direction politique portés par la confiance immédiate des masses. Si l'on réussit à trouver un commandement de ce genre, on a créé une nouvelle *représentation* (*Repräsentation*) pleine de vigueur. Mais c'est alors une représentation *contre* le Parlement qui réduirait à néant la prétention traditionnelle de ce dernier à être une représentation [80]. »

L'ambiguïté de la notion de démocratie hégémonique plébiscitaire est alors levée dans un sens délibérément autoritaire. Et si l'on peut garder pour cadre de son exercice le dispositif institutionnel de la Constitution de Weimar, c'est en rétrocédant au Président du Reich l'intégralité du pouvoir. Carl Schmitt n'hésite d'ailleurs pas à dévoiler la nature clairement antipluraliste d'une opération dirigée contre un Parlement devenu « théâtre d'une libre négociation préparant l'unité » et des partis politiques identifiés à un « théâtre de partage pluraliste des puissances sociales organisées [81] ». Opération qui a par ailleurs pour visée de réduire la Constitution elle-même à une pure fiction juridique, supplantée par son interprétation organique comme expression de « l'unité et de la totalité du peuple allemand [82] ». On peut évidemment admettre qu'il y a solution de continuité entre l'interrogation angoissée du Max Weber de 1919 et ces thèses de Carl Schmitt au début des années trente. Il faut aussi imaginer que l'insistance schmittienne à prélever des concepts wébériens puisse relever d'une habileté stratégique. Mais du moins faut-il accepter de reconnaître que ces

transferts conceptuels posent une question décisive et brutale :
« Comment la conception wébérienne de la présidence élue par le
peuple, comme possibilité d'une sélection immédiate des chefs
sans lien avec le Parlement, put-elle être réinterprétée manifestement dans un sens antiparlementaire, voire totalitaire [83] ? »

Si l'inquiétude politique de Max Weber permet de considérer
son œuvre comme l'expression d'un « libéralisme désespéré [84] »,
orienté par une déception vis-à-vis des idéaux du XIXᵉ siècle, le
relativisme sur lequel elle débouche sollicite l'interprétation dans
un sens plus contemporain. Dans la première perspective, elle
s'intégrerait à une tradition de scepticisme face aux mutations de
la société postrévolutionnaire. Tradition de doute quant aux solutions libérales à la question du conflit, mais qui maintient le principe d'une conciliation entre l'autonomie du sujet et la stabilité du
système social. Dans la seconde, en revanche, elle fait signe vers
des problématiques qui vont au-delà du doute et transgressent ce
principe. Des problématiques qui esquissent une logique de révision des fondements mêmes de la politique moderne. Quoi qu'il
en soit de l'authenticité propre à la « philosophie du déchirement »
de Max Weber, il est difficile d'occulter le fait que se sont inau-
gurées à partir de certaines de ses idées quelques-unes des remises
en cause les plus significatives des valeurs et des institutions de
la démocratie. S'agissant par exemple du modèle critique du décisionnisme, une continuité s'installe de Weber à Carl Schmitt puis
Niklas Luhmann. Fût-ce au prisme de réévaluations successives,
c'est la même logique qui se déploie, nourrie des analyses wébériennes de la crise de légitimité.

Lorsque Niklas Luhmann donne la clef de la conception décisionniste de l'État et du droit qu'il défend, c'est à deux arguments
wébériens qu'il emprunte. Celui qui pose la supériorité technique
de la domination rationnelle-légale. Mais celui aussi qui souligne
l'incertitude où est laissé ce type de légitimité quant à son fondement ultime. Sa stratégie consiste alors à lever cette incertitude,
en apportant à sa manière une forme de solution à l'une des antinomies de la pensée politique de Max Weber. En l'occurrence, il
s'agit de montrer que pour lever la difficulté liée à l'origine des
normes il suffit d'abandonner la question de la fondation, en reconnaissant que « le caractère positif du droit signifie que des contenus arbitraires peuvent acquérir une validité juridique légitime
grâce à une décision qui met en vigueur le droit et qui peut lui
reprendre cette validité [85] ». Sans doute pourrait-on dire à ce propos comme à d'autres que l'extrapolation à partir des thèses de
Weber est unilatérale dans la mesure où Luhmann, comme Carl
Schmitt, accentue systématiquement le versant lié à l'efficacité

pragmatique d'une théorie qui s'attache aussi à celui de la légitimité. Il n'en reste toutefois pas moins vrai qu'est ainsi mise en
lumière la faille propre à la théorie wébérienne de la légitimité
lorsqu'elle s'identifie à la stricte légalité. En effet, si la validité
d'une norme découle de la norme qui lui est supérieure, où s'arrête
la régression normative ? Ou encore, selon une discussion typique
du contexte positiviste, comment se fonde la valeur de la règle
première du système juridique ? À ces questions Luhmann apporte
une réponse sans doute brutale, mais en tout cas cohérente : « Le
droit positif est valide grâce à une décision [86]. »

Le cœur de cette réinterprétation décisionniste du positivisme
est à coup sûr dans la manière dont Carl Schmitt met au jour et
résout l'une des apories majeures de cette conception du droit et
de la politique, à savoir sa gestion de la situation de crise. La thèse
est bien connue, qui identifie la souveraineté à la capacité de décréter l'état d'exception. Dans le sillage des remarques de Max Weber
sur le caractère instable de la séparation constitutionnelle des pouvoirs. Mais à la suite aussi de ces textes où Weber assigne un
horizon délibérément réaliste à la doctrine de la démocratie hégémonique. Lorsqu'il suggère par exemple de laisser le champ libre
à un « dictateur plébiscitaire », qui domine les mécanismes parlementaires et « entraîne à sa suite les masses par le canal de la
machine [87] ». On pourrait alors distinguer trois variantes au sein
de cette matrice décisionniste, afin de préciser le sens de la transition de Weber à Schmitt puis Luhmann. Le décisionnisme de
Max Weber reste largement *volontariste*, défini en réaction contre
le formalisme bureaucratique et orienté d'une manière essentiellement valorielle, en fonction de l'impératif de puissance propre à
sa politique. Avec Carl Schmitt, il prend plus clairement une allure
autoritaire, affranchie des contrôles du parlementarisme et purement finalisée par l'objectif d'une libération de la capacité de
commandement. C'est enfin d'un décisionnisme *systémiste* qu'il
s'agit chez Luhmann, au travers d'un fonctionnalisme intégral
n'ayant d'autre sens que d'optimiser l'efficacité des mécanismes
de gestion, en allégeant les contraintes liées à la demande sociale.
Au terme de cette évolution, la perspective se trouve ainsi épurée
de ses connotations nationalistes et autoritaires, tout en gardant
cependant ce qui fait son originalité, à savoir la défiance à l'égard
des principes libéraux de la limitation du pouvoir.

Le paradigme décisionniste subit donc une transformation à tout
prendre paradoxale. Inauguré sous la forme d'une exigence de réhabilitation de la volonté politique chez Max Weber, il débouche en
effet sur une forme profondément antipolitique de gestion des
sociétés complexes dans la vision que l'on pourrait dire postmo-

derne de Luhmann. Cette différence entre les variantes du décisionnisme est-elle de degré ou de nature ? Tout porte à croire qu'elle
accompagne un approfondissement de la problématique, sans en
bouleverser le sens. Et qu'elle illustre peut-être de manière rétroac-
tive le caractère partiellement aporétique de l'interprétation wébérienne de la légitimité moderne. Pour Weber, deux traits permettent
de spécifier la forme de domination issue du procès de rationalisation. D'un côté, la modernité politique et juridique s'identifie à la
domination rationnelle légale, synonyme à la fois d'autorité impersonnelle et de contrainte formelle. De l'autre pourtant, Weber
concède qu'en dépit de sa perfection technique maintes fois soulignée, cette structure de domination n'est dotée en elle-même que
d'une faible capacité légitimatrice. Ainsi peut-il montrer que la légitimité légale est finalement dépendante à la fois du charisme et de
la tradition : « La croyance en la légalité est " acclimatée " et, par
là même, conditionnée par la tradition : l'éclatement de la tradition
peut la réduire à néant. Au sens négatif elle est aussi charismatique :
les échecs éclatants et répétés d'un gouvernement, quel qu'il soit,
contribuent à la perte de celui-ci, brisent son prestige et font mûrir
le temps des révolutions charismatiques. Les défaites militaires sont
donc dangereuses pour les " monarchies " en faisant apparaître leur
charisme comme non " confirmé " ; les victoires ne le sont pas
moins pour les " républiques ", elles qui donnent le général victo-
rieux pour charismatiquement qualifié [88]. »

À la puissance indéniable d'une telle description de la fragilité et
des paradoxes de la légitimité démocratique, on aurait envie d'opposer qu'elle obscurcit toutefois la logique des réponses wébériennes à la crise du système représentatif. S'il est vrai en effet que
le succès personnel des dirigeants peut altérer ce que le mécanisme
de la représentation suppose d'un relatif effacement de la personne
derrière la fonction, force est d'admettre que le problème serait
avivé dans le contexte d'une démocratie hégémonique conçue sous
les formes que préconisait Max Weber. Accentuant l'allure charismatique du chef de l'État, celle-ci offrirait tout à la fois un espace
symbolique et des instruments accrus en faveur d'une personnalité
jouant des images de l'exemplarité et de la confirmation par le
succès. De deux choses l'une alors, ou il faut envisager l'idée selon
laquelle la perspective d'une réinterprétation charismatique de la
démocratie élective est une fausse fenêtre qui tombe sous la critique
des effets dirimants du charisme sur la légitimité moderne, ou c'est
le statut de cette dernière qu'il faut réinterroger. À condition cependant de souligner la part énigmatique qui s'attache à un lien imparfaitement décrit sous les seules catégories de la légalité et de la
rationalité telles que les conçoit Max Weber.

Weber, Kelsen et l'énigme de la légitimité moderne

Comment penser une forme de légitimité si fragile, incertaine de son fondement et ambiguë quant à ses déterminants essentiels ? Faut-il imputer ces ambivalences à la réalité du monde politique moderne, ou les retourner contre l'instrument qui l'observe ? C'est sans doute Hans Kelsen qui met le plus clairement au jour cette difficulté, en des termes d'ailleurs parfaitement wébériens. Après avoir réfuté l'illusion naturaliste concernant la formation métajuridique des normes, il affirme en effet l'irréductible identité de l'État et du droit. Mais c'est pour constater aussitôt que « cette dissolution du dualisme État-Droit, fondée sur une analyse de critique méthodologique, signifie en même temps l'anéantissement radical et absolu d'une des plus efficaces idéologies de légitimité [89] ». Le jugement conforte évidemment celui porté par Max Weber sur le déficit de capacité légitimatrice de la problématique du droit naturel. Mais faut-il en conclure avec Kelsen que « c'est ce qui explique la résistance passionnée que la doctrine traditionnelle oppose à la thèse de l'identité de l'État et du droit, qu'a apportée la théorie pure du droit [90] » ? On voudrait au contraire faire l'hypothèse que ce qui est posé par Kelsen comme une antinomie entre idéologie et science est mieux perçu par Max Weber sous la forme d'un dilemme théorico-pratique sur la légitimité. En ajoutant toutefois qu'il se pourrait que ce dilemme soit propre à la conception positiviste du droit et témoigne avant tout de la manière dont elle se heurte à une aporie s'agissant de l'origine des normes.

La discussion de ce problème est incontournable s'agissant de l'œuvre de Kelsen, puisqu'elle tient au statut de la « norme fondamentale » sur quoi repose son système. Mais on verra que Max Weber connaît la même difficulté lors même qu'il souligne paradoxalement un peu plus son enjeu. Dans le cadre kelsenien, la question se doit d'être posée en termes de cohérence logique. Elle concerne le point ultime de la régression déductive des normes, au sein d'un système qui conçoit l'ordre juridique comme une pyramide hiérarchique. Hans Kelsen est inlassablement revenu sur cette difficulté, pour envisager successivement la plupart des solutions théoriquement possibles. Celle qui consiste tout d'abord à admettre qu'en dépit de l'idée suivant laquelle les normes appartiennent à la sphère du « devoir-être », elles trouvent leur fondement dans un fait empirique [91]. Mais la perspective est évidemment antinomique avec la conception radicalisée du dualisme néo-kantien, dans la mesure où elle doit concéder que l'univers déontique du droit est finalement installé sur un principe métajuridique, voire clairement ontologique.

Par la suite, Hans Kelsen a cherché à dépasser cette antinomie interne à l'exposition de son système en réintroduisant la norme fondamentale comme « présupposition », « hypothèse », voire « fiction » acceptée conventionnellement [92]. Qu'il s'agisse d'admettre qu'elle ne soit finalement pas une réalité empirique mais une construction du sujet pensant la théorie du droit, ou plus simplement de la concevoir comme le résultat d'un acte de volonté, le statut transcendantal de la norme première ne cesse d'être à tous égards problématique. Problématique d'un point de vue interne à la théorie du droit, parce qu'il est à tout le moins inévitable d'accepter l'existence d'un naturalisme résiduel si l'on veut justifier l'existence d'une volonté susceptible d'édicter la norme fondamentale [93]. Problématique dans une perspective plus philosophique, puisque le caractère inaccessible d'un statut logiquement acceptable de la norme fondamentale finit non seulement par interdire toute réflexion sur la légitimité des systèmes juridiques, mais conduit surtout la théorie kelsenienne à se replier sur une pure description de ce qu'elle suppose être le droit [94].

C'est d'ailleurs ce que semble admettre Kelsen, lorsqu'il définit le droit propre à la conception positiviste par le principe suivant lequel « on doit se conduire de la façon que la constitution prescrit [95] ». S'agissant d'une solution au problème de la norme fondamentale, elle ne peut être qu'insatisfaisante au regard même de l'épistémologie kelsenienne, puisqu'elle ne trouve comme point de rupture de l'ordre normatif qu'un fait qui en altère donc la pureté. Mais en admettant même qu'il ne s'agisse que d'un principe régulateur, force est de reconnaître sa pauvreté dans la mesure où il n'offre d'autre critère de la validité du système juridique que son efficacité, réduisant ainsi la différence entre « la bande de voleurs » et l'État à la stricte effectivité de la contrainte exercée par ce dernier. Autant dire alors que la science juridique échoue dans sa prétention à faire l'économie d'un moment de détermination sociale de son objet. Que ce dernier n'a d'autre origine que la décision qui le fait exister. Et que cette existence enfin ne se différencie elle-même qu'assez mal de la menace que fait régner l'application de la pure force [96].

Cette impuissance kelsenienne à trouver un substitut théorique à la fondation naturaliste du droit permet alors de préciser l'enjeu de la difficulté qu'a Max Weber pour spécifier les sources de la légitimité moderne. Sous cet angle en effet, la position wébérienne se heurte à une aporie identique à celle du système de Kelsen. La sociologie du droit a successivement écarté les mécanismes de la révélation charismatique et de la découverte par la tradition, au nom de la rationalisation du droit dans une perspective historique. Mais elle a aussitôt barré la route aux tentatives de justification des normes par référence à des valeurs, en vertu cette fois d'une conception instrumentale de la raison. Le rejet de ces problématiques de la fondation du droit débouche alors sur une impasse. Le fonctionnement technique de l'ordre juridique peut certes être décrit à partir de l'affirmation de l'identité du droit à la pure légalité. Mais celle-ci reste privée d'assises, suspendue entre le rejet de toute réinterprétation subjectiviste du contractualisme et le besoin qu'a toute structure de domination d'asseoir sa représentation de l'ordre politique légitime. D'où cette question centrale, posée par Jürgen Habermas : « Étant présupposé que la légitimité représente une condition nécessaire pour le maintien de *toute* domination politique, comment peut en général être légitimée une domination légale, dont la légalité repose sur un droit décisionniste (par conséquent sur un droit qui dévalue par principe la fondation) [97] ? »

Au problème du fondement de légitimité d'un système politique décrit au travers de la loi positive, Max Weber n'aura plus d'autre réponse que postulée. Celle qui affirme que la légitimité moderne repose « sur la croyance en la légalité des règlements arrêtés et du droit de donner des directives qu'ont ceux qui sont appelés à exercer la domination par ces moyens [98] ». Il est alors aisé de souligner avec Habermas le fait que le raisonnement s'enferme dans un cercle sans issue, puisque « la croyance en la légalité ne peut engendrer la légitimité que si la légitimité de l'ordre juridique, établissant ce qui est légal, est déjà présupposée [99] ». Autant dire alors que le droit est purement de la contrainte objectivée et que la supériorité de sa forme moderne tient simplement aux raffinements de sa manipulation technique rationalisée. Ce qui revient toutefois à admettre qu'une légalité sans autre fondement que son existence empirique ne donne de sens à la légitimité que confondu avec l'efficacité de la domination étatique. Avec pour conséquence le fait qu'est interdite toute perspective critique sur la manière dont l'État légal objective les relations sociales et donne forme à la liberté des individus.

Le décisionnisme fonctionnaliste pourrait assurément donner une réponse moins évasive au problème de l'ancrage de la légalité. Pour Luhmann par exemple, la thèse de l'auto-engendrement du droit résout la question de l'unité du système juridique, grâce à l'idée d'une « reproduction autocréatrice des éléments par les éléments sur la base d'une normativité circulaire et récursive [100] ».

Max Weber et Hans Kelsen parvenaient à l'idée de l'autocréation du droit au travers de son identification à l'État. Mais ils achoppaient sur la manière de penser la validité ultime d'une telle identité. Luhmann quant à lui évacue la difficulté, en détachant le système juridique de tout environnement. Puis en le laissant apparaître comme un pur organisme secrétant ses propres mécanismes de régulation. L'interrogation sur l'origine des normes est alors levée. Quitte cependant à ce qu'il faille laisser apparaître en pleine lumière le corollaire logique d'une telle position. En termes de légitimation des régimes politiques en effet, il faudra désormais admettre que « le droit d'une société devient positif lorsque la légitimité d'une légalité pure est reconnue, par conséquent lorsque le droit est respecté parce qu'il est établi selon des règles déterminées par une décision compétente. Ainsi, *dans une question essentielle de la vie en commun des hommes, l'arbitraire devient institution* [101] ».

Il faut toutefois prendre la mesure de cette solution. Elle lève à coup sûr nombre des obstacles que rencontrait le positivisme juridique. Parce qu'elle résout par la procédure le problème de la création du droit. Et parce qu'elle loge la décision en lieu et place de l'interrogation sur la validité ultime des normes. À condition cependant d'accepter les conséquences d'une telle opération intégralement décisionniste. Non seulement le droit s'assimile complètement à l'État et plus que jamais à n'importe quelle forme d'État. Mais ce dernier se différencie de plus en plus mal de la pure force. Pourtant, le défi lancé par Luhmann au normativisme se révèle d'autant plus redoutable que l'on ne voit pas comment Kelsen et Weber pourraient échapper à ce raisonnement par l'absurde. Sans doute peuvent-ils éviter la radicalisation strictement fonctionnaliste du schéma, en préservant la dimension d'une croyance dans la légitimité du système. Mais du moins doivent-ils finir par accepter un moment décisionniste de leur théorie de l'État et du droit, ne serait-ce que pour rendre compte de l'installation de l'ordre juridique. Au risque toutefois de devoir confondre le droit et le fait étatique, la légitimité et l'efficacité de la contrainte normative.

On peut alors se demander si l'aporie liée à la conception positiviste de la formation du droit ne témoigne pas de l'impossibilité de réfléchir les conditions de la légitimité politique moderne hors de toute perspective métajuridique. Ce qui veut dire qu'il faudrait revenir sur la manière même dont Kelsen et Weber imposent les formes du débat. Un débat résumé au conflit entre naturalisme et positivisme. Un débat systématiquement réduit à l'opposition de l'idéologie et de la science pour l'un, de l'irrationalité et de la rationalité pour l'autre. Ne peut-on opposer à cette réduction les

tentatives contemporaines visant à reformuler l'idée d'une antériorité du droit par rapport à l'État ? Sans engager l'ensemble de la
démonstration, on voudrait esquisser un ultime raisonnement, sous
forme d'un test négatif. Celui-ci empruntera donc ces voies barrées
par l'opposition radicale de la philosophie et de la science. Voies
qui explorent la possibilité d'une fondation du droit dans l'intersubjectivité humaine. Et qui cherchent à lever l'aporie positiviste
de la justification par le fait.

Le moyen le plus sûr d'accéder à cette problématique de
contournement des apories liées à la fondation des normes consisterait à partir des raisons qu'oppose le positivisme à la pensée du
droit naturel. Selon Hans Kelsen lui-même, cette pensée cherche
à montrer qu'il existe « un étalon de mesure au moyen duquel le
droit positif puisse être jugé juste ou injuste [102] ». À cette perspective, le positivisme oppose trois arguments qui tout à la fois
réfutent la possibilité pratique d'une telle entreprise et contestent
sa validité scientifique. Premier argument : la pensée du droit naturel requiert que soit défini un contenu intangible de la norme étalon. Mais l'histoire doctrinale du naturalisme prouve son éclatement entre de multiples variantes irréconciliables [103]. Le second
argument est plus subtil, qui veut pointer le caractère autodestruc-
teur des postulats du droit naturel. En ce sens Kelsen repère la
structure suivante. D'un côté, la pensée du droit naturel repose sur
l'idée qu'il existe un critère universel du juste et de l'injuste, critère qui doit servir à juger le droit positif. Mais, de l'autre, elle
est forcée d'admettre que « la nature prescrit d'obéir à tout ordre
juridique positif, quelles que soient les conduites qu'il prescrit [104] ». Reste enfin un troisième argument, orienté contre l'affirmation d'une antériorité du droit sur l'État. Reposant sur une fiction de dualisme, cette affirmation exprimerait une pure illusion
métaphysique. Tout se passerait même comme si elle reproduisait
à l'identique la vision du monde propre à la théologie.

Commençons par examiner ce dernier argument tel que Kelsen
l'exprime au travers d'une analogie qui se veut destructrice, puisqu'elle suggère que la théorie juridique issue de la pensée du droit
naturel ne fait que transposer le modèle théologico-politique. Pour
Kelsen en effet, « de même que la théologie affirme que pouvoir
et volonté sont l'essence de Dieu, de même la théorie de l'État et
du droit présente la puissance et la volonté comme l'essence de
l'État. De même que la théologie affirme tout à la fois la transcendance de Dieu à l'égard du monde et son immanence dans le
monde, de même la théorie dualiste de l'État et du droit affirme
tout à la fois la transcendance de l'État à l'égard du droit, son
existence métajuridique et son immanence dans le droit [105] ». Le

soupçon est redoutable, il faut en convenir. Du point de vue kelsenien, il renvoie la conception naturaliste du droit aux ténèbres métaphysiques. Au sens premier du terme, et avec toutes les conséquences qu'implique une telle critique au regard d'une entreprise scientifique. Mais, au-delà de Kelsen, il laisse entendre que la philosophie moderne du droit serait tenue en échec sur son propre terrain et au regard de ses objectifs initiaux. Reconduisant le droit à une origine située dans la volonté du sujet humain, afin d'assurer le passage du règne de l'hétéronomie vers celui de l'autonomie, elle resterait prisonnière des représentations traditionnelles héritées de la religion.

Le sens de la rupture démocratique

Force est de revenir sur l'aspect historique de cette thèse, et la manière dont Kelsen interprète la signification des symboliques théologiques dans la pensée politique et juridique. On peut alors penser qu'il commet à tout le moins une erreur de perspective, lorsqu'il confond l'éventualité d'une rémanence de figures religieuses laïcisées dans certaines conceptions hypostasiées de l'État avec l'essence de la philosophie moderne du droit. On sait grâce aux travaux d'Ernst Kantorowicz que cette idée d'une incarnation du droit dans l'État, et plus précisément encore dans la personne royale, est bien le propre d'une conception prémoderne de la politique [106]. Celle qui voit dans l'image des « deux corps du roi » la source de la permanence d'un pouvoir confondu avec la volonté et le savoir divin. Celle qui met en jeu la figure anthropomorphique d'un roi-Dieu paré des attributs d'une souveraineté d'essence transcendante. Celle enfin qui se nourrit de la manière dont la société d'Ancien Régime se représente son identité au travers d'un corps, d'une communauté incorporée au sens strict du terme dans la personne du prince qui en serait la tête. Mais on sait aussi qu'un temps appuyée sur celle du Christ, à la fois homme et Dieu, mortel et immortel, cette image s'est ensuite recomposée avec l'opposition du Roi et de la Loi. Une opposition qui continue de garantir l'absoluité du pouvoir d'un Roi placé au-dessus de la Loi parce que participant d'une essence plus qu'humaine. Mais qui commence aussi à réduire l'arbitraire de la puissance royale en l'installant sous la dépendance d'une Loi à laquelle il est soumis ainsi que tout mortel. Une Loi qui peut être encore pensée comme l'expression de la volonté de Dieu. Mais qui va rapidement prendre un autre contenu, orienté vers l'idée du droit naturel moderne issu de la Raison [107].

A contrario de ce qu'affirme Kelsen, c'est précisément la pensée du droit naturel moderne qui entame l'identité du droit et de l'État posée par le modèle théologico-politique. En détachant tout d'abord le contenu du droit de la forme de l'État. Puis en arrachant le pouvoir à sa source divine. En ce sens, loin de reproduire le schématisme théologique de l'incarnation pour asseoir une légitimité du pouvoir, elle interroge radicalement l'essence même de ce pouvoir. Et c'est alors pour renvoyer la justice et l'autorité dans des sphères strictement hétéronomes qu'elle construit la dualité de l'État et du droit. C'est d'ailleurs pour cette raison que les révolutions politiques modernes lui empruntent l'idée des droits de l'homme, afin de témoigner d'une volonté de désincorporer le pouvoir en l'arrachant à toute sacralité. D'où le sens de la notion d'une antériorité du droit sur l'État, inverse à celui suggéré par Kelsen dans son interprétation du dualisme. Avec le droit naturel et les révolutions politiques modernes, le pouvoir est représenté comme une place vide, inappropriable par ses détenteurs provisoires et qui doit demeurer inaccessible à quelque forme d'incarnation que ce soit [108]. Même si, de Hobbes au premier Fichte, persiste l'idée d'une personnification du souverain, mobilisée par l'image de la société politique comme corps, du moins peut-on dire que l'efficacité de la métaphore est minée par l'irruption de la notion moderne de sujet de droit [109].

Si l'on voulait esquisser une polémique, ce serait à tout prendre au positivisme juridique que reviendrait la charge de la preuve quant à l'affranchissement vis-à-vis des représentations théologiques. Dans la mesure en effet où il réaffirme l'identité de l'État et du droit, il renoue les fils distendus par la doctrine des droits de l'homme lorsqu'elle pose que les individus ont des droits contre le pouvoir. Ainsi désamorce-t-il toute tentative visant à opposer une limite à l'assimilation de la légitimité et du pouvoir objectif, brisant tout espace pour une critique des formes de liberté dans l'État. De ce point de vue, le retour d'une vision unitaire de l'espace juridique et étatique ferait nettement signe vers les réinterprétations contemporaines de la théologie politique comme celle de Carl Schmitt par exemple, qui vise à promouvoir l'idée selon laquelle la politique se réduit à la décision souveraine. Mais l'essentiel tient surtout à la manière dont le positivisme semble méconnaître le sens du projet qui consiste à dissocier le politique du théologique en cherchant un ancrage du droit hors de la volonté divine et de ses succédanés : dans la raison humaine, sa capacité de représentation et d'autonomie. On peut penser en effet que telle est bien la signification de l'effort de la pensée du droit naturel moderne : laïciser ce droit qu'elle conçoit comme l'étalon de l'ordre juridique positif, en lui assignant une référence qui n'est autre que l'homme lui-même. Ses premiers contempteurs traditionalistes l'avaient d'ailleurs bien vu, qui n'imaginaient pas un instant que les droits de l'homme puissent s'accommoder d'une résurgence de la métaphysique théologique. Mais qui les critiquaient en vertu du fait qu'ils ne laissaient pour norme suprême de l'ordre social que l'accord des volontés inter-individuelles. Acceptable aussi longtemps qu'il s'apparentait à un droit des gens conforme à la volonté divine, le naturalisme devenait dangereux aussitôt qu'il se transformait en droits de l'homme. Des droits conçus par leurs adversaires comme une redoutable machine de guerre contre l'ordre établi. D'où la protestation contre l'idéal de la table rase et les prétentions du volontarisme politique à s'affranchir de toute tradition [110].

C'est le principe de cette rupture que semblent refuser de voir à la fois Max Weber et Hans Kelsen, lorsqu'ils ne veulent comprendre l'idée d'un dualisme du droit et de l'État qu'en tant qu'instrument de légitimation des régimes politiques, instrument qui de plus est impuissant à réaliser ses fins. Or tout porte à penser que les droits de l'homme n'ont à tout prendre de signification en termes de légitimité que négative, lors même qu'ils sont conçus comme des droits historiquement antérieurs et logiquement supérieurs au droit positif. Leur finalité n'est en effet jamais d'attester de la légitimité immanente du pouvoir, mais de poser un cran d'arrêt à son expansion, en définissant la frontière au-delà de laquelle il devient illégitime. De ce point de vue, le sens de ce que l'on nomme parfois la première génération des droits de l'homme, ou plus sûrement les droits liberté, réside dans le fait de fixer une limite à l'exercice du pouvoir. Une limite qui d'ailleurs témoigne plus d'une méfiance intrinsèque à l'égard de l'État que d'une croyance en sa vertu au motif qu'il aurait pris un visage humain. Cette méfiance inscrite au cœur de la problématique des droits de l'homme est clairement perceptible dans leur formulation américaine. Lorsqu'elle se conjugue avec une vision manifestement pessimiste de la nature humaine et débouche sur une traduction radicalisée du principe de division du pouvoir. C'est d'ailleurs cette exceptionnalité de l'expérience qui offre à Hannah Arendt l'exemple permettant d'illustrer l'essence de ces droits de l'homme comme « droits prépolitiques qu'aucun gouvernement, aucun pouvoir politique n'a le droit de modifier ou de violer [111] ». Sans doute faut-il admettre que les interprétations continentales sont plus ambiguës, tendues entre la tentation de faire du droit naturel le contenu même du droit positif et la reconnaissance dans les droits de l'homme d'un étalon universel abstrait, irréductible au droit étatique [112]. Mais cette relative obscurité, pour significative qu'elle soit des potentialités contradictoires des révolutions politiques modernes, n'altère en rien la radicalité du principe. Un principe qui, selon Claude Lefort, n'a d'autre sens que de ramener la question du droit à « un débat sur son fondement et sur la légitimité de ce qui est établi et de ce qui doit être [113] ».

Le problème de la justification des normes pratiques

On peut en revanche penser qu'en ne voulant voir dans les droits de l'homme qu'un instrument mis en échec de légitimation du pouvoir, le positivisme de Kelsen ou Weber refuse de prendre ces droits au sérieux. Qu'on l'aborde sous l'angle pratique des expériences historiques ou par le biais de la théorie du droit et de l'État, ce débat fait pourtant figure de pierre angulaire de la réflexion contemporaine sur la légitimité politique. Dans la première dimension, il s'agit d'accepter ou de refuser l'idée selon laquelle il existe un étalon du droit positif. Étalon qui prend la forme de principes conçus à la fois comme régulateurs du fonctionnement des institutions judiciaires et points d'ancrage des jugements portés sur la légitimité de l'ordre normatif. Empruntant tour à tour les voies d'une confusion entre légalité et légitimité ou d'une exigence de conformité de l'ordre normatif à des principes fondamentaux, la discussion touche directement à l'interprétation de la réalité politique moderne. Sous son aspect théorique, elle revient à la question de la fondation du droit, et donc à celle de la validité des énoncés juridiques ainsi que de la justification ultime des injonctions qu'ils édictent. Source de légitimité et vecteur d'autorité, le droit peut-il être l'objet d'un fondement en raison ? Ou bien doit-il nécessairement reposer sur un acte instituant qui échappe à toute justification ? Dans la mesure où il requiert l'obéissance, le droit peut-il demeurer conforme à l'idéal moderne de l'autonomie du sujet ? Ou bien doit-il faire figure de principe hétéronome de contrainte ? Les réponses à ces questions semblent dessiner la structure d'un conflit qui déchire la conscience juridique moderne. En radicalisant l'idée d'une objectivité de l'État et du droit, le positivisme abandonne pour indépassables les formes désenchantées de la politique moderne. Mais pour sortir de ce désenchantement, le subjectivisme juridique et politique doit quant à lui affronter l'épreuve d'une critique des illusions du rationalisme pratique.

Il faut à nouveau emprunter à Jürgen Habermas la formulation de la manière dont le problème se pose à partir de Max Weber et

Hans Kelsen. Il ne s'agit plus de savoir si les formes de domination politique ont besoin d'être reconnues pour légitimes, ni même d'identifier les contours de la légitimité moderne. La controverse porte en revanche sur « le *rapport des légitimations à la vérité* [114] ». Deux conceptions sont alors possibles. La première revient à considérer que la croyance en la légitimité d'une domination n'entretient aucun rapport avec la vérité. Qu'elle ne dépend que de « préjugés institutionnalisés » et s'appuie uniquement sur des régularités de comportement. La seconde à l'inverse suppose que la croyance dans la légitimité entre dans une relation immanente à la question de la vérité, dans la mesure où les raisons sur lesquelles elle se fonde ont une « prétention rationnelle à la validité [115] ». Prétention qui peut et doit être discutée et critiquée. C'est alors Max Weber qui inaugure la controverse, en installant la première de ces conceptions, qui va conduire à la réduction décisionniste de la légitimité à la légalité. Le schéma de cette réduction est le suivant. Une forme de domination est considérée comme légitime si deux conditions sont remplies. L'ordre normatif est posé de manière positive et met en place un système cohérent de règles contraignantes. Les acteurs croient à la validité de ce système en se contentant de reconnaître que le droit est créé et appliqué selon une procédure formellement correcte. En ce sens, la croyance en la légitimité est indépendante de la vérité et se réduit à une croyance en la légalité. Faute d'une justification en raison selon des principes susceptibles de vérité, le système repose donc sur un acte de décision, avec la conséquence redoutable avouée par Luhmann selon laquelle c'est l'arbitraire qui devient institution dans un registre essentiel de la vie en commun.

Philosophiquement, une telle position ruine radicalement l'effort de la politique moderne lorsqu'il vise à disjoindre les logiques de l'institution et de l'arbitraire en cherchant à associer l'autorité à une exigence de justification et de reconnaissance. Politiquement, elle semble par ailleurs s'enfermer dans un paradoxe redoutable. Sa force tient dans le fait de concevoir la politique comme un pur système qui vise simplement à stabiliser les attentes de comportement sans considérations d'impératifs de justification. Mais elle devient aussitôt faiblesse, dans la mesure où se dévoile le fait que la fonctionnalité du système est elle-même une croyance. Fonctionnaliste en ce sens, le positivisme décisionniste peut sans doute traiter les prétentions à la validité « comme des illusions nécessaires au fonctionnement du système », mais il souffre de ce que « l'illusion ne doit pas être découverte si la croyance à la légalité ne doit pas être ébranlée [116] ». Et ce paradoxe vaut largement s'agissant de la définition wébérienne de la légitimité moderne.

Sur l'une de ses faces en effet, elle suppose la croyance dans la validité des normes édictées rationnellement. Mais, faute d'un fondement en raison de leur contenu, celles-ci peuvent se révéler privées de justification. Pour sortir de l'impasse où s'enferme cette position, il faut à nouveau élargir la discussion en posant une question plus large : celle qui touche au fait de savoir si « les normes d'action et d'évaluation en général sont susceptibles d'une justification rationnelle [117] ».

Habermas, on le sait, reprend le problème en cherchant à reconstruire les normes juridico-politiques à partir des normes fondamentales du discours rationnel qui sont mobilisées dans les discussions pratiques. Dans un tel cadre, les normes juridiques doivent cesser de s'apparenter à une pure légalité technique et peuvent entrer dans une logique de la discussion publique. Passibles d'argumentation, soumises au principe de la critique, elles ne relèvent alors plus d'une décision finalement arbitraire, mais procèdent du schéma de l'intercompréhension. Soumises à la procédure de la formation discursive de la volonté, elles prennent la forme de règles d'autogouvernement, rationnellement justifiées et acceptables en tant que vecteurs de contrainte. L'obéissance change alors de sens et glisse de la soumission à un ordre vers le respect de normes reconnues dans l'intersubjectivité. La légalité n'est plus qu'un indice de la légitimité, qui demeure fondamentalement réservée aux mécanismes de la discussion dans la sphère publique.

Resterait alors une dernière perspective, qui poursuit le même objectif en sollicitant toutefois d'autres ressources. Celles de la découverte de principes universels de justice et d'une formation contractualiste de la volonté. Le Habermas de *Raison et légitimité* doute du succès d'une telle entreprise, lorsqu'il indique que « les efforts philosophiques pour réhabiliter le droit naturel traditionnel ou [...] le droit naturel moderne ont échoué tout autant que les tentatives pour fonder une éthique matérielle des valeurs [118] ». On peut toutefois revenir sur ce doute, à la lumière de développements récents et en opérant une distinction au sein des projets philosophiques rapprochés par Habermas. Nul doute que la voie d'une réhabilitation du droit naturel traditionnel soit impraticable pour sortir des dilemmes de la justification des normes dans le cadre de la modernité. Faisant signe vers le paradigme d'une normativité inscrite dans le cosmos de la nature ou la volonté divine, elle réinstallerait sans doute un socle de vérité permettant de sortir de l'aspect relativiste de la discussion. Mais au prix d'une incompatibilité de la construction avec le principe de base de la liberté moderne : celui de l'autonomie, lié à l'idée selon laquelle les normes ne sont acceptables que si elles peuvent être conçues comme un produit de la raison humaine [119]. À la recherche d'une solution aux antinomies de l'État de droit telles que décrites par Max Weber, on peut en revanche être tenté de se tourner vers les problématiques contemporaines qui réactualisent l'idée du droit naturel moderne. Vers la *Théorie de la justice* de John Rawls ou la théorie de droit élaborée par Ronald Dworkin, qui peuvent témoigner des possibilités d'une rationalité politique consciente des défis lancés par les analyses du désenchantement du monde, mais refusant de concéder au relativisme et à l'idée d'une impossibilité de fonder en raison les cadres de la société politique moderne.

Cette intention est clairement indiquée par John Rawls, lorsqu'il revient sur le contexte et les enjeux de la *Théorie de la justice* [120]. Au point que l'on pourrait presque découvrir un dispositif orienté contre le scepticisme wébérien, ce scepticisme angoissé sur la modernité qui s'appuie sur le résultat du processus de désenchantement du monde et fait fond sur la mise au jour d'une pluralité de points de vue irréconciliables sur le monde. La stratégie consisterait à réinterpréter comme positive cette pluralité, en l'intégrant comme une donnée constitutive de la réalité des sociétés contemporaines. D'où l'idée selon laquelle cette séparation des points de vue sur le monde est un fait, le « fait du pluralisme » qui doit devenir le point de départ de la théorie politique. La question n'est alors plus de savoir d'où vient cette déchirure, mais de « comprendre comment un régime constitutionnel, caractérisé par le " fait du pluralisme ", pourrait assurer, malgré des divisions profondes et grâce à la reconnaissance publique d'une conception politique raisonnable de la justice, la stabilité et l'unité sociales [121] ». En d'autres termes, l'idée d'une incompatibilité des visions morales du monde dramatiquement mise en scène par la métaphore de la guerre des dieux est assumée comme un fait dominant la réalité moderne. Mais on cherche à l'arracher à sa conséquence : l'impossibilité de fonder la politique et les normes pratiques en général sur un accord rationnel.

Ainsi posée, la question du pluralisme est au centre de toutes les discussions sur la politique moderne. Comme le montre Paul Ricœur, elle cerne les raisons pour lesquelles la politique est le lieu de conflits spécifiques, non réductibles à ceux qui naissent par exemple des besoins dans la sphère économique [122]. Parfaitement mise au jour par Max Weber, cette question a été traitée selon trois grands schémas philosophiques. Si la déchirure des points de vue est imputée à une scission de la conscience de l'homme situé dans le temps de l'historicité, elle attend comme chez Hegel d'être résolue par l'histoire. L'histoire qui supprime les contradictions entre la connaissance et la pratique, le savoir et la morale, l'homme et le monde, pour conduire à une forme supérieure de réconciliation. Mais elle peut à l'inverse être perçue comme le résultat paradoxal de l'histoire de la raison. Une raison qui éclate au moment où le dernier homme prend conscience de la fin de l'histoire. Se découvre alors avec Nietzsche une perspective qui interdit à la fois la réconciliation et la conciliation. Une troisième interprétation se dessinerait enfin, qui explore l'étroite fenêtre laissée ouverte entre l'idée d'une fin de l'histoire et le perspectivisme généralisé. Il s'agit alors de récuser la possibilité d'une suppression du conflit, mais en affirmant aussitôt le refus d'abandonner le principe d'une autonomie de la raison capable de s'orienter selon ses propres règles et de réguler les conflits par la recherche d'un accord entre les volontés. Selon cette dernière conception, l'existence de conflits n'est alors plus la trace d'une essence tragique de l'existence humaine ou le symptôme d'un déchirement propre à la modernité. Il faut simplement reconnaître que « le pluralisme des opinions ayant libre accès à l'expression publique n'est ni un accident, ni une maladie, ni un malheur ». Mais qu'il figure simplement « l'expression du caractère non décidable de façon scientifique ou dogmatique du bien public [123] ».

Le fait de limiter l'objet de la *Théorie de la justice* à la recherche d'un consensus sur les principes de base de la société a donc une double signification. En premier lieu, il s'agit négativement de réfuter la prétention à fonder une théorie exhaustive de la justice. Celle-ci tomberait immédiatement sous la coupe de l'argument du relativisme. Même bien construite et argumentée, elle ne saurait apparaître que comme une théorie parmi d'autres, entrant dans la compétition des points de vue, sans pouvoir résoudre le problème de la fondation et de la stabilité du système politique. *A contrario,* le projet doit tenir compte « d'une diversité de doctrines et de la pluralité des conceptions du bien qui s'affrontent et sont effectivement incommensurables entre elles [124] ». Mais cette position de retrait par rapport aux ambitions classiques de la philosophie morale ne fait que mieux souligner l'intensité du problème pris en charge. Si dans le monde contemporain la philosophie politique doit abandonner la perspective d'une conception globale du bien et de la justice pour respecter le pluralisme des valeurs, elle a pour tâche de formuler les conditions d'un accord permettant néanmoins la coopération des individus et la stabilité de l'ordre social. Et cette tâche est d'autant plus urgente que se sont épuisées les ressources de légitimité propres aux systèmes traditionnels.

En termes plus wébériens, il faut montrer que le caractère incommensurable des conceptions du bien, de la justice et de la vérité ne signifie pas le retour à un polythéisme [125]. Qu'il ne conduit pas nécessairement au fait que l'installation d'un système politique ne peut s'appuyer que sur un acte de pure décision. Que le pluralisme peut au contraire déboucher sur la formulation d'un consensus minimal, susceptible de fonder en raison une pratique commune des institutions. Ce qui veut dire que non seulement la politique n'est pas abandonnée à l'irrationalisme sur fond de guerre des valeurs, mais qu'elle peut relever d'une raison pratique mise en forme au travers de principes servant de cadre régulateur à la compétition des points de vue. Avec pour conséquence que l'ordre juridique, loin de rester sans autre fondement qu'une décision arbitraire, peut trouver une assise dans la reconnaissance de principes conçus comme une norme fondamentale. Toute la difficulté réside alors dans la justification de ces principes, qui doivent non seulement être construits rationnellement, mais sous une forme qui garantisse leur universalité. C'est à ce prix et à ce prix seulement que peuvent être dépassés le scepticisme wébérien quant à la possibilité d'une politique rationnelle et l'association du monde moderne désenchanté à un univers régi par des mécanismes décisionnistes.

Il faut alors s'engager sur un trajet que Paul Ricœur nomme celui de la « justification », où se pose le problème de la fondation du jugement et de la mise à l'épreuve de ses raisons [126]. L'essentiel de la démonstration peut ainsi reposer sur le mode de raisonnement qui conduit au choix des principes de justice. Ces principes doivent en effet être construits de telle manière qu'ils remplissent des conditions de publicité et d'universalité, en sorte que tout individu soit susceptible de les accepter, pour lui-même et l'ensemble de ses semblables. L'argument de Rawls sur ce point emprunte un détour similaire à celui que pratique Habermas lorsqu'il cherche à fonder l'éthique discursive de la communication. À la thèse selon laquelle le monde désenchanté de la technique, de la domination ou de la réification de l'existence vécue interdirait toute possibilité d'une raison pratique, il faut opposer le fait que ce discours critique lui-même suppose la possibilité d'un autre point de vue. D'où la référence chez Habermas à une situation de communication exempte de domination, qui définirait les conditions idéales d'une intersubjectivité non déformée. D'où le détour qu'opère Rawls par une situation hypothétique dans laquelle les individus seront ignorants de leurs déterminations particulières et pourront choisir des principes qui neutralisent les effets de position dans le monde réel. Jürgen Habermas critiquera le recours rawlsien à une construction hypothétique et insistera sur la différence entre ce raisonnement et celui qui prend en compte une situation *réelle*. À ses yeux, la démonstration d'une possibilité de fonder les jugements pratiques n'a de sens que si l'on admet le fait qu'il s'agit de « rétablir un consensus qui a été troublé », et si les argumentations morales servent à « rétablir, dans le consensus, des conflits nés dans l'action ». Ce qui suppose donc que les argumentations soient « réelles », déduites de situations concrètes auxquelles participent les « personnes concernées [127] ». On peut cependant être tenté de minorer l'étendue de ce désaccord entre Habermas et Rawls au regard de ce qui les rapproche face au relativisme positiviste.

Soit le raisonnement de Rawls. Dans la « position originelle », il faut imaginer les individus placés sous un « voile d'ignorance ». Sous cette condition, « personne ne connaît sa place dans la société, sa position de classe ou son statut social ; personne ne connaît non plus ce qui lui échoit dans la répartition des atouts naturels et des capacités [...]. Chacun ignore sa propre conception du bien, les particularités de son projet rationnel de vie, ou même les traits particuliers de sa psychologie comme son aversion pour le risque ou sa propension à l'optimisme ou au pessimisme [128] ». L'objectif est donc de faire en sorte qu'ignorants des contingences particulières qui génèrent leurs conflits dans la société réelle, les individus puissent se livrer à un exercice purement rationnel de choix des principes permettant de régler ces conflits. Étant entendu que si l'on parvenait à formuler un accord dans cette situation idéale, il pourrait offrir les principes de base nécessaires à l'organisation de la société concrète. Parce qu'ils serviraient de fondement pour une morale pratique. Et pour autant qu'ils formeraient l'assise d'un système institutionnel rationnellement fondé.

La stratégie d'argumentation de Rawls consiste à recourir aux modèles de la théorie des jeux pour donner forme à un tel choix. Conduits à opérer un choix dans l'incertain, les individus placés dans la position originelle sont dans une situation semblable à celle du joueur (ou du prisonnier) qui sait que le résultat de son choix dépend de celui des autres, mais en ignore la nature. De manière générale, l'attitude la plus rationnelle pour lui consiste alors à choisir la solution qui maximise son gain minimal, ou minimise sa perte maximale. D'où le recours à la règle du *maximin*, règle qui « nous dit de hiérarchiser les solutions possibles en fonction de leur plus mauvais résultat possible : nous devons choisir la solution dont le plus mauvais résultat est supérieur à chacun des plus mauvais résultats des autres [129] ». Transposé de la théorie des jeux vers la recherche de principes de justice, un tel raisonnement permet donc de donner un fondement logique aux choix opérés par un calcul qui relève de la rationalité en finalité. En ce sens et dans les catégories wébériennes, c'est la raison instrumentale qui permet de justifier les principes de justice qui vont devenir la base de la société.

L'exemple du choix d'un principe de liberté égale pour tous appliqué aux opinions peut alors servir de paradigme dans la discussion sur la possibilité d'une justice rationnelle dans le monde désenchanté. Tout se passe en effet comme si le problème se situait au cœur de ce qui fait le diagnostic pessimiste de Weber sur l'époque : le monde moderne ne connaît qu'un conflit irréductible des valeurs qui rend vaines la possibilité d'un choix argumenté et la formulation d'un accord entre les acteurs de la société. En conséquence, sur fond de guerre des dieux, la politique cesse de pouvoir être fondée en raison et risque de voir resurgir des formes d'irrationalité. De même, le système de l'État et du droit ne peut reposer que sur un acte de décision, avec le danger que présente le déficit de justification substantielle. Une fois encore, la thèse de Rawls renverse la perspective, en montrant que c'est précisément le fait du pluralisme, le caractère incommensurable des opinions en conflits, qui rend nécessaire la formulation d'un accord entre les individus. Et ce non du point de vue de l'utilité de la société menacée d'incohérence, mais à partir de l'intérêt bien compris de chacun.

Dans la situation hypothétique qu'est la position originelle, les partenaires ignorent la manière dont se situent leurs positions morales ou religieuses. Ils n'ont aucune information quant au fait qu'elles soient, majoritaires ou minoritaires, dominantes ou marginales. D'où ce qui se présente comme une évidence rationnelle : « Le seul principe que les personnes puissent reconnaître est celui de la liberté égale pour tous. Elles ne peuvent mettre en danger leur liberté en permettant que les doctrines morales et religieuses dominantes persécutent et répriment les autres à leur guise [130]. » Le principe de la plus large tolérance est alors la réponse au fait du pluralisme des valeurs. Un pluralisme qu'il constate, respecte et organise afin de le rendre compatible avec la stabilité de la société. Étendu de la liberté de conscience aux autres libertés de base, le raisonnement conduit alors au premier principe de la *Théorie de la justice* : « Chaque personne doit avoir un droit égal au système le plus étendu de libertés de base égales pour tous qui soit compatible avec le même système pour tous les autres [131]. »

Dans le contexte des discussions classiques sur la justice, l'argument rawlsien et son mode de justification sont avant tout tournés contre l'utilitarisme. La notion d'utilité supposerait en effet que la liberté de conscience soit soumise au calcul des intérêts sociaux et conduirait les individus à « en autoriser la restriction si une somme totale supérieure de satisfaction en résultait [132] ». Plus généralement, l'utilitarisme cherche la maximisation du bonheur commun, sans considération particulière de la priorité des libertés individuelles, voire au prix de leur sacrifice et de celui d'intérêts individuels au profit de l'utilité collective [133]. Il requiert par ailleurs « l'idée d'un spectateur impartial et doué de sympathie », qui soit l'instance à partir de laquelle puisse s'opérer le calcul de l'utilité commune. Dans la construction de Rawls, l'hypothèque est levée par le fait que l'impartialité est définie « à partir des individus en conflit » et qui « doivent décider d'après quels principes leurs revendications les uns à l'égard des autres doivent être arbitrées [134] ». Mais la possibilité de fonder des principes de justice en référence au seul point de vue des individus en conflit peut aussitôt se retourner contre le positivisme et sa difficulté à fonder les normes fondamentales du système juridique.

Si l'on reconnaît que le principe d'égalité de la *Théorie de la justice* trouve avec le schéma du voile d'ignorance et le modèle du choix dans l'incertain un fondement en raison, on peut admettre qu'il apporte une solution au problème de la norme fondamentale en devenant la base du système juridique. De ce principe découle en effet une idée de la constitution, définie comme « procédure juste qui satisfait aux exigences de la liberté égale pour tous [135] ». Ce qui veut dire qu'à partir des principes de la théorie de la justice peut être reconstruite une architecture complète des institutions. En effet, si du point de vue des individus ces principes fonctionnent comme des impératifs catégoriques, ils deviennent immédiatement les critères de régulation du système institutionnel, selon une séquence décrite par Rawls en quatre étapes. Dans la position originelle, les individus définissent les règles de base de leur coopération et ils les organisent selon un ordre de priorité. Ainsi la liberté égale pour tous (principe d'égalité) demeure prioritaire par rapport au principe de différence, qui rend compte de la répartition des richesses et organise l'arbitrage des intérêts. L'étape constituante quant à elle exprime cette priorité et vise à définir, sous la contrainte du premier principe, « un système des pouvoirs constitutionnels du gouvernement et des droits de base des citoyens [136] ». C'est à ce niveau que doit être traité le problème de la pluralité des opinions : selon l'idéal de tolérance précédemment posé et en conformité avec « la priorité de l'assemblée constituante sur l'assemblée législative [137] ». Et ce n'est donc qu'en un troisième temps, celui de l'établissement d'une législation, qu'est envisagée l'application du second principe suivant lequel « le but de la politique sociale et économique [est] la maximisation des attentes à long terme des plus défavorisés, dans des conditions de juste égalité des chances et de maintien de l'égalité des libertés [138] ».

Enfin, une dernière étape permet la prise en compte des faits particuliers concernant les personnes et les situations concrètes. Désormais, il ne s'agit plus que de l'application des règles précédemment construites et du règlement des litiges entre individus par référence à celles-ci. Le système est alors complet, puisque les principes initiaux transformés en législation et règles de procédures permettent de traiter les situations conflictuelles par la médiation du juge ou de l'administration soumis aux impératifs de justice, « chaque point de vue héritant des contraintes adoptées à l'étape précédente [139] ». Dans ce dernier moment de la théorie, le voile d'ignorance est totalement levé et il n'existe plus aucune restriction à l'information. Les décisions sont prises en parfaite connaissance des situations empiriques et selon une logique qui ne peut plus être que celle d'une justice procédurale imparfaite. Il faut noter que ce glissement vers une justice procédurale imparfaite au moment où elle touche aux situations concrètes est essentiel au regard de la théorie d'ensemble. Il lève en effet l'objection qui pourrait être avancée du point de vue des dangers que présente le projet d'une conception globale de la justice. Ou, pour le dire autrement, l'idée selon laquelle on pourrait concevoir un savoir de la pratique. On peut en effet penser avec Paul Ricœur que « peu d'idées sont aujourd'hui plus salubres et plus libérantes que l'idée qu'il y a une raison pratique, mais non une science de la pratique [140] ». En limitant la portée de l'impératif d'universalisation à la définition de principes fondateurs de l'ordre social, mais en laissant dans une relative indétermination les règles concrètes de justice, Rawls respecte cette frontière. En ce sens, la *Théorie de la justice* préserve la capacité d'une raison pratique, contre les problématiques du désenchantement. Mais elle le fait en refusant de l'hypostasier dans une science de la pratique à la manière de Hegel.

Identité du sujet et altérité :
la légitimité repensée

On peut alors s'arrêter sur la manière dont une telle construction engage la résolution des antinomies laissées pour insolubles par la lecture wébérienne du monde contemporain. Le pessimisme de Max Weber reposait, on le sait, sur la crainte que les individus n'en viennent à vivre la politique au travers d'un resurgissement de l'irrationalisme, en vertu d'une impossibilité de s'accorder sur le règne des fins. Faute d'un accord minimal sur la représentation de la bonne société, la politique serait en effet livrée à la concurrence de conceptions irréductibles les unes aux autres, concurrence qui laisserait pour vaine toute tentative d'une raison pratique. Loin de réfuter cette difficulté moderne à concevoir une conception unifiée du bien, Rawls l'accepte comme un fait. Mais il cherche à contourner l'objection wébérienne en déplaçant le lieu de l'accord nécessaire à la fondation d'une société stable. Au regard de la *Théorie de la justice*, « l'unité de la société et l'allégeance des citoyens à leurs institutions communes ne sont pas fondées sur le fait qu'ils adhèrent tous à la même conception du bien, mais sur le fait qu'ils acceptent publiquement une conception politique de la justice pour régir la structure de base de la société [141] ». Une telle vision permet alors d'avancer trois éléments d'une alternative aux analyses désenchantées du monde moderne.

En premier lieu, la démarche rawlsienne oppose aux thèses désenchantées qu'il demeure possible de penser un sens commun, en dépit de l'éclatement de la raison, de la fragmentation de l'espace social et du pluralisme des valeurs. Il suffit pour cela de définir le site exact où se reconnaît l'existence d'un sens commun. Il est entendu que ce site ne peut être une vision globale du monde et plus précisément encore « qu'en matière de pratique politique aucune conception morale générale ne peut fournir un fondement publiquement reconnu pour une conception de la justice dans le cadre d'un État démocratique moderne [142] ». Mais le sens commun démocratique se découvre à un autre niveau : celui où se formule un accord régulateur sur des principes de gestion des conflits. Et ce même si cet accord ne concerne finalement que des manières d'être en désaccord. En ce sens, le but de la *Théorie de la justice* est bien directement pratique. Il ne s'agit pas d'avancer une « conception vraie » de la justice, mais de concevoir « une base pour un accord politique informé et de plein gré entre des citoyens qui sont considérés comme des personnes libres et égales [143] ». Comme chez Hannah Arendt ou Jürgen Habermas, le projet consiste donc à résister au scepticisme lié à l'incertitude sur les fins dernières, en cherchant à thématiser les possibilités d'une intersubjectivité. Mais l'originalité de John Rawls consiste à s'appuyer sur l'idée d'un consensus déjà présent dans la tradition démocratique, là où Arendt se réfère directement au modèle esthétique et Habermas à une conception de l'éthique médiatisée par le langage et la logique argumentative [144].

La notion de « consensus par recoupement » permet alors de cerner l'élément plus directement politique de l'alternative au modèle du désenchantement. Avec elle, il s'agit de montrer qu'une conception politique de la justice ne peut en aucun cas reposer sur une doctrine religieuse, philosophique ou morale exhaustive, qui retomberait nécessairement sous la coupe de l'argument lié à l'indétermination des fins. En revanche, cette indétermination ne peut masquer le fait qu'il existe « certaines intuitions fondamentales latentes au sein de la culture politique publique d'une société démocratique [145] ». Dans une large mesure, la théorie de la justice comme équité n'est alors que le dégagement de ces valeurs livrées par la tradition démocratique et leur mise en forme par le biais d'une justification rationnelle. Ces valeurs peuvent alors faire l'objet d'un consensus par recoupement au sens où, sans présager de la validité des doctrines et visions du monde concurrentes dans la société, elles définissent les conditions de leur possibilité et de leur confrontation. Ni point commun entre des doctrines irréconciliables ni définition d'un point de vue qui les dépasserait, ce consensus formule simplement un fond commun d'idées implicitement partagées, qui rendent possible la coexistence d'individus par ailleurs en conflits d'intérêts et d'opinions.

On aura bien évidemment reconnu comme contenu de ce consensus le corpus des libertés fondamentales énoncées par les déclarations des droits de l'homme. John Rawls l'expose explicitement lorsqu'il énonce la liste de ces libertés de base : « Les libertés politiques (droit de vote et d'occuper un emploi public), la liberté d'expression, de réunion, la liberté de pensée et de conscience ; la liberté de la personne qui comporte la protection à l'égard de l'oppression psychologique et de l'agression physique (intégrité de la personne) ; le droit de propriété personnelle et la protection à l'égard de l'arrestation et de l'emprisonnement arbitraires, tels qu'ils sont définis par le concept d'autorité de la loi [146]. » Plus importante alors que l'énumération extensive de ces libertés, c'est ici leur mode de construction qui est décisif, sur le trajet de ce que Paul Ricœur nomme la justification des maximes de l'action. Parce qu'il oppose tout d'abord à la logique utilitariste de maximisation du bonheur collectif la priorité de la liberté, selon l'idée d'une organisation lexicale des deux principes de justice, organisation qui interdit le sacrifice de l'autonomie et de la liberté. Mais aussi parce que ce raisonnement offre encore un double point d'arrêt à la critique positiviste des droits de l'homme dont il renouvelle la justification.

S'il est possible de montrer que les droits de l'homme redéfinis comme libertés de base sont l'objet d'un consensus par recoupement, c'est l'objection wébérienne contre leur déficit de capacité légitimatrice qui tombe. On sait en effet que pour Weber le caractère autoproclamatoire de ces droits faisait à la fois leur force et leur fragilité. Issus de la critique de l'absolutisme par les Lumières, ils tiraient leur puissance d'ébranlement révolutionnaire de leur caractère révélé. Mais ce dernier apparaissait presque aussitôt insuffisant pour faire de ce corpus le fondement d'un droit nouveau. Et il imposait la transformation des droits de l'homme en un droit purement positif, incarné par la loi et soumis aux entreprises de codification. Dans une large mesure, le raisonnement rawlsien renverse l'objection : loin que l'empreinte naturaliste des droits de l'homme mine leur capacité légitimatrice, elle fait d'eux au contraire une réponse au besoin de légitimation du système juridique. Reconnus comme formant le ciment du sens commun démocratique de la société moderne, ils permettent de lever l'hypothèque décisionniste quant à l'installation de l'ordre normatif dont ils deviennent à la fois le fondement et le principe régulateur.

C'est alors le second argument rawlsien qui est décisif, en tant qu'il oppose le raisonnement conduit sous l'hypothèse du voile d'ignorance à l'idée positiviste selon laquelle les droits de l'homme ne sont que des valeurs métajuridiques, non susceptibles de justification. Avec lui en effet, les droits de l'homme reçoivent un fondement en raison. Fondement d'autant plus solide qu'il s'opère par neutralisation des intérêts particuliers et sans recours à des postulats concernant la nature bienveillante des individus. Déduits du seul intérêt bien compris du sujet et par le biais d'un calcul strictement rationnel, ils ne supposent aucune idée préconçue de l'homme ou de la bonne société et deviennent le cadre où peuvent se déployer les représentations conflictuelles du monde. S'estompe alors l'objection nourrie du schéma de la guerre des dieux, puisque la pluralité des points de vue irréconciliables sur le monde n'interdit plus l'énonciation de principes qui échappent à la sphère conflictuelle des valeurs, pour ne relever que d'une déduction propre à la logique de la rationalité.

On peut alors penser que la démarche de Rawls structure les éléments d'une véritable théorie du jugement politique, qui renoue les fils d'une tradition qui irait des théories du contrat à Kant en relevant le défi lancé par la critique positiviste du subjectivisme [147]. Du point de vue du problème de la fondation tout d'abord, elle montre qu'une conception politique de la société bien ordonnée peut reposer sur une idée de la raison qui ne requiert aucune conception métaphysique particulière. En termes kantiens, l'idée d'égale liberté est bien un impératif catégorique et non hypothétique. C'est-à-dire qu'il doit s'entendre comme « un principe de conduite qui s'applique à une personne en vertu de sa nature, comme un être rationnel, libre et égal aux autres [148] ». En ce sens, le raisonnement supprime toute dimension d'hétéronomie dans la formulation de l'accord sur les principes de base de la société. Celle qui découlerait de la nécessité de recourir à un spectateur impartial ou à la référence à une Nature extérieure à l'homme. Mais celle aussi qui demeure présente lorsque les règles d'organisation de la société prennent en compte les conditions particulières des individus, leurs buts, leur désirs ou plaisirs spécifiques.

Au terme de la démonstration, nous disposons donc d'une théorie de l'institution politique conforme aux conditions modernes de la légitimité. Au sens de Max Weber, puisque le système des normes est adéquat à l'idée d'une rationalité formelle qui les enchaîne les unes aux autres par une logique de cohérence déductive. Mais aussi selon une perspective qui résout le problème de fondation laissé vacant par le positivisme. Forcé en effet d'admettre un moment décisionniste d'installation du système, ce dernier risquait d'abandonner l'idéal de l'autonomie pensée comme le fait de se donner la loi à soi-même. Critiquée comme une illusion par Kelsen, réfutée en doute par Weber au motif des incertitudes qui pèsent sur la possibilité d'une raison pratique dans un monde désenchanté, l'idée d'autonomie guide la construction des principes de la *Théorie de la justice*. Celle-ci retrouve alors la notion kantienne suivant laquelle « l'autonomie de la volonté est cette propriété qu'a la volonté d'être à elle-même sa loi (indépendamment de toute propriété des objets du vouloir). Le principe de l'autonomie est donc : de toujours choisir de telle sorte que les maximes de notre choix soient comprises en même temps comme lois universelles dans ce même acte du vouloir [149] ».

La référence à la notion d'autonomie et au concept de raison pratique qu'elle contient permet alors de résoudre la question de la légitimité de l'État de droit dans le contexte du désenchantement. Rappelons la position du problème légué par la *Sociologie du droit* de Weber et qui revient largement à l'antinomie entre naturalisme et positivisme. L'interprétation littérale du paradigme du désenchantement conduit à penser que la référence à « des normes indépendantes de tout droit positif et supérieures à ce dernier », c'est-à-dire à un droit naturel, est « la seule forme spécifique et conséquente de légitimité qui puisse subsister quand les révélations religieuses et la sainteté autoritaire de la tradition et leurs servants ont disparu [150] ». En d'autres termes, le procès de rationalisation du monde produit une désacralisation du droit qui interdit sa fondation sur des principes d'hétéronomie tels que la Nature, Dieu ou la Tradition. Ne reste donc pour possibilité de légitimation des normes juridiques que leur justification « non pas en vertu de leur édiction par un législateur légitime, mais en vertu

de leurs qualités immanentes ». Le droit naturel moderne correspond alors à cette exigence, puisqu'il ne reconnaît pour critère de
validité que la nature et la raison humaines, postule que n'est légitime qu'un droit « dont le contenu n'est pas en contradiction avec
la conception d'un ordre raisonnable fondé sur des accords libres »
et se conçoit comme base et « mesure régulative d'évaluation » de
l'État [151].

Mais si cette référence à un « droit du droit » est bien conforme
à l'une des exigences de la modernité qui correspond à la désacralisation des normes et à l'idéal d'une raison autonome, il
devient aussitôt contradictoire avec d'autres composantes. En premier lieu, le droit naturel abandonne rapidement son caractère formel et le projet de ne faire découler les normes que de la raison,
pour se surcharger de considérations utilitaires. La transformation
du droit naturel formel en un droit matériel lui fait alors perdre sa
capacité fondatrice du droit positif : le droit cesse d'être déduit
d'idées abstraites à vocation universelle pour devenir un « mode
économique et matériel d'acquisition [152] » qui entre dans une
logique de conflit. À quoi s'ajoute le fait que la problématique du
droit naturel et la conception de la raison qu'elle suppose sont
victimes du « scepticisme de l'intellectualisme moderne » et sont
emportées par la perspective du relativisme des valeurs. D'où la
conclusion de Weber suivant laquelle « l'axiomatique jusnaturaliste est tombée dans un profond discrédit (et) a perdu sa capacité
à servir de fondement à un droit », au profit d'un positivisme qui
ne voit dans le droit qu'un « moyen technique d'un compris
d'intérêt » et se tient à l'écart de toute tentative de « pourvoir le
droit d'une dignité supra-empirique en vertu de ses qualités immanentes [153] ».

Pourtant, si sous le regard de Max Weber l'antinomie du positivisme et du naturalisme se résout en pratique par le triomphe
d'un droit positif purement technique, on peut penser qu'elle
demeure en théorie largement ouverte. Si l'émergence du positivisme fait fond sur les difficultés à concevoir un droit naturel
échappant à la critique des illusions de la Raison, force est de
constater que le problème resurgit au détriment du droit objectif.
Sans doute celui-ci trouve-t-il sa force dans son efficacité en tant
que système de règles affranchies de toutes considérations de
conformité à des valeurs métajuridiques. Mais il souffre à son tour
d'un déficit de légitimité, lié à la fois à son absence de fondation
ultime et à l'incertitude qui pèse sur la justification de ses prescriptions. Faute de l'une et de l'autre en effet, le droit se différencie mal d'une simple objectivation de la contrainte dont la stabilité
ne repose en dernière instance que sur la croyance en la légalité.

Or, ainsi que le suggère Weber lui-même, « le dépérissement des implications métajuridiques du droit fait partie des développements idéologiques (qui) intensifient le scepticisme à l'égard de la dignité de certaines règles précises de l'ordre juridique concret [154] ». Censée sortir renforcée de l'élimination de présuppositions métaphysiques, la problématique de l'État de droit se trouverait ainsi d'autant plus fragilisée qu'elle tomberait sous la coupe de l'éventualité d'une révolte contre la perte du sens dans le monde moderne.

Les théories procédurales contemporaines semblent alors pouvoir apporter le cadre d'une réponse à ce paradoxe. De même que la procédure de justification des principes de base chez Rawls reprend la question des fondements de l'État de droit en les renvoyant à un accord rationnel, sa référence à une problématique du sens commun rend compte de la question de la stabilité du système. En montrant en effet que les principes construits sous le voile d'ignorance sont conformes à « une tradition de pensée démocratique dont le contenu est au moins intuitivement familier à la plupart des citoyens [155] », Rawls fait le partage entre le fait du pluralisme caractéristique du monde moderne et les conditions néanmoins maintenues d'un accord visant à l'organiser. La stabilité du système normatif est ainsi déconnectée de la logique du conflit des intérêts et des opinions, pour reposer sur le choix rationnel des individus. La liaison entre les règles du droit positif et des principes métajuridiques de justice cesse alors d'être une menace pesant sur la cohésion de l'ensemble, et devient la garantie d'une allégeance des citoyens à un ordre librement consenti, rationnellement justifié et qui demeure soumis à l'idéal de la critique.

La perspective ouverte par Rawls renouvelle alors la problématique de la légitimité, dans un sens conforme à la distinction posée par Habermas entre « l'obéissance à des ordres concrets et le respect de normes reconnues dans l'intersubjectivité [156] ». Le positivisme en effet ne laissait pour fondement de l'obéissance que la croyance en la légalité de règlements formellement édictés et donc fortement sensibles à l'hypothèse d'une crise du sens dans le monde contemporain. De même l'utilitarisme, en la faisant reposer sur le sentiment d'utilité, prend le risque d'une impossibilité d'accord sur le contenu du bien-être ou d'une instabilité de ses représentations. L'une et l'autre de ces problématiques en tout état de cause ne parviennent à faire reposer le devoir-être et la validité normative que sur une hétéronomie partielle, celle du bonheur commun d'un côté, du respect de la légalité formelle de l'autre. À quoi la théorie de la justice comme équité oppose qu'il n'est d'obéissance acceptable qu'appuyée sur des normes possibles d'une reconnaissance mutuelle et prenant la forme d'un impératif que chacun reconnaît pour lui-même et ses semblables. Intégralement soumises au principe de l'autonomie, les normes juridiques de l'État de droit retrouvent alors une forme de justification conforme à l'idéal rousseauiste suivant lequel l'obéissance à la loi n'est qu'obéissance à soi-même.

Mais cette conception de la légitimité demeurerait sans doute incomplète si elle se limitait au problème de la construction des normes et des fondements de l'obéissance. La théorie rawlsienne fournit à cet égard une indication supplémentaire, en offrant « un point de vue publiquement reconnu à partir duquel tous les citoyens peuvent examiner les uns devant les autres si leurs institutions politiques et sociales sont justes ou non [157] ». Ainsi, les principes de justice formulés comme impératifs catégoriques deviennent principes régulateurs du fonctionnement concret du système. La raison pratique peut de ce fait s'étendre à l'évaluation des institutions au sein d'un espace public. Celui-ci repose sur le consensus repéré concernant les bases de la communauté politique et se nourrit de la délibération d'individus à la fois informés sur les effets de leur coopération sociale et en accord sur ses finalités. Cette dynamique de l'évaluation de la politique à l'aune des principes de justice clôt alors la construction par la prise en compte de ce qu'Habermas appellerait la dimension d'une communication élargie. Fondé en raison hors des contraintes de domination du monde réel, l'ordre social repose intégralement sur un espace d'interrelations. Espace structuré par la référence à un consensus sur la manière de traiter les conflits et renforcé par la pratique effective de leur gestion.

L'association wébérienne de l'éclatement de la Raison, de la crise du sens et du désenchantement vis-à-vis de la politique et de l'État devrait alors céder face à cette perspective d'une intersubjectivité élargie. Réintégré comme « fait du pluralisme », le conflit des points de vue incommensurables sur le monde n'est en effet plus incompatible avec la possibilité d'une raison pratique, mais devient constitutif d'un corps de principes qui lui donne une consistance. Avec eux, la question n'est alors plus directement de savoir si les valeurs sont passibles de justification, mais d'offrir un cadre tel que leur confrontation soit ouverte à une logique de l'argumentation sur fond de reconnaissance mutuelle. Loin alors que l'idéal du subjectivisme entre en contradiction avec le caractère conflictuel de la société moderne, il en réinvestit le sens puisque l'affirmation de l'autonomie individuelle du sujet passe immédiatement par la prise en compte de l'altérité. Le fait que ce schématisme classique des réflexions sur l'éthique soit associé à la recherche d'un accord sur les structures de base de la société, et non à une vision substantielle du bien, renvoie donc cette dernière question à la sphère privée de l'autonomie individuelle, médiatisée par la discussion publique.

Désenchanté par le positivisme au point de devenir le pur moyen technique de compromis d'intérêts, l'État de droit retrouve alors sa signification d'espace normatif issu de la volonté des individus et permettant leur coexistence en tant que citoyens. Le triomphe de la rationalité juridico-politique n'est donc plus pensé comme enfermant les sujets dans un univers de règles à finalité purement décisionniste, mais s'associe à l'idée d'institutions librement reconnues et soumises au principe de critique. On peut alors penser que se trouve résolu le conflit wébérien entre rationalisation de la domination et rationalisation du monde vécu. L'une et l'autre en effet s'alimentent à la même source, celle de l'autonomie du sujet qui assure à la fois la fondation conventionnelle de l'État de droit et la gestion des conflits en son sein. D'un point de vue individuel, la rationalisation du monde vécu en termes d'idéal d'autonomie n'entre plus en contradiction avec la réalité d'une domination impersonnelle, mais devient synonyme d'activité en commun dans des institutions librement choisies. Ce qui veut dire qu'au terme du procès de sa désacralisation, le droit pourrait demeurer l'étalon humain d'une société vouée au conflit. Une hypothèse qu'il faut toutefois confronter aux discussions nées de la transformation de l'État de droit en État providence.

CHAPITRE XI

L'impossible État providence

L'un des paradoxes majeurs de la conception positiviste du droit tient sans doute à la dissymétrie flagrante de ses jugements sur le monde contemporain, selon qu'il s'agisse de l'État totalitaire ou de l'État providence. Dans son souci de n'associer le droit qu'à la pure positivité des normes, elle s'interdit en effet de dire autre chose de l'État totalitaire que le fait qu'il est formellement un État de droit. Inversement, en vertu de son hostilité à toute présupposition du droit dans un idéal de justice, elle discrédite *a priori* l'État providence, au motif qu'il altère la pureté du formalisme juridique. Il est évidemment hors de propos d'imaginer qu'il puisse y avoir dans cette différence de traitement une quelconque intention de justification ou une secrète connivence. On peut en revanche chercher à identifier l'origine d'une telle perspective paradoxale, afin d'envisager son dépassement au travers de ce que précisément elle refuse : la possibilité d'une articulation formelle entre principes de justice et rationalité de l'État et du droit.

Une éclipse de la raison pratique

Faute de vouloir admettre que le normativisme puisse contenir un critère subjectif de validité du droit, le positivisme, on le sait, finit par la confondre avec son efficacité en tant que système de contrainte. Comme le remarque Friedrich A. Hayek, lorsque Kelsen par exemple affirme que « juste est simplement un autre mot pour dire légal ou légitime », il clôt une tradition ouverte par l'idée de Hobbes selon laquelle « nulle loi ne peut être injuste », tradition qui récuse toute possibilité pour la justice d'être un principe régulateur du droit [1]. Mais on sait aussi que cette position a pour conséquence logique d'interdire tout jugement quant à la légitimité de l'ordre juridique si tant est qu'il ait, même fictivement, l'apparence formelle de la légalité. Ce qui fait que Kelsen peut encore dire *a posteriori* que l'État nazi est un État de droit, sans que la science puisse s'autoriser d'autre jugement le concernant que ce constat. Cette interprétation est alors d'autant plus frappante qu'au nom de la même assimilation du droit à la légalité formelle, on en vient à considérer que l'État providence pour sa part annule sa positivité en soumettant son droit à des impératifs de justice.

Max Weber, quant à lui, anticipe parfaitement l'émergence historique de l'État providence dont il connaissait d'ailleurs la préfiguration bismarkienne. Ses écrits politiques s'inscrivent sur cette question entre une farouche opposition à cette dernière, perçue comme une fuite en avant face à l'émergence de la classe ouvrière, et une condamnation plus sociologiquement raisonnée des politiques sociales à connotations paternalistes. La ligne wébérienne est sur ce point encore remarquablement constante, depuis l'affirmation de 1894 selon laquelle « nous ne menons pas de politique sociale pour faire le bonheur de l'homme [2] », jusqu'aux ultimes prises de position face à la révolution de novembre 1919. Un texte de 1912 en résume la cohérence, en rappelant les postulats adoptés par Weber face à la question ouvrière : « Nous refusons de prendre position sur ces problèmes du point de vue du droit des seigneurs, ou du patriarcalisme et de l'engagement dans des institutions de bienfaisance, ou d'une réglementation purement bureaucratique traitant les ouvriers comme des objets, ou enfin de la simple création de prestataires dans l'esprit de notre législation d'assurance sociale, et cela à la fois par principe et parce que cela ne suffit pas [3]. »

Concernant le caractère factuellement insuffisant des politiques sociales providentielles, Weber développait un certain nombre de thèses sur le droit d'association, l'organisation collective et la responsabilité de la classe ouvrière, visant à assurer l'intégration de cette dernière à l'encontre à la fois de la hantise de la bourgeoisie face au « spectre rouge [4] » et de l'illusion des marxistes concernant la possibilité d'une suppression de la « domination de l'homme par l'homme [5] ». L'axe de la politique wébérienne sur ce point est alors structuré autour de deux exigences. La première tient aux déterminants profonds de toute politique selon Weber : l'objectif de puissance qui doit guider les choix. En ce sens il peut déclarer par exemple que « nous pouvons renoncer à faire un sentiment positif de bonheur dans le sillage d'une quelconque législation sociale [6] », pour substituer à cet idéal un pragmatisme recherchant essentiellement la cohésion sociale. D'où une seconde composante, faite de la défense d'une autonomie de la classe ouvrière

sur fond de thématisation du caractère positif, ou en tout cas inéluctable, des antagonismes sociaux et de la lutte pour les intérêts
matériels [7].

Mais c'est évidemment la question de principe qui indique le
cœur de la conception wébérienne. Du point de vue de la sociologie du droit et de la domination politique, en effet, la transformation matérielle des normes juridiques opérée par l'État providence accompagne une dilatation de la fonction bureaucratique,
perturbe le système d'équilibre des pouvoirs et surtout conduit à
une résurgence de la justice informelle qui mine les fondements
rationnels de l'État de droit. En dépit de ses apparences démocratiques, l'État providence rejoint alors pour Weber le modèle
archaïque du patriarcalisme et, en vertu de sa dépendance vis-à-
vis des jugements de valeur sur la nature de l'ordre social juste,
il tombe dans la catégorie des modes irrationnels de domination [8].
Tout se passe alors comme si l'État providence de type bismar-
kien, né dans le contexte d'une crise des valeurs de l'État de droit
libéral, retrouvait l'effort du despotisme éclairé contre les inventeurs de ce dernier. Lors même qu'au XVIIIᵉ siècle « le pouvoir
politique patriarcal se transforme en État providence et procède
sans tenir compte ni des désirs concrets des intéressés ni du formalisme de la pensée juridiquement formée [9] », l'État libéral soumis à la pression de la classe ouvrière semble abandonner ses
principes formels pour conduire des politiques providentielles qui
en ruinent la cohérence.

Une telle dissymétrie dans l'appréciation des évolutions de
l'État contemporain n'est à aucun égard une conséquence marginale des systèmes positivistes de Kelsen et Weber, mais trouve
son origine au cœur même de leur théorie. Plus précisément
encore, elle est le résultat logique d'une conception restreinte de
la rationalité, qui postule le fait que l'idée de justice altère inéluctablement la cohérence du droit. On se souvient que pour Hans
Kelsen une telle position est affirmée comme principe épistémologique de rupture avec la métaphysique et vise à définitivement
opérer une dissociation entre le droit et la morale. Quant à Max
Weber, il la conçoit aussi en tant que réquisit du formalisme, mais
l'installe surtout comme le terme d'un procès de rationalisation de
la contrainte normative qui se déploie au travers de l'arrachement
du droit à toute considération éthique. À l'aune d'un tel étalon,
les jugements portés sur le monde contemporain n'ont plus rien
d'une anomalie : si tant est que l'État totalitaire reste régi par des
règles objectivables, on ne peut contester la juridicité de son droit ;
en revanche, parce qu'il s'autonomise par rapport aux exigences

de l'objectivité juridique en surdéterminant le droit par des idéaux de justice, l'État providence s'échappe de la rationalité formelle.

Reste que la conséquence d'une telle attitude semble bien être une tendance affichée à ce qu'il faudrait appeler le nihilisme juridique. Celle-ci est particulièrement nette chez Max Weber, raisonnant comme en écho de la thématique globale de la cage d'acier et d'une philosophie du déchirement en politique. Concernant le droit en effet, on retrouverait une dernière fois l'idée selon laquelle le désenchantement du monde produit des antinomies indépassables et qui ne pourraient laisser pour alternative que le triomphe d'un univers mécanisé de règles formelles ou le retour à la guerre de puissances magiques, figurées dans des normes à contenu éthique et non susceptibles de justification. En l'occurrence, le piège de la modernité est d'autant plus explicitement formulé que Weber atténue les ruptures pour insister au contraire sur la manière dont la rationalité formelle du droit se retourne presque inéluctablement en résurgence de l'irrationalité, au gré des pressions cumulées des profanes et des professionnels, de la démocratie et de la bureaucratie en faveur de l'antiformalisme. Fût-elle enfermée dans une structure paradoxale, une telle radicalisation du schéma du désenchantement finit par apparaître trop proche d'une forme de déterminisme pour que l'on puisse s'interdire d'en réinterroger les postulats.

L'idée de justice dans les ordres du droit

Philosophiquement, une telle interprétation de la modernité trouve son foyer dans l'éclipse de la raison pratique à justification éthique que connaît l'œuvre de Max Weber. D'un point de vue interne en effet, l'effacement de la rationalité en valeur au profit de la raison purement instrumentale est bien la clef du diagnostic sur le monde contemporain. C'est elle qui nourrit la vision dramatisée d'un univers menacé d'une perte de sens et le libéralisme désabusé de Weber lorsqu'il finit par reconnaître que même les principes fondamentaux des droits de l'homme appartiennent à la catégorie des valeurs que l'on peut estimer irremplaçables mais qui ne seront jamais susceptibles d'une justification en raison. Mais c'est elle aussi qui rend compte de la condamnation des tentatives de réorientation éthique du contenu du droit, lors même qu'elle admet avec une sorte de fatalisme sa transformation en une technique réifiant les rapports sociaux. Dans la mesure où de tels arguments portent bien au-delà de Weber, on peut toutefois être tenté de retourner sa problématique, en essayant une fois encore de renouer les fils brisés par la réduction unilatérale de la rationalité. Aperçue puis abandonnée par Max Weber, la perspective d'une modernité pensée sous la catégorie d'une raison pratique peut-elle être éclairée par le débat contemporain ? La redéfinition de l'État de droit sous le schéma d'une rationalité en valeur peut-elle aller jusqu'à une justification de l'État providence ? Peut-on concevoir une théorie politique rationnelle à partir d'une conception éthique de la justice ?

Selon une première approche, la théorie moderne de l'État et du droit ne peut faire l'économie d'un moment naturaliste de fondation des règles, si elle veut résister aux conséquences relativistes et décisionnistes du positivisme. Pour Leo Strauss, il faut même considérer que la référence à une forme de naturalisme est consubstantielle à l'idée même de norme, au point que l'abandon de tout étalon du juste et de l'injuste signifierait la perte de sens du droit. En effet, « rejeter le droit naturel revient à dire que tout droit est positif, autrement dit que le droit est exclusivement déterminé par les législateurs et les tribunaux des différents pays [10] ». Avec pour conséquence que, l'idéal des « sociétés policées » équivalant à celui des « sociétés cannibales », nul critère ne permet de choisir en faveur de l'une ou l'autre. Et, plus encore, que « seule une triste et morne habitude nous empêcherait d'accepter en toute tranquillité une évolution vers l'état cannibale [11] ». Telle est en substance, selon Leo Strauss, la position adoptée par le positivisme et les sciences sociales contemporaines, lorsqu'ils assoient leur rejet du naturalisme sur l'idée suivant laquelle « nous ne pouvons rien connaître de ce qui concerne les principes ultimes de nos choix, c'est-à-dire que nous ne pouvons rien savoir de leur justesse ou de leur fausseté ; ils n'ont d'autre fondement que notre préférence arbitraire, donc aveugle [12] ».

Lorsque Leo Strauss conclut que « l'abandon actuel du droit naturel conduit au nihilisme [13] », il semble endosser une perspective radicale sur la modernité qui ne lui ferait admettre aucune autre alternative que le retour à une conception téléologique de la justice, enracinée dans la vision de la Nature qu'avaient les Anciens [14]. On peut toutefois penser qu'une telle perspective doit se nuancer en considération du caractère délibérément ésotérique de l'écriture de Leo Strauss et du fait qu'il donne une définition plus large de l'exigence propre à la reconnaissance d'un moment naturaliste au sein de la pensée du droit. De ce point de vue, ce qui est visé dans la référence au droit naturel ancien pourrait redevenir compatible avec certaines théories modernes notamment inscrites dans le sillage de Kant. Le propos de Leo Strauss aurait alors principalement valeur de rappel : « Il ne peut y avoir de droit naturel si tout ce que l'homme peut en connaître se ramène au problème qu'il soulève, ou si la recherche des principes de justice se perd dans une infinité de réponses toutes exclusives, sans que l'on puisse démontrer la supériorité d'aucune. Il ne peut y avoir de droit naturel si la pensée humaine, en dépit de son incomplétude essentielle, ne peut résoudre le problème des principes de justice de façon authentique et universellement valable [15]. »

On retrouverait sans doute une attitude similaire chez Friedrich Hayek qui paraît lui aussi chercher à contenir la confusion positiviste du juste et du légal. À ses yeux, la réflexion sur le droit requiert bien un élément lié à une idée du juste, mais qui doit demeurer conçu de manière telle qu'il apparaisse uniquement comme un critère négatif. Un critère qui « permette d'éliminer progressivement les règles qui s'avèrent être injustes parce qu'elles ne sont pas universalisables à l'intérieur du système des autres règles dont la validité n'est pas contestée [16] ». En l'occurrence, il s'agit donc de reconnaître la nécessité d'un étalonnage du droit positif par référence à ce qui semble être admis comme des principes éthiques pensés sous la catégorie d'universalité. Il faut toutefois noter que c'est ici la procédure du test négatif d'injustice qui l'emporte sur le contenu même des principes en cause. Test uniquement procédural, ce critère hayekien engage donc une double stratégie de mise à l'épreuve du paradigme positiviste d'une part, de critique d'autre part des tentatives d'extension de l'idée de justice vers une définition substantielle de l'ordre social.

Opérant un parallèle entre la « quête de l'idéal de justice » et la « quête de l'idéal de vérité », Hayek fait implicitement référence à l'épistémologie poppérienne et à la logique de la falsification, mobilisée dans un souci de prudence théorique [17]. En ce sens, le recours à un test d'injustice doit demeurer purement procédural : il n'induit ou ne doit contenir aucune référence à une théorie substantielle de la justice comme représentation de la bonne société et s'apparente directement à ce que Popper nomme un « critère de démarcation » permettant de faire le tri entre les propositions, sans préférence pour une théorie globale [18]. Dès lors, de même que les théories scientifiques ne doivent pas s'immuniser contre l'épreuve de la réfutation, les énoncés juridiques doivent être soumis à un principe critique permettant d'éliminer les règles injustes. En confondant le droit avec l'ordre juridique existant, le positivisme interdit l'usage d'un tel critère qui requiert à tout le moins l'idée négative d'injustice. Et en la rejetant au motif qu'elle serait encore une trace d'idéologie dans un système pur du droit, il ne fait qu'indiquer le caractère idéologique de son propre fondement, lorsque

Kelsen par exemple postule l'équivalence de tous les ordres qui s'appuient sur la force [19].

En réaffirmant « l'idée de justice en tant que fondement et limitation indispensables de toute loi [20] », Hayek pose effectivement un cran d'arrêt à l'assimilation positiviste du juste et du légal. En ce sens, la notion de test négatif d'injustice restaure la dimension d'un sens du droit occultée par son interprétation désenchantée comme pur système technique de contrainte affranchi de toute référence à des valeurs. Reste toutefois ouverte la question du statut du concept de justice ainsi mobilisé. En ne lui assignant qu'une portée négative, Hayek veut signifier qu'est définitivement rejetée toute conception substantielle de la justice comme représentation de l'ordre social juste devant guider la construction de la réalité. *A contrario* du constructivisme qu'il dénonce dans le positivisme, il ne s'agit pas de produire à partir d'une abstraction un ordre juridique cohérent, mais de corriger certains aspects du système existant : « Tandis que le test négatif nous aide couramment à choisir ou à modifier ceci ou cela dans un corps de règles donné, il ne nous fournira jamais une raison positive pour changer l'ensemble [21]. » Conformément à l'idée poppérienne de *piecemeal social engineering*, est donc simplement avancé le projet d'une correction progressive du système social, juridique et politique, en vertu d'une logique d'essais et d'erreurs [22].

Critique de l'historicisme positiviste et de sa confusion du droit avec l'ordre normatif existant, une telle logique risque toutefois de retrouver une assimilation du même ordre. Certes, la « méthode évolutionniste d'analyse du droit [23] » échappe au dilemme de la norme fondamentale, puisqu'elle récuse l'idée même d'une volonté instituante ou d'une décision fondatrice. Mais aussitôt après avoir éliminé le paradigme positiviste au motif de son historicisme, elle se retourne contre le subjectivisme juridique issu de la tradition du droit naturel. Le motif de la critique est identique : postulant l'autonomie de sujet, l'idée de droit naturel suppose une volonté agissante et instituante qui participe de l'illusion constructiviste. Selon un schéma de type burkéen, c'est alors la prétention d'une reconstruction du monde social, politique et juridique par la raison qui est visée. D'où une préférence pour le droit existant contre celui qui naîtrait d'une « table rase », avec pour conséquence le retour d'un relativisme implicite s'agissant de ce droit. Ainsi en est-il lorsque Hayek défend l'analyse évolutionniste du droit et concède qu'il « est sans intérêt (et, évidemment, normalement impossible) de savoir de quel système initial cette évolution est partie [24] ». Il semble alors reconnaître une relative équivalence des systèmes normatifs. Efficient pour juger de la validité des règles au sein d'un système existant, le test négatif hayekien devient inopérant du point de vue d'une théorie globale du jugement politique, puisqu'il affiche une indifférence de principe à la question du fondement des systèmes dont il décrit l'évolution.

Hayek l'admet d'ailleurs, déclarant qu'il lui semblerait « clairement mauvais moralement de ranimer un vieil Esquimau déjà inconscient qui, au début de la migration hivernale, suivant la morale de son peuple et avec son approbation à lui, a été abandonné derrière le groupe pour mourir [25] ». En l'exemple, aucun test ne peut venir contrarier le fait que « toutes les règles morales (et juridiques) servent un ordre concret existant », et qu'il est impossible de construire un point de vue à partir duquel il soit possible de les juger. Ce qui veut dire que, si l'idée d'un test négatif d'injustice est universelle au sein de l'ordre que constitue chaque société, elle devient aussitôt relative face à leur diversité. Dès lors, si chacune d'entre elles est en soi un ordre spontané, tout juste adaptable par rectifications en référence aux seules valeurs de la communauté en cause, on peut se demander si Hayek ne rejoint pas l'historicisme qu'il dénonce. Faute d'une définition de son contenu et d'une procédure de justification, l'idée de justice négative régulatrice du système normatif demeure soit une abstraction vide, soit un principe irréductiblement lié à la diversité des cultures. Anti-historiciste face à la réduction positiviste du droit à une pure technique de construction de la réalité sociale, Hayek le redevient lorsqu'il récuse la possibilité d'un principe universel de justice pouvant assurer la fondation de ce même droit.

C'est à nouveau cette possibilité que défend John Rawls, dans une perspective qui peut demeurer compatible avec l'idée du test négatif d'injustice, mais cherche à lui assurer un fondement en raison. L'identification du premier principe de la *Théorie de la justice* au corpus des droits de l'homme donne un contenu au concept de justice minimale requis pour servir d'étalon dans la construction et l'évaluation des normes juridiques. Reste qu'à la différence du test négatif hayekien, ce principe régulateur n'est plus noué à la morale particulière d'une société spécifique, mais se trouve justifié au travers de la procédure du voile d'ignorance, qui vise à lui garantir une universalité. Si l'on se souvient que la théorie complète pose l'idée d'un ordre lexical des principes qui assigne une priorité à la liberté, le dispositif répond parfaitement à l'exigence d'une régulation négative du système juridico-politique. C'est ce qu'exprime Ronald Dworkin en réinterprétant l'assimilation du premier principe rawlsien aux droits de l'homme, au travers de l'idée selon laquelle « les individus ont des droits moraux contre l'État [26] ». Ajoutons qu'ainsi conçus, ils fonction-

neraient aussi comme des droits opposables à la morale conventionnelle d'une communauté, débouchant sur une réponse inverse
de celle de Hayek pour ce qui concerne l'exemple de l'Esquimau.

Dans la confrontation avec la théorie de Hayek, l'apport essentiel de l'argumentation rawlsienne tient au mode de déduction du
principe de liberté entendu comme étalon régulateur. Les théories
classiques du contrat étaient, on le sait, forcées de recourir à un
postulat quant à la nature humaine et s'opposaient sur sa définition : purement négative chez Hobbes, teintée de bienveillance
spontanée chez Locke, pensée par Rousseau sur le mode d'une
indépendance dégradée. La démarche de John Rawls cherche à
éviter ce type d'hypothèse héroïque sur l'homme qu'elle n'a nul
besoin d'imaginer comme bon ou désintéressé, altruiste et doué de
sympathie pour ses semblables. Tout juste suppose-t-elle un individu raisonnable, susceptible de se livrer à un moment autoréflexif
de retrait hors de ses conditions réelles d'existence pour définir ce
qu'il conçoit comme la justice. En ce sens, les principes de la
justice comme équité ne sont autres que ceux que « des personnes
libres et rationnelles, *désireuses de favoriser leur propre intérêt,*
et placées dans une position initiale d'égalité, accepteraient et qui,
selon elles, définiraient les termes fondamentaux de leur association [27] ». À quoi il faut encore ajouter que, s'agissant des droits
de l'homme, la construction présente l'avantage de permettre le
passage d'une forme proclamatoire à une reconnaissance raisonnée
dans la pure dimension d'une intersubjectivité humaine [28].

Un tel raisonnement permet alors de résoudre une partie de la
difficulté rencontrée dans l'analyse du monde contemporain telle
que la conduisent Weber et Kelsen. S'agissant en effet des formes
traditionnelles de tyrannie ou de l'État totalitaire, le principe
d'égalité de la théorie de la justice offre un critère d'appréciation
solidement établi. Conformément à l'idée hayekienne d'un test
négatif d'injustice, il disqualifie clairement tout régime qui porte
atteinte aux libertés de base contenues dans l'idée des droits de
l'homme. Plus généralement, ce principe peut encore fonctionner
comme régulateur négatif des systèmes politiques, dans la perspective d'une reconnaissance de droits de l'individu contre l'État,
puisque la priorité accordée à la liberté n'accepte aucune dérogation, fût-elle motivée par des considérations d'utilité ou de bien-
être collectif. Enfin, dès lors qu'elle est publique et fondée sur une
revendication d'équité, la désobéissance civile peut encore représenter l'ultime mécanisme de correction d'une « société presque
juste [29] ». L'ensemble du dispositif semble alors répondre à la
question posée par Weber dans l'ordre de la légitimité, en fixant
à la fois les conditions qui font que les individus peuvent accepter

de se soumettre à l'ordre juridique, les limites de sa justification et les principes régulateurs de son fonctionnement.

Si l'interprétation du premier principe de la théorie rawlsienne de la justice dans le sens d'une déduction rationnelle des droits de l'homme permet de dépasser l'aporie positiviste quant à la fondation et à la justification du droit, force est toutefois d'admettre qu'ainsi limité le raisonnement ne concerne que l'État libéral minimal. Au scepticisme wébérien face à sa capacité légitimatrice, on peut désormais opposer une reformulation des principes attachés à la liberté individuelle au sein d'une logique de la rationalité pratique qui permet en outre d'évacuer l'hypothèque décisionniste concernant le moment instituant. Assis sur une reconnaissance intersubjective de la priorité donnée à la liberté, l'État de droit retrouve donc une forme compatible avec l'idéal moderne d'autonomie qui inclut cette priorité du sujet humain sur la contrainte politique, fût-elle librement consentie. Resterait cependant à savoir si une telle argumentation en faveur de l'État limité à la défense de la liberté peut s'étendre à une justification de l'État providence, ou si l'extension du concept de justice fait resurgir les antinomies mises au jour par Max Weber.

État providence et totalitarisme :
les formes de la servitude ?

La dernière de ces propositions décrit en substance la thèse de Friedrich Hayek qui, tout en acceptant la soumission du droit positif à une conception minimale négative de la justice conforme à l'égalité des libertés formelles, récuse toute extension du principe vers la prise en compte des droits de créance. Opérant une distinction interne à la notion de justice, Hayek reprochait aux positivistes le caractère aporétique de leur construction du droit hors de toute perspective éthique. Mais il les rejoint aussitôt lorsqu'il s'agit de condamner la manière dont la justice devenue sociale mine la cohérence de l'ordre juridique formel. Au-delà de la discussion conceptuelle, il retrouve surtout l'ambiguïté de leur position sur la modernité, lorsqu'il finit par assimiler l'État providence à une préfiguration de l'État totalitaire. Force est alors de globaliser la discussion sur les formes contemporaines de l'État, afin d'examiner les portées respectives des doutes entretenus par Weber quant aux possibilités d'une rationalité politique par référence à des valeurs et des tentatives de fondation du droit et de l'État sur un concept étendu de justice.

L'argument de Hayek contre l'État providence peut être présenté de deux manières, selon que l'on accentue son aspect économique ou juridique. Dans la première dimension, Hayek mettait en avant dès 1933 le fait que la planification pavait la route de la servitude, en glissant inéluctablement d'une prétention du rationalisme volontariste à canaliser les flux économiques vers une maîtrise totale des échanges par l'État [30]. Sous cet angle, sa position constante est bien que la différence entre l'État interventionniste de type keynesien et l'économie étatique du totalitarisme n'est qu'une différence de degré dans l'intensité destructrice des mécanismes spontanés du marché et donc de la liberté. Il en va de même dans une seconde argumentation, conçue cette fois du point de vue du droit. Ici, l'idéal constructiviste dénoncé par Hayek conduit à admettre l'idée selon laquelle la société pourrait être modelée par des règles abstraites de justice sociale. Or un tel projet de construction de l'ordre juridique à partir d'une représentation abstraite de la bonne société doit conduire à l'emprise totale de l'État sur les individus. En l'occurrence, la dérive commence dès l'énonciation de droits de créance, radicalement incompatibles avec la liberté individuelle puisqu'ils ne sont pas universalisables. Puis elle conduit directement au moment où ces droits requièrent que « la société tout entière soit transformée en une organisation unique, c'est-à-dire totalitaire au sens le plus complet du mot [31] ».

À cette logique qui fait dériver l'État protecteur vers le totalitarisme, Hayek oppose le modèle de l'ordre spontané du marché. Un modèle qui vise à arracher la formation des normes à l'emprise du volontarisme. À la représentation de la société comme *taxis*, c'est-à-dire comme institution humaine issue de la volonté, il oppose l'idée d'un ordre naturel des échanges, immanent au social et échappant à la manipulation des individus. Pensée comme *cosmos*, la société est ainsi tenue à l'écart de tout projet de construction, puisqu'elle fonctionne immédiatement comme un système ordonné selon des normes qu'il faut découvrir et protéger au lieu de prétendre les inventer. Symétriquement, Hayek peut alors opposer au droit conçu comme *thesis,* comme loi œuvre de la raison et de la volonté humaine, la notion de *nomos*, qui voit le droit inscrit dans la nature des choses. Avec pour conséquence le fait que l'homme peut tout au plus se faire l'interprète du droit, sans prétendre à se concevoir comme sa source [32].

Une telle argumentation pourrait se présenter comme une alternative complète à la *Théorie de la justice*. Au sens où elle vise comme elle à placer un principe de rationalité au fondement de la société comme forme d'agrégation de comportements individuels, afin de résister aux allures désenchantées du relativisme contemporain. Au sens également où elle relève le défi d'une prise en compte de l'ensemble des dimensions constitutives de l'espace économique, social, juridique et politique. Mais il faut aussitôt insister sur le fait qu'elle situe le principe de rationalité qui la fonde hors de la raison elle-même, le tenant à l'écart de toute forme de justification par la subjectivité humaine. Pour ce faire, Hayek évoque une forme de découverte traditionnelle de la rationalité pratique, au travers des mécanismes de la concurrence. C'est alors la théorie économique qui sert de révélateur, dans la mesure où elle montre que « la concurrence est ce qui oblige les gens à agir rationnellement pour pouvoir subsister [33] ». D'où l'idée d'une sorte de ruse du marché ou de cercle vertueux de la concurrence, puisque « ce n'est pas la rationalité qui est nécessaire pour que la concurrence joue ; c'est au contraire de la concurrence, ou des traditions qui la permettent, que découlera un comportement rationnel [34] ». Resterait alors à savoir si une telle représentation de la rationalité pratique, découverte par la tradition ou imposée par la concurrence, est compatible avec l'idéal moderne d'une fondation des normes dans l'autonomie du sujet humain.

Indépendamment des problèmes liés à la discussion de l'idée de justice, l'affirmation d'une identité de nature entre l'État totalitaire et l'État providence est passible de deux critiques. On peut tout d'abord remarquer qu'en termes économiques, si Hayek déconstruit parfaitement les mécanismes de l'économie administrée, il associe trop rapidement l'État providence à la logique qui conduit à une définition des besoins et à une maîtrise de l'allocation des ressources par l'État. Dans le cas de l'État providence en effet, l'institution étatique n'intervient pas *ex ante*, au travers d'une fixation *a priori* du volume et des finalités des richesses, mais *ex post*, sur des richesses produites et selon une logique de répartition ou de redistribution. Là où l'État totalitaire peut effectivement reposer sur le projet démiurgique d'un contrôle intégral de l'économie, l'État providence quant à lui n'articule son projet qu'à la question de la redistribution. Et même si celle-ci s'effectue sous couvert d'une représentation abstraite de la justice, du moins peut-elle demeurer soumise aux principes de liberté qui président à la production des richesses. On peut alors penser que la logique redistributrice est par nature distincte de celle de l'économie étatique, dans la mesure où elle ne manipule que les résultats du marché et non le marché lui-même, dans un sens conforme à l'idée d'une correction en vertu d'un critère minimal de justice. En termes poppériens, rien n'interdit donc de considérer que l'économie redistributrice de l'État providence puisse se soumettre aux tests de la falsification et aux procédures d'expérimentation par essais et erreurs, logique radicalement incompatible avec le fonctionnement de l'économie totalitaire.

L'assimilation hayekienne de l'État providence à une anti-chambre de l'État totalitaire est par ailleurs sujette à une autre critique, formulée cette fois du point de vue du droit. Pour Claude Lefort, une telle confusion témoigne d'une incompréhension des phénomènes politiques modernes, d'une incapacité à saisir les logiques essentielles de la démocratie et du totalitarisme [35]. Même si l'on admet avec Tocqueville, mais aussi Max Weber, que la démocratie entretient des rapports ambigus avec un État qu'elle laisse aisément s'accroître à la faveur des demandes d'égalité, force est d'admettre qu'elle préserve à tout le moins l'autonomie du droit. Plus encore, à la différence radicale du totalitarisme une nouvelle fois, la spécificité de la démocratie tient au fait de se nourrir de revendications formulées en termes de droit ou même de ce que Hannah Arendt appelle « le droit d'avoir des droits [36] ». En ce sens, lorsque la démocratie s'oriente vers le providentialisme en vertu d'une demande d'égalité des conditions, c'est toujours sous couvert d'une préservation de l'égalité des droits, voire d'une revendication d'approfondissement de l'égalité juridique. Dès lors, la reconnaissance de droits de créance sur l'État peut à coup sûr renforcer l'emprise de la bureaucratie par les individus. Mais l'essentiel est ailleurs, dans le fait que l'attente d'État demeure soumise à une logique d'interrogation de la légitimité du pouvoir au regard d'un étalon normatif qui lui est inassimilable.

C'est précisément cette logique qu'annule le totalitarisme, en supprimant tout cran d'arrêt humain aux mécanismes de mise en coupe de la société par l'État. Dans cette perspective, lorsque l'État totalitaire se fait dispensateur de services, ce n'est jamais au nom du droit, mais en fonction de son propre pouvoir discrétion-naire et selon une autorité qui ne souffre aucune contestation et n'admet aucune interrogation en termes de légitimité. À l'affir-mation hayekienne concernant l'inéluctable glissement de l'État providence vers l'État totalitaire on peut alors opposer l'idée d'une irréductible différence de nature. Ainsi que l'établit fortement Claude Lefort, il faut admettre que la formation du système tota-litaire « implique la ruine de la démocratie, elle ne donne pas une conclusion à l'aventure historique que celle-ci a ouverte, elle en renverse le sens [37] ». Ajoutons enfin qu'il n'est pas indifférent que cette clarification s'opère au travers de l'analyse des fonctions pro-videntielles de l'État et de leur signification, lorsque Lefort remarque que, quelles que soient les formes du totalitarisme, « ce n'est pas le principe du bien-être qui commande le développement de l'État ». Sous cette lumière, la différence entre les formes providentielles et totalitaires de l'État demeure une différence de nature et non de degré dans l'interventionnisme, selon une logique qu'Hayek ne peut apercevoir au prisme de sa théorie du droit.

Celle-ci apparaît dès lors comme éminemment paradoxale, à la fois moderne dans ses attendus et antimoderne par ses résultats. Lorsque Hayek fait reposer l'ensemble de sa théorie sur la notion de catalaxie ou d'ordre spontané du marché, il radicalise en effet le schéma libéral qui ne fait dépendre la société que des intérêts des individus. Au point de reproduire en faveur du marché le schéma hégélien de la ruse de la raison quand il déclare que « dans la Grande Société, nous contribuons tous en fait, non seulement à la satisfaction de besoins que nous ignorons, mais parfois même à la réussite de desseins que nous désapprouverions si nous en avions connaissance [38] ». Plus encore, lorsqu'il récuse l'idée selon laquelle une « échelle commune de valeurs est nécessaire pour intégrer les activités individuelles dans un ordre général [39] » il semble intégralement parier sur une logique de l'harmonisation des intérêts à l'écart de toute contrainte, faisant ainsi signe vers une théorie qui relèverait, au sens propre du terme, de l'anarchie. Pourtant, la conception de la société comme ordre naturel (*Cosmos*) et du droit comme reflet normatif de cet ordre (*Nomos*) pointent dans une tout autre direction. Avec elles en effet, les normes juridiques ne sont plus le produit de la subjectivité humaine, mais s'inscrivent dans une extériorité par rapport aux individus. Ne peut-on alors penser que, si supériorité de l'ordre spontané du marché il y a du point de vue de la théorie sociale, elle tient au fait qu'il représente un ordre sans sujet, un principe de cohésion sociale invisible et donc non susceptible d'être contesté ? C'est ce qu'indique Hayek lorsqu'il insiste sur le fait qu'il n'y a « pas de critère par lequel nous pouvons découvrir ce qui est " socialement injuste ", parce qu'il n'y a pas de sujet par qui pourrait être commise une telle injustice [40] ». On peut alors penser que la taxinomie grecque des concepts hayekiens reflète une nostalgie des paradigmes de l'hétéronomie, plus proches de la conception ancienne d'un droit issu de la nature que de l'idéal moderne d'une intersubjectivité juridique.

Le droit, la justice et l'égalité juridique

Au terme d'un tel parcours critique, il semble que l'on soit confronté à un véritable dilemme de la modernité juridique et politique. Réfutant l'identification positiviste du droit à une pure technique objective, Leo Strauss comme Hayek mettent en avant l'idée d'une perte de son sens au travers de la confusion entre légalité et légitimité. Dans cette perspective, ils semblent opposer au scepticisme wébérien quant à la possibilité d'un sens commun dans le monde moderne l'idée d'une présence immédiate de la norme comme produit d'un ordre extérieur à l'homme. Mais cette hétéronomie fait aussitôt problème, dans la mesure où elle s'avère contradictoire avec l'idéal d'un droit humain conçu en tant qu'expression de la liberté et de l'autonomie du sujet. Appuyée sur l'idée d'un ordre spontané au sein d'un système sans sujet, associée à la perspective d'une découverte traditionnelle de la rationalité, attachée enfin au schéma historiciste d'une ruse du marché, la théorie du droit développée par Hayek semble cumuler les inconvénients d'un systématisme hypermoderne et d'un corporatisme ancré dans une sorte de nostalgie du monde des Anciens. Tout se passe donc comme si, retrouvant un sens en tant que produit d'un système des échanges faisant office de Nature perdue, le Droit altérait sa substance, identifiée par la modernité à une expression de la subjectivité humaine. Peut-on sortir de ce dilemme qui ne laisse pour alternative que l'horizon nihiliste d'un normativisme décisionniste ou la référence à une pensée de l'hétéronomie ? Comment concilier le souci d'un arrachement du droit à sa réification technique et le maintien d'une exigence d'autonomie du sujet ?

On sait que le néocontractualisme d'une théorie comme celle de John Rawls cherche à relever le défi de la fondation du droit dans des principes issus de la Raison pratique et susceptibles de former le consensus de base d'une société moderne. Reste toutefois à déterminer si ce dernier peut s'étendre des droits liberté aux droits de créance, de la justification de l'État de droit libéral à celle de l'État providence. Max Weber entrevoyait à titre d'hypothèse la possibilité du recours à l'idée d'un « droit " juste " » en tant que système normatif d'une société d'hommes libres et étalon législatif d'une législation rationnelle [41] ». Mais c'était pour aussitôt la rejeter comme l'une des résurgences modernes de la « notion nostalgique d'un droit suprapositif dominant le droit positif ». Ne restait alors à ses yeux que la double critique juridique d'un État providence nécessairement voué à glisser vers l'irrationalisme. Parce qu'il correspond en effet typiquement à une situation où « des raisonnements sociologique, économique ou éthique prennent la place des concepts juridiques [42] », le droit de l'État providence est synonyme d'une perte de cohérence formelle. En ce sens, il radicalise l'antinomie issue de la rationalisation des formes juridiques et qui oppose le droit formel au droit matériel. Concédant à la tendance à la matérialisation du droit, il opère à tout prendre un retour vers une forme archaïque de définition de son contenu. Ainsi en va-t-il également du point de vue de la procédure, puisque la demande de justice informelle est associée à une technique juris-prudentielle marquée par un déficit de capacité déductive et vec-teur d'une forme d'irrationalisme juridique.

La réfutation de la première critique wébérienne d'un droit de l'État providence pensé sous un impératif éthique oblige à un retour sur la théorie complète de la justice chez Rawls. Formulant l'accord réalisé dans les conditions de la position originelle, celle-ci ajoute au principe d'égalité des libertés de base un principe de différence selon lequel « les inégalité sociales et économiques doivent être organisées de façon à ce que à la fois (a) l'on puisse raisonnablement s'attendre à ce qu'elles soient à l'avantage de chacun et (b) qu'elles soient attachées à des positions et à des fonctions ouvertes à tous [43] ». Le raisonnement qui conduit à sa formulation tient au fait que, sous voile d'ignorance, les individus privés d'information sur leur situation sociale dans la société réelle adoptent la position qui maximise leur gain minimal. Le principe de différence est alors immédiatement interprétable au travers de l'idée selon laquelle « pour traiter toutes les personnes d'une manière égale, pour offrir une véritable égalité des chances, la société doit consacrer plus d'attention aux plus démunis quant à leurs dons naturels et aux plus défavorisés socialement par la nais-sance [44] ». Ce qui veut dire qu'aux yeux de Rawls, ce principe dessine la conception de l'égalité des conditions la plus radicale qui soit compatible avec le respect des libertés formelles, l'inter-prétation la plus extensive de l'impératif de répartition des richesses qui puisse se concilier avec l'autonomie des individus.

On aura compris qu'un tel principe s'inscrit en premier lieu contre la perception marxiste d'une justice associée à l'égalité réelle, synonyme de suppression de toutes les différences entre individus. Archétype d'une vision téléologique de l'ordre social juste, celle-ci prend en effet le risque de sacrifier la liberté à l'égalité, le respect des principes de l'autonomie au projet d'une totale homogénéité de la société [45]. En ce sens, Rawls adopte en matière de répartition des richesses la position construite s'agissant des libertés de base. De même qu'il fondait la formulation du premier principe de sa théorie sur la reconnaissance du « fait du pluralisme », le second repose sur le constat d'une existence de fait des différences entre les individus. À la thèse qui pose l'im-possibilité de les corriger, le raisonnement du voile d'ignorance oppose l'irrationalité d'un choix qui fait prendre à chacun le risque d'être privé des avantages de la société. Mais à celle qui récuse les libertés formelles au nom de l'égalité réelle, elle objecte qu'un tel sacrifice est incompatible avec les valeurs de la modernité. Alors que Marx critiquait l'abstraction des droits liberté comme expression d'une idée de l'homme égoïste et séparé de ses semblables, Rawls les repense en tant que fondement d'une intersubjectivité faite de reconnaissance réciproque et seule susceptible d'asseoir une conception de l'égalité conciliable avec la priorité accordée à la liberté.

Mais cette recherche d'une « conception de l'égalité démocratique » passe également par la réfutation de deux autres doctrines, celle du libéralisme économique et celle de « l'aristocratie naturelle [46] ». Pour la première, prédomine la liberté naturelle des échanges, tout juste corrigée de règles d'accès égal au jeu de la compétition économique : « Les dispositions du marché libre doivent être placées dans le cadre d'institutions politiques et légales qui règlent les courants principaux de la vie économique et qui préservent les conditions sociales nécessaires à la juste (*fair*) égalité des chances [47]. » Visant à éliminer l'incidence des contingences sociales, la conception libérale reste toutefois sensible au fait que la répartition des richesses procède de la « répartition naturelle des capacités et des talents ». Avec pour conséquence que, dans le cadre d'un marché régulé, « la répartition découle de la loterie naturelle et ce résultat est arbitraire d'un point de vue moral ». Quant à la conception de l'aristocratie naturelle, elle ignore toute correction des contingences sociales et ne contrôle les inégalités naturelles que par un principe limitant les avantages accordés à ceux qui disposent des plus grands dons aux situations qui « améliorent la condition des secteurs les plus pauvres de la société [48] ».

On peut aisément reconnaître derrière les deux positions ainsi critiquées des thèses du type de celle de Hayek dans un cas, celles qui s'associent au paradigme du retour aux anciens de l'autre. À la notion d'un ordre spontané du marché encadré par de simples règles visant au respect de l'égalité des chances, Rawls oppose une sensibilité maintenue à l'inégale répartition naturelle des talents. Cette concession à une idée de nature intangible est alors d'autant plus significative que le système né des échanges du marché est quant à lui également hors d'atteinte, ce qui veut dire que la répartition des richesses échappe finalement à toute considération de justice humaine. L'objection est plus lourde encore s'agissant du recours à la vision d'une aristocratie naturelle. Conforme à l'idéal des Anciens suivant lequel l'ordre social n'est qu'un reflet de la Nature, celle-ci finit par identifier la justice au respect d'un ordre totalement hors d'emprise de l'intervention de l'homme. Dans l'un et l'autre cas est donc à nouveau exclu tout effort pour associer le concept de justice à une pensée de l'homme. Acceptant pour telle l'existence d'inégalités, le pur libéralisme du marché ou la référence aux Anciens demeurent impuissants à fonder une représentation de la société nouée au principe d'autonomie.

La définition d'un concept d'égalité démocratique passe donc avant tout par le rappel du fait que « le système social n'est pas un ordre intangible, échappant au contrôle des hommes, mais un mode d'action humaine [49] ». Ce qui veut dire que si des inégalités existent elles peuvent être corrigées et que cette correction est l'objet même des institutions imaginées dans le sillage des principes de la *Théorie de la justice*. À la double condition toutefois que soient respectés la priorité accordée à la liberté individuelle qu'inscrit l'ordre lexical des principes et le caractère public de la définition des procédures d'allocation des ressources. En ce sens, de même que la formulation du principe d'égalité des libertés fondamentales scellait l'accord sur les conditions d'une coopération entre individus, le principe de différence étend la notion de consensus aux formes de traitement de la conflictualité sociale. Au terme de la construction, nous sommes donc en présence d'une théorie complète qui articule justice formelle et justice matérielle, considérations abstraites d'universalité des droits liés à l'identité des individus et prise en compte de leurs différences au travers d'un principe régulateur de la répartition des richesses.

L'opposition entre droit formel et droit matériel laissée pour antinomique par Max Weber semble donc pouvoir être dépassée. Au sein de la théorie rawlsienne en effet, les uns et les autres trouvent leur fondement dans une procédure unique, celle du raisonnement sous voile d'ignorance qui leur donne une commune assise dans une reconnaissance réciproque par des sujets exerçant leurs facultés de raison pratique à la recherche de principes de justice. Loin d'être antinomiques ils s'enchaînent alors logiquement comme les deux versants d'une représentation de la société sous un impératif de justice. Le fait que ce dernier soit l'objet d'un consensus fondé en raison donne une stabilité au système juridique et politique qui s'oppose au nécessaire recours à un moment décisionniste que rencontrait le positivisme. De même, le caractère ordonné des principes, à la fois noués et hiérarchisés, assure une cohérence normative conforme à l'idéal formaliste. Non seulement le droit formel n'est pas miné de l'intérieur par la prise en compte d'éléments de justice matérielle, mais cette dernière est pensée comme le prolongement nécessaire d'une théorie de l'égalité juridique.

La justice au risque de la pluralité

Reste que c'est sous l'angle de cette volonté maintenue de formalisme des principes de justice que la théorie de Rawls peut paraître la plus fragile, offerte aux critiques classiquement opposées à cet idéal. Paul Ricœur donne une version mesurée de cette critique, qu'il faudra par la suite réamplifier. Celle-ci peut être présentée de deux manières, qui explorent ce que Ricœur nomme une « fine déchirure interne à la règle de justice [50] ». Sous son premier aspect, la critique vise le fait que les biens premiers demeurent « relatifs à des significations, à des estimations hétérogènes [51] ». Cette permanence déboucherait alors sur l'alternative suivante : soit la répartition de ces biens reste conflictuelle, en dépit de l'effort exprimé par les deux principes ; soit leur définition est donnée *a priori*, en amont même des règles de justice. Dans ce dernier cas, serait cependant remise en cause l'une des ambitions majeures de Rawls : maintenir de part en part une priorité du juste sur le bon, dans le sens d'une théorie déontologique de la justice qui récuse toute approche téléologique [52]. La difficulté mise au jour serait alors celle que rencontrent toutes les entreprises qui poursuivent la perspective d'une autofondation : le fait de buter sur un moment où un principe essentiel est autoproclamé (la liberté comme « fait de la raison » chez Kant) ou sur le nécessaire recours à une hypothèse (la fiction du contrat social dans les théories du droit naturel moderne).

On trouverait chez Michael Walzer la forme la plus étendue de cette critique, qui oppose à l'idée d'une conception unitaire de la justice pouvant régir la répartition des biens sociaux, un éclatement de ces derniers en des sphères relativement hétérogènes qui requièrent des règles différentes [53]. Pour Walzer, la sphère de la citoyenneté par exemple connaît des règles d'accès et de fonctionnement qui ne peuvent être identifiées à celles qui régissent la sphère de la protection ou de l'échange de marchandises. Chacune de ces sphères, en effet, renvoie à des biens spécifiques, non seulement non compensables les uns par les autres (ce que Rawls admettrait), mais surtout différents quant à leur signification. Or, c'est bien « la signification des biens qui détermine leur mouvement [54] », et non des principes définis *a priori* et de façon générale. À quoi s'ajoute le fait que « les significations sociales (de ces biens) sont historiques par nature ; dès lors les distributions – justes et injustes – changent avec le temps [55] ». Cette double détermination des biens premiers, par le sens et par l'histoire, rend alors caduc l'effort pour échafauder une théorie unitaire de la justice qui puisse prétendre à l'universalité.

Walzer oppose alors à l'image universaliste de la position originelle rawlsienne la métaphore d'un hôtel construit sous le voile d'ignorance. « Loin de chez nous, écrit-il, nous sommes reconnaissants de l'abri et des commodités que procure une chambre d'hôtel. Privés de toute connaissance quant à ce qu'était notre propre maison, parlant avec d'autres dans la même situation, tenus d'habiter des chambres dans lesquelles chacun d'entre nous serait susceptible de vivre, nous nous retrouverions sans doute dans quelque chose d'analogue à un Hilton, quoique culturellement plus indéterminé. [...] Mais nous garderions longtemps la nostalgie des maisons que nous saurions avoir habitées auparavant sans plus pouvoir nous en souvenir. Nous ne serions pas moralement tenus d'habiter l'hôtel dont nous avons esquissé le schéma [56]. » En d'autres termes, citoyen de l'universel, l'individu rawlsien serait apatride, exilé dans un monde intemporel d'idées froides, offrant la vision d'un ordre rationnel et juste, mais à tout prendre cauchemardesque et invivable à force d'être étranger à toute détermination concrète du bien ou du bon [57].

Le second versant de la critique opposée à Rawls approfondit la réserve vis-à-vis du formalisme déontologique. Est alors discutée non plus la diversité des biens, mais le caractère historiquement et culturellement situé de leur estimation. Au regard de cette critique, non seulement l'idée de justice éclate en des sphères qui lui accordent des significations différentes, mais ces significations elles-mêmes se chargent d'un poids qui est celui à la fois de l'histoire et des identités communautaires. Qu'il s'agisse d'établir une priorité entre les divers registres de la justice (celui de la citoyenneté vis-à-vis de celui de la protection ou des valeurs marchandes par exemple) ou même de fixer le sens des estimations attachées aux biens en cause, la dimension communautaire supplante le point de vue des individus et retrouve le statut d'instance décisive. Poussée à son terme, une telle perspective conduit à renverser le mouvement d'une théorie de la justice, pour lui faire quitter l'horizon d'une recherche de définition *a priori* et l'engager dans la voie d'une exploration de la morale existante. Michael Walzer exprime parfaitement ce renversement, lorsqu'il oppose à la démarche de Rawls celle qui consiste à « dégager les grandes lignes de cette morale existante, ou en construire un modèle, qui nous donne une vue claire et englobante de la force critique de ses propres principes, dégagée de la confusion perturbatrice découlant des préjugés et des intérêts égoïstes [58] ».

Une telle conception de la philosophie morale n'évacue pas totalement la perspective critique, puisqu'elle cherche à la retourner contre les principes mêmes de la morale existante. De la même manière, elle maintient quelque chose de l'idée d'épuration, lorsqu'elle annonce vouloir « filtrer » cette dernière de tout ce qui relèverait du « sentiment d'ambition ou d'avantages personnels [59] ». Enfin, lorsqu'elle pose qu'avec elle « nous ne rencontrons plus d'étrangers dans un espace intersidéral, mais des compatriotes au sein d'un espace social ou intérieur [60] », elle semble plus sensible et ouverte à l'altérité qu'une théorie radicalement déontologique. C'est d'ailleurs ce qui finalement la rend séduisante aux yeux d'un Paul Ricœur, inquiet des possibles défaillances d'une éthique purement formelle au regard des exigences de la considération d'autrui. Mais même si Ricœur prend la précaution de limiter la portée de cette critique « contextualiste » à l'un des trajets de l'idée de justice, celui de l'effectuation de la règle, force est de se demander si sa prise en compte ne finit pas par altérer tout l'effort entrepris pour arracher la raison pratique au schéma ravageur de la guerre des dieux. Pour le dire d'une autre manière, d'un côté nous revient inlassablement la crainte qu'exposait Hannah Arendt à partir du paradoxe des droits abstraits : en déclinant les droits d'une humanité sans attache, ils risquent de priver d'identité ceux qui sont précisément victimes des déracinements imposés par les conflits modernes. Mais, sur l'autre face de ce paradoxe pourtant, l'évocation des chaleurs de l'appartenance suffit-elle à remplir l'exigence visée par l'universalisme juridique dans le problème de la fondation des institutions politiques : le souci de ne pas enfermer le sujet dans le cercle de ses particularités, qui reconduit toujours la liberté vers les seules formes ouvertes et garanties par l'État ?

Paul Ricœur est plus prudent que Michael Walzer ou les défenseurs de la théorie communautarienne lorsqu'il reconstruit cette discussion sous la forme d'un « dilemme entre universalisme et contextualisme [61] ». Préférant ce dernier concept à ceux de communautarisme ou d'historicisme, il cherche à limiter la portée du sacrifice des rigueurs du formalisme qu'induit la prise en compte d'une détermination concrète de l'éthique par les composantes effectives du monde vécu. Le principe de cette limitation réside alors dans le souci de situer cette forme de relativisation sur le seul mouvement de l'effectuation du jugement moral. En ce sens, sa critique des démarches de Rawls ou Habermas ne veut pas viser leur effort de fondation en raison de la possibilité du jugement pratique : « Les conflits qui donnent crédit aux thèses contextualistes se rencontrent sur le trajet de l'effectuation plutôt que sur celui de la justification. Il importe d'être au clair sur cette différence de *site*, afin de ne pas confondre les arguments qui soulignent l'historicité des choix à faire sur ce second trajet avec les arguments sceptiques qui s'adressent à l'entreprise de fondation [62]. » Elle cherche à l'inverse à mettre au jour quelque chose comme le caractère incomplet de l'entreprise, sa difficulté à maîtriser les conflits qui surgissent sur le trajet de l'effectuation de la règle de justice : lorsque la moralité abstraite doit se donner des contenus pour avoir sens dans la dynamique du monde vécu saisi au travers de l'identité du sujet, des relations interpersonnelles et des structures institutionnelles.

On trouverait une critique de forme similaire et une entreprise d'orientation comparable dans la manière dont Charles Taylor cherche à réintroduire la perspective de la reconnaissance dans le contexte des discussions contemporaines sur la justice. Lors même qu'il reproche au libéralisme contemporain dans sa forme procédurale d'occulter l'aspect ontologique des questions associées à l'identité et à la dimension commune de l'existence, Taylor plaide pour une prise en charge nouvelle de la dimension hégélienne du conflit pour la reconnaissance [63]. L'originalité du propos tient au fait de souligner l'univers nouveau où se déploie cette dernière, étant entendu que la dialectique de Hegel portait les traces d'un monde d'Ancien Régime où l'enjeu de la lutte était l'honneur, alors qu'est désormais en cause la dignité des personnes reconduite à des identités individualisées. Mais une fois établie cette différence capitale liée à l'épuisement des hiérarchies sociales, Taylor pointe la limite des stratégies démocratiques conduites sur un fond métaphysique kantien au nom du principe d'égal respect des individus. Qu'elles visent à arraser les différences entre membres du corps social dans le sillage de Rousseau ou à supposer une identité minimale commune aux sujets porteurs de droits, elles ont en commun de récuser la possibilité d'une différenciation et de résister à l'idée de sociétés distinctes comme communautés au sein de la cité politique. Refusant comme Ricœur une opposition brutale entre universalisme et particularisme, Taylor s'exerce à mobiliser la prudence pratique pour conjuguer la mise au jour des défauts théoriques et des dangers politiques que présente la sous-estimation des demandes de reconnaissance ou des formes incomplètes de la reconnaissance des autres avec le respect de cette dimension propre de l'estime de soi que présente l'idéal moderne de l'authenticité [64].

Mais cette prudence est-elle encore préservée lorsque Paul Ricœur par exemple finit par conclure qu'il « n'existe pas de système de distribution universellement valable et (que) tous les systèmes connus expriment des choix *aléatoires* révocables, liés à des *luttes* qui jalonnent l'histoire violente des sociétés [65] » ? D'une manière qui remonterait plus haut vers les questions liées au problème de la justification et de la fondation, le souci commun à Ricœur et Taylor de prendre en compte une « anthropologie de l'agir », ou encore une liaison entre les droits et ce que Hannah Arendt appelle leur « espace public d'apparition », ne conduit-il pas trop loin lorsqu'il est dit que « si l'individu se considère comme originairement porteur de droits, il tiendra l'association et toutes les charges qui en découlent pour un simple instrument de sécurité à l'abri duquel il poursuivra ses buts égoïstes et considérera sa participation comme conditionnelle et révocable [66] » ? Une question du même ordre se poserait vis-à-vis du projet de Charles Taylor lorsqu'il en vient à décrire les dialectiques de la modernité à partir des figures du narcissisme contemporain et des idéaux de la réalisation de soi. Considérablement plus confiant que Paul Ricœur envers ces composantes de l'individualisme moderne, Taylor semble pourtant les soupçonner de tyrannie lorsqu'il estime leurs défenseurs « condamnés au mutisme par leur propre façon de voir [67] ». Est-ce à dire qu'en induisant un repli sur soi de l'égoïsme individuel elles favorisent une indifférence envers autrui et nourrissent une logique de fragmentation sociale qui menace les conditions mêmes de la vie en commun ? Étrangement, c'est soudain l'optimisme théorique de Taylor qui devient frappant au moment où il paraît admettre que la contradiction se résout sans difficulté et que « l'authenticité inaugure une époque de la responsabilité [68] ». À moins qu'il ne faille admettre ce qui semble la solution la plus cohérente : le fait que la dialectique de l'authenticité et de la responsabilité ne s'exerce qu'au sein de la sphère restreinte de communautés susceptibles de se différencier et de se reconnaître.

En d'autres termes, pour limitée qu'elle veuille être aux vertus d'un contextualisme tempéré, l'objection opposée à la démarche déontologique ne risque-t-elle pas de glisser vers un retour à une forme de communautarisme, à force d'insistance sur la nécessité de trouver une éthique concrète dans les communautés déjà là ? De même, n'encourt-elle pas le danger de conduire à une forme renouvelée d'historicisme, portée par l'impossibilité de déjouer l'historicité des catégories de la morale pratique et de l'action politique ? Si l'on reconnaît dans ce débat la structure du conflit qui opposait déjà Kant et Hegel sur la question de l'éthique et du droit, peut-on véritablement dépasser leur opposition en empruntant à l'un ce transcendantalisme qui fonde la pratique politique sur la morale et à l'autre cette *Sittlichkeit* qui prétend médiatiser la moralité abstraite en l'articulant à l'éthique concrète des communautés existantes et reconnues ? Avec Paul Ricœur, il s'agit ici de pratiquer la défense d'un universalisme bien tempéré, contre les séductions du scepticisme et du perspectivisme. Avec lui encore, il faut pour ce faire pousser aussi loin qu'il se peut l'épreuve d'une critique des idéaux de la morale formelle par les objections qui lui sont opposées d'Aristote à Hegel et Marx. Mais c'est peut-être en s'éloignant quelque peu de lui que l'on voudrait essayer d'imaginer une autre articulation entre l'autonomie de l'individu et l'appartenance commune, la liberté abstraite et son inscription dans une histoire partagée.

Les lumières de la raison démocratique

Qu'elle soit construite globalement contre « l'idée vide de loi » dans la critique hégélienne de Kant, ou sous la forme plus limitée d'un démembrement de la notion unitaire de justice par Walzer ou Taylor contre Rawls, l'objection faite au formalisme tourne toujours en premier lieu autour de la question du sens de la moralité abstraite. Là où Kant postule qu'elle suffit à penser ensemble le contenu de la liberté du sujet et la prise en compte du respect d'autrui, Hegel oppose que seule la médiation d'une éthique concrète et située donne sens à ces deux notions. De même Walzer oppose-t-il au projet rawlsien d'une répartition des biens sous l'égide des principes de justice, le fait que l'estimation des significations accordées à ces biens est particulière à chaque communauté et qu'il revient à la théorie non de les construire, mais de les découvrir. Il semble toutefois que, dans l'une et l'autre perspective, le danger soit bien de retomber dans une hypostase de l'idée de communauté définie du point de vue du sens donné aux maximes de l'action dans la dimension vécue des relations interindividuelles. La question est alors de savoir si l'on peut disposer d'un concept restreint de communauté, limité par exemple à l'idée d'appartenance commune et choisie, qui tout à la fois résolve le problème des attentes de significations vécues du concept de justice et évite leur définition réifiée par l'identité communautaire.

Si l'on admet par exemple, avec Walzer ou Ricœur, que l'idée de citoyenneté se pose sur un horizon de sens qui ne peut être parfaitement identique à celui qui régit la distribution des biens marchands, faut-il pour autant la réduire au contexte des communautés particulières lorsqu'il est question de la saisir et de lui donner forme ? Ne peut-on au contraire essayer encore une fois de l'appréhender au travers de la notion d'appartenance commune à une société organisée à partir de ces principes de justice qui se découvrent sous le voile d'ignorance ? Autrement dit, est-il possible de penser une idée de communauté *reconstruite* à partir de ces principes, et non pas opposée à leur abstraction ? C'est alors le concept de sens commun qui paraît offrir la médiation rendue nécessaire par la critique de type contextualiste, médiation entre la liberté abstraite et la liberté pratiquée dans le monde vécu, médiation entre l'idée pure de liberté associée à l'autonomie du sujet et la liberté limitée par le respect de l'autonomie d'autrui. Mais ce concept de sens commun doit alors être pris dans sa définition kantienne : « Sous l'expression de *sensus communis* il faut entendre l'idée d'un sens *commun à tous*, c'est-à-dire l'idée d'une faculté de juger qui, dans sa réflexion, tient compte, lorsqu'elle pense (*a priori*), du mode de représentation de tous les autres êtres humains afin d'étayer son jugement *pour ainsi dire* de la raison humaine dans son entier [69]. » Avec pour conséquence qu'il s'agit aussi d'explorer la distance qui sépare l'idée d'un sens commun comme une donnée limitée à une communauté et celle qui chercherait à l'associer à un vouloir lié à l'élargissement de la faculté réfléchissante.

Ainsi construite, la notion de sens commun présente alors l'avantage de répondre à l'attente contenue dans la référence hégélienne à la *Sittlichkeit* ou à ses dérivés, sans toutefois réduire la liberté à un sens prisonnier des communautés concrètes. Elle permet bien en effet de penser cette dimension essentielle du politique qui tient à la question du vivre ensemble, dans l'acception positive d'un souhait constitutif de l'identité politique, mais aussi avec la connotation négative qu'évoque le lien de cette activité avec la violence. Inlassablement soulignée par Paul Ricœur dans le sillage d'Hannah Arendt, cette dimension désigne le lieu d'un « déchirement entre la conscience morale et l'esprit du peuple » où s'insinue depuis la lecture hégélienne d'*Antigone* la part tragique du politique, celle qui appellerait précisément l'idée de communauté [70]. Mais pourquoi faudrait-il conclure aussi vite qu'elle ne se résorbe qu'au travers d'une concession de la moralité à l'esprit incarné et au monde des particularités de la vie empirique ? On peut au contraire souhaiter garder une priorité aux principes de la justice, en cherchant à thématiser leur ouverture à l'idée selon laquelle « le pouvoir n'existe qu'autant et aussi longtemps que le vouloir vivre et agir en commun subsiste dans une communauté historique [71] ». Ainsi s'agirait-il de concevoir que les principes de justice ne sont pas étrangers à toute idée de communauté, mais ne l'admettent que pour autant qu'elle peut subir positivement l'épreuve d'une critique qui n'est autre que celle de l'idéal démocratique. Dans cette perspective, on pourrait encore dire que l'idée de communauté n'est en ce sens acceptable qu'au terme d'une double stratégie d'épuration au sens kantien rappelé par Paul Ricœur. Épuration de ces connotations sentimentales ou affectives qui évoquent, chez Max Weber par exemple, l'idée d'une identité de destin, d'une mysticité liée à la vie et la mort et que l'on oppose souvent, au nom du sérieux de l'histoire depuis Hegel, à la liberté abstraite. Mais épuration aussi de toutes les dimensions d'une existence communautaire qui serait incompatible avec les principes de justice ou même contreviendrait à leur ordre lexical. À ce titre on peut raisonnablement supposer que l'expérience historique des peuples libres assure l'ancrage et d'un consensus sur l'idée de justice et d'un habitus critique suffisant pour l'activer dans la sphère quotidienne des relations vécues et du monde commun. Désignant ce que l'on pourrait appeler les lumières de la raison démocratique, de telles dispositions autoriseraient alors à entrer plus avant dans les significations intimes de l'existence partagée.

La question du bonheur et l'horizon de la raison pratique

Le même raisonnement pourrait alors être conduit pour ce qui concerne le second aspect de la critique contextualiste, celui qui vise le sens vécu de la liberté morale, à savoir la question du bonheur. Si l'on quitte en effet le problème de la médiatisation de la liberté par les institutions pour se pencher sur celui de la réalisation de l'individu par référence à l'idée du bien, nul doute que soit à nouveau en cause la capacité de la moralité abstraite à produire un bonheur du sujet humain. Que met en effet en scène la critique par Michaël Walzer de la position originelle de Rawls, sinon le fait que l'on peut toujours espérer définir *a priori* les catégories du juste et les principes qui assurent la répartition des biens, mais que l'on obtient par ce biais une société parfaitement désincarnée, vide de toute signification humaine et à tout prendre invivable ? S'oppose alors à l'individu rawlsien, apatride habitant un hôtel bien construit en conformité à des idéaux abstraits de justice mais privé de toute attache, le membre d'une communauté qui partage un sens donné aux institutions et à leur finalité, c'est-à-dire la réalisation d'une idée commune du bonheur. Mais le risque d'une telle position est identique à celui rencontré au travers de la critique de la liberté abstraite : celui d'une hypostase des idéaux communautaires, en l'occurrence des estimations attachées à la notion de bonheur, au point où elles finiraient par surplomber les valeurs de l'autonomie individuelle jusqu'à les écraser.

Se retrouve donc sur cette question du bonheur un conflit déjà rencontré s'agissant du problème général du statut de la raison pratique et de son application à la question de la moralité abstraite. On peut alors en reconstruire le schématisme à partir des positions fondatrices, celles qui opposent le transcendantalisme kantien à sa critique hégélienne. Au regard de cette dernière, l'idée pure de liberté et la morale *a priori* qui lui est associée sont incapables de soulager la conscience malheureuse déchirée, de donner à l'homme historique la satisfaction d'une réalisation de soi. Le raisonnement de Hegel sur ce point présente la régularité d'un redoutable syllogisme : la pensée abstraite donne au droit et au bien privés « une valeur en soi et pour soi, par opposition à l'universalité de l'État » ; or l'exemple de la « détresse » de l'homme qui a faim et doit voler pour assurer sa survie fait éclater cette équivalence en marquant la scission entre le « droit de vivre » et le droit de propriété ; ce qui revient à dire que « la détresse révèle la *finitude* et, par suite, la *contingence* à la fois du *droit* et du *bonheur*[72] ». *A contrario*, le soulagement de la conscience et de l'existence déchirées ne peut être pensé qu'au travers de deux médiations. Dans le temps historique, il s'agit de celle de l'État. Avec elle, « chaque individu se sait reconnu, chaque individu est et *se sait être* membre actif de la communauté et sait en plus qu'il est connu et reconnu comme tel par tous les autres et par l'État lui-même[73] ». Nécessairement limitée, cette médiation permet toutefois à l'individu posé comme citoyen de se réaliser par sa participation à l'esprit en acte. Mais demeure surtout la médiation de l'histoire, qui seule, par son accomplissement dans le moment de sa fin, assure à l'individu la satisfaction et le bonheur[74].

C'est au travers d'un commentaire de la notion kantienne de *souverain bien* que Paul Ricœur met au jour la position antithétique : celle qui permettra de dégager un concept critique de bonheur, évitant l'hypostase hégélienne de la totalité. Avec la question du bonheur en effet se trouve posé le problème ultime de toute théorie pratique, celui de « l'achèvement de la volonté », de sa finalité dernière du point de vue des attentes et de la liberté des individus[75]. Si l'on admet avec lui que c'est en cette place que se situe le concept hégélien de savoir absolu, c'est une alternative à l'idée d'une totalité donnée qu'il faut découvrir, qui tout à la fois offre l'horizon de la réflexion pratique et empêche son enfermement dans la perspective réifiée d'une fin de l'Histoire. Or, que signifie le concept de souverain bien, sinon le contenu même de l'idée de totalité (complétude et achèvement de la volonté) telle qu'elle est visée au travers de la problématique pratique ? Cependant, à la différence du savoir absolu hégélien, le souverain bien désigne une totalité qui n'est pas « donnée », mais qui est seulement « demandée », qui n'est pas attendue d'une fin du conflit et demeure simplement espérée, sans assignation de lieu ni de temps. En d'autres termes, dans une perspective qui était au cœur des préoccupations de Max Weber, il s'agit ici de relier la question pratique de l'action au problème de l'histoire en maintenant cette part de l'ambition des pensées du progrès qui les faisait assurer la reprise du matériau historique pour le projeter vers l'idée d'un achèvement de la volonté. Mais l'enjeu consiste à opérer cette reprise et cette projection sous la forme d'une ouverture à l'espérance, d'un souhait de l'accomplissement ou d'une disponibilité à la promesse de réconciliation, et non par la détermination mécanique d'un horizon de l'historicité et de la totalisation du réel.

Suivant le commentaire de Paul Ricœur, la richesse de la position kantienne tient tout entière dans la structure même du raisonnement. La *Critique de la raison pratique* en effet contient bien l'idée de bonheur dont elle fait le complément de l'action morale. Or on se souvient aussitôt que cette même idée était écartée des principes de la moralité, lorsqu'il s'agissait d'appliquer à cette dernière la stratégie d'épuration associée à la critique de l'illusion transcendantale. Dès lors, la connexion de la moralité et du bonheur récuse tout à la fois l'hédonisme et l'attente de la béatitude du sage hégélien, pour demeurer située dans une dialectique ouverte, instituée par une antinomie féconde de la raison pratique : « Ce qu'elle demande en effet, c'est que le bonheur s'ajoute à la moralité ; elle demande ainsi d'ajouter à l'objet de la visée, pour qu'il soit entier, ce qu'elle a exclu de son principe, pour qu'il soit pur [76]. » Ainsi, le fait que la synthèse de la morale et du bonheur ne soit jamais attestée en réalité n'est pas une faille du système, mais au contraire l'expression de l'idée selon laquelle une telle attestation serait catastrophique, signe soit d'une destruction de l'autonomie individuelle dans un concept collectif du bonheur, soit d'une hypertrophie du subjectivisme négatrice de toute prise en compte de l'existence d'autrui.

Cette double défiance est parfaitement explicite dans la définition que donne Kant lui-même du bonheur et qui articule les trois moments de cette dialectique nécessaire à ce que Paul Ricœur nomme un « kantisme posthégélien ». Le premier de ces moments est, comme l'on s'y attend, saisi au travers de l'affirmation de la liberté, affirmation en l'occurrence négative selon le schéma qui l'associe à la suppression de l'obstacle à la liberté : « Personne ne peut me contraindre à être heureux à sa manière (comme il se représente le bien-être d'un autre homme) [77]. » Il débouche toutefois aussitôt sur un renversement positif, en forme de rappel de l'association de la liberté à l'autonomie : « Mais chacun a le droit de chercher son bonheur suivant le chemin qui lui paraît personnellement être le bon. » Le troisième moment doit alors être à nouveau négatif, puisqu'il conditionne cette liberté par la considération d'autrui. Ce droit à la recherche du bonheur est en effet aussi étendu que possible « si seulement il ne nuit pas à la liberté d'un autre à poursuivre une fin semblable ». Reste alors une ultime médiation, qui renoue les différentes dimensions, lorsque l'on conçoit que « cette liberté peut coexister avec la liberté de tous d'après une loi générale possible ».

Par la manière dont elle se réinscrit dans une perspective de la priorité accordée à la liberté, une telle définition du bonheur déplace en le renouvelant le problème de l'autonomie tel que le mettait au jour la critique hégélienne ou tel que Walzer le reprend contre Rawls. S'il s'agit bien de penser une médiation de la liberté ou de réfléchir la moralité sur le trajet de l'effectuation du jugement pratique, la structure du raisonnement kantien est exemplaire. Sa subtile dialectique en effet pose immédiatement la dimension de l'intersubjectivité, puisqu'elle relie par deux fois la liberté de l'individu à l'affirmation de la même liberté pour autrui, la question de l'effectuation particulière de l'autonomie du sujet se nouant à celle de l'universalisation de la maxime pratique. Autrement dit, non seulement apparaît la possibilité d'une médiation entre la liberté pure et la loi qui l'universalise, mais celle-ci est strictement référée à autrui et contenue dans la reconnaissance de son égale liberté. Inversement, l'idée de bonheur n'est plus posée comme potentiellement contradictoire avec celle de liberté selon une tension qui reproduirait celle de la sphère publique et de la sphère privée, de la communauté et de l'individu. La force de la construction, transposée par Rawls dans la notion de « plan d'existence », est en effet d'avancer l'idée d'une complémentarité médiatisée par le temps, en lieu et place d'un dépassement. Avec pour conséquence que s'ouvre une perspective nouvelle : celle qu'évoque l'idée d'une temporalité pratique, qui retrouve le terrain de l'histoire empirique sans y dissoudre la liberté et lui indique un horizon d'accomplissement sans le confondre avec la totalisation du réel [78].

La *Théorie de la justice* offre une définition du bonheur qui se superpose aisément à celle de Kant. Positivement, l'idée de bonheur présente deux aspects complémentaires : « L'un est l'exécution couronnée de succès d'un projet rationnel qu'une personne cherche à réaliser [...], l'autre est son état d'esprit, sa confiance, basée sur des raisons solides, dans la durée de son succès [79]. » Est alors accentuée la notion de projet rationnel, avec ce qu'elle évoque d'une aptitude au vouloir et à l'imagination qui fait contraste avec les conceptions passives du bonheur. Mais cette notion entre toutefois immédiatement en relation avec une seconde détermination de l'idée de bonheur, qui forme le moment négatif de sa définition. En effet, celle-ci n'a de signification que rapportée à la double caractéristique de toute personnalité morale : « celle de concevoir le bien et celle de développer un sens de la justice [80] ». Or, si l'une s'attache sans difficulté à la logique de l'autonomie individuelle, l'autre lui impose une condition : « La première se réalise par un projet rationnel de vie, la seconde par un désir dominant d'agir selon certains principes du juste [81]. » Dans la mesure où ces derniers renvoient directement à l'accord établi sous le voile d'ignorance, la thématisation de l'idée de bonheur contient donc toujours la référence à autrui au travers de la limite posée à la recherche du bonheur par la considération de la même disposition accordée à tout autre.

Cette définition du bonheur s'oppose donc à l'hédonisme. Comme celle de Kant, elle refuse de faire du bonheur une fin en soi, détachée de la question des moyens, puis elle subordonne la réalisation de celui-ci à la capacité de concevoir une existence réussie. Ce qui veut aussitôt dire qu'elle suppose que tout individu est susceptible de concevoir pour lui-même un plan rationnel de vie, de viser ce que Paul Ricœur nomme la « vie bonne », Aristote le « bien vivre », ou Proust encore la « vraie vie [82] ». Avec elle il s'agit de cette « nébuleuse d'idéaux et de rêves d'accomplissement au regard de laquelle une vie est tenue pour plus ou moins accomplie ou inaccomplie [83] », celle qui fixe, au-delà des actions quotidiennes de l'individu, la représentation du sens visé dans les projets qu'elles expriment. En ce sens, le point de vue de l'individu poursuivant le bonheur dans la réalisation d'un projet associé à l'expression de sa liberté rencontre aussitôt l'autre, perçu au travers de la même disposition. À ce moment donc, l'association particulière à chacun de l'autonomie et du bonheur s'universalise : « Toi *aussi* tu es capable de commencer quelque chose dans le monde, d'agir pour des raisons, de hiérarchiser tes préférences, d'estimer les buts de ton action et, ce faisant, de t'estimer toi-même comme je m'estime moi-même [84]. »

Mais une telle conception s'oppose aussi à l'utilitarisme et à toutes les problématiques qui récusent la vacuité de la liberté abstraite pour lui substituer l'idée d'une effectivité du bonheur dans la participation à un projet collectif ou communautaire. C'est en effet une alternative à l'opposition tranchée entre l'autonomie du sujet et l'inscription communautaire de la réalité du bonheur que propose la *Théorie de la justice*. Avec elle, la dimension de l'appartenance commune n'est pas évacuée, mais reconstruite à partir du point de vue du sujet, sur fond de l'accord initial concernant les principes de justice. De même que l'affirmation par chacun de sa capacité à faire de sa vie un projet induit immédiatement la reconnaissance de la même capacité chez autrui, « la vie privée de chaque individu est en quelque sorte un projet à l'intérieur d'un projet plus vaste qui est celui que réalisent les institutions publiques de la société [85] ». Encore faut-il immédiatement ajouter que dans cette dimension est en cause moins une inclusion qu'une coexistence, que n'est visée ni une intégration ni une réduction des différences, mais une harmonisation grâce à des principes mutuellement acceptables. C'est dans cette perspective que Rawls insiste sur une différence essentielle lorsqu'il souligne le fait que « ce projet plus vaste n'est pas une fin dominante, comme le serait par exemple l'unité religieuse ou le progrès de la culture, encore moins la puissance et le prestige national, une fin à laquelle seront subordonnés les objectifs de tous les individus et de tous les groupes ».

La liberté comme médiation

Cette dernière remarque est décisive, dans la mesure où elle récuse tout à la fois deux des arguments classiquement opposés aux approches formalistes des questions pratiques. Au premier, qui marque le cœur des développements de Max Weber et qui consiste à montrer que la politique n'a de sens que rapportée à des objectifs de puissance ou de prestige, elle oppose la thèse libérale classique selon laquelle une telle perspective finit toujours par ruiner l'autonomie de l'individu. Mais la critique se retourne aussitôt contre l'objection faite au nom du contextualisme à cette même autonomie. Non seulement en effet l'idée de liberté thématisée dans celle de plan d'existence du sujet n'exclut pas la perspective d'un « vivre ensemble », mais elle l'appelle puisque le principe même qui donne sens à l'activité de chacun requiert l'attente d'une même capacité chez autrui. Dès lors l'action publique peut espérer échapper à la fois à la catégorie de la domination et au projet de réalisation d'un bonheur commun surplombant les individus. Et ce pour faire signe vers ce que Paul Ricœur nomme après Hannah Arendt « un tissu de relations humaines au sein duquel chaque vie humaine déploie sa brève histoire [86] ». À l'encontre de l'objection de type contextualiste, le sujet poursuivant son autonomie est donc capable de saisir « une finalité supérieure » à son action particulière. Mais en évitant la réduction de cette finalité à un principe d'hétéronomie, une telle reconstruction de la perspective retient

une part de l'objection, et fait en sorte de ne pas cesser d'être
« intérieure à l'agir humain [87] ».

Au terme du raisonnement, la dimension de l'appartenance
commune comme espace de réalisation de la liberté est donc bien
réintroduite, mais sans que soit abandonné le point de vue de
l'autonomie du sujet. Cette dernière est en effet appréhendée selon
un schéma nouveau : celui que MacIntyre désigne sous l'idée de
« l'unité narrative d'une vie [88] ». Avec lui se met en place une
sorte d'herméneutique du sujet, qui engage son existence au travers d'un projet et en assure la cohérence sur le modèle d'un récit.
Mais loin d'être associée à une fermeture du sujet sur lui-même
aux alentours du seul souci de soi, cette herméneutique contient
immédiatement un moment d'ouverture à autrui, au travers de la
sollicitude et de la dimension dialogale de l'existence. La force de
l'argument tient alors au fait qu'il tranche l'objection contre l'idée
d'un « sujet de droit constitué antérieurement à tout lien sociétal »
à la racine : par la reconnaissance du « rôle *médiateur* de l'autre
entre capacité et effectuation [89] ». Au long du raisonnement en
effet, autrui a été successivement saisi comme ipséité puis comme
autonomie et volonté, comme condition enfin de la réalisation de
mon propre projet. Ainsi, s'il est effectivement besoin d'une
médiation de la liberté pure kantienne pour penser le politique sur
l'horizon d'une appartenance commune, celle-ci est ici donnée au
travers de l'existence même d'autrui en ce qu'il est précisément
saisi comme liberté.

Sous ce schéma, la théorie formelle de la justice remplit donc
les différents programmes assignés à la pensée pratique. Celui bien
entendu qui tient à une définition de la liberté entendue comme
arrachement à toute forme de détermination, que ce dernier prenne
la forme d'une relation critique à la tradition ou d'une émancipation par rapport à des appartenances particulières non examinées
et exposées. Mais également celui qui réfléchit la question des
limites de l'autonomie au travers de l'exigence de la réciprocité
et de l'égale considération pour autrui. Celui enfin qui fixe un
horizon de réalisation de la visée pratique, par la prise en considération d'une promesse qui peut encore être contenue dans l'idée
de bonheur. Dès lors, le fait que cette dernière soit pensée dans la
dimension d'une espérance et non d'une fin assignée et attendue
ne doit pas faire signe vers un défaut de la théorie en forme de
déficit de capacité à réaliser des attentes. Il faut plutôt y trouver
la trace d'une ultime sagesse pragmatique, qui seule permettrait le
refus de céder à l'angoisse du désenchantement. Si la liaison de
la moralité et du bonheur doit en effet rester, chez Rawls comme
chez Kant, simplement attendue sous les traits d'une « synthèse

transcendante », c'est qu'il n'est d'autre voie pour assumer la finitude humaine sans sombrer dans le désespoir. C'est encore,
comme l'indique Paul Ricœur, que « le " postulat " de la liberté
doit désormais franchir, non seulement, la nuit du savoir, avec la
crise de l'illusion transcendantale, mais encore la nuit du pouvoir,
avec la crise du mal radical [90] ».

Les cadres d'une théorie du jugement politique

Étendu de la justification rationnelle des droits de l'homme à
une conception de l'égalité démocratique, un tel raisonnement peut
donc être interprété comme une pensée de l'État providence visant
à sortir du dilemme de la modernité tel que décrit par Tocqueville
ou Max Weber. Assumant la tension entre liberté et égalité des
conditions mise au jour par le premier, il cherche à la dépasser en
dégageant les conditions d'un accord sur la répartition des
richesses qui puisse devenir le principe régulateur de l'intervention
de l'État. Si l'on ajoute que celle-ci demeure en tout état de cause
soumise à l'impératif universel de respect des libertés fondamentales, le paradoxe d'un État tuteur dispensateur de bien-être mais
négateur des libertés s'estompe, puisque l'une et l'autre dimensions sont jugées à l'aune d'un même ensemble de principes.
Tombe ainsi la première objection wébérienne à l'encontre de
l'État providence, celle qui nie la possibilité d'une fondation du
système politique sur des considérations éthiques : l'objet de la
théorie des droits est moins d'imposer la forme d'un système de
valeurs concernant l'ordre social juste que d'installer un cadre pour
la confrontation des conceptions concurrentes de la justice. Elle
échappe en ce sens au paradigme de la guerre des dieux, à l'idée
selon laquelle, faute d'un fondement en raison, la politique est
vouée à un conflit irréductible. Resterait encore à savoir si elle
peut lever la seconde objection de Max Weber, qui concernait
l'incohérence d'un système normatif qui laisse à la jurisprudence
un rôle étendu dans l'interprétation d'un droit référé à des principes éthiques.

Cette dernière perspective reconduit l'analyse au cœur même de
l'aporie liée à l'analyse wébérienne de la modernité. Le problème
est en effet posé à la rencontre de trois propositions qui résument
la conception positiviste du droit, moderne défendue par Max
Weber. En premier lieu, il s'agit de considérer que la rationalisation juridique passe par l'élimination de la jurisprudence entendue
comme création autonome de droit de la part du juge. Historiquement, celle-ci s'opère au travers de la codification et de la restric-

tion progressive du droit à sa forme légiférée. Dans le cadre d'un droit rationnel, la proposition doit s'entendre au travers d'une méthode qui limite la décision de justice à la stricte « application » d'une prescription abstraite à une « situation » concrète [91]. Mais cette restriction du droit à une pure technique qui fait du juge, au sens le plus fort du terme, une « bouche qui dit les paroles de la loi », signale très exactement le moment où le droit moderne tombe sous le schéma de la cage d'acier. Parce que le juge finit par se percevoir comme un simple automate dépourvu de toute autonomie. Et surtout parce que le droit longtemps vécu sous sa forme contractuelle comme un moyen d'émancipation devient une structure de réification de la vie quotidienne lorsqu'il prétend à « la construction des faits de la vie à l'aide de propositions juridiques abstraites [92] ».

Le problème n'est cependant parfaitement posé qu'avec une troisième proposition aux allures paradoxales. Avec elle en effet, le droit propre à l'État providence et qui réintroduit des considérations matérielles liées à l'idée de justice satisfait indéniablement à la demande de réenchantement d'un droit devenu trop formaliste. Mais ce qui se gagne en termes de sens redonné au droit se perd aussitôt pour Max Weber en qualité des normes. Soumise à des impératifs de justice, la règle de droit altère en effet sa pureté formelle, dans la mesure où elle retrouve un contenu éthique qui devrait lui demeurer étranger. Dans la mesure aussi où elle donne aussitôt prise à l'appréciation du juge dont on n'attend désormais plus qu'il applique un strict raisonnement syllogistique, mais qu'il apprécie des situations concrètes en vertu de critères non juridiques. Surgit alors un dilemme qui reproduit à l'échelle du droit celui de la modernité dans son ensemble : la logique de la rationalité conduit au triomphe d'une technique synonyme de parfaite maîtrise du monde vécu ; mais ses effets de réification suscitent un besoin de réaffirmation de sens qui se heurte au conflit des valeurs et à leur impossible justification en raison. Le dilemme est-il indépassable, lié au statut même de la raison dans un monde désenchanté et vouant le droit à demeurer une pure technique ? Ou bien peut-on, s'agissant du droit, sortir de la cage, rendre à l'activité du juge un sens conforme à l'idée de justice sans concéder à l'irrationalité des fins et à l'arbitraire d'une décision discrétionnaire ?

On aura compris qu'il s'agit ici de partir à la recherche des fondements d'une théorie du jugement juridique, qui appliquerait au problème de l'allocation des droits et de la décision judiciaire les préceptes d'une rationalité redéfinie sous l'impératif de justice. C'est une dernière fois à Kant que l'on peut emprunter le cadre critique de la discussion. Dans sa formulation la plus large en effet, elle fait fond sur l'opposition canonique de deux réponses à la question : Qu'est-ce que le droit ? Kant la présente de la manière suivante : « Ce qui est de droit (*quid sit juris*), c'est-à-dire ce que disent ou ont dit les lois en un certain lieu et à une certaine époque, (le jurisconsulte) peut bien l'indiquer ; mais quant à savoir si ce qu'elles voulaient était également juste et quel est le critère universel auquel on peut reconnaître en général le juste aussi bien que l'injuste (*justum et injustum*), cela lui reste caché s'il n'abandonne pas pour un temps ces principes empiriques, s'il ne cherche pas la source de ces jugements dans la simple raison [...] afin d'établir le fondement d'une législation positive possible. Une doctrine du droit simplement empirique (comme la tête de bois dans la fable de Phèdre) est une tête qui est peut-être belle, seulement il est dommage qu'elle n'ait pas de cervelle [93] ! »

Profilée de cette manière, la critique contient toutes les mises au jour contemporaines de l'idée selon laquelle le positivisme tend à priver le droit de son sens en le confondant avec l'ensemble des règles légalement édictées. Celle de Leo Strauss englobant le positivisme dans un geste relativiste propre à la modernité et qui pose l'équivalence des systèmes normatifs appréhendé du seul point de vue de leurs cohérences formelles. Celle de Michel Villey aussi, dénonçant l'oubli de toute transcendance dans la définition du juste. Mais également celle, venue d'un tout autre horizon, de Jürgen Habermas, lorsqu'elle vise plus directement la réduction du droit à une rationalité instrumentale aveugle à toute dimension d'intersubjectivité. Celle enfin de John Rawls, qui souligne la vacuité d'un droit qui perdrait toute attache avec des principes éthiques pouvant servir d'étalon du juste et de l'injuste. Inversement, pour n'être pas compatible avec toutes les alternatives construites par ces auteurs à l'abandon de la prospective du sens en droit, elle fixe parfaitement l'orientation des deux dernières. Plus précisément encore, elle ouvre une perspective au sein de laquelle les problèmes liés à une théorie formelle de la justice peuvent être réenvisagés lorsqu'ils touchent à la formation et à la justification du jugement.

La critique kantienne permet d'éclairer la difficulté dans laquelle s'enferme le positivisme s'agissant de la décision judiciaire. Le schéma peut en être emprunté à l'analyse esthétique, qui pose le cadre où se développe toute argumentation visant à justifier la capacité de la raison à fournir des jugements bien fondés. Le Kant de la *Critique de la raison pure* commence en effet par offrir une définition de la faculté de juger elle-même : « faculté de *subsumer* sous des règles, c'est-à-dire de discerner si quelque chose rentre ou non sous une règle donnée [94] ». Mais c'est pour aussitôt préciser ce qui fait le problème de tout jugement : « La logique générale ne contient pas de préceptes pour la faculté de juger et ne peut en contenir. En effet, *comme elle fait abstraction de tout contenu de la connaissance*, il ne lui reste plus qu'à séparer analytiquement la simple forme de la connaissance en concepts, jugements et raisonnements, et à établir ainsi les règles formelles de tout usage de l'entendement. Que si elle voulait montrer d'une manière générale comment on doit subsumer sous ces règles, c'est-à-dire discerner si quelque chose y rentre ou non, elle ne le pourrait à son tour qu'au moyen d'une règle. Or, cette règle, par cela même qu'elle est une règle, exige une nouvelle instruction de la part de la faculté de juger, et on voit ainsi que, si l'entendement est capable d'apprendre et de s'équiper au moyen de règles, la faculté de juger est un talent particulier, qui ne peut pas du tout être appris, mais seulement exercé [95]. »

Cette logique de régression à l'infini décrit parfaitement la pathologie propre au problème de l'interprétation dans le cadre du positivisme juridique moderne, qui semble succomber directement au redoutable syllogisme kantien. En effet, le modèle wébérien de l'interprétation méthodique, tout comme celui que développe Kelsen, veut demeurer dans les strictes limites de la logique générale, afin de rester pur de toute influence extra-juridique. Visant exclusivement l'imputation d'une règle générale à un cas d'espèce, il finit par interdire que soit exercée une faculté de juger au sens propre du terme. Or, même s'il cherche avec Hart par exemple à atténuer la difficulté en admettant le recours à des règles secondaires servant à orienter la décision par dérivation des normes générales, force lui est de concéder que ces « règles de reconnaissance » sont encore des règles qui ne font que retarder le problème [96]. Reste donc toujours, pour solde de la recherche d'un critère en forme de règle de la décision de justice, une indétermination qui laisse la place à la discrétion du juge. Faute en effet d'une problématique du jugement qui puisse rendre compte du trajet qui va de la prise en compte d'une situation particulière pour déceler un principe général permettant de l'interpréter, la logique positiviste finit par accepter un moment de pure décision exempt de toute justification.

Dans une large mesure, ce problème est l'analogue, s'agissant de la théorie du jugement, de celui posé par la norme fondamentale du point de vue de la fondation du système normatif. Dans les deux cas, la volonté de purifier le droit, de toute attache métajuridique se heurte au point où le raisonnement se suspend sur la question de sa référence ultime et abandonne l'exigence de justification à un acte pur de décision. En l'occurrence, la difficulté peut être présentée au travers de l'opposition kantienne du jugement déterminant et du jugement réfléchissant. Chez le Kant de la *Critique de la faculté de juger* cette fois, l'opposition se présente de la manière suivante : « La faculté de juger est en général le pouvoir de penser le particulier comme contenu sous l'universel. Si l'universel (la règle, le principe, la loi) est donné, alors la faculté de juger, qui subsume le particulier sous l'universel, est *déterminante* [...]. Mais si seul le particulier est donné, pour lequel la faculté de juger doit trouver l'universel, alors la faculté de juger est simplement *réfléchissante*[97]. » L'idéal méthodologique du positivisme n'admet donc pour critère du jugement judiciaire que la seule faculté déterminante et refuse en vertu de sa volonté épistémologique de pureté la dimension réfléchissante. Au risque toutefois d'abandonner à l'arbitraire du juge le traitement des situations où seul le particulier est donné. Au risque aussi de subir la critique kantienne selon laquelle « un médecin, un juge ou un homme politique peuvent avoir dans la tête de belles règles pathologiques, juridiques ou politiques, à un degré qui peut en faire de solides professeurs en ces matières, et pourtant faillir aisément dans leur application[98] ».

C'est au fond cette faillite de la théorie du droit que veut éviter le modèle d'interprétation développé par Ronald Dworkin. Avec lui, il s'agit à la fois d'opposer au scepticisme positiviste l'idée d'une possible justification en raison de la décision de justice, quelles que soient ses occurrences logiques, et de montrer qu'un droit fondé sur des principes de justice peut préserver son idéal de cohérence. Même s'il laisse à la jurisprudence un rôle essentiel quant à l'effectuation de ces principes sur le trajet où se rencontre la diversité des situations concrètes. Même s'il prétend assumer des préoccupations de justice matérielle associées à l'État providence, tout en préservant les exigences du droit formel, visant ainsi à déjouer l'antinomie wébérienne. L'enjeu pourrait alors n'être rien moins que l'esquisse d'une théorie du jugement juridique, qui étende à l'activité de juger les principes de la théorie de la justice. Ou encore d'opposer à la vision désenchantée de la modernité juridique l'image d'un droit restauré dans ses raisons et susceptible, en retrouvant un sens, d'arracher l'univers de la pratique au schéma dévastateur de la guerre des dieux.

Dans cette perspective, le projet de Ronald Dworkin s'inscrit délibérément en rupture par rapport à la neutralité voulue par la science positiviste du droit : l'effort pour prendre les droits au sérieux impose d'assumer la dimension proprement normative de toute théorie[99]. Au-delà de ses aspects conceptuels ou logiques, bien décrits par le programme positiviste, la théorie du droit doit répondre à trois questions de type normatif, qui fixent les contours de l'interrogation sur le sens et les finalités du droit, tout en marquant les attaches de la réflexion juridique avec la philosophie en général. À la question de l'origine du droit, il faut apporter une réponse en termes de théorie de la législation. Celle-ci contiendra à la fois une théorie de la légitimité, décrivant les personnes et autorités habilitées à dire le droit, et une théorie de la justice légiférée, qui précise les conditions d'élaboration du droit. Mais cette première dimension du programme suscite aussitôt une seconde question : qui dit le droit ? D'où un second versant, qui doit à son tour articuler la réponse au problème des controverses juridiques et un modèle de l'institution juridictionnelle, en précisant les standards de décision du juge au travers d'une théorie de l'allocation (*adjudication*) du droit. Reste alors une ultime interrogation, qui tient aux raisons pour lesquelles le respect du droit est requis. Il s'agit alors d'une théorie de l'obéissance (*compliance*), qui contient à la fois une théorie de la déférence spécifiant les limites du devoir de conformité aux règles et une théorie de l'application du droit (*enforcement*), qui qualifie les infractions et définit une échelle de peines.

Les trois piliers de cette théorie du droit épousent donc successivement les points de vue du législateur, du juge et du citoyen. Schématiquement, ils recouvrent trois questions qui se relient : celle de la création du droit sous impératif de justice ; celle de son application au travers d'une interprétation argumentée ; celle enfin qui touche au problème de l'obéissance, et évoque un alliage d'adhésion raisonnable et de confiance vis-à-vis du pouvoir de juger. À quoi s'ajoute le fait que cette recherche d'un modèle normatif du droit vise aussi à articuler les deux trajets de la fondation en raison et de l'effectuation de la norme. Le premier, qui concerne la justification et touche au problème philosophique du lien entre règles juridiques et principes de justice, trouve son assise dans une théorie politique qui assure la priorité du juste sur le légal et rend compte de l'articulation entre les droits fondamentaux et le droit positif. La théorie de la justice comme équité offre alors ce cadre, dans la mesure où elle peut être interprétée comme une thématisation de la légitimité démocratique sur fond de respect de la pluralité des personnes et des visions du monde.

Restent donc ouverts deux problèmes qui se rencontrent directement sur ce que Paul Ricœur appelle le trajet d'effectuation des normes. L'un est associé à l'allocation des droits, en référence à une théorie de la justice qui les étend du strict respect des libertés fondamentales au traitement équitable des personnes pour ce qui concerne la répartition des biens. Sous couvert du second principe de la théorie de la justice, le modèle laisse en effet une part essentielle à la jurisprudence. Avec pour effet de solliciter à nouveau la question suivante : peut-on admettre que règne l'arbitraire du juge, ou faut-il imaginer des principes régissant l'application des normes ? C'est à une théorie de l'interprétation qu'il revient alors de combler le vide qui sépare la règle abstraite des situations concrètes où elle doit être appliquée en vertu d'un standard de traitement égal. D'où une ultime interrogation, qui complète la problématique de la légitimité entrevue au travers de la justification des normes : quel est le statut du respect dû au droit ? Ce qui veut dire qu'au prisme de la réflexion sur les raisons de l'obéissance comme horizon le plus lointain de la théorie du jugement se profile une réinterprétation du sens du droit dans le cadre d'une modernité subissant l'épreuve du désenchantement.

La question de l'interprétation s'inscrit en premier lieu dans les lacunes propres à l'attitude strictement descriptive du positivisme. Niant radicalement que la science du droit puisse avoir un aspect prescriptif, ce dernier, on le sait, tente de limiter le rôle du juge à une pure application de la règle de droit. Or il se heurte immédiatement à une difficulté bien mise au jour par H. L. A. Hart, et qui tient au fait de la double indétermination d'un droit qui demeure une « texture ouverte [100] ». Indétermination d'une part liée à la nature même du texte normatif, qui subit l'imprécision du langage ordinaire et laisse dans l'imprécision les injonctions de la règle de droit. Mais indétermination aussi des fins, qui rend la norme toujours trop abstraite par rapport aux situations en cause dans les différentes modalités de son emploi. Il reste toutefois que la réponse apportée par Hart à ce problème peut paraître largement insatisfaisante et symptomatique des limites du modèle descriptif. Même atténuée par l'introduction d'une règle de reconnaissance, la logique positiviste restreinte au seul jugement déterminant conduit inéluctablement à l'acceptation d'un pouvoir discrétionnaire d'appréciation de la part du juge [101].

La difficulté consiste donc à partir du constat suivant lequel il existe une indétermination inhérente à la règle de droit, pour tenter d'éviter le recours discrétionnaire en thématisant une logique de l'interprétation qui doit prendre la forme d'un jugement réfléchissant. On peut tout d'abord relever avec Ronald Dworkin que le modèle descriptif est incomplet, ne serait-ce que du seul point de vue qu'il prétend épouser, à savoir celui de la réalité factuelle. En effet, « lorsque les juristes raisonnent et discutent des droits et des obligations, notamment dans les cas difficiles où l'on rencontre les problèmes les plus aigus, ils emploient des standards qui ne fonctionnent pas comme des règles, mais opèrent différemment, comme les principes, les politiques et les autres types de standards [102] ». En ne reconnaissant pour seul critère du droit que la règle, le positivisme occulte donc une dimension essentielle de l'activité de jugement, celle qui tient à l'utilisation de standards d'une autre nature. À commencer par ces principes qui renvoient directement à l'idée d'une priorité du juste sur le légal et expriment « une exigence de la justice ou de l'équité ou bien une autre dimension de la morale ».

Au-delà du fait que se renoue ici la question du lien controversé entre droit et éthique, c'est donc bien l'enjeu de l'interprétation au sens fort du terme qui se profile. Si dans le contexte d'une indétermination des règles et des fins qu'elles visent le juge est conduit à statuer en référence à des principes, n'est-ce pas le statut même de la proposition de droit qui est remis en cause ? Plus encore, n'est-il pas nécessaire alors de redéfinir les critères de vérité de tout énoncé normatif ? Au cœur de l'interrogation est donc en cause le fait que la simple description du droit décèle un éclatement de ses énoncés qui entretient un doute quant à la thèse de la simplicité de la règle. Quel est le point commun en effet entre les propositions suivantes : « le droit interdit aux États de dénier à quiconque l'égale protection des lois au terme du XIVe amendement » ; « le droit ne permet pas aux assassins d'hériter de leurs victimes » ; « le droit impose à Mr O'Brian d'indemniser Mrs. McLoughlin pour le préjudice moral dont elle a été victime le 19 octobre 1973 [103]. » ? Faute d'une réponse adaptée à cette diversité, la théorie du droit risque de n'admettre comme critère de reconnaissance que le seul élément de la décision par des autorités qualifiées, critère qui réduit à nouveau le droit à une forme indifférenciée de contrainte sociale.

À la question du sens de la proposition de droit, l'orthodoxie positiviste n'a en effet d'autre réponse qu'en termes de règle édictée par une autorité. En dépit de la diversité de ses variantes, ce modèle trouve ainsi son unité dans l'idée selon laquelle le droit n'existe « qu'en vertu d'un acte ou d'une décision humaine [104] ». Dès lors, les propositions de droit ont un statut strictement descriptif : elles mettent en forme un fragment de la réalité sociale et apparaissent ainsi comme des « pièces de l'histoire [105] » qu'elles contribuent à façonner. Mais la conséquence immédiate de cette thèse est que, dans les cas difficiles où les règles existantes n'indiquent pas de solution, le positivisme doit admettre l'idée qu'il n'y a « pas de réponse juste (*no right answer*) [106] ». Qu'il s'agisse alors des cas qui se situent dans le silence de la loi ou des décisions controversées, le choix se restreint à deux possibilités : soit le juge invente discrétionnairement une règle qu'il ne peut découvrir et appliquer ; soit il produit un jugement purement évaluatif au travers duquel il impose sa conception morale particulière. Dans les deux hypothèses, la faillite du modèle descriptif ouvre un espace au pouvoir discrétionnaire qui fait problème tant du point de vue de la légitimité que de celui de l'idéal de cohésion normative.

D'une autre manière, on pourrait dire encore que cette focalisation sur la stricte positivité de la règle marque un double mouvement de retrait par rapport aux conceptions du droit qui associaient l'acte de juger à un impératif de justice. Avec Leo Strauss par exemple, il s'agirait de souligner le fait que, par la composante, si l'on veut scientiste, de son refus des valeurs, cette position éloigne de l'idée de justice qui présidait à la réflexion sur le jugement chez Aristote. Celle qui s'ouvrait avec la définition du problème posé par la différence entre la justice et l'équité, puis avec le constat suivant lequel, par la force des choses, le juge est souvent contraint de « corriger l'omission (de la loi) et de se faire l'interprète de ce qu'eût dit le législateur lui-même s'il avait été présent à ce moment [107] ». Mais celle qui redéployait aussitôt cette conception de l'équitable comme « correctif de la loi, là où la loi a manqué de statuer à cause de sa généralité [108] » vers les régions plus vastes où s'exposait la distinction entre une justice universelle et la justice particulière, avec pour horizon cette nette séparation entre le légal et le juste comme « ce qui est conforme à la loi *et* ce qui respecte l'égalité [109] ». La conséquence de ce premier retrait qui conduit à la confusion du juste et du légal est alors d'effacer cette dimension essentielle du jugement chez Aristote qui faisait signe vers les notions de mesure, de proportionnalité, ou encore de distribution, de partage et de répartition [110].

Reste que là où Leo Strauss semblerait suggérer que ce retrait est propre à toute la pensée moderne du droit, en vertu de sa confusion croissante de l'idéal de la justice avec la réalité du droit positif, on pourrait montrer qu'il repose en fait sur un dédoublement de la critique du droit naturel des Anciens contre celles des théories modernes qui préservent une distance entre ce que l'on aurait envie d'appeler l'être et le devoir-être de la justice. Contre les théories du droit naturel moderne et l'idée selon laquelle la positivité des normes n'épuise jamais tout à fait le sens du droit et de la justice. Contre tout ce qui, chez Kant par exemple, résiste à la perspective d'une coïncidence entre la loi comme expression du principe de volonté et le sens du droit ou de la justice qu'expose leur idée [111]. Si l'on admet alors que la métaphore wébérienne du juge comme *Paragraphen Automat* donne forme au paradigme d'une justice dont l'horizon de légitimité est la stricte application du droit légiféré, force est de considérer qu'elle le fait en s'éloignant à la fois de la conception aristotélicienne de la vertu judiciaire et de ce qu'évoquait le refus kantien d'une belle statue sans cervelle. Demeure toutefois qu'il serait vain d'ignorer que l'image de l'automate prend en charge ce que l'imaginaire moderne doit à l'univers des machines, à l'idéal d'un ordre humain construit par des lois similaires à celles qui régissent le monde physique et décrit sous le fonctionnement de mécanismes dont la vérité se confond avec l'objectivité, elle-même conçue au travers de l'effacement de toute trace de subjectivité humaine.

Le droit, l'histoire et l'aventure démocratique

À l'intransigeance de la théorie descriptive sur l'univocité des règles et l'automaticité de leur application, il s'agit donc d'opposer le paradoxe qui fait que l'idéal de la machine finit par accorder une capacité arbitraire de création au juge, lorsque le système rencontre une lacune et doit cependant produire une décision. Au moment où elle reprend à nouveaux frais l'exploration de la distance entre le légal et le juste, la théorie moderne de l'interprétation est conduite à un détour vers la recherche du sens des propositions juridiques. Au paradigme de la positivité de l'ordre légal, elle oppose alors que ces propositions ne peuvent jamais être considérées unilatéralement, soit comme une description de l'histoire, soit en tant qu'énoncés simplement évaluatifs et coupés de tout contexte historique. Ronald Dworkin en propose alors la définition suivante : « Elles sont des interprétations de l'histoire du droit qui combinent à la fois des éléments de description et d'évaluation, mais diffèrent de l'une comme de l'autre [112]. » La distinction est apparemment ténue, qui semble se réduire à une combinatoire de facteurs ailleurs discontinus. Mais l'essentiel de la question de l'interprétation repose pourtant sur cette fine nuance, dans la mesure où, en cherchant à combiner un critère de cohésion historique et un usage réglé de la faculté de juger, elle appelle une redéfinition de ses principes dans les catégories propres à l'idée de justice. La difficulté consiste alors à découvrir un principe d'interprétation qui tout à la fois rende compte du sens de cette inscription dans l'histoire, en définissant les limites à la capacité d'évaluation laissée au juge, et permette d'apporter un critère de vérité spécifique de la proposition juridique.

À la recherche d'un principe de décision qui puisse s'imposer au juge et être admis comme valide par la communauté politique, Dworkin propose celui du « droit comme unité [113] ». Il se décompose à son tour en deux idées, qui répondent respectivement aux questions du sens et de la vérité. La première idée qui découle de ce principe du droit comme unité « recommande aux juges d'identifier droits et devoirs juridiques [...] en admettant qu'ils sont tous l'œuvre d'un créateur unique, la collectivité en personne et qu'ils sont l'expression d'une conception cohérente de la justice et de l'équité [114] ». Avancée sous la forme d'une idée régulatrice, cette proposition renvoie évidemment à la notion de personne morale telle que la définissaient les théories du contrat et telle que la *Théorie de la justice* la retrouve transformée. Énoncée comme un impératif prescrit au juge, elle réintroduit une articulation entre l'idée pure de justice et son inscription dans l'espace d'une communauté politique et historique. Mais cette forme de liaison présente l'avantage de maintenir la priorité accordée à l'idée de justice, tout en prenant en charge la question de son effectuation. C'est d'ailleurs cette dimension d'effectuation de la règle qui permet de préciser le sens de la proposition de droit : exprimer un fragment d'une conception cohérente de la justice et de l'équité.

Le critère de vérité propre à la théorie de l'interprétation se déduit alors logiquement de cette conception du sens du droit. Il articule à son tour plusieurs niveaux d'exigence redevables des différentes dimensions de la théorie : une proposition de droit sera juste si elle produit « la meilleure interprétation constructive » de la pratique judiciaire de la communauté, telle qu'elle découle des principes de justice fondateurs, du principe d'équité dans le jugement et du respect de la procédure. Ce critère contient donc à nouveau à la fois un élément de cohésion historique au regard de la jurisprudence existante et un facteur de création évaluative référé aux principes de justice et d'équité. Visant à trouver un équilibre entre la stricte reproduction de la règle et la discrétion laissée au juge, il dégage un espace d'invention par l'interprétation. Mais il en limite aussitôt l'exercice par une contrainte forte, appuyée sur l'exigence d'unité du droit et qui se relie au principe critique associé à l'idée de justice. Exprimé au travers de l'idée de cohérence narrative, il permet enfin de sortir du dilemme de l'interprétation tel qu'il apparaît dans le débat entre conventionnalisme et pragmatisme, débat qui témoigne de l'oscillation de la théorie traditionnelle entre une conception restreinte et une lecture discrétionnaire de l'acte de juger.

Au regard du conventionnalisme, le seul horizon de la décision de justice est le passé qui, en fournissant textes et précédents, offre le matériau suffisant pour résoudre les cas difficiles [115]. Concession du positivisme de la règle à l'indétermination des situations, il encadre toutefois strictement l'interprétation qu'il réserve à la

seule détermination des normes contenues dans les textes. Il trouve
son terrain d'élection dans la jurisprudence constitutionnelle où la
doctrine de l'intention originelle [116] peut servir de fondement à une
conception restreinte du rôle du juge, tout en apportant une grille
d'appréciation par la découverte d'un sens latent des règles en
vigueur. La limite d'une telle thèse tient cependant au fait qu'elle
demeure uniquement tournée vers le passé. En ce sens, elle offre
certes un principe de cohésion historique fort, mais qui peut
demeurer vide dans les cas les plus difficiles. En outre se pose le
problème d'une vision purement rétrospective du droit sans cesse
renvoyé à ses origines et de ce fait dénué de toute capacité d'adaptation.

C'est en revanche la faculté d'adaptation qui est valorisée par
le pragmatisme [117]. Avec lui, il est demandé au juge d'envisager
les règles qui conviendraient le mieux pour le futur, en vertu de
considérations extra-juridiques comme l'utilité ou le bien-être économique, la cohésion sociale ou l'unité politique. À l'évidence à
l'aise dans le cadre des situations inédites, une telle conception de
l'interprétation trouve sa place dans les théories qui, comme l'utilitarisme, font du droit un instrument au service de fins qui lui
sont extérieures [118]. Mais en affranchissant le juge de toute attache
historique, elle abandonne le droit à sa création et devient ainsi
particulièrement sensible à l'objection du pouvoir discrétionnaire.
Comme le conventionnalisme mais pour des raisons inverses, le
pragmatisme ignore toute contrainte liée au droit comme unité et
elle pousse la priorité accordée au jugement évaluatif jusqu'au
point où s'efface la priorité devant être accordée à l'idée de justice.
Peut-on maintenir cette dernière, tout en laissant à l'interprétation
une place raisonnée, passible de justification et finalement d'un
contrôle ? Tel est l'objectif assigné à la théorie du droit comme
unité. Ancrée dans la préoccupation d'une cohésion formelle des
normes, elle préserve cette composante de la théorie moderne du
droit qui se déploie de Hegel à Weber et Kelsen pour faire signe
vers le besoin d'une cohérence qui ait l'allure d'un système. Mais
elle vise à reconstruire cette unité hors du cadre de la raison strictement instrumentale. Afin de résister aux menaces de réification
du monde vécu juridique que fait planer l'hypothèse de son
triomphe. Et en mobilisant les ressources de sens et de normativité
découvertes dans le processus de la reconnaissance mutuelle des
personnes.

Ainsi, lorsque Ronald Dworkin par exemple propose de décrire
le droit sous l'image d'un roman écrit à plusieurs mains, c'est un
paradigme de l'interprétation comme herméneutique qui
s'ébauche. Pour l'anecdote, elle se conçoit comme un jeu de

société typique d'un week-end pluvieux dans la campagne anglaise et met en scène un groupe d'écrivains qui décideraient d'élaborer ensemble le meilleur texte possible en s'accordant sur le seul fait que chacun rédigera à son tour un chapitre, selon un ordre déterminé de manière aléatoire [119]. Quant au fond d'une théorie de l'interprétation, elle avance l'idée selon laquelle la décision judiciaire est toujours confrontée à la pluralité des significations déposées dans le texte du droit existant et à une indétermination relative des faits du monde réel qu'elle doit traiter. En ce sens, elle éclaire cette dimension du jugement qui touche à la subjectivité et sollicite un critère qui puisse en régir l'exercice. Mais c'est pour aussitôt définir ce critère, en l'associant au principe de cohérence de la décision avec l'esprit du droit en vigueur ou une inflexion de son cours qui serait justifiée par le souci de le rendre meilleur. Dans cette perspective, si le droit se développe comme un récit, la qualité de l'histoire se juge « du point de vue de la morale politique [120] ». En référence aux contenus de l'idée de justice reconnue comme socle de l'identité démocratique et de l'appartenance commune au monde qu'elle institue. Avec pour horizon l'élargissement des libertés qu'elle instaure et cherche à réaliser au travers de l'exploration des conditions nouvelles de l'intersubjectivité.

Revenant à l'esprit dans lequel Max Weber analysait les apories du droit et de la politique modernes, on pourrait faire alors un pas supplémentaire, en creusant plus avant la signification du modèle narratif de l'interprétation juridique. En suggérant par exemple qu'il se puisse que le sens ultime de ce type d'élaboration soit de revenir à la question de l'histoire. Et qu'elle offre par ce biais un regard neuf sur le moment contemporain. Ainsi deviendrait-il possible d'imaginer qu'en déployant une description du droit qui se loge moins dans l'édifice des normes positives que dans le processus de leur interprétation, la perspective herméneutique contienne une métaphore de l'aventure démocratique. Si le droit prend effectivement la forme d'un récit, quelle est-elle en effet, sinon celle d'une histoire qui s'inaugure par la rupture avec l'univers de la tradition et se nourrit d'une exploration perpétuelle des conditions de la liberté ? Et si l'on se réfère aux grandes images associées à la figure de l'histoire dans l'imaginaire philosophique, une fresque plus ample peut être esquissée. En compagnie de Max Weber, elle prendrait acte du fait que le trajet de l'histoire humaine s'est longtemps réfléchi dans les images religieuses du monde, à partir du socle fourni par le récit des Écritures. Mais avec lui encore, elle viendrait mesurer les effets de l'effacement de cette dimension grandiose d'une histoire qui touche au sacré et conduit au désenchantement de l'homme face à sa propre historicité. Cherchant avec Hegel à compenser cette perte de sens, elle pourrait alors parcourir une histoire déposée dans la restitution de l'existence des grands hommes. Mais ce serait pour aussitôt constater l'épuisement d'une telle narrativité héroïque, dans le sillage de l'annonce de Nietzsche et de l'hypothèse du dernier homme.

La puissance du modèle herméneutique reposerait alors dans ce qu'il contient de l'idée selon laquelle le droit pourrait être l'une des trames d'une histoire inscrite dans le tissu des relations humaines. Une histoire cette fois racontée par l'homme lui-même, à partir du socle des principes fondateurs communs de l'égalité et de la liberté, puis au travers d'un entrecroisement de récits porteurs de fragments d'historicité liés aux conditions de l'effectuation de ces principes. Une histoire qui porterait la trace des conflits engendrés par l'existence avec autrui, mais sous la forme des normes et des lois qui visent à leur trouver une solution pacifique. Une histoire enfin dont l'horizon serait la reconnaissance d'une commune humanité de l'homme. En ce sens ne s'agirait-il ni d'une histoire des personnalités exemplaires ni d'une histoire sans sujet, mais bien d'un récit à plusieurs voix dont le droit marquerait l'une des expressions. À l'écart des grandes théodicées de la souffrance et de la rédemption qu'offraient autrefois les visions religieuses du monde. À l'encontre de la conception hégélienne d'une odyssée tragique dont les moments de vérité seraient les guerres. En contrepoint à l'interrogation qui court de Nietzsche à Weber, s'agissant des effets dévastateurs de la guerre des dieux née de l'effondrement de la transcendance. À la mesure, en quelque sorte, d'un projet démocratique qui dépose sa part d'utopie dans l'horizon d'une République universelle entre les peuples et d'une gestion pacifique des conflits au sein des sociétés politiques.

À l'aune d'une telle réinterprétation du sens propre au droit moderne, la question de l'État providence pourrait s'éclairer d'un jour nouveau. Mobilisant, ainsi que l'avait vu Tocqueville, la dimension égalitaire de l'aspiration démocratique, le phénomène devrait connaître une actualité revivifiée par l'épuisement des conceptions messianiques du changement social et de la critique de l'aliénation. En ce sens viendrait-il correspondre au fait que la démocratie est désormais seule à assumer la charge de la preuve des promesses contenues dans le programme de l'émancipation. Plus précisément encore, l'État providence s'attacherait à la part de ce programme qui touche à l'égalité démocratique et vise l'extension des attentes de justice de la sphère des libertés formelles vers celles de la répartition des biens. La séquence historique qui correspond à son émergence et à sa crise ferait alors moins signe vers la résurgence d'un ancien modèle de la domination patriarcale ou une altération du système de l'État de droit, que vers une adaptation douloureuse des contenus de l'aventure démocratique. Avec pour conséquence, comme l'avait compris Max Weber, un risque de réification du sens de la liberté au travers des mécanismes d'une démocratisation passive, portée par l'extension d'un besoin de droit matériel et vécue sous la forme d'une soumission à la bureaucratie ou à l'État. Mais avec une perspective que Max Weber occultait ou ignorait : celle d'une reconstruction des composantes sociales et politiques du monde humain sous les principes d'un droit qui parviendrait à concilier les idéaux d'égalité et de liberté sous les impératifs de la raison pratique. Comme si c'était avec lui qu'il fallait encore entendre ces fractures du XXe siècle qui portent la marque de l'échec des projets d'avenir d'une première époque de la modernité. Mais comme si c'était contre lui que l'on devait envisager de penser la perspective d'un futur qui retienne les promesses non tenues du passé démocratique.

Épilogue

LE MOMENT WEBER

En s'éloignant de Max Weber, ces dernières considérations reviennent à lui en continuant d'explorer les problèmes qui le retenaient. Mais ce faisant, elles les relient aussitôt à des questions qu'il différait lui-même, comme surpris de l'allure et des conséquences entrevues de certaines de ses propres interrogations. En d'autres termes, il est peut-être temps de franchir un pas supplémentaire et de risquer un regard à la fois plus synthétique et plus élargi sur l'œuvre. De celle-ci on pourrait dire en effet qu'elle dément admirablement ce dont elle annonçait après Nietzsche la possible venue : le règne de « spécialistes sans vision et voluptueux sans cœur [1] ». Au moment de la quitter, on peut alors ressentir la même nostalgie que provoque le renoncement à Marx ou l'éloignement par rapport à Hegel : celle d'une époque de la pensée qui se caractérisait par l'altitude de ses vues, l'amplitude de ses questionnements et leur aptitude à rayonner enfin par-delà leur temps. Pour des raisons différentes, les trois immenses constructions qui s'associent à ces noms avaient en commun de précéder l'âge de la spécialisation du savoir, semblant préserver une part de confiance dans l'idéal encyclopédique des Lumières qu'elles maltraitaient pourtant. De ce point de vue, on garde souvent l'impression à les lire de sentir battre le cœur du monde. Comme si derrière les structures mises au jour, les logiques décrites ou le désir farouche d'objectiver la réalité, c'était l'univers entier de la vie humaine qui palpitait encore, au travers de la multiplicité de ses problèmes, de la diversité de ses conflits et d'un enthousiasme tempéré d'inquiétude quant au projet de la connaissance elle-même.

Sans doute faudrait-il ajouter que c'est parfois contre eux-mêmes que ces penseurs nous restituent la profondeur de l'expérience humaine et les expressions multiformes du monde de la vie.

Contre leur propre souci d'ériger un système, d'enfermer cette diversité dans la logique d'un ordre conceptuel et le procès d'une histoire. Contre leur volonté de neutraliser la subjectivité par la restitution savante de la réalité des choses. À ce titre devrait-on concéder que c'est le plus souvent par le biais de compromis avec leur propre écriture qu'ils nous offrent au mieux l'accès aux scintillements du monde et au besoin de penser. Quand l'austérité d'un propos ancré dans l'objectivité de la science cède au plaisir d'une allusion littéraire, d'une évocation poétique, d'un symbole ou d'une allégorie. Le plus souvent au travers de métaphores, lorsque la plume se libère de ses propres contraintes pour laisser l'esprit cheminer autour de quelques images. Mais nul mieux que Max Weber n'a exprimé le sentiment selon lequel il se pourrait qu'il s'agisse là d'un monde perdu du savoir. Appliquée à la connaissance elle-même, qu'exprime en effet la perspective du désenchantement, sinon le fait que le spécialiste pourra encore pénétrer des fragments épars de l'univers de la nature et de l'homme, mais en faisant son deuil du désir d'en saisir le sens ou d'en changer le cours ? Immergée au sein de l'œuvre elle-même, que nous enseigne la tension qui déchire Weber, entre la volonté de s'effacer derrière la description du monde et le souci de prendre position face à lui, sinon l'imminence d'un choix qui passe par le renoncement à un idéal du savoir ?

C'est alors sans doute l'actualité de ce choix et le caractère nécessaire de cet effacement qu'il faut interroger, afin de saisir en quoi l'œuvre de Max Weber garde toute sa puissance, mais nous parle un langage dont nous pouvons souhaiter nous détacher. S'agissant de la première question, c'est peut-être Adorno qui a le mieux saisi le motif qui assure la permanence de Weber, dans le contexte de la crise de l'idéal du système et de la persistance du besoin de compréhension du monde [2]. En notant que la démarche wébérienne était et demeure inacceptable pour le « scientisme orthodoxe [3] » qui l'entourait déjà et surtout lui succède. En restituant la manière dont elle se nourrit d'une inquiétude quant à la définition des concepts historiques que seuls Kant, Hegel et Nietzsche avaient éprouvée avant lui. Mais en soulignant aussi ce qu'elle doit au souci de ne pas enfermer la réalité dans l'idée selon laquelle « le concept est la raison suffisante de la chose [4] ». À ce titre Adorno marque-t-il parfaitement la profondeur et l'originalité de la méthode de *L'éthique protestante*. Celle qui consiste à articuler ce que la compréhension d'un objet social ou historique suppose de prise en compte de sa détermination par la totalité à ce que la restitution de son domaine d'effectivité requiert de capacité à saisir la diversité du particulier posé sous le concept. Celle qui

plus précisément encore vise à « composer [5] » les concepts en articulant leurs éléments singuliers, pour les extraire de la réalité historique et les inclure dans une définition. Celle qui, enfin, agence
une « constellation [6] » de manifestations où sont déposées les
composantes de l'objet, avant de les rassembler dans une conceptualité qui ne se réduit pas à sa finalité opératoire.

Cette analyse d'Adorno va droit aux motifs pour lesquels
l'œuvre de Max Weber précède, sans pouvoir toutefois s'y réduire,
ce qu'il faudrait nommer le tournant scientiste de la raison occidentale. Bien que « disposé au positivisme [7] », Weber ne s'identifie jamais totalement avec lui, pour cette raison précise que sa
conception de la raison se détache de l'idéal de l'objectivité positiviste tel que l'exprimait Ranke par exemple, lorsqu'il affirmait
que l'historien raconte « ce qui s'est effectivement passé [8] ». En
ce sens veut-il préserver la différence entre les sciences de la
culture et les sciences de la nature, conformément au programme
jadis esquissé par les néokantiens. C'est sans doute Ernst Cassirer
qui définira le plus clairement l'enjeu de cette réserve, lorsqu'il
montrera que le passé n'est pas achevé au même sens pour l'historien et pour l'homme des sciences de la nature, qui décrit des
formes organiques à jamais disparues. À ce titre, Max Weber
entendait sans doute maintenir cette spécificité exposée par Cassirer : « L'histoire ne se contente jamais de nous mettre le passé
sous les yeux ; elle veut nous enseigner à comprendre la vie passée. Elle n'est pas en mesure de restaurer le contenu de cette vie,
elle ne cherche qu'à préserver sa forme [9]. » De ce point de vue,
la théorie wébérienne de l'histoire pourrait alors faire signe vers
la philosophie des formes symboliques de Cassirer. Une philosophie qui se fonde dans le projet d'une extension de la critique
kantienne de la connaissance empirique à une critique universelle
des phénomènes culturels dans leur ensemble. Et qui montre que
la connaissance, tout comme l'art, le mythe ou la religion,
engendre ses propres configurations symboliques. Pour conclure
enfin que la connaissance véritable ne s'articule pas directement à
la réalité elle-même, mais passe au travers de la médiation d'un
monde d'images logées dans des formes symboliques. Avec pour
conséquence que « la plus haute réalité objective à laquelle l'esprit
accède est en dernière analyse la forme de son propre agir [10] ».

Reste que tout se passe comme si Max Weber ne pouvait tout
à fait se résigner ni à la restriction des finalités du savoir qu'im-
pliquerait une telle démarche ni au saut vers l'élaboration d'une
autre nature qu'elle semble évoquer pour compenser ce retrait :
celle qui s'orienterait vers la perspective d'une réarticulation entre
l'empirique et le transcendantal. D'où le fait, comme l'a bien vu

Habermas, que deux intentions différentes persistent à s'opposer dans le projet wébérien. Sur une face en effet, et comme pour combler le vide ouvert par la critique des sciences de l'action, les analyses empiriques continuent de pouvoir offrir des régularités qui fournissent des recommandations techniques relatives au choix des moyens pratiques [11]. Dans ce cadre, Weber n'accorde qu'une importance méthodologique secondaire à la question herméneutique, puisque la compréhension du sens inhérent aux actions sociales n'intervient que de façon médiane, en fonction des besoins de l'analyse instrumentale. Mais sur une autre face pourtant, les sciences de la culture ne sauraient se limiter à la mise au jour de régularités empiriques. Dès lors, leur découverte n'apparaît plus qu'en tant que travail préalable sur le chemin d'une autre connaissance dont l'intérêt semble défini cette fois de manière herméneutique : restituer la signification des configurations historiques et surtout déceler le fondement et la nature de cette signification [12]. Max Weber ne tente cependant jamais de réconcilier ces deux intentions antagonistes, qui conduisent à cette alternance caractéristique de son œuvre entre analyses causales et perspectives interprétatives. Ce qui revient à dire avec Habermas qu'il n'a pas thématisé la distinction et les liens entre « la compréhension des motivations reconstituant le sens subjectivement présumé d'une action sociale [...] et une compréhension herméneutique du sens assimilant une signification objectivée dans des œuvres ou des événements [13] ».

On pourrait alors reformuler la question d'une autre manière, qui organise plus directement la réflexion sur la place de l'œuvre de Max Weber dans le moment contemporain. Il s'agirait de se demander si la tendance à la réduction positiviste de la connaissance n'est pas interne à la démarche, relevant d'ailleurs moins d'un tournant qui rendrait compte des différentes époques de l'œuvre que d'une tension permanente entre deux dimensions. Par l'une, celle de la rupture avec l'idée de conformité entre le réel et le rationnel, la sociologie compréhensive ferait bien signe vers l'hypothèse de la cinquième des *Méditations cartésiennes* de Husserl. Vers le projet d'une reconstruction des composantes du monde vécu dans le milieu de l'intersubjectivité. Vers la remontée des formes immédiates de l'activité jusqu'aux communautés de rang élevé, afin de les saisir au travers d'actes sociaux et non sous des concepts posés *a priori*. Vers un enjeu qui s'apparenterait enfin à la recherche des moyens de résister à l'hypostase hégélienne de l'esprit objectif, tout en préservant ce qu'il cerne : les médiations concrètes de la liberté, la forme de la liaison entre l'individu et l'institution, puis la possibilité d'une connaissance objective de ces phénomènes. De ce point de vue, on peut penser à la suite de Paul Ricœur que la richesse des analyses empiriques offertes par Weber apporte effectivement cette description concrète de la « vie culturelle » qui manque chez Husserl [14]. Et qu'elles complètent avec lui le projet de la riposte au défi hégélien, tant au plan d'une épistémologie des sciences sociales qu'à celui de la restitution des contenus de cette vie.

Et pourtant, c'est à nouveau avec Paul Ricœur que l'on peut questionner l'attitude de Max Weber vis-à-vis de ce projet et des perspectives qu'il finit par dévoiler. Lors même en effet qu'il engage ses gigantesques descriptions du monde de la vie culturelle, c'est toujours dans la posture de l'historien que se place Weber, et c'est elle que thématise son épistémologie. Mais à chaque fois que s'achève la restitution des trajectoires qui portaient l'histoire de la civilisation occidentale perçue au travers de ses différentes composantes, tout se passe comme s'il changeait de position, pour échanger le regard de l'historien contre celui du philosophe. Du philosophe au sens qu'indique Ricœur, à propos de ce que l'on pourrait appeler le conflit des facultés sur l'histoire. Du philosophe entendu comme opérant une « reprise » du matériau empirique de l'historien et qui centre ses questions sur « l'émergence des valeurs de connaissance, d'action, de vie et d'existence, à travers le temps des sociétés humaines [15] ». La preuve décisive de cette tendance à la reprise philosophique de la matière historique serait alors fournie par ce qui apparaît comme l'architectonique propre au système wébérien, dans le fait que c'est toujours au terme du travail empirique, dans les dernières pages des études consacrées à la constitution des formes modernes de l'économie, de la politique ou du droit que se loge une mise en perspective qui restitue leur sens, et le plus souvent constate leur éclatement.

Précisons un peu mieux la signification de ce motif critique. À coup sûr ne s'agit-il pas de reprocher à Max Weber de se faire philosophe, même si c'est en partie contre lui-même et ce que son épistémologie évoque parfois de l'idée d'un dépassement du projet de la philosophie. Nul ne peut en effet interdire à quiconque de risquer d'élever sa réflexion au plan qu'occupent les plus amples constructions de la pensée moderne : celui d'une histoire de la conscience détachée de la réalité objective et conçue comme une « *composition* de second degré [16] » à partir des fragments d'historicité que livre l'historien. Mais on peut en revanche interroger la manière dont cette reprise s'opère chez Max Weber en quelque sorte subrepticement et de façon presque inavouée, sans la préoccupation d'une responsabilité du philosophe qui serait équivalente à celle de l'historien telle que la thématise sa méthode. De ce point de vue on pourrait dire que Max Weber pratique souvent une sorte de dérobade devant la profondeur des questions soulevées par son œuvre et le besoin de les ressaisir sur un autre plan que celui de la description empirique. Comme s'il acceptait un mouvement de retrait positiviste hors des conséquences de sa propre pensée, en risquant de la mutiler au moment précis où elle devrait se redéployer pour estimer les conditions d'une survie de la pensée elle-même dans le monde qu'il décrit.

Telle est en substance l'interprétation qu'esquisse Hans Georg Gadamer dans le contexte d'une généalogie de la question herméneutique. Rendant hommage au projet de Weber situé dans la compagnie de Husserl, Heidegger ou Jaspers, il en vient à identifier l'insatisfaction que procure pourtant la réalisation du programme wébérien lorsqu'il déploie les conséquences du mot d'ordre attaché à l'indépendance par rapport aux valeurs. Soulignant la présence d'un « décisionnisme aveugle concernant les fins dernières », Gadamer montre alors le danger que « le rationalisme méthodique s'achève en irrationalisme grossier [17] ». Scrutant par ailleurs les motifs de cet échec, il peut alors opposer Weber à Jaspers et Husserl, pour souligner « l'autolimitation vraiment donquichottesque » que s'imposait à lui-même l'auteur d'*Économie et société* [18]. Pour cruelle qu'elle soit, cette dernière image illustre cependant le fait que les formes de retrait ou de mutilation qui déchirent l'œuvre de Max Weber correspondent moins au scrupule qu'il y aurait à évoquer les risques de dépérissement des formes de l'humanisme moderne qu'à une sorte de sursaut qui se veut héroïque devant le spectacle des illusions qu'a fait naître ce dernier.

En d'autres termes, on peut se demander si l'énigme la plus tenace de l'œuvre de Max Weber ne tient pas dans cette rupture de ton et cette fracture interne au discours qui se manifestent chaque fois que la reconstruction historique des composantes du monde de la culture se heurte à des formes pathologiques. Lorsque la restitution minutieuse des trajectoires du rationalisme occidental se retourne brusquement dans un perspectivisme qui en fait éclater le sens et se dépose dans des images grandioses, mais aux contours fragiles et aux contenus incertains. Comme si Max Weber découvrait brutalement les expressions concrètes d'une crise de la conscience européenne, déchirée entre l'horizon de ses espérances et l'état d'inachèvement des promesses du monde moderne. Mais sans chercher à thématiser les causes de ce déchirement et sans parvenir à penser la possibilité de son dépassement. Comme s'il nous dévoilait secrètement les manifestations d'une ruse maligne de la raison, produisant à l'encontre de l'optimisme des Lumières la division, l'irrationalité et le conflit. Sans toutefois imaginer les conditions d'une persistance du projet de la modernité, nous abandonnant ainsi dans la position du veilleur qu'évoque Isaïe cité à la fin de l'une de ses dernières conférences, mais un veilleur désenchanté et constatant la déception de ses attentes. Comme si enfin il nous conduisait au pied des murs qui façonnent une aliénation contemporaine d'autant plus redoutable qu'elle se nourrit du renversement des instruments de l'émancipation moderne. Mais sans concevoir ni les moyens de franchir ces murs ni, pour reprendre une métaphore hégélienne, les forces qui permettraient de sauter par-dessus une époque qui prend si souvent l'allure de celle que devait connaître depuis Nietzsche le dernier homme de l'humanité dans la nuit du monde.

La crise de la culture européenne

Si l'œuvre de Max Weber incarne bien l'une des plus hautes expressions de la culture européenne, c'est celle qui correspond au moment d'une conscience de sa crise. Non qu'avant elle ne se soient manifestées, de Rousseau à Nietzsche, différentes formulations de ce sentiment que résumait déjà admirablement une lettre de Moses Mendelssohn à Nicolaï au soir de sa vie : « Nous ne rêvions que des Lumières et nous pensions que le monde deviendrait si clair par la lumière de la raison que l'enthousiasme ne s'y montrerait jamais plus. Mais voici que la nuit et tous ses fantômes descendent à nouveau sur nous [19]. » Il se trouve cependant que Weber fut le contemporain de cette fracture de la première guerre mondiale qui devait ouvrir le XXᵉ siècle, ainsi que des événements qui allaient actualiser plus que jamais auparavant l'hypothèse d'un pessimisme radical quant au projet de la modernité. À quoi s'ajoute qu'il restera l'un des premiers à avoir fait glisser l'interrogation sur les Lumières d'une critique de l'enthousiasme, telle que Rousseau l'éprouvait à ses dépens ou telle que Kant l'érigeait en fondement de la démarche philosophique, vers la mise au jour d'un possible retournement de leurs composantes dans la perspective d'une collision entre les promesses attachées à l'autonomie de la raison et les réalités sociales, politiques ou simplement quotidiennes du monde vécu. À ce titre, il appartient à cette génération d'Européens confrontés à une amplification inédite des figures tragiques de l'histoire et à l'angoisse que suscite l'impression selon laquelle ces dernières pourraient annuler le sens de leur culture. Nul doute alors que sa passion comparatiste trouve son ancrage dans le souci de comprendre cette tragédie et de résister à cette angoisse, en mesurant l'épaisseur de l'aventure occidentale afin de savoir méditer sur son destin.

De cette crise de la culture européenne, on pourrait dire qu'elle est avant tout liée au sentiment d'un déchirement de la conscience. Tout se passe en effet comme si l'irruption du xxᵉ siècle se confondait avec la décomposition des idéaux de la modernité dans l'épreuve de l'histoire. Parce que le retour de la guerre et l'ampleur qu'elle prend soudain réaffirment l'urgence du choix et l'enracinement des principes politiques dans la dimension vitale de l'existence humaine, comme un démenti brutal aux rêves de paix et d'une démocratie acclimatée à la gestion des conflits. Parce que brusquement les logiques du droit moderne, inscrites dans le sillage des théories du contrat et qui prétendaient aménager l'espace des relations humaines, se heurtent à la résurgence d'un devoir plus profond : celui de mourir pour la patrie. Parce que enfin l'espoir d'un apaisement de l'affrontement des intérêts par les effets du « doux commerce » se brise sur la réalité des besoins de puissance et les nécessités d'une économie accordée aux exigences d'une politique de domination. Puis cette crise prend plus directement l'allure d'une détérioration des conditions du monde vécu. D'un envahissement de l'univers juridico-politique par les mécanismes d'une bureaucratie qui se soustrait à tout contrôle. D'une aliénation croissante au travail, dans le contexte d'une économie qui a perdu sa dimension spirituelle. D'une désintégration de la sphère esthétique, sous les assauts d'une authenticité de l'artiste qui ne fait que refléter la dissolution des repères de la subjectivité. Cette crise enfin porte la trace d'un doute sur les conditions mêmes de la connaissance, au travers de l'héritage encombrant de l'illusion du savoir absolu.

Max Weber entre dans le tout petit nombre de ceux qui ont su donner forme à ce moment de la conscience occidentale qui s'apparente à celui du déchirement. Fût-ce à l'encontre d'une part de son ambition intellectuelle et en dépit de la réserve qu'il affichait quant à l'univers des valeurs, l'inquiétude philosophique qui traverse son œuvre exprime l'incertitude qui accompagne l'instant du renoncement à l'horizon de la belle totalité. Même si c'est parfois contre sa propre neutralité vis-à-vis de l'histoire, sa démarche accompagne parfaitement les rythmes saccadés et les tendances contradictoires de cette séquence historique qui marque le passage d'un siècle à l'autre et avec lui le sentiment qu'il faut se séparer de toute une vision du monde, de l'homme et du savoir qui synthétisait l'attitude de l'Européen nourri de culture à l'égard de son environnement. Il est toutefois une autre expérience, contemporaine de celle de Weber et qui appartient désormais à l'histoire de la philosophie moderne, pour indiquer l'inscription historique et la signification intellectuelle de ce moment : celle de Franz Rosenzweig. On sait que ce dernier avait engagé avant la guerre un immense travail consacré à la philosophie politique de Hegel et encore inspiré par les promesses de liberté universelle et de paix qu'elle avait décelées dans l'image de Napoléon traversant les rues de Iéna en 1806. Puis Rosenzweig avait subi l'épreuve du front avant d'achever sa lecture de Hegel, pour constater que l'histoire en avait en quelque sorte ruiné le sens. Et pour léguer enfin, dans la conclusion rétrospective qu'il donnait à ce texte, la prophétie suivante : « Quand l'édifice d'un monde s'écroule, les pensées qui l'inventèrent, les rêves qui l'entourèrent, disparaissent sous les décombres. Qui pourrait se hasarder à prédire ce qu'apportera l'avenir éloigné, quel nouveau, quel insoupçonné, quel renouvellement de ce qui fut perdu [20] ? »

Par sa mise en scène des indéterminations du présent, sa manière de ne pas trancher entre les possibles figures de l'irruption de la nouveauté ou de la renaissance des formes du passé, jusque dans la citation d'Hölderlin qui le suit, ce texte résonne étrangement comme ceux du dernier Weber. À leur manière, il exprime l'impression d'assister à l'achèvement d'une histoire et le sentiment d'angoisse qu'entraîne l'ignorance de ce qui lui succède. Comme si, à partir de situations aussi éloignées qu'il se peut dans l'univers de la société et de la culture allemandes, Rosenzweig et Weber offraient la même acuité d'un regard déposé sur l'endroit exact où se brise le lien entre le monde empirique et l'idéal du système fracassé par la guerre. Comme si, au sein de pensées aussi dissemblables qu'il est possible de l'imaginer, c'était la même conscience d'assister au moment précis où s'impose la rupture avec l'imaginaire de la raison historique qui se manifestait. Comme si enfin l'une et l'autre démarches engageaient ce pressentiment que résume Emmanuel Lévinas à propos de *L'étoile de la rédemption* et selon lequel il se pourrait que « l'histoire de l'Occident, qui est elle-même le dernier avatar de l'histoire universelle, repose nécessairement sur la violence et sur la guerre [21] ». Reste pourtant que c'est peut-être dans le triangle formé par la certitude brisée de Hegel, la danse tour à tour joyeuse et désespérée de Nietzsche sur ce champ de ruine, puis l'effort de Rosenzweig et quelques autres à sa suite pour repenser l'histoire sous un regard neuf, que se dévoile au mieux le mystère qui tient au silence de Max Weber sur l'interprétation de ses propres intuitions. Comme s'il fallait une fois encore pratiquer un détour pour aborder enfin aux raisons de ce silence. Détour par un moment historique qui n'est plus celui dont il fut contemporain, mais le nôtre. Détour par des pensées qui reprennent quelques-unes de ces analyses, mais sur un plan où il refusait en quelque sorte de les suivre.

Pour le dire d'une autre manière, la puissance des grandes constructions de la sociologie et de l'histoire wébériennes continue de tenir au fait qu'elles font plus qu'exprimer le sentiment d'un éclatement de la perspective historique héritée des Lumières. Outre cette forme de conscience en effet, elles dessinent les composantes de cette rupture et cherchent à en réfléchir les conséquences au plan de la connaissance. Au titre de la première démarche, elles montrent tout à la fois l'enracinement des passions politiques ou des représentations de la légitimité dans les affects attachés à la nation et la réalité tenace des empires. Puis elles offrent quelques anticipations profondes quant à ce que seront les convulsions d'un siècle déchiré par les guerres ou frappé par la terreur bureaucratique. De même livrent-elles un certain nombre de prophéties lucides concernant le destin de l'utopie démocratique portée par le communisme. Par ailleurs, l'œuvre de Max Weber cherche à accompagner le renoncement à la promesse de la réconciliation dans l'ordre du savoir. En ce sens, sa pensée de la maturité est bien restée fidèle aux intuitions des premiers textes. Puisque ceux-ci annonçaient déjà qu'il fallait renoncer à l'idée selon laquelle la science pouvait produire les conditions de la félicité humaine [22]. Et pour autant que les ultimes propos, adressés de manière symptomatique à la jeunesse étudiante, confirment la dénonciation de l'illusion qui consiste à se représenter « la science – c'est-à-dire la technique de la maîtrise de la vie fondée sur la science – comme le chemin qui conduirait au *bonheur* [23] ».

Il faut toutefois préciser la place de ce renoncement dans le triangle esquissé il y a un instant. Au travers de sa fidélité aux pressentiments de sa jeunesse, c'est à la fois avec Hegel et contre lui que pense Max Weber. Avec Hegel dans la mesure où nul n'a mieux souligné que lui le fait que « l'histoire du monde n'est pas le lieu du bonheur [24] », mais bien plutôt l'actualisation inlassable de l'image d'une vallée de larmes. Mais contre lui aussitôt, si tant est que c'est l'effacement de la perspective de la réconciliation qui se profile dans ce constat. C'est alors sous le couvert de Nietzsche et de la « critique ravageuse » du dernier homme qui a découvert le bonheur que se place l'ultime expression de la pensée de Weber, pour annoncer l'érosion définitive des illusions autrefois attachées à « l'être véritable », à « l'art vrai », à la « vraie nature » ou au « vrai Dieu [25] ». Pour demeurer un moment encore sur le terrain de cette rupture et en préciser les conditions intellectuelles, il faut ajouter la précision suivante, empruntée à Paul Ricœur [26]. En compagnie de Hegel hier, il s'agissait déjà de rompre avec l'idée

d'une consolation offerte par l'horizon d'un au-delà à la tragédie
de l'histoire. Mais du moins cette absence serait-elle compensée
par le fait qu'en renonçant à la consolation, on pourrait accéder à
la réconciliation, à la possibilité d'un dépassement de l'antithèse
entre le bonheur et le malheur par l'accomplissement historique.
Aux côtés de Nietzsche, puis de Weber aujourd'hui, c'est à nouveau de cette figure qu'il faudrait s'éloigner, pour des raisons qui
touchent à la fois la question du savoir et la nature de l'histoire.

Chez Hegel en effet, la connaissance pouvait encore n'avoir
d'autre preuve à fournir de sa possibilité que la poursuite de son
travail. Et l'on persistait à croire qu'il suffisait d'organiser le cours
de l'histoire philosophique sur les bonnes partitions du développement de la réalité pour que l'exécution de cette tâche en constitue la justification. Ce qui voulait dire pour une part que la philosophie consacrait le caractère temporel de la raison en
l'identifiant à ses œuvres, mais pour l'autre aussitôt que cette tem-
poralisation de l'histoire coïncidait exactement avec la marche de
l'Esprit dans le monde et ancrait dans le réel l'horizon de la réconciliation. Nul doute que nous soit désormais inaccessible cette
forme de ce que Paul Ricœur nomme la « grande tautologie » de
Hegel [27]. Celle qui redouble la tautologie plus brève qui pose que
« la seule idée qu'apporte la philosophie est cette simple idée de
la raison que la Raison gouverne le monde et que par suite l'histoire universelle est rationnelle [28] ». Celle qui montre que le sens
du monde découle directement de sa présence et de sa trace dans
la conscience « comme foi en la toute-puissance de la Raison sur
le monde [29] ». Nul doute non plus que nous soit devenue étrangère
l'idée selon laquelle, si la particularité qui souffre sans consolation
ne peut obtenir de satisfaction tant qu'elle ignore les raisons de sa
souffrance, elle les reçoit avec la visée de la réconciliation et du
fait qu'elle se réalise au travers d'autre chose qu'elle-même. À cet
égard, il nous faut admettre avec Paul Ricœur que le moment de
la sortie de l'hégélianisme est bien une sorte d'origine, située tout
autant dans la proximité de Nietzsche et Kierkegaard que du côté
de Max Weber. Et qu'il faut nous résoudre à ce constat : « Cet
exode est si intimement impliqué dans notre manière de questionner que nous ne pouvons pas plus le légitimer par quelque raison
plus haute que celle qui donne son titre à *La raison dans l'histoire*,
que nous ne pouvons sauter par-dessus notre ombre [30]. »

Resterait cependant à estimer le sens de cet exode et à réinterroger l'ampleur de ce renoncement. On peut emprunter à Ernst
Bloch la formule qui résumerait le mieux la raison que nous avons
d'abandonner l'idée d'une présence de la raison derrière toutes les
manifestations de l'histoire : « La doctrine de Hegel selon laquelle

tout ce qui est rationnel est déjà réel, conclut *une paix totale et prématurée avec le monde* [31]. » À quoi il faudrait opposer l'hypothèse selon laquelle il se pourrait qu'à l'inverse, Max Weber, quant à lui, parvienne trop radicalement et trop tôt à la vision d'une éternité de la guerre. Demeurons un instant en compagnie de la méditation d'Ernst Bloch, afin de mesurer la profondeur de cette opposition. S'agissant du caractère prématuré de la paix hégélienne avec le monde, c'est bien de l'horizon de la raison pratique qu'il est question. Tout se passe en effet comme si Hegel déjà se révoltait contre « l'infini purement approximatif de la raison chez Kant », la persévérance requise par sa méthode et le fait qu'elle pose le monde « comme un océan sans rivage [32] ». Avec pour conséquence que le réalisme de Hegel veut combler l'indétermination jugée insupportable de l'histoire kantienne en supprimant la question qu'elle soulève : « Quelle consolation en tirer pour le naufragé, pour le voyageur lui-même, s'il n'est possible d'arriver à aucun port [33] ? » Ici réside sans doute ce qui fait la grandeur de Hegel : l'aptitude de sa pensée à embrasser toute l'amplitude du monde et de ses déterminations, puis à s'élever à la hauteur de l'histoire en les reliant l'une l'autre par une figure unique de l'accomplissement.

Mais c'est avec Ernst Bloch encore qu'il faut saisir le résultat délétère de cette paix anticipée avec le monde. Quelque chose comme un appauvrissement paradoxal de cette même pensée qui se risquait dans le projet grandiose d'une odyssée de l'esprit. Une sorte de réduction trivialement réaliste du cours tumultueux de l'histoire au procès d'une raison qui efface les traces de la souffrance et de la volonté humaines. Et qui finit par provoquer une aversion de Hegel lui-même à l'égard de l'effort de la critique et du risque de la pensée. D'où ces portraits croisés qui dessinent l'espace où se meut la réflexion sur l'histoire : « Chez Kant, la pensée était une lumière solitaire, destinée à consumer la nuit de ce monde. Chez Hegel, la pensée se fait maître d'école ou avocat indifférent de l'être qui l'a mandaté, et la nuit du monde se retire dans le sujet inculte. Ainsi se répand la bonne chaleur de la salle d'étude afin que tout ce qu'il y a de douloureux, d'insupportable et d'injuste dans la vie, la nécessité durable de s'y opposer, l'autodestruction de la nature et toute la passion herculéenne de l'idée, puissent être développés comme quelque chose d'anodin, qui arrive toujours, n'arrive jamais, dont l'analyse proprement dite ou bien ne se trouve que sur le tableau noir, ou bien n'est qu'une simple cérémonie [34]. » Précisons alors la forme de l'hypothèse qui organise cette mise en scène du conflit des visions de l'histoire : il se pourrait que ce que Bloch appelle la « nécessité durable » de s'opposer à la souffrance, à l'injustice et à l'insupportable se trouve tout autant altéré par le retrait wébérien devant le spectacle de la guerre des dieux que dans la paix prématurée de Hegel avec le monde.

Avant de revenir à cette éventualité, précisons toutefois ce qui fait à son tour la grandeur de Max Weber. Restituée dans cette perspective, tout comme celle de Nietzsche d'ailleurs, qui souvent parle à travers lui, elle consiste à nous arracher à la douce torpeur de la salle d'étude. Avec eux en effet, les passions humaines perdent leur caractère anodin pour retrouver leur intensité, leur épaisseur, leur brutalité parfois et leur importance vécue toujours. Puis les tragédies de l'histoire cessent de représenter de simples cérémonies, quittent leurs allures de sacrifices expiatoires inscrits avec une aimable distance sur le tableau noir de l'esprit, pour reprendre l'aspect d'affrontements où s'éprouve la signification ultime de l'existence des hommes. Il n'est que de se souvenir des tourments du professeur qui s'exprime en l'hiver 1918 à Munich, pour mesurer la distance parcourue depuis les *Leçons* de Hegel dans le Berlin des années 1820. Un siècle presque et surtout deux rapports radicalement différents au monde et à l'histoire. Deux ambiances aussi dissemblables que celle d'une salle de classe où l'on apprend à des enfants les moyens de se réconcilier avec leur univers sous la conduite d'un bon génie paternel et celle d'une chaire austère d'où tombent de sombres prophéties pour des adolescents trop tôt devenus adultes par l'épreuve renouvelée de la guerre. Ici il n'y a plus désormais la moindre place pour les rêves de paix et l'espoir d'une réconciliation. À la Raison qui se comparait dans l'Histoire à la marche de Dieu sur le monde a succédé le spectacle des conflits qui déchirent l'univers humain et font resurgir à jamais les dieux antiques de leurs tombes, pour les entraîner à nouveau dans la ronde infernale de leurs luttes éternelles.

Une fois encore il revient à Max Weber d'être parvenu à offrir l'une des expressions les plus intenses de cette crise de la culture européenne confrontée à elle-même, aux déchirures de son histoire et au doute quant à la signification de son projet. Conscient des pathologies du monde contemporain, il en décrit admirablement les symptômes et sait bien souvent remonter aux étiologies lointaines de ces maux, enfouies dans les strates d'une histoire dont il livre l'une des intelligences les plus aiguës. Mais il fait plus encore peut-être, reliant parfois malgré lui les symptômes à leurs sources selon une association qui anticipe l'un des schémas les plus puissants de la pensée du XXe siècle. Que nous disent en effet ses propos désabusés sur les ressemblances des nations occidentales en dépit des valeurs antagonistes qui opposent l'Amérique à la Russie devenue soviétique, sinon le fait qu'il se pourrait bien que nous assistions à la naissance d'une société mondiale ? Que suggère plus encore la vision d'un retournement des formes de la liberté moderne dans les structures d'un monde unifié par la bureaucratie, sinon l'idée selon laquelle c'est à la raison occidentale elle-même qu'il faut peut-être imputer la déraison contemporaine ? Comme s'il comprenait mieux que Marx avant lui ce qu'un univers dominé par l'Occident offrirait de prises à l'empire d'une économie totalement réifiée. Comme s'il annonçait avant même Heidegger cette « nuit du monde » qui s'étend sur des sociétés humaines soumises à l'emprise du règne de la technique. Et comme s'il pressentait enfin, plus tôt qu'Heidegger une fois encore, que « fondamentalement, il y a quelque chose en l'homme qui ne peut être satisfait par la société mondiale : le désir d'authenticité, de noblesse, de grandeur [35] ».

Si ce dernier rapprochement peut avoir quelque poids, il faut se hasarder un moment à imaginer l'état d'esprit du Max Weber qui développe les ultimes propos des conférences de l'hiver 1918. Saisi par l'angoisse que fait naître la perspective d'une société mondiale, Heidegger, on le sait, engagera pour le meilleur et pour le pire une réinterprétation radicale de toute la trajectoire de la pensée occidentale comme histoire de la métaphysique. Assumant en quelque sorte sa haine de l'univers contemporain, il la transposera en un ressentiment contre sa propre culture, puis dans un combat à fronts philosophiques renversés contre la métaphysique, ses ambitions et son rapport au monde. Max Weber, quant à lui, joue un autre jeu, moins pétri de rancœur mais tout aussi acrimonieux, et finalement, risquons le mot, peut-être un peu plus pervers. Que nous lèguent en effet ses ultimes considérations, sinon les composantes du monologue suivant ? Au nom de la science, soutenu et porté par les leçons de ma sociologie, dans les catégories de ma méthode, je vous livre les vérités de notre histoire et elles sont sordides. Non seulement les lumières de la Raison ne sont pas parvenues à éclairer le monde, mais voici que retombent sur lui des ombres qui remontent à la nuit des temps. Vous aviez appris à renoncer à cette élégante illusion de l'esprit qu'était la belle totalité : il vous faut désormais vous résoudre au sinistre spectacle d'un conflit irréductible des valeurs. Ce disant je vous parle un instant la langue désabusée du vieux Mill et j'emprunte les images plus incandescentes du jeune Nietzsche. Mais ce langage et ces métaphores ne sont pas miens. Savant je suis et ne me risquerai pas à penser dans la sphère des jugements. De cette vision, de ce conflit et de ce qu'ils évoquent je ne vous dirai qu'une chose : que je n'ai rien à en dire qui puisse ressortir au registre de la science, qui décrit quant à elle la réalité du monde et des hommes. Tout juste pourrais-je ajouter que ce silence a toujours été et demeure ma nostalgie de professeur, qu'il formera à jamais mon regret de citoyen. Mais ainsi vont les choses, cette tragédie n'appartient qu'à moi et je ne vous livrerai pas une philosophie de contrebande qui viendrait altérer la seule identité qu'il me reste alors que celle qui me faisait allemand est devenue incertaine : je persiste et signe à me vouloir savant.

Que faut-il reconnaître dans cette posture prise devant un public alternativement restreint à la seule jeunesse allemande rescapée de la guerre et étendu avec emphase à l'ensemble des Européens cultivés vivant l'aube d'un *nouveau siècle* ? Une forme typique peut-être de ce que Leo Strauss nomme le « délaissement de la raison scientifique », cette manière d'interdire à l'homme de la connaissance ce que s'autorisait encore le Méphisto de Goethe : évoquer l'idée selon laquelle « la science et la raison sont le plus haut pouvoir de l'homme [36] ». Une manifestation sans doute de ce conflit intérieur qui déchirait l'existence de Max Weber et l'incitait à faire se combattre l'un par l'autre un scepticisme relativiste exprimant le savant et une sentimentalité d'allure existentielle projetant l'individu. Comme s'il fallait marquer avec Leo Strauss encore que « l'existentialisme est la réaction d'hommes sérieux à leur propre relativisme [37] ». Puis comme si l'on devait imaginer que le renoncement à la réconciliation dans l'ordre du savoir entraînait ses conséquences jusqu'à une sorte d'irrésolution personnelle du savant devant sa propre pensée. Mais, cauchemar d'un visionnaire ou réserve de l'esprit désenchanté, cette étrange figure fait cependant signe vers une autre question, qui touche à la responsabilité de l'intellectuel submergé par le sentiment d'une crise de la culture. C'est peu dire en effet que cette expérience ait été donnée en partage à tous ceux qui ont subi les épreuves du XXᵉ siècle et se sont risqués à en estimer le sens. Mais il n'est pas certain alors que l'héritage de Max Weber comporte et la tonalité qui convient à cette tâche et le regard qu'il faut porter pour l'accomplir.

Autrement dit, et pour autant que nous sommes les contemporains de la fin de ce siècle qui s'est peut-être déjà achevé devant nous, il nous revient de juger qu'il existait pour la pensée d'autres conditions et d'autres lieux que ceux qu'évoquent tour à tour la douce chaleur de la classe hégélienne et la nuit glacée qui tombe sur l'amphithéâtre de Max Weber. À la décharge de ce dernier, on devrait verser le fait qu'il n'a connu que les premiers moments du siècle. Mais pour corriger aussitôt, en ajoutant qu'il faudrait pour affronter ceux qui devaient suivre être mieux armé encore contre ce mélange de cynisme et de résignation qui caractérise les visions crépusculaires ou désenchantées de l'histoire. De ces dispositions intellectuelles qui immunisent contre le renoncement aux risques de la pensée et de l'action, Husserl donne une idée précise lorsqu'il indique les liens entre les formes de la conscience historique et l'attitude vis-à-vis du sentiment d'une crise de l'existence européenne. Lorsqu'il montre notamment qu'il fallait pour rendre cette crise compréhensible remonter à ce plan que seule sans doute la philosophie découvre : celui de la « téléologie de l'histoire européenne [38] ». Lorsqu'il précise ensuite que tel était l'unique moyen de ne pas confondre les affolements et les errances d'une rationalité instrumentale mobilisée pour des projets de domination ou de guerre avec l'intégralité du monde né des idées de la raison. Lorsqu'il fait enfin le partage entre ce que ces folies doivent à l'enfermement de la culture rationnelle dans le « cocon du naturalisme et de l'objectivisme [39] » et ce qu'elles laissent pourtant intact de l'essence même de l'aventure européenne.

Ainsi Husserl pouvait-il désigner dans cette lassitude que Max Weber semblait partager avec nombre de ses contemporains la forme du plus grand danger qui menace l'Europe. Parodiant la métaphore issue de Shakespeare et qui court de Hegel à Marx puis au-delà, on aurait envie de l'imaginer prenant à bout de bras le crâne de Weber, pour lui lancer, tel Hamlet, cette injonction : « Il faut encore creuser, vieille taupe ! » Creuser pour dégager le ressort du piège où la raison s'est laissé enfermer par la technique. Creuser pour ébrouer l'esprit et l'arracher à la fatigue qui le saisit lorsqu'il contemple l'échec d'une part considérable de ses efforts. Creuser enfin pour reconstruire et la pensée de l'histoire et les composantes du monde, afin de persévérer dans les projets de la liberté et de l'émancipation qui forment l'essence la plus intime de l'identité européenne, même si elle paraît toujours au bord de se rompre. Tel est bien en effet le sens de l'alternative que dessine Husserl, face à une crise de l'existence européenne qui ne peut avoir que deux issues : « Ou bien le déclin de l'Europe devenue étrangère à son propre sens rationnel de la vie, la chute dans la haine spirituelle et la barbarie, ou bien la renaissance de l'Europe à partir de l'esprit de la philosophie, grâce à *un héroïsme de la raison* qui surmonte définitivement le naturalisme [40]. » Pour cruel qu'il soit à l'égard de ceux à qui il s'adresse, le reproche d'un renoncement à l'héroïsme de la raison trace probablement la ligne qui partage définitivement l'espace de la pensée depuis le XVIIIe siècle. À ce titre il demeure sans doute le critère de jugement le plus sûr pour apprécier la profondeur des discours qui ont

accompagné ou réfléchi l'époque qui a vécu le plus douloureusement la déception vis-à-vis des idéaux des Lumières.

Quelques décennies plus tard et après une catastrophe politique
d'une autre ampleur encore, Adorno puis Habermas ne diront pas
autre chose. L'un d'entre eux en réclamant « un supplément
d'indulgence [41] » en faveur du projet de la modernité et de l'idéal
de la discussion critique lui-même, par-delà le spectacle de la
déraison absolue et pour surmonter le désespoir que suscite le
sentiment de ne plus pouvoir penser après Auschwitz. L'autre en
plaidant dans le même contexte la « partialité pour la raison [42] ».
En dépit des tentations que connaît une Europe devenue vieille de
renoncer devant les difficultés de l'*Aufklärung*. Afin de rendre
manifeste le motif déposé dans le fait que pour une part le choix
d'une vie conduite dans l'esprit de la rationalité ne peut se fonder.
Pour préserver enfin les ressources d'identité, d'imagination et de
communication mises à mal par des formes inédites de barbarie.
Comme s'il fallait parfois revenir aux principes du monde
moderne pour surmonter les impasses de l'univers contemporain,
en réveillant l'actualité d'un programme plutôt que d'en annoncer
l'épuisement dès les premières convulsions. Comme si l'on devait
toujours maintenir un fragile équilibre entre ce qu'il faut de lucidité sur les imperfections de la raison afin d'en garantir l'intention
et ce que nécessite de ferveur le souci d'assurer les conditions
d'une poursuite de son cheminement. À ce titre à nouveau, ce ne
sont sans doute pas les dispositions à l'héroïsme qui manquent de
manière flagrante dans la personnalité et l'esprit de Max Weber.
Mais peut-être et plus simplement une capacité à leur fournir un
sens, pour les loger au bon endroit.

Veilleur, où en est la nuit ?

Afin d'ausculter les motifs qui poussent Max Weber à cette
forme de renoncement à « l'héroïsme de la raison », il faut revenir
un instant à ce texte tardif qui offre l'une des rares occasions où
il explore sa propre situation et expose la signification qu'il veut
lui donner. Un texte qui fournit sans doute l'expression la plus
authentique de la personnalité de l'homme, du savant et du penseur, et ce précisément dans les catégories d'une éthique de l'authenticité. Un texte qui s'achève sur cette question et ces mots qui
seront presque les derniers de l'auteur, empruntés à *Isaïe* (XXI,
11) : « Veilleur, où en est la nuit [43] ? » Nul doute que ce passage
dévoile l'intensité vécue d'un douloureux pressentiment, qui sonne
d'autant plus fort que nous savons aujourd'hui les expériences

ultérieures du XXe siècle. Ne pouvant bien sûr imaginer la Shoah, mais se remémorant les leçons de son immense *Judaïsme antique*, Weber évoque la bouleversante histoire d'un peuple qui « n'a cessé de vivre dans l'attente depuis deux mille ans [44] », pour sembler confondre un moment son destin avec celui de la civilisation tout entière, confrontée à la déception de ses espoirs de paix et de liberté. Pourtant, ce texte demeure celui qui met le mieux au jour et l'intimité de l'individu avec son époque et la tension qui déchire cette relation pour finalement la rendre peut-être impraticable à ses successeurs. En ce sens, il figure le lieu précis où se loge la question la plus énigmatique d'une œuvre qui se dérobe aux conséquences de ses propres intuitions, comme si elle refusait d'assumer plus avant la vigilance qu'elle invoque pour aussitôt marquer sa vanité.

Tour à tour pathétique et assuré, prudent et enflammé, cet ultime propos de Max Weber libère sans doute le conflit qui avait traversé toute son existence. Ici en effet, le professeur refoule le penseur et le savant contient le politique. Mais tout se passe comme si l'individu insatisfait combattait en lui-même et le savant et le professeur, leur opposant la vacuité de leur science si elle n'aidait en rien à résoudre et les inquiétudes du citoyen et les angoisses de l'homme privé. Au titre de cette mise en scène de l'allure existentielle des contradictions entre les identités, les images de soi et les rôles sociaux, cette méditation wébérienne appartient au nombre extrêmement restreint des œuvres de l'esprit où les trajectoires biographiques et les lignes d'une pensée s'éclairent l'une par l'autre. Si l'on excepte la manière qu'avait Hegel de fondre dans le même mouvement les époques de la vie de chaque individualité, l'itinéraire de l'humanité et le déploiement de sa propre pensée, pour ramener leurs conflits à une unique odyssée intellectuelle et historique, elle évoque parfois le Rousseau déchiré des derniers temps. Weber juge de Marx, aurait-on envie de dire, pour résumer les contrastes de ce qui pourrait tout aussi bien s'apparenter aux cauchemars éveillés du spectateur solitaire d'un monde en décomposition. Avec pour conséquence que ce sont à la fois l'acuité du regard sur ce monde et la nature du jugement qu'il sollicite qui s'éprouvent ici. Alexis Philonenko rappelle que la dernière œuvre de Descartes est un ballet et que « Rousseau nous quittera en rêvant [45] ». Si cette convergence ne laisse en effet pas d'émouvoir, ajoutons-lui celle qui veut que Max Weber à son tour nous parle dans cette langue du moi qu'il avait ignorée comme étrangère, mais pour nous dire de manière onirique qu'il se pourrait que ce soit le monde de la culture qui devienne étranger à lui-même.

Lue avec l'indulgence que fait naître une ancienne familiarité, cette singulière méditation dessine le portrait d'une personnalité tourmentée, puis éclaire en demi-teintes le destin de l'œuvre de Max Weber parmi ses contemporains ou prédécesseurs. Disons-le brièvement, il lui est refusé d'être le nouveau Marx, pour cette raison précise qu'il s'interdit à lui-même la certitude du système. Contre Marx, mais dans son sillage, Max Weber s'était exercé à percer les mystères de l'économie moderne, à déceler les logiques de l'aliénation bureaucratique, à restituer enfin les chances historiques respectives des classes qui se partagent l'espace des sociétés contemporaines. Mais il lui revient d'avoir brisé ce qui était encore le rêve de Marx : faire glisser l'humanité de l'époque où l'émancipation n'est précisément qu'un rêve à celle où elle deviendrait réalité grâce à la science. Désenchanteur de cette dernière comme il fut l'interprète de l'expulsion de la magie ou de la perspective du salut hors du monde de la raison technique, il nous laisse orphelins de l'idée selon laquelle il suffirait encore de déplacer les frontières du savoir pour hisser l'homme au-dessus de son statut de particularité qui souffre et le faire accéder à une universelle réconciliation avec lui-même, avec la nature et le monde. De Raymond Aron à Paul Ricœur en passant par Habermas, telle est la part de sa grandeur la plus généralement reconnue, accordée à cette dimension du renoncement à l'idéal de la belle totalité sur laquelle on ne saurait revenir.

D'une autre manière, c'est la lucidité finalement sereine d'un Tocqueville qui lui est interdite, pour autant qu'il s'est barré la route d'une estimation méticuleuse des forces qui partagent l'horizon de la démocratie entre les perspectives contradictoires de l'aliénation passive ou d'une émancipation mesurée, des lumières tempérées d'une connaissance de la liberté ou de l'ombre envahissante de la passion égalitaire. Comme Tocqueville pourtant, Max Weber avait fait descendre son regard de l'altitude trop hautaine de la spéculation abstraite vers ces strates enfouies de la réalité sociale où peut se mouvoir une anthropologie historique des sociétés modernes. Mais tout se passe comme s'il n'avait pu se résoudre à cette forme d'indétermination du savoir qui correspond à l'expérience de l'effacement des repères du pouvoir et de la loi selon Claude Lefort. Et comme s'il avait voulu à tout prix en compenser les incertitudes, en les reformulant dans la langue tour à tour héroïque et inquiète du dernier romantisme. Quitte à ce que trop souvent parlent à travers lui ces manifestations joyeuses ou graves d'une conception de la modernité qui en liquide l'héritage à force de le vouloir trop déconstruire. Au risque de solliciter le mot ravageur d'Adorno sur « les lumières critiques auxquelles manque un éclairage critique (*unaufgeklärte Aufklä-rung*) [46] ». Et de ne susciter enfin comme sursaut d'un autre cou-rage de la pensée et de l'action que celui qui consiste à déposer inlassablement les structures de leurs antinomies, en leur donnant avec une allégresse tragique l'allure de conflits indépassables.

À d'autres titres encore, il ne sera laissé à Max Weber ni la jeunesse apparemment insouciante d'un Benjamin Constant ni la vieillesse apaisée d'un Guizot. Comme le premier cependant, il excellait dans ces conférences qui renouent Athènes à Paris, la situation du paysan des temps anciens d'Abraham au destin d'un Européen tourmenté par le moderne. Comme lui encore, il exerçait la même puissance intellectuelle à cerner les mystères de l'exis-tence religieuse et à organiser les formes institutionnelles d'une société libérale. À la manière de Guizot, il recherchait dans l'épais-seur du tissu social ces ferments d'une civilisation occidentale qui permettraient d'en interpréter le destin, pour faire justice de ses impasses et dégager son incomparable richesse. Puis la part plus directement politique de son œuvre s'essayait à une réflexion concernant le sens historique de la bourgeoisie allemande qui n'est pas sans rappeler celle de Guizot sur son homologue française quelques décennies plus tôt. À tout prendre même, pourrait-on dire que si la vérité d'une pensée et celle d'une nation dans une séquence de son histoire s'incarnent en un « moment Guizot [47] », il en serait de même pour un moment Weber, s'agissant d'une autre culture et d'une autre époque, à la fois proches et lointaines. Pourtant Max Weber fut privé de cette confiance qui permettait à Guizot de raconter l'histoire à ses petits-enfants. Non parce qu'il n'en eût point bien sûr, mais pour cette raison plus profonde qu'entre eux s'était perdue cette gratitude envers l'histoire qui avait survécu jusqu'à Hegel. Et que Weber restera l'un des pre-miers à n'avoir plus su que faire de ce « trésor sans âge [48] » qu'évoque Hannah Arendt, qui surgit à l'improviste et disparaît mystérieusement, laissant dans la conscience humaine l'impression d'un mirage ou le sentiment d'une brève rencontre avec l'identité intime de l'existence.

Que nous disent en effet les *Conférences* de 1919, sinon le fait que l'homme occidental est devenu étranger à la confiance quelque peu enchantée qu'il plaçait dans sa propre histoire ? Redisons-le une dernière fois, avec elles Max Weber se prête à un triple jeu. Celui d'un miroir où les images de soi reflètent une part du destin de la vieille Europe, pour donner forme à la conscience d'un déclin et d'une nostalgie. Puis celui d'une autoréflexion sur une situation historique et un statut social, un habitus personnel si l'on veut, qui s'élève au rang de type idéal de l'intellectuel contemporain contemplant son savoir et questionnant son rôle. Celui enfin qui correspond au souci de formuler une éthique qui tout à la fois intégrerait puis dépasserait en les réconciliant ces différentes composantes. À quoi il faut ajouter que, pour chacune de ces opérations, Max Weber pratique une sorte de mise en abyme du motif du désenchantement. Comme si le thème s'échangeait entre les structures de l'histoire et les détours d'une interrogation qui les explore. Comme s'il se déplaçait sans cesse du plan d'une introspection vers celui d'une prospective historique, entre le registre de la méditation sur la réalité humaine et celui de l'inquiétude quant au sens de la connaissance de ce monde et de soi. Comme si enfin, parmi ces variations autour de l'univers désenchanté, se glissait aussi celle qui évoque l'angoisse de la mort et l'expérience surtout d'une finitude d'autant plus désespérante qu'elle fait fond sur l'immense fresque autrefois dessinée des manières dont les hommes avaient comblé cette peur grâce à la perspective du salut et au sentiment religieux.

C'est donc après s'être installé au milieu des images de la guerre des dieux que Max Weber expose cette forme d'une éthique au travers de la résolution d'un conflit. De ce dernier on pourrait dire qu'il est enchâssé dans ce qui fait l'identité même du professeur, à savoir sa neutralité. Négativement posée, celle-ci s'entend en effet comme l'impossibilité de transgresser le devoir de réserve qui s'impose à tout agent de l'État vis-à-vis des passions de l'opinion publique. Comme l'interdiction de trancher parmi ces conflits politiques, éthiques ou religieux dont l'écho peut franchir les murs de l'amphithéâtre. Comme la censure librement acceptée de ses propres convictions ou des mobiles de son action dans l'existence civile. Et si la voix de l'homme privé interpelle son double monté en chaire, pour lui murmurer qu'elle ne voit plus bien alors les finalités de l'enseignement, il lui est répondu qu'elles résident dans cette simple possibilité de réussir parfois à « faire naître en l'âme des autres la clarté et le sens de la responsabilité [49] ». Apparaît ainsi une première redondance, qui renvoie la déontologie professionnelle du professeur à la capacité de suggestion de la moralité d'autrui. Et qui identifie son devoir à celui de construire les conditions dans lesquelles s'exerce la tâche qui revient à chacun de faire des choix et de les assumer. Car telle est bien la clarté dont il est question, qui se résume comme on l'a découvert plus tôt au fait que tout être doit décider « *de son propre point de vue* [50] » laquelle des éthiques disponibles prend pour lui et lui seul le visage de Dieu ou la figure du diable.

Cette singulière réadaptation de l'esprit des Lumières par la restriction de sa métaphore aux seules conditions d'un choix que rien ne peut venir justifier en dernier ressort ne localise pourtant pas encore la forme du conflit auquel l'éthique wébérienne de la responsabilité veut donner une solution. Ce conflit ne surgit qu'au moment où une autre protestation se fait jour : celle du savant interpellant le professeur quant à la nature de sa vocation pour la science. Quelle est-elle en effet si, déjà privée de l'idéal d'un accès au savoir absolu, elle n'est même plus orientée par l'usage de la raison en faveur du moindre mal ? Quel crédit lui accorder si le même homme qui refuse de s'exposer au travers de ses convictions ne peut non plus motiver son engagement dans les activités désintéressées de l'esprit par la recherche de la vérité ? C'est ici qu'une étrange et nouvelle redondance vient renforcer l'effet de la première, lorsque Weber se glisse derrière Goethe pour déclarer à la jeunesse moderne : « N'oublie pas que le diable est vieux, deviens donc vieux toi aussi pour pouvoir le comprendre [51]. » Sans que l'on sache très bien si cette sentence est formulée comme un regret ou sous la forme des certitudes adultes d'une sagesse faustienne, il est sûr en tout cas qu'elle engage la dialectique de la responsabilité intellectuelle telle que l'imagine Max Weber. C'est parce que la certitude du salut par les œuvres s'est échappée de notre univers sur la trajectoire du développement de la raison, que ce qu'il nous reste de cette dernière nous enseigne d'abandonner l'espoir de la réconciliation avec nous-même, les autres et le monde. Mais c'est à la hauteur de ce renoncement qu'il nous faut placer l'héroïsme individuel et quotidien qui nous fait demeurer humain. En nous attachant aux « demandes de chaque jour » dans notre vie ou notre métier. Et en enfermant nos devoirs dans le froid constat suivant lequel « ce travail sera simple et facile si chacun trouve le démon qui tient les fils de *sa* vie et lui obéit [52] ».

Cette manière de thématiser la question de la responsabilité intellectuelle éclaire peut-être d'un jour nouveau la configuration des éthiques proposées à l'homme politique. Parce que tout d'abord les deux constructions reposent sur le même fond : une « absence » et sa signification. En désignant une absence, Max Weber invoque bien sûr le retrait du divin hors de la sphère publique des sociétés modernes et le conflit qu'engendre cette perte dans la conscience de l'individu découvrant qu'il vit « en une époque indifférente à Dieu et aux prophètes [53] ». Quant à l'interprétation qui en est donnée, elle se déploie successivement du plan de l'impossibilité de la théologie comme « *rationalisation* intellectuelle de l'inspiration religieuse [54] », vers ceux où se dévoilent et le caractère impraticable de la théorie kantienne de la connaissance, lorsqu'elle présuppose la validité de la vérité avant d'en interroger les conditions de possibilité, et le statut improbable de la croyance esthétique selon laquelle « il existe des œuvres d'art [55] ». Comparées aux manifestations de l'ancien prophétisme, ces figures apparaissent alors comme des illusions de la raison. Des illusions nécessaires peut-être, pour affronter les ombres d'un monde orphelin de son sens. Des illusions qui sembleront d'autant plus belles qu'elles parviendront pour un temps encore à en réenchanter les formes. Mais des illusions toutefois qui ne sauraient nous faire oublier, fût-ce l'instant d'une méditation éthique, qu'il n'est plus désormais ici-bas d'autres divinités ni d'autres forces démoniaques que celles que chacun se donne à lui-même, en des choix où la raison n'a plus guère à placer ses œuvres.

Peut ainsi se dévoiler ce qui relie de la manière la plus profonde les schémas que Max Weber associe respectivement à l'éthique intellectuelle et à l'éthique politique : le fait qu'ils puisent à la même source de l'authenticité. Pour ce qui concerne le politique, il faut remonter vers la structure qui donne l'allure d'une antinomie à l'opposition de la conviction et de la responsabilité. On constate alors que le conflit entre les exigences du Sermon sur la montagne et les impératifs machiavéliens de la préoccupation exclusive des moyens du pouvoir dans le contexte de la violence se résout par l'évocation de l'homme politique authentique. Parce que l'authenticité comporte cette dimension de la conviction qui scelle l'identité d'un sujet privé de références communes, et qui choisit son démon personnel faute de partager les valeurs de chacun. Puis parce qu'elle déploie une forme de la responsabilité tournée vers les seules conséquences de l'action, et qui s'accomplit de simplement constater la persévérance en faveur des choix fussent-ils injustifiables. Parce que enfin l'unique repère disponible, sur fond d'effondrement des transcendances et d'épuisement des moralités séculières qui croyaient encore au ciel de la raison, demeure l'individu. Un individu ramené à l'épure existentielle de ses besoins vitaux et déterminé par la seule ténacité dans l'affirmation de soi-même. Reste cependant qu'en cette dévaluation des impératifs, ni le choix des finalités de l'action ni le critère de la mesure de ses conséquences ne s'exposent à l'épreuve du jugement d'autrui. Jusqu'au bout et dans toutes ses opérations, la résolution du conflit ne mobilise que le secret d'une conscience solitaire dans une nuit sans étoiles. Celle du dernier homme de l'humanité, parfaitement affranchi des contraintes de l'altérité et uniquement soucieux de préserver les conditions de son héroïsme personnel.

Reste enfin un dernier lieu commun entre les différentes éthiques que thématise Max Weber : le renversement de leur perspective de la poursuite ou de l'estimation incertaine et précaire du bien, du juste ou du bon, dans une concession désenchantée à l'affirmation de soi, indifférente aux démons qui hantent l'action. Sans doute reste-t-il ainsi une forme de sol où peut s'enraciner l'engagement dans le monde, mais du moins faut-il dire alors que le *telos* de cette pratique se confond avec la pure volonté, dans sa figure décrite chez Nietzsche comme volonté de volonté. Tout se passe alors comme si Max Weber n'avait retenu de la raison moderne que cette détermination dynamique, pour l'aiguiser en exigence d'être à la hauteur de la dissolution des autres composantes de la rationalité, quitte à ce que définitivement s'équivalent ressentiment et fidélité, résignation et utopie, générosité et âpreté. Par-delà Weber et dans le contexte de l'expérience contemporaine du mal radical on peut opposer à cette hypertrophie du vouloir l'intransigeance d'Adorno : « Arrachée à la raison, déclarée fin en soi, la volonté [...] est, comme tous les idéaux qui s'insurgent contre la raison, prête au crime [56]. » Conscient jusqu'au vertige des défis associés à l'effondrement du socle transcendant où s'attestait la vérité du bien, Max Weber a sans doute cherché à combler ce vide, en réaffirmant un principe qui ancre la responsabilité dans l'authenticité et lui restaure ainsi une assurance quant à ses fins ou à ses orientations. Mais on aurait alors envie de lui opposer une nouvelle fois que « la sécurité n'existe pas en morale [57] ». Que la supposer revient déjà à annuler le risque constitutif de la liberté, et qui consiste à pouvoir justifier les motifs de son action devant soi-même et autrui. Que l'attacher plus encore à une authenticité dégagée de toute épreuve du jugement conduit à s'interdire quelque forme que ce soit de prise en charge de l'altérité. Et que cette sécurité enfin vient « soulager faussement l'individu de ce qui devrait encore s'appeler, en un sens, éthique [58] ».

Pour le dire d'une autre manière, on pourrait alors reprocher à Max Weber de n'avoir pas creusé par une dialectique qui devrait être fine la distinction entre ce qu'il faudrait nommer le ne-pou-voir-plus moral caractéristique d'une conception de l'autonomie moderne et le devoir-encore éthique qui peut orienter la sphère de la responsabilité dans la même modernité. Une distinction dont on retrouve la trace amplifiée et réorganisée chez Paul Ricœur, afin de désigner les raisons pour lesquelles le doute sur la possibilité d'articuler en des normes communes immédiatement identifiables les composantes traditionnelles de la « vie accomplie » n'exclut pas leur reprise comme « visée éthique » du sujet soucieux de la rencontre et de la communication avec autrui [59]. Une distinction encore qui devrait s'élever au-dessus du stade conventionnel pour orienter la démarche éthique face aux conflits à partir d'une critique de l'authenticité dans le contexte de la guerre des dieux [60]. Une distinction donc qui marque la frontière entre cette part de déflation morale constitutive de la modernité dans sa critique de l'univers de la tradition et la persistance du projet d'une reconnaissance mutuelle des personnes dans le tissu de l'intersubjectivité. Sous couvert de l'absence de cette distinction, la position de Max Weber serait alors exemplaire d'une expérience dont les enjeux apparaissent peut-être plus clairement aujourd'hui : celle qui fait qu'il advient trop souvent aux figures les plus radicales de la déconstruction du monde et des idéaux de la modernité de se trouver sommées de choisir entre un nihilisme dénué de tout point de rebroussement et le retour aux expressions les plus naïves ou les moins tolérantes du religieux.

Cette considération conduirait à interroger une dernière fois les destins respectifs de deux œuvres à la fois si proches et si étrangères l'une à l'autre qu'elles ont semblé longtemps épuiser l'espace de la critique sociale de l'univers économique, juridique et politique de la modernité : celles de Weber et de Marx. Pour l'indiquer d'une formule, ces destins pourraient finir par apparaître symétriques et croisés, pour ne pas dire inverses. Si l'on cherchait à imaginer un instant la manière dont Marx aurait aimé que son œuvre lui survive un siècle après sa mort, c'est l'ambition du système, la certitude d'offrir une science de la transformation sociale et l'objectivité du matérialisme historique qui viendraient à l'esprit. Et pour le reste il reniait ce que certains de ses textes, dans la jeunesse et au-delà, portent de traces d'une pensée tourmentée, douloureuse et fébrile, tour à tour attachée à exprimer l'impatience d'un moderne devant les lenteurs de l'émancipation et à laisser percer le murmure d'une nostalgie à l'égard de l'aspect moins brutal de certaines expériences de la tradition. De même refoulait-il en lui, au nom du besoin de la scientificité, ce désir d'immixtion dans les rêves les plus anciens de l'humanité et dans les méandres intimes de la raison que sa familiarité avec Hegel lui rendait accessibles. Ou bien encore ces quelques signes d'une sentimentalité romantique de la nation allemande qui affleure ici ou là, sous le regard posé sur la France par exemple, l'incandescence de son histoire et son énigmatique facilité à contempler l'universel. Or comment peut-il nous parler aujourd'hui, sinon dans cette langue qu'il s'interdisait, par ces méditations inquiètes sur des formes de l'autonomie du sujet dont il méprisait l'allure, au travers de cette éthique inavouée, malmenée, torturée même et qui le rend en quelque sorte frère naturel d'un Rousseau ? Si certains fragments de son œuvre nous sont encore disponibles et échappent aux mutilations qu'elle a subies de son propre fait puis de celui de ses successeurs, n'est-ce pas aussi que s'exposent en eux, sous des formes inadéquates peut-être mais sincères, la ferveur d'un veilleur angoissé par l'attente de la liberté et de l'égalité universelles ?

Perçue dans les catégories de sa propre authenticité, la sincérité de Max Weber est sans doute déposée dans une structure inverse et le destin de son œuvre pourrait en apparaître opposé. En dépit de ses protestations contre les valeurs, de son acharnement partagé avec Marx à dissimuler le visage philosophique de quelques-unes de ses réflexions les plus intenses, de son souci farouche enfin d'objectiver la connaissance jusque dans les régions de l'éthique, c'est sans doute en ces contrées où l'esprit se dévoile en s'arrachant aux froids constats du savoir qu'il logeait ce qui devait lui survivre. Convaincu que l'exploration empirique du monde était vouée à de perpétuels dépassements, persuadé que la science ne vaudrait pas une heure de peine si elle ne parvenait à éclairer la sphère obscure des choix, bouleversé par l'image d'une humanité privée de visions du monde, mais certain du fait qu'aucune culture scientifique n'en pourrait encore produire, c'est dans la vérité de son désenchantement qu'il voulait reconnaître la composante indépassable de son message. Pour en laisser l'héritage aux générations futures et afin qu'elles puissent affronter l'univers qu'il avait annoncé. Or c'est à son tour contre ce langage désabusé et parfois impudent de Max Weber, contre cette manière de retourner sur soi la violence du monde en une sorte de mortification de la pensée, contre ce désir de sauver la part la moins estimable de la passion humaine, que nous pouvons souhaiter résister aujourd'hui. Paradoxalement alors, ce serait sans doute ce qu'il jugeait le plus fugace, le plus relatif, le plus incertain dans son œuvre qui nous revient et traverse l'épreuve la plus cruelle qu'aient à subir les constructions de l'esprit, à savoir celle du temps. Ces fragments d'historicité arrachés à la grande histoire, pour recomposer les formes vécues de moments d'humanité anciens. Ces morceaux de réalité sociale, juridique ou politique inlassablement décrits et rendus disponibles aux regards neufs de la critique. Ces éclats d'une vie passée, des rêves, des promesses ou des inquiétudes qui l'avaient nourrie et qui marquent quelques traces de l'identité humaine. Mais du moins faudrait-il avouer alors qu'en abandonnant la position du veilleur, au motif que son attente était devenue vaine, Max Weber imposait un silence pesant sur le legs de l'histoire et nos responsabilités à son égard.

La nuit du monde et le réveil hors du xxᵉ siècle

On aurait scrupule à s'arrêter sur ce paradoxe de la lecture de Max Weber, qui tient au fait qu'elle nous offre à la fois de vastes panoramas historiques qui ont la beauté un peu froide des objets d'antiquaires et quelques pages qui resplendissent d'images aussi profondes que le désenchantement qu'elles énoncent. De ces dernières il faudrait encore creuser un instant le caractère fascinant, et dire que l'attachement qui leur est dû s'apparente peut-être à celui que l'on éprouve pour les visions du Rousseau mélancolique, les aphorismes les plus incisifs de Nietzsche, les métaphores les moins iréniques de Hegel et de Marx, ou encore les paysages déchirés du romantisme allemand tels que les surprend un Heidegger par exemple. Précisant un peu mieux les conditions de cette reconnaissance, on pourrait ajouter qu'elle est celle qui s'exerce à l'égard des manifestations les plus intenses du scepticisme de la raison humaine mesurant son projet et contemplant ses réalisations. Mais un scepticisme dont on estimera toutefois qu'il ne sait pas toujours se placer. Comme si par des voies différentes et dans des langages épars chacune de ces expressions du doute philosophique marquait un moment où se franchit la frontière entre ce que la raison doit à la critique d'elle-même puis des choses pour s'arracher à son sommeil dogmatique et ce qu'il lui faut conserver de confiance dans ses intentions et de gratitude envers le monde pour ne pas sombrer dans l'affolement. Et persister en une tâche où les lumières de la vérité ne triomphent jamais définitivement des ténèbres de l'illusion, les promesses de la paix des mysticités de la guerre, les attentes de la liberté des secrets de l'aliénation.

À ce titre pourtant, la force évocatrice des images wébériennes peut sembler un peu vaine, si on les reçoit pour ce qu'elles veulent offrir : un condensé métaphorique de l'histoire humaine parvenue à ce qui semble un moment de vérité. Il faudrait dire un mot ici de ce qui paraît être la tristesse de Max Weber au terme de chacun de ces travaux herculéens respectivement consacrés aux dimensions religieuse, économique, juridique ou politique de la civilisation occidentale. De celle-ci on pourrait penser qu'elle appartient au tableau clinique des souffrances dont la biographie de l'auteur porte la marque ou qu'elle renvoie aux pathologies bien connues des personnalités qui jettent jusqu'à leurs ultimes forces dans le travail de la pensée. Kant a fait justice de l'hypocondrie de Rousseau, épuisé par son récit de la nature et de l'homme [61]. Et Flaubert écrivait que « peu de gens devineront combien il a fallu être triste pour ressusciter Carthage [62] ». On peut ainsi faire grâce à Max Weber des fatigues de la raison à quoi se risque quiconque entreprend de raconter l'histoire du monde. Mais il faut toutefois se remémorer les formes hybrides de cette tristesse, composée avec une ironie non dénuée d'une certaine joie, chez le Weber « qui se pavane sans illusions » qu'évoque Adorno [63]. Comme si les expressions somme toute naturelles d'une léthargie de l'esprit éreinté par ses œuvres rebondissaient aussitôt pour accabler le projet que ces dernières avaient emprunté et entamer la danse finalement joyeuse du dernier homme nietzschéen. Comme si ce mélange de désespoir et de gaieté devant le spectacle des désillusions humaines voulait moins être la manifestation quelque peu malheureuse d'une sagesse tardive que la sève bouillonnante d'une passion redevenue juvénile à détruire les idoles de la raison.

Il est cependant une autre valeur que l'on peut encore prêter à la tristesse du Max Weber parlant la langue du désenchantement. Celle qui franchirait le mur d'une éventuelle immunisation contre ce que le thème contient d'un désespoir de la raison, et qui viendrait jusqu'à nous pour exprimer un trouble que formulait aussi Walter Benjamin en exposant ce constat : « Il n'est aucun document de culture qui ne soit aussi document de barbarie [64]. » Resterait toutefois à savoir ce qu'il nous faut faire de cette découverte à laquelle le scepticisme wébérien a sans doute amplement contribué. Au strict plan des images qui assurent la découverte de l'ambivalence radicale de l'histoire, trois attitudes semblent possibles. On peut en premier lieu estimer avec Benjamin que les contenus culturels érigés en symboles forment une tradition des vainqueurs et répriment en notre héritage les marques de l'échec, les traces de rêves ruinés, ces existences brisées des pauvres qui meurent un peu plus de ne jamais accéder à une expression. D'où une préférence pour la représentation allégorique du monde, qui seule peut raconter la souffrance dans l'histoire universelle, si tant est que les allégories sont « au royaume des pensées ce que sont les ruines dans le domaine des choses [65] ». On pourrait aussi, selon une formule qui n'est pas tout à fait contraire, choisir avec Cassirer d'arracher aux contingences douteuses de l'historicité des formes symboliques qui dessinent les lignes d'existences réussies, parmi toutes celles qu'offrent le langage, l'art, la religion ou la science. À la façon de Kant cherchant à dénouer le bois tordu de l'humanité, en décelant les signes précaires du progrès dans les turbulences incertaines de l'histoire [66]. Ou à celle de Goethe, affirmant sous son arbre « que l'inconcevable s'accomplit, que l'inexprimable est porté au langage, et que l'essence se manifeste [67] ».

On voit bien la puissance de la première forme de réappropria-

tion de l'expérience mondaine, pour autant qu'elle se tient au bord
de la conscience de ce que le temps humain menace à chaque
instant de se rompre. À la douleur des choses et aux blessures de
l'âme, elle oppose cette mystérieuse promesse qui est aussi un
devoir : « Rien de ce qui s'est un jour produit ne doit être considéré comme perdu pour l'histoire. Assurément, avant la rédemption de l'humanité, celle-ci ne peut assumer intégralement son
passé. Cela signifie : seule la rédemption permet que tout moment
du passé de l'humanité soit l'objet possible d'une citation. Chacun
des instants qu'elle a vécus devient une citation à l'ordre du jour.
Et ce jour est précisément le dernier [68]. » Tout se passe alors
comme si Benjamin s'adressait à Weber, au moment où le veilleur
sommeille, pour lui rappeler l'injonction de ne pas désarmer si le
sens du monde se voile encore aux regards de la raison et de
n'accepter jamais de laisser disparaître les attentes du passé,
qu'elles aient été heureuses ou conduites à l'échec. Mais on imagine aussitôt le tressaillement du guetteur réveillé et qui proteste
contre cette invocation d'une transcendance qui se refuse au langage et dont on ne perçoit plus comment elle pourrait échapper à
l'apparence déchue des affaires humaines dans l'univers désenchanté. Le chemin de Cassirer serait alors, comme on voudra,
moins escarpé ou plus conforme aux impatiences que ne peut apaiser la prudence moderne. Mais du moins garde-t-il des détours
kabbalistiques de la pensée de Benjamin l'essentiel en l'espèce.
Le souhait de sauver l'expérience humaine par-delà l'épreuve de
son éclatement. Le désir de l'arracher à l'anonymat d'une histoire
sans visage. Le souci d'une disponibilité à la figure de l'ange qui
veille encore sur notre histoire sous les traits d'un tableau de Paul
Klee [69].

Avec Habermas et par un troisième cheminement, on pourrait
enfin résumer l'intention de ce propos : combler « la fragilité de
la base qui avait semblé être définitivement établie par Kant et par
Goethe pour une civilisation de la beauté éclairée par la raison [70] ».
Refusant à la fois et le respect naïf d'une histoire des seigneurs,
qui privait de visage puis de mémoire une foule d'esclaves, et le
sursaut héroïque d'un individu qui s'affirme maître d'un destin
sans loi, il s'agit alors d'explorer les conditions d'une reprise du
matériau offert par les passés du monde, en redonnant un sens à
ces images intempestives léguées par Max Weber. De dégager en
elles et par bien d'autres encore dont nous héritons des savants,
des artistes, des penseurs ou des prophètes, les formes de ce que
Ernst Bloch appelle les « images souhaits ». Celles qui expriment
d'une manière souvent fragile ces demandes de liberté, ces espoirs
de civilité ou ces anticipations du bonheur qui permettent un ins-

tant ce « franchissement utopique [71] » sans quoi l'humanité se réduirait à la marionnette dont parle Kant, ou plus simplement encore à une animalité demeurée elle-même. Celles qui nous font frères tour à tour de Don Quichotte et de Fidelio, de Don Giovanni et de Faust, de Mignon et d'Ariel. Mais celles qui savent aussi ne pas réprimer en leur sein l'être et le corps humiliés, abîmés, asservis de l'homme. Qui parviennent à voir autre chose que la misère dans la misère [72]. Et qui pourraient enfin ne pas se fermer « à la réalité d'une inhumanité accomplie collectivement [73] », pour témoigner au nom des victimes de cette histoire qui se décrit de Marx à Weber ou Adorno comme un processus qui broie l'espérance en retournant si souvent l'action qui veut le bien en une fabrique du mal.

Car c'est bien à la fois et de la question de l'histoire et du sens de l'action qu'il s'agit dans cette interrogation sur les métaphores du désenchantement du monde. Avec Husserl il faut dire désormais que « notre histoire ne se dresse pas seulement devant nous comme quelque chose qui est par soi-même nécessaire, mais comme quelque chose qui [...] nous est *confié* [74] ». Ainsi ne saurait-on reprocher à Max Weber ni d'avoir été parcimonieux dans le travail de rassemblement de ces moments d'humanité donnés par l'histoire ni de s'être montré avare dans la restitution de leur magnificence ou de leurs formes pathologiques. Bien plutôt conviendrait-il de questionner ce qu'il nous a appris à faire de ce dépôt, sous l'idée selon laquelle il ne nous aide pas tout à fait à en respecter le sens. Chez Weber, on le sait, si la figure de l'Ange de l'histoire persiste à se manifester, c'est sous les traits d'une puissance sarcastique, surgie de l'imaginaire de Nietzsche pour annoncer avec Baudelaire la beauté des *Fleurs du mal* [75]. Pour dénoncer la vacuité d'un monde où la bonté et la laideur se fondent. Pour illustrer enfin la lutte désormais éternelle des divinités entre elles et l'aspect inexpiable de la peine que l'homme s'est faite à lui-même en voulant à tout prix arraisonner le monde par la raison et sa technique ainsi qu'il sera dit plus tard du côté de chez Heidegger. De l'existence paisible d'Abraham ou des paysans d'autrefois qui mouraient « vieux et comblés par la vie [76] », il ne reste plus rien. Privé de leur satisfaction, l'homme de culture s'éteint dans la solitude, accompagné de la seule angoisse de Tolstoï découvrant que les voies d'accès à l'au-delà sont définitivement barrées.

Que les sentiments de la décomposition et du désastre, ou encore l'impression de contempler un spectacle de décombres, appartiennent à l'expérience commune des hommes qui ont vécu l'époque des guerres et du monde administré est une chose, qui cerne l'un des contenus majeurs de la culture du siècle, de Nietzsche à Kafka ou Beckett. Mais il en est une autre, qui concerne cette fois la reprise de ces motifs au plan d'une pensée de l'histoire et leur articulation à la dette que nous avons envers elle, ses héros et ses victimes. S'il s'agit bien de lucidité ou de clairvoyance en l'affaire, reste à savoir où les loger et pour quoi faire. On doit à nouveau à Walter Benjamin d'avoir exposé le plus clairement la proximité paradoxale et l'opposition pourtant radicale de deux conceptions contemporaines : « C'est une seule et même nuit que celle où l'oiseau de Minerve prend son vol chez Hegel et celle où, chez Baudelaire, l'Éros rêve, devant les flambeaux éteints et la couche déserte, aux étreintes passées [77]. » Ici et là, c'est la même saisie de l'actualisation du temps dans l'instant du présent qui s'opère, pour se redéployer tantôt dans un geste de rassemblement et de totalisation des occurrences passées de l'Être, tantôt vers le souci de prendre en charge la souffrance et les espérances des hommes qui nous ont précédés. C'est alors cette différence dans le rapport à l'expérience de la nuit du monde qui devient essentielle. Parce qu'elle est d'une nature profondément éthique, dessinant à coup sûr et les contours d'un conflit sur les finalités mêmes de l'activité d'historien et le sens qu'il faut accorder à la responsabilité de l'homme pour le passé puis l'avenir dont il est comptable.

En renonçant à la totalité de l'histoire hégélienne pour cette raison précise qu'elle supposait une improbable présence de la raison dans l'histoire, Max Weber a contribué aussi à immuniser ses successeurs contre les autres motifs auxquels il leur est demandé de résister. La part trop belle faite aux héros ignorés par leurs valets de chambre. L'effacement de la douleur et des formes brisées de l'espérance par le geste trop ample de l'*Aufhebung*. L'indifférence enfin aux modalités d'une responsabilité vis-à-vis des traces d'humanité enfouies sous l'apparence grandiose des institutions et l'allure séduisante de la réconciliation. Il demeure toutefois que l'on pourrait dire de Weber qu'il n'a pas tenu les promesses qui s'attachaient à ce renoncement, pour n'avoir pas interprété l'horizon que dévoilent ce rejet de la synthèse et ce reflux du sentiment d'en voir fini avec l'histoire. Comme orphelin de cela même qu'il combattait, il n'a perçu derrière l'effacement des motifs hégéliens que l'effondrement des logiques qui donnaient une signification à l'aventure humaine, pour n'entendre que l'appel au sursaut héroïque du dernier solitaire survivant au désert. Brutalement confronté à l'épuisement du sens majestueux que donnait à l'histoire la philosophie de Hegel, il a pensé qu'il ne restait que des fragments épars d'une énergie éteinte, des éclats pâlis de cultures passées, des œuvres dont le mystère a disparu sous les effets de la vie qui s'estompe et de la perte irrémédiable de la valeur que déposaient en elles leurs créateurs ou leurs destinataires. Historien désenchanté quant à sa propre histoire, savant désabusé devant les allures de son savoir, il a imaginé que s'arrêtait avec lui toute possibilité d'un commerce de l'esprit avec le temps humain.

Pour retrouver les formes de ce dialogue interrompu avec l'histoire, il nous est imposé de redécouvrir ce que Max Weber avait fini par oublier : le fait qu'à défaut de nous révéler le sens de nos existences, elle nous confie le devoir d'entendre celui que nos prédécesseurs avaient donné à leur présence au monde, le déposant dans les œuvres qu'ils nous ont léguées et l'exposant lors d'événements dont la compréhension nous incombe. Avec Benjamin alors, on doit apprendre à « lire le réel comme un texte [78] ». Comme si l'historien avait moins à retrouver le passé qu'à l'inventer, en déchiffrant les signes qui se dissimulent derrière les choses et qui surgissent dans la discontinuité du temps de l'homme. Comme s'il fallait encore se remémorer cette énigmatique leçon qui nous revient : « Proust commence le récit de sa vie par le moment du réveil. De même tout exposé sur l'histoire doit commencer par un réveil ; en fait, il ne devrait parler de rien d'autre [79]. » Comme si enfin de Max Weber à Walter Benjamin se déployait un conflit dans le rapport à une même histoire, interprétée par l'un comme l'aube d'une déconstruction du monde, et voulue par l'autre en tant que « *réveil hors du XIXᵉ siècle* [80] ». De ce conflit on devrait admettre qu'il touche à la valeur ultime que nous accordons aux traces les plus fragiles mais aussi les plus tenaces de l'expérience humaine : les œuvres de l'esprit et ces concrétions de l'instant qui actualisent l'histoire. C'est à leur propos qu'il faut méditer l'enseignement de Cassirer : « Il ne suffit pas de les voir devant nous comme une simple matière première. Nous devons nous pénétrer de leur sens ; nous devons comprendre ce qu'elles ont à nous dire [81]. » Pour apprendre que les œuvres d'art n'existent sans doute que sous le regard de ceux qui les contemplent où par l'oreille de qui les écoute. Et qu'il en va ainsi des manifestations de l'histoire, qui ne prennent sens que par le souci de qui veut bien les reprendre, en assumant la responsabilité d'aider à survivre la mémoire de ceux qui les ont vécues [82].

Afin d'assurer les modalités de cette responsabilité à l'égard de l'histoire, on s'arrêtera un instant sur le concept qui les dégage le mieux : celui de l'*être-affecté* par le passé. Paul Ricœur en décrit les conditions d'apparition de la manière suivante : « Renonçant à attaquer de front la réalité fuyante du passé tel qu'il fut, il faut renverser l'ordre des problèmes et partir du *projet de l'histoire*, de l'histoire à faire, dans le dessein d'y retrouver la dialectique du passé et du futur et leur échange dans le présent [83]. » Avec pour conséquence que l'heure est venue d'abandonner la posture hégélienne, qui prétendait que l'on ne peut penser l'histoire qu'au travers de la médiation totale, pour adopter celle qui s'attacherait à restituer les médiations partielles entre des expériences dont l'infinie pluralité ne peut ni se résoudre par la « réeffectuation dans le Même [84] » ni se dissoudre dans l'éclatement sans retour des perspectives. Précisons encore que c'est à l'occasion de cette reconnaissance croisée des temps de l'histoire, à partir de celui qui nous touche le plus immédiatement pour autant qu'il nous rend le souvenir affligeant des souffrances passées, qu'apparaît de la façon la plus sûre la dimension éthique d'une telle reprise. Puis ce qu'elle engage non seulement d'une manière nouvelle de regarder l'histoire, mais aussi d'une thématisation inédite de la question pratique ou encore des conditions dans lesquelles l'identité personnelle du sujet pourrait ne pas recouvrir les traces de toute altérité.

On doit à Ernst Bloch d'avoir mis au jour la forme du concept de l'*être affecté*, grâce à l'extraordinaire finesse d'une lecture de Kant interprétant la formation de la subjectivité. Partant avec lui de ces conditions de l'existence phénoménale où « le labyrinthe du monde et le paradis du cœur deviennent visibles séparément [85] », il montre que c'est au moment où l'on éprouve l'espérance du futur que le monde surgit dans la subjectivité. En ce sens, c'est précisément parce que le savoir théorique reconnaît ici sa limite, que l'élargissement pratique de la raison apparaît possible. Alors, et alors seulement, les postulats peuvent acquérir une valeur *a priori* absolue, bien qu'ils demeurent théoriquement indémontrables. À quoi il faut ajouter que cela s'opère par cette voie, et cette voie seule, qui veut que « la fonction même qui nous limitait d'abord mécaniquement [86] » se retourne sur elle-même, mais également sur le moi éthique. Comme si c'était en dépassant la rupture de la raison cartésienne avec l'univers naturel que la subjectivité pouvait sortir du cadre de la réification, dans lequel la production et l'être-produit forment un mécanisme. Puis comme si désormais « le respect devant la loi (pouvait être) défini comme le fait d'être *affecté* par l'objet moral en soi [87] », sous la garantie d'une appartenance à « un royaume d'intelligences plus élevées et aussi plus productives ». Comme si enfin ce n'était bien sûr pas sous la catégorie de causalité que se manifestait cette reconnaissance qui demeure un paradoxe pour l'entendement, mais par l'affection que l'on peut éprouver pour « les idées d'un absolu ». Par la manière dont elles nous troublent et viennent ainsi nous affecter.

Redéployons maintenant ce concept, en l'acclimatant à nouveau dans le contexte de l'histoire. Si l'on revient au maître mot du problème qu'elle pose, à savoir le refus de l'oubli des liens entre le passé qui nous est confié et nos attentes dirigées vers le futur, c'est la polarité entre deux plans de l'expérience historique qu'il faut établir avec Reinhart Koselleck et Paul Ricœur. À la suite du premier, il peut être proposé de saisir dans ce que l'on nomme précisément expérience, un « passé présent (*gegenwärtige Vergangenheit*) dont les événements ont été incorporés (*einverleibt*) et peuvent être rendus au souvenir [88] ». D'où la possibilité de concevoir un « espace d'expérience (*Erfahrung*) [89] », entendu comme incluant à la fois celles qui se manifestent dans l'existence privée, celles qui nous sont transmises par les générations antérieures, puis celles qui sont déposées dans les institutions actuelles. En notant avec Paul Ricœur que l'amplitude du concept d'expérience est soutenue et même renforcée par celle qu'évoque la notion d'espace, avec la perspective d'une « structure feuilletée qui fait échapper le passé ainsi accumulé à la simple chronologie [90] ». Un autre concept peut alors recueillir le second plan de la conscience historique comme « horizon d'attente ». Il s'agit cette fois de désigner l'ensemble des manifestations intimes ou communes qui visent le futur et le terme à nouveau doit être suffisamment large pour contenir à la fois « l'espoir et la crainte, le souhait et le vouloir, le souci, le calcul rationnel, la curiosité ». Puis il lui faut une tonalité qui évoque l'idée selon laquelle l'expérience de l'attente est celle d'un « futur-rendu-présent, tourné vers le pas-encore ».

Si l'on se remémore les dilemmes auxquels s'expose la conception de l'histoire que nous lègue Max Weber, on voit alors les significations d'une telle reconstruction. Au plan de la connaissance, elle déplace l'opposition entre une histoire conceptuelle qui se préoccuperait avant tout de dégager le sens des concepts de l'histoire et une histoire sociale qui s'attacherait quant à elle aux processus de l'action, puis à leurs structures de changement en profondeur. Reprenant en effet les modalités de la transformation des sphères de l'activité humaine du travail, de la politique ou du droit, elle les porterait à une expression formelle susceptible de les accompagner, de les diffuser ou simplement de les sauver de l'oubli [91]. Au plan plus classique de la philosophie de l'histoire, par ailleurs, elle rompt les amarres avec celle de Hegel, par le biais d'une « décision stratégique » de renversement de son projet. À l'idée selon laquelle seule la médiation totale permet d'épuiser le domaine du penser sur l'agir et le temps humains, elle oppose alors un « réseau de perspectives croisées entre l'attente du futur, la réception du passé, le vécu du présent, [mais] sans l'*Aufhebung* dans une totalité où la raison de l'histoire et son effectivité coïncideraient [92] ». C'est ainsi qu'elle peut encore se déployer une dernière fois au plan éthique, en refusant les conditions de cette paix prématurée de Hegel avec le monde dont parle Ernst Bloch. En reniant la sacralisation de l'autel sur lequel la liberté des peuples est toujours sacrifiée à la grandeur des empires. En prenant en charge le devoir de préserver la possibilité d'un horizon d'attente où perdure une dimension de promesse attachée au futur. En assumant enfin la responsabilité du présent à l'égard de celles des promesses du passé qui ne furent pas tenues.

C'est à regret que l'on quitterait Max Weber sur le constat suivant lequel l'imposant matériau de son histoire du monde occidental ne peut retenir dans ses filets ni le sens des promesses non tenues du passé, ni la nature des rêves tenaces de ceux qui nous ont précédés, ni surtout l'intention de témoigner en faveur des victimes de cette histoire pour que l'humanité ait encore un futur. Ce sont pourtant ces thèmes qui apportent une réponse à la question qui avait taraudé toute son existence d'individu engagé jusqu'à l'épuisement dans le procès de la connaissance et que le savant parfois refoulait en lui. Comment penser en effet la finalité du savoir humain si on ne lui fixe pour horizon ultime que la stricte restitution de la positivité des choses, dans la grisaille du crépuscule tombé sur la culture européenne depuis le dernier Hegel ? Comment saisir ces étincelles de l'instant historique que Rosenzweig, Bloch ou Benjamin diraient messianiques, sinon en imaginant que la tâche dépasse la pure connaissance et fait signe vers la responsabilité à l'égard du passé et pour l'avenir dont on a la charge ? Mais alors, dira-t-on, comment continuer à vouloir la science, sans la visée qui la portait au moins depuis Descartes ou en tout cas Vico ? Sans doute pas en la retournant en un projet qui viendrait se confondre avec la déconstruction inlassable de son illusion constitutive. Plus sûrement en méditant ce propos de Goethe que Walter Benjamin plaçait en exergue de son *Origine du drame baroque allemand*, et qui déploie le thème du désenchantement de l'activité intellectuelle : « Comme il est impossible d'atteindre la totalité, que ce soit par l'intermédiaire du savoir ou par celui de la réflexion, car celle-ci est dépourvue d'extériorité et celui-là d'intériorité, nous devons nécessairement penser la science comme un art, pour autant que nous souhaitions accéder par elle à quelque forme de totalité [93]. »

Précisons une dernière fois les conditions de cette rupture, selon les modalités d'un passage qui correspond aussi à celui d'une époque qui se présentait assez bien comme un moment Weber, vers le monde actuel en tant qu'il ouvre sans doute une autre histoire. De la manière dont l'œuvre de Max Weber incarnait parfaitement un moment de la conscience de l'Europe, de sa culture et de leur crise, on a tout dit déjà ou presque. Resterait simplement à renouer ensemble les plans épistémologique et éthique du renoncement à ce qui fut une composante essentielle du projet de la raison moderne. Avec Weber et contre Hegel, on pourrait dire alors que nous ne voulons plus penser que l'histoire du monde est le tribunal du monde, pour cette raison précise qu'elle ne connaît pas de loi. Qu'il ne revient alors ni au savoir de les établir ni à l'homme de s'y soumettre avec la lucidité un peu triste du sage accompli ou dans la morne indifférence de l'individu satisfait. De Max Weber en ce sens, il faudrait parler comme Gilles Deleuze de Nietzsche, pour montrer que l'antihégélianisme est le « fil de l'agressivité [94] » qui traverse son œuvre, qui soutient sa démarche et arrache au système la part maudite de la dialectique. Cette part qui ne voit la connaissance que dans la nuit du monde, dans l'instant où le réel a finalement achevé le cours de son développement et lorsqu'il est trop tard en tout état de cause pour avoir des remords ou retenir le temps, pour juger du passé et concevoir surtout que l'homme puisse avoir encore quelques mots à dire concernant ce que devrait être l'univers humain.

Mais que l'actualité de cette nuit du monde ait été cependant à l'ordre du jour de l'époque de Max Weber, moins sous les formes de l'ennui qu'imaginait Queneau au dimanche de la vie que dans celles de la destruction bureaucratique de l'homme par l'homme, et voici que resurgissent en lieu et place des Lumières d'autrefois des fantômes dont la vue obscurcit l'horizon. Autrement dit, que le désenchantement de l'univers moderne soit une composante essentielle du diagnostic sur le contemporain, nul ne saurait le nier qui est un tant soit peu familier de l'histoire, des œuvres de pensée ou simplement des formes quotidiennes de l'expérience du XXᵉ siècle. Mais en réarticulant subrepticement ces pathologies du monde vécu qui en annonçaient de pires à une amplification radicale des critiques de la raison, Max Weber a peut-être ouvert, fût-ce malgré lui, une inquiétante boîte de Pandore. Celle dans laquelle, en concédant bien vite à la danse éternellement guerrière des dieux antiques arrachés à leurs tombes, on renonce un peu trop tôt à l'idée d'accorder les subjectivités humaines. Celle encore dont le fond est moins pavé d'un sol sur quoi se reconstruirait l'édifice d'une compréhension du monde humain une fois traversée l'épreuve de la nuit du savoir que d'un jeu de miroirs qui renvoient à l'infini la perspective des illusions de l'esprit. Celle enfin dont les parois sont certes formées des murs qui ont enfermé les rêves de liberté, d'émancipation et de beauté qui avaient accompagné l'histoire, mais sans que l'on voie clairement ce qui relève en eux des promesses abîmées dont il faudrait consolider le sens et ce qui tient contre eux d'une conviction de l'épuisement de toute attente sur les trajectoires éclatées du temps humain.

Pour refermer la boîte, apaiser cette danse, retrouver un sol et préserver enfin le souhait de déplacer un jour ces parois, il faudrait découvrir ce qui se tient derrière l'image de l'histoire comme tribunal du monde. Telle que l'imaginait Max Weber, cette découverte consistait en ceci que désormais tout jugement devenait impossible, et pour la pensée quand elle veut orienter l'action ou apprécier ses œuvres, et par l'humanité regardant son histoire. Le renoncement au procès coïncidait alors avec l'idée selon laquelle l'historien et le penseur devaient abandonner le souci d'appliquer au monde la législation de la raison, pour simplement le décrire, en assumant la solitude de l'individu qui retourne au désert sans autres armes pour la traversée que celles que lui assurent la force de ses démons intérieurs et la volonté farouche de persister. Ainsi perdaient-ils les traits tirés de l'homme qui a les yeux tournés vers le ciel. Mais pour prendre aussitôt le teint blafard du dernier habitant de la planète dont le regard perce une nuit sans fond. Or ce sont à nouveau ces événements du siècle qui ont actualisé parmi nous l'hypothèse du mal radical, qui interdisent aujourd'hui les nuances tour à tour joyeuses et graves d'une esthétique de la pensée ou de l'histoire qui efface le foyer de toute perspective, le sens de toute promesse et la possibilité de quelque confiance que ce soit dans le monde humain. Un siècle pour ainsi dire trop tragique pour que le dernier mot soit laissé à des discours de la contemplation tragique. Des promesses trop fragiles pour les penser avec des pensées qui ont marqué la relativité de toute attente dans l'histoire. Une histoire trop relative enfin aux conditions de la liberté pour l'enfermer dans des schémas rétifs à toute idée d'une universelle identité de l'homme.

Dans la langue des allégories ou des symboles qu'on évoquait tout à l'heure, il faudrait retenir trois images, qui fixent les intensités contradictoires d'autant de moments de notre époque. Mais qui suggèrent aussi l'actualité d'un éloignement et de Hegel pour le tribunal de l'histoire et de Weber pour le renoncement au jugement. Sous la première, il nous viendrait de Nuremberg en 1933 un condensé des folles passions qui ont déchiré ce temps, accouchant d'une barbarie dont la violence inouïe n'a pas fini de traumatiser le monde. Par la seconde en 1945, nous parviendrait de ce même lieu d'une Europe massacrée la fragile promesse d'un témoignage en faveur des victimes, le souhait de ne pas laisser aux bourreaux le dernier mot dans l'indifférence de l'histoire et la relativité de ses verdicts, l'attente aussi de ce que l'application d'un droit humain qui soit à la hauteur des crimes de l'humanité contre elle-même puisse empêcher pour le futur la répétition des choses. Au travers de la troisième enfin, depuis Berlin en 1989, se découvrirait devant nous la possibilité d'un effondrement de ces murs métaphoriques et réels qui avaient enfermé l'idéal d'une liberté et d'une égalité humaines dans l'univers administré d'une terreur extrême. Le fait que ces trois événements qui résument le cours brisé de ce siècle aient eu lieu dans le même espace qu'avaient habité Beethoven et Nietzsche, Hegel et Goethe, Kant, Weber ou Marx, ne cessera d'inquiéter la conscience européenne. Il faudrait faire alors l'inventaire du monde qui naît avec le dernier de ces moments. Pour restituer la profondeur des champs historiques qu'il vient ouvrir ou refermer. Pour estimer la puissance des promesses qu'il actualise ou contribue à inventer. Pour assurer enfin le sens de la responsabilité qu'il nous donne quant au passé ou vers l'avenir.

S'il fallait penser ce temps qui est le nôtre comme celui du réveil hors du XXᵉ siècle, force est de dire que ce ne pourrait être tout à fait dans la compagnie de Max Weber. Pas jusqu'au bout en tout cas, pour autant qu'elle nous prive de l'idée qui se dévoile avec l'éloignement de l'image du tribunal de l'histoire et qu'Emmanuel Lévinas formule ainsi : « La relation éthique est antérieure à l'opposition des libertés, à la guerre qui, d'après Hegel, inaugure l'histoire [95]. » Tout se passe comme si en rompant le fil du récit hégélien parce qu'il faisait trop de cas d'un travail du divin sous la raison dans l'histoire, Max Weber avait oublié ce que suppose à son tour cette rupture. L'antériorité de la présence de l'homme à lui-même sur le conflit de la lutte pour la reconnaissance. L'existence d'un sentiment éthique avant la scission de la conscience malheureuse. Il ne pouvait alors que vérifier qu'il reste essentiellement la guerre dans l'histoire des hommes. Et surtout que la ruse de Hegel pour en retourner le sens participait d'une illusion que la philosophie partage avec les religions, jusqu'au moment où s'impose le froid constat de la guerre des dieux. En ce sens, il ne devait effectivement rien découvrir après le procès de l'histoire et surtout pas l'idée selon laquelle, pour antérieure qu'elle soit au conflit des libertés, l'éthique pouvait devenir l'horizon qui succède à l'effondrement des transcendances.

Pour le redire de deux mots, la distance qui nous sépare de lui est celle qui demeure entre le « comme si » où culmine la philosophie pratique de Kant et le « quand même » où conduit sa propre conception de la responsabilité politique, sauvant certes le principe de la volonté, mais comme une force qui ne renvoie plus qu'à elle-même [96]. Une distance qui sans doute l'a toujours empêché d'apporter la réponse qu'il voulait au mystère qui lui semblait le plus épais, à celle de ses questions qui lui était la plus intime et qui concernait le cœur de la civilisation occidentale, l'essence de sa culture, ou encore, dans les termes qui sont les siens, l'identité de son esprit. Une réponse qui pourtant résidait peut-être dans l'idée du désenchantement et qu'Emmanuel Lévinas nous présente lorsqu'il se demande si l'esprit occidental n'est pas finalement « la position d'une humanité qui accepte le risque de l'athéisme, qu'il faut courir, mais surmonter, rançon de sa majorité [97] ». Resterait bien sûr à explorer les composantes de ce risque et les formes de son dépassement pour une humanité entrée dans l'âge de la sécularisation. À creuser l'énigmatique formule d'Ernst Bloch qui pose que « le " comme si " moral apparaît ici, malgré tout, essentiellement comme un " pas encore " théologique [98] ». À imaginer enfin les conditions d'une reprise de cet hypothétique dans le contexte des sociétés démocratiques qui séparent ou même protègent l'une de l'autre la sphère privée de l'intériorité et l'espace public de l'action. Mais du moins peut-on dire qu'en ouvrant la perspective d'une déconstruction radicale des impératifs, Max Weber n'a guère éclairé ces tâches, contribuant plutôt à acclimater l'idée selon laquelle l'irruption d'une sorte de « plus-jamais » théologique ruinait pour l'homme des sociétés désenchantées toute possibilité d'un accord éthique. Avec pour conséquence la vision d'un champ clos du conflit des intérêts, des passions et des valeurs, pour solde de toutes les illusions qui avaient été attachées à l'histoire.

De cette même histoire, il n'est alors pas nécessaire de voir la fin pour commencer à la juger, selon l'intention formulée au moment du second Nuremberg. Pour retenir l'épaisseur de l'instant présent, si difficile à saisir sur l'écran plat et par les récits fugitifs de nos moyens de communication. Puis afin d'estimer les chances qu'il puisse marquer, à l'intérieur de l'âge moderne, le passage du contemporain vers ce moment actuel que Raymond Aron prophétisait comme « l'aube de l'histoire universelle [99] ». Pour revenir également vers nos passés, leurs formes conservées par les narrations de l'historien et l'imagination des artistes, mais celles aussi qui figurent des univers perdus de souffrances et de bonheurs aux traces plus incertaines. Ce avec le souci de garder le souvenir des attentes d'un monde qui nous aurait fait identiques à nous-mêmes, mais meilleurs que ce que nous sommes. Pour rétablir enfin la perspective d'un temps de l'histoire qui ne soit ni vide de promesse ni totalement privé de l'horizon qui s'attache aux idées d'une existence voulue, partagée et accomplie. Brisant avec l'inauguration hégélienne du temps humain et ses conséquences, Max Weber nous lègue un monument d'histoire universelle dont l'obscurité est précisément l'horizon : le fait de desceller le socle où s'atteste l'idée d'une universelle humanité de l'homme. D'Abraham à Napoléon ou Bismarck, son odyssée de la civilisation occidentale n'a rien à envier à celle de Hegel, à laquelle elle doit plus que l'intention de la réfuter. Quant au siècle qui s'étend de juin 1914 à Sarajevo jusqu'en 1989 à Berlin, 1991 à Moscou ou 1993 à Sarajevo de nouveau, tout porte à croire qu'il a confirmé les composantes les plus pessimistes du diagnostic de Max Weber. Et qu'il nous inciterait à demeurer proches de lui, de la lucidité de ses vues, lorsqu'il faudra rendre raison d'un temps qui fut, pour le pire, si souvent wébérien. Mais peut-être nous faudra-t-il aussi concevoir mieux que lui l'endroit où marquer la frontière entre le scepticisme et le nihilisme. Pour forger un point de rebroussement à la critique de la connaissance par elle-même. Pour rétablir les conditions d'une responsabilité dans le temps de l'action humaine. Pour préserver enfin l'horizon d'une attente propre à l'histoire. À moins qu'il ne s'agisse encore et plus simplement de savoir comment nous réveiller hors du monde de Max Weber.

Appendices

NOTES

Introduction
LA QUESTION DE L'ŒUVRE

1. Max Weber, « Die " Objektivität " sozialwissenschaftlicher und sozialpolitischer Erkenntnis » (1904), in *Gessammelte Aufsätze zur Wissenschaftslehre*, 2. Aufl., Tübingen, Mohr, 1951, p. 154. Trad., « L'objectivité de la connaissance dans les sciences et la politique sociales », in *Essais sur la théorie de la science*, traduit et introduit par Julien Freund, Paris, Plon, 1965, p. 130.

2. Lettre du 13 septembre 1907, citée par Marianne Weber, in *Max Weber. Ein Lebensbild*, 2ᵉ éd., Heidelberg, Lambert Schneider, 1950, trad. H. Zohn, *Max Weber, A Biography*, Introduction G. Roth, New York, Wiley, 1975, Reprint, New Brunswick, Oxford, Transaction Books, 1988, p. 380.

3. Leçon inaugurale pour la chaire d'économie politique de Fribourg-en-Brisgau, mai 1895, in Max Weber, *Gesammelte Politische Schriften*, 3, erneut vermehrte Auflage, herausgegeben von J. F. Winckelmann, Tübingen, Mohr, 1971, p. 12, trad. R. Kleinschmager, « L'État national et la politique économique », *La revue du MAUSS*, n° 3, 1989, p. 47.

4. Claude Lefort, *Le travail de l'œuvre Machiavel*, Paris, Gallimard, Bibliothèque de philosophie, 1972, p. 50. Les pages qui suivent doivent beaucoup à ce texte essentiel sur l'art de la lecture et le travail de l'interprétation.

5. On pourra se reporter aux remarques puissamment suggestives d'Ernst Cassirer, « La " tragédie de la culture " », in *Logique des sciences de la culture*, trad. J. Carro, Paris, Cerf, coll. Passages, 1991, NB, pp. 203-205.

6. Leo Strauss, « Qu'est-ce que l'éducation libérale ? », in *Le libéralisme antique et moderne*, trad. O. Berrichon Seyden, Paris, PUF, coll. Politique aujourd'hui, 1990, p. 19.

7. Pascal, *Pensées*, n° 294 (244), in *Œuvres complètes*, Paris, Gallimard, Bibliothèque de la Pléiade, 1954, p. 1163.

8. Voir Georges Steiner, *Réelles présences*, Les arts du sens, trad. M. R. de Pauw, Paris, Gallimard, 1991, p. 63.

9. Questions empruntées à Jean Leca qui dessine avec elles la forme de la « grande théorie politique », attachée à relier la description des processus à la prise en charge des problèmes de l'homme. Voir « La théorie politique », in Madeleine Grawitz et Jean Leca (dir.), *Traité de science politique*, vol. 1, PUF, 1985, p. 61.

10. Paul Ricœur, *Histoire et vérité*, Paris, Seuil, 1955, 2ᵉ éd. 1964, p. 38.

11. Paul Ricœur, « Hegel et Husserl sur l'intersubjectivité », in *Du texte à l'action*, Essais d'herméneutique, II, Paris, Seuil, coll. Esprit, 1986, p. 295. Voir *infra* chap. 1 pour le développement de cette hypothèse d'interprétation.

12. Hegel, *Fragments de la période de Berne*, trad. R. Legros et F. Verstraeten, introduction Robert Legros, Paris, Vrin, 1987, p. 102 (trad. modifiée).

13. *Ibid.*, p. 91.

14. Marx, « Pour une critique de la philosophie du droit de Hegel », trad. M. Rubel, in *Œuvres III. Philosophie*, Paris, Gallimard, Bibliothèque de la Pléiade, 1982, p. 384.

15. Max Weber, « Leçon inaugurale », *loc. cit.*, p. 59.

16. Hobbes, *Léviathan*, chap. XLIV, trad. F. Tricaud, Paris, Sirey, 1971, pp. 625-626.

17. Max Weber, « Wissenschaft als Beruf », in *Gessammelte Aufsätze zur Wissenschaftslehre, op. cit.*, p. 588, trad. « Le métier et la vocation de savant », in *Le savant et le politique*, trad. J. Freund, introduction Raymond Aron, Paris, Plon, 1959, p. 94.

Première partie
L'HISTOIRE EN PERSPECTIVE

PRÉAMBULE

1. Voir Raymond Aron, *Les étapes de la pensée sociologique*, Paris, Gallimard, 1967.

2. Voir Raymond Aron, *La philosophie critique de l'histoire*, Paris, Vrin, 1969.

3. Raymond Aron, *Mémoires*, Paris, Julliard, 1983, p. 70.

4. Karl Jaspers, allocution à la mémoire de Max Weber citée in Karl Löwith, *Max Weber and Karl Marx*, éd. T. Bottomore, trad. H. Fantel, Londres, George Allen & Unwin, 1982, pp. 23-24.

5. Voir Hans-Georg Gadamer, *Années d'apprentissage philosophique*, trad. E. Poulain, Paris, Criterion, 1992, NB., p. 238 s ; *L'art de comprendre, Écrits II*, Herméneutique et champ de l'expérience humaine, trad. I. Julien-Deygout, P. Forget, P. Fruchon, J. Grondin, J. Schouwey, Paris, Aubier, coll. Bibliothèque philosophique, 1991, pp. 112-113.

6. Voir aussi le témoignage de Karl Löwith, qui avait organisé la conférence de Max Weber « Politik als Beruf », lors du semestre d'hiver 1918-1919, in *Ma vie en Allemagne avant et après 1933*, trad. M. Lebedel, Paris, Hachette, 1988, pp. 32-33. Pour ce qui concerne l'entourage de Max Weber, ses relations aux différents cercles qu'il fréquentait et avec ses contemporains, on se reportera à Wolfgang Mommsen et Jürgen Osterhammel (éd.), *Max Weber and his contemporaries*, Londres, Allen & Unwin, 1987.

7. Max Weber, « L'État national et la politique économique », *loc. cit.*, p. 48. Trad. modifiée.

8. Voir, par exemple, « Politik als Beruf » (1919), in *Gesammelte Politische Schriften*, 2ᵉ éd., Tübingen, Mohr, 1958, p. 546, trad. J. Freund, in *Le savant et le politique*, Paris, Plon, 1959, p. 197.

9. L'expression est empruntée à Jacob P. Mayer, *Max Weber in German Politics* (1944), 2ᵉ éd., Londres, 1956, p. 109.

10. Formule due à Wolfgang J. Mommsen, *The Political and Social Theory of Max Weber*, Chicago, The University of Chicago Press, 1989, p. 26.

11. Eugène Fleischmann, « De Weber à Nietzsche », *Archives européennes de sociologie*, V (1964), pp. 190-238.

12. S'agissant de la France, un ouvrage fournit de précieuses indications : Michaël Pollak, « Max Weber en France, l'itinéraire d'une œuvre », Paris, CNRS, *Cahiers de l'IHTP*, n° 3, juillet 1986. Le matériau d'ensemble serait disponible dans Constans Seyfarth et Gert Schmitt, *Max Webers Bibliographie*, Stuttgart, Ferdinand Enke Verlag, 1977, qui devrait être actualisé.

13. Origine du débat par sa première édition (1959), somme documentaire et analytique, l'ouvrage de Wolfgang J. Mommsen, *Max Weber und die Deutsche Politik*, fait ici à tous égards référence. Voir sa traduction par J. Amsler, J.R. Amsler, D. Bechtel, M. T. Croÿ et C. Sauvat, *Max Weber et la politique allemande*, Paris, PUF, 1985. L'édition américaine du même ouvrage, *Max Weber and German Politics*, trad. M. S. Steinberg, Chicago, The University of Chicago Press, 1984, contient une précieuse postface consacrée à un état de la polémique : « Toward a New Interpretation of Max Weber. » Du même auteur on se reportera à *The Age of Bureaucracy*, Perspectives on the Political sociology of Max Weber, Oxford, Basil Blackwell, 1974. Pour une bibliographie plus complète, voir Pierre Bouretz, Compte-rendu de Wolfgang Mommsen, *Max Weber et la politique allemande*, op. cit., in *Revue française de sociologie*, XXVIII-1, janvier-mars 1987, pp. 150-157.

14. *Sociologie de Max Weber*, Paris, PUF, 1966 pour une présentation synthétique de la démarche.

15. *Max Weber*, An Intellectual Portrait (1960), 2ᵉ éd., Berkeley, Los Angeles, Londres, University of California Press, 1977, qui développe une ample analyse thématique.

16. *The Iron Cage*, An Historical Interpretation of Max Weber, New York, Knopf, 1970, où l'on opte pour une lecture historique et psychanalytique.

17. Outre les ouvrages cités, voir *La sociologie allemande contemporaine* (1935), Paris, PUF, 1981.

18. Voir Philippe Raynaud, *Max Weber et les dilemmes de la raison moderne*, Paris, PUF, 1987.

19. Opposition empruntée à Eugène Fleischmann, « De Weber à Nietzsche », *loc. cit.*, p. 192.

20. Leo Strauss, *Droit naturel et histoire* (1953), trad. M. Nathan et E. de Dampierre, Paris, Plon, 1954, p. 51.

21. Max Weber, « L'objectivité de la connaissance dans les sciences et la politique sociales », *loc. cit.*, in *Essais sur la théorie de la science, op. cit.*, p. 174.

22. Raymond Aron, *La philosophie critique de l'histoire, op. cit.*, pp. 290-291.

23. Voir Raymond Aron, Introduction à Max Weber, *Le savant et le politique*, Paris, Plon, 1959, pp. 56-57.

I. UNE RIPOSTE AU DÉFI DE LA *PHÉNOMÉNOLOGIE DE L'ESPRIT*

1. Voir Paul Ricœur, « Hegel et Husserl sur l'intersubjectivité », in *Du texte à l'action*, Essais d'herméneutique, II, Paris, Seuil, 1986, pp. 281-302.

2. Lettre de Max Weber à F. Eulenburg, 11 mai 1909, citée par Wolfgang Schluchter qui suggère que Weber « déguise » sa critique de Hegel, Marx et Dilthey derrière celle de leurs épigones. Voir Wolfgang Schluchter, *Die Entwicklung des okzidentalen Rationalismus*, Tübingen, J. C. B. Mohr (Paul Siebeck), 1979, p. 34.

3. « Roscher und Knies und die logischen Probleme der historischen Nationalökonomie » (1903-1906), *Gesammelte Aufsätze zur Wissenschaftslehre, op. cit.*, pp. 1-45.

4. *Ibid.*, pp. 15-16. Cité d'après la traduction de Jean-Marie Vincent, *Fétichisme et société*, Paris, Anthropos, 1973, pp. 174-175. Voir sur ce point Philippe Raynaud, « Max Weber et le problème de l'historicisme », *Archives de philosophie du droit*, t. 30, La jurisprudence, Paris, Sirey, 1985.

5. « L'objectivité de la connaissance dans les sciences et la politique sociales », *loc. cit.*, in *Essais sur la théorie de la science, op. cit.*, p. 175.

6. *Ibid.*, p. 175.

7. *Ibid.*, p. 171.

8. « Roscher und Knies und die logischen Probleme der historischen National-lökonomie », *op. cit.*, p. 30. Dans la même voie, Max Weber dénonce « l'indéracinable tendance moniste qui caractérise toute connaissance réfractaire à la critique d'elle-même », « L'objectivité de la connaissance dans les sciences et la politique sociales », *loc. cit.*, in *Essais sur la théorie de la science, op. cit.*, p. 148. On notera que, dirigée contre Marx, cette dernière critique se retourne aussitôt contre les théories « anthropologiques » de la puissance nationale associées à la notion de « race ».

9. Philippe Raynaud, « Max Weber et le problème de l'historicisme », *loc. cit.*, p. 300. Ajoutons qu'à ce niveau, l'attitude de Weber s'apparente implicitement à un retour vers Kant contre Hegel, mobilisant la logique suivante : traitement des dualismes rencontrés comme des antinomies selon le schéma de la critique de l'illusion transcendantale et poursuite de cette critique jusqu'au point où est maintenue la différence entre phénomènes et concepts.

10. Sur ces deux dimensions de la critique de l'historicisme et leur articulation, cf. Luc Ferry, *Philosophie politique*, II, Le Système des philosophies de l'histoire, Paris, PUF, 1984, pp. 7-38.

11. Hannah Arendt, « Compréhension et politique » (1953), in *La nature du totalitarisme*, trad. Michèle-Irène B. de Launay, Paris, Payot, 1990, pp. 54-55.

12. Luc Ferry, *Philosophie politique 2, op. cit.*, pp. 31-32.

13. *Einleitung in die Geisteswissenschaften* (1883), imparfaitement traduite sous le titre d'*Introduction à l'étude des sciences humaines*, par L. Sauzin, Paris, PUF, 1942. Sur Dilthey, voir l'ouvrage de Sylvie Mesure, *Dilthey et la fondation des sciences historiques*, Paris, PUF, coll. Sociologie, 1990.

14. Raymond Aron, *La philosophie critique de l'histoire, op. cit.*, p. 23.

15. Max Weber, « L'objectivité de la connaissance dans les sciences et la politique sociales », *loc. cit.*, in *Essais sur la théorie de la science, op. cit.*, pp. 171-172.

16. *Introduction aux sciences de l'esprit, op. cit.*, p. 15. Voir les développements de Sylvie Mesure, *op. cit.*, pp. 95-100.

17. *Der Aufbau der geschichtlichen Welt in den Geisteswissenschaften*, trad. S. Mesure, Paris, éd. du Cerf, 1988.

18. Raymond Aron, *La philosophie critique de l'histoire, op. cit.*, p. 105.

19. *Id.*

20. Philippe Raynaud, *Max Weber et les dilemmes de la raison moderne, op. cit.*, p. 45.

21. Max Weber, *Wirtschaft und Gesellschaft*, Tübingen, Mohr, 1956, trad. J. Freund, P. Kamnitzer, P. Bertrand, E. de Dampierre, J. Maillard et J. Chavy, *Économie et société*, Paris, Plon, 1971, p. 4.

22. Max Weber, « Über einige Kategorien der verstehenden Soziologie » (1913), *Gessammelte Aufsätze zur Wissenschaftslehre, op. cit.*, p. 105, trad. J. Freund, « Essai sur quelques catégories de la sociologie compréhensive », in *Essais sur la théorie de la science, op. cit.*, p. 345.

23. *Ibid.*, p. 347.

24. Max Weber, *Économie et société, op. cit.*, p. 4.

25. Selon la typologie wébérienne de l'activité qui distingue l'Activité rationnelle par rapport à une fin (*zweckrational*), l'Activité rationnelle en valeur (*wertrational*) et l'Activité traditionnelle (*traditional*) ou affectuelle (*affektuel*). Cf. *Économie et société, op. cit.*, p. 22.

26. *Économie et société, op. cit.*, p. 4.

27. *Ibid.*, p. 8. Sur la dérivation de l'explication à partir du « sens visé », et donc la différence entre ce type d'analyse et celle qui travaille sur des « conditions psychiques » de l'action (psychologie), voir « La sociologie compréhensive », *loc. cit.*, in *Essais sur la théorie de la science, op. cit.*, p. 334.

28. « La sociologie compréhensive », *loc. cit.*, p. 327.

29. Exemples du bûcheron ou de l'individu effectuant un calcul, traités in *Économie et société, op. cit.*, p. 7.

30. Exemple de la mère giflant son enfant, développé à partir de la question de l'autocompréhension (réponse à la question « Pourquoi ai-je agi ainsi ? »), in « Kritische Studien auf dem Gebiet der Kulturwissenschaftlichen Logik » (1906), in *Gessammelte Aufsätze zur Wissenschaftslehre, op. cit.*, trad., « Études critiques pour servir à la logique des sciences de la " culture " », *loc. cit.*, in *Essais sur la théorie de la science, op. cit.*, pp. 309-310.

31. Voir le célèbre exemple de la bataille de Marathon, *ibid.*, pp. 300-302.

32. L'exemple est emprunté à l'*Histoire de l'Antiquité* d'Édouard Meyer, *Geschichte des Altertums*, 5 vol., 1884-1902, t. IV. Weber le présente et le discute dans ses « Études critiques pour servir à la logique des sciences de la " culture " », *loc. cit.*, in *Essais sur la théorie de la science, op. cit.*, pp. 300-306.

33. *Ibid.*, pp. 300-301. On notera l'importance de l'inclusion par Weber de l'orientation vers les « biens de ce monde » dans la définition de « l'esprit hellénique libre ». C'est cette orientation en effet qui sera au cœur des analyses de *L'éthique protestante*, lorsqu'il s'agira de saisir l'origine des valeurs liées à l'accumulation des biens matériels, composante centrale du rationalisme occidental.

34. *Ibid.*, p. 300.

35. *Ibid.*, p. 303.

36. *Ibid.*, p. 305.

37. *Ibid.*, p. 319.

38. Raymond Aron, *La philosophie critique de l'histoire, op. cit.*, p. 235.

39. Weber le signale d'ailleurs directement en indiquant que la catégorie de « possibilité objective » est empruntée à la physiologie de von Kries et à ses applications pratiques, en criminologie notamment. Voir « Études critiques pour servir à la logique des sciences de la " culture " », *loc. cit.*, in *Essais sur la théorie de la science, op. cit.*, p. 294. Ce qui permet d'ailleurs de préciser son statut exact de catégorie « constitutive », c'est-à-dire qui « se donne pour fonction de déterminer la sélection des chaînons de causalité à recueillir dans l'exposé historique » (*ibid.*, p. 295.).

40. Voir les analyses de Philippe Raynaud, in *Max Weber et les dilemmes de la raison moderne, op. cit.*, pp. 43-49.

41. « Études critiques pour servir à la logique des sciences de la " culture " », *loc. cit.*, in *Essais sur la théorie de la science, op. cit.*, p. 232.

42. *Ibid.*, p. 235. Je souligne.

43. « L'objectivité de la connaissance dans les sciences et la politique sociales », *ibid.*, p. 181.

44. Il faut alors se souvenir qu'il en va ainsi de tous les éléments qui concourent à la catégorie de « possibilité objective ». Dans cette perspective, les « lois » que peuvent déceler les sciences de l'esprit, lois au sens faible de « régularités » à la

différence de celles que construisent les sciences de la nature, n'indiquent jamais
« le but, mais un moyen de la connaissance » (*ibid.*, p. 165).

45. *Ibid.*, p. 193.

46. Voir sur ce point, par exemple, les « Études critiques pour servir à la
logique des sciences de la " culture " », *loc. cit.*, in *Essais sur la théorie de la
science, op. cit.*, p. 270.

47. « L'objectivité de la connaissance dans les sciences et la politique
sociales », *ibid.*, p. 194.

48. *Ibid.*, p. 200. Dans le même texte, Weber avait déjà tracé de manière plus
large les lignes de sa critique de Marx. Entre le rejet du « préjugé désuet suivant
lequel la totalité des manifestations d'ordre culturel se laisserait *déduire* comme
produit et comme fonction de constellations d'intérêts " matériels " », et le souci
qui demeure légitime d'une « *interprétation* économique de l'histoire ». *Ibid.*,
p. 147.

49. Ces remarques renvoient à Paul Ricœur, *Temps et récit*, t. I, Paris, Seuil,
1983, pp. 256-269.

50. *Ibid.*, pp. 239-246. À partir d'une lecture de Paul Veyne, *Comment on écrit
l'histoire*, Paris, Seuil, 1971.

51. Max Weber, « Études critiques pour servir à la logique des sciences de la
" culture " », *loc. cit.*, in *Essais sur la théorie de la science, op. cit.*, p. 291.

52. Voir sur ce point Raymond Aron, *Introduction à la philosophie de l'histoire*, Essais sur les limites de l'objectivité historique, Paris, Gallimard, 1938,
nouvelle édition, coll. Bibliothèque des sciences humaines, 1986, p. 170 s.

53. « L'objectivité de la connaissance dans les sciences et la politique
sociales », *loc. cit.*, in *Essais sur la théorie de la science, op. cit.*, p. 212.

54. *Ibid.*, p. 213.

55. Le raisonnement qui suit s'appuie sur les analyses de Paul Ricœur, « La
raison pratique », in *Du texte à l'action*, Essais d'herméneutique, II, *op. cit.*,
pp. 251-259.

56. Voir la critique de la liberté sans médiation comme conduisant à la Terreur,
puis celles de la « vision morale du monde » et de la « belle âme » au chapitre VI
de la *Phénoménologie de l'esprit*. L'opposition et l'articulation entre *Sittlichkeit*
et *Moralität* sont notamment posées au § 33 des *Principes de la philosophie du
droit*, trad. R. Derathé, Paris, Vrin, 1982.

57. Voir la troisième partie des *Principes de la philosophie du droit* (La vie
éthique) ainsi que les §§ 431 à 453 de l'*Encyclopédie* de 1817, in *Philosophie de
l'esprit*, trad. B. Bourgeois, Paris, Vrin, 1988, pp. 157-164. On pourra se reporter
à l'analyse que donne de cet enchaînement (et du réinvestissement de la question
de la liberté) Eugène Fleischmann, *La philosophie politique de Hegel*, Paris, Plon,
coll. Recherches en sciences humaines, 1964, p. 179 s.

58. Voir Paul Ricœur, « La raison pratique », in *Du texte à l'action, op. cit.*,
pp. 253-255.

59. *Ibid.*, p. 255.

60. *Id.*

61. Voir Paul Ricœur, « Hegel et Husserl sur l'intersubjectivité », in *Du texte
à l'action, op. cit.*, pp. 281-302.

62. Edmund Husserl, *Méditations cartésiennes*. Introduction à la phénoménologie (1929), trad. G. Peiffer et E. Lévinas, Paris, Vrin, 1969.

63. Paul Ricœur, « Hegel et Husserl sur l'intersubjectivité », in *Du texte à
l'action, op. cit.*, p. 292.

64. *Ibid.*, p. 282.

65. *Id.*

66. Hegel, *Phénoménologie de l'esprit*, trad. J. Hyppolite, Paris, Aubier Montaigne, 1941, t. 2, p. 9.

67. Edmund Husserl, *Méditations cartésiennes*, *op. cit.*, p. 114.

68. Paul Ricœur, « Hegel et Husserl sur l'intersubjectivité », in *Du texte à l'action, op. cit.*, p. 295.

69. Voir l'analyse des *Méditations cartésiennes*, *op. cit.*, pp. 102-103.

70. *Ibid.* La notion est développée pp. 98-99.

71. *Ibid.*, p. 103.

72. *Ibid.*, p. 107. Sur ce raisonnement, voir aussi Paul Ricœur, *À l'école de la phénoménologie*, Paris, Vrin, 1980, et *Soi-même comme un autre*, Paris, Seuil, 1990, pp. 382-389.

73. Husserl, *Méditations cartésiennes*, *op. cit.*, p. 98.

74. *Ibid.*, p. 104.

75. *Ibid.*, p. 106.

76. *Ibid.*, pp. 108-109.

77. *Ibid.*, p. 109.

78. *Id.* L'expression « condition transcendantale » est à entendre en son sens fort de condition de possibilité.

79. *Ibid.*, p. 111.

80. *Ibid.*, p. 112.

81. *Id.* On notera que l'échelle husserlienne qui monte de l'action individuelle à l'action sociale et structure la gradation entre communauté et communauté sociale est analogue à celle que met en place la typologie wébérienne des formes d'activité déjà rencontrée.

82. Husserl, *Méditations cartésiennes*, *op. cit.*, p. 112.

83. *Ibid.*, p. 113.

84. *Ibid.*, p. 115.

85. Husserl, *Die Krisis der Europaischen Wissenschaften und die Tranzendentale Phaenomenologie*, trad. G. Granel, Paris, Gallimard, 1976, *La crise des sciences européennes et la phénoménologie transcendantale*, p. 138.

86. *Id.*

87. *Ibid.*, pp. 118 et 139. Notons toutefois que ce thème, en 1935-1936, semble indiquer un point de rebroussement qui éloignerait considérablement Husserl de Weber. Il faut se souvenir en effet que l'intention de la *Krisis* demeure de maintenir le point de vue de la philosophie défendu par les « fonctionnaires de l'Humanité » (p. 23) contre la dissolution qu'opère le positivisme par l'identification de l'objectivité aux seuls faits (voir les §§ 2-7).

88. Paul Ricœur, *Du texte à l'action, op. cit.*, p. 296.

89. *Ibid.*, p. 295.

90. *Méditations cartésiennes*, *op. cit.*, p. 113.

91. Ce point est bien mis en lumière par Eugène Fleischmann in *La philosophie politique de Hegel*, *op. cit.*, p. 183.

92. Husserl, *Méditations cartésiennes*, *op. cit.*, p. 114.

93. Que ce « point zéro » où s'origine la connaissance ne doive être situé que dans le regard du savant, Weber le montre en réfutant l'idée qu'il puisse se loger dans des « états originels » conçus comme « dépouillés de tout " accident " historique ». Voir « L'objectivité de la connaissance dans les sciences et la politique sociales », *loc. cit.*, in *Essais sur la théorie de la science, op. cit.*, p. 155. Sont ici visées les théories du droit naturel – et en leur sein l'idée d'un état de nature – ou les anthropologies fondamentales qui cernent un moment initial par rapport auquel le développement historique se concevrait comme « chute dans le concret ».

94. Ainsi notamment dans l'analyse de l'exemple de la bataille de Marathon,

in Max Weber, « Études critiques pour servir à la logique des sciences de la " culture " », *loc. cit.*, in *Essais sur la théorie de la science, op. cit.*, pp. 304-308.

95. On songe particulièrement à la manière dont Weber problématise la différence entre le « jugement de valeur », que la science doit évacuer pour être objective, et le « rapport aux valeurs », qu'elle ne peut éviter puisqu'il « commande la sélection et la formation de l'objet d'une recherche empirique ». Cf. « Der Sinn der " Wertfreiheit " der soziologischen und ökonomischen Wissenschaften » (1917), in *Gessammelte Aufsätze zur Wissenschaftslehre, op. cit.*, trad. « Essai sur le sens de la " neutralité axiologique " dans les sciences sociologiques et économiques », in *Essais sur la théorie de la science, op. cit.*, p. 434. Voir sur ce point les remarques de Jean Leca, in « La théorie politique », *Traité de science politique, op. cit.*, pp. 144-145, et celles de Philippe Raynaud, in *Max Weber et les dilemmes de la raison moderne, op. cit.*, pp. 35-37.

96. Lettre citée par Raymond Boudon et François Bourricaud, en épigraphe du *Dictionnaire critique de la sociologie*, Paris, PUF, 1982. Dans l'article Individualisme du même ouvrage, ces auteurs analysent les conséquences d'une telle position. Voir aussi Philippe Raynaud, *Max Weber et les dilemmes de la raison moderne, op. cit.*, pp. 93-111. On trouvera la même thèse dans l'« Essai sur quelques catégories de la sociologie compréhensive », *loc. cit.*, in *Essais sur la théorie de la science, op. cit.*, p. 345, ou encore dans *Économie et société, op. cit.*, pp. 4-19.

97. Paul Ricœur, *Du texte à l'action, op. cit.*, p. 297.

98. Hegel, *Principes de la philosophie du droit, op. cit.*, respectivement § 261, add., p. 266 et § 265, add., p. 268.

99. Max Weber, *Économie et société, op. cit.*, p. 4.

100. Paul Ricœur, *op. cit.*, p. 298.

101. *Id.*

102. Max Weber, *Économie et société, op. cit.*, p. 24. On ne saurait trop insister sur le fait que l'ensemble du paragraphe renforce cette idée d'une réduction à la probabilité des comportements objectivés dans et par les institutions. Au point que Weber en vient à l'identifier avec la définition même de la relation sociale qui « *consiste* donc essentiellement et exclusivement dans la *chance* que l'on agira socialement d'une manière (significativement) exprimable, sans qu'il soit nécessaire de préciser d'abord sur quoi cette chance repose ». *Idem.*

103. Soit, à titre d'illustration, la définition de la domination (*Herrschaft*) comme « chance de trouver des personnes déterminées prêtes à obéir à un ordre (*Befehl*) déterminé ». Et la précision qu'apporte aussitôt Weber quant au fait que « le concept sociologique de domination ne peut que signifier la chance pour un ordre de rencontrer une docilité ». *Économie et société, op. cit.*, p. 56.

104. *Ibid.*, pp. 219-220.

105. Kant, *Critique de la raison pratique*, trad. L. Ferry et H. Wismann, Paris, Gallimard, *Œuvres philosophiques*, II, pp. 644-645. On se souvient que Kant revient sur cette question au § 91 de la *Critique de la faculté de juger*, lorsqu'il pose que « parmi toutes les idées de la raison pure (la liberté) est la seule dont l'objet soit un fait ». Entre de multiples commentaires, voir Alexis Philonenko, *L'œuvre de Kant*, t. 2, Paris, Vrin, 1988, pp. 102-105. Et, sur le problème associé à cette thèse, Paul Ricœur, *Soi-même comme un autre, op. cit.*, pp. 247-250.

106. L'expression est empruntée à Alain Renaut, *Le système du droit*, Philosophie et droit dans la pensée de Fichte, Paris, PUF, 1986, chap. II de la deuxième partie, p. 190 s. Elle désigne l'entreprise conduite sous le registre de la « déduction transcendantale » du concept de droit dans les *Fondements du droit naturel selon les principes de la doctrine de la science* de Fichte, trad. A. Renaut, Paris, PUF, 1984, § 5, théorème 4.

107. On trouvera une présentation de la discussion chez Karl Otto Apel, *Normative Begründung der « Kritischen Theorie » durch Rekurs auf lebensweltliche Sittlichkeit ? Ein transzendentalpragmatisch orientierter Versuch, mit Habermas gegen Habermas zu denken*, trad. M. Charrière, *Penser avec Habermas contre Habermas*, Paris, éd. de l'Éclat, 1990. Ajoutons que l'entreprise de Jean-Marc Ferry dans *Les puissances de l'expérience*, Paris, Cerf, 1991, 2 vol., s'inscrit elle aussi très exactement dans ce cadre.

108. Voir Hans Jonas, *Das Prinzip Verantwortung*, trad. J. Greisch, *Le principe responsabilité*, Une éthique pour la civilisation technologique, Paris, Cerf, 1990.

109. Raymond Aron, *La philosophie critique de l'histoire, op. cit.*, p. 227.

II. LA MODERNITÉ COMME DÉSENCHANTEMENT

1. Leo Strauss, *Droit naturel et histoire, op. cit.*, p. 79.

2. *Ibid.*, pp. 78-79.

3. « Études critiques pour servir à la logique des sciences de la " culture " », *loc. cit.*, in *Essais sur la théorie de la science, op. cit.*, p. 220.

4. *Ibid.*, p. 221.

5. Leo Strauss, *Droit naturel et histoire, op. cit.*, p. 79.

6. Jürgen Habermas, *Zur Logik der Sozialwissenschaften*, trad. R. Rochlitz, *Logique des sciences sociales et autres essais*, Paris, PUF, 1987, p. 23.

7. Max Weber, « L'objectivité de la connaissance dans les sciences et la politique sociales », *loc. cit.*, in *Essais sur la théorie de la science, op. cit.*, pp. 152-153.

8. *Id.* « Essai sur le sens de la " neutralité axiologique " dans les sciences sociologiques et économiques », *ibid.*, p. 472.

9. Exemple développé dans le même opuscule, pp. 456-457. Weber précisera plus loin que « l'usage *légitime* du concept de progrès dans nos disciplines est donc partout et sans exception lié au " technique ", c'est-à-dire [...] à la notion de " moyen " approprié à une fin *donnée* univoquement. Jamais il ne s'élève à la sphère des *évaluations ultimes* », *ibid.*, p. 462.

10. *Ibid.*, p. 470.

11. *Ibid.*, p. 451.

12. « Études critiques pour servir à la logique des sciences de la " culture " », *loc. cit.*, in *Essais sur la théorie de la science, op. cit.*, pp. 261-271.

13. *Ibid.*, p. 270.

14. « Essai sur le sens de la " neutralité axiologique " dans les sciences sociologiques et économiques », *ibid.*, p. 434.

15. W. G. Runciman, *Social Science and Political Theory*, Cambridge, Cambridge University Press, 1969, p. 59. Le même auteur a par ailleurs développé une critique plus complète des différents moments de la théorie wébérienne des valeurs dans *A Critique of Max Weber's Philosophy of Social Science*, Cambridge, Cambridge University Press, 1972. On trouvera une analyse de cette critique chez Jean Leca, « La théorie politique », *loc. cit.*, in *Traité de science politique*, vol. 1, *op. cit.*, p. 146.

16. Jürgen Habermas, *Logique des sciences sociales, op. cit.*, pp. 24-25.

17. Max Weber, « Essai sur le sens de la " neutralité axiologique " dans les sciences sociologiques et économiques », *loc. cit.*, in *Essais sur la théorie de la science, op. cit.*, p. 419.

18. *Id.* « L'objectivité de la connaissance dans les sciences et la politique sociales », *ibid.*, p. 167.

19. *Id.* Weber affirme ailleurs que c'est la reconnaissance de ces « points de vue » et leur déplacement qui permettent à une science de se fonder ou de pro-

gresser, et non les considérations purement épistémologiques. Voir « Études critiques pour servir à la logique des sciences de la " culture " », *ibid.*, p. 221.

20. « L'objectivité de la connaissance dans les sciences et la politique sociales », *ibid.*, p. 145.

21. Philippe Raynaud, *Max Weber et les dilemmes de la raison moderne*, *op. cit.*, p. 65.

22. Kant, *Idée d'une histoire universelle au point de vue cosmopolitique*, trad. L. Ferry, in *Œuvres philosophiques*, *op. cit.*, t. 2, p. 188.

23. *Ibid.*, p. 189. Ajoutons que cette indétermination serait d'autant plus désolante qu'elle renvoie à une description du spectacle de l'histoire empirique qui n'a rien à envier à celle de Hegel, lorsque Kant écrit des hommes : « On ne peut se défendre d'une certaine humeur lorsqu'on voit exposés leurs faits et gestes sur la grande scène du monde et que, à côté de quelques manifestations de sagesse ici ou là pour certains cas particuliers, on ne trouve pourtant dans l'ensemble, en dernière analyse, qu'un tissu de folie, de vanité infantile, souvent même de méchanceté et de soif de destruction puériles. »

24. *Id.* En précisant aussi que cette recherche ne semble permise que rétrospectivement, à la manière de Kant lui-même s'interrogeant dans le *Conflit des facultés* sur la possibilité de découvrir des signes historiques d'une tendance morale de l'humanité et pensant les trouver dans la Révolution française.

25. Hegel, *Leçons sur la philosophie de l'histoire*, trad. J. Gibelin, Paris, Vrin, 1963, p. 26.

26. Hegel, *Phénoménologie de l'esprit*, *op. cit.*, II, p. 189.

27. Hegel, *Leçons sur la philosophie de l'histoire*, *op. cit.*, p. 31.

28. *Ibid.*, p. 32.

29. *Principes de philosophie du droit*, *op. cit.*, p. 55. Formule reprise et développée quelques années plus tard dans l'introduction à l'*Encyclopédie* de 1817. Voir *La Science de la logique*, trad. B. Bourgeois, Paris, Vrin, 1970, p. 169. Pour un essai de présentation plus complète de ce conflit, voir Pierre Bouretz, « Histoire et utopie », *Esprit*, mai 1992, pp. 119-133.

30. Voir sur ce point les analyses de Jean Hyppolite, *Genèse et structure de la Phénoménologie de l'esprit de Hegel*, Paris, Aubier Montaigne, 1946, chap. 2, NB, p. 31 s.

31. Ce qui fait écrire à Philippe Raynaud que cette typologie a une signification « quasi transcendantale », *Max Weber et les dilemmes de la raison moderne*, *op. cit.*, p. 126. On relèvera que cette construction typologique semble inclure d'elle-même quelque chose comme un « fil conducteur » lorsqu'elle suggère un glissement historique (un progrès ?) entre les activités traditionnelles ou affectives d'une part et les deux formes d'activité rationnelle (en finalité ou en valeur) d'autre part.

32. « L'objectivité de la connaissance dans les sciences et la politique sociales », *loc. cit.*, in *Essais sur la théorie de la science*, *op. cit.*, pp. 131-132.

33. « Essai sur le sens de la " neutralité axiologique " dans les sciences sociologiques et économiques », *ibid.*, p. 454.

34. *Gesammelte Aufsätze zur Religionssoziologie,* B. I., Tübingen, Mohr, 1947. 12. Trad. J. Chavy en avant-propos de *L'éthique protestante et l'esprit du capitalisme*, Paris, Plon, 1964, p. 24.

35. Max Weber, *Économie et société*, *op. cit.*, p. 535. L'universalité du thème est d'autant plus flagrante que Weber vient de souligner la relativité des associations entre les grandes configurations religieuses : « Toutes les conceptions éthiques d'un Dieu n'ont pas conduit au monothéisme éthique. Toutes [les religions] qui tendent vers le monothéisme ne reposent pas sur un accroissement du contenu éthique de la conception de Dieu, et toute éthique religieuse n'a pas

forcément donné naissance à un Dieu personnel, transcendant, créateur de l'univers à partir du néant et dont il est le seul maître. »

36. *Theorie des kommunikativen Handels*, Francfort, Suhrkamp, 1981, trad. J.-M. Ferry, *Théorie de l'agir communicationnel*, 2. vol, Paris, Fayard, 1987.

37. Paul Ricœur, *Histoire et vérité*, Paris, Seuil, 1955, p. 37.

38. *Id.*

39. *Ibid.*, p. 38.

40. *Id.*

41. Paul Ricœur, « Hegel et Husserl sur l'intersubjectivité », *loc. cit.*, in *Du texte à l'action*, *op. cit.*, p. 300.

42. Jean-Marc Ferry, « Habermas et le modèle de la discussion », *Information sur les sciences sociales*, vol. 25, n° 1, Londres, Sage, 1985, pp. 37-38. Voir aussi les remarques de Philippe Raynaud, *Max Weber et les dilemmes de la raison moderne*, *op. cit.*, pp. 142-145.

43. Paul Ricœur, « Hegel et Husserl sur l'intersubjectivité », *loc. cit.*, in *Du texte à l'action*, *op. cit.*, p. 301.

44. *Max Weber et les dilemmes de la raison moderne*, *op. cit.*, p. 145.

45. On songe, outre l'interprétation de Leo Strauss, à celle que développe Eugène Fleischmann, « De Weber à Nietzsche », *loc. cit.*, pp. 228-238.

46. Marcel Gauchet, *Le désenchantement du monde*, Une histoire politique de la religion, Paris, Gallimard, coll. Bibliothèque des sciences humaines, 1985, p. 302.

47. Max Weber, « Wissenschaft als Beruf » (1919), in *Gessammelte Aufsätze zur Wissenschaftslehre*, Tübingen, Mohr, 1951, trad. J. Freund, « le métier et la vocation de savant », in *Le savant et le politique*, Introduction Raymond Aron, Paris, Plon, 1959, p. 84. Je souligne.

48. « L'objectivité de la connaissance dans les sciences et la politique sociales », *loc. cit.*, in *Essais sur la théorie de la science*, *op. cit.*, pp. 166-167.

49. « Essai sur le sens de la " neutralité axiologique " dans les sciences sociologiques et économiques », *ibid.*, p. 427.

50. *Ibid.*, p. 428. Je souligne.

51. *Id.*

52. « L'objectivité de la connaissance dans les sciences et la politique sociales », *ibid.*, p. 130.

53. « Le métier et la vocation de savant », *loc. cit.*, in *Le savant et le politique*, *op. cit.*, p. 79.

54. Voir sur ce point les belles analyses de George Steiner, in *Les Antigones*, trad. P. Blanchard, Paris, Gallimard, 1986, pp. 25-28, et Pierre Bouretz, « Histoire et utopie », *loc. cit.*, pp. 121-122.

55. Max Weber, « Le métier et la vocation de savant », *loc. cit.*, in *Le savant et le politique*, *op. cit.*, p. 81.

56. Max Weber, *Die protestantische Ethik und der " Geist " des Kapitalismus* (1905), in *Gesammelte Aufsätze sur Religionssoziologie*, Tübingen, Mohr, 1947, trad. J. Chavy, *L'éthique protestante et l'esprit du capitalisme*, Paris, Plon, 1964, p. 249.

57. *Ibid.*, p. 250.

58. « Le métier et la vocation de savant », *loc. cit.*, in *Le savant et le politique*, *op. cit.*, p. 94.

59. *Id.*

60. *Ibid.*, pp. 94-95.

61. *Ibid.*, p. 95.

62. *Id.*

63. Jürgen Habermas, « La modernité : un projet inachevé », discours du Prix

Adorno, 11 septembre 1980, trad. G. Raulet, *Critique* n° 413, octobre 1981, pp. 950-967.

64. Sur la figure du « visage de Janus », cf. Theodor W. Adorno, *Minima moralia*, Francfort, Suhrkamp, 1951, trad. E. Kaufholz et J.-R. Ladmiral, Paris, Payot, 1980, p. 58. Ce passage doit beaucoup aux analyses de J.-M. Ferry, *Habermas. L'éthique de la communication, op. cit.*, pp. 223-277.

65. Max Horkheimer, Theodor W. Adorno, *Dialektic der Aufklärung. Philosophische Fragmente*, 1944, nouvelle édition Francfort, S. Fischer Verlag, 1969, trad. E. Kaufholz, *La dialectique de la raison*, Paris, Gallimard, 1974, p. 29.

66. *Ibid.*, p. 21.

67. *Ibid.*, p. 23.

68. *Ibid.*, p. 27.

69. *Ibid.*, p. 29.

70. Jean-Marc Ferry, *op. cit.*, p. 250.

71. Walter Benjamin, *Sens unique*, Enfance berlinoise, trad. J. Lacoste, Paris, Les Lettres nouvelles, 1978, p. 242.

72. Theodor W. Adorno, *Minima moralia, op. cit.*, p. 58.

73. Claude Lefort, article Marx, in *Dictionnaire des œuvres politiques*, F. Châtelet, O. Duhamel, E. Pisier (dir.), Paris, PUF, 2ᵉ éd., 1989, p. 678.

74. Paul Ricœur, *Soi-même comme un autre, op. cit.*, pp. 24-25.

75. Outre la critique d'ensemble développée dans *Droit naturel et histoire*, voir sur ce point la problématique qu'il engage : « Un épilogue », in *Le libéralisme antique et moderne*, trad. O. Berrichon Sedeyn, Paris, PUF, 1990, pp. 293-322.

76. On trouvera une problématique critique de cette perspective, restituée dans son histoire intellectuelle, chez Claude Lefort, « L'idée d'humanité et le projet de paix universelle », *Diogène*, n° 135, juillet-septembre 1986, repris in *Écrire*, À l'épreuve du politique, Paris, Calmann-Lévy, 1992, pp. 226-246.

77. Sur cette problématique, voir le n° 45-2 des *Archives de philosophie*, avril-juin 1982, et notamment Miguel Abensour, « La théorie critique : une pensée de l'Exil ? », Luc Ferry et Alain Renaut, « Max Horkheimer et l'Idéalisme allemand », et Jacques Rivelaygue, « Habermas et le maintien de la philosophie ».

78. « L'objectivité de la connaissance dans les sciences et la politique sociales », *loc. cit.*, in *Essais sur la théorie de la science, op. cit.*, p. 129.

79. Claude Lefort, article Marx, *loc. cit.*, in *Dictionnaire des œuvres politiques, op. cit.*, p. 672.

80. *Id.*

Deuxième partie

LE MONDE COMME PROBLÈME

PRÉAMBULE

1. Max Weber, « Remarques préliminaires » (*Vorbemerkungen*) aux *Écrits sur la sociologie de la religion* (1920), *Gessammelte Aufsätze zur Religionssoziologie, op. cit.*, p. 1, trad. in *L'éthique protestante et l'esprit du capitalisme, op. cit.*, p. 11. Ces deux paragraphes sont nourris des éléments accumulés par Max Weber dans les pages de ce texte qui suivent la citation, *ibid.*, pp. 11-15.

2. *Essais sur la théorie de la science, op. cit.*, pp. 454-455.

3. « Remarques préliminaires », *loc. cit.*, in *L'éthique protestante et l'esprit du capitalisme, op. cit.*, p. 24.

4. *Id.*

5. Max Weber, « Die Wirtschaftsethik der Weltreligionen », *Gessammelte Aufsätze zur Religionssoziologie, op. cit.*, vol. 1, p. 265, trad. H. H. Gerth et C. Wright Mills, « The Social Psychology of the World Religions », in *From Max Weber, Essays in Sociology*, Londres, Routledge & Kegan Paul, 1948, p. 293. Ce texte fut rédigé en 1913 et publié pour la première fois en septembre 1915 dans le vol. 41 de l'*Archiv für Sozialforschung*.

6. *Ibid.*, p. 294.

7. Typologie construite par Guenther Roth et Wolfgang Schluchter, *Max Weber's Vision of History, Ethics and Methods*, Berkeley, Los Angeles, Londres, University of California Press, 1979, pp. 14-15.

8. Voir sur ce point Jürgen Habermas, *Théorie de l'agir communicationnel, op. cit.*, t. 1, pp. 182-188.

9. *Économie et société, op. cit.*, p. 63.

10. *Ibid.*, p. 64.

11. Voir la définition du « progrès technique » à partir du comportement orienté dans le sens d'une « plus grande justesse technique », in Max Weber, *Essais sur la théorie de la science, op. cit.*, p. 456.

12. *Économie et société, op. cit.*, p. 28.

13. *Ibid.*, p. 567.

14. Jürgen Habermas, *Théorie de l'agir communicationnel, op. cit.*, t. 1, p. 182.

15. *Ibid.*, p. 190.

III. L'ÉNIGME DE LA THÉODICÉE

1. *L'éthique protestante et l'esprit du capitalisme, op. cit.*, pp. 81-82.

2. Max Weber, « Zwischenbetrachtung », *Gessammelte Aufsätze zur Religionssoziologie, op. cit.*, vol. 1, p. 540, trad. P. Fritsch, « Parenthèse théorique : le refus religieux du monde, ses orientations et ses degrés », *Archives de sciences sociales des religions*, 61. 1, janv-mars 1986, p. 10.

3. Max Weber, « The Social Psychology of the World Religions », in *From Max Weber, op. cit.*, p. 280.

4. *Id.* Voir sur ce point les remarques de Guenther Roth et Wolfgang Schluchter, *Max Weber's Vision of History, op. cit.*, pp. 15-16.

5. *Le savant et le politique, op. cit.*, p. 78.

6. Voir Robert A. Nisbet, *The Sociological Tradition*, New York, Basic Books, Inc., 1966, trad. M. Azuelos, *La tradition sociologique*, Paris, PUF, 1984, pp. 33-36. Dans ce texte, Nisbet défend l'idée selon laquelle les fondateurs des sciences sociales à la fin du XIXᵉ siècle ont travaillé sur des matériaux intellectuels (concepts, valeurs, problèmes) profondément liés aux conflits du siècle. En ce sens, théoriciens de l'objectivité de la démarche scientifique, ils ne cessèrent jamais d'être des « moralistes » et même des « artistes », objectivant des états d'esprit personnels.

7. *Le savant et le politique, op. cit.*, pp. 105-106.

8. *Ibid.*, p. 106.

9. On songe à la distinction qu'opère Nietzsche entre l'histoire saisie du point de vue monumental, du point de vue antiquaire et du point de vue critique, in *Considérations inactuelles*, II (1874), 2. Voir la traduction de H. Albert et M. Baumgartner, révisée par J. Le Rider, in *Œuvres*, Paris, Robert Laffont, coll. Bouquins, 1993, t. 1, p. 226 s.

10. *Le savant et le politique, op. cit.*, p. 95.

11. *Économie et société, op. cit.*, p. 429.

12. Voir notamment, Max Weber, *Die Wirtschaftsethik der Weltreligionen*, III, *Das antike Judentum* (1917-1919), trad. *Le judaïsme antique*, Paris, Plon, 1970,

p. 304. Associée ici à la religion de l'Asie opposée à celle d'Israël, l'expression est utilisée par Max Weber pour désigner l'univers magique des formes de religiosité non rationnelles. À titre d'exemple, voir la référence qui lui est faite pour caractériser le confucianisme, in « Confucianisme et puritanisme », trad. J. Grossein, in Max Weber, *Essais de sociologie des religions*, Die, Éditions à Die, 1992, p. 70.

13. Conformément à la définition donnée par Max Weber, in *Économie et société, op. cit.*, p. 432.

14. *Ibid.*, p. 430.

15. *Id.*

16. Max Weber, « The Social Psychology of the World Religions », *loc. cit.*, in *From Max Weber, op. cit.*, pp. 270-276. Weber fait ici allusion à *La généalogie de la morale*, Première dissertation, § 10. Voir la trad. de H. Albert révisée par J. Le Rider, in *Œuvres, op. cit.*, II, p. 787.

17. *Ibid.*, p. 271.

18. *Id.*

19. *Ibid.*, p. 272.

20. *Ibid.*, p. 273.

21. *Économie et société, op. cit.*, p. 433.

22. *Ibid.*, p. 434.

23. *Ibid.*, p. 436.

24. *Ibid.*, p. 461.

25. *Ibid.*, p. 462.

26. *Ibid.*, p. 463.

27. *Ibid.*, p. 464.

28. *Ibid.*, p. 471. On trouverait une présentation similaire de cette typologie dans le texte sur l'éthique des religions universelles, voir « The Social Psychology of the World Religions » (1913), *loc. cit.*, in *From Max Weber, op. cit.*, p. 285.

29. *Économie et société, op. cit.*, p. 471. Là encore le texte de 1913 posait déjà ces deux observations. Le fait que l'opposition entre « prophétie exemplaire » et « prophétie éthique » sépare globalement les formes de religiosité propres à l'Orient d'une part (Chine et Inde), à l'Occident d'autre part. Mais aussi l'idée selon laquelle seule la seconde entretient une affinité élective avec la notion d'un dieu éthique : « Le dieu de la création, transcendant, personnel, qui fulmine, pardonne, aime, exige et punit. » Max Weber, « The Social Psychology of the World Religions » (1913), *loc. cit.*, in *From Max Weber, op. cit.*, p. 285.

30. *Le judaïsme antique, op. cit.*, p. 20.

31. *Ibid.*, p. 21. Là encore, Max Weber insiste sur l'importance de la « théodicée de la souffrance » pour l'avènement des religions de salut. Et c'est toujours dans l'éthique judaïque qu'il découvre la forme la plus authentique de cette théodicée, dans la mesure où le judaïsme place la souffrance de la communauté et non de l'individu au cœur de l'espérance religieuse. Voir sur ce point Max Weber, « The Social Psychology of the World Religions » (1913), *loc. cit.*, in *From Max Weber, op. cit.*, p. 273.

32. *Le judaïsme antique, op. cit.*, p. 284. Je souligne. Il faut insister sur ce thème qui associe l'absence d'espace pour le religieux à la saturation des explications rationnelles par la culture et à la réification technique, dans la mesure où ce sont précisément les caractéristiques du monde contemporain aux yeux de Max Weber, ces caractéristiques qui nourrissent le diagnostic du désenchantement du monde, avec son oscillation hypothétique entre la renaissance du prophétisme et la fuite définitive de toute perspective du sens. La configuration du thème est à ce point symptomatique que l'on trouve ici la référence inattendue au tramway... comme métaphore de l'objet technique qui se retrouvera plus en situation dans la

description du monde issu de la rationalisation au xxᵉ siècle. Voir sur ce point *Le savant et le politique, op. cit.*, p. 78.

33. *Le judaïsme antique, op. cit.*, p. 284.

34. Voir sur ce point le passage consacré à l'analyse des formes de l'eschatologie au chapitre 20 du *Judaïsme antique, op. cit.*, pp. 308-320. NB, p. 315.

35. Pour ce qui concerne l'image d'un « Dieu de l'histoire », on se reportera à la manière dont Max Weber explique l'apparition du dieu éthique en soulignant son analogie avec un roi qui ne se laisse pas contempler, mais exige obéissance et soumission. Voir *Le judaïsme antique, op. cit.*, p. 307. Sur la question de la théodicée, voir l'étude des conditions générales de la naissance de l'éthique du judaïsme, *ibid.*, p. 285. On trouverait une analyse plus ample des liens entre les figures de l'exil, de la liberté et de l'histoire chez Raphaël Draï, *La sortie d'Égypte, L'invention de la responsabilité*, Paris, Fayard, coll. L'espace du politique, 1986.

36. Voir les analyses du chapitre 21 du *Judaïsme antique*, consacré à « l'éthique préexilique dans ses rapports avec l'éthique des cultures avoisinantes », *op. cit.*, pp. 339-346.

37. Max Weber reprend ailleurs cette comparaison et en confirme les résultats. Lorsqu'il souligne notamment le fait qu'en parlant de textes « prophétiques » des Égyptiens on oublie que les prescriptions éthiques les plus sublimes de ces textes restent vaines du point de vue de la rationalisation du religieux puisqu'ils admettent qu'en plaçant un scarabée sur la région du cœur d'un mort on lui permet de mentir au dieu, de taire ses péchés et d'aller au paradis. Il ajoute alors que l'éthique juive exclut ces « expédients sophistiques », comme l'éthique chrétienne. En remarquant toutefois que cette dernière ne fait, dans l'Eucharistie, que sublimer une forme magique en sacrement... Voir Max Weber, *Wirtschaftsgeschichte. Abriss der Universalen Sozial und Wirtschaftsgeschichte* (1923), trad. C. Bouchindhomme, *Histoire économique*, préface P. Raynaud, Paris, Gallimard, 1991, p. 381.

38. Sur cet exemple, voir *Le judaïsme antique, op. cit.*, p. 379.

39. *Ibid.*, p. 392.

40. On se reportera à nouveau vers Raphaël Draï sur les formes de la conscience prophétique et la signification de l'engagement dans l'Alliance. Voir *La communication prophétique*, t. I, *Le Dieu caché et sa révélation*, Paris, Fayard 1990, et t. II, *La conscience des prophètes*, Paris, Fayard, 1993. NB, II, p. 15 s.

41. Voir les développements consacrés à l'opposition entre la magie et l'éthique d'Israël, au chapitre 19 du *Judaïsme antique, op. cit.*, pp. 300-308.

42. *Histoire économique, op. cit.*, p. 378.

43. *Économie et société, op. cit.*, p. 457.

44. *Ibid.*, p. 447.

45. *Ibid.*, p. 457.

46. *Ibid.*, p. 447. Confirmant indirectement l'originalité du judaïsme, Weber remarque incidemment que le prêtre catholique perpétue quelque chose du pouvoir magique « lorsqu'il accomplit le miracle de la messe et exerce le pouvoir des clefs ».

47. *Histoire économique, op. cit.*, p. 379. (trad. modifiée).

48. « Confucianisme et puritanisme », *loc. cit.*, p. 79.

49. *Id.* Max Weber reprend ailleurs cette comparaison où le confucianisme fait figure de négatif du processus de rationalisation. S'agissant d'économie, par exemple, il montre que jusqu'à l'époque contemporaine la construction de chemins de fer (adaptation du monde) se heurtait à la croyance dans le fait que l'on risquait de déranger les esprits des montagnes, des forêts et des fleuves (conformément à

une culture qui repose sur l'adaptation au monde). Voir *Histoire économique*, *op. cit.*, p. 378.

50. *Le judaïsme antique*, *op. cit.*, p. 394.

51. *Ibid.*, p. 313.

52. *Ibid.*, p. 319.

53. *Ibid.*, p. 429.

54. *Économie et société*, *op. cit.*, p. 473.

55. *Ibid.*, pp. 473-474.

56. *Ibid.*, p. 457.

57. « Confucianisme et puritanisme », *loc. cit.*, p. 69.

58. *Le judaïsme antique*, *op. cit.*, p. 420.

59. *Économie et société*, *op. cit.*, p. 474.

60. « The Social Psychology of the World Religions », *loc. cit.*, in *From Max Weber*, *op. cit.*, p. 291.

61. « Confucianisme et puritanisme », *loc. cit.*, p. 80.

62. *Économie et société*, *op. cit.*, p. 535.

63. « The Social Psychology of the World Religions », *loc. cit.*, in *From Max Weber*, *op. cit.*, p. 275.

64. *Le judaïsme antique*, *op. cit.*, p. 419.

65. *Ibid.*, p. 421.

66. Au sens où Max Weber associe le processus de rationalisation au fait de traiter la tradition comme « impie » en valorisant au contraire le « progrès » et la transformation méthodique du monde. Voir sur ce point « Confucianisme et puritanisme », *loc. cit.*, p. 86.

67. *Le judaïsme antique*, *op. cit.*, p. 418.

68. *Ibid.*, p. 419.

69. *Ibid.*, p. 491.

70. *Ibid.*, p. 492.

71. « Parenthèse théorique : le refus religieux du monde, ses orientations et ses degrés », *loc. cit.*, p. 29.

72. *Le savant et le politique*, *op. cit.*, pp. 190-191.

73. *Ibid.*, p. 190.

74. *Le judaïsme antique*, *op. cit.*, p. 304.

75. *Économie et société*, *op. cit.*, p. 540.

76. *Id.*

77. *Ibid.*, p. 541.

78. *Id.*

79. *Id.* On trouvera une analyse de ce « dualisme ontologique » dans la perspective d'une comparaison avec la lecture wébérienne de la tradition judéo-chrétienne in Guenther Roth et Wolfgang Schluchter, *Max Weber's Vision of History*, *op. cit.*, pp. 28-32.

80. *Économie et société*, *op. cit.*, p. 536.

81. *Id.*

82. *Ibid.*, p. 539.

83. *Ibid.*, p. 538.

84. Éric Voegelin, *The New Science of Politics*, Chicago et Londres, The University of Chicago Press, 1987 et Hans Jonas, *La religion gnostique*, Le message du Dieu étranger et les débuts du christianisme, trad. Louis Évrard, Paris, Flammarion, 1978.

85. On se reportera notamment à Gershom Scholem, « Pour comprendre le messianisme juif » in *Le messianisme juif*, trad. B. Dupuy, Paris, Calmann-Lévy, 1974, et « Considérations sur la théologie juive » in *Fidélité et utopie*, trad. M. Delmotte et B. Dupuy, Calmann-Lévy, 1978.

86. *Économie et société*, *op. cit.*, p. 539.

87. *Id.*

88. Max Weber, « Parenthèse théorique : le refus religieux du monde, ses orientations et ses degrés », *loc. cit.*, p. 33.

IV. LE REFUS DU MONDE

1. « Le métier et la vocation d'homme politique » (1919), *loc. cit.*, in *Le savant et le politique*, *op. cit.*, pp. 190-191.

2. *Ibid.*, p. 190.

3. On s'appuiera ici sur deux textes systématiques, qui se corroborent et se complètent : la *Zwischenbetrachtung* de 1916, *loc. cit.*, trad. « Parenthèse théorique : le refus du monde, ses orientations et ses degrés », *Archives de sciences sociales des religions*, n° 61-1, janv.-mars 1986, *op. cit.*, pp. 11-28 ; et le chapitre d'*Économie et société* consacré à « l'éthique religieuse et le " monde " », *op. cit.*, pp. 585-632.

4. *Économie et société*, *op. cit.*, p. 585.

5. *Id.*

6. On songe ici aux textes du jeune Hegel sur l'esprit du judaïsme et du christianisme, in *L'esprit du christianisme et son destin*, trad. F. Fischbach, Paris, Presses-Pocket, 1992. Mais aussi aux analyses de la « religion naturelle » dans les *Leçons sur la philosophie de la religion*, deuxième partie, trad. J. Gibelin, Paris, Vrin, 1972. Sur l'ensemble de cette perspective, voir les remarques de Bernard Bourgeois dans la présentation de sa traduction de *La science de la logique*, Paris, Vrin, 1970. NB, pp. 15-25.

7. *Économie et société*, *op. cit.*, p. 587.

8. « Parenthèse théorique : le refus du monde, ses orientations et ses degrés », *loc. cit.*, p. 13.

9. *Économie et société*, *op. cit.*, p. 591.

10. Voir sur ce point les remarques d'*Économie et société*, *op. cit.*, p. 592.

11. *Id.*

12. *Économie et société*, *op. cit.*, p. 590.

13. *Ibid.*, p. 592.

14. *Id.* Je souligne. Cette référence à la question du sens éclaire par anticipation la nature de la révolution opérée par le protestantisme, pour autant qu'il réintroduit une perspective du sens religieux et éthique dans la problématique de l'accumulation des richesses. Mais elle fait signe également à plus longue échéance vers le motif de la perte du sens au sein de l'univers contemporain où le système est installé et peut s'affranchir de son soubassement éthique.

15. *Économie et société*, *op. cit.*, p. 592.

16. *Ibid.*, p. 593.

17. On songe aux analyses d'Ernst Kantorowicz qui décrivent la captation par l'État de ce qui fait figure de motif ultime de l'appartenance à une communauté : le devoir de mourir pour elle. Voir les chap. III et IV de *Mourir pour la patrie*, trad. L. Mayali et A. Schütz, Paris, PUF, 1984. La notion de légitimité est ici utilisée au sens de Max Weber, qui évoque avec elle non pas l'autorité en tant que telle, mais les motifs qui la font reconnaître et la rendent acceptable ou supportable pour ceux qui la subissent.

18. « Parenthèse théorique : le refus du monde, ses orientations et ses degrés », *loc. cit.*, p. 16. On pourrait cette fois reconnaître ici une source de la définition du politique chez Carl Schmitt.

19. *Ibid.*, pp. 15-16.

20. *Économie et société*, *op. cit.*, p. 604.

21. « Parenthèse théorique : le refus du monde, ses orientations et ses degrés », *loc. cit.*, p. 15.

22. *Ibid.*, p. 20.

23. Voir sur ce point les remarques d'*Économie et société*, *op. cit.*, p. 610.

24. « Parenthèse théorique : le refus du monde, ses orientations et ses degrés », *loc. cit.*, p. 20.

25. Régis Debray, *Vie et mort de l'image*, Paris, Gallimard, 1992 ; Alain Besançon, *L'image interdite*, Paris, Fayard, 1994.

26. *Économie et société*, *op. cit.*, p. 611, je souligne.

27. « Parenthèse théorique : le refus du monde, ses orientations et ses degrés », *loc. cit.*, p. 21.

28. *Économie et société*, *op. cit.*, p. 610.

29. « Parenthèse théorique : le refus du monde, ses orientations et ses degrés », *loc. cit.*, p. 21. Notons le paradoxe qui veut que Weber réintroduise ce thème central à propos d'un moment tardif du conflit entre religion et esthétique et pour ce qui concerne un domaine relativement marginal de cette dernière.

30. *Économie et société*, *op. cit.*, p. 610.

31. « Parenthèse théorique : le refus du monde, ses orientations et ses degrés », *loc. cit.*, p. 22.

32. *Ibid.*, p. 24.

33. *Ibid.*, pp. 26-27.

34. *Ibid.*, p. 28.

35. *Ibid.*, p. 27.

36. Raymond Aron, *Les étapes de la pensée sociologique*, *op. cit.*, p. 550.

37. « Parenthèse théorique : le refus du monde, ses orientations et ses degrés », *loc. cit.*, p. 31.

38. *Id.* Traduction modifiée.

39. *Ibid.*, p. 30.

40. « Parenthèse théorique : le refus du monde, ses orientations et ses degrés », *loc. cit.*, pp. 30-31. Véritable *leitmotiv* wébérien à connotation hégélienne, ce thème est presque indissociable de celui du désenchantement. Voir *supra*, chapitre II, p. 87.

41. *Ibid.*, p. 31.

42. *Économie et société*, *op. cit.*, p. 554.

43. *Id.* Max Weber ajoute alors : « Parmi les états affectifs : lâcheté, brutalité, égoïsme, sensualité ou autres, quels sont ceux qu'il faut combattre en priorité parce qu'ils détournent le plus de l'habitude charismatique ? À cette question chaque religion donne une réponse particulière qui est partie intégrante de ses caractéristiques essentielles. »

44. *Économie et société*, *op. cit.*, p. 555.

45. *Id.*

46. *Id.*

47. *Id.*

48. *Ibid.*, p. 556.

49. *Id.*

50. *Ibid.*, p. 557.

51. *Id.* En ce sens, Max Weber ajoute que « l'ascète, ayant conscience que sa force d'agir provient de la possession capitale d'un salut religieux et qu'il sert Dieu par son activité, renouvelle ainsi, sans cesse, l'assurance de son état de grâce ».

52. *Ibid.*, pp. 557-558.

53. *Ibid.*, p. 559.

54. *Id.*

55. L'expression est empruntée à la « Parenthèse théorique... », *loc. cit.*, p. 9.

V. LES COMPROMIS AVEC LE MONDE

1. Telle est l'orientation donnée par Pierre Bourdieu à son interprétation de la sociologie wébérienne du phénomène religieux, à partir d'un classement esquissé dans *Économie et société*, *op. cit.*, pp. 491-534. Voir Pierre Bourdieu, « Une interprétation de la théorie de la religion selon Max Weber », *Archives européennes de sociologie*, t. XII, 1971, n° 1, pp. 3-21, et « Genèse et structure du champ religieux », *Revue française de sociologie*, vol. XII, 1971, pp. 295-334.

2. Intitulé « Les voies du salut et leur influence sur la conduite de la vie », le § 10 du chapitre V d'*Économie et société* ébauche cette description qui se trouve amplifiée par chacune des études consacrées aux diverses religions.

3. *Économie et société*, *op. cit.*, pp. 543-544.

4. *Ibid.*, p. 544.

5. Jürgen Habermas, *Théorie de l'agir communicationnel*, *op. cit.*, t. I, p. 216.

6. *Ibid.*, p. 201.

7. Habermas insiste sur ce point en notant que « Max Weber est sans doute enclin à admettre qu'une position qui affirme le monde n'est tenable que là où la pensée magique n'est pas radicalement surmontée et où le stade d'une interprétation du monde dualiste au sens strict n'est pas atteint », *op. cit.*, p. 217.

8. *Ibid.*, p. 220.

9. Voir sur ce point Reinhard Bendix, *Max Weber, an Intellectual Portrait*, *op. cit.*, p. 279.

10. Voir *Théorie de l'agir communicationnel*, *op. cit.*, p. 227. Cette thèse est aussi défendue, contre celle de Bendix, par Guenther Roth et Wolfgang Schluchter, *Max Weber's Vision of History*, *op. cit.*, pp. 21-22.

11. Raymond Aron, *Les étapes de la pensée sociologique*, *op. cit.*, p. 547. Je souligne. Seule la référence à « chaque époque » paraît ici contestable, masquant cette fois sans doute l'aspect dynamique de ce qui revient au desserrement d'une tension.

12. *Économie et société*, *op. cit.*, p. 595.

13. *Id.*

14. *Ibid.*, p. 592.

15. Voir sur ce point *Économie et société*, *op. cit.*, p. 594. Max Weber note ainsi que « la distribution des indulgences et les principes extrêmement laxistes de l'éthique probabiliste des jésuites, après la Contre-Réforme, n'y ont rien changé parce que, justement, seuls les hommes ayant une façon de voir laxiste sur le plan éthique pouvaient se tourner vers l'acquisition en tant que telle, et non point ceux dont l'éthique était rigoriste ».

16. *Économie et société*, *op. cit.*, p. 613.

17. Voir les deux premiers ouvrages de Sombart sur la question, *Die Juden und das Wirtschaftsleben*, Duncker und Humblot, 1911, trad. *Les juifs et la vie économique*, Paris, Payot, 1923 et *Der Bourgeois. Zur Geistesgeschichte des modernen Wirtschaftsmenschen*, Leipzig, Duncker und Humblot, 1913, trad. *Le Bourgeois. Contribution à l'histoire morale et intellectuelle de l'homme économique moderne*, Paris, Payot, 1928.

18. *Économie et société*, p. 616.

19. Notons que Max Weber donne ailleurs une signification plus large au phénomène de la coexistence entre une « morale intérieure » régissant les relations entre frères en prohibant le gain et une « morale extérieure » qui l'accepte pour les étrangers. Lorsqu'il se place au plan global de l'histoire économique, il décèle

cette attitude comme une composante de toutes les visions traditionalistes du lien entre éthique et économie. Voir sur ce point Max Weber, *Histoire économique*, trad. C. Bouchindhomme, préface de Philippe Raynaud, Paris, Gallimard, 1991, p. 373.

20. *Économie et société*, *op. cit.*, p. 617.

21. *Id.*

22. « Le commerçant ne peut plaire à Dieu que difficilement ou jamais », cité in *Histoire économique*, *op. cit.*, p. 375.

23. « Confucianisme et puritanisme », *loc. cit.*, in *Essais de sociologie des religions*, I, *op. cit.*, p. 88.

24. *Ibid.*, p. 82.

25. *Ibid.*, p. 83.

26. *Ibid.*, p. 92.

27. *Ibid.*, p. 95.

28. *Économie et société*, *op. cit.*, p. 598.

29. *Id.*

30. *Id.* Glissant allusivement un thème qui lui est cher, Max Weber note au passage que « tout intellectualisme pur porte en lui la chance d'une pareille tournure mystique ». Sont ainsi visés ailleurs le formalisme éthique de l'impératif catégorique kantien et le pacifisme qui reprend contre la politique de puissance l'exigence du Sermon sur la montagne.

31. « Parenthèse théorique : le refus du monde, ses orientations et ses degrés », *loc. cit.*, p. 16.

32. *Économie et société*, *op. cit.*, p. 598.

33. « Parenthèse théorique : le refus du monde, ses orientations et ses degrés », *loc. cit.*, p. 16.

34. *Économie et société*, *op. cit.*, p. 598.

35. *Ibid.*, p. 599.

36. *Id.* Weber en déduit alors que, sous cette forme, l'Islam « n'est, en aucune façon, une religion universelle de salut ».

37. Voir sur ce point la « Parenthèse théorique : le refus du monde, ses orientations et ses degrés », *loc. cit.*, p. 17.

38. *Économie et société*, *op. cit.*, p. 599.

39. *Id.*

40. *Id.*

41. Voir la « Parenthèse théorique : le refus du monde, ses orientations et ses degrés », *loc. cit.*, p. 17.

42. *Économie et société*, *op. cit.*, p. 601.

43. *Id.* On notera au passage que cette structure de double conscience est riche de possibilités de rationalisation d'une autonomie de l'autorité politique dans un sens qui concède aux exigences du « monopole de la violence légitime » en faveur de l'État. Dominique Colas voit en Luther un « anticipateur de la conception cynique de la politique », in *Le glaive et le fléau*, Généalogie du fanatisme et de la société civile, Paris, Grasset, 1992, pp. 112-113.

44. *Économie et société*, *op. cit.*, p. 600.

45. *Le savant et le politique*, *op. cit.*, p. 193.

46. *Économie et société*, *op. cit.*, p. 601.

47. *Id.*

48. *Id.*

49. *Ibid.*, p. 602.

50. *Ibid.*, p. 604.

51. *Ibid.*, pp. 604-605.

52. Voir *Économie et société*, *op. cit.*, p. 597.

53. *Ibid.*, p. 606.
54. *Ibid.*, p. 609.
55. Voir notamment la « Parenthèse théorique : le refus du monde, ses orientations et ses degrés », *loc. cit.*, p. 28.
56. Voir sur ce point *Économie et société, op. cit.*, p. 611.
57. *Ibid.*, p. 527.
58. *Ibid.*, p. 528.
59. *Économie et société, op. cit.*, pp. 530-534.
60. *Ibid.*, p. 534.
61. *Ibid.*, p. 563.
62. *Ibid.*, p. 561.
63. *Économie et société, op. cit.*, p. 564.
64. *Id.*
65. *Ibid.*, p. 565.
66. Voir *Économie et société, op. cit.*, pp. 565-566.
67. *Ibid.*, p. 566.
68. *Id.*
69. *Économie et société, op. cit.*, p. 472.
70. *Ibid.*, p. 511. Voir sur ce point les analyses de Pierre Bourdieu, « Une interprétation de la théorie de la religion selon Max Weber », *loc. cit.*, pp. 10-11.
71. *Économie et société, op. cit.*, p. 511.
72. *Ibid.*, p. 495.
73. *Id.* On notera que si Weber insiste sur le fait que « les castes de guerrier revêtant la forme de la chevalerie ont une attitude presque entièrement négative vis-à-vis de la religion de salut et de la religion de communauté émotionnelle », il relève qu'à l'inverse les armées organisées sur le mode bureaucratique peuvent voir leurs couches inférieures leur être plus favorables. Voir *Économie et société, op. cit.*, p. 497.
74. *Ibid.*, p. 512.
75. Voir *Économie et société, op. cit.*, pp. 520-521.
76. *Ibid.*, p. 512.
77. Voir ici *Économie et société, op. cit.*, p. 514. Max Weber conteste pourtant l'extension nietzschéenne du concept de ressentiment à la description du bouddhisme, qui demeure le fait d'une couche d'intellectuels issus de classes privilégiées et étrangers à toute moralisation de la souffrance, *ibid.*, p. 518.
78. La formule de Nietzsche est citée in *Économie et société, op. cit.*, p. 518.
79. Pierre Bourdieu, « Genèse et structure du champ religieux », *loc. cit.*, p. 301.
80. *Économie et société, op. cit.*, p. 491.
81. Voir cette remarque chez Weber, *ibid.*, pp. 493-494.
82. *Ibid.*, p. 502.
83. *Ibid.*, p. 503.
84. *Ibid.*, p. 504.
85. Voir sur ce point Pierre Bourdieu, « Genèse et structure du champ religieux », *loc. cit.*, pp. 300-302 et 307-308. On notera le débat engagé avec Paul Ricœur d'une part et Claude Lévi-Strauss de l'autre, s'agissant de l'intérêt qu'ils accordent respectivement à la question du « travail religieux des spécialistes ». On pourra se reporter à la discussion entre ces derniers in *Esprit*, novembre 1963, pp. 628-653.
86. *Économie et société, op. cit.*, p. 451.
87. *Ibid.*, p. 452.
88. *Ibid.*, p. 57.

89. « Parenthèse théorique : le refus religieux du monde, ses orientations et ses degrés », *loc. cit.*, p. 31.

Troisième partie
LES VOIES DU DÉSENCHANTEMENT DU MONDE

PRÉAMBULE

1. Expression empruntée à Pierre Bourdieu, « Une interprétation de la théorie de la religion selon Max Weber », *loc. cit.*, p. 3.
2. Jürgen Habermas, *Théorie de l'agir communicationnel*, *op. cit.*, vol. 1, pp. 228-229. Habermas restreint le sens de cette image à la seule opposition des idées et des intérêts.
3. La formule est de Jürgen Habermas, *ibid.*, p. 229.
4. *Ibid.*, p. 216.
5. *Économie et société*, *op. cit.*, p. 586.
6. « Confucianisme et puritanisme », *loc. cit.*, in *Essais de sociologie des religions*, *op. cit.*, p. 86.
7. Max Weber, *Wurtschaftsgeschichte, Abriss der Universalen Sozial und Wirschaftsgescichte*, Berlin, Duncker & Humblot, 1981, trad. Christian Bouchindhomme, préface de Philippe Raynaud, Paris, Gallimard, 1991, *Histoire économique*, Esquisse d'une histoire universelle de l'économie et de la société, p. 382.
8. *Id.*
9. *Id.*
10. *Ibid.*, p. 383, trad. modifiée.
11. *Ibid.*, p. 385.

VI. LES MYSTÈRES DE LA RATIONALITÉ ÉCONOMIQUE

1. Karl Marx, *Le capital*, Livre premier, section 7, chapitre XXIV, III, trad. J. Roy, Paris, Gallimard, Bibliothèque de la Pléiade, *Œuvres*, Économie, I, p. 1096.
2. Raymond Aron, *Les étapes de la pensée sociologique*, *op. cit.*, p. 565.
3. *Le capital*, *op. cit.*, p. 1131.
4. *Histoire économique*, *op. cit.*, p. 374.
5. « Confucianisme et puritanisme », *loc. cit.*, in *Essais de sociologie des religions*, I, *op. cit.*, p. 83.
6. *L'éthique protestante et l'esprit du capitalisme*, *op. cit.*, pp. 236-237, note 83.
7. *Ibid.*, p. 24.
8. « Introduction à l'éthique économique des religions universelles », *loc. cit.*, in *Essais de sociologie des religions*, I, *op. cit.*, p. 24. On rappellera ici que ce texte sert d'introduction à l'ensemble des études de sociologie religieuse.
9. *Id.*
10. Voir les développements dans ce même texte pp. 27-28 ainsi que *Économie et société*, *op. cit.*, p. 514. On pourra également se reporter au commentaire de la théorie du ressentiment chez Nietzsche que propose Gilles Deleuze, à partir du « tu es méchant, donc je suis bon », in *Nietzsche et la philosophie*, Paris, PUF, Bibliothèque de philosophie contemporaine, 1973, chap. IV, NB, p. 139 s.
11. « Introduction à l'éthique économique des religions universelles », *loc. cit.*, in *Essais de sociologie des religions*, I, *op. cit.*, pp. 26-27.

12. *Ibid.*, p. 27.
13. Max Weber, *L'éthique protestante et l'esprit du capitalisme*, *op. cit.*, p. 112.
14. *Id.*
15. *Ibid.*, p. 111.
16. *Ibid.*, p. 105.
17. *Ibid.*, p. 104.
18. *Ibid.*, p. 105.
19. *Ibid.*, p. 106. Ayant découvert dans l'Amérique de Benjamin Franklin la terre d'élection où se vérifie l'hypothèse selon laquelle les idées qui forment « l'esprit du capitalisme » existent « *avant* que ne se développe l'ordre capitaliste », Max Weber a déjà souligné la résistance qu'elles rencontrent. Ainsi, lorsqu'il écrit : « Les premiers cheminements de telles idées sont semés d'épines, bien plus que ne le supposent les théoriciens de la " superstructure ". Les idées ne s'épanouissent pas comme des fleurs. L'esprit du capitalisme [...] a dû, pour s'imposer, lutter contre un monde de forces hostiles » (p. 54).
20. *Ibid.*, pp. 106-107.
21. Paul Ricœur, « La raison pratique », in *Du texte à l'action*, Essais d'herméneutique, *op. cit.*, p. 257.
22. Karl Marx, *Le capital*, *op. cit.*, p. 1098.
23. *L'éthique protestante et l'esprit du capitalisme*, *op. cit.*, pp. 14-15.
24. *Ibid.*, p. 15.
25. *Id.*
26. *Ibid.*, p. 60.
27. *Id.*
28. *Ibid.*, p. 61.
29. *L'éthique protestante et l'esprit du capitalisme*, *op. cit.*, p. 63. Cette conception s'oppose à nouveau à ce que la théorie de Marx suppose d'un caractère naturel du travail. Voir sur ce point les remarques d'Hannah Arendt, in *Condition de l'homme moderne*, trad. G. Fradier, préface de Paul Ricœur, Paris, Calmann-Lévy, 1961, p. 98 s ; et Claude Lefort, « L'aliénation comme concept sociologique », in *Les formes de l'histoire*, Essais d'anthropologie politique, Paris, Gallimard, coll. Bibliothèque des sciences humaines, 1978, p. 62.
30. *L'éthique protestante et l'esprit du capitalisme*, *op. cit.*, p. 63.
31. *Ibid.*, pp. 63-64.
32. *Ibid.*, p. 69.
33. *Ibid.*, p. 70.
34. *Ibid.*, p. 71.
35. *Ibid.*, p. 79.
36. Cet aspect de la discussion est développé dans la longue note 11, pp. 54-58. Rédigée pour la seconde édition de l'ouvrage (1920) comme remarque « anti-critique », cette note vise la thèse énoncée par Sombart dans *Der Bourgeois*, publié en 1913. Directement dirigé contre Weber, le livre de Sombart vise à montrer que le puritanisme « n'a exercé sur le développement de l'esprit capitaliste qu'une influence minime » et cherche à réévaluer l'apport du judaïsme bien sûr (conformément aux thèses antérieures de l'auteur), mais aussi du catholicisme. Au travers de l'idée selon laquelle l'éthique puritaine aurait essentiellement emprunté au thomisme. Puis par l'insistance sur le rôle des lettrés humanistes comme Alberti. Sur cette controverse, voir les indications de Philippe Besnard, *Protestantisme et capitalisme*, *op. cit.*, pp. 58-65.
37. Au risque cette fois bien signalé par Leo Strauss de surestimer « l'importance de la révolution qui avait pris place au niveau de la théologie et (de) sous-estimer l'importance de celle qui avait pris place sur le plan de la pensée rationnelle ». Leo Strauss, *Droit naturel et histoire*, *op. cit.*, p. 284.

38. *L'éthique protestante et l'esprit du capitalisme*, *op. cit.*, p. 57, note 11.

39. *Id.*

40. *L'éthique protestante*, *op. cit.*, p. 78.

41. Ainsi lorsque Weber écrit, par exemple, que « dans sa connaissance des hommes, l'Église ne postulait absolument pas que l'individu fût une personnalité capable de former une totalité éthique uniforme, elle supposait au contraire fermement que, en dépit des admonestations subies en confession et des pénitences toujours plus rigoureuses, il ne manquerait pas de faillir à nouveau aux prescriptions éthiques ; autrement dit, le juste et l'injuste n'étaient que du ressort de la grâce de l'Église ». *Histoire économique*, *op. cit.*, pp. 382-383.

42. *L'éthique protestante*, *op. cit.*, p. 90.

43. *Ibid.*, p. 91.

44. *Id.* Max Weber remarque aussi qu'une telle conception évoque l'idée de Pascal selon laquelle c'est le hasard qui décide du choix d'une profession. Ajoutons qu'ainsi, *via* Thomas, le premier Luther se rattacherait encore à Aristote.

45. Voir les analyses de *L'éthique protestante*, pp. 90-93, à compléter par celles de l'*Histoire économique*, pp. 384-386. On relèvera avec Max Weber le contraste entre cette interprétation « naïve » de la notion de vocation et celle qu'en donne Adam Smith dans un passage célèbre de la *Richesse des nations* (Livre I, chap. 3) où il est dit que « nous n'attendons pas notre dîner de la bienveillance du boucher, du brasseur ou du boulanger, mais de ce qu'ils considèrent comme leur propre intérêt. Ce n'est pas à leur humanité que nous nous adressons, mais à leur égoïsme ; nous ne leur parlons jamais de nos propres besoins, mais de leur avantage ».

46. Sur l'analyse de la notion luthérienne de *Beruf*, voir la troisième partie du premier chapitre de *L'éthique protestante*, *op. cit.*, pp. 83-107. Pour ce qui concerne l'aspect exégétique de la contribution de Luther, on se reportera avant tout à la très longue note 1, NB, pp. 83-89.

47. *Ibid.*, p. 89.

48. *Ibid.*, p. 93.

49. *L'éthique protestante et l'esprit du capitalisme*, *op. cit.*, p. 118.

50. *Ibid.*, p. 166.

51. *Ibid.*, p. 170, note 124. Weber précise ailleurs la nature de cet élément dogmatique en quelque sorte absent, lorsqu'il souligne que « du fait de sa doctrine particulière de la grâce, il manquait précisément au luthéranisme la *motivation psychologique* qui est indispensable à une systématisation de la conduite et qui contraint à une rationalisation méthodique de l'existence » (*ibid.*, p. 160, je souligne). Ajoutons qu'il développe aussi la confirmation empirique de cette hypothèse en montrant que persiste dans le piétisme allemand, à la différence des communautés héritières du calvinisme, une dimension sentimentale de la croyance et une faible imprégnation ascétique des modes d'existence. Voir sur ce dernier point le passage de *L'éthique protestante* consacré à ce phénomène, *ibid.*, pp. 161-181.

52. *Ibid.*, p. 179.

53. *Ibid.*, p. 119.

54. *Ibid.*, p. 121.

55. *Ibid.*, p. 123.

56. *Ibid.*, pp. 131-132.

57. *Ibid.*, p. 132.

58. *Ibid.*, p. 133.

59. *Ibid.*, p. 157.

60. *Ibid.*, p. 121.

61. *Ibid.*, p. 145.

62. *Ibid.*, p. 144. Max Weber esquisse ailleurs la comparaison avec l'éthique du judaïsme. Pour insister sur les similitudes qui tiennent au fait que la doctrine dominante récuse l'idée selon laquelle les relations avec Dieu pourraient se concevoir comme un « compte courant » où se solde la balance entre les bonnes actions et les fautes. Mais pour constater aussi les dissemblances qui découlent de la persistance de la double morale dans le judaïsme. Et le fait qu'il préfère l'obéissance à la loi dans l'ordre de l'état d'âme (*Stimmung*) à la rationalisation de l'occupation active. Voir sur ce point *Économie et société, op. cit.*, p. 622.

63. « Confucianisme et puritanisme », *loc. cit.*, in *Essais de sociologie des religions*, I, *op. cit.*, p. 85. Afin d'insister sur la forme dialectique de l'enchaînement, on indiquera entre crochets dans le texte de Max Weber ses principaux moments. Pour revenir ensuite sur le sens de leur articulation et la nature de leur contenu.

64. *L'éthique protestante, op. cit.*, p. 179.

65. L'expression est empruntée à Max Weber, *Économie et société, op. cit.*, p. 583.

66. *L'éthique protestante, op. cit.*, p. 143.

67. *Ibid.*, pp. 145-146.

68. *Ibid.*, p. 157.

69. *Ibid.*, pp. 140-141. Où Weber souligne encore que l'on parvient ici à l'un des points les plus importants de la recherche. Et ce parce qu'il marque le moment précis où s'inscrit la liaison entre « les conséquences découlant logiquement et psychologiquement de certaines idées religieuses » et la « conduite religieuse pratique ».

70. *Ibid.*, p. 151.

71. *Id.*

72. *Ibid.*, p. 220.

73. *Ibid.*, pp. 148-149.

74. *Ibid.*, p. 149.

75. *Économie et société, op. cit.*, p. 582.

76. *Ibid.*, p. 583.

77. *Ibid.*, pp. 583-584.

78. *Ibid.*, p. 584.

79. *L'éthique protestante et l'esprit du capitalisme, op. cit.*, p. 291.

80. *Ibid.*, p. 290.

81. *Ibid.*, p. 291.

82. Ce pour illustrer un peu mieux l'originalité de sa démarche qui, ici, applique la critique méthodologique du déterminisme causal en histoire dans le cadre de ce que Raymond Aron nomme une interprétation « demi-concrète » de la naissance du monde moderne.

83. On songe au sens de cette notion dans les écrits consacrés à la méthodologie historique, voir notamment les « Études critiques pour servir à la logique des sciences de la culture », *loc. cit.*, in *Essais sur la théorie de la science, op. cit.*, pp. 215-324. NB, pp. 302-323.

84. *L'éthique protestante et l'esprit du capitalisme, op. cit.*, p. 236.

85. On pense aux derniers paragraphes de *L'éthique protestante* et à l'image de cet « ordre lié aux conditions techniques et économiques de la production mécanique et machiniste qui détermine, avec une force irrésistible, le style de vie de l'ensemble des individus nés dans ce mécanisme » (*ibid.*, p. 249). Puis, notamment, aux thèses d'Hannah Arendt dans *La condition de l'homme moderne, op. cit.*, chap. III, ou Jürgen Habermas, *La technique et la science comme idéologie*, trad. J. R. Ladmiral, Paris, Gallimard, 1973.

86. *L'éthique protestante et l'esprit du capitalisme, op. cit.*, p. 234.

87. *Id.*

88. *Ibid.*, p. 237.

89. Cité dans l'*Histoire économique*, p. 383.

90. Cité dans *L'éthique protestante et l'esprit du capitalisme*, pp. 241-242. Les italiques sont de Max Weber. Rappelons que près de deux siècles séparent le théologien allemand Sebastian Franck (1499-1542) du réformateur anglais John Wesley (1703-1791), fondateur du méthodisme.

91. *L'éthique protestante et l'esprit du capitalisme*, *op. cit.*, p. 242.

92. *Ibid.*, pp. 242-243. Il est fait allusion au personnage de Chrétien dans *The Pilgrim's Progress from this world to that which is to come* (1678) de John Bunyan (1628-1688). Sur cette allégorie réputée être le livre le plus lu en Angleterre après la Bible, voir Michael Walzer, *La révolution des saints*, *op. cit.*, p. 214 et p. 325.

93. *L'éthique protestante et l'esprit du capitalisme*, *op. cit.*, pp. 207-208.

94. *Ibid.*, pp. 208-209.

95. Richard Baxter (1615-1691), cité par Max Weber, *ibid.*, p. 218.

96. *Ibid.*, p. 219, note 42.

97. *Ibid.*, p. 218.

98. *Ibid.*, p. 215.

99. *Ibid.*, p. 220.

100. *Ibid.*, p. 246.

101. *Ibid.*, p. 236.

102. Cité par Max Weber, *ibid.*, p. 250.

103. *Ibid.*, p. 46.

104. Cité par Max Weber, *ibid.*, pp. 46-47. Soulignons le fait que l'importance accordée par Weber à ces textes tardifs et périphériques par rapport à l'analyse du puritanisme religieux valide une interprétation que propose Claude Lefort du sens de la liaison entre dialectique économique et dialectique idéologique dans le propos wébérien. Ainsi Lefort insiste-t-il sur le fait que « l'individualisme économique, le risque, la rationalisation de l'entreprise forment la trame de l'existence bourgeoise ; le protestantisme n'est qu'une manière pour la classe de se confirmer dans son existence ou de se *reconnaître*. Mais l'essentiel est que le développement du capitalisme et la transformation du protestantisme ne s'intègrent dans une histoire unique, comme des moments de cette histoire, et *n'expriment en eux-mêmes une historicité que par leur socialisation* ». Claude Lefort, « Capitalisme et religion au XVIIᵉ siècle », in *Les formes de l'histoire*, Paris, Gallimard, 1978, p. 126 (je souligne la dernière formule).

105. Voir sur cette comparaison entre l'esprit de Benjamin Franklin et celui de Baxter les remarques de *L'éthique protestante*, *op. cit.*, p. 208. On trouvera l'allusion à Goethe dans la note 14.

106. Sur cette question qui concerne la description wébérienne des caractéristiques du capitalisme (entreprise, métier, calcul) dans le contexte des discussions avec Marx, Brentano, Sombart et Simmel, je me permets de renvoyer à Pierre Bouretz, *La théorie de l'État et du droit chez Max Weber*, thèse pour le doctorat de science politique, multigraphié, Paris, Institut d'études politiques, 1994, t. I, pp. 211-215.

107. Claude Lefort, « Capitalisme et religion au XVIᵉ siècle », *loc. cit.*, in *Les formes de l'histoire*, *op. cit.*, p. 123.

108. Max Weber, *Histoire économique*, *op. cit.*, p. 386.

109. *Id.* Insistons sur le fait qu'il est symptomatique que les dernières phrases des conférences de 1919-1920 qui composent l'*Histoire économique* à la toute fin de la vie de Max Weber exposent la même vision et dégagent la même idée que celles de *L'éthique protestante* qui datent de 1905. On reviendra longuement sur ce dernier texte qui développe la métaphore de la « cage d'acier » pour suggérer

le retournement d'un idéal d'action dans le monde tourné vers la grâce en une structure qui finit par dominer les différentes composantes de l'existence humaine.

VII. LES CHEMINS DÉTOURNÉS DE LA RATIONALISATION POLITIQUE

1. Max Weber, avant-propos aux *Gesammelte Aufsätze zur Religionsoziologie*, *loc. cit.*, trad. in *L'éthique protestante et l'esprit du capitalisme*, *op. cit.*, p. 24.
2. *Éthique protestante, op. cit.*, p. 252.
3. *Ibid.*, p. 81.
4. *Ibid.*, p. 251.
5. *Id.*
6. *Ibid.*, p. 81.
7. Raymond Aron, « Macht, Power, Puissance », *Archives européennes de sociologie*, 1964, V, 1, repris in *Études politiques*, Paris, Gallimard, 1972, p. 177. Voir aussi *Les étapes de la pensée sociologique, op. cit.*, p. 556.
8. On se reportera ici à Raymond Aron, « À propos de la théorie politique », *Revue française de science politique*, 1962, XII, 1, repris in *Études politiques, op. cit.*, pp. 149-170.
9. *Ibid.*, p. 166.
10. *Économie et société, op. cit.*, p. 221.
11. Max Weber, *Wirtschaft und Gesellschaft, op. cit.*, trad. anglaise, p. 902.
12. *Id.*
13. Hegel, *Phénoménologie de l'esprit*, trad. J. Hyppolite, Paris, Aubier Montaigne, t. I, p. 157. Jean Hyppolite traduit dans ce § *Herrschaft* par « domination ». Jean-Pierre Lefebvre opère le même choix, voir sa traduction de *La phénoménologie de l'esprit*, Paris, Aubier, 1991, p. 150.
14. Expression empruntée à Alexandre Kojève, *Introduction à la lecture de Hegel*, Paris, Gallimard, 1947, p. 173.
15. Hegel, *Encyclopédie des sciences philosophiques*, III, *Philosophie de l'esprit* (1817), § 356, *op. cit.*, p. 125, qui synthétise en l'espèce les développements du chap. IV de *La phénoménologie de l'esprit*.
16. Synthèse construite aux §§ 260-271 des *Principes de la philosophie du droit, op. cit.*, pp. 264-280. Voir le commentaire qu'en donne Robert Derathé dans son introduction à cette traduction, NB, pp. 27-31. Sur ce qui, en elle, relève de la notion d'*Aufhebung*, avec ses deux dimensions de dépassement et d'accomplissement, voir Eugène Fleischmann, *La philosophie politique de Hegel, op. cit.*, p. 64. S'agissant enfin des liens entre reconnaissance et satisfaction, on pourra se reporter à Éric Weil, *Hegel et l'État*, Paris, Vrin, 1974, p. 59.
17. *Économie et société, op. cit.*, p. 56.
18. *Id.*
19. *Wirtschaft und Gesellschaft, op. cit.*, trad. anglaise, p. 946.
20. *Économie et société, op. cit.*, p. 220. Je souligne.
21. *Ibid.*, pp. 12-13.
22. *Ibid.*, p. 13.
23. « Introduction à l'éthique économique des religions universelles », *loc. cit.*, in *Essais de sociologie des religions*, I, *op. cit.*, p. 29.
24. *Économie et société, op. cit.*, p. 511. On peut songer ici à Nietzsche, et tout particulièrement au § 189 d'*Aurore*. Voir ce passage, in *Œuvres, op. cit.*, t. 1, p. 1079.
25. « Introduction à l'éthique économique des religions universelles », *loc. cit.*, p. 29. Je souligne.
26. *Économie et société, op. cit.*, p. 511.
27. *Ibid.*, p. 512.

28. *Ibid.*, p. 514. Telle est la manière dont Max Weber interprète la notion de ressentiment empruntée à Nietzsche.

29. *Ibid.*, p. 511.

30. Max Weber, *Wirtschaft und Gesellschaft, op. cit.*, trad. anglaise, p. 903.

31. On songe respectivement à la définition du politique que donne Carl Schmitt, in *Des Begriff des Politischen* (1928/1932), trad. J. Freund, *La notion de politique*, Paris, Calmann-Lévy, 1972, p. 65 s. et aux analyses d'Ernst Kantorowicz, « Mystères de l'État. Un concept absolutiste et ses origines médiévales » (1955), in *Mourir pour la patrie, op. cit.*, NB, pp. 101-103. Dans une perspective plus large, voir Claude Lefort, « Permanence du théologico-politique ? », in *Essais sur le politique*, Paris, Seuil, 1986, pp. 251-300, et Pierre Bouretz, article Souveraineté, in *Dictionnaire constitutionnel*, O. Duhamel et Y. Mény (dir.), Paris, PUF, 1992.

32. On se reportera sur ce point à Philippe Raynaud, *Max Weber et les dilemmes de la raison moderne, op. cit.*, pp. 163-164.

33. « Introduction à l'éthique économique des religions universelles », *loc. cit.*, in *Essais de sociologie des religions*, I, *op. cit.*, p. 58 (trad. modifiée).

34. *Wirtschaft und Gesellschaft, op. cit.*, trad. anglaise, p. 953.

35. *Économie et société, op. cit.*, p. 222.

36. *Ibid.*, p. 252.

37. *Ibid.*, p. 249.

38. *Ibid.*, p. 250.

39. *Ibid.*, p. 249.

40. *Ibid.*, p. 250.

41. *Id.*

42. Voir *Wirtschaft und Gesellschaft, op. cit.*, trad. anglaise, p. 1121.

43. *Économie et société, op. cit.*, p. 253. On trouvera une formulation similaire au chap. XIV, voir *Wirtschaft und Gesellschaft, op. cit.*, trad. anglaise, p. 1121.

44. *Économie et société, op. cit.*, p. 253.

45. *Ibid.*, p. 232.

46. *Ibid.*, p. 233.

47. *Ibid.*, p. 222.

48. *Ibid.*, p. 223.

49. « Le métier et la vocation d'homme politique », *loc. cit.*, in *Le savant et le politique, op. cit.*, pp. 112-113.

50. *Les étapes de la pensée sociologique, op. cit.*, p. 559.

51. Ce point est bien mis en évidence par Jürgen Habermas, *Théorie de l'agir communicationnel, op. cit.*, t. I, pp. 271-281.

52. « L'objectivité de la connaissance dans les sciences et la politique sociales », *loc. cit.*, in *Essais sur la théorie de la science, op. cit.*, p. 194. Je souligne.

53. *Économie et société, op. cit.*, p. 251. Je souligne.

54. Edmund Husserl, *La crise des sciences européennes et la phénoménologie transcendantale, op. cit.*, pp. 236-237 (je souligne). Husserl termine ce passage en insistant sur le fait que « toute *réflexion de ce type* se tient dans la naïveté transcendantale ».

55. Ces analyses et cette discussion occupent les chap. VIII à XIV (non traduits en français) de *Wirtschaft und Gesellschaft*. Je me permets de renvoyer à l'exposé que j'en donne dans Pierre Bouretz, *La théorie de l'État et du droit chez Max Weber, op. cit.*, t. I, pp. 242-257.

56. La forme désormais classique de ce reproche est formulée par Karl Popper lorsqu'il montre que « le genre d'histoire auquel les historicistes veulent identifier la sociologie ne tourne pas seulement son regard en arrière vers le passé, mais

aussi en avant vers le futur. Elle est l'étude des forces agissantes et, par-dessus tout, des lois de l'évolution sociale ». Karl Popper, *Misère de l'historicisme*, trad. H. Rousseau, Paris, Plon, 1956, p. 47.

57. On songe à la critique que fait Marx de l'idéalisation des vertus chevaleresques dans la féodalité. Voir *Misère de la philosophie*, chap. II, § 1, trad. M. Rubel, *Œuvres*, I, *op. cit.*, p. 89.

58. Voir respectivement *Wirtschaft und Gesellschaft*, *op. cit.*, chap. VIII, trad. J. Grosclaude, *Sociologie du droit*, Paris, PUF, 1986, p. 49, et chap. XIII, § 14, trad. anglaise, p. 1107.

59. *Wirtschaft und Gesellschaft*, *op. cit.*, chap. XIV, § 3, trad. anglaise, p. 1116.

60. Franz Rosenzweig, *Hegel et l'État*, trad. G. Bensussan, Paris, PUF, 1991, p. 12. Je souligne.

61. Machiavel, *Discours sur la première Décade de Tite-Live*, livre I, chap. IX, in *Œuvres complètes*, Paris, Gallimard, 1952, p. 405.

62. On pourra se reporter aux belles pages d'Ernst Cassirer sur Machiavel, in *Le mythe de l'État*, trad. B. Vergely, Paris, Gallimard, 1993, pp. 190-191.

63. Hegel, *Principes de la philosophie du droit*, *op. cit.*, § 350, p. 337.

64. Hegel, *Encyclopédie des sciences philosophiques*, III, *Philosophie de l'esprit*, *op. cit.*, Add. § 432, p. 533.

65. « Le métier et la vocation d'homme politique », *loc. cit.*, in *Le savant et le politique*, *op. cit.*, p. 112.

66. Raymond Aron, *Paix et guerre entre les nations*, Paris, Calmann-Lévy, 8ᵉ éd., 1984, p. 725.

67. Claude Lefort, *Le travail de l'œuvre Machiavel*, Paris, Gallimard, coll. Bibliothèque de philosophie, 1972, pp. 384-385.

68. « Le métier et la vocation d'homme politique », *loc. cit.*, in *Le savant et le politique*, *op. cit.*, p. 113.

69. Paul Ricœur, « État et violence », in *Histoire et vérité*, *op. cit.*, p. 251.

70. *Id.*, « Éthique et politique », in *Du texte à l'action*, *op. cit.*, p. 401.

71. *Id.*, « Le paradoxe politique », in *Histoire et vérité*, *op. cit.*, p. 261.

72. Paul Ricœur, « Éthique et politique », *loc. cit.*, p. 400.

73. *Id.*, « Le paradoxe politique », *loc. cit.*, p. 261.

74. *Ibid.*, p. 269.

75. « Le métier et la vocation d'homme politique », *loc. cit.*, in *Le savant et le politique*, *op. cit.*, p. 112.

76. *Id.*

77. Claude Lefort, *Le travail de l'œuvre Machiavel*, *op. cit.*, p. 373.

78. *Ibid.*, p. 374.

79. « Le métier et la vocation d'homme politique », *loc. cit.*, in *Le savant et le politique*, *op. cit.*, p. 112.

80. Max Weber consacre l'essentiel du chapitre XV de *Wirtschaft und Gesellschaft* à ces deux questions que je développe dans Pierre Bouretz, *La théorie de l'État et du droit chez Max Weber*, *op. cit.*, t. 1, pp. 268-283.

81. « Le métier et la vocation d'homme politique », *loc. cit.*, in *Le savant et le politique*, *op. cit.*, p. 121.

82. Moisei Ostrogorski, *La démocratie et les partis politiques* (1903), Paris, Fayard, 1993, p. 41. Je souligne. Pour ce qui concerne l'influence d'Ostrogorski sur Weber, on se reportera à Wolfgang Mommsen, *Max Weber et la politique allemande*, *op. cit.*, pp. 147-148.

83. « Le métier et la vocation d'homme politique », *loc. cit.*, in *Le savant et le politique*, *op. cit.*, p. 137.

84. *Ibid.*, p. 140. On pourra se reporter ici à Tocqueville, *L'Ancien Régime et*

la révolution, Paris, Gallimard, 1952, NB, t. I, livre 2, chap. II et suivants et livre 3, chap. VII.

85. *Ibid.*, p. 137.
86. *Ibid.*, p. 123.
87. *Ibid.*, p. 124.
88. *Ibid.*, p. 149.
89. *Id.*
90. *Économie et société*, *op. cit.*, p. 292.
91. *Ibid.*, p. 293. Weber décrit avec cette dernière catégorie une situation principalement allemande et le cas du *Centrum* ou du parti social-démocrate. Des partis « qui ont une doctrine politique de sorte qu'ils peuvent affirmer, au moins avec une *bona fides* subjective, que leurs membres sont les représentants d'une " conception du monde " ». Voir « Le métier et la vocation d'homme politique », *loc. cit.*, in *Le savant et le politique*, *op. cit.*, p. 170.
92. Voir sur ce point Roberto Michels, *Les partis politiques. Essai sur les tendances oligarchiques des démocraties* (1911), trad. S. Jankélévitch, Paris, Flammarion, 1971. On trouvera une mise en perspective de ces différentes critiques chez Pierre Rosanvallon, préface à Paolo Pombeni, *Introduction à l'histoire des partis politiques*, *op. cit.*, NB., pp. XV-XVI.
93. « Le métier et la vocation d'homme politique », *loc. cit.*, p. 194.
94. *Id.*
95. *Ibid.*, p. 195.
96. *Ibid.*, p. 155.
97. *Ibid.*, p. 194.
98. *Ibid.*, p. 195.
99. *Ibid.*, p. 176.
100. *Ibid.*, p. 178.
101. *Ibid.*, p. 197.
102. *Ibid.*, p. 181.
103. *Ibid.*, p. 200.
104. *Ibid.*, p. 180.
105. *Ibid.*, p. 176.
106. *Ibid.*, p. 196.
107. *Ibid.*, pp. 186-195.
108. *Ibid.*, p. 187.
109. *Ibid.*, p. 191.
110. *Ibid.*, p. 199.
111. *Ibid.*, p. 187.
112. Marx, « Pour une critique de la philosophie du droit de Hegel », trad. M. Rubel, in *Œuvres III. Philosophie*, Paris, Gallimard, 1982, p. 384. Rédigé en décembre 1843-janvier 1844, ce texte fut publié à Paris en 1844 dans les *Deutsch-Französische Jahrbücher*. Il faut noter que Marx lui accordera une grande importance par la suite, puisqu'il le signale dans l'avant-propos de la *Critique de l'économie politique* de 1859 comme l'origine de ce qui n'est rien d'autre que la théorie de l'infrastructure. Voir sur ce dernier point Karl Marx, *Œuvres*, I, *Économie*, Paris, Gallimard, 1965, p. 272.
113. « Pour une critique de la philosophie du droit de Hegel », *loc. cit.*, p. 392.
114. Hegel, *Principes de la philosophie du droit*, *op. cit.*, § 185, p. 216. Hegel parle ailleurs de « champ de bataille de l'intérêt privé individuel de tous contre tous », § 289, rem., p. 300.
115. *Ibid.*, § 260, p. 264. Pour être complet, il faudrait ajouter l'existence d'une autre médiation, antérieure à la bureaucratie et postérieure à la société civile, la corporation. Mais celle-ci apparaît comme un moment de la société civile.

116. *Ibid.*, § 297, p. 304. Ce, d'un point de vue strictement empirique et historique. Au plan conceptuel, la bureaucratie correspond à la « classe universelle » qui doit être mise en situation de pouvoir s'affranchir du travail pour la satisfaction des besoins. Et d'être dédommagée de telle sorte que « l'intérêt privé trouve sa satisfaction dans son travail au service du bien commun », *ibid.*, § 205, p. 228.

117. Marx, *Critique de la philosophie politique de Hegel* (1843), trad. M. Rubel, *Œuvres*, III, *Philosophie, op. cit.*, p. 919. Marx ajoute encore que la bureaucratie est ainsi « l'État de la société civile » et « la société civile de l'État » .

118. Ainsi lorsque Marx écrit que « la critique de la philosophie allemande de l'État et du droit, à laquelle Hegel a donné sa forme la plus rigoureuse, la plus riche et définitive, est tout à la fois l'analyse critique de l'État moderne et de la réalité qui s'y rattache, et la négation catégorique de tout le mode traditionnel de la conscience allemande, politique et juridique, dont l'expression la plus distinguée et la plus universelle est précisément la *philosophie spéculative du droit* elle-même, élevée au rang de *science* ». « Pour une critique de la philosophie du droit de Hegel », *loc. cit.*, p. 389.

119. Marx, *Critique de la philosophie politique de Hegel, op. cit.*, p. 941.

120. *Ibid.*, p. 918.

121. *Ibid.*, p. 963.

122. *Ibid.*, p. 965.

123. *Ibid.*, p. 964.

124. *Id.*

125. *Ibid.*, p. 965.

126. *Ibid.*, p. 923.

127. *Ibid.*, p. 964.

128. Marx, « Pour une critique de la philosophie du droit de Hegel », *loc. cit.*, p. 383.

129. *Id.*

130. *Ibid.*, pp. 382-383.

131. *Ibid.*, p. 391.

132. *Id.*

133. *Ibid.*, p. 383.

134. *Wirtschaft und Gesellschaft, op. cit.*, chap. XI, § 5, trad. anglaise, p. 972.

135. Voir sur ce point l'ensemble du § 5, *ibid.*, pp. 971-973.

136. *Économie et société, op. cit.*, p. 350.

137. *Wirtschaft und Gesellschaft, op. cit.*, chap. XI, § 5, trad. anglaise, p. 972.

138. *Ibid.*, pp. 972-973.

139. *Ibid.*, p. 973.

140. *Wirtschaft und Gesellschaft, op. cit.*, chap. XI, § 1, trad. anglaise, p. 957.

141. *Économie et société, op. cit.*, p. 224.

142. *Ibid.*, p. 272.

143. Hegel, *Principes de la philosophie du droit, op. cit.*, § 290, p. 300.

144. *Wirtschaft und Gesellschaft, op. cit.*, chap. XI, § 6, trad. anglaise, p. 975.

145. *Ibid.*, p. 973.

146. *Économie et société, op. cit.*, p. 251.

147. *Wirtschaft und Gesellschaft, op. cit.*, chap. XI, § 1, trad. anglaise, p. 957.

148. *Ibid.*, § 6, p. 979.

149. *Principes de la philosophie du droit, op. cit.*, § 294, p. 302.

150. Max Weber développe ces différents éléments sous les traits de l'expertise, de la neutralité et de la rationalité administrative dans la suite du chap. XI de *Wirtschaft und Gesellschaft*. Voir sur ce point Pierre Bouretz, *La théorie de l'État et du droit chez Max Weber, op. cit.*, pp. 299-307.

151. *Wirtschaft und Gesellschaft, op. cit.*, chap. XI, § 2, trad. anglaise, p. 975.

On soulignera le fait que Max Weber a déjà usé d'une formulation comparable en écrivant : « *Sine ira et studio*, sans haine et sans passion, de là sans "amour" et sans "enthousiasme", sous la pression des simples concepts du devoir, le fonctionnaire remplit sa fonction "sans considération des personnes" ; formellement de manière égale pour "tout le monde", c'est-à-dire pour tous les intéressés se trouvant dans la même situation de fait. » *Économie et société, op. cit.*, p. 231.

152. Voir sur ce point le § 296 des *Principes de la philosophie du droit, op. cit.*, pp. 303-304, où Hegel montre que « l'habitude des vues et des affaires concernant l'intérêt général » se forme par l'éducation qui produit « l'absence de passion, le sens de la justice et une certaine modération dans le comportement ». Mais que cette alliance résulte aussi de « la grandeur de l'État », qui atténue les relations familiales et émousse la vengeance, la haine et les autres passions.

153. Marx, *Critique de la philosophie politique de Hegel, op. cit.*, p. 921.

154. On se reportera à cette question au long développement que Max Weber consacre à la collégialité et à la division du pouvoir administratif comme composante de la rationalité politique moderne. Voir *Économie et société, op. cit.*, pp. 279-288.

155. Sur ce point précis, Weber désigne comme « autorités constituées » les institutions distinctes de la hiérarchie bureaucratique par un « droit propre » et qui contrôlent ses règlements et leur application. *Ibid.*, p. 279.

156. Marx, *Critique de la philosophie politique de Hegel, op. cit.*, p. 929.

157. *Ibid.*, p. 921.

158. *Ibid.*, pp. 921-922. Trad. modifiée.

159. *Wirtschaft und Gesellschaft, op. cit.*, chap. XI, § 6, trad. anglaise, p. 979.

160. *Économie et société, op. cit.*, p. 230.

161. Marx, *Critique de la philosophie politique de Hegel, op. cit.*, p. 921.

162. *Wirtschaft und Gesellschaft, op. cit.*, chap. XI, § 11, trad. anglaise, p. 991.

163. On songe à des titres différents, à la manière dont Claude Lefort décrit la bureaucratie comme un « milieu de pouvoir », avec son savoir, son histoire et ses rites ; aux analyses de Cornelius Castoriadis, ou encore à la façon dont Michel Crozier reproche au fonctionnalisme d'avoir méconnu le « problème de gouvernement » posé par l'extension de la bureaucratie. Voir respectivement Claude Lefort, *Éléments d'une critique de la bureaucratie, op. cit.*, chap. IX ; et Michel Crozier, *Le phénomène bureaucratique*, Paris, Seuil, 1963, p. 224 s.

164. On pense plus directement ici aux analyses issues de l'École de Francfort, et notamment à Jürgen Habermas. Voir, par exemple, l'interprétation des liens entre savoir spécialisé et politique, in *La technique et la science comme idéologie, op. cit.*, p. 97 s.

165. *Wirtschaft und Gesellschaft, op. cit.*, chap. XI, § 13, trad. anglaise, p. 999.

166. Marx, *Critique de la philosophie politique de Hegel, op. cit.*, p. 922.

167. *Ibid.*, p. 921.

168. Cité par J.P. Mayer, *Max Weber and German Politics*, Londres, Faber and Faber, 1943, p. 127. Voir sur ce texte Robert A. Nisbet, *La tradition sociologique, op. cit.*, p. 370 ; et Wolfgang Mommsen, *Max Weber et la politique allemande, op. cit.*, p. 219.

169. À titre d'illustration, Habermas reconnaît cette dette, mais lui ajoute immédiatement celle qui s'exerce à l'égard de la thèse marxiste de la colonisation intérieure du monde vécu. C'est alors chez Lukács qu'il faut aller chercher la médiation entre Marx et Weber. Voir Jürgen Habermas, *Théorie de l'agir communicationnel, op. cit.*, vol. II, pp. 336-339, et p. 365 s.

170. Max Weber, *Économie et société, op. cit.*, p. 229.

171. *Id.*

172. La formule est empruntée à Claude Lefort, *Éléments d'une critique de la bureaucratie, op. cit.*, p. 281.

173. Hegel, *Principes de la philosophie du droit, op. cit.*, § 279, p. 291.

174. Marx, *Critique de la philosophie politique de Hegel, op. cit.*, p. 899.

175. *Ibid.*, p. 897.

176. *Principes de la philosophie du droit, op. cit.*, § 258, add., p. 260.

177. *Éléments d'une critique de la bureaucratie, op. cit.*, p. 282.

178. *Économie et société, op. cit.*, p. 231.

179. Tocqueville, *De la démocratie en Amérique*, Paris, Gallimard, 1951, vol. 2, p. 325.

180. Claude Lefort, *Éléments d'une critique de la bureaucratie, op. cit.*, p. 283.

181. Marcel Gauchet, « Tocqueville, l'Amérique et nous », *Libre*, n° 7, 1980, p. 108. Voir aussi François Furet, « Le système conceptuel de *De la démocratie en Amérique* », in *L'atelier de l'histoire*, Paris, Flammarion, 1982, pp. 217-254.

VIII. RAISONS DU DROIT ET FORMES DE L'ÉTAT

1. *Économie et société, op. cit.*, p. 24.

2. *Ibid.*, p. 25. D'où la définition du droit comme « chance d'une *contrainte* (physique ou psychique), grâce à l'activité d'une *instance* humaine *spécialement* instituée à cet effet, qui force au respect de l'ordre et châtie la violation » (p. 33) et de l'ordre juridique en tant que situation « où il faut compter avec l'emploi de moyens de coercition quelconques, physiques ou psychiques, et où cet emploi est entre les mains d'un *appareil* de coercition, c'est-à-dire d'une ou plusieurs personnes qui se tiennent prêtes à s'en servir au cas où se produirait un état de fait propre à justifier leur intervention » (p. 327). D'où aussi l'opposition de point de vue entre le juriste qui veut savoir « le *sens normatif* qu'il faut *attribuer logiquement* à une certaine construction de langage donnée comme norme de droit » (p. 321) et le sociologue qui demande « ce qu'il *advient en fait* dans la communauté » des injonctions empiriques contenues dans la norme (*id.*).

3. Edmund Husserl, *Méditations cartésiennes, op. cit.*, p. 115.

4. *Wirtschaft und Gesellschaft, op. cit.*, chap. IX, § 1, trad. anglaise, p. 904.

5. Max Weber, *L'éthique protestante et l'esprit du capitalisme, op. cit.*, p. 14.

6. Hegel, *Principes de la philosophie du droit, op. cit.*, § 261 ; add., p. 266. Voir plus généralement les §§ 257-267.

7. *Ibid.*, préface, p. 57.

8. Carl Schmitt, *Verfassungslehre* (1928), trad. L. Deroche, *Théorie de la constitution*, Paris, PUF, coll. « Léviathan », 1993, p. 172.

9. *Ibid.*, p. 172.

10. *Ibid.*, p. 263.

11. Carl Schmitt, « Legalität und Legitimität » (1932), in *Verfassungrechtliche Aufsätze aus den Jahren 1924-1954*, Berlin, Duncker & Humblot, 1985, p. 269. Cité d'après Jean-François Kervégan, *Hegel, Carl Schmitt*, Le politique entre spéculation et positivité, Paris, PUF, coll. « Léviathan », 1992, p. 62.

12. *Économie et société*, p. 223.

13. *Sociologie du droit, op. cit.*, p. 221.

14. *Ibid.*, p. 130.

15. *Ibid.*, p. 221.

16. *Ibid.*, p. 126.

17. *Ibid.*, p. 125.

18. *Ibid.*, p 221.

19. On se reportera à nouveau aux développements consacrés à la nature de la jurisprudence dans la *Sociologie du droit, op. cit.*, pp. 126-128, NB, p. 127.

20. *Ibid.*, p. 131.
21. *Ibid.*, p. 221.
22. *Ibid.*, p. 145.
23. *Ibid.*, p. 132. Weber n'hésitera pas à imputer ce déficit de rationalité du droit anglais à l'absence de « bureaucratisation » de l'institution judiciaire (p. 160).
24. *Ibid.*, p. 123.
25. *Id.* (trad. modifiée).
26. *Ibid.*, p. 221.
27. *Id.*
28. *Ibid.*, pp. 221-222.
29. *Ibid.*, p. 118.
30. Max Weber, *Gesammelte Aufsätze zur Wissenschaftslehre*, 5. Auflage, J. C. B. Mohr, Tübingen, 1982, pp. 7-8. Cité in Philippe Raynaud, « Max Weber et le problème de l'historicisme », *Archives de philosophie du droit*, t. 30, La jurisprudence, 1985, p. 303.
31. Ne pouvant reprendre ici le contenu de ces analyses, je me permets de renvoyer à Pierre Bouretz, *La théorie de l'État et du droit chez Max Weber*, *op. cit.*, t. 2, pp. 344-357.
32. Voir par exemple *Sociologie du droit*, *op. cit.*, pp. 62 et 200.
33. *Ibid.*, p. 203.
34. *Ibid.*, p. 155.
35. *Ibid.*, p. 157.
36. *Ibid.*, p. 158.
37. *Ibid.*, p. 159.
38. *Ibid.*, p. 160.
39. *Ibid.*, p. 202.
40. *Ibid.*, p. 200.
41. *Ibid.*, p. 203.
42. *Ibid.*, p. 182.
43. *Ibid.*, p. 179.
44. *Ibid.*, p. 183.
45. *Ibid.*, p. 184.
46. *Ibid.*, p. 142.
47. On pourra se reporter sur ce point à Jürgen Habermas, *Théorie de l'agir communicationnel*, *op. cit.*, t. 1, p. 269.
48. *Sociologie du droit*, *op. cit.*, p. 147.
49. *Ibid.*, pp. 207-208.
50. *Ibid.*, p. 204.
51. « Le métier et la vocation de savant », *loc. cit.*, in *Le savant et le politique*, *op. cit.*, pp. 87-88.
52. *Sociologie du droit*, *op. cit.*, p. 191.
53. *Wirtschaft und Gesellschaft*, *op. cit.*, chap. XIV, § 3, trad. anglaise, p. 1115.
54. *Sociologie du droit*, *op. cit.*, p. 166.
55. *Ibid.*, p. 193.
56. *Ibid.*, p. 166.
57. *Wirtschaft und Gesellschaft*, chap. IX, § 2, trad. anglaise p. 904. Avec pour symétrique le fait que la domination n'est acceptable que si l'individu « obéit à l'ordre impersonnel, objectif, légalement arrêté et aux supérieurs qu'il désigne, en vertu de la légalité formelle de ses règlements et dans leur étendue », *Économie et société*, *op. cit.*, p. 222.
58. *Wirtschaft und Gesellschaft*, chap. XI, § 6, trad., p. 976.
59. *Sociologie du droit*, p. 167. Max Weber fait allusion à l'aventure du meunier Arnold, expulsé de son moulin en 1779 par le seigneur du lieu. Débouté de

toutes ses plaintes devant les différents niveaux de juridiction, Arnold finit par se tourner vers Frédéric qui ordonna aux juges de rétablir le meunier dans ses droits. Devant le refus obstiné des juges au motif de la loi, l'Empereur en vint à les destituer et à les emprisonner pour faire verser une indemnité à leur victime. L'affaire est fréquemment évoquée dans les discussions allemandes. À titre d'illustration, Hegel y fait allusion au § 295 des *Principes de la philosophie du droit*, pour montrer que l'intervention de la souveraineté est nécessaire afin de supprimer des oppositions entre fonctionnaires et administrés dans le contexte d'institutions imparfaites. *Op. cit.*, p. 303.

60. *Sociologie du droit, op. cit.*, p. 164. Je souligne.

61. Je me permets de renvoyer sur ce point à Pierre Bouretz, *La force du droit*, *op. cit.*, pp. 9-38, ainsi qu'à une discussion entre Philippe Raynaud, « Le juge et la communauté », et Pierre Bouretz, « Progrès du droit », in *Le Débat*, n° 74, mars-avril 1993, pp. 144-150 et pp. 156-163.

62. Thèse défendue par Philippe Raynaud in *Max Weber et les dilemmes de la raison moderne, op. cit.*, pp. 168 et 188 s.

63. *Sociologie du droit, op. cit.*, p. 209.

64. *Ibid.*, p. 210.

65. *Ibid.*, p. 209.

66. *Économie et société, op. cit.*, p. 5.

67. Lettre à Harnack du 12 janvier 1905, cité in Wolfgang Mommsen, *Max Weber et la politique allemande, op. cit.*, p. 490.

68. *Sociologie du droit, op. cit.*, p. 210.

69. *Ibid.*, pp. 210-211, je souligne.

70. *Id.*

71. *Ibid.*, p. 209.

72. *Id.*

73. *Ibid.*, p. 208.

74. *Ibid.*, p. 212.

75. *Ibid.*, p. 213.

76. *Ibid.*, p. 214.

77. *Ibid.*, p. 217.

78. *Ibid.*, p. 216.

79. *Ibid.*, pp. 208-209.

80. *Ibid.*, p. 217.

81. *Ibid.*, pp. 163-164.

82. *Ibid.*, p. 217.

83. *Économie et société, op. cit.*, p. 36.

84. *Sociologie du droit, op. cit.*, p. 210.

85. Ce point est bien établi par Jürgen Habermas, *Théorie de l'agir communicationnel, op. cit.*, t. 1, pp. 274-275.

86. Je m'inspire ici des analyses d'Alain Renaut et Lukas Sosoe, *Philosophie du droit*, Paris, PUF, « Recherches politiques », 1991, pp. 339-347.

87. Max Weber, « L'objectivité de la connaissance dans les sciences et la politique sociales », *loc. cit.*, in *Essais sur la théorie de la science, op. cit.*, p. 131.

88. Leo Strauss, *Droit naturel et histoire, op. cit.*, p. 46.

89. *Économie et société, op. cit.*, p. 225.

90. Voir John Locke, *Deuxième traité du gouvernement civil*, trad. B. Gilson, Paris, Vrin, 1977, chap. XIV, NB., p. 168.

91. Hegel, Encyclopédie des sciences philosophiques, III, *Philosophie de l'esprit*, § 544.

92. *Sociologie du droit, op. cit.*, p. 31.

93. J'ai plus longuement développé ces éléments et ces nuances dans *La théorie de l'État et du droit chez Max Weber*, *op. cit.*, t. 2, pp. 413-425.

94. *Sociologie du droit*, p. 37. Cette séparation des pouvoirs (*Gewaltenteilung*) se distingue de la limitation du pouvoir (*Gewaltbegrenzung*) qui veut que l'*imperium* se heurte aux droits subjectifs des sujets en vertu d'une tradition ou d'un règlement.

95. *Ibid.*, p. 25.

96. *Ibid.*, pp. 92-95.

97. *Ibid.*, p. 93.

98. *Ibid.*, p. 44.

99. *Ibid.*, p. 79.

100. *Ibid.*, pp. 45-46.

101. *Ibid.*, pp. 49-50.

102. *Ibid.*, p. 56.

103. *Ibid.*, p. 112.

104. *Id.*

105. Telle est en substance la thèse de Philippe Raynaud, *Max Weber et les dilemmes de la raison moderne*, *op. cit.*, pp. 170-171.

106. *Sociologie du droit*, *op. cit.*, p. 112.

107. *Id.*

108. *Id.*

109. *Ibid.*, p. 115.

110. Hans Kelsen, *Reine Rechtslehre,* 2e édition (1960), trad. C. Eisenmann, *Théorie pure du droit*, Paris, Dalloz, 1962, p. 147.

111. *Ibid.*, p. 148.

112. *Ibid.*, p. 225.

113. *Ibid.*, p. 226.

114. *Ibid.*, pp. 226-227.

115. *Ibid.*, p. 227. C'est évidemment, comme le note Kelsen, dans la philosophie du droit de Hegel que l'on trouverait l'ensemble des médiations qui font passer de l'idée de personnalité comme volonté libre à la propriété, puis au droit subjectif.

116. *Id.*

117. *Id.*

118. *Ibid.*, p. 253.

119. *Ibid.*, pp. 377-378.

120. *Ibid.*, p. 378.

121. *Ibid.*, p. 378.

122. *Id.*

123. *Essais sur la théorie de la science*, *op. cit.*, p. 347.

124. Hans Kelsen, *Théorie pure du droit*, *op. cit.*, p. 411.

125. *Ibid.*, p. 419.

126. *Ibid.*, p. 411.

127. *Sociologie du droit*, *op. cit.*, p. 28.

128. *Ibid.*, p. 43.

129. *Ibid.*, p. 41.

130. *Ibid.*, p. 43.

131. *Ibid.*, p. 201

132. *Ibid.*, p. 45.

133. *Ibid.*, p. 226.

134. *Ibid.*, p. 41.

135. *Ibid.*, p. 164.

136. *Ibid.*, p. 234.

137. *Ibid.*, p. 164.
138. *Ibid.*, p. 226.
139. *Ibid.*, pp. 234-235.
140. Voir sur ce point Max Weber, *Wirtschaft und Gesellschaft, op. cit.*, chap. XI, § 8, trad. anglaise, *op. cit.*, pp. 985-987.
141. Max Weber, *Sociologie du droit, op. cit.*, p. 29.
142. *Ibid.*, p. 234.
143. *Ibid.*, p. 224.
144. *Ibid.*, p. 225.
145. *Ibid.*, p. 226.
146. *Id.*
147. *Ibid.*, p. 228.
148. *Id.*
149. *Ibid.*, pp. 29-30.
150. *Ibid.*, p. 234.
151. On songe notamment à la description que donne Tocqueville du despotisme moderne. Voir *De la démocratie en Amérique, op. cit.*, t. II, quatrième partie, chap. VI, pp. 322-327.
152. Tocqueville, *De la démocratie en Amérique, op. cit.*, vol. II, p. 339.
153. Robert A. Nisbet, *La tradition sociologique, op. cit.*, p. 361.
154. *Sociologie du droit, op. cit.*, p. 229.

Quatrième partie

L'ÉTAT D'UN MONDE DÉSENCHANTÉ

PRÉAMBULE

1. Max Weber, « L'État national et la politique économique », *Leçon inaugurale, op. cit.*, trad. in *La revue du MAUSS*, n° 3, 1989, p. 55.
2. *Ibid.*, p. 48.
3. *Ibid.*, p. 49.
4. *Ibid.*, p. 44.
5. Ce que tend à suggérer Eugène Fleischmann, « De Weber à Nietzsche », *loc. cit., in fine.*
6. « L'État national et la politique économique », *Leçon inaugurale, op. cit.*, p. 58.
7. *Ibid.*, p. 53. On songe aux textes dans lesquels Hegel décrit la guerre comme ce moment où « se conserve la santé éthique des peuples dans son indifférence vis-à-vis des déterminités et vis-à-vis du processus par lequel elles s'installent comme habitudes et deviennent fixes, tout comme le mouvement des vents préserve les eaux des lacs du danger de putréfaction, où les plongerait un calme durable, comme le ferait pour les peuples une paix durable et *a fortiori* une paix perpétuelle ». *Des manières de traiter scientifiquement du droit naturel* (1802), trad. B. Bourgeois, Paris, Vrin, 1972, p. 55. Texte repris dans les *Principes de la philosophie du droit, op. cit.*, § 324. Voir aussi l'additif à ce paragraphe, *ibid.*, pp. 325-326. Ou encore la *Phénoménologie de l'esprit, op. cit.*, trad. J. Hyppolite, t. II, p. 23.
8. « L'État national et la politique économique », *Leçon inaugurale, op. cit.*, p. 48.
9. *Ibid.*, p. 49.

10. Voir sur ce point Leo Strauss, *La persécution et l'art d'écrire*, trad. O. Berrichon-Sedeyn, Paris, Presses Pocket, coll. « Agora », 1989, NB, chap. 2.

11. Wolfgang Mommsen, *Max Weber et la politique allemande, op. cit.*, NB, chap. 3 pour ce qui concerne l'interprétation de la *Leçon inaugurale*.

12. Sur cette dimension en quelque sorte archéologique du travail de Max Weber, voir Wolfgang Mommsen, *Max Weber et la politique allemande, op. cit.*, chap. 2, NB, pp. 42-44. On se reportera aussi à Reinhard Bendix, *Max Weber, An Intellectuel Portrait, op. cit.*, chap. I et chap. II, A.

13. « L'État national et la politique économique », *Leçon inaugurale, op. cit.*, p. 41.

14. *Id.*

15. *Ibid.*, pp. 46-47.

16. *Ibid.*, p. 47.

17. « Le métier et la vocation de savant », *loc. cit.*, in *Le savant et le politique, op. cit.*, p. 85.

18. Raymond Aron, préface à Max Weber, *Le savant et le politique, op. cit.*, p. 22.

19. *Id.*

20. *Ibid.*, p. 23.

21. Max Weber, « Le métier et la vocation de savant », *loc. cit.*, in *Le savant et le politique, op. cit.*, p. 72.

22. *Ibid.*, p. 71.

23. *Id.*

24. *Id.* Précit.

25. *Économie et société, op. cit.*, p. 524.

26. Voir sur ce point Paul Ricœur, « La liberté selon l'espérance », in *Le conflit des interprétations*, Paris, Seuil, 1969, p. 413.

IX. LES DILEMMES DU DÉSENCHANTEMENT

1. Hegel, *Principes de la philosophie du droit, op. cit.*, p. 59.

2. Hans Kelsen, *Théorie pure du droit, op. cit.*, p. 94.

3. Jürgen Habermas, *Théorie de l'agir communicationnel, op. cit.*, t. 2, p. 361.

4. *Ibid.*, p. 359.

5. *Id.*

6. *Ibid.*, p. 363.

7. *Ibid.*, p. 364.

8. *Ibid.*, p. 362.

9. Je me permets toutefois de renvoyer sur ce point à Pierre Bouretz (dir.), *La force du droit, op. cit.*, p. 56 s.

10. Hans Kelsen, *Théorie pure du droit, op. cit.*, pp. 55-56. Voir sur cette question Alain Renaut, « Kelsen et le problème de l'autonomie du droit », *Cahiers de philosophie politique et juridique*, n° 9, université de Caen, 1986, pp. 9-21. Une telle position n'implique bien entendu pas qu'il faille suspecter Kelsen de quelque compromission, mais on peut noter qu'à l'inverse et en dépit de ses allégations, « être inacceptable à la fois pour les fascistes, les bolchevistes et les libéraux ne prouve nullement que l'on se soit affranchi du politique » (Patrick Wachsmann, « Le kelsénisme est-il en crise ? », *Droits*, n° 4, 1986, p. 60).

11. Leo Strauss indique parfaitement l'enjeu, parfois biaisé, de la discussion dans le contexte contemporain lorsqu'il signale qu'elle vient toucher un point « au-delà duquel l'ombre d'Hitler commence à obscurcir la scène ». Mais il pose également les frontières légitimes du débat, lorsqu'il ajoute que l'examen des thèses de Weber doit à tout prix éviter « de substituer à la *reductio ad absurdum* la

reductio ad Hitlerum ». Pour conclure en rappelant une règle élémentaire de prudence : « Qu'Hitler ait partagé une opinion ne suffit pas à la réfuter. » *Droit naturel et histoire, op. cit.*, p. 51.

12. *L'éthique protestante et l'esprit du capitalisme, op. cit.*, p. 250.

13. *Id.*

14. On songe notamment à la manière dont Hannah Arendt décrit l'univers moderne au travers de la figure de l'*Homo faber* et du fait qu'avec son triomphe « ce qui est en jeu, ce n'est pas l'instrumentalité [...] mais plutôt la généralisation de l'expérience de fabrication dans laquelle l'utile, l'utilité, sont posés comme normes ultimes de la vie et du monde des hommes ». *Condition de l'homme moderne, op. cit.*, p. 173.

15. « Parenthèse théorique : le refus religieux du monde, ses orientations et ses degrés », *loc. cit.*, in *Archives de science sociale des religions*, 61. 1., janvier-mars 1986, *op. cit.*, pp. 14-15. Publié en 1915 dans *Archiv*, ce texte représente donc l'une des formes ultimes de la pensée de Max Weber. Consacré à une question propre à la sociologie des religions, il résume toutefois, ainsi qu'on va le voir, quelques points clés du jugement wébérien sur le monde contemporain. S'agissant des problèmes liés à la politique et à l'État, on sera frappé de constater la proximité avec les thèmes de la *Leçon inaugurale* de 1895.

16. *Ibid.*, p. 15.

17. Sociologie du droit, *op. cit.*, pp. 234-235.

18. « Parenthèse théorique : le refus religieux du monde, ses orientations et ses degrés », *loc. cit.*, p. 15.

19. *Id.*

20. *Le savant et le politique, op. cit.*, pp. 94-95.

21. *L'éthique protestante, op. cit.*, p. 249.

22. *Id.*

23. *Le savant et le politique, op. cit.*, p. 79.

24. *L'éthique protestante, op. cit.*, p. 251.

25. *Le savant et le politique, op. cit.*, p. 95.

26. Telle est en substance l'interprétation de Leo Strauss dans *Droit naturel et histoire, op. cit.*, pp. 44-82.

27. « De Weber à Nietzsche », *loc. cit.*, *Archives européennes de sociologie*, V, 1964, pp. 190-238.

28. *Le savant et le politique, op. cit.*, p. 100.

29. Projet propre à Rickert, cité par Eugène Fleischmann, « De Weber à Nietzsche », *loc. cit.*, p. 198.

30. Raymond Aron, qui cherche à réfuter la critique de Leo Strauss sur ce point, concède cependant cette difficulté lorsqu'il admet que Weber « jugeait, en dernière analyse, injustifiable la science à laquelle il consacrait sa vie ». Voir son Introduction aux deux conférences recueillies dans *Le savant et le politique, op. cit.*, p. 56. On notera toutefois que Raymond Aron avait indiqué la manière dont « Max Weber aurait pu sortir de ce cercle dans lequel il s'enfermait lui-même » : en reconnaissant le caractère universalisable des propositions scientifiques. (*Ibid*, p. 43.)

31. Ce point est fortement mis en lumière par Philippe Raynaud, *Max Weber et les dilemmes de la raison moderne, op. cit.*, pp. 179-181.

32. *Le savant et le politique, op. cit.*, p. 94.

33. Eugène Fleischmann, « De Weber à Nietzsche », *loc. cit.*, p. 219.

34. Leo Strauss, *Droit naturel et histoire, op. cit.*, p. 75.

35. *Ibid.*, p. 76.

36. *Ibid.*, p. 79.

37. *Le savant et le politique, op. cit.*, p. 95. Je souligne.

38. Max Weber, *Gesammelte politische Schriften*, Tübingen, Mohr, 1958, p. 142. Cité in Julien Freund, « Le polythéisme chez Max Weber », in *Archives de sciences sociales des religions*, 61. 1, janvier-mars 1986, p. 52. Voir aussi *Le savant et le politique, op. cit.*, p. 93 : « Sans vouloir faire autrement l'éloge du vieux Mill, il faut néanmoins reconnaître qu'il a raison de dire que lorsqu'on part de l'expérience pure on aboutit au polythéisme. » Voir encore une référence similaire dans les *Essais sur la théorie de la science, op. cit.*, p. 427.

39. *Essais sur la théorie de la science, op. cit.*, p. 427.

40. *Max Weber et les dilemmes de la raison moderne, op. cit.*, p. 178.

41. Voir l'introduction de Raymond Aron (rédigée en 1959) pour *Le savant et le politique, op. cit.*, pp. 9-57.

42. *Ibid.*, p. 56.

43. *Ibid.*, p. 50.

44. *Ibid.*, p. 55.

45. *Id.*

46. Max Weber, « La vocation d'homme politique », *loc. cit.*, in *Le savant et le politique, op. cit.*, p. 201.

47. Raymond Aron, Introduction à Max Weber, *Le savant et le politique, op. cit.*, p. 55.

48. Voir sur ce point *Droit naturel et histoire, op. cit.*, p. 73.

49. On se reportera ici à Philippe Raynaud, *Max Weber et les dilemmes de la raison moderne, op. cit.*, pp. 175-176. Bien que d'une manière plus critique, Wolfgang Mommsen offre une analyse des fondements de la politique wébérienne qui irait dans ce sens, en faisant de l'éthique de la responsabilité la base de la conception wébérienne de l'engagement. Voir *Max Weber et la politique allemande, op. cit.*, p. 69.

50. Cette thèse est défendue par Guenther Roth et Wolfgang Schluchter, *Max Weber's Vision of History*, Ethics and Methods, *op. cit.*, p. 87.

51. On trouverait une interprétation similaire chez Karl Löwith, qui défend l'idée selon laquelle le projet de Max Weber consiste à fonder la liberté dans la société rationalisée et non à attendre du processus de rationalisation un accroissement de l'autonomie. Voir *Max Weber and Karl Marx, op. cit.*, pp. 43-47.

52. Philippe Raynaud, *Max Weber et les dilemmes de la raison moderne, op. cit.*, p. 183.

53. Voir ici encore la démonstration de Philippe Raynaud, *ibid.*, pp. 212-214. Elle s'oppose directement aux interprétations qui soulignent la continuité de Weber à Carl Schmitt, en considérant que la défense du charisme et la prise en compte d'une composante décisionniste de la politique fait fond sur le projet d'un achèvement de la « dialectique des Lumières » qui passe par la liquidation de leurs principes. Thèse notamment défendue par Jürgen Habermas comme on va le voir et qui trouve son origine dans les débats du XVe congrès de l'Association allemande de sociologie.

54. *Ibid.*, p. 184.

55. Jürgen Habermas, *Théorie de l'agir communicationnel, op. cit.*, t. I, p. 258.

56. On se reportera sur ce point au début du chapitre de la *Théorie de l'agir communicationnel* consacré à Weber, *op. cit.*, t. I, pp. 159-160.

57. *Ibid.*, p. 258.

58. L'expression est empruntée à Max Weber, *Wirtschaft und Gesellschaft, op. cit.*, p. 922, citée par Habermas, *op. cit.*, p. 260.

59. *Ibid.*, p. 260.

60. Jürgen Habermas applique cette formule à Adorno. Voir *Profils philosophiques et politiques*, trad. F. Dastur, J.-R. Ladmiral et M.-B. de Launay, Paris,

Gallimard, 1974, p. 244. On se reportera sur ce point à J.-M. Ferry, *Habermas, L'éthique de la communication, op. cit.*, p. 288 s.

61. Jürgen Habermas, *Profils philosophiques et politiques, op. cit.*, p. 251.

62. *Id. Raison et légitimité*, trad. J. Lacoste, Paris, Payot, 1978, p. 177.

63. A. Wellmer, *Kritische Gesellschaftstheorie und Positivismus*, Francfort, 1969, p. 139, cité par Habermas, *Raison et légitimité, op. cit.*, p. 171.

64. Jürgen Habermas, *Raison et légitimité, op. cit.*, p. 172.

65. *Id.*

66. *Ibid*, p. 170.

67. Reproduisant le geste de Habermas à propos de Heidegger, il est en quelque sorte question ici de penser avec Max Weber contre Max Weber.

68. Voir sur ce point les analyses de J.-M. Ferry, *Habermas, l'éthique de la communication, op. cit.*, p. 279 s.

69. Les développements qui suivent reposeront surtout sur les analyses de *Raison et légitimité*, dans la mesure où le raisonnement d'Habermas s'y construit au travers d'un dialogue permanent avec l'œuvre de Max Weber. D'un point de vue interne à l'œuvre d'Habermas cette fois, il faudrait chercher le modèle plus achevé d'une pragmatique universelle dans des textes ultérieurs. Outre les deux volumes de la *Théorie de l'agir communicationnel*, on se reportera alors notamment à *Morale et communication*, Conscience morale et activité communicationnelle, trad. C. Bouchindhomme, Paris, Cerf, 1986.

70. Jürgen Habermas, *Raison et légitimité, op. cit.*, p. 148.

71. *Ibid.*, p. 150.

72. Jürgen Habermas, *Profils philosophiques, op. cit.*, p. 252. Cité par J.-M. Ferry, p. 297. Cette découverte, en quelque sorte *a contrario*, des conditions de la communication peut ensuite être réinvestie comme « clé de voûte de l'éthique de la discussion » au travers des deux hypothèses suivantes : « l'hypothèse (a) selon laquelle les exigences normatives de validité ont un sens cognitif et peuvent être traitées *comme* des exigences de vérité ; l'hypothèse (b) selon laquelle il est requis de mener une discussion réelle pour fonder en raison normes et commandements, cela se révélant, *en dernière analyse*, impossible à mener de manière monologique, c'est-à-dire au moyen d'une argumentation hypothétiquement développée en pensée ». Jürgen Habermas, *Morale et communication, op. cit.*, p. 89.

73. *Id.*

74. On pourra se reporter ici à la version initiale du débat, in Theodor Adorno / Karl Popper, *De Vienne à Francfort*. La querelle allemande des sciences sociales, *op. cit.*, NB. K. Popper, « La logique des sciences sociales » et « Raison et révolution » ; J. Habermas, « Théorie analytique de la science et dialectique » et « Contre le rationalisme disséqué à la mode positiviste », ainsi que l'importante introduction d'Adorno. Sur le débat lui-même, voir aussi Jean Leca, « La théorie politique », *loc. cit.*, in Madeleine Grawitz et Jean Leca (dir.), *Traité de science politique*, vol. 1, *op. cit.*, pp. 130-137.

75. Jürgen Habermas, *Raison et légitimité, op. cit.*, p. 148.

76. Voir Paul Ricœur, *Soi-même comme un autre, op. cit.*, p. 328 s. Habermas signale l'aspect de la discussion lié au fait que Kant puisse être « suspecté de commettre une pétition de principe » avec la notion de « fait de la raison ». Voir *Morale et communication, op. cit.*, p. 100.

77. Jürgen Habermas, *Morale et communication, op. cit.*, p. 119.

78. Paul Ricœur, *Soi-même comme un autre, op. cit.*, p. 328.

79. Jürgen Habermas, *Raison et légitimité, op. cit.*, p. 146.

80. *Id.*

81. *Id.* Cette construction est plus systématiquement développée dans les

« notes programmatiques pour fonder en raison une éthique de la discussion » de *Morale et communication, op. cit.*, pp. 63-130.

82. Jürgen Habermas, *Raison et légitimité, op. cit.*, pp. 149-150.

83. *Ibid.*, p. 149.

84. *Ibid.*, p. 153. L'ensemble du raisonnement est à nouveau reconduit par deux fois dans *Morale et communication*. Une première fois, Habermas examine la manière dont certaines conceptions éthiques contemporaines « nous mettent sur la voie d'une éthique cognitiviste », en montrant que les questions d'ordre pratique peuvent être « susceptibles de vérité » (*op. cit.*, p. 73). Ainsi par exemple de celles qui épousent le point de vue de l'observateur pour aboutir à « une réinterprétation des intuitions morales quotidiennes » (*ibid.*, p. 68). Puis, une deuxième fois, est poursuivie une longue discussion en sept « manches » avec le sceptique, qui trouve dans chaque difficulté du cognitiviste des arguments nouveaux contre la possibilité de fonder une morale universelle (*ibid.*, p. 100). L'ensemble vient alors se conclure avec l'idée selon laquelle la supériorité du point de vue commun à Apel et Habermas sur les autres élucidations postkantiennes de « ce qui est moral » tient au fait de « pouvoir déduire les hypothèses de base cognitivistes, universalistes et formalistes à partir du principe moral établi par l'éthique de la discussion » (*ibid.*, p. 135).

85. Voir Max Weber, *Économie et société, op. cit.*, pp. 22-23.

86. Jürgen Habermas, *Théorie de l'agir communicationnel, op. cit.*, vol. I, p. 291.

87. *Ibid.*, pp. 292-294.

88. *Ibid.*, p. 293.

89. Est ici visée la manière dont Weber décrit « la croyance au caractère juridiquement ou conventionnellement prescrit d'un certain comportement », in *Économie et société, op. cit.*, p. 339. Avec elle en effet est mise en avant une action « qui a pour maxime consciente de se conformer à la norme ». Même si cette détermination de l'action n'intervient qu'à titre de « super-additum » dans un contexte principalement dominé par des attentes de régularité du comportement, elle peut acquérir une signification comparable à celle des motifs strictement factuels.

90. *Ibid.*, p. 338. On notera toutefois que Weber relativise aussitôt la portée d'une telle rationalisation normative en ajoutant que ces normes « sont garanties d'abord, le plus souvent, par la contrainte physique ».

91. Élargissant la perspective de Weber, Habermas poursuit le raisonnement en indiquant que l'on pourrait montrer comment l'interaction qui repose sur un « consensus normatif » peut encore s'arracher au contexte de la tradition. Ainsi le droit moderne renvoie-t-il à l'idée d'une croyance éclairée en la légitimité. Croyance qui fait fond, avec le droit naturel et la théorie du contrat, sur des processus de « formation raisonnable de la volonté ». Voir *Théorie de l'agir communicationnel, op. cit.*, vol. I, p. 293.

92. Jürgen Habermas, *Théorie de l'agir communicationnel, op. cit.*, pp. 293-294.

93. *Ibid.*, p. 294.

94. *Ibid.*, p. 295.

95. *Ibid.*, p. 297.

96. *Ibid.*, p. 296.

97. Leo Strauss, *Droit naturel et histoire, op. cit.*, p. 80.

98. *Ibid.*, p. 81.

99. *Id.*

100. C'est dans la *Théorie de l'agir communicationnel* (*op. cit.*, vol. II, p. 168 s. notamment) que l'on trouvera la critique la plus développée du modèle décision-

niste. Celle que conduit *Raison et légitimité* est toutefois plus directement articulée aux difficultés internes de l'œuvre de Max Weber. On s'y reportera ici de préférence.

101. Voir Jürgen Habermas, *Raison et légitimité*, *op. cit.*, pp. 177-191.

102. *Ibid.*, p. 171.

103. Le dialogue avec Arendt, Rawls et Habermas est surtout présent dans *Soi-même comme un autre*, Seuil, 1990. Mais la question de la raison pratique est plus directement traitée dans *Du texte à l'action*, Essais d'herméneutique, II, *op. cit.*, pp. 237-259.

104. Paul Ricœur, *Du texte à l'action*, *op. cit.*, p. 250.

105. Voir la critique de la moralité abstraite dans la *Phénoménologie de l'esprit*, *op. cit.*, t. II, p. 144 s., et celle de la moralité subjective dans les *Principes de la philosophie du droit*, *op. cit.*, §§ 105-118, p. 149 s.

106. Paul Ricœur, *Du texte à l'action*, *op. cit.*, p. 253.

107. Hegel, *Phénoménologie de l'esprit*, *op. cit.*, vol. II, p. 136.

108. Paul Ricœur, *Du texte à l'action*, *op. cit.*, p. 255.

109. *Ibid.*, p. 256.

110. *Id.* Je souligne.

111. Leo Strauss, *Droit naturel et histoire*, *op. cit.*, p. 79.

112. Paul Ricœur, *Du texte à l'action*, *op. cit.*, p. 256.

113. *Ibid.*, p. 258.

114. On songe au célèbre texte de la fin de la préface aux *Principes de la philosophie du droit*, *op. cit.*, p. 58, où Hegel écrit : « Pour dire encore un mot sur la prétention d'enseigner comment le monde doit être, la philosophie vient, en tout cas, toujours trop tard. En tant que pensée du monde, elle n'apparaît qu'à l'époque où la réalité a achevé le processus de sa formation et s'est accomplie. Ce que nous enseigne le concept, l'histoire le montre avec la même nécessité : il faut attendre que la réalité ait atteint sa maturité pour que l'idéal apparaisse en face du réel, saisisse le monde dans sa substance et le reconstruise sous la forme d'un empire intellectuel. Lorsque la philosophie peint son gris sur du gris, une forme de la vie a vieilli et elle ne se laisse pas rajeunir avec du gris sur du gris, mais seulement connaître. La chouette de Minerve ne prend son vol qu'à la tombée de la nuit. »

115. Paul Ricœur, *Le conflit des interprétations*, *op. cit.*, p. 403.

116. Paul Ricœur, *Du texte à l'action*, *op. cit.*, p. 257.

117. *Id.*

118. Jürgen Habermas, *Raison et légitimité*, *op. cit.*, p. 153 s.

119. *Ibid.*, p. 156 (traduction modifiée), je souligne.

120. *Ibid.*, p. 145.

X. LES ANTINOMIES DE L'ÉTAT DE DROIT

1. La plupart des pièces du dossier seront fournies dans ce chapitre. Rappelons toutefois l'ouvrage décisif de Wolfgang Mommsen, *Max Weber et la politique allemande, 1890-1920* (1959), 2ᵉ éd. 1974, et la présentation synthétique et actualisée du débat dans sa postface américaine non traduite en français, « Toward a New Interpretation of Max Weber », in *Max Weber and German Politics*, The University of Chicago Press, 1984. Voir enfin Pierre Bouretz, recension de l'ouvrage de Mommsen, *Revue française de sociologie*, janvier-mars, 1987, XXVIII-1, pp. 150-157.

2. Max Weber, *Sociologie du droit*, *op. cit.*, p. 217.

3. Voir en ce sens la condamnation de Weber, au motif que « ces axiomes de " droit naturel " donnent d'autant moins d'indications univoques pour un pro-

gramme économique et social qu'ils sont produits eux-mêmes en entier, et même pas sans équivoque, par Dieu sait – et encore moins les modernes – quelles conditions économiques *seules* », « Zur Lage der bürgerlichen Demokratie in Russland », *Archiv für Sozialwissenschaft und Sozialpolitik*, t. 22, 1906, p. 118, cité in W. Mommsen, *Max Weber et la politique allemande, op. cit.*, p. 490 (trad. modifiée). Voir sur ce texte de Weber la note n° 89, p. 84 de l'ouvrage de Mommsen.

4. Lettre à Roberto Michels du 4 août 1908, citée in Wolfgang Mommsen, *ibid.*, p. 493. Rappelons que Michels est en 1908 encore membre du parti social-démocrate. Sur Roberto Michels, voir l'article de Jean-Luc Pouthier, in *Dictionnaire des œuvres politiques, op. cit.*, 2ᵉ éd., pp. 698-703. Pour ce qui concerne les relations entre Weber et Michels, voir Wolfgang Mommsen, « Robert Michels and Max Weber : Moral conviction versus the Politics of Responsability », in Wolfgang Mommsen and Jürgen Osterhammel (éd.), *Max Weber and his Contemporaries, op. cit.*, pp. 121-138.

5. On le trouverait parfois chez Benjamin Constant mais aussi chez Guizot, ainsi que dans certains textes politiques de Tocqueville. Mais c'est sans doute le jeune John Stuart Mill qui l'exprime le mieux, en réaction contre le radicalisme politique des utilitaristes. La structure de la métaphore est exactement similaire à celle de Weber à ceci près que le médecin remplace le cordonnier. Voir John Stuart Mill, « Tocqueville on Democracy in America », in *Essays on Politics and Culture*, Gloucester, Mass., Peter Smith éd., 1973, pp. 195-196 ; et Pierre Bouretz, article John Stuart Mill, in *Dictionnaire des œuvres politiques, op. cit.*, 2ᵉ éd., pp. 710-711.

6. P. Ricœur, *Soi-même comme un autre, op. cit.*, p. 303.

7. *Ibid.*, pp. 303-304.

8. *Max Weber et la politique allemande, op. cit.*, p. 493.

9. Voir notamment les articles publiés dans la *Frankfurter Zeitung* durant l'été 1917 et qui fixent le cadre de la dernière politique de Max Weber dans le contexte de la reconstruction de l'Allemagne défaite : *Gesammelte politische Schriften, op. cit.*, pp. 294-394. Ces textes sont reproduits sous le titre « Parliament and Government in a Reconstructed Germany », en annexe de la traduction américaine de *Wirtschaft und Gesellschaft*, in Max Weber, *Economy and Society, op. cit.*, vol. 2, pp. 1381-1462.

10. « La vocation d'homme politique », *loc. cit.*, in *Le savant et le politique, op. cit.*, p. 174.

11. *Ibid.*, p. 156.

12. Weber y fait souvent référence, voir notamment *Le savant et le politique, op. cit.*, p. 161 s.

13. *Économie et société, op. cit.*, p. 276. Je souligne. Weber précise alors que « le chef (démagogue) domine grâce à l'attachement et à la confiance de ses partisans politiques envers sa *personne* en tant que telle. Il règne d'abord sur les partisans enrôlés pour lui, puis, dans le cas où ceux-ci lui procurent la domination, au sein du groupement ».

14. C'est cette grande politique pour l'Allemagne que défend encore Max Weber en 1917 lorsqu'il affirme que « seuls les peuples de maîtres ont la vocation d'intervenir dans les rouages de l'évolution du monde [...]. La "*volonté d'impuissance*" à l'intérieur prêchée par les littérateurs n'est pas conciliable avec la "volonté de puissance" dans le monde, claironnée de façon si bruyante », *Gessammelte politische Schriften, op. cit.*, p. 442, cité in Wolfgang Mommsen, *Max Weber et la politique allemande, op. cit.*, pp. 226-227.

15. Lettre citée par Marianne Weber, in *Max Weber, Ein Lebensbild*, Tübingen, 1926, p. 416.

16. *Wirtschaft und Gesellschaft, op. cit.*, chap. IX, § 1, trad. anglaise, *Economy and Society, op. cit.*, p. 903.

17. « L'État national et la politique économique », *loc. cit.*, in *La revue du MAUSS*, n° 3, nouvelle série, 1989, p. 58.

18. *Essais sur la théorie de la science, op. cit.*, pp. 442-443.

19. Les actes de ce Congrès sont une pièce essentielle de la discussion : *Max Weber und die Soziologie heute,* Verhandlungen des 15. deutschen Soziologen-tages, hg. von Otto Stammer, Tübingen, J. C. B. Mohr, 1965, trad. anglaise in Otto Stammer, *Max Weber and Sociology Today*, Oxford, Basil Blackwell, 1971. Participant au Congrès avec une contribution intitulée « Max Weber und die Macht-politik », Raymond Aron en résume les débat dans *Les étapes de la pensée socio-logique, op. cit.*, pp. 564-571. Publiée dans *Preuves*, n° 165, novembre 1964, la conférence sur « Max Weber et la politique de puissance » est reprise en annexe des *Étapes de la pensée sociologique.*

20. Wolfgang Mommsen, *Max Weber et la politique allemande, op. cit.*, p. 510. Rappelons que la première édition de l'ouvrage date de 1959.

21. *Ibid.*, p. 511. Dans l'édition de 1974, Mommsen répond aux objections en citant Karl Löwith, peu suspect d'hostilité envers Weber, et qui écrivait dès 1939 : « Il a frayé la voie de l'État hégémonique autoritaire et dictatorial, positivement en défendant l'hégémonie irrationnelle " charismatique " et la " domination hégé-monique avec machine ", et négativement par l'absence voulue de contenu, par l'aspect formel de son éthos politique dont la dernière instance n'était que le choix résolu d'une règle valorielle parmi d'autres, peu importait laquelle ! » Karl Löwith, *Mass und Wort,* 3ᵉ année, fasc. 1, 1939, p. 71. Cité par Wolfgang Mommsen, *op. cit.*, p. 511.

22. Voir notamment les ouvrages et contributions suivants. Karl Loewenstein, « Max Webers Beitrag zur Staatslehre in der Sicht unserer Zeit », in Karl Engisch, Bernhard Pfister et Johannes Winckelmann, *Max Weber : Gedächtnisschrift des Ludwig-Maximilians-Universität München zur 100 jahrigen Wiederkehr seines Geburstages 1964*, Berlin, Duncker und Humblot, 1966. Eduard Baumgarten, *Max Weber : Werk und Person*, Tübingen, J. C. B. Mohr, 1964. Guenther Roth, « Political Critics of Max Weber », in Reinhard Bendix et Guenther Roth, *Scholarship and Partisanship : Essays on Max Weber*, Berkeley, University of California Press, 1971.

23. Voir sa contribution, qui intervient au cours de la discussion de la commu-nication de Talcott Parsons sur la neutralité et l'objectivité, in Otto Stammer, *Max Weber und die Soziologie heute, op. cit.*, p. 80 s.

24. À l'appui de cette interprétation, cette remarque de Max Weber : « La sépa-ration constitutionnelle des pouvoirs est un principe spécifiquement instable. Sa structure réelle de domination se détermine suivant la réponse à la question : qu'arriverait-il si un compromis constitutionnellement indispensable (par exemple à propos du budget) ne pouvait se réaliser ? » *Économie et société, op. cit.*, p. 290.

25. Voir Karl Loewenstein, cité par Wolfgang Mommsen, *Max Weber et la politique allemande, op. cit.*, p. 478.

26. Le terme n'apparaît pas directement dans le texte de Schmitt mais est de Leo Strauss dans le commentaire critique qu'il consacre à *La notion de politique* : « Commentaire de *La notion de politique* de Carl Schmitt », 1932, in Heinrich Meier, *Carl Schmitt, Leo Strauss et la notion de politique : un dialogue entre absents.* Trad. F. Manent, préface de P. Manent, Paris, Julliard, 1990, p. 152. Cet ouvrage donne l'intégralité du texte de Strauss ainsi que trois lettres à Carl Schmitt et offre une précieuse analyse de la polémique, accompagnée des précisions phi-lologiques nécessaires à sa compréhension. Notons que dans ses Notes et réfé-rences de 1963 sur le texte de 1932 de *La notion de politique*, Schmitt concède

que Strauss a bien discerné l'opposition entre « divertissement » et « sérieux » et reprend cette dernière notion à son compte. Voir sur ce point Heinrich Meier, *Carl Schmitt, Leo Strauss et la notion de politique : un dialogue entre absents*, *op. cit.*, p. 78, n. 42.

27. Carl Schmitt, *La notion de politique*, *op. cit.*, p. 97. Le passage entre crochets n'apparaît que dans la troisième version du texte de Schmitt, qui tient ici compte de la lecture de Strauss, mais radicalise sa thèse. Sur cet ajout, voir les remarques d'Heinrich Meier, *Carl Schmitt, Leo Strauss et la notion de politique : un dialogue entre absents*, *op. cit.*, p. 72.

28. Carl Schmitt, *La notion de politique*, *op. cit.*, pp. 97-98.

29. Alexandre Kojève, *Introduction à la lecture de Hegel*, *op. cit.*, p. 435 note.

30. Leo Strauss, « Commentaire de la *Notion de politique* de Carl Schmitt », *loc. cit.*, p. 151. Je souligne.

31. *Ibid.*, p. 152.

32. Carl Schmitt, *La notion de politique*, *op. cit.*, p. 75. Souligné par Leo Strauss.

33. Raymond Aron, Introduction à Max Weber, *Le savant et le politique*, *op. cit.*, p. 27.

34. Rédigé pour une discussion de l'*Association de politique sociale* en 1913, ce texte est publié en 1917. Voir Max Weber, *Essais sur la théorie de la science*, *op. cit.*, p. 401 s.

35. *Ibid.*, p. 425.

36. *Id.*

37. « La vocation de savant », *loc. cit.*, in *Le savant et le politique*, *op. cit.*, p. 85.

38. *Ibid.*, p. 177.

39. Leo Strauss, « Commentaire de la *Notion de politique* de Carl Schmitt », *loc. cit.*, p. 152.

40. Voir la charge de Max Weber contre « nos milieux d'intellectuels obnubilés par ce carnaval qu'on décore du nom pompeux de " révolution ". Tout cela n'est que " romantisme de ce qui est intellectuellement intéressant ", d'où le sentiment objectif de la responsabilité est absent ». « La vocation de savant », *loc. cit.*, in *Le savant et le politique*, *op. cit.*, p. 177.

41. *Ibid.*, p. 200.

42. *Ibid.*, pp. 200-201.

43. *Ibid.*, p. 200.

44. Leo Strauss, « Commentaire de la *Notion de politique* de Carl Schmitt », *loc. cit.*, p. 153.

45. *Le savant et le politique*, *op. cit.*, p. 180.

46. Leo Strauss, « Commentaire de la *Notion de politique* de Carl Schmitt », *loc. cit.*, p. 156.

47. Leo Strauss, *Droit naturel et histoire*, *op. cit.*, p. 52.

48. Voir sur ce point Max Weber, *Essais sur la théorie de la science*, *op. cit.*, pp. 450-451.

49. On se reportera sur ce point aux développements de *Droit naturel et histoire*, *op. cit.*, pp. 52-57.

50. « Essai sur le sens de la " neutralité axiologique " dans les sciences sociologiques et économiques », *loc. cit.*, in *Essais sur la théorie de la science*, *op. cit.*, p. 427.

51. *Ibid.*, p. 428. Je souligne.

52. Leo Strauss, *Droit naturel et histoire*, *op. cit.*, p. 52.

53. *Ibid.*, p. 53.

54. En ce sens, « l'éthique » de Max Weber serait bien d'inspiration nietzs-

chéenne, comme le montre Eugène Fleischmann, « De Weber à Nietzsche », *loc. cit.*, pp. 223-238. Sur la morale nietzschéenne de l'authenticité, voir Luc Ferry, *Homo Aestheticus*, L'invention du goût à l'âge démocratique, Paris, Grasset, 1990, pp. 243-254 et pp. 341-346.

55. Paul Ricœur, « Le paradoxe politique », *loc. cit.*, in *Histoire et vérité, op. cit.*, pp. 260-285..

56. *L'éthique protestante et l'esprit du capitalisme, op. cit.*, p. 250.

57. Paul Ricœur, « Le paradoxe politique », *loc. cit.*, p. 276.

58. Sur le sens et la profondeur de cette question, on se reportera aux analyses de Claude Lefort, « Permanence du théologico-politique ? », in *Essais sur le politique. xix*e*-xx*e *siècles, op. cit.*, pp. 251-300. Et l'on se souviendra avec lui que c'est Hegel qui inaugure cette problématique, en dénonçant cette « immense erreur de notre époque » qui consiste à croire l'État affranchi de la religion. Erreur qui prend la forme suivante : « L'on a considéré le rapport de la religion à l'État comme si celui-ci existait pour lui-même déjà par ailleurs et en vertu d'une quelconque puissance et force, comme si le (facteur) religieux, en tant que ce qu'il y a de subjectif dans les individus, n'avait éventuellement à s'ajouter à lui, comme quelque chose de souhaitable, qu'en vue de son affermissement, ou même était indifférent, et comme si la vie éthique de l'État – c'est-à-dire un droit et une constitution rationnels – se tenait ferme, pour elle-même, sur son propre fondement. » Hegel, *Encyclopédie des sciences philosophiques*, III, *Philosophie de l'Esprit, op. cit.*, pp. 334-335.

59. Carl Schmitt, *Politische Theologie. Vier Kapitel zur Lehre von der Souveränität,* 1922, Berlin, Duncker und Humblot, 1985, trad. J. L. Schlegel, *Théologie politique*, Paris, Gallimard, 1988, p. 46. Je souligne.

60. Claude Lefort, « Permanence du théologico-politique ? », *loc. cit.*, pp. 299-300.

61. Carl Schmitt, *La notion de politique, op. cit.*, pp. 150-151. Je souligne.

62. *Ibid.*, p. 145.

63. *Ibid.*, p. 149. Carl Schmitt parle alors d'une « génération allemande qui déplore l'âge de la technique sans âme, où notre âme est livrée à elle-même et impuissante ».

64. *Id.* Je souligne.

65. *Ibid.*, p. 150.

66. Voir le « Commentaire de *La notion de politique* de Carl Schmitt », *loc. cit.*, p. 158.

67. *Id.* Les expressions citées sont de Carl Schmitt, *La notion de politique, op. cit.*, p. 151.

68. Cette interprétation est attestée par des textes de Carl Schmitt antérieurs à *La notion de politique*. Heinrich Meier revèle notamment un texte de 1916 où Carl Schmitt écrit à propos de cet Antéchrist : « Son pouvoir mystérieux réside dans son imitation de Dieu. Si Dieu a créé le monde, lui en donne une contrefaçon... Le sinistre magicien bouleverse le monde, change la face de la terre et fait de la nature son esclave. Elle le sert ; peu importe pour quelle fin, pour quelle satisfaction de besoins artificiels, pour quel agrément ou quel confort. Les hommes, qui se laissent abuser par lui, ne voient que les fabuleux effets ; la nature paraît dominée, c'est l'avènement de la sécurité ; tout est prévu, une prévoyance et une planification intelligentes remplacent la Providence ; il " fabrique " la Providence comme une institution quelconque. » In « Theodor Däublers " Nordlicht ". Drei Studien über die Elemente, den Geist und die Aktualität des Werkes », Munich, 1916, cité in H. Meier, *Carl Schmitt, Leo Strauss et la notion de politique*. Un dialogue entre absents, *op. cit.*, p. 75.

69. *Le savant et le politique, op. cit.*, p. 78.

70. *Ibid.*, pp. 79-80.

71. *Le savant et le politique, op. cit.*, p. 189.

72. Ce qui fait dire à Max Weber qu'est « en vérité, politiquement, un enfant » celui qui ne voit pas l'analogie entre le problème politique et le problème de la théodicée : le fait que dans l'action il n'est pas vrai que le bien engendre le bien ou que le mal entraîne le mal. *Ibid.*, p. 191.

73. On trouverait la version la plus orthodoxe de celle-ci chez Johannes Winckelmann, qui plaide que les textes « politiques » de Max Weber sont totalement exempts de tout jugement et offrent une réorganisation du matériau savant, synthétisé dans la perspective de l'action. Voir *Legitimität und Legalität in Max Webers Herrschaftssoziologie,* Tübingen, Mohr, 1952. Plus nuancé, Anthony Giddens défend l'idée d'une liaison pacifiée, de complémentarité réciproque, entre la pensée politique de Weber et sa sociologie. Voir *Politics and Sociology in the Thought of Max Weber,* British Sociological Association, 1972, Londres, Macmillan Press, 1978, pp. 54-59. David Beetham enfin souligne les liens de parenté entre un corpus cohérent de textes politiques et le système savant. Mais il laisse à ce système le premier et le dernier mots, considérant que l'interrogation politique de Max Weber se nourrit des problématiques sociologiques pour chercher à préserver les conditions de la liberté dans le contexte de la société de masse et des grandes organisations. Voir *Max Weber and the Theory of Modern Politics,* Oxford, Polity Press, 1985, pp. 250-276.

74. Wolfgang Mommsen, *Max Weber et la politique allemande, op. cit.*, p. 12.

75. *Id.*, « The Antinomical Structure of Max Weber's Political Thought », in *The Political and Sociological Theory of Max Weber, op. cit.*, pp. 24-43.

76. Voir sur ce point Wolfgang Mommsen, *ibid.*, pp. 35-36. Mommsen ajoute alors une troisième antinomie, située à un autre niveau, puisqu'elle concerne le fait que Weber puisse à la fois décrire les formes d'aliénation et d'ossification du lien social induites par le capitalisme ou la bureaucratie, et n'attendre que de l'État et de l'économie capitaliste une capacité à préserver les conditions de la liberté.

77. Lettre du 16 juillet 1917 à Ehrenberg, *Gesammelte politische Schriften,* 1, *op. cit.*, p. 469. Où Max Weber ajoute : « La forme de l'État m'est complètement égale, *si* ce sont des politiciens et non des bouffons amateurs comme Guillaume II et ses pareils qui gouvernent le pays. »

78. Rapport pour l'*Association de politique sociale,* 1908, cité in Wolfgang Mommsen, *Max Weber et la politique allemande, op. cit.*, p. 494. Mommsen joint à ce texte un article de 1917 où Weber déclare n'avoir « jamais vu dans la démocratie une fin en soi ».

79. L'expression est de Jacob P. Mayer, *Max Weber in German Politics, op. cit.*, p. 109.

80. Carl Schmitt, *Théorie de la constitution, op. cit.*, pp. 461-462 (trad. modifiée). Carl Schmitt se réfère ici explicitement à Friedrich Naumann, Hugo Preuss et Max Weber, à leur souci de découvrir de « nouvelles formes de la représentation nationale » et à leur manière de prendre en compte le problème de la « sélection des chefs ».

81. Carl Schmitt, *Der Hüter des Verfassung,* Tübingen, 1931, p. 89.

82. *Ibid.*, p. 159. On se reportera sur ce point à Wolfgang Mommsen, *Max Weber et la politique allemande, op. cit.*, pp. 478-486.

83. La formulation est de Wolfgang Mommsen, *op. cit.*, pp. 485-486, note 179.

84. La formule est empruntée à Wolfgang Mommsen, *The Age of Bureaucracy. Perspectives on the Political Sociology of Max Weber, op. cit.*, chap. 5. Cette thèse avait été défendue dans un autre contexte par Christoph Steding dès 1932 (cf. *Politik und Wissenschaft bei Max Weber,* Breslau, 1932). Steding faisait alors de Weber un « libéral contre le courant ». David Beetham caricature toutefois le débat

en opposant cette première interprétation à celle de Mommsen chez qui il voit une intention de faire de Weber un père du nazisme. Voir sur ce dernier point *Max Weber and the Theory of Modern Politics, op. cit.*, p. 54.

85. Niklas Luhmann, « Positives Recht und Ideologie », in *Soziologische Aufklärung*, Opladen, 1970, p. 180. Cité par Jürgen Habermas, *Raison et légitimité, op. cit.*, p. 137, où l'auteur engage une discussion systématique de la thèse de Luhmann et de ses liens avec Max Weber.

86. *Id.*

87. *Le savant et le politique, op. cit.*, p. 162.

88. *Économie et société, op. cit.*, p. 271.

89. H. Kelsen, *Théorie pure du droit, op. cit.*, p. 419.

90. *Id.*

91. L'idée est développée dans l'un des premiers ouvrages de Kelsen, *Hauptprobleme des Staatsrechtslehre, entwickelt aus des Lehre vom Rechtssatze*, Tübingen, 1911, 2ᵉ éd., 1923, préface, p. XIV. L'ensemble du problème est bien exposé par Constantin M. Stamatis, « La systématicité du droit chez Kelsen et les apories de la norme fondamentale », *Archives de Philosophie du droit*, t. 31, 1986, p. 46 s.

92. Dans la ligne de la formulation du problème par la deuxième version de la *Théorie pure du droit, op. cit.*, p. 257 : « Il est impossible que la quête du fondement de la validité d'une norme se poursuive à l'infini [...]. Elle doit nécessairement prendre fin avec une norme que l'on supposera dernière et suprême. En tant que norme suprême, il est impossible que cette norme soit *posée*, – elle ne pourrait être posée que par une autorité, qui devrait tirer sa compétence d'une norme encore supérieure, elle cesserait donc d'apparaître comme suprême. La norme ne peut donc être que *supposée*. Sa validité ne peut plus être déduite d'une norme supérieure ; le fondement de sa validité ne peut plus faire l'objet d'une question. »

93. Point mis en lumière par Paul Amselek, « Kelsen et les contradictions du positivisme juridique », *Archives de philosophie du droit*, t. 28, 1983, p. 277.

94. La première idée est développée par A. Renaut, « Kelsen et le problème de l'autonomie du droit », *loc. cit.*, pp. 16-21. Pour ce qui concerne la seconde, F. A. Hayek relève, non sans perfidie, qu'à force de poser pour irréfutables des propositions qui ne sont vraies qu'à raison des définitions qu'elles supposent, la *Théorie pure du droit* finit par relever de la catégorie des « pseudo-sciences » construite par Karl Popper. Comme le marxisme et le freudisme, elle procéderait de ce que Popper nomme « l'essentialisme méthodologique », qui assigne à la science la finalité de décrire des essences posées par définition. Voir Friedrich A. Hayek, *Droit, législation et liberté*, trad. R. Audouin, Paris, PUF, coll. « Libre échange », 1982, t. 2, p. 200, note 55. Et Karl Popper, *The Open Society and its Ennemies*, trad. J. Bernard et P. Monod, *La société ouverte et ses ennemis*, Paris, Seuil, 1979, vol. 1, pp. 34-35.

95. Hans Kelsen, *Théorie pure du droit, op. cit.*, p. 266. S'il en était besoin, Kelsen rappelle qu'une telle hypothèse sur la norme fondamentale entraîne que l'on n'assigne « aucune valeur transcendante au droit positif. Quel est le contenu de cette Constitution et de l'ordre juridique créé sur sa base ? Cet ordre est-il juste ou injuste ? Ces questions n'entrent pas en ligne de compte ; ni davantage le point de savoir si cet ordre juridique garantit effectivement un relatif état de paix au sein de la collectivité qu'il fonde », *ibid.*, p. 267.

96. Voir en ce sens Otfried Höffe, « La théorie du droit de Kelsen est-elle positiviste ? », *Cahiers de philosophie politique et juridique*, n° 9, 1986, publication de l'université de Caen, pp. 56-61.

97. J. Habermas, *Théorie de l'agir communicationnel, op. cit.*, t. I, p. 275.

98. *Économie et société, op. cit.*, p. 222.

99. Jürgen Habermas, *Théorie de l'agir communicationnel, op. cit.*, t. I, p. 275.
100. Niklas Luhmann, « L'unité du système juridique », *Rechtstheorie*, 14, 1983, trad. J. Dagory, *Archives de philosophie du droit*, t. 31, 1986, p. 177. On trouverait une présentation de ce paradigme « autopoiétique » in Michel Van de Kerchove et François Ost, *Le système juridique, entre ordre et désordre*, Paris, PUF, coll. Les voies du droit, 1988, pp. 150-159.
101. Niklas Luhmann, « Soziologie des politischen Systems », in *Soziologische Aufklärung*, Opladen, 1970, p. 167, cité in Jürgen Habermas, *Raison et légitimité, op. cit.*, p. 137. Je souligne.
102. H. Kelsen, *Théorie pure du droit, op. cit.*, p. 297. Rappelons que Max Weber en donne une définition similaire, lorsqu'il écrit que « le droit naturel est l'ensemble des normes indépendantes du droit positif et supérieures à ce dernier [...], l'ensemble des normes qui sont légitimes non pas en vertu de leur édiction par un législateur légitime, mais en vertu de leurs qualités immanentes ». *Sociologie du droit, op. cit.*, p. 209.
103. Voir sur ce point Hans Kelsen, *op. cit.*, pp. 297-298. Kelsen donne l'exemple de la propriété, entendue parfois comme naturellement individuelle, parfois comme naturellement collective ; ou encore de la forme du gouvernement, conçue comme démocratique par certaines versions du naturalisme, comme autocratique par d'autres. Max Weber quant à lui insiste sur l'opposition du droit naturel formel et du droit naturel matériel. Voir *Sociologie du droit, op. cit.*, pp. 212-214.
104. *Théorie pure du droit, op. cit.*, p. 296.
105. *Ibid.*, p. 418.
106. Ernst Kantorowicz, *Les deux corps du roi, op. cit.*, notamment les chap. III et IV. Je me permets de renvoyer à deux essais d'interprétation de ce modèle. L'un dans le cadre de la genèse de la pensée du droit moderne, in Pierre Bouretz, *La force du droit, op. cit.*, pp. 20-23. L'autre, dans le contexte de la formation du concept de souveraineté, in Pierre Bouretz, article Souveraineté, *loc. cit.*, in *Dictionnaire constitutionnel, op. cit.*, NB, pp. 989-990.
107. À la suite de Claude Lefort, c'est chez Dante que l'on peut identifier le moment de cette transformation. Lorsque le plaidoyer en faveur de la monarchie universelle fait signe vers l'idéalisme moderne et les perspectives de la République universelle et de la paix perpétuelle. Lorsque Dante écrit par exemple : « Car en tant qu'homme [les princes] doivent être réduits au meilleur homme (*optimus homo*) qui est la norme de tous les autres, et, en quelque sorte, leur Idée, qui qu'il puisse être ; c'est-à-dire à celui qui est, au plus haut degré, Un dans sa propre espèce » (*Monarchia*, III, 12, 62 s., cité in E. Kantorowicz, *Les deux corps du roi, op. cit.*, p. 332). On pourra se reporter à Claude Lefort, « L'idée d'humanité et le projet de paix universelle », in *Écrire, À l'épreuve du politique, op. cit.*, pp. 227-246. Et « La modernité de Dante », in Dante, *La monarchie*, trad. M. Gally, Paris, Belin, coll. « Littérature et politique », 1993.
108. Voir les analyses de Claude Lefort, *L'invention démocratique*, Les limites de la domination totalitaire, Paris, Fayard, 1981, pp. 172-173.
109. Pour ce qui concerne la rupture avec l'image du corps dans la pensée politique moderne, voir Alain Renaut, *Le système du droit*, Philosophie et droit dans la pensée de Fichte, *op. cit.*, pp. 428-431 ; et Pierre Bouretz, « Progrès du droit », *loc. cit.*, *Le débat*, mars-avril 1993, pp. 159-160.
110. Le schéma de cette critique est légué par Edmund Burke dans ses *Réflexions sur la révolution de France*. On en trouvera une analyse dans la présentation de Philippe Raynaud pour la traduction de P. Andler, Paris, Hachette, Pluriel, 1989, pp. XI-CV.
111. Hannah Arendt, *Essai sur la révolution*, trad. M. Chrestien, Paris, Galli-

mard, 1967, p. 85. C'est au regard de cette définition qu'Hannah Arendt déplore le cours de la Révolution française et sa tendance à confondre les droits de l'homme avec « le contenu même aussi bien que la fin dernière du gouvernement et du pouvoir ».

112. Voir sur ce point Pierre Bouretz, « Égalité et liberté : à la recherche du lien social », *Droits*, n° 8, « La Déclaration de 1789 », 1988, pp. 71-82 ; et article « Droits de l'homme », in *Dictionnaire constitutionnel, op. cit.*, pp. 333-337.

113. Claude Lefort, *Essais sur le politique, XIXᵉ-XXᵉ siècles, op. cit.*, p. 27.

114. Jürgen Habermas, *Raison et légitimité, op. cit.*, p. 135.

115. *Ibid.*, p. 136.

116. *Ibid.*, p. 138.

117. *Ibid.*, p. 141.

118. *Ibid.*, p. 139.

119. On songe notamment à l'entreprise de Michel Villey et aux différentes tentatives de réactivation de l'aristotélisme juridique. Et l'on s'appuie sur sa critique telle qu'elle se développe chez Luc Ferry et Alain Renaut. Voir par exemple Luc Ferry et Alain Renaut, *Philosophie politique*, III. Des droits de l'homme à l'idée républicaine, Paris, PUF, 1985, pp. 43-69. Et Alain Renaut et Lukas Sosoe, *Philosophie du droit, op. cit.*, pp. 129-153.

120. Voir notamment John Rawls, « The Idea of an Overlapping Consensus », *Oxford Journal for Legal Studies*, 7, 1987, pp. 1-25, trad. A. Tchoudnowsky, « L'idée d'un consensus par recoupement », *Revue de métaphysique et de morale*, 93ᵉ année, n° 1, janvier-mars 1988, pp. 3-32.

121. *Ibid.*, p. 5.

122. Voir Paul Ricœur, *Soi-même comme un autre, op. cit.*, pp. 298-305 et Pierre Bouretz, article Pluralisme, *Dictionnaire constitutionnel, op. cit.*

123. Paul Ricœur, *ibid.*, p. 300.

124. John Rawls, « Justice as Fairness : Political not Metaphysical », *Philosophy and Public Affairs*, 14, n° 3, 1985, pp. 223-254, trad. C. Audard, « La théorie de la justice comme équité : une théorie politique et non pas métaphysique », in *Individu et justice sociale*, Paris, Seuil, 1988, p. 281.

125. On peut à cet égard remarquer que, si Weber emprunte à John Stuart Mill la notion de « polythéisme » des valeurs, il lui donne un sens contraire à celui que présente l'auteur de *On Liberty*. Loin en effet de déduire du polythéisme des valeurs l'idée d'une « lutte mortelle et insurmontable, comparable à celle qui oppose " Dieu " et le " diable " », Mill dégage au contraire la positivité du conflit des opinions, des intérêts, voire des visions du monde. Non seulement le conflit des valeurs n'est pas à ses yeux une contrainte négative pesant sur la démarche scientifique ou l'action politique, mais il en est la chance, dans la mesure où la collision des opinions permet à la fois d'échapper au dogmatisme pour l'une et au despotisme majoritaire pour l'autre. Ouvrant à la fois la perspective d'un rationalisme critique de type poppérien (la théorie de la falsification) et d'un pluralisme politique dont Rawls reprend le projet, Mill ne voit donc pas dans la pluralité des points de vue sur le monde le signe d'une perte de sens ou d'une destruction de la capacité émancipatoire de la raison. Au contraire, fait-il de cette pluralité le support d'une autonomie de l'individu dans une société laïcisée et le vecteur d'une liberté d'autant plus sûre qu'elle se tient à l'écart de toute nostalgie. Voir Pierre Bouretz, article John Stuart Mill, *loc. cit.*, in *Dictionnaire des œuvres politiques, op. cit.*, et préface à John Stuart Mill, *De la liberté*, trad. L. Lenglet, Paris, Gallimard, coll. Folio Essais, 1990.

126. Paul Ricœur, *Soi-même comme un autre, op. cit.*, p. 306. À ce trajet de justification des normes par des principes universels il sera opposé le trajet inverse,

qui envisage l'effectuation des règles de justice dans les situations conflictuelles de l'existence vécue.

127. Jürgen Habermas, *Morale et communication, op. cit.*, p. 88. On aura reconnu derrière cette critique celle classiquement opposée à l'impératif catégorique kantien comme « fait de la Raison » : la morale est fondée sur des concepts eux-mêmes normatifs et qui demeurent hypothétiques. Critique à laquelle on peut toutefois opposer qu'en parlant de fait, Kant entend bien que la conscience de la loi morale est quelque chose de *réel* et non fictif. Voir sur ce point Otfried Höffe, *Introduction à la philosophie pratique de Kant*, 1985, trad. F. Rüegg, Albeuve, éd. Castella, 1985, p. 137. Et P. Ricœur, *Soi-même comme un autre, op. cit.*, p. 248.

128. John Rawls, *Théorie de la justice, op. cit.*, pp. 168-169.

129. *Ibid.*, p. 185.

130. *Ibid.*, p. 242.

131. *Ibid.*, p. 91.

132. *Ibid.*, p. 243.

133. Ce qui autorise Jean-Pierre Dupuy à parler de principe sacrificiel pour décrire le modèle de justice propre à l'utilitarisme. Voir *Le sacrifice et l'envie*, Le libéralisme aux prises avec la justice sociale, Paris, Calmann-Lévy, 1992, p. 108 s.

134. *Théorie de la justice, op. cit.*, p. 219.

135. *Ibid.*, p. 257. Définition à opposer à celles qui font de la constitution un simple résultat de l'histoire ou un acte de pure volonté instituante.

136. *Ibid.*, p. 232.

137. *Ibid.*, p. 235.

138. *Id.*

139. *Ibid.*, p. 236.

140. Paul Ricœur, *Du texte à l'action, op. cit.*, p. 250.

141. John Rawls, « La théorie de la justice comme équité : une théorie politique et non pas métaphysique », *loc. cit.*, p. 308.

142. *Ibid.*, p. 281.

143. *Ibid.*, p. 287.

144. Pour ce qui concerne Hannah Arendt, on se reportera aux ultimes travaux du séminaire consacré à la philosophie politique de Kant reconstruite à partir de la *Critique de la faculté de juger* et du modèle esthétique. Voir Hannah Arendt, *Juger*, Sur la philosophie politique de Kant, trad. M. Revault d'Allonnes, Paris, Seuil, coll. « Libre examen », 1991.

145. John Rawls, « L'idée d'un consensus par recoupement », *loc. cit.*, p. 10.

146. John Rawls, *Théorie de la justice, op. cit.*, p. 92.

147. J'emprunte la notion de théorie du jugement politique à Jacques Lenoble et André Berten, *Dire la norme*, Bruxelles, Paris, Story Scientia/ LGDJ, 1990, p. 107 s.

148. John Rawls, *Théorie de la justice, op. cit.*, p. 289. Rappelons la formulation kantienne de l'impératif catégorique : « Agis uniquement d'après la maxime qui fait que tu peux vouloir en même temps qu'elle devienne une loi universelle », *Fondements de la métaphysique des mœurs*, AK. Bd. IV, 421, trad. V. Delbos, revue et corrigée par F. Alquié, in Kant, *Œuvres philosophiques, op. cit.*, t. II, 1985, p. 285. Sur le lien entre l'impératif catégorique et l'idée d'autonomie, voir Alexis Philonenko, *L'œuvre de Kant, op. cit.*, t. II, 1988, p. 114 s. John Rawls opère de lui-même ce lien (pp. 292-293) et prévient ainsi l'objection de type hégélien : « Ceux qui se représentent la doctrine de Kant comme dominée par la loi et la culpabilité font une erreur fondamentale. Le but principal de Kant est d'approfondir et de justifier l'idée de Rousseau que la liberté est le fait d'agir

selon une loi que nous nous donnons à nous-même. Et cela ne conduit pas à une morale basée sur le commandement strict, mais à une éthique du respect mutuel et de l'estime pour soi-même. »

149. Kant, *Fondements de la métaphysique des mœurs*, *op. cit.*, pp. 308-309.

150. Max Weber, *Sociologie du droit*, *op. cit.*, p. 209.

151. *Ibid.*, p. 211.

152. *Ibid.*, p. 213.

153. *Ibid.*, p. 217.

154. *Id.*

155. John Rawls, « L'idée d'un consensus par recoupement », *loc. cit.*, p. 10.

156. Jürgen Habermas, *Raison et légitimité*, *op. cit.*, p. 145.

157. John Rawls, « La théorie de la justice comme équité : une théorie politique et non pas métaphysique », *loc. cit.*, p. 286.

XI. L'IMPOSSIBLE ÉTAT PROVIDENCE

1. Friedrich A. Hayek, *Droit, législation et liberté*, *op. cit.*, t. 2, Le mirage de la justice sociale, p. 57. Les deux citations renvoient respectivement à Hans Kelsen, « The Pure Theory of Law », *Law Quarterly Review,* vol. 50, 1934, p. 482 et Hobbes, *Léviathan*, 1ʳᵉ partie, chap. 13.

2. Déclaration de Weber au Congrès évangélique social de 1894, *Verhandlungen des evangelisch-sozialen Kongresses*, 1894, p. 80 ; cité in Wolfgang Mommsen, *Max Weber et la politique allemande*, *op. cit.*, p. 138.

3. Lettre circulaire envoyée par Weber le 15 novembre 1912 « À Messieurs les participants aux entretiens de Leipzig », in Bernhard Schäfers, « Ein Rundschreiben Max Webers zur Sozialpolitik », *Soziale Welt*, 18, 1967, p. 265. Il s'agissait de convoquer une réunion de l'aile gauche de l'Association pour la politique sociale, à l'initiative de Weber et Brentano, visant à envisager la possibilité d'une politique sociale libérale. Sur cette histoire, voir Wolfgang Mommsen, *op. cit.*, p. 158 s.

4. L'expression est empruntée à l'un des premiers textes de Max Weber : *Die Landarbeiter in den evangelischen Gebieten Norddeutschlands*, p. 11, cité in Wolfgang Mommsen, *op. cit.*, p. 145. Il correspond à la manière qu'avait parfois Max Weber de renvoyer dos à dos les peurs de la bourgeoisie allemande face à la social-démocratie et l'arrogance de cette dernière. En témoignerait encore cette lettre à Roberto Michels de 1906 : « J'ai entendu Bebel et Legien souligner au moins dix fois leurs " faiblesses ". Je ne parle pas de toutes ces manières carrément petites-bourgeoises, de ces visages d'aubergistes bien à l'aise, du manque d'énergie, de cette incapacité de décider une volte-face " à droite ", quand la voie " à gauche " est fermée ou passe pour d'être – ces messieurs ne font plus peur à personne. » Lettre du 8 octobre 1906, Papiers posthumes de Max Weber, citée in Wolfgang Mommsen, *op. cit.*, p. 146.

5. Lettre du 4 août 1908 à Roberto Michels, Papiers posthumes, citée in Wolfgang Mommsen, *op. cit.*, p. 142.

6. Déclarations au Congrès évangélique social de 1894, citées in Wolfgang Mommsen, *op. cit.*, p. 138.

7. On se reportera sur ce point au matériau accumulé par Wolfgang Mommsen, *op. cit.*, pp. 138-140 et pp. 158-163.

8. Ne serait-ce qu'*a contrario*, dans la mesure où Max Weber écrit que « l'État providence est la légende du patrimonialisme », en ce qu'il dérive non d'une camaraderie librement consentie, mais d'un type de relation autoritaire vécue sur le mode des liens entre père et enfants. Voir Max Weber, *Wirtschaft und Gesellschaft*, *op. cit.*, chap. XIII, § 14, trad. *Economy and Society*, *op. cit.*, p. 1107.

9. *Sociologie du droit, op. cit.*, p. 203. Le phénomène est ici explicitement associé aux pratiques du « despotisme éclairé ».

10. Leo Strauss, *Droit naturel et histoire, op. cit.*, p. 14.

11. *Ibid.*, p. 15.

12. *Ibid.*, p. 16.

13. *Id.*

14. Telle est en substance l'interprétation de la critique straussienne de la pensée juridique moderne comme « oubli du droit » que donnent Alain Renaut et Lukas Sosoe dans leur *Philosophie du droit, op. cit.*, pp. 99-127.

15. *Droit naturel et histoire, op. cit.*, p. 34.

16. Friedrich A. Hayek, *Droit législation et liberté, op. cit.*, t. 2, p. 64.

17. Au sens où il ne s'agit pas d'envisager la justice à partir de ce qu'elle serait au regard d'une définition *a priori*, sur le modèle d'une vérité déjà là qu'il faudrait découvrir, mais d'éliminer des règles injustes par référence à la logique d'élimination progressive de l'erreur dans le travail scientifique.

18. Hayek renvoie directement à la *Logique de la découverte scientifique* de Karl Popper ainsi qu'à *Conjectures et réfutations, ibid.*, p. 51, note 25.

19. Sur cette critique, voir Friedrich A. Hayek, *Droit, législation et liberté, op. cit.*, pp. 64-65.

20. *Ibid.*, p. 75.

21. *Ibid.*, p. 48. Hayek précisera plus loin le sens de ce test en se référant à Kant et au principe de l'impératif catégorique. S'agissant de développer un « système de droit établi », ce test fonctionne comme « condition de justice nécessaire, mais non suffisante » (*ibid.*, p. 51), à la manière d'un impératif catégorique trop souvent interprété aux yeux de Hayek comme visant une conception positive de la justice.

22. La notion de *piecemeal social engineering* est développée par Karl Popper dans *Misère de l'historicisme*. Elle s'oppose aux technologies utopistes propres aux théories historicistes du changement social, celles qui associent le projet d'une transformation globale de la société au paradigme d'une connaissance totale du monde humain déclinée des sciences de la nature. Voir Karl Popper, *Misère de l'historicisme, op. cit.*, p. 67 s.

23. Friedrich A. Hayek, *Droit, législation et liberté*, t. 2, *op. cit.*, p. 71.

24. *Ibid.*, p. 48.

25. *Ibid.*, p. 31.

26. Ronald Dworkin, *Taking Rights Seriously*, Cambridge Mass., Harvard University Press, 1978, p. 147.

27. John Rawls, *Théorie de la justice, op. cit.*, p. 37 (je souligne).

28. Voir sur ce point Pierre Bouretz, article Déclaration des droits de l'homme et du citoyen, in *Dictionnaire des œuvres politiques, op. cit.*, 2ᵉ édition, pp. 253-263.

29. Voir les §§ 55 à 59 de la *Théorie de la justice, op. cit.*, pp. 403-431.

30. Telle est en substance la thèse de *La route de la servitude, op. cit.*, NB, chap. VII.

31. Friedrich A. Hayek, *Droit, législation et liberté, op. cit.*, t. 2, p. 125. Hayek écrit encore que « c'est réellement le concept de " justice sociale " qui a servi de cheval de Troie à la pénétration du totalitarisme » (*ibid.*, p. 164.). Sur cette critique hayekienne des droits de créance, voir Raymond Aron, *Essais sur les libertés*, Paris, Calmann-Lévy, 1965, nouvelle édition, Paris, coll. « Pluriel », 1976, p. 117 s.

32. Ce dispositif conceptuel est posé dans *Droit, législation et liberté*, Ordre et désordre, voir notamment les chap. 2 (*op. cit.*, t. 1, pp. 41-64), 5 (pp. 113-148) et 6 (pp. 149-173). On relèvera que Hayek range explicitement Max Weber au

rang des défenseurs de l'idée de société comme *Taxis*. Voir *Droit, législation et liberté, op. cit.*, t. 2, p. 199, note 50.

33. Friedrich A. Hayek, *Droit, législation et liberté, op. cit.*, t. 3, L'ordre politique d'un peuple libre, p. 89.

34. *Id*. Le schéma de cette ruse ou de ce cercle est le suivant : « [La thèse fondamentale de la théorie économique] se fonde non pas sur la supposition que la plupart des participants au marché, ou même tous, sont rationnels – mais au contraire sur l'idée que ce sera généralement à travers la concurrence qu'un petit nombre d'individus relativement plus rationnels mettront les autres dans la nécessité de devenir leurs émules en vue de prévaloir. Dans une société où un comportement rationnel confère à l'individu un avantage, des méthodes rationnelles seront progressivement élaborées et se répandront par imitation. » Sur la problématique de l'imitation qui soutient ce raisonnement, voir Jean-Pierre Dupuy, *Le sacrifice et l'envie, op. cit.*, p. 266 s.

35. Voir Claude Lefort, « Les droits de l'homme et l'État providence », in *Essais sur le politique, op. cit.*, pp. 31-58.

36. Hannah Arendt, *The Origins of Totalitarism* (1951), 2e partie, trad. M. Leiris, *L'impérialisme*, Paris, Fayard, 1982, p. 281.

37. Claude Lefort, *Essais sur le politique, op. cit.*, p. 40.

38. Friedrich A. Hayek, *Droit, législation et liberté, op. cit.*, t. 2, p. 132.

39. *Ibid.*, p. 133. L'argument de Hayek est ici paradoxal, qui consiste à répondre à l'objection d'un faible niveau de moralité au sein d'une société qui ne partagerait que l'égoïsme et l'intéressement par l'idée selon laquelle « c'est l'absence de buts communs imposés qui donne à une société d'hommes libres tous les traits qui en font la valeur à nos yeux ».

40. *Ibid.*, p. 94. Hayek souligne par ailleurs le fait qu'« il n'y a pas de réponse à la question : *Qui* donc a été injuste ? ». Et il ajoute : « La société est simplement devenue la nouvelle divinité à qui adresser nos plaintes et demander réparation si elle ne répond pas aux espoirs qu'elle a suscités. Il n'y a ni individu ni groupe d'individus coopérant ensemble, à l'encontre de qui le plaignant aurait droit à demander justice, et il n'y a pas de règle de conduite imaginable qui, en même temps, procurerait un ordre opérationnel et éliminerait de telles déceptions. » *Ibid.*, p. 83.

41. *Sociologie du droit, op. cit.*, p. 228.

42. *Ibid.*, p. 234.

43. John Rawls, *Théorie de la justice, op. cit.*, p. 91.

44. *Ibid.*, p. 131.

45. Rappelons le sens de l'opposition, centrale dans la théorie de Rawls, entre théories téléologiques et théorie déontologique de la justice. Les premières ont pour caractéristique de poser une priorité du bon (ou du bien) sur le juste. Cette priorité a aux yeux de Rawls comme conséquence de ne laisser reposer la liberté que sur un « calcul précaire » (*ibid.*, p. 247), puisqu'elle est toujours relative et secondaire par rapport à une exigence qui lui est étrangère. Sont ici en cause, en premier lieu, l'utilitarisme et ses variantes, qui fixent comme finalité ultime de l'organisation sociale la maximisation du bien commun. Mais aussi toutes les éthiques de type « perfectionniste », comme celles d'Aristote ou de Nietzsche (*ibid.*, p. 51). Le marxisme enfin tombe dans cette catégorie, même si Rawls ne note qu'incidemment le fait que Marx se représente la société communiste comme « celle où chaque individu réalise complètement sa nature » (*ibid.*, p. 631, note 4). Ainsi que le remarque Jean-Pierre Dupuy, le refus rawlsien de ce type de théorie repose sur la volonté d'éviter leur caractère « sacrificiel », leur tendance à suggérer une stratégie du bouc émissaire et à sacrifier la liberté individuelle sur l'autel d'autres valeurs (voir « Les paradoxes de la *Théorie de la justice* », *Esprit*, jan-

vier 1988). La riposte de Rawls est alors contenue dans l'effort pour développer une théorie purement déontologique de la justice, à savoir une théorie qui « n'interprète pas le juste comme une maximisation du bien » (*Théorie de la justice, op. cit.*, p. 55), mais au contraire préserve l'idée que « le concept du juste est antérieur à celui du bien » (*ibid.*, p. 57).

46. *Ibid.*, p. 105.

47. *Ibid.*, p. 104.

48. *Ibid.*, p. 105.

49. *Ibid.*, p. 133.

50. Paul Ricœur, *Soi-même comme un autre, op. cit.*, p. 292. Le problème est résumé de la façon suivante : « Une situation réellement conflictuelle apparaît lorsque, creusant sous la pure règle de procédure, on met à nu la diversité entre biens distribués que tend à oblitérer la formulation des deux principes de justice. »

51. *Ibid.*, p. 293.

52. Dans le raisonnement de John Rawls, cette exigence est mise en œuvre au travers d'une stratégie d'épuration de type kantien et qui opère successivement dans les trois sphères du formalisme : mise à l'écart de l'inclination dans celle de la volonté, du traitement d'autrui comme moyen dans la sphère dialogique, du principe d'utilité enfin dans la sphère des institutions. Voir sur ce point Paul Ricœur, *Soi-même comme un autre, op. cit.*, p. 276, et p. 241 pour ce qui concerne la référence à la problématique kantienne de la « mise à l'épreuve » ou de l'épuration.

53. Michael Walzer, *Spheres of Justice*, A Defense of Pluralism and Equality, New York, Basic Books, Inc., 1983.

54. Michael Walzer, *Spheres of Justice, op. cit.*, p. 8. Walzer veut ainsi montrer qu'il n'existe pas un ordre universel des « biens premiers », mais que la nature et la signification de ceux-ci varient en fonction des différents contextes culturels. Sur la manière dont cette démarche fait signe vers l'idée selon laquelle il existe des économies spécifiques de la grandeur, des estimations et de la valeur des biens, voir Luc Boltanski et Laurent Thévenot, *De la justification*. Les économies de la grandeur, Paris, Gallimard, « Essais », 1991.

55. Michael Walzer, *Spheres of Justice, op. cit.*, p. 9.

56. « Les trois voies de la philosophie morale », *Tanner Lectures on Human Values*, Harvard, novembre 1985, trad. J. Roman, in Michael Walzer, *Critique et sens commun*, Paris, La Découverte, 1990, p. 25.

57. On retrouverait aisément dans cette critique de la *Théorie de la justice*, en tant qu'elle repose sur une défense raisonnée de l'universalisme des droits de l'homme, l'écho des remarques d'Hannah Arendt à propos du paradoxe des « sans patrie ». Paradoxe qui tient au fait qu'« être privé des Droits de l'homme, c'est d'abord et avant tout être privé d'une place dans le monde qui rende les opinions signifiantes et les actions efficaces », et non des garanties d'un formalisme abstrait. Voir Hannah Arendt, *L'impérialisme, op. cit.*, p. 281, et Pierre Hassner, « L'émigration, problème révolutionnaire », *Esprit*, juillet 1992.

58. Michael Walzer, « Les trois voies de la philosophie morale », *loc. cit.*, in *Critique et sens commun, op. cit.*, p. 26. Cette seconde démarche ouvre alors sur la perspective d'un renouvellement de l'opposition entre universalisme et relativisme, par la mise au jour d'un universalisme « réitératif » (Walzer) ou « inchoatif » (Ricœur). Voir Michael Walzer, « Les deux universalismes », *Esprit*, décembre 1992 ; Paul Ricœur, *Soi-même comme un autre, op. cit.*, p. 336 ; Pierre Hassner, « Vers un universalisme pluriel », *Esprit*, décembre 1992.

59. *Id.*, « Les trois voies de la philosophie morale », *loc. cit.*, in *Critique et sens commun, op. cit.*, pp. 26-27.

60. *Ibid.*, p. 26.

61. Paul Ricœur, *Soi-même comme un autre*, *op. cit.*, p. 331. On se souvient que l'argumentation repose ici sur cette distinction précieuse, qui sépare deux trajets propres à l'idée de justice. Sur le trajet de la « justification », s'opère la « subsomption de la maxime sous une règle » (*ibid.*, pp. 306-307). Il s'agit alors de remonter vers la fondation en raison des principes de justice, selon une problématique qui est celle de l'épreuve d'universalisation de la règle. Mais ce trajet se double de celui de « l'effectuation », qui concerne cette fois l'application à des situations concrètes où se découvrent des zones conflictuelles entre personnes. C'est sur ce dernier trajet que se loge le doute quant à l'universalisme abstrait, si tant est qu'il se puisse que le respect de la loi devienne contradictoire avec le respect de la dignité due aux personnes.

62. *Ibid.*, p. 329. Le mouvement même de l'ensemble de l'ouvrage, et plus particulièrement de ce que Ricœur nomme la « petite éthique » que sont les chapitres centraux, repose sur cette idée : c'est parce que le formalisme moral est inlassablement confronté au « tragique de l'action » que le conflit demeure présent dans les trois régions sillonnées que sont « le soi universel, la pluralité des personnes et l'environnement institutionnel » ; c'est parce que la moralité abstraite est toujours en difficulté pour régler d'elle-même ces conflits que le chemin en retour doit être pris en compte, qui part des déterminations concrètes de l'éthique en situation. Voir sur ce point p. 291.

63. Voir Charles Taylor, « Cross-Purposes : the Liberal-Communitarian Debate » et « The Politics of Recognition », in *Philosophical Arguments*, Cambridge, Mass., Harvard University Press, 1995.

64. « The Politics of Recognition », *loc. cit.*, p 245 s et Charles Taylor, *Le malaise de la modernité*, trad. C. Melançon, Paris, Cerf, 1994, chap. 5. Sur la genèse du thème de l'authenticité, les formes éthiques qu'elle inspire et leurs ambivalences, on se reportera à Lionel Trilling, *Sincérité et authenticité*, trad. M. Jézéquel, Paris, Grasset, 1994.

65. *Soi-même comme un autre*, *op. cit.*, p. 330. Je souligne.

66. Paul Ricœur, « Langage politique et rhétorique », in *Lectures,* I, Paris, Seuil, coll. « La couleur des idées », 1991, pp. 163-164.

67. Charles Taylor, *Le malaise de la modernité*, *op. cit.*, p. 29.

68. *Ibid.*, p. 82.

69. Kant, Analytique du sublime de la *Critique de la faculté de juger*, AK. Bd. V, 294, *op. cit.*, in *Œuvres philosophiques*, *op. cit.*, t. II, p. 1072.

70. Paul Ricœur, *Soi-même comme un autre*, *op. cit.*, p. 298. On pourra se reporter au beau livre de Martha C. Nussbaum, *The Fragility of Goodness*. Luck and Ethics in Greek Tragedy and Philosophy, Cambridge University Press, 1986.

71. *Soi-même comme un autre*, *op. cit.*, p. 299.

72. *Principes de la philosophie du droit*, *op. cit.*, §§ 126-128 et adds, je souligne.

73. Éric Weil, *Hegel et l'État*, *op. cit.*, p. 59.

74. Voir le commentaire par Alexandre Kojève du chap. VI de la *Phénoménologie de l'Esprit*, qui précise le sens de la critique de la vision morale kantienne sur ce point : Kant demeure prisonnier de la nature (à cet égard il est encore – ou a le regard – esclave) et ne peut penser qu'une « *espérance* » de satisfaction. Voir *Introduction à la lecture de Hegel*, *op. cit.*, p. 149. Mais Kojève rappelle aussi que le dépassement hégélien de ce point de vue limité sur le bonheur n'est possible que dans le sillage de la lecture de la Terreur : ce n'est qu'au travers de la dialectique de la Terreur, qui est celle de la liberté absolue, que peut être aperçue la fin de l'Histoire, et vécu le bonheur de l'individu devenu sage, expérimentant la satisfaction que procure la réconciliation de l'action et de la pensée (*ibid.*, pp. 142-149).

75. Paul Ricœur, « La liberté selon l'espérance », in *Le conflit des interpréta-tions, op. cit.*, p. 407. Voir aussi un éclairant commentaire du commentaire chez Alexis Philonenko, *L'œuvre de Kant, op. cit.*, t. II, p 147 s. La notion de souverain bien apparaît chez Kant au début de la dialectique de la *Critique de la raison pratique*. Elle désigne ce que cherche la raison lorsqu'elle vise à dépasser la dimension du conditionné : « la totalité *inconditionnée* de l'*objet* de la raison pure pratique ». Kant précise qu'il reprend ce concept aux Anciens, puisqu'il décrit « la maxime de notre conduite raisonnable » et relève donc de la doctrine de la sagesse qui n'est autre que le contenu que donnaient les Anciens à la philosophie. Voir *Critique de la Raison pratique*, AK. Bd. V, 108, *op. cit.*, in *Œuvres philoso-phiques, op. cit.*, t. II, pp. 739-740.

76. Paul Ricœur, *Le conflit des interprétations, op. cit.*, p. 407.

77. Kant, « Sur le lieu commun : il se peut que ce soit juste en théorie, mais, en pratique, cela ne vaut point », AK. Bd. VIII, 290, trad. Luc Ferry, in *Œuvres philosophiques, op. cit.*, t. III, p. 271.

78. Sur cette idée de temporalité pratique et ses conséquences, on se tournera vers Alexis Philonenko, *La liberté humaine dans la philosophie de Fichte*, Paris, Vrin, 1966, chap. 17.

79. John Rawls, *Théorie de la justice, op. cit.*, p. 591.

80. *Ibid.*, p. 602.

81. *Id.* La notion de « projet de vie » est développée au § 63, p. 449 s. Essen-tielle à l'économie de la théorie, elle repose sur le fait que l'individu n'est pas une pure moralité abstraite, mais relie la question du bonheur à la satisfaction d'un projet cohérent dans les différents registres de l'existence vécue. En ce sens, « nous pouvons penser qu'une personne est heureuse quand elle est en train de réaliser avec (plus ou moins de) succès un projet rationnel de vie, conçu dans des conditions (plus ou moins) favorables et quand elle a relativement confiance dans les possibilités d'atteindre ses objectifs » (*ibid.*, p. 450). L'idée est empruntée à John Stuart Mill qui la développait dans *On Liberty* (1859). Voir sur ce point Pierre Bouretz, introduction à John Stuart Mill, *De la liberté*, trad. L. Lenglet, à partir de la trad. Dupont White, Paris, Gallimard, Folio Essais, 1990.

82. Paul Ricœur, *Soi-même comme un autre, op. cit.*, pp. 202-203.

83. *Ibid.*, p. 210.

84. *Ibid.*, p. 226.

85. John Rawls, *Théorie de la justice, op. cit.*, p. 571.

86. Paul Ricœur, *Soi-même comme un autre, op. cit.*, p. 229.

87. *Ibid.*, p. 210.

88. Alasdair MacIntyre, *After Virtue*, À Study in Moral Theory, Notre-Dame, Ind., University of Notre-Dame Press, 1981, cité par Paul Ricœur, *Soi-même comme un autre, op. cit.*, p. 186.

89. Paul Ricœur, *Soi-même comme un autre, op. cit.*, p. 213.

90. Paul Ricœur, *Le conflit des interprétations, op. cit.*, p. 413.

91. On se reportera à la description d'un droit ayant « atteint le degré suprême de rationalité méthodique », in Max Weber, *Sociologie du droit, op. cit.*, p. 43.

92. *Ibid.*, p. 224.

93. Kant, *Métaphysique des mœurs, Doctrine du droit*, AK. Bd. VI, 229-230, trad. J. et O. Masson, in *Œuvres philosophiques, op. cit.*, t. III, p. 478.

94. Kant, *Critique de la raison pure*, AK. Bd. III, 131, trad. J.-L. Delamarre et F. Marty, à partir de la trad. J. Barni, in *Œuvres philosophiques, op. cit.*, I, pp. 880-881.

95. *Ibid.*, p. 881.

96. Sur la théorie de la « règle de reconnaissance », voir H. L. A. Hart, *Le*

concept de droit, op. cit., p. 120 s et Pierre Bouretz, « Le droit et la règle :
H. L. A. Hart », in *La force du droit, op. cit.*, pp. 45-56.

97. Kant, *Critique de la faculté de juger*, AK. Bd. V, 179, *op. cit.*, in *Œuvres
philosophiques, op. cit.*, t. II, p. 933.

98. Kant, *Critique de la raison pure, op. cit.*, pp. 881-882.

99. Ce programme est développé dans *Taking Rights Seriously, op. cit.*, pp. VII-
IX. Je me permets de renvoyer à ma préface pour la traduction de cet ouvrage.
Prendre les droits au sérieux, trad. M.J. Rossignol et F. Limarc, Paris, PUF, Coll.
« Léviathan », 1995.

100. H. L. A. Hart, *Le concept de droit, op. cit.*, pp. 159-160. Dans un geste
délibérément rousseauiste, Hart n'hésite pas à renvoyer l'origine de l'indétermination du droit à la finitude humaine, au fait que « nous sommes des hommes et
non des dieux ».

101. *Ibid.*, p. 168. Hart développe cette thèse dans le cadre d'un « scepticisme
relatif à la nature des règles » qui permet toutefois de sérier le contenu du pouvoir
d'appréciation laissé au juge et qui consiste « à préciser des directives originellement vagues, à résoudre des indéterminations contenues dans les lois, ou à
étendre et à restreindre la portée des règles que les précédents obligatoires ne font
que transmettre grossièrement ». Sur la critique de cette position, voir Ronald
Dworkin, *Taking Rights Seriously, op. cit.*, pp. 31-39 et 68-71.

102. Ronald Dworkin, *Taking Rights Seriously, op. cit.*, p. 22.

103. Exemples empruntés à Ronald Dworkin, « La théorie du droit comme
interprétation », art. inédit, trad. F. Michaud, in *Droit et société*, n° 1, LGDJ, 1985,
p. 81. Le choix de ces exemples n'est évidemment pas laissé au hasard. Le
XIVe amendement est au cœur des discussions américaines sur le concept de justice étendu aux questions de l'égalité démocratique et aux techniques de l'activisme judiciaire (voir, sur ce point, Pierre Bouretz, « L'*Affirmative Action*, ou
les infortunes de l'égalité », *Pouvoirs*, n° 59, 1991, pp. 115-128). L'affaire
McLoughlin v. O'Brian (1983) est l'objet d'une analyse approfondie puis devient
un paradigme chez Dworkin, dans *Law's Empire*, Cambridge Mass., Harvard University Press, 1986, trad. E. Soubrenie, *L'empire du droit*, Paris, PUF, 1994. Voir
notamment pp. 24-30.

104. Ronald Dworkin, « Is there Really no Right Answer in Hard Cases ? », in
A Matter of Principle, Cambridge, Mass., Harvard University Press, 1985, p. 131.

105. Ronald Dworkin, « How Law is Like Litterature », in *A Matter of Prin-
ciples, op. cit.*, p. 147.

106. « Is there Really no Right Answer in Hard Cases ? », *loc. cit.*, p. 144.
Dworkin joue évidemment ici de la dualité de sens d'une expression qui signifie
aussi qu'il n'y a pas de réponse en termes de droit.

107. Aristote, *Éthique à Nicomaque*, V, 14, 1137 b, trad. J. Tricot, Paris, Vrin,
1990, p. 267.

108. *Ibid.*, p. 268.

109. *Éthique à Nicomaque*, V, 2, 1129 a, *ibid.*, p. 216. Je souligne.

110. On se reportera ici à Paul Ricœur, « Le juste entre le légal et le bon »,
Esprit, septembre 1991, NB., pp. 7-8.

111. À titre de symptôme de l'ampleur du problème, soulignons une difficulté
interne à la pensée de Kant sur ce point. Par l'une de ses faces en effet, elle donne
prise à la vision d'une réduction de type positiviste du juste au légal. Reste toutefois qu'elle invite à une lecture qui la fait jouer contre elle-même, et explore la
perspective d'une incommensurabilité entre le système des règles positives édictées par l'État et l'idée de droit telle qu'elle est notamment saisie sur l'horizon
cosmopolitique. Pour ce qui concerne la première interprétation, on pourra se
reporter à François Terré, « Le positivisme juridique de Kant », *Philosophie poli-*

tique, n° 2, pp. 159-167. S'agissant de la seconde, je me permets de renvoyer à Pierre Bouretz, « Progrès du droit », *loc. cit.*, in *Le Débat*, mars-avril 1993, NB, pp. 158-159.

112. Ronald Dworkin, « How Law is like Literature », *loc. cit.*, p. 147.

113. Ronald Dworkin, *L'empire du droit*, *op. cit.*, chap. 7.

114. *Ibid.*, p. 247.

115. L'analyse du modèle conventionnaliste est conduite au chap. 4, pp. 114-150.

116. La doctrine de l'intention originelle (*Original Intent*) représente l'un des pôles de la discussion américaine contemporaine s'agissant de l'interprétation constitutionnelle. Elle repose sur l'idée selon laquelle, en cas d'imprécision des textes fondateurs, la solution aux problèmes d'interprétation doit être cherchée dans leurs alentours : dans la pensée des auteurs telle qu'elle s'exprime par les documents qui environnent la référence visée ou dans d'autres expressions de leurs intentions. Une telle doctrine admet donc une part d'interprétation, mais l'enferme dans la déférence due à la Constitution, à ses rédacteurs et à leur pensée. L'expression la plus cohérente de cette thèse dans les controverses actuelles se trouverait chez Walter Berns, *Taking the Constitution Seriously*, New York, Simon and Schuster, 1987. Voir plus généralement Leonard W. Levy, *Original Intent and the Framers' Constitution*, New York, Macmillan Publishing Company, 1988.

117. Voir l'analyse de ce modèle in Ronald Dworkin, *L'empire du droit, op. cit.*, chap. 5, pp. 169-195.

118. On trouvera la version la plus systématique de ce pragmatisme dans les variantes économiques de l'utilitarisme contemporain. À titre exemplaire, voir Richard A. Posner, *Economic Analysis of Law*, 2ᵉ éd., Boston, Little Brown, 1977.

119. Ronald Dworkin, *L'empire du droit, op. cit.*, chap. 7. Je me permets de renvoyer sur ce point à Pierre Bouretz (dir.), *La force du droit, op. cit.*, chap. 3, « Prendre le droit au sérieux : de Rawls à Dworkin », NB. pp. 83-89.

120. Ronald Dworkin, *Law's Empire, op. cit.*, p. 261.

Épilogue

LE MOMENT WEBER

PRÉAMBULE

1. Max Weber, *L'éthique protestante et l'esprit du capitalisme, op. cit.*, p. 251.

2. On se reportera ici au très bref passage consacré à Max Weber dans Theodor W. Adorno, *Dialectique négative*, trad. G. Coffin, J. Masson, O. Masson, A. Renaut, D. Trousson, Paris, Payot, 1978, pp. 132-134.

3. *Ibid.*, p. 133.

4. *Ibid.*, pp. 132-133.

5. *Ibid.*, p. 133. Adorno se réfère ici au début du second chapitre de *L'éthique protestante*, où Max Weber montre qu'un concept historique comme l'esprit du capitalisme « ne peut être défini suivant la formule *genus proximum, differentia specifica*, puisqu'il se rapporte à un phénomène significatif pris dans son *caractère* individuel propre ; mais il doit être *composé* graduellement, à partir de ses éléments singuliers qui sont à extraire un à un de la réalité historique » (Max Weber, *L'éthique protestante et l'éthique du capitalisme, op. cit.*, p. 45). Ce qui conduit à dire que le concept définitif n'est pas donné au début de la recherche, mais apparaît à sa fin.

6. Adorno, *Dialectique négative, op. cit.*, p. 133.

7. *Ibid.*, p. 132.

8. Formule citée par Philippe Raynaud, « Nietzsche éducateur », in *Pourquoi nous ne sommes pas nietzschéens*, Paris, Grasset, 1991, p. 206. Dans cette remarquable mise au point, Philippe Raynaud restitue les origines nietzschéennes du perspectivisme épistémologique de Weber, ancré dans la différence de principe entre les sciences de la nature et les sciences historiques. En soulignant notamment que, pour Weber comme pour Nietzsche, il s'agit de « dissocier le sens historique de l'illusion spéculative d'une *déduction* de la diversité et, surtout, de la perspective consolante d'une réconciliation finale, au-delà des antinomies qui définissent l'expérience du devenir » (*ibid.*, p. 209).

9. Ernst Cassirer, « Le concept dans les sciences de la nature et de la culture », in *Logique des sciences de la culture*, trad. J. Carro, Paris, Cerf, 1991, p. 166. On notera que Cassirer se réfère ici à la formule de Ranke évoquée plus haut. Sur cette formule et sa signification du point de vue de la constitution de l'historiographie moderne, voir les analyses de Reinhart Koselleck, *Le futur et son passé*, Contribution à la sémantique des temps historiques, trad. J. Hoock et M.-C. Hoock, Paris, éd. de l'École des hautes études en sciences sociales, 1990, p. 164.

10. Ernst Cassirer, *Philosophie des formes symboliques*, t. 1, Le langage (1923), trad. O. Hansen-Love et J. Lacoste, Paris, Minuit, 1972, p. 55.

11. Ainsi Weber peut-il écrire que les sciences sociales apportent des « connaissances relatives à la technique permettant de maîtriser par le calcul, la vie, les choses extérieures et l'action des hommes », *Gesammelte Aufsätze zur Wissenschaftslehre*, *op. cit.*, p. 591, non repris dans la traduction française. Cité in Jürgen Habermas, *Logique des sciences sociales et autres essais*, *op. cit.*, p. 21.

12. Voir en ce sens Max Weber, *Essais sur la théorie de la science*, *op. cit.*, p. 158.

13. Jürgen Habermas, *Logique des sciences sociales*, *op. cit.*, p. 22.

14. On se reportera sur ce point à Paul Ricœur, « Hegel et Husserl sur l'intersubjectivité », *loc. cit.*, in *Du texte à l'action*, *op. cit.*, p. 296.

15. Paul Ricœur, *Histoire et vérité*, *op. cit.*, p. 38.

16. *Ibid.*, p. 39.

17. Hans Georg Gadamer, *L'art de comprendre*, *Écrits,* I, Herméneutique et tradition philosophique, trad. M. Simon, Paris, Aubier, coll. « Bibliothèque philosophique », 1982, pp. 51 et 94.

18. Hans Georg Gadamer, *L'art de comprendre*, *Écrits,* II, Herméneutique et champ de l'expérience humaine, *op. cit.*, p. 112.

19. Lettre citée par Alexis Philonenko, introduction à Emmanuel Kant, *Qu'est-ce que s'orienter dans la pensée ?*, trad. A. Philonenko, Paris, Vrin, 1978, p. 61.

20. Franz Rosenzweig, *Hegel et l'État*, *op. cit.*, p. 433. Rosenzweig apportera plus tard un autre éclairage sur le sens de cette rupture, dans la perspective du projet poursuivi par *L'étoile de la rédemption*. Voir Franz Rosenzweig, « La pensée nouvelle. Remarques additionnelles à *L'étoile de la rédemption* « (1925), trad. M. B. de Launay, in *Les cahiers de la nuit surveillée*, n° 1, 1982, pp. 39-63, NB, p. 49 où Rosenzweig se réfère explicitement à la formule de Ranke évoquée plus haut.

21. Emmanuel Lévinas, introduction à Stéphane Mosès, *Système et révélation*, La philosophie de Franz Rosenzweig, Paris, Seuil, 1982, p. 18. L'ouvrage de Stéphane Mosès offre une admirable présentation de la pensée de Rosenzweig et de son inscription dans le moment historique dont il est ici question. Pour ce qui concerne ce moment de la première guerre mondiale, et plus généralement l'impact de l'expérience de la guerre sur la philosophie contemporaine, on se reportera à Jan Patocka, *Écrits hérétiques*, Essais sur la philosophie de l'histoire, trad.

E. Abrams, Verdier, 1981 ; et à Olivier Mongin, « Entrer dans le vingtième siècle. La guerre et ses arrière-pensées », in *Les cahiers de la nuit surveillée*, n° 1, 1982, pp. 223-232.

22. On reconnaît là l'un des motifs de la *Leçon inaugurale* de 1895. On se reportera à Max Weber, « L'État national et la politique économique », *loc. cit.*, NB, p. 58, où Weber écrit que « le but de notre travail sociopolitique n'est pas de rendre le monde heureux, mais d'unifier socialement la nation ».

23. Max Weber, « Le métier et la vocation de savant », *loc. cit.*, in *Le savant et le politique*, *op. cit.*, p. 85.

24. Hegel, *La raison dans l'Histoire*, éd. et trad. K. Papaioannou, Paris, Plon, 1965, p. 116 (trad. modifiée). Il faut rappeler que ce texte correspond à l'édition Hoffmeister des *Vorlessungen über die Philosophie der Weltgeschichte*, Hambourg, Felix Meiner, 1955.

25. Max Weber, « Le métier et la vocation de savant », *loc. cit.*, in *Le savant et le politique*, *op. cit.*, p. 85.

26. Voir ici le chapitre intitulé « Renoncer à Hegel », in Paul Ricœur, *Temps et récit*, III, *Le temps raconté*, *op. cit.*, pp. 280-299.

27. *Ibid.*, p. 288, note 1.

28. Hegel, *Leçons sur la philosophie de l'histoire*, trad. J. Gibelin, Paris, Vrin, 1987, p. 22. Il faut préciser que ce texte correspond cette fois à l'édition Glockner de 1928, conforme à celle de Gans (1837) remaniée par K. Hegel en 1848. Le passage cité se retrouve p. 47 de la trad. de K. Papaioannou, précit.

29. Hegel, *La raison dans l'histoire*, *op. cit.*, p. 56.

30. Paul Ricœur, *Le temps raconté*, *op. cit.*, p. 293.

31. Ernst Bloch, *L'esprit de l'utopie*, trad. A.-M. Lang et C. Piron-Audard, Paris, Gallimard, 1977, p. 218. Je souligne. Insistons sur le fait que ce texte, écrit durant les années de guerre et révisé entre 1919 et 1923, est parfaitement contemporain et des dernières productions de Max Weber et des ouvrages de Franz Rosenzweig évoqués plus haut.

32. *Id.*

33. *Id.*

34. *Ibid.*, pp. 225-226.

35. Leo Strauss, « Une introduction à l'existentialisme de Heidegger », in *La renaissance du rationalisme politique classique*, trad. P. Guglielmina, Paris, Gallimard, 1993, p. 94. J'emprunte plus généralement à Leo Strauss cette forme de thématisation de la pensée de Heidegger dans le contexte de la crise de la conscience occidentale.

36. *Ibid.*, p. 83.

37. *Ibid.*, p. 87.

38. Edmund Husserl, *La crise des sciences européennes et la phénoménologie transcendantale*, *op. cit.*, p. 382.

39. *Id.*

40. *Id.*

41. La formule vient d'Habermas, mais résume l'intention de la *Dialectique négative*. Voir Jürgen Habermas, *Profils philosophiques et politiques*, trad. F. Dastur, J.-R. Ladmiral et M. B. de Launay, Paris, Gallimard, 1974, p. 251.

42. Jürgen Habermas, *Raison et légitimité*, *op. cit.*, p. 192.

43. Max Weber, « Le métier et la vocation de savant », *loc. cit.*, in *Le savant et le politique*, *op. cit.*, p. 107.

44. *Id.*

45. Alexis Philonenko, *Jean-Jacques Rousseau et la pensée du malheur*, t. 3, Apothéose du désespoir, Paris, Vrin, 1984, p. 285.

46. Adorno, *Minima Moralia*, *op. cit.*, p. 58.

47. La notion est empruntée à Pierre Rosanvallon. Voir *Le moment Guizot*, Paris, Gallimard, 1985. Je me permets de renvoyer aussi à mon étude sur « L'héritage des Lumières » dans la pensée de Guizot, in *François Guizot et la culture politique de son temps*, éd. Marina Valensise, préface François Furet, Paris, Gallimard-Le Seuil, 1991, pp. 37-58.

48. Hannah Arendt, *La crise de la culture*, trad. P. Lévy, Paris, Gallimard, 1972, p. 13.

49. Max Weber, « Le métier et la vocation de savant », *loc. cit.*, in *Le savant et le politique*, *op. cit.*, p. 100.

50. *Ibid.*, p. 94.

51. *Ibid.*, p. 101. Citation du *Second Faust*, v. 6817-6818.

52. *Ibid.*, p. 107.

53. *Ibid.*, p. 102.

54. *Ibid.*, p. 103.

55. *Id.*

56. Adorno, *Dialectique négative*, *op. cit.*, p. 190.

57. *Id.*

58. *Id.*

59. Voir ici Paul Ricœur, *Soi-même comme un autre*, *op. cit.*, p. 200.

60. J'ai tenté d'esquisser cette démarche à propos des conflits engendrés par la pratique médicale et des formes de responsabilité qu'elle sollicite. Voir Pierre Bouretz, « Éthique et médecine », *Esprit*, février 1993.

61. On songe à ce passage de l'*Anthropologie* où Kant revient sur « le tableau hypocondriaque (grincheux) que Rousseau fait du genre humain se risquant à sortir de l'état de nature », pour rendre raison du fait qu'il n'incitait pas au retour vers les forêts primitives, mais invitait l'espèce humaine à se remémorer son état originaire, afin de « *reporter* vers lui *ses regards* » avant que de penser et agir dans son monde actuel. Voir Kant, *Anthropologie du point de vue pragmatique*, AK. Bd. VII, 327, trad. P. Jalabert, *Œuvres philosophiques*, III, *op. cit.*, pp. 1137-1138. On trouvera une superbe lecture de ce texte chez Ernst Cassirer, « Kant et Rousseau », in *Rousseau, Kant, Goethe*, Deux essais, trad. J. Lacoste, Paris, Belin, 1991, p. 40 s.

62. Cité par Walter Benjamin, « Thèses sur la philosophie de l'histoire » (1940), in *Œuvres*, II, *Poésie et révolution*, trad. M. de Gandillac, Paris, Denoël, Les lettres nouvelles, 1971, p. 280.

63. Voir Theodor W. Adorno, *Jargon de l'authenticité*, trad. E. Escoubas, Paris, Payot, 1989, p. 55.

64. Walter Benjamin, VIIe « Thèse sur la philosophie de l'histoire », *loc. cit.*, p. 281.

65. Jürgen Habermas, « L'idéalisme allemand et ses penseurs juifs », in *Profils philosophiques et politiques*, *op. cit.*, p. 72. On se reportera ici aux belles analyses de Jean-Marc Ferry, *Habermas. L'éthique de la communication*, *op. cit.*, p. 258 s.

66. Voir l'interprétation de ce thème chez Isaiah Berlin, *Le bois tordu de l'humanité*, Romantisme, nationalisme et totalitarisme, trad. M. Thymbres, Paris, Albin Michel, 1992, p. 214 s.

67. L'expression est empruntée à Habermas, « L'idéalisme allemand et ses penseurs juifs », *loc. cit.*, p. 72. On retrouverait un retournement lui-même allégorique de ce thème de l'arbre de Goethe chez Georges Steiner, *Dans le château de Barbe-Bleue*, Notes pour une redéfinition de la culture, trad. L. Lotringer, Paris, Gallimard, 1990, NB, p. 67.

68. Walter Benjamin, IIIe « Thèse sur la philosophie de l'histoire », *loc. cit.*, p. 278 (trad. modifiée à partir de celle de Jean-Marc Ferry, *op. cit.*, p. 270, n° 129).

69. Allusion au tableau de Paul Klee, *Angelus Novus* (1920), commenté par

Walter Benjamin dans la IXe thèse, *ibid.*, pp. 281-282. Voir la superbe analyse de Stéphane Mosès, *L'ange de l'histoire*, Paris, Seuil, 1992, pp. 171-174.

70. Jürgen Habermas, « L'idéalisme allemand et ses penseurs juifs », in *Profils philosophiques et politiques*, *op. cit.*, p. 72.

71. La formule est d'Ernst Bloch, *Le principe espérance*, III, Les images-souhait et l'instant exaucé, trad. F. Wuilmart, Paris, Gallimard, 1991, p. 172. Elle s'applique à la musique en particulier et à l'art en général.

72. Expression à nouveau empruntée à Ernst Bloch, *ibid.*, p. 538. Bloch reconnaît cette intention chez un Marx humaniste, qu'il faudrait arracher à lui-même, « minimiser », et finalement traiter « un peu comme s'il était un parent déchu de Kierkegaard ou de Pascal » (*ibid.*, p. 536).

73. Jürgen Habermas, « L'idéalisme allemand et ses penseurs juifs », *loc. cit.*, p. 83.

74. Edmund Husserl, *La crise des sciences européennes et la phénoménologie transcendantale*, *op. cit.*, p. 82.

75. Max Weber, « Le métier et la vocation de savant », *loc. cit.*, in *Le savant et le politique*, *op. cit.*, p. 93. On se reportera au commentaire que donne Raymond Aron de ce passage dans sa préface, *ibid.*, pp. 52-53.

76. Voir à nouveau « Le métier et la vocation de savant », *loc. cit.*, p. 79.

77. Walter Benjamin, *Paris, capitale du XIXe siècle. Le livre des passages*, trad. J. Lacoste, Paris, Cerf, 1989, p. 362 (trad. modifiée dans le sens de celle de Stéphane Mosès, in *L'ange de l'histoire*, *op. cit.*, p. 174. Je dois beaucoup à la lecture que donne Stéphane Mosès de ce thème).

78. Walter Benjamin, *Paris, capitale du XIXe siècle. Le livre des passages*, *op. cit.*, p. 481. Rappelons que cette idée et le rapport de la philosophie au temps historique qu'elle contient trouvent leur origine la plus lointaine chez Schelling. Voir l'Introduction (1811) pour *Les âges du monde*, trad. P. David, Paris, PUF, coll. « Épiméthée », 1992, pp. 11-19. On pourra se reporter aussi sur ce point à Franz Rosenzweig, « La pensée nouvelle. Remarques additionnelles à *L'étoile de la rédemption* », *loc. cit.*, in *Les cahiers de la nuit surveillée*, *op. cit.*, p. 48. Dans le même volume on se reportera aussi à Jacques Rivelaygue, « Rosenzweig et l'idéalisme allemand », pp. 149-156, NB, p. 154 s.

79. *Id.*

80. *Id.* Je souligne.

81. Ernst Cassirer, « Le problème de la forme et le problème de la cause », in *Logique des sciences de la culture*, *op. cit.*, p. 189. La formule s'entend principalement chez Cassirer au sujet de l'art. On notera qu'elle présente une structure identique à celle de Husserl à propos de l'histoire comme quelque chose qui nous est confié. Voir *supra*, note 73.

82. J'ai essayé par ailleurs de relier ces deux dimensions, en développant l'idée selon laquelle la musique pourrait être entendue comme une herméneutique du temps historique. Dans cette perspective, je me permets de renvoyer à Pierre Bouretz, « *Prima la musica*, les puissances de l'expérience musicale », *Esprit*, juillet 1993.

83. Paul Ricœur, « Vers une herméneutique de la conscience historique », in *Temps et récit*, III, *Le temps raconté*, *op. cit.*, p. 300.

84. *Id.*

85. Ernst Bloch, *L'esprit de l'utopie*, *op. cit.*, p. 216.

86. *Id.* On notera que ce passage préfigure une sorte de réfutation du paradigme qui court de Heidegger à Adorno et au premier Habermas, pour identifier la source de l'aliénation au sein du monde réifié de la technique dans le projet cartésien d'une maîtrise de la nature.

87. *Id.* Je souligne.

88. Reinhart Koselleck, *Le futur passé*, Contribution à la sémantique des temps historiques, *op. cit.*, p. 311 (trad. modifiée dans le sens de celle de Paul Ricœur, in « Vers une herméneutique de la conscience historique », *Temps et récit*, III, *Le temps raconté, op. cit.*, p. 301.

89. *Id*. On retrouverait chez Gadamer une définition similaire du concept d'*Erfahrung*, située dans le cadre des traditions de la philosophie de l'histoire. Voir Hans Georg Gadamer, *Vérité et méthode*, Grandes lignes d'une herméneutique philosophique, trad. E. Sacre, révisée par P. Ricœur, Paris, Seuil, coll. « L'ordre philosophique », 1976, p. 329 s.

90. Paul Ricœur, *op. cit.*, p. 302.

91. Voir les remarques de Paul Ricœur à ce sujet, *op. cit.*, p. 303, n° 2. Telle est par ailleurs la substance du travail engagé par Jean-Marc Ferry dans *Les puissances de l'expérience*, Paris, Cerf, 1991, 2 t. Une première fois dans le registre de la redéfinition du statut du temps historique (t. 1, 3ᵉ partie, chap. II). Puis une seconde fois en appliquant un modèle renouvelé de l'histoire à l'interprétation des différents systèmes sociaux (t. 2, 4ᵉ partie, chap. I-III).

92. Paul Ricœur, *op. cit.*, p. 300.

93. Goethe, Notes pour l'histoire de la théorie des couleurs, cité in Walter Benjamin, *Origine du drame baroque allemand*, trad. S. Muller, préface I. Wohlfarth, Paris, Flammarion, 1985, p. 23 (trad. modifiée dans le sens de S. Mosès), *L'ange de l'histoire, op. cit.*, p. 128.

94. Gilles Deleuze, *Nietzsche et la philosophie*, Paris, PUF, 1973, p. 9. Gilles Deleuze rappelle fort opportunément à cette occasion que les connaissances philosophiques d'un auteur ne s'évaluent ni aux citations, ni aux relevés de bibliothèque, mais « d'après les directions apologétiques ou polémiques de son œuvre elle-même », *ibid.*, p. 187.

95. Emmanuel Lévinas, *Difficile liberté*, 3ᵉ édition, Paris, Albin Michel, 1976, p. 34.

96. On pense respectivement à la formule qui vient presque clore la *Doctrine du droit*, à propos du droit cosmopolitique et du fait que « nous devons agir *comme si* la chose qui peut-être ne sera pas *devait être* » (AK, Bd. VI, 354, in *Œuvres philosophiques* III, *op. cit.*, p. 628, trad. modifiée dans le sens de celle d'A. Philonenko, Vrin, 1986, pp. 237-238, je souligne) ; et au portrait du véritable homme politique qui achève la conférence de Max Weber sur « Le métier et la vocation d'homme politique » sur l'image de celui qui sait ne jamais renoncer et reste capable de dire « quand même ! », *loc. cit.*, in *Le savant et l'homme politique, op. cit.*, p. 201.

97. Emmanuel Lévinas, *Difficile liberté, op. cit.*, p. 31.

98. Ernst Bloch, *L'esprit de l'utopie, op. cit.*, p. 217.

99. Raymond Aron, *Dimensions de la conscience historique*, Paris, Plon, 1961, p. 260 s.

INDEX DES NOMS

INDEX DES NOTIONS

Les italiques signalent les notions et passages (définition ou développements) spécifiquement wébériens. Sont indiquées en caractères gras les références particulièrement importantes.

QUATRIÈME PARTIE
L'État d'un monde désenchanté

nrf essais

NRF Essais n'est pas une collection au sens où ce mot est communément entendu aujourd'hui ; ce n'est pas l'illustration d'une discipline unique, moins encore le porte-voix d'une école ni celui d'une institution.

NRF Essais est le pari ambitieux d'aider à la défense et restauration d'un genre : l'essai. L'essai est exercice de pensée, quels que soient les domaines du savoir : il est mise à distance des certitudes reçues sans discernement, mise en perspective des objets faussement familiers, mise en relation des modes de pensée d'ailleurs et d'ici. L'essai est une interrogation au sein de laquelle la question, par les déplacements qu'elle opère, importe plus que la réponse.

Éric Vigne

(*Les titres précédés d'un astérisque ont originellement paru dans la collection Les Essais.*)

Jorge Luis Borges *Entretiens sur la poésie et la littérature* suivi de *Quatre essais sur J. L. Borges* (*Borges the Poet* ; traduit de l'anglais [États-Unis] par François Hirsch).

Pierre Bouretz *Les promesses du monde. Philosophie de Max Weber.*

*Michel Butor *Essais sur les Essais.*

Roberto Calasso *Les quarante-neuf degrés* (*I quarantanove gradini* ; traduit de l'italien par Jean-Paul Manganaro).

*Albert Camus *Le mythe de Sisyphe. Essai sur l'absurde.*

*Albert Camus *Noces.*

Barbara Cassin *L'effet sophistique.*

*Cioran *La chute dans le temps.*

*Cioran *Le mauvais démiurge.*

*Cioran *De l'inconvénient d'être né.*

*Cioran *Écartèlement.*

*Jean Clair *Considérations sur l'état des beaux-arts.*

Robert Darnton *Édition et sédition. L'univers de la littérature clandestine au XVIIIe siècle.*

Philippe Delmas *Le bel avenir de la guerre.*

Daniel C. Dennett *La stratégie de l'interprète. Le sens commun et l'univers quotidien* (*The Intentional Stance* ; traduit de l'anglais [États-Unis] par Pascal Engel).

Alain Dieckhoff *L'invention d'une nation. Israël et la modernité politique.*

Michael Dummett *Les sources de la philosophie analytique* (*Ursprünge der analytischen Philosophie* ; traduit de l'allemand par Marie-Anne Lescourret).

*Mircea Eliade *Briser le toit de la maison. La créativité et ses symboles* (textes traduits de l'anglais par Denise Paulme-Schaeffner et du roumain par Alain Paruit).

*Mircea Eliade *Occultisme, sorcellerie et modes culturelles* (*Occultism, Witchcraft and Cultural Fashions* ; traduit de l'anglais [États-Unis] par Jean Malaquais).

Pascal Engel *La norme du vrai. Philosophie de la logique.*

*Etiemble et Yassu Gauclère *Rimbaud.*

Gérard Farasse *L'âne musicien. Sur Francis Ponge.*

Alain Finkielkraut *La mémoire vaine. Du crime contre l'humanité.*

Michael Fried *La place du spectateur. Esthétique et origines de la peinture moderne* (*Absorption and Theatricality. Painting and Beholder in the Age of Diderot* ; traduit de l'anglais [États-Unis] par Claire Brunet).

Michael Fried *Le réalisme de Courbet. Esthétique et origines de la peinture moderne II* (*Courbet's Realism* ; traduit de l'anglais [États-Unis] par Michel Gautier).

Raul Hilberg *Exécuteurs, victimes, témoins. La catastrophe juive 1933-1945* (*Perpetrators Victims Bystanders. The Jewish Catastrophe 1933-1945* ; traduit de l'anglais [États-Unis] par Marie-France de Paloméra).

Ian Kershaw *Hitler. Essai sur le charisme en politique* (*Hitler* ; traduit de l'anglais par Jacqueline Carnaud et Pierre-Emmanuel Dauzat).

*Alexandre Koyré *Introduction à la lecture de Platon* suivi de *Entretiens sur Descartes.*

Julia Kristeva *Le temps sensible. Proust et l'expérience littéraire.*

Thomas Laqueur *La fabrique du sexe. Essai sur le corps et le genre en*

Occident (*Making Sex. Body and Gender from the Greeks to Freud*; traduit de l'anglais [États-Unis] par Michel Gautier).

J.M.G. Le Clézio   *Le rêve mexicain ou la pensée interrompue.*

*Gilles Lipovetsky   *L'ère du vide. Essais sur l'individualisme contemporain.*

Gilles Lipovetsky   *Le crépuscule du devoir. L'éthique indolore des nouveaux temps démocratiques.*

Nicole Loraux   *Les expériences de Tirésias. Le féminin et l'homme grec.*

Giovanni Macchia   *L'ange de la nuit. Sur Proust* (*L'angelo della notte*; *Proust e dintorni*; traduit de l'italien par Marie-France Merger, Paul Bédarida et Mario Fusco).

Christian Meier   *La naissance du politique* (*Die Entstehung des Politischen bei den Griechen*; traduit de l'allemand par Denis Trierweiler).

Pierre Pachet   *La force de dormir. Essai sur le sommeil en littérature.*

*Octavio Paz   *L'arc et la lyre* (*El arco y la lira*; traduit de l'espagnol par Roger Munier).

*Octavio Paz   *Conjonctions et disjonctions* (*Conjunciones y Diyunciones*; traduit de l'espagnol [Mexique] par Robert Marrast).

*Octavio Paz   *Courant alternatif* (*Corriente alterna*; traduit de l'espagnol [Mexique] par Roger Munier).

*Octavio Paz   *Deux transparents. Marcel Duchamp et Claude Lévi-Strauss* (*Marcel Duchamp, Claude Lévi-Strauss o el nuevo Festín de Esopo*; traduit de l'espagnol [Mexique] par Monique Fong-Wust et Robert Marrast).

*Octavio Paz   *Le labyrinthe de la solitude* suivi de *Critique de la pyramide* (*El laberinto de la soledad*; *Posdata*; traduit de l'espagnol [Mexique] par Jean-Clarence Lambert).

*Octavio Paz   *Marcel Duchamp : l'apparence mise à nu* (*Apariencia desnuda, la obra de Marcel Duchamp. El Castillo de la Pureza. * water writes always in * plural*; traduit de l'espagnol [Mexique] par Monique Fong).

Jackie Pigeaud   *L'Art et le Vivant.*

Hilary Putnam   *Représentation et réalité* (*Representation and Reality*; traduit de l'anglais [États-Unis] par Claudine Engel-Tiercelin).

David M. Raup   *De l'extinction des espèces. Sur les causes de la disparition des dinosaures et de quelques milliards d'autres* (*Extinction. Bad Genes or Bad Luck ?*; traduit de l'anglais [États-Unis] par Marcel Blanc).

Jean-Pierre Richard   *L'état des choses. Études sur huit écrivains d'aujourd'hui.*

Rainer Rochlitz   *Le désenchantement de l'art. La philosophie de Walter Benjamin.*

Rainer Rochlitz   *Subversion et subvention. Art contemporain et argumentation esthétique.*

Marc Sadoun   *De la démocratie française. Essai sur le socialisme.*

Jean-Paul Sartre   *Vérité et existence.*

Jean-Marie Schaeffer   *L'art de l'âge moderne. L'esthétique et la philosophie de l'art du XVIIIᵉ siècle à nos jours.*

Jean-Marie Schaeffer   *Les célibataires de l'Art. Pour une esthétique sans mythes.*

Dominique Schnapper   *La communauté des citoyens. Sur l'idée moderne de nation.*

John R. Searle *La redécouverte de l'esprit* (*The Rediscovery of the Mind* ; traduit de l'anglais [États-Unis] par Claudine Tiercelin).

Jean-François Sirinelli (sous la direction de) *Histoire des droites en France*, tome 1 : *Politique* ; tome 2 : *Cultures* ; tome 3 : *Sensibilités*.

Jean Starobinski *Le remède dans le mal. Critique et légitimation de l'artifice à l'âge des Lumières.*

George Steiner *Réelles présences. Les arts du sens* (*Real Presences. Is there anything* in *what we say ?* ; traduit de l'anglais par Michel R. de Pauw).

Paul Veyne *René Char en ses poèmes.*

Bernard Williams *L'éthique et les limites de la philosophie* (*Ethics and the Limits of Philosophy* ; traduit de l'anglais par Marie-Anne Lescourret).

Yosef Hayim Yerushalmi *Le Moïse de Freud. Judaïsme terminable et interminable* (*Freud's Moses. Judaism Terminable and Interminable* ; traduit de l'anglais [États-Unis] par Jacqueline Carnaud).

Achevé d'imprimer
sur Roto-Page
par l'Imprimerie Floch
à Mayenne, le 10 avril 1996.
Dépôt légal : avril 1996.
Numéro d'imprimeur : 39031.
ISBN 2-07-074250-4 / Imprimé en France.